V&R

WOLFHART PANNENBERG

Systematische Theologie

BAND II

VANDENHOECK & RUPRECHT
IN GÖTTINGEN

Die Deutsche Bibliothek - CIP-Einheitsaufnahme

Pannenberg, Wolfhart:
Systematische Theologie / Wolfhart Pannenberg. –
Göttingen : Vandenhoeck und Ruprecht.
Bd. 2 (1991)
ISBN 3-525-52187-1 kart.
ISBN 3-525-52186-3 Gewebe

Umschlag: Michael Rechl, Wanfried

© 1991 Vandenhoeck & Ruprecht, Göttingen
Printed in Germany. – Das Werk einschließlich aller seiner Teile
ist urheberrechtlich geschützt. Jede Verwertung außerhalb
der engen Grenzen des Urheberrechtsgesetzes ist ohne
Zustimmung des Verlages unzulässig und strafbar.
Das gilt insbesondere für Vervielfältigungen, Übersetzungen,
Mikroverfilmung und die Einspeicherung und Verarbeitung
in elektronischen Systemen.
Gesetzt aus Garamond auf Digiset 200 T2
Gesamtherstellung: Hubert & Co., Göttingen

Inhalt

Vorwort 9

7. Kapitel: Die Schöpfung der Welt 15

I. Schöpfung als Akt Gottes 15
   1. Gottes Handeln nach außen 15
   2. Die Eigenart des Schöpfungshandelns 23
   3. Der trinitarische Ursprung des Schöpfungsaktes 34
   4. Gottes Schöpfung, Erhaltung und Regierung der Welt 50
      a) Erhaltung und Schöpfung 50
      b) Gottes Mitwirkung bei den Tätigkeiten der Geschöpfe 63
      c) Weltregierung und Reich Gottes: das Ziel der Schöpfung 69

II. Die Welt der Geschöpfe 77
   1. Vielheit und Einheit in der Schöpfung 79
   2. Der Geist Gottes und die Dynamik des Naturgeschehens 96
      a) Der biblische Ausgangspunkt 96
      b) Kraft, Feld und Geist 99
      c) Raum und Zeit als Aspekte des Geisteswirkens 105
      d) Das schöpferische Wirken des Geistes und die **Lehre von den En-
         geln** 124
      e) Das Zusammenwirken von Sohn und Geist beim **Werk der Schöp-
         fung** 132
   3. Die Reihe der Gestalten 138

III. Schöpfung und Eschatologie 163
   1. Einheit und Unterschied von Schöpfungsakt und Eschaton 163
   2. Anfang und Ende des Universums 173
   3. Schöpfungsglaube und Theodizee 189

8. Kapitel: Würde und Elend des Menschen 203

   1. Der Mensch als personale Einheit von Leib und Seele 209
   2. Die Bestimmung des Menschen 232
      a) Der Mensch als Gottes Bild in Adam und Christus 232

  b) Bild Gottes und Urstand des Menschen 241
  c) Gottebenbildlichkeit als Bestimmung des Menschen 250
 3. Sünde und Erbsünde 266
  a) Der schwierige Zugang zum Thema der Sündenlehre 266
  b) Erscheinungsformen der Sünde und die Frage nach ihrer Wurzel . 274
  c) Die Allgemeinheit der Sünde und das Problem der Schuld 290
 4. Sünde, Tod und Leben 303

9. Kapitel: *Anthropologie und Christologie* 315

 1. Die Methode der Christologie 316
 2. Der „neue Mensch" in Person und Geschichte Jesu Christi 336
  a) Der neue Mensch „vom Himmel her" 336
  b) Der Urheber einer erneuerten Menschheit 344
  c) Das Erscheinen des Sohnes und die menschliche Gemeinschaft . . 356

10. Kapitel: *Die Gottheit Jesu Christi* 365

 1. Die Grundlagen für die Behauptung der Einheit Jesu mit Gott 365
  a) Die Verbundenheit Jesu mit dem Vater in seinem öffentlichen Wirken 366
  b) Die Einheit Jesu mit dem Vater als Streitfrage seiner Geschichte . 374
  c) Die Rechtfertigung Jesu durch den Vater in seiner Auferweckung von den Toten 385
 2. Die christologische Entfaltung der Einheit Jesu mit Gott 406
  a) Die Gottessohnschaft Jesu und ihr Ursprung in der Ewigkeit Gottes 406
  b) Die Selbstunterscheidung Jesu vom Vater als innerer Grund seiner Gottessohnschaft 415
  c) Zwei Naturen in einer Person? 423
 3. Die Menschwerdung des Sohnes als Selbstverwirklichung Gottes in der Welt 433

11. Kapitel: *Die Versöhnung der Welt* 441

 1. Heil und Versöhnung 441
 2. Der Begriff der Versöhnung und die Versöhnungslehre 447
 3. Stellvertretung als Form des Heilsgeschehens 461
  a) Die urchristlichen Deutungen des Todes Jesu und das Faktum der Stellvertretung 461
  b) Sühne als stellvertretendes Strafleiden 467
  c) Stellvertretung und Befreiung 475
 4. Der dreieinige Gott als Versöhner der Welt 483

- a) Das Handeln des Vaters und des Sohnes im Versöhnungsgeschehen 484
- b) Das Versöhnungsamt Christi 487
- c) Die Vollendung der Versöhnung im Geist 496
5. Das Evangelium 501

Register der Bibelstellen 513

Namenregister 527

Sachregister 537

Vorwort

Im ersten Band dieser systematischen Darstellung der christlichen Lehre wird die Frage nach der Wahrheit des Redens von Gott bis in das Feld der Religionen verfolgt, die nicht nur in den Auseinandersetzungen der Geschichte, sondern auch im religiösen Pluralismus der Gegenwart miteinander konkurrieren durch ihre unterschiedlichen, in vieler Hinsicht gegensätzlichen Wahrheitsansprüche. Das Christentum ist, unbeschadet seiner Berufung auf eine einzigartige göttliche Offenbarung und gerade damit, doch auch eine von diesen um die letzte Wahrheit über die Welt, den Menschen und Gott miteinander streitenden Religionen.

Die Tatsache solcher Konflikte zwischen den Religionen ist im Leben der Menschen ganz verschiedener Kulturen offensichtlich genug. Nur eine sogenannte „Theologie der Religionen" in den Industriegesellschaften des Westens verschließt davor die Augen, indem sie die Vielheit der Religionen als eine im Prinzip konfliktlose Pluralität vieler Wege zu demselben Gott darstellt. Solche Theologie der Religionen arbeitet im Ergebnis dem Vorurteil in die Hände, das der fortgeschrittene Säkularismus der modernen Öffentlichkeit ohnehin gegenüber religiösen Wahrheitsansprüchen hegt, indem er Unterschiede des religiösen Bekenntnisses als reine Privatsache ohne öffentliches Interesse behandelt. Diese Auffassung geht aber an der Realität vorbei. Auch heute noch bestätigt sich immer wieder, daß die tiefsten Unterschiede zwischen den Kulturen religiös begründet sind. Der moderne Säkularismus, der diese Tatsache so gern verdrängt, ist selber ein Verfallsprodukt der durch das Christentum geprägten kulturellen Tradition. Deshalb ist es vergebens, auf der Basis dieses Säkularismus die religiösen Traditionen anderer Kulturen von der Belanglosigkeit ihrer Wahrheitsansprüche überzeugen zu wollen. Aber auch das Christentum kann auf den Wahrheitsanspruch für die Offenbarung, auf der es beruht, nicht verzichten. Ihn glaubwürdig zu vertreten erfordert allerdings mit als erstes, die Vielheit derartiger Wahrheitsansprüche und die damit verbundene Strittigkeit der Wahrheit in das eigene Bewußtsein aufzunehmen. Dadurch wird der Anspruch auf Wahrheit, sogar auf endgültige und absolute Wahrheit der Gottesoffenbarung in Jesus Christus nicht etwa relativiert, sondern allererst mit sachlichem Ernst und Toleranz vertretbar.

Der Anspruch auf eine alle Menschen angehende Wahrheit im Ereignis der Offenbarung des einen Gottes aller Menschen, des Schöpfers der Welt, in Person und Geschichte Jesu von Nazareth, ist Ausgangspunkt und Kraftquelle der christlichen Weltmission gewesen. Die christliche Theologie hat sich im Dienste dieses Wahrheitsanspruchs entwickelt, um ihn zu klären und durch zusammenhängende Darstellung der christlichen Lehre zu erhärten, damit zugleich aber auch immer wieder seine Tragweite zu erproben. Die Theologie kann dieser Aufgabe nur dann gerecht werden, wenn sie bei der Prüfung des christlichen Wahrheitsanspruches möglichst unbefangen verfährt. Darum darf sie die Wahrheit der christlichen Offenbarung nicht als schon von vornherein feststehend voraussetzen. Sie würde sonst die Wahrheit der Offenbarung zu einer bloß subjektiven Überzeugung mehr machen, – und das wäre wenig mehr als eine objektive Unwahrheit, sei es auch eine vielleicht in mancher Hinsicht liebenswerte Fabel.

Die in diesem Werk unternommene systematische Darstellung der christlichen Lehre behandelt die Frage nach dem Recht ihrer Wahrheitsansprüche als offen. Sie sind offen auf ihre mögliche Bewährung in der Geschichte von Erfahrung und Reflexion der Menschen hin, damit aber auch offen für eine vorläufige Bewährung in der Form zusammenhängender Darstellung ihrer Inhalte. Das ist nicht wenig. Es versteht sich heute keineswegs von selbst, die Wahrheitsansprüche christlicher Lehre auch nur als offen gelten zu lassen. Viele Repräsentanten der öffentlichen Kultur des Säkularismus betrachten diese Frage als längst schon negativ entschieden. Es bedarf guter Gründe, um sich und andern klar zu machen, daß die Wahrheitsansprüche religiöser Behauptungen vielleicht nicht in jedem Einzelfall, aber doch grundsätzlich ernst zu nehmen und diskussionswürdig sind. Der Hinführung zur Einsicht in diese Sachlage dienten das zweite und dritte Kapitel im ersten Band dieses Werkes. Das vierte Kapitel stellte dar, wie im Felde der miteinander streitenden Religionen die Wahrheitsansprüche des biblischen und – noch spezifischer – des christlichen Gottesglaubens hervorgetreten sind. Diese Wahrheitsansprüche haben ihre zusammenfassende theoretische Formulierung ansatzweise schon im Neuen Testament gefunden, in der Behauptung eschatologischer Offenbarung des Schöpfergottes in Person und Geschichte Jesu von Nazareth.

Alle folgenden Kapitel entfalten diesen Wahrheitsanspruch durch die zusammenhängende Darstellung der christlichen Lehre von Gott, von der Welt und der Menschheit, sowie von ihrer Versöhnung und Erlösung. Bei diesem Vorgehen bleibt die Situation der Pluralität und Strittigkeit religiöser Wahrheitsansprüche durchaus im Blick. Es geht ja im Wettstreit der Religionen darum, ob von einem bestimmten Verständnis der letzten, meist als göttlich gedachten Wirklichkeit her die Realität der Welt und des Menschen angemessener und differenzierter erfaßt werden kann als von konkurrierenden Ansatzpunkten her.

Die systematische Darstellung der christlichen Lehre geht auf eine vergleichende Abwägung der christlichen und anderer religiöser Interpretationen der Welt und der Thematik des menschlichen Lebens aus der Perspektive des jeweiligen Verständnisses der absoluten Wirklichkeit Gottes nicht ein. Das mag Aufgabe einer Religionsphilosophie sein. Die christliche Theologie hat lediglich zu zeigen, daß und wie sich aus dem Offenbarungsgeschehen, das der christliche Glaube als solches in Anspruch nimmt, eine zusammenhängende Interpretation von Gott, Mensch und Welt entwickeln läßt, die sich im Verhältnis zum Erfahrungswissen von der Welt und dem menschlichen Leben, sowie zum Reflexionswissen der Philosophie, mit guten Gründen als wahr vertreten läßt, darum auch im Verhältnis zu alternativen religiösen und nicht-religiösen Weltinterpretationen als wahr behauptet werden kann. Die vergleichende Erörterung und Urteilsbildung über die gegensätzlichen Wahrheitsansprüche von Weltinterpretationen muß derartige Darstellungen der zu vergleichenden Konzeptionen schon voraussetzen. Solche ausgearbeiteten Darstellungen mögen nicht immer vollständig und in befriedigender Form für alle zu berücksichtigenden religiösen Traditionen zur Verfügung stehen. Das gehört zu den Schwierigkeiten und Schranken der religionsphilosophischen Aufgabe und trägt zu den unvermeidlichen Vorbehalten hinsichtlich der Möglichkeit einer abschließenden Urteilsbildung in diesem Felde bei. Die christliche Theologie kann sich damit begnügen, die christliche Interpretation der Wirklichkeit Gottes, der Welt und des Menschen im Hinblick auf die guten Gründe des für sie zu erhebenden Wahrheitsanspruchs so eindringlich wie möglich vor Augen zu führen. Dazu gehört auch, daß die Situation des Christentums selbst in einer Welt strittiger religiöser Wahrheitsansprüche in das christliche Wahrheitsbewußtsein mit aufgenommen wird mit der Folge der Toleranz gegenüber andern Auffassungen. Die Fähigkeit zu realistischer Einschätzung der Partikularität und Vorläufigkeit der christlichen Lehren und die damit verbundene Toleranzfähigkeit sind selber ein wichtiges Argument für das Recht des christlichen Wahrheitsanspruchs.

Bei der Durchführung einer zusammenhängenden Interpretation von Gott, Welt und Mensch aus der Perspektive des Offenbarungsgeschehens, in welchem der christliche Glaube gründet, bedingen sich die verschiedenen Einzelthemen gegenseitig. Wenn die Welt und die menschliche Lebensthematik vom christlichen Gottesverständnis her als in Gott begründet dargestellt werden, dann ist doch immer auch umgekehrt schon eine Neuformulierung des christlichen Gottesverständnisses aus der Perspektive veränderter Erfahrung von Welt und Mensch und des damit verbundenen Reflexionswissens mit im Spiele. Die Ausführungen des ersten Bandes zur Gottes- und Trinitätslehre haben gezeigt, in welchem Grade die Neubestimmung des Verhältnisses dieser Lehren zu ihren geschichtlichen Ursprüngen, sowie zu den Motiven ihrer Entwicklung samt den dabei mitspielenden philosophischen Konzeptionen maßgeblich ist für die Neuformulierung ihres Gehalts. Dabei sind natürlich moderne Auffassungen von Geschichte und Hermeneutik, also vom Verhältnis von Menschsein, Geschichte und Religion, schon wirksam, ebenso die nicht nur in den philosophischen Begriffen enthaltenen Beziehungen zur Weltwirklichkeit. Im vorliegenden Bande wird nun umgekehrt das Erfahrungswissen über die Welt und den Menschen aus der Perspektive des christlichen Gottesverständnisses behandelt.

Solche gegenseitige Bedingtheit von Gottes- und Weltverständnis schließt nicht aus, daß der Sache nach dem Gottesgedanken ein Vorrang für das Verständnis von Mensch und Welt zukommt, nicht umgekehrt. Jedes ernsthafte Reden von Gott impliziert die Forderung, die Wirklichkeit von Mensch und Welt als von diesem Gott bestimmt und durch ihn begründet zu denken. Darum ist umgekehrt die Möglichkeit einer zusammenhängenden Interpretation der Welt mit Einschluß der Menschheit und ihrer Geschichte von einem bestimmten Gottesgedanken her bereits eine Probe auf dessen mögliche Wahrheit, wenn auch eine solche Interpretation der Weltwirklichkeit an vielen Punkten strittig bleiben mag. Je mehr eine solche Darstellung sich im Einklang befindet mit den Daten des Erfahrungswissens und mit den Einsichten des Reflexionswissens, desto erhellender wird sie sein für den Wahrheitsanspruch, der mit dem betreffenden Gottesverständnis verbunden ist. Jedenfalls aber erbringt sie einen Tatbeweis dafür, daß und wie die mit dem Gottesgedanken als solchen so oder so implizit verbundene Funktion der Konstitution eines Weltbegriffs durch eine mehr oder weniger ins einzelne gehende Darstellung einlösbar ist.

In diesem Sinne geht es bei der Lehre von der Schöpfung, mit der dieser Band beginnt, um Explikation und Bewährung des christlichen Gottesverständnisses. Das volle Gewicht dieser Tatsache ist in der neueren Theologie nicht immer gewürdigt, die Aufgabe einer ihrer Bedeutung angemessenen Durchführung der Schöpfungslehre oft vernachlässigt worden. Daher wird sie im vorliegenden Bande besonderer Aufmerksamkeit bedürfen. Die Bewährung des Gottesverständnisses an der Entwicklung eines ihm entsprechenden Weltverständnisses ist aber für den christlichen Gottesgedanken mit der Schöpfungslehre nicht abgeschlossen, weil insbesondere die Wirklichkeit des Menschen in ihrer Faktizität mit dem christlichen Gottesverständnis nicht oder noch nicht kongruent ist. Die Wirklichkeit, so wie sie ist, bezeugt nicht überall eindeutig einen liebenden und allmächtigen Schöpfer als ihren Ursprung, und die Menschen verhalten sich zum Thema der göttlichen Wirklichkeit nicht durchweg in der Weise, daß sie dem Schöpfer für ihr Dasein danken und ihn so in seiner Gottheit ehren. Als Urheber und Vollender der tatsächlich vorhandenen Welt mit Einschluß des Menschen läßt sich der Gott der biblischen Offenbarung nur unter der Bedingung einer Versöhnung der Welt mit ihm als ihrem Schöpfer verstehen. Die Versöhnung der Welt mit Gott aber, die dem christlichen Glauben zufolge im Tode Jesu sowohl begründet als auch bereits antizipiert ist, blieb im Blick auf die Wirklichkeit der Menschheit und ihrer Geschichte bisher zumindest unvollständig. Nur im Glaubensbewußtsein der Christen und der Gemeinschaft der Kirche ist sie schon definitiv realisiert, und auch da nicht ohne

Spannungen und Brüche zwischen geglaubter und gelebter Wirklichkeit. Der dritte Band wird die wenigstens partielle Realisierung der Versöhnung im Leben der christlichen Gemeinschaft und des einzelnen Christen behandeln im Verhältnis zu der noch zu versöhnenden und zu erlösenden Welt im ganzen.

Für die Bewährung des christlichen Gottesverständnisses an seinem Verhältnis zu der Wirklichkeit der Welt und des Menschen gehören also Schöpfung und Versöhnung eng zusammen. In gewissem Sinne kommt erst mit der eschatologischen Vollendung der Welt auch ihre Schöpfung zum Abschluß. Das Eschatologiekapitel am Ende des dritten Bandes wird daher nicht nur den Horizont für die vorangehenden Erörterungen der Kirche und der Glaubensexistenz des einzelnen Christen bilden, sondern auch die im zweiten Band mit der Lehre von Schöpfung und Versöhnung der Welt begonnene Darstellung des dem trinitarischen Gottesverständnis des christlichen Glaubens entsprechenden Weltverständnisses zum Abschluß zu bringen. Das christliche Bewußtsein von der Vorläufigkeit und Zeichenhaftigkeit aller Formen geschichtlicher Manifestation der Gottesherrschaft, damit aber auch der Wahrheit Gottes selbst, wird im dritten Band in besonderer Weise thematisch werden. Mit dem christlichen Wissen davon, daß die Vollendung der Welt und unseres individuellen Heils noch aussteht, ist auch das Bewußtsein verbunden, daß allein die Zukunft Gottes selbst die Frage nach der Wahrheit der Christusoffenbarung und des christlichen Glaubens endgültig entscheiden kann, obwohl diese Wahrheit überall da schon wirksam gegenwärtig ist, wo der Geist Gottes und Christi weht. Die Entscheidung über die Wahrheit seiner Offenbarung also und die Durchsetzung ihrer öffentlichen Anerkennung ist Sache Gottes selbst. Sie wird daher auch am Ende dieser Darstellung der christlichen Lehre noch offen bleiben müssen. Diesseits der Vollendung der Wahrheit Gottes in der Geschichte der Welt gehört gerade das Bewußtsein der Vorläufigkeit und Gebrochenheit ihrer gegenwärtigen Realisierung bei uns zu den Bedingungen für die Glaubwürdigkeit christlicher Verkündigung und Theologie.

Auch bei diesem Bande habe ich wieder für mancherlei Hilfe zu danken, meiner Sekretärin Frau Gaby Berger für die Herstellung der Druckvorlage des Manuskripts, meinen Assistenten Frau Dr. Christine Axt-Piscalar, Herrn Walter Dietz, Fräulein Friederike Nüssel, sowie den Herren Markwart Herzog und Olaf Reinmuth für Hilfe bei den Korrekturarbeiten und bei der Überprüfung der Zitate, den drei zuerst Genannten auch für die Erstellung der Register, darüber hinaus aber allen, die mir Mut gemacht haben zur Fortsetzung eines Werkes, an dessen Beginn sich nur schwer nach Anweisung von Lk 14,28ff. abschätzen läßt, ob man es auch wird hinausführen können.

München, im November 1990   Wolfhart Pannenberg

7. Kapitel

Die Schöpfung der Welt

I. Schöpfung als Akt Gottes

1. Gottes Handeln nach außen

Die Schöpfungslehre führt das Dasein der Welt auf Gott als ihren Ursprung zurück, indem sie von der Wirklichkeit Gottes hinüberführt zum Dasein einer Welt. Das geschieht durch die Vorstellung von einem Handeln Gottes[1], und erst dadurch wird die Welt hinsichtlich ihres Ursprungs aus Gott als Schöpfung bestimmt. Die Welt ist Produkt einer Tat Gottes. Mit dieser Behauptung ist eine folgenreiche Aussage über das Verhältnis der Welt zu Gott und Gottes zur Welt gemacht: Hat die Welt ihren Ursprung in einer freien Tat Gottes, so geht sie nicht notwendig aus dem göttlichen Wesen hervor. Sie gehört nicht notwendig zur Gottheit Gottes. Sie könnte auch nicht-sein. Ihr Dasein ist daher kontingent, Ergebnis und Ausdruck eines freien Aktes göttlichen Wollens und Handelns. Sie ist nicht – wie der Sohn – in Ewigkeit das Korrelat des Daseins Gottes als des Vaters.

Aber bedarf es nicht einer Welt von Geschöpfen oder zumindest einer Hinordnung auf sie, wenn Gott überhaupt als tätig gedacht werden soll? Auch das verneint die christliche Lehre, indem sie schon die trinitarischen Relationen zwischen Vater, Sohn und Geist als „Tätigkeiten" beschreibt, zu denen mit der Schöpfung der Welt nur anders geartete, nach außen gerichtete Tätigkeiten hinzutreten.

In der griechischen Patristik wurde allerdings der Begriff Tätigkeit (*enérgeia*) nur für das gemeinsame Handeln der drei Personen nach außen, in bezug auf die Welt der Geschöpfe, verwendet. Bei Athanasius war der Gedanke der Einheit des Wirkens der Trinität in Entsprechung zur Ungeteiltheit ihrer göttlichen Natur formuliert worden, entgegen der Lehre des Origenes von unterschiedlichen Wirkungskreisen der drei göttlichen Personen[2], und bei den kappadokischen Vätern wurde die Einheit des Wirkens unermüdlich als Ausweis der Wesenseinheit von

---

[1] Siehe dazu die Ausführungen in Bd. 1, 398 ff., 416 ff.
[2] So Athanasius im ersten Brief an Serapion (MPG 26,596 A). Zum Gegensatz dieser Aussage zur Auffassung von Origenes vgl. D. Wendebourg: Geist oder Energie. Zur Frage der innergöttlichen Verankerung des christlichen Lebens in der byzantinischen Theologie, 1980, 173. Siehe auch Bd. 1, 295.

Vater, Sohn und Geist eingeschärft³. Auch Augustin hat in diesem Sinne von der Ungeteiltheit des göttlichen Wirkens gesprochen (De trin. I,4 (7): *inseparabiliter operentur* (CC 50, 1968, 24 f., vgl. ebd. IV,21 (30), 203 z. 31 f. u. ö.), ebenso wie vor ihm schon Ambrosius (De fide IV,8,90; CSEL 78,187 f.). Dagegen wurden die innertrinitarischen Relationen der Zeugung und Hauchung von Augustin noch nicht als *operationes* oder *opera* bezeichnet, auch nicht als göttliche Handlungen (*actiones*). Das ist erst in der lateinischen Scholastik angebahnt worden. Ausgangspunkt dafür scheint die Trinitätslehre Richards von St. Victor geworden zu sein, der den Begriff der *processio*, der bis dahin speziell den Hervorgang des Geistes bezeichnet hatte, verallgemeinerte zur Bezeichnung der trinitarischen Hervorgänge überhaupt⁴. Der Ausdruck konnte nun sogar auch auf das Handeln Gottes nach außen bezogen werden⁵. Entsprechend fand der Begriff der *actio* im Sinne eines inneren Handelns durch Intellekt und Wille auch Anwendung auf die Beschreibung der trinitarischen Relationen. Das Material dafür boten die psychologischen Trinitätsanalogien Augustins. Die Vorstellung eines inneren Handelns in den Akten des Intellekts und des Willens wurde zur Basis der Behauptung innergöttlicher Relationen erklärt (Thomas S. theol. I,28,4 c). Dabei konnte Thomas v. Aquin anstelle des Begriffs *actio* auch den der *operatio* verwenden (I,27,3 c), wie denn die ganze Erörterung von Intellekt und Willen in Gott unter den Begriff von *operationes* im Sinne inneren Handelns gestellt wurde (I,14 introd.). Nach Thomas beruht darauf insbesondere auch die Lebendigkeit Gottes (I,18,2 c, vgl. 1 c)⁶. Dieser Sprachgebrauch ist von der altprotestantischen Dogmatik großenteils übernommen worden, trotz Vorbehalten gegenüber der scholastischen Trinitätspsychologie. Der Begriff des göttlichen Handelns wurde hier zu Beginn der

---

³ So Basilius De Spir. S. (MPG 29,101 CD u. 133 BC), Gregor Naz. Or. Theol. IV (PG 36,116 C u. ö.), Gregor Nyss. (Ex comm. not. MPG 45,180). Dazu D. Wendebourg a. a. O., 222 f., sowie schon 201 f., 214 f. und zu Didymus dem Blinden 187 ff.
⁴ F. Courth: Trinität in der Scholastik (Handbuch der Dogmengeschichte II/1b) 1985, 67 geht auf die Verallgemeinerung des Begriffs nicht ein. Vgl. bes. Richard v. St. Victor De Trin. V,6 ff. (PL 196,952 ff.). Die Anwendung des Ausdrucks *processio* findet sich auch bei Petrus Lombardus Sent. I,13,1 und 2 für den Ursprung sowohl des Sohnes als auch des Geistes aus dem Vater. Als Unterscheidung des letzteren heißt es mit Augustin: *procedit a Patre non quomodo natus, sed quomodo datus vel Donum* (vgl. Augustin De trin. V,14,15; PL 42,920 f.). Als Beispiel für die Kritik der ostkirchlichen Orthodoxie an der westlichen Verallgemeinerung des Begriffs der *processio*, die bei der scholastischen Auffassung der *processiones* als *operationes* oder *actiones* schon vorausgesetzt ist, vgl. P. Evdokimov: L'esprit saint dans la tradition orthodoxe, Paris 1969, 69: „Considérer la génération et la procession comme *duae processiones* est une abstraction arbitraire, car celles ne peuvent aucunement être ‚connumérées' comme deux ..." Dieser verallgemeinerte Sprachgebrauch läßt sich anscheinend nicht auf Augustins Werk über die Trinität zurückführen. Es gibt jedoch Beispiele dafür in der vornicaenischen Theologie des Westens. So heißt es bei Tertullian, daß der Sohn Gottes das Wort sei, das aus dem einen Gott „hervorging" (adv. 2: *processerit*, vgl. auch mehrfach dort in c. 7; für den Hinweis danke ich A. Ganoczy). Ob der Sprachgebrauch der lateinischen Scholastik über Augustin hinweg darauf zurückgegriffen oder selbständig entwickelt wurde, konnte ich nicht feststellen.
⁵ Thomas von Aquin, Summa theol. I,27,1 c: *Sed cum omnis processio sit secundum aliquam actionem; sicut secundum actionem quae tendit in exteriorem materiam, est aliqua processio ad extra; ita secundum actionem quae manet in ipso agente, attenditur processio quaedam ad intra.*
⁶ Siehe schon Augustin De trin. VI,10,11 und XV,5,7.

Schöpfungslehre, als Überleitung von der Trinitätslehre zur Darstellung der Ökonomie des göttlichen Handelns in der Schöpfung, erörtert. Ausführlich geschah das bei Amandus Polanus 1609 als Grundlegung für die reformierte Lehre von den ewigen Dekreten Gottes[7]. Auf lutherischer Seite finden sich entsprechende Erörterungen vor allem in der Jenaer Schule von Johann Musäus und Johann Wilhelm Baier[8], aber auch bei David Hollaz[9]. Die Wittenberger Theologie verhielt sich dagegen eher reserviert und tendierte zu einer Einschränkung der Rede vom Handeln Gottes auf seine *opera externa*[10], ohne jedoch ihre Anwendbarkeit auf die innertrinitarischen Beziehungen gänzlich auszuschließen[11].

Die Handlungen der trinitarischen Personen in ihren Beziehungen zueinander sind indessen scharf zu unterscheiden von ihrem gemeinsamen Handeln nach außen. Solcher Unterscheidung dient die Regel, die der untrennbaren Einheit der trinitarischen Personen in ihrem Handeln „nach außen", im Weltverhältnis, die für die personalen Unterschiede von Vater, Sohn und Geist konstitutive Sonderung ihrer Tätigkeiten „nach innen", in ihren Beziehungen zueinander, gegenüberstellt[12].

Der häufig genannte Satz: *Opera trinitatis ad intra sunt divisa, opera trinitatis ad extra sunt indivisa* ist allerdings nicht eine „Augustinische Faustregel"[13]. Er ist vielmehr das Ergebnis der geschilderten, verschlungenen Entwicklung der Auffassungen vom Handeln Gottes in der lateinischen Theologie. Nur sein zweiter Teil ist der Sache nach von Augustin vertreten worden, der damit aber einfach der Lehre der kappadokischen Väter folgte, wie oben gezeigt worden ist. Im Hinblick auf die Unteilbarkeit des Wirkens der trinitarischen Personen nach außen sprach Quenstedt 1685 von einer *regula Augustiniana* (a.a.O. 328), so daß der Eindruck entstehen konnte, die Regel als solche sei von Augustin selbst so formuliert worden. Der erste, die innertrinitarischen Beziehungen betreffende Teil der Regel konnte aber überhaupt erst formuliert werden, nachdem die Begriffe *operatio* und *actio* auch auf die innertrinitarischen Verhältnisse Anwendung gefunden hatten. In der altprotestantischen Theologie konnte die auf die innertrinitarischen Bezie-

---

[7] A. Polanus: Syntagma Theologiae Christianae (1609), Hannover 1625, 236a ff.
[8] J.W. Baier: Compendium Theologiae Positivae (1686) ed. tertia Jena 1694, c.1 § 37 (151) und c.2 § 1 (156). J. Musäus: De Deo Triuno Theses, Jena 1647, 12 ff. (Thesen 52 ff.).
[9] D. Hollaz: Examen theologicum acroamaticum, Stargard 1707, I 508 ff. Hollaz spricht in diesen einleitenden Bemerkungen zur Schöpfungslehre von *actiones*, nicht wie Polanus u.a. von *opera*.
[10] So A. Calov: Systema Locorum Theologicorum III, Wittenberg 1659, 882 ff. Ähnlich hatte sich schon J. Gerhard geäußert (Loci Theologici 1610 ff., ed. altera ed. F. Franz 1885 vol. II, 1 a).
[11] So J.A. Quenstedt: Theologia didactico - polemica sive Systema Theologicum I, Leipzig 1715, 589 (Beginn des 10. Kapitels *De actionibus Dei in Genere, et in specie de Creatione*).
[12] Dabei weist J.A. Quenstedt darauf hin, daß man die trinitarischen *opera ad intra* nicht gleichsetzen dürfe mit *operibus internis*, weil diese sich (wie die Akte des Intellekts und des Willens) auf einen äußeren Gegenstand richten, wenn sie auch als Akte in der Innerlichkeit des Subjekts bleiben (a.a.O., 589f.).
[13] So C.H. Ratschow: Lutherische Dogmatik zwischen Reformation und Aufklärung II, Gütersloh 1966, 156, vgl. 158.

hungen erweiterte Formel um die Mitte des 17. Jahrhunderts bereits als gebräuchlich bezeichnet werden. Das geht aus einer Bemerkung Abraham Calovs von 1659 zu den innertrinitarischen *actiones personales* hervor: *de quibus tradi solet Regula: Opera ad intra sunt divisa* (Calov a.a.O. 882). Johann Musäus (De Deo Triuno, Jena 1647) sprach von einer *regula Theologorum* (These 94).

Die Ausweitung der Vorstellung göttlichen Handelns auf die innertrinitarischen Beziehungen zwischen Vater, Sohn und Geist, die von der abendländischen Theologie vollzogen wurde, könnte als Abweichung von der Lehre der griechischen Väter erscheinen, die so großes Gewicht auf die Einheit des göttlichen Handelns gelegt hatten, indem sie diese Vorstellung auf das Verhalten Gottes „nach außen" beschränkten. Doch an der unteilbaren Einheit Gottes im Handeln nach außen hat auch die westliche Theologie ausdrücklich festgehalten. Die Ausweitung der Vorstellung vom göttlichen Handeln auf die innertrinitarischen Beziehungen kann auch nicht bedeuten, daß die trinitarischen Personen in ihren aufeinander bezogenen „Handlungen" voneinander unabhängig wären, wie der Schöpfergott unabhängig ist von der durch ihn hervorzubringenden Welt. In diesem Punkt hat die westliche Ausweitung der Vorstellung göttlichen Handelns sich in eine Schwierigkeit verwickelt, die nur dadurch verdeckt blieb, daß andererseits die hypostatische Eigenständigkeit der göttlichen Personen auf innere Akte eines einzigen göttlichen Subjekts in seinem Wissen und Wollen zurückgeführt wurde: Sind die Akte der göttlichen Personen in ihren Beziehungen zueinander etwa weniger frei als ihr gemeinsames Handeln „nach außen" bei der Hervorbringung einer Welt? Oder hat der Schöpfungsakt unbeschadet seiner Freiheit doch auch seinerseits teil an der Verwiesenheit der trinitarischen Personen aufeinander, die sie unzertrennlich sein läßt? Trotz solcher Schwierigkeiten erbrachte die westliche Ausweitung der Vorstellung göttlichen Handelns in mehrfacher Hinsicht einen Gewinn an theologischer Einsicht. Es ist in erster Linie ein Gewinn für das Gottesverständnis selbst, daß Gott als in sich selber tätig gedacht wird. Der Vorteil dieser Auffassung ist deutlich im Vergleich zur palamitischen Lehre von den göttlichen Energien, die zwar ungeschaffen, aber dennoch vom göttlichen Wesen verschieden sein sollen[14]. Die innere Widersprüchlichkeit dieser Auffassung von ungeschaffenen göttlichen Werken wird in der abendländischen Theologie dadurch vermieden, daß die Vorstellung einer ewigen Tätigkeit Gottes in ihm selber mit den trinitarischen Beziehungen verknüpft wird. Daraus ergibt sich ungezwungen, daß Gott nicht der Welt bedarf, um tätig zu sein. Er ist in sich selber lebendig in den gegenseitigen Beziehungen zwischen Vater, Sohn und Geist. Er wird freilich mit der Schöpfung einer Welt auf neue Weise tätig. Zum Begriff des Handelns gehört es, daß der Handelnde durch einen Akt seiner Freiheit aus sich heraustritt, indem er etwas von ihm selber

---

[14] Siehe dazu D. Wendebourg: Geist oder Energie, 1980, 39–43.

Verschiedenes hervorbringt oder auf ein solches hin tätig wird bzw. auf dessen Einwirkung reagiert. Das gilt innerhalb der Einheit des göttlichen Lebens für die Beziehungen der trinitarischen Personen zueinander. Mit der Schöpfung einer Welt aber treten sie gemeinsam handelnd heraus aus dem, was ihnen gemeinsam ist, nämlich aus dem göttlichen Wesen überhaupt. Dadurch unterscheidet sich die Schöpfung der Welt samt der damit verbundenen Ökonomie göttlichen Handelns von dem Tätigsein des lebendigen Gottes in den Verhältnissen von Vater, Sohn und Geist zueinander.

Noch in einer anderen Hinsicht ermöglicht die Ausweitung der Vorstellung göttlichen Handelns auf die innertrinitarischen Beziehungen einen theologischen Erkenntnisgewinn. Die Lehre von der unteilbaren Einheit der drei Personen in ihrem gemeinsamen Handeln war nämlich von früh an Einwänden ausgesetzt. Man führte dagegen biblische Aussagen an, in denen unbefangen von einem Handeln jeweils einer einzelnen der trinitarischen Personen gesprochen wird. Schon Ambrosius und Augustin sahen sich solcher Kritik gegenüber[15]. Man konnte ihr mit der Auskunft begegnen, daß in solchen Aussagen das gemeinsame Wirken der drei Personen einer einzelnen von ihnen „appropriiert" werde. Aber wie solche Appropriation im trinitarischen Leben Gottes selbst begründet ist, blieb dabei ebenso im Dunkeln wie die Möglichkeit, angesichts der unteilbaren Einheit des göttlichen Handelns nach außen überhaupt zu einer Erkenntnis der Unterschiedenheit der trinitarischen Personen zu gelangen. Die Verbindung der innertrinitarischen Beziehungen mit dem Begriff des Handelns Gottes als Schöpfer, Erhalter, Versöhner und Vollender einer Welt von Geschöpfen erlaubt insofern eine Klärung dieser Schwierigkeiten, als sie es ermöglicht, das Weltverhältnis des einen Gottes – als Schöpfer, Versöhner und Vollender der Welt – trinitarisch vermittelt zu denken, so daß den Beziehungen des einen Gottes zu den Geschöpfen und der Geschöpfe zu ihm immer auch schon das gegenseitige Handeln der trinitarischen Personen zugrunde liegt. Das Handeln des einen Gottes im Weltverhältnis ist nicht ein völlig anderes als in seinem trinitarischen Leben, sondern in ihm wendet sich dieses trinitarische Leben selber nach außen, tritt aus sich heraus und wird zum Bestimmungsgrund der Beziehungen zwischen Schöpfer und Geschöpf.

In der theologischen Tradition ist dieser Sachverhalt so zum Ausdruck gebracht worden, daß der Grundsatz des gemeinsamen Wirkens der trinitarischen Personen in ihren Werken nach außen mit dem Zusatz versehen wurde: *servato tamen personarum divinarum ordine* (so David Hollaz, Examen a.a.O. 510, vgl. Joh. Andreas Quenstedt a.a.O. 589). Dabei handelt es sich im Sinne der traditionellen Dogmatik um die Ordnung der Ursprungsbeziehungen zwischen Vater, Sohn und Geist: In ihren Werken nach außen wirken die trinitarischen Personen diesen

---

[15] Ambrosius De fide IV,6,68 (CSEL 78,180 z.32-35), Augustin De trin. I,4,7: *pater et filius et spiritus sanctus sicut inseparabiles sunt, ita inseparabiliter operentur* (CC 50,36,22-24).

Relationen gemäß zusammen, der Vater als ungezeugter Ursprung, der Sohn als vom Vater gezeugt, der Geist als vom Vater ausgehend und vom Sohn empfangen. Auf den in dieser Ursprungsordnung begründeten Besonderheiten sollten auch die Appropriationen der Schöpfung an den Vater, der Versöhnung an den Sohn und der eschatologischen Vollendung an den Geist beruhen. Im Sinne der Ausführungen von Bd. I (335 ff.) ist dieser Gesichtspunkt so zu erweitern, daß auch im gemeinsamen Handeln der trinitarischen Personen nach außen die Gegenseitigkeit ihrer Beziehungen zum Ausdruck kommt.

Mit der trinitarischen Vermittlung des Handelns Gottes nach außen hängt noch ein weiterer Fragenkreis zusammen, bei dem es um Einheit und innere Zusammengehörigkeit der verschiedenen Phasen der Heilsökonomie des göttlichen Handelns geht. Daß die Einheit der Handlung, letztlich beruhend auf der Einheit des handelnden Subjekts, eine Vielheit von Momenten zu einer auch prozessualen Einheit im Ablauf des Geschehens verknüpft, kennzeichnet jedes Handeln, das unter Bedingungen der Zeit steht, sei es, daß *der Handelnde selbst* seinen Ort in der Zeit hat und sich mit den Zwecken seines Handelns auf eine von seiner Gegenwart verschiedene Zukunft richtet, oder sei es auch nur, daß der *Gegenstand* des Handelns sein Dasein in der Zeit hat und unter Bedingungen zeitlicher Prozesse seine Gestalt gewinnt. Von Gottes Handeln läßt sich nur im letzteren Sinne ein Strukturiertsein durch Unterscheidung und Zuordnung von Mitteln und Zwecken behaupten und auch das nur mit Einschränkungen. Daß menschliches Handeln Geschehensfolgen hervorbringt, die durch eine Verknüpfung von Mitteln und Zwecken gegliedert sind, ist dadurch bedingt, daß Menschen ihre Zwecke gewöhnlich nicht durch einen einzigen Akt und unmittelbar zu realisieren vermögen, sondern nur durch einen gegliederten Handlungszusammenhang, weil sie für ihr Handeln darauf angewiesen sind, anderweitig gegebene Bedingungen und Materialien als Mittel zu nutzen zur Realisierung des erstrebten Zweckes. In diesem Sinne läßt sich die Zweck-Mittel-Struktur nicht ohne weiteres auf die Vorstellung eines göttlichen Handelns übertragen, weil damit Gott als ein bedürftiges und abhängiges Wesen hingestellt würde[16]. Aber die Zweck-Mittel-Struktur des Handelns hat auch die Funktion, eine gegebene Vielheit in der zeitlichen Abfolge ihrer Elemente zur Einheit zu verbinden, und zwar so, daß die Einheit der Reihe von ihrem Ende her begründet ist. Im Hinblick auf diese Funktion der Integration einer Ereignisreihe in eine von ihrem Ende her begründete Einheit läßt sich von Zwecken und Mitteln auch des göttlichen Handelns sprechen. Das ist nicht so zu verstehen, als ob Gott seine Zwecke nur durch den Gebrauch von dazu geeigneten Mitteln erreichen könnte. Das schöpferische Handeln des allmächtigen Gottes kann von sich aus alle seine Zwecke unmittelbar

---

[16] Siehe dazu Bd. 1, 406f., 418f.

realisieren, in der Form von *basic actions*[17], durch einfache Willensakte. Doch wenn das göttliche Handeln sich die Hervorbringung endlicher, daher auch zeitlich begrenzter und durch zeitliche Verhältnisse bestimmter Geschöpfe zum Gegenstand macht, dann wird es die endlichen Ereignisse und Wesen im Zusammenhang einer Zeitfolge hervorbringen, in der ihr Dasein auf eine zukünftige Vollendung bezogen ist. Die Rede von Mitteln und Zwecken göttlichen Handelns drückt dann nur die Beziehungen zwischen den endlichen Ereignissen und Wesen als so von Gott gewollt aus, allerdings unter dem Gesichtspunkt ihrer Bezogenheit auf eine sie in ihrer Endlichkeit übersteigende Zukunft. Das wird an späterer Stelle noch genauer erläutert und begründet werden. Hier ist zunächst festzuhalten, daß die zeitliche Ordnung, in der die geschöpflichen Dinge und Ereignisse als solche stehen, Anlaß dazu gibt, ihre Beziehung auf das Handeln Gottes durch die Vorstellung von einem „Plan" auszudrücken (Jes 5,19 u.ö.), den Gott im Prozeß der Geschichte verfolgt. Wenn die Bestimmung alles geschöpflichen Geschehens und Daseins auf die Gemeinschaft mit Gott selbst hingeordnet ist, dann wird diese Vorstellung die gedankliche Form eines Heilsplans annehmen. An dieser Stelle führt die Zweckbeziehung des göttlichen Handelns nach außen auf die Gestalt seiner trinitarischen Vermittlung, insofern die Gemeinschaft der Geschöpfe mit ihrem Schöpfer als Teilhabe an der Gemeinschaft des Sohnes mit dem Vater durch den Geist zu denken ist. Der Heilsratschluß oder Heilsplan (Eph 2,9ff.), der dem Ablauf der Geschichte der Schöpfung zugrunde liegt und in den alles Geschehen eingeordnet ist, kann dann als schon jetzt offenbar in Jesus Christus, in seinem Gehorsam gegen die Sendung des Vaters, verkündet werden. In solchem Rahmen läßt sich dann weiterhin auch sagen, daß der in sich unabhängige Gott sich mit der Tat seiner Schöpfung und im Gange der Geschichte seiner Geschöpfe abhängig macht von den geschöpflichen Bedingungen für das Inerscheinungtreten seines Sohnes in Jesu Verhältnis zum Vater, nicht so, als ob Gott zur Realisierung seiner Zwecke auf davon verschiedene Mittel angewiesen wäre, aber so, daß dies faktisch der Modus ist, wie eine Vielheit von Geschöpfen einbezogen wird in die ewige Seligkeit der Gemeinschaft des Sohnes mit dem Vater: Für Gottes Handeln ist kein Geschöpf bloßes Mittel, sondern gerade durch die Hinordnung seines Daseins auf den Kairos der Erscheinung des Sohnes wird jedes Geschöpf des Heilszwecks seines Schöpfers teilhaftig.

Die entfaltete Struktur des göttlichen Handelns „nach außen" umfaßt neben der Schöpfung der Welt auch die gewöhnlich davon unterschiedenen Themen ihrer Versöhnung, Erlösung und Vollendung. In einem weiter gefaßten Sinne könnte allerdings zum Begriff der Schöpfung auch die Vollen-

---

[17] T. Penelhum: Survival and Disembodied Existence, 1970, 107, vgl. 40 mit Bezugnahme auf A. Danto: Basic Actions, in: American Philosophical Quaterly 2, 1965, 141–148.

dung des Geschöpfes gerechnet werden. Folgt man aber der traditionellen, engeren Auffassung der Rede von der „Schöpfung" im Unterschied zur Versöhnung und Vollendung, so erschöpft sich der Gedanke des göttlichen Handelns „nach außen" nicht im Akt der Erschaffung der Welt. Dieser bildet dann nur das erste Glied in einer Ökonomie göttlichen Handelns, die das Weltverhältnis Gottes in allen seinen Aspekten umfaßt und zum Ausdruck bringt.

Muß also von einer Mehrzahl göttlicher Taten gesprochen werden? Oder schließt die ewige Selbstidentität des Einen Gottes die Vorstellung einer Abfolge unterschiedlicher Handlungen aus, so daß streng genommen das Handeln Gottes von Ewigkeit her nur ein einziges wäre? Die theologische Tradition hat unter dem Druck des Postulats der Einfachheit Gottes tatsächlich behauptet, daß das Handeln Gottes in sich nur ein einziges und identisch mit seiner Wesenheit sei[18]. Dagegen berichten die biblischen Schriften nicht nur der Sache nach ganz unbefangen von einer Vielzahl göttlicher Taten, sondern sprechen auch ausdrücklich von ihrer Mehrzahl: von den Taten (Ps 78,11: *aliloth*) und Wundern, die Gott sein Volk „schauen" ließ (vgl. Ps 77,12); von seinen „Großtaten" (Ps 106,2: *geburoth* oder einfach von seinen „Handlungen" (Ps 111,6: *ma'asau*). Man konnte sie zusammenfassen in einem Kollektivplural: So spricht das Josuabuch von den Ältesten Israels, die „all das Tun Jahwes" (*qol ma'asäh Ihwh*) kannten, das er für Israel getan hatte (Jos 24,31, vgl. Ex 34,10; Ri 2,7 u. 10), nämlich in der Geschichte des Auszugs aus Ägypten und der Wüstenwanderung. Dieser Kollektivplural ist das Wort der hebräischen Bibel für „Geschichte" überhaupt (vgl. Jes 5,19; 28,21, auch Ps 92,5f.). Darin ist die Vielzahl der Taten Gottes doch auch wieder als Einheit gedacht, aber als eine in sich gegliederte, differenzierte Einheit. Daß die reale Vielheit innerhalb der Einheit des göttlichen Handelns nicht nur Schein ist, auch nicht nur der Seite seiner kreatürlichen Wirkungen angehört, sondern dem Handeln Gottes selber eignet, kommt spätestens an der Stelle zum Ausdruck, an der sie sich als verbunden mit den trinitarischen Unterschieden im Leben Gottes erweist: in der Inkarnation des Sohnes. Das Versöhnungshandeln Gottes, das mit der Inkarnation des Sohnes anhebt, ist gegenüber der Grundlegung des bloßen Daseins der Geschöpfe wirklich noch einmal etwas Neues, wiewohl es dabei um die Vollendung der Geschöpfe und damit auch des Schöpfungswerkes selber geht.

---

[18] Thomas v. Aquin S. theol. I, 30,2 ad 3: *Sed in Deo secundum rem non est nisi una operatio, quae est sua essentia.* Das gilt nach Thomas sogar für die trinitarischen Prozessionen (I,27,4 ad 1), da sie in Handlungen begründet sind (I,27,1 und 5). Die altprotestantische Theologie hat hinsichtlich der Trinität ebenso wie Thomas auf der realen Verschiedenheit der innergöttlichen Prozessionen und Personen voneinander bestanden. Im Hinblick auf das göttliche Handeln konnte A. Calov die allseits zugestandene Realidentität der sog. *actiones essentiales internae* (wie Wille und Intellekt) mit der göttlichen Wesenheit zum Anlaß nehmen, die Vorstellung des Handelns auf die *actiones externae* zu konzentrieren (Syst. Loc. Theol. III, 1659, 883 f.).

Von daher läßt sich ganz allgemein sagen: Das je Neue in der Abfolge göttlichen Handelns – und also seiner Vielfalt – ist begründet in der trinitarischen Vielfalt des göttlichen Lebens. Darum geht auch wiederum die Einheit dieses selben Gotteshandelns in der Ökonomie der Geschichte Gottes mit seiner Schöpfung nicht verloren über der Vielfalt des Geschehens. Davon wird zum Abschluß dieses Kapitels noch einmal die Rede sein.

Doch zunächst ist von der Schöpfung als einem besonderen Werke Gottes zu handeln. Dabei geht es an erster Stelle um das göttliche Schöpfungshandeln als um den freien Ursprung einer von Gott verschiedenen Wirklichkeit. Frei ist auch das Handeln der trinitarischen Personen in ihren Beziehungen zueinander, aber nicht in dem Sinne, daß der Vater es auch unterlassen könnte, den Sohn zu zeugen, oder der Sohn den Willen des Vaters verleugnen, der Geist jemand anderen verherrlichen könnte als den Vater im Sohn und den Sohn im Vater. Der Ursprung der Welt als Schöpfung aus dem freien Handeln Gottes besagt gerade dies, daß auch dann, wenn die Welt nicht ins Dasein getreten wäre, der Gottheit Gottes nichts mangelte. Das ist allerdings mehr eine Aussage über die Welt, nämlich über die Kontingenz ihres Daseins, als über Gott; denn Gott hat sich nun einmal in seiner Freiheit von Ewigkeit her dazu bestimmt, Schöpfer und Vollender einer Welt von Geschöpfen zu sein. Daher beruht die Vorstellung, Gott hätte die Erschaffung der Welt auch unterlassen können, auf einer Abstraktion von der faktischen Selbstbestimmung Gottes, die in der Ewigkeit seines Wesens begründet sein muß und also nicht als der konkreten Wirklichkeit Gottes äußerlich gedacht werden kann. Dennoch muß auch von Gott her der Ursprung der Welt als kontingent, weil aus der Freiheit des einen Gottes in seinem trinitarischen Leben entspringend, gedacht werden.

2. Die Eigenart des Schöpfungshandelns

Der Schöpfungsgedanke hat sich in Israel entwickelt als Ausweitung des Heilsglaubens an den in der Geschichte erwählenden und handelnden Bundesgott auf den Anfang allen Geschehens: „Der Beginn dieser Gottesgeschichte wurde nun bis zur Schöpfung vordatiert"[19]. Diese Auffassung ist mit dem Argument angegriffen worden, daß Israel vielmehr immer schon „am altorientalischen Welt- und Schöpfungsdenken teilhatte und dann seine spezifischen Geschichts- und Gotteserfahrungen in ihrem Horizont verstand"[20]. Daß kosmologische und kosmogonische Vorstellungen, wie sie

---

[19] G.v.Rad: Theologie des Alten Testaments I, 1957, 143.
[20] So H.H.Schmid: Schöpfung, Gerechtigkeit und Heil, „Schöpfungstheologie" als Gesamthorizont biblischer Theologie, in: ZThK 70, 1973, 1–19, Zit. 11 f. Eine ähnliche Auffassung hat R.P.Knierim entwickelt: Cosmos and History in Israel's Theology, in: Horizons in Biblical Theology 3, 1981, 59–123.

von den Religionen des Alten Orients ausgebildet worden sind, den Vätern Israels zu keiner Zeit völlig fremd waren, also auch die Vorstellungen eines göttlichen Ursprungs der Weltordnung in Israel nicht überhaupt erst als Extrapolationen der Erfahrung geschichtlichen Gotteshandelns und insbesondere der Herausführung aus Ägypten, der Errettung am Schilfmeer und der Gabe des verheißenen Landes entstanden sind, wird man ohne weiteres zugestehen müssen. So scheint der göttliche Ursprung der irdischen Welt in der Frühzeit Israels dem kanaanäischen Himmelsgott El zugeschrieben worden zu sein, der auch in der Karatepe-Inschrift in Kilikien als Schöpfer der Welt bezeugt ist und der die Frühzeit Israels mit Ugarit verbindet[21]. In der Abrahamüberlieferung wird der von Abraham verehrte Gott mit El identifiziert[22]. Das geschieht besonders in der Erzählung von der Begegnung Abrahams mit Melchisedek, dem Priester des El Eljon von Jerusalem, der Abraham segnet im Namen des „El Eljon, der Himmel und Erde gemacht hat" (Gen 14,19). Da für das spätere Israel der Gott Abrahams mit Jahwe, dem Gott des Sinai und des Exodus, identisch war (Ex 3,6), wird auch er als eins mit dem Schöpfergott El verstanden worden sein. Die sicherlich komplexen religionsgeschichtlichen Vorgänge im Hintergrund solcher Identifizierung von Jahwe, El und dem Gott der Väter brauchen hier nicht erörtert zu werden[23]. Wichtig ist aber, daß es sich dabei jedenfalls um

---

[21] Siehe dazu W.H.Schmidt: Königtum Gottes in Ugarit und Israel, 2.Aufl. 1966, 23ff., zur Schöpfungsfunktion Els 58ff. Zur Karatepe-Inschrift vgl. Ancient Near Eastern Texts Relating to the Old Testament, ed. J.B.Pritchard 2.ed. 1955, 499f., bes.500b. Ferner auch Fritz Stolz: Strukturen und Figuren im Kult von Jerusalem, BZAW 118, 1970, 102-148, sowie F.M.Cross: Canaanite Myth and Hebrew Epic, Cambridge, Mass. 1973, 1-75, sowie ders.: *El* in ThWAT I, 1973, 259-279.

[22] So der Sache nach auch H.H.Schmid: Jahweglaube und altorientalisches Weltordnungsdenken, in ders.: Altorientalische *Welt in der* alttestamentlichen *Theologie*, 1974, 31-63, bes. 38ff. Schmid macht allerdings mit Recht darauf aufmerksam, es handle sich „nicht um die distanzierte oder gar reflektierte Identifikation zweier in sich abgeschlossener Größen, sondern darum, daß sich der Erfahrungshorizont der Jahweverehrung demjenigen der El- bzw. Baalreligiosität in einem Maße angeglichen hatte, daß daraus zwangsläufig parallele, ja sogar identische Ausdrucksweisen erwachsen bzw. daß El-Überlieferungen ganz selbstverständlich auch als jahwerelevant erscheinen mußten" (46f. Anm.58).

[23] J.van Seters: The Religion of the Patriarchs in Genesis (Biblica 61, 1980, 220-233) hat mit der Annahme einer spezifischen, von Jahwe unterschiedenen Vätergottheit auch die einer noch nicht mit der Gestalt Jahwes verbundenen El-Verehrung in Zweifel gezogen. Aber die Priesterschrift (Ex 6,3) stellt immerhin ausdrücklich fest, daß die Väter die Identität des von ihnen verehrten Gottes Jahwe noch nicht kannten, und damit stimmt auch die Erzählung von Ex 3 überein. Die Verwendung von „*'ēl* epithets" bei Deuterojesaja (Jes 43,5 u. 10; 45,22; 46,9), die van Seters als Indiz für eine Spätdatierung der entsprechenden Angaben der Genesis nimmt, sind bei Deuterojesaja sicherlich Ausdruck eines „increasing effort to identify Yahweh with the one universal deity reflected in the use of the term '*ēl*" (230), aber das schließt keineswegs aus, daß dabei „archaische" Reminiszenzen (vgl. 221) aufgegriffen wurden, die die Überlieferung bewahrt hatte und die in der Situation des Exils eine neue Aktualität gewonnen haben mögen, zugleich aber auch eine Argumentation wie die Deuterojesajas von der traditionellen Sprache her

keine bloße *Angleichung* der Gottheit Jahwes an diejenige Els oder (falls sie jemals für sich Gegenstand kultischer Verehrung waren) der Vätergottheiten gehandelt haben kann. Vielmehr fand eine *Aneignung* der Vätertraditionen, aber auch der Gestalt Els – auch des El von Jerusalem – durch Jahwe statt. Möglicherweise hat sich dieser Prozeß noch bis tief in die Königszeit hingezogen. Mit der *Aneignung* aber ging offenbar auch eine *Umformung* der mit der Gestalt Els und, noch weit stärker, bei den mit Baal verbundenen kosmologischen Funktionen einher, und an dieser Stelle dürfte v. Rads These, daß der biblische Schöpfungsglaube seinen Ursprung in Israels Erfahrungen von Jahwes Geschichtshandeln habe, einen bleibenden Wahrheitskern besitzen. Die Vorstellungen von Weltordnung und Weltentstehung wurden zwar nicht erst neu geschaffen, wohl aber in ihrem Charakter neu geprägt unter dem Einfluß der Erfahrungen Israels vom Handeln seines Gottes in seiner Geschichte. Das ist ein Sachverhalt von erheblicher theologischer Relevanz, weil damit die Eigenart der biblischen Vorstellungen vom Schöpfungshandeln Gottes im Unterschied zu anderen Konzeptionen der Weltentstehung zusammenhängt, so sehr die Entstehung der Welt auch in der Sicht anderer Kulturen auf einen göttlichen Ursprung zurückgeführt worden sein mag.

Das treibende Motiv für die Aneignung und Anverwandlung der mit El und Baal verbundenen kosmologischen Funktionen durch Jahwe wird man in der Eiferheiligkeit Jahwes, in seinem Anspruch auf ausschließliche Verehrung, suchen dürfen, wie er im ersten Gebot zum Ausdruck kommt (Ex 20,3 und bes. Dtn 6,14f.)[24]. Mit diesem Anspruch war die Annahme eines vom Gott des Sinai und der geschichtlichen Erwählung und Führung verschiedenen Urhebers der Welt und ihrer Ordnung nicht vereinbar. Durch Zurückführung auch der kosmischen Ordnung und ihres Ursprunges auf den Gott der Heilsgeschichte wurde die Unumschränktheit der in seinem geschichtlichen Handeln sich manifestierenden Macht dargetan. Dabei wurde nicht nur El mit Jahwe identifiziert, sondern auch die Schöpfertätigkeit Baals, die im Unterschied zu El eher welterhaltende oder welterneuernde als weltbegründende Tätigkeit war[25], wurde mit dem Motiv des Chaos-Drachen

---

legitimieren konnten. Angesichts der Angaben von Ex 6,3 und der Erzählung Ex 3 sowie der unbestrittenen Bedeutung der Gottesgestalt El in kanaanäischen Zeugnissen des zweiten und frühen ersten Jahrtausends vor Christus erscheint es doch am ehesten plausibel, mit F.M.Cross anzunehmen, daß die Väter Israels Verehrer Els oder einer besonderen Ausprägung der El- gestalt waren, wobei offen bleiben mag, ob dahinter im Sinne der Thesen A. Alts eine ursprünglich selbständige, nomadische Vätergottheit steht, die ihrerseits erst sekundär mit El verschmolzen worden wäre.

[24] Siehe dazu W.H.Schmidt: Die Frage nach der Einheit des Alten Testaments im Spannungsfeld von Religionsgeschichte und Theologie, in: Jahrbuch f. bibl. Theologie 2, 1987, 33–57, bes. 42ff.

[25] Vgl. W.H.Schmidt 1967, 61f.

kampfs auf Jahwe übertragen[26]. Das Universum ist in Natur und Geschichte gleichermaßen das „Handlungsfeld" Jahwes[27]. In den Klagepsalmen der Exilszeit wurde der Chaoskampf Jahwes aufs neue aktuell (Ps 74,12ff., 89,6ff., 77,12ff.), weil Jahwe nun „mit der Macht der Urzeit das Weltganze wieder aus dem Chaos reißen" mußte, während Ps 104,5ff. die Erde als ein für allemal begründet, der Macht der Chaoswasser entzogen dargestellt hatte[28]. Andererseits wurde nun bei Deuterojesaja der Schöpfungsglaube zum Argument für die Erwartung eines neuen Heilshandelns Jahwes, das seine Macht auch über den Gang der Geschichte aufs neue erweisen sollte[29]. Wie eng bei Deuterojesaja das Handeln Jahwes in der Schöpfung und bei der Hervorbringung des geschichtlich Neuen zusammengesehen wurde, zeigt die Verwendung von Schöpfungsterminologie für das göttliche Geschichtshandeln. So wird das bevorstehende Neue „geschaffen" (Jes 48,7, vgl. 43,19). Wie er das Licht gebildet und die Finsternis „geschaffen" hat, so wirkt Jahwe auch Heil und Unheil in der Geschichte (45,7)[30]. Damit stellt sich für die Theologie die Frage, ob sie den Begriff der Schöpfung auf den Anfang der Welt beschränken darf oder vielmehr als Inbegriff des schöpferischen Gotteshandelns im Weltgeschehen auslegen muß. Die biblischen Zeugnisse von Gott als Schöpfer sind durch die Spannung zwischen diesen beiden Aspekten gekennzeichnet.

Im Zusammenhang mit der Renaissance des Schöpfungsglaubens und der Schöpfungstheologie in der Exilszeit wird man auch den Schöpfungsbericht der Priesterschrift im ersten Kapitel der Genesis würdigen müssen. Allerdings ist hier – im Unterschied zu Deuterojesaja – das Schöpfungshandeln Gottes am Anfang, bei der Grundlegung der Welt, nicht nur Beispiel und Gewähr für die Hervorbringung des geschichtlich Neuen in der Gegenwart. Die Grundlegung der Welt am Anfang hat ihre Gegenwartsrelevanz darin, daß sie deren bis in die Gegenwart unerschütterlich feststehende Ordnung zum Gegenstand hat. Darin entspricht der priesterliche Bericht den kosmogonischen Mythen, vor allem auch dem babylonischen Epos Enumaëlisch, das im Hintergrund des ersten Kapitels der Genesis steht. Aber im übrigen unterscheidet sich die Beschreibung des göttlichen Schöpfungshandelns in diesem Text tiefgreifend von der Darstellung des Mythos. Die Unumschränktheit von Jahwes Schöpfungshandeln entspricht den Aussagen der

---

[26] Ebd. 46ff. Siehe ferner J.Jeremias: Das Königtum Gottes in den Psalmen. Israels Begegnung mit dem kanaanäischen Mythos in den Jahwe-Königs-Psalmen, 1987, bes. 29–45 zu Ps 29,3ff.
[27] J.Jeremias a.a.O. 44.
[28] J.Jeremias 29 und 49.
[29] Siehe dazu R.Rendtorff: Die theologische Stellung des Schöpfungsglaubens bei Deuterojesaja in: ZThK 51, 1954, 3–13, bes. 6f. zu Jes 44,24ff.; 40,27–31; 40,12–17 und 40,21–24; auch die Ausführungen auf S.8 zu Jes 54,4–6.
[30] Vgl. dazu R.Rendtorff a.a.O. 11.

Psalmen und Deuterojesajas über das Handeln des einen, alleinigen Gottes in Schöpfung und Geschichte. Der priesterliche Schöpfungsbericht hat der Unumschränktheit des göttlichen Schöpfungshandelns ihren für die Folgezeit klassischen Ausdruck gegeben: Das geschieht durch die Konzentration der Darstellung auf das göttliche Befehlswort als den alleinigen Grund für das Dasein der Geschöpfe. Auch wenn es nicht zutrifft, daß im Text des Kapitels ein älterer Tatbericht von einer späteren Darstellung der Schöpfung durch das bloße Befehlswort Gottes verdrängt worden ist[31], vielmehr der göttliche Befehl und der Bericht über seine Ausführung von vornherein aufeinander angelegt sind[32], so ist doch in jedem Falle deutlich, daß es in der Sicht der Priesterschrift zur Weltschöpfung keines Kampfes mit einer Chaosmacht mehr bedurfte wie im babylonischen Epos oder auch bei den in den Psalmen nachklingenden, auf Jahwe übertragenen ugaritisch-kanaanäischen Vorstellungen vom Meereskampf Baals. Die Mühelosigkeit des bloßen Befehlens veranschaulicht die unumschränkte Verfügungsmacht des Schöpfers[33]. Auch diese Vorstellung ist allerdings mythischen Ursprungs[34], mag sie sich auch in Israel durch die prophetische Auffassung vom Geschichte wirkenden Gotteswort nahegelegt haben[35]. Die Vorstellung, daß alle Dinge durch das magisch wirkende Wort bzw. durch das königliche Befehlswort des Gottes hervorgebracht worden sind, findet sich im alten Ägypten schon in der auf das dritte Jahrtausend zurückgehenden „Theologie von Memphis". Sie wurde dort mit dem ägyptischen Königsgott Ptah verbunden[36], wenig später im Apophismythos auch dem Sonnengott Rē zugeschrieben[37]. Mag auch eine literarische Beziehung des Schöpfungsberichts der Priesterschrift zu diesen Texten nicht nachweisbar sein[38], so ist auf jeden Fall die Vorstellung von einer Schöpfung durch das göttliche Wort nicht

---

[31] So W.H.Schmidt: Die Schöpfungsgeschichte der Priesterschrift, 2.Aufl. 1967, bes. 169ff., vgl. 115ff.

[32] So O.H.Steck: Der Schöpfungsbericht der Priesterschrift, 1975, 14–26, sowie 246ff.

[33] Das ist in anderer Weise auch in Psalmen wie Ps 93 und Ps 29 sowie Ps 104 trotz Beibehaltung des Bildes vom Meereskampf ausgedrückt worden, indem das Königtum Jahwes im Unterschied zu dem Baals (aber analog zu dem Els) als „ohne Anfang und Ende" bestehend dargestellt wurde, nicht als erst durch einen Chaoskampf errungen: J.Jeremias a.a.O. 27 zu Ps 93,1f., sowie S.38f. zu Ps 29,3 und 10 (vgl. ferner a.a.O. 42f.).

[34] Man sollte daher „die Erschaffung durch das souveräne Machtwort Gottes" nicht ohne weiteres schon als „antimythisch" bezeichnen, wie das bei L.Scheffczyk (Einführung in die Schöpfungslehre, 1982, 11) geschieht, so deutlich auch die Differenz zu den Vorstellungen eines Chaoskampfes ist. Eine Mittelstellung nimmt hier übrigens die Konzentration des Schöpfungshandelns auf die „Stimme" Jahwes in Ps 29,3ff. ein, eine Vorstellung, die ihrerseits schon im Baalmythos eine Rolle spielte (vgl. J.Jeremias a.a.O. 41f.).

[35] So vermutet W.H.Schmidt a.a.O. 175f.

[36] Ancient Near Eastern Texts Relating to the Old Testament, ed. J.B.Pritchard 2.ed. 1955, 5 (n.53ff.).

[37] A.a.O. 6f.

[38] So W.H.Schmidt a.a.O. (1967) 177.

schon als solche das unterscheidend Charakteristische des biblischen Schöpfungsgedankens. Dessen Eigentümlichkeit besteht vielmehr in der durch die Wortschöpfung veranschaulichten, unumschränkten Freiheit des Schöpfungshandelns, analog zum Geschichtshandeln des Gottes Israels. Das Charakteristische dieses Gedankens gehört eng zusammen mit der Einzigkeit des biblischen Gottes; denn darin ist der entscheidende Unterschied zu analogen Vorstellungen der Kosmogonie aus den Kulturen des Alten Orients begründet. Diese unumschränkte Freiheit schöpferischen Handelns ist später durch die Formel einer Schöpfung „aus nichts" (zuerst 2.Makk 7,28; cf. Röm 4,17, Hb 11,3) ausgedrückt worden[39].

Im zweiten Makkabäerbuch hatte die Wendung von der Schöpfung aus nichts wohl noch nicht den Sinn, die Vorstellung der Formung einer vorgegebenen Materie auszuschließen, sondern besagt einfach, daß die Welt „zuvor nicht war"[40]. In der Literatur des hellenistischen Judentums begegnet durchweg die auch Sap 11,17 bezeugte Vorstellung einer Erschaffung der Welt aus der gestaltlosen Urmaterie[41]. Sie findet sich noch bei Justin (Apol. I,10,2) und bei Athenagoras (suppl. 22,2)[42]. Unter den christlichen Apologeten des zweiten Jahrhunderts hat als erster Tatian darauf insistiert, auch die Urmaterie müsse von Gott hervorgebracht worden sein (or. 5,3), weil – wie schon Justin gelehrt hatte (Dial. 5,4–6) – neben Gott kein zweites ungewordenes Prinzip anzunehmen sei. Aktuell war dieses Thema im zweiten Jahrhundert durch die Auseinandersetzung mit dem Dualismus Markions[43]. Entscheidend für die Durchsetzung der Lehre von der *creatio ex nihilo* in der christlichen Patristik wurden Theophilus von Antiochien und Irenäus von Lyon[44]. Besonders Theophilus hat sich ausdrücklich gegen die platonische Annahme einer ebenso wie Gott ungewordenen Materie gewendet (ad Aut. II,4): Die Größe Gottes und seiner Schöpfertat zeige sich erst dann, wenn er nicht wie menschliche Künstler aus einer vorgegebenen Materie, sondern aus gar nichts hervorbringe, was immer er will. Auch Irenäus betonte, daß Gott aus freiem Willen alles hervorgebracht habe (adv. haer. II,1,1), auch die Materie (II,10,4). Genau diese Auffassung wurde ungefähr zur gleichen Zeit von dem berühmten Arzt Galen in seiner Kritik an der jüdischen Lehre von der Schöpfung als unvernünftig

---

[39] Vgl. dazu auch Syr Baruch 21,4 und 48,8. Weitere Belege bei U.Wilckens: Der Brief an die Römer 1, 1978, 274 Anm. 887.

[40] So G.May: Schöpfung aus dem Nichts. Die Entstehung der Lehre von der creatio ex nihilo, Berlin etc. 1978, 7. May verweist auf die sprachlich analoge Wendung bei Xenophon Mem. II,2,3, wo es heißt, daß Eltern ihre Kinder aus nichts (ἐκ μὲν οὐκ ὄντων) hervorbringen.

[41] G.May a.a.O. 6ff., sowie zu Philo von Alexandrien 9ff.

[42] G.May 122–142.

[43] G.May 153ff. Vor Tatian hatte unter den christlichen Theologen bereits der Gnostiker Basilides eine Schöpfung aus nichts behauptet (71f., 74ff.). Siehe dazu auch die Bemerkungen von H.Chadwick in: Concilium 19, 1983, 414–419, bes. 417.

[44] Zu Theophilus ad Aut. I,4 und 8, sowie II,4,10 und 13 siehe May a.a.O. 159f., zu Irenäus dort 167ff.

bezeichnet, ebenso wie noch im 3. Jahrhundert von dem platonischen Philosophen Kelsos[45].

Wenn der ursprüngliche Sinn der Formel *creatio ex nihilo* nur besagt, daß die Welt „zuvor nicht war", und wenn die Pointe ihres dogmatischen Gebrauchs in der frühen Patristik darin liegt, jede dualistische Vorstellung eines ewigen Gegenübers zur göttlichen Schöpfertätigkeit auszuschließen, dann dürfte es sich nicht empfehlen, diesem Nichts mit Karl Barth unter dem Namen des „Nichtigen" nun doch wieder eine „Wirklichkeit" eigener Art beizulegen (KD III/3, 327-425, bes. 402ff.), sei es auch nur als „Widerspruch und Widerstand" (327), gegen den Gott „sich selbst behauptet und seinen positiven Willen durchsetzt" (405). Die Berufung auf Gen 1,2 (406) vermag das nicht zu rechtfertigen, weil es sich bei der dort kurz erwähnten „Urflut" (*tehōm*) um eine entmythologisierende Abwertung der babylonischen Tiamat handelt, während Barth geradezu umgekehrt dieses Chaos zum „Nichtigen" und „Bösen" (407) aufwertete. Von einem „Widerstand" gegen das göttliche Schöpfungshandeln war im Schöpfungsbericht der Priesterschrift keine Rede. Derartige Vorstellungen sind durch die Unumschränktheit des göttlichen Befehlswortes gerade ausgeschlossen. Aber auch die von der Auffassung Barths ganz verschiedene, an jüdische Spekulationen anschließende Deutung des Nichts der *creatio ex nihilo* bei Jürgen Moltmann als Raum, den Gott für das Geschöpf eingeräumt habe, indem er sich in sich selber zurückziehe (Gott in der Schöpfung. Ökologische Schöpfungslehre, 1985, 98-105, bes. 100f.), stellt eine sachlich unbegründete Mystifikation des Nichts dar. Ihre Funktion in der jüdischen Mystik zur Erklärung der Selbständigkeit geschöpflichen Daseins neben Gott, die von Moltmann aufgenommen wird, muß in einer christlichen Schöpfungslehre durch die trinitarische Explikation des Schöpfungsgedankens ersetzt werden. Zur logischen Problematik der Formel „*ex nihilo*" vgl. E. Wölfel: Welt als Schöpfung. Zu den Fundamentalsätzen der christlichen Schöpfungslehre heute, 1981, 26ff.

Die Eigenart der biblischen Vorstellung vom Schöpfungshandeln Gottes schließt also jede *dualistische* Auffassung von der Weltentstehung aus. Die Welt ist nicht Ergebnis irgendeines Zusammenwirkens Gottes mit einem anderen Prinzip, wie es sich z.B. in der Beschreibung der Weltentstehung im platonischen Timaios als Formung einer gestaltlosen Materie durch einen Demiurgen darstellt. In erheblich veränderter Gestalt ist eine derartige dualistische Konzeption im gegenwärtigen philosophischen Denken wieder entwickelt worden durch die Prozeßphilosophie von Alfred North Whitehead[46]. Sie wird auch von vielen Theologen gegen die klassische christliche

---

[45] Siehe dazu A. Dihle: Die Vorstellung vom Willen in der Antike, 1985, 9 und 12ff., 16f. Zu den Motiven dieser Kritik vgl. ebd. 21ff. Nach Dihle ist ein Willensbegriff, der gegenüber intelektuellem Abwägen selbständig ist, in der Antike erst spät und unter der Einwirkung biblischer Anschauungen konzipiert worden (29f.).
[46] A.N. Whitehead: Process and Reality (1929) Harper TB ed. 1960, 529: „Opposed elements stand to each other in mutual requirement ... God and the World stand to each other in this opposed requirement ... Either of them, God and the World, is the instrument of novelty for the other". Daher 528: „It is as true to say that God creates the World, as that the world

Lehre von der creatio *ex nihilo* verteidigt. Die Differenz zur platonischen Lehre besteht bei Whitehead in erster Linie in seiner Anschauung von der kreativen Selbstgestaltung jedes endlichen Wesens und Ereignisses. Gott wird zwar auch bei ihm als Ursprung der Formgebung gedacht, aber nur in der Weise, daß er jedem Ereignis das Ideal (das *initial aim*) seiner Selbstgestaltung vorgibt. Der Gott Whiteheads wirkt durch Überredung, nicht durch ein machtvoll schöpferisches Handeln. Er ist in dieser Hinsicht noch viel tiefer vom Schöpfergott der Bibel verschieden als der Demiurg Platons. Doch gerade die Vorstellung, daß Gott nicht durch schiere Übermacht, sondern durch Überredung wirkt, hat viel zur Anziehungskraft dieses Gottesgedankens beigetragen[47]. Hier bestehen tatsächlich Entsprechungen zu den Zügen der Geduld und Güte, die den Gott der Bibel in seinem Verhalten zu seinen Geschöpfen kennzeichnen, wie er in Liebe bis zur Leidensbereitschaft seinen verirrten Geschöpfen nachgeht. Aber dem liegt in den biblischen Aussagen immer schon zugrunde, daß die Geschöpfe alles, was sie sind, dem allmächtigen Schöpfungshandeln Gottes verdanken. Wenn einmal die Geschöpfe ins Dasein gerufen sind, dann respektiert der Gott der Bibel ihre Selbständigkeit in einer Weise, die der von Whitehead gegebenen Beschreibung weitgehend analog ist. An dieser Stelle hat auch der Gedanke seine Berechtigung, daß Gott durch Überredung (*persuasion*), nicht durch gewaltsame Überwältigung seine Geschöpfe für „seine Ziele" mit seiner Schöpfung (und insbesondere für das Ziel ihrer eigenen Vollendung) gewinnt. Aber die Geduld und demütige Liebe, mit denen Gott seinen Ge

---

creates God", und 526 heißt es sogar: „He does not create the world, he saves it ...". Vgl. dazu die Ausführungen von J.Cobb: A Christian Natural Theology. Based on the Thought of Alfred North Whitehead, 1965, 203–205, sowie die zusammenfassende Übersicht über die verschiedenen Formen theologischer Adaptation von Whiteheads Gottesgedanken bei R.C.Neville: Creativity and God. A Challenge to Process Theology, 1980, 3–20. Das Buch von Neville konzentriert sich im übrigen auf eine rein immanente Kritik der Gotteslehre Whiteheads und der verschiedenen Versuche seiner Nachfolger, ihre Inkonsistenzen zu beheben. Eine ausführliche Kritik von theologischer Seite hat schon W.Temple vorgetragen, allerdings mehr vom Standpunkt der theistischen Vorstellung eines persönlichen, zweckhaft handelnden Gottes aus (Nature, Man and God, London 1934, 4.Aufl. 1949, 257ff.). L.Gilkey behandelt in seinem Buch „Der Himmel und Erde gemacht hat. Die christliche Lehre von der Schöpfung und das Denken unserer Zeit" (1959) dt. München 1971, 44ff. die Auffassung Whiteheads vom Verhältnis Gottes zur Welt als eine moderne Version des platonischen Geist-Materie-Dualismus im Zusammenhang seiner Abgrenzung der christlichen Schöpfungslehre gegen diese Auffassung durch die Formel der *creatio ex nihilo*. Ähnlich auch J.Moltmann a.a.O. 91. In späterem Zusammenhang hat Gilkey sich auch in ähnlicher Weise wie schon W.Temple kritisch zur Unterscheidung zwischen Gott und *creativity* geäußert (Reaping he Whirlwind. A Christian Interpretation of History (1976) 1981, 248f. und 414 n.34).

[47] Siehe dazu bes. L.S.Ford: The Lure of God. A Biblical Background for Process Theism, Philadelphia 1978, bes. 20ff., ferner J.Cobb: God and the World, 1969, c.2: The One Who Calls (42–66, bes. 65) sowie J.B.Cobb/D.R.Griffin: Prozeßtheologie. Eine einführende Darstellung (1976) dt. 1979, 62ff. Speziell zur *creatio ex nihilo* siehe L.S.Ford: An Alternative to *creatio ex nihilo*, in: Religious Stud.19, 1983, 205–213.

schöpfen nachgeht, ist darin göttlich, daß sie nicht aus Ohnmacht geboren, sondern Ausdruck der Liebe des Schöpfers ist, der sein Geschöpf als selbständig und frei existierend gewollt hat. Die Prozeßtheologen haben der Lehre von der *creatio ex nihilo* mit Recht entgegengehalten, daß ihr die Existenz des Bösen und des Übels in der Welt Schwierigkeiten bereitet. Scheint es doch, ein unumschränkt frei handelnder Schöpfer sollte in seiner Allmacht eine Welt ohne das Böse und das Übel haben schaffen können. Das Vorhandensein des Bösen und des Übels in der Schöpfung hat immer wieder Zweifel daran geweckt, daß Gott als allmächtiger Schöpfer zugleich der von den Christen verkündete Gott der Liebe sein könne. Die theologischen Anhänger der Prozeßphilosophie Whiteheads haben eine auf den ersten Blick scheinbar einleuchtendere Antwort auf die Erfahrung des Bösen und des Übels zu bieten als die christliche Schöpfungslehre, indem sie die Macht Gottes als beschränkt auffassen. In Wahrheit aber führt diese Lehre zu dem Resultat, daß das Geschöpf nicht allein von Gott abhängt, sondern auch von andern Mächten, also auch vernünftigerweise nicht sein ganzes Vertrauen auf Gott allein setzen kann für die Überwindung des Übels in der Welt. Die Frommen des alten Israel haben lieber noch das Böse und das Unglück auf ihren Gott zurückgeführt (Jer 45,4f., Jes 45,7, Am 3,6) als eine Gott gegenüber selbständige Macht des Bösen anzuerkennen: Sogar der Satan ist ein Diener Gottes (Hi 1,6). Liegt es doch so allein an Gott, das Geschick der Leidenden zu wenden, wenn auch die Frage nach den Gründen für die Zulassung des Leidens und der Herrschaft des Bösen in der Welt, sowie für ihre Dauer, menschliches Verstehen übersteigt.

Gelegentlich ist der Versuch gemacht worden, Whiteheads Verhältnisbestimmung von Gott und Welt dadurch biblisch zu legitimieren, daß man auf das erst nachbiblische Aufkommen der Formel *creatio ex nihilo* hinweist und dagegen den Gedanken einer fortgesetzten Schöpfung als biblisch besser bezeugt geltend macht[48]. Was die Formel betrifft, so gehört allerdings die einer *creatio continuata* einer noch viel späteren Zeit an als die der *creatio ex nihilo*, nämlich dem abendländischen Mittelalter (s. u. 55 ff.). Die Formel einer *creatio continuata* setzt den strengen Begriff der Schöpfung als *creatio ex nihilo* schon voraus, indem sie die Erhaltungstätigkeit Gottes als deren Fortsetzung charakterisiert. Schon deswegen kann der Gedanke einer fortgesetzten Schöpfung der Formel von der *creatio ex nihilo* nicht entgegengesetzt werden. Alttestamentliche Schöpfungsaussagen in Psalmen wie Ps 104,14-30 oder 147,8f. und 139,13 aber wollen keine Begrenzung der Schöpfermacht Gottes durch Bindung an eine vorgegebene Materie behaupten, sondern implizieren bereits ebenso wie der Gedanke der Schöpfung durch das Wort in Gen 1 jene unumschränkte Freiheit des göttlichen Schöpfungshandelns, die später durch die Formel der *creatio ex nihilo* auf den Begriff gebracht wurde (cf. auch Ph. Hefner in C. E. Braaten u. a.: Christian Dogmatics I, 1984, 309 ff. bes.

---

[48] So das einflußreiche Buch von I. G. Barbour: Issues in Science and Religion (1966) 1968, 383 ff. Darauf bezieht sich auch R. J. Russell in Zygon 23, 1988, 25.

310). Nicht in dieser Hinsicht stehen diese biblischen Aussagen in einer Spannung zum Schöpfungsbericht der Priesterschrift am Anfang des Buches Genesis, sondern nur darin, daß in ihnen das Schöpfungshandeln Gottes nicht auf den Anfang der Welt beschränkt wird. Diese Vorstellung aber ist nicht identisch mit der *creatio ex nihilo*. Letztere formuliert in ihrer patristischen Deutung nur die Ablehnung einer Auffassung von der Schöpfertätigkeit Gottes in Korrelation zu einem von Gott verschiedenen Prinzip. Eine biblische Rechtfertigung für die hier abgelehnte Auffassung läßt sich jedoch auch aus den Aussagen der Psalmen und Deuterojesajas nicht gewinnen.

Dieselben Gründe, die dem biblischen Schöpfungsglauben, wie er im priesterschriftlichen Schöpfungsbericht seinen klassischen Ausdruck gefunden hat, jede Konzession an eine dualistische Kosmogonie versagt haben, trennen ihn auch von der entgegengesetzten Auffassung des Verhältnisses Gottes zur Welt im Akt ihrer Hervorbringung: Beschränkt jede dualistische Vorstellung von der Weltentstehung die Freiheit des Schöpfers in seinem allmächtigen Wirken, so wird die göttliche Freiheit in den Systemen eines philosophischen Monismus einer ehernen Notwendigkeit geopfert, die den Hervorgang der Welt aus ihrem göttlichen Ursprung regiert. Gott selbst erscheint hier als gebunden an eine aus seiner eigenen Natur fließende Logik, nach der alles so geschehen muß, wie es tatsächlich geschieht.

In den antiken Vorstellungen von der Heimarmene bahnte sich ein solcher Monismus an. Er trat voll in Erscheinung, wenn die Heimarmene nicht nur als das über den Göttern waltende Schicksal, sondern als identisch mit der göttlichen Macht über den Kosmos aufgefaßt wurde, wie in der älteren Stoa bei Chrysipp, der sie mit dem die Welt duchwaltenden Pneuma, mit „Zeus" und seiner Vorsehung, identifizieren konnte[49]. Allerdings dachte der stoische Monismus die Welt noch nicht als notwendige Entfaltung aus ihrem göttlichen Ursprung, weil die Stoa den sichtbaren Kosmos vielmehr als den Leib des Logos auffaßte, der von dessen Diakosmesis durchwaltet und geordnet wird[50]. Der Gegensatz zum Schöpfungsglauben der Bibel war unübersehbar, aber es war kein Gegensatz gegen ein Emanationssystem. Als Beispiel eines solchen gilt vielen der Neuplatonismus. Aber die Philosophie Plotins machte vom Bilde des Hervorgehens oder Ausfließens von Nus und Weltseele aus dem Einen nur sparsam und mit erheblichen Einschränkungen Gebrauch[51], und das Dasein einer sichtbaren Welt führte sie auf einen „Fall" der Seele zurück, der Weltseele nämlich, die durch ihr „Mehrwollen" die Zeit und mit ihr die vergängliche Welt hervorgebracht habe (Plotin Enn. III,7,11). Die Entstehung der sichtbaren Welt folgt hier gerade nicht mit Notwendigkeit aus der Natur des Einen oder des Nus. Die geläufige Annahme, daß Plotin eine *Emanation* der sichtbaren Welt aus dem Einen gelehrt habe, ist daher mit Recht beanstandet worden[52]. Anders verhält es sich schon bei Proklos, insofern

---

[49] M. Pohlenz: Die Stoa. Geschichte einer geistigen Bewegung I, 1959, 102ff. (vgl. II,58ff.).
[50] Siehe Pohlenz I,78f. und die Belege II,45f.
[51] Siehe dazu K. Kremer Art. Emanation in: Hist. WB Philos. 2, 1972, 445–448, bes. 446.
[52] W. Beierwaltes: Plotin über Ewigkeit und Zeit (1967) 3. Aufl. 1981, 17ff. betrachtet die

das „Freiheitsmoment" der plotinischen These vom Ursprung der Zeit aus einem „Fall" der Weltseele bei ihm aufgegeben wurde zugunsten eines kontinuierlichen Hervorgangs der Seinsstufen aus dem Einen[53]. Die Gedanken von Proklos gingen durch Ps.-Dionysios Areopagita und durch die *theologia Platonica* in die Diskussionen der lateinischen Scholastik ein[54]. Ansätze zu einem monistischen Denken traten außerdem auch im arabischen Averroismus hervor. Gegen beide Gefahren behauptete sich die christliche Gotteslehre der Scholastik durch die Ausbildung einer Psychologie des Zusammenwirkens von Intellekt und Wille Gottes, unter zunehmender Betonung des Willens. Spinozas Kritik am anthropomorphen Charakter der Vorstellungen von Intellekt und Wille Gottes[55] war daher eine Vorbedingung seiner Erneuerung des philosophischen Monismus. Durch Spinoza vor allem ist der Monismus in der Neuzeit zur Herausforderung des christlichen Verständnisses von Gott in seinem Verhältnis zur Welt geworden. Ihre differenzierteste, die christliche Trinitätslehre in sich aufhebende und durch ihre Interpretation sich artikulierende Gestalt gewann diese Herausforderung in der Philosophie Hegels. Sie konzentrierte sich hier in der These, das Moment des Andersseins in der göttlichen Einheit komme zu seinem vollen Recht, dem „Recht der Verschiedenheit", erst durch das Hervorgehen der Welt des Endlichen aus dem Absoluten[56]. Dieser Hegelsche Monismus hat gerade wegen seiner Nähe zur christlichen Theologie in besonderem Maße als Herausforderung der Theologie zu gelten und wurde auch von Anfang an so empfunden. Bei den materialistischen Formen des neueren Monismus[57] ist der Gegensatz zum christlichen Glauben viel offensichtlicher, weil sie in der Regel schon das Dasein Gottes überhaupt bestreiten.

Für das christliche Verständnis der Freiheit Gottes in seiner Tätigkeit als Schöpfer ist es wesentlich, daß Gott nicht aus einer inneren Notwendigkeit seiner Natur eine Welt erschaffen mußte. Er wäre sonst in seinem Wesen abhängig vom Dasein einer Welt. Das gilt auch dann, wenn die Welt nur als

---

Deutung der Lehren Plotins im Sinne einer Emanationsvorstellung als Mißverständnis schon der plotinischen Bilder vom Ursprung des Nus und der Seele aus dem Einen, weil dieses dabei in sich selber verharre (s. a. 166f.).

[53] Zu den Differenzen des proklischen Systems von Plotin siehe W. Beierwaltes: Denken des Einen. Studien zur neuplatonischen Philosophie und ihrer Wirkungsgeschichte, 1985, 155-192, bes. 170f. Zur Kritik von Proklos an Plotins Herleitung der Zeit aus einem „Fall" der Seele.

[54] Beim Areopagiten wird jedoch nach J. Meyendorff die Gefahr eines Emanatismus vermieden: Christ in Eastern Christian Thought, 1969, 73f. Siehe auch W. Beierwaltes: Andersheit. Grundriß einer neuplatonischen Begriffsgeschichte, in: Archiv f. Begriffsgeschichte 16, 1972, 166-197.

[55] Siehe dazu Bd. I, 406f.

[56] G.W.F. Hegel: Vorlesungen über die Philosophie der Religion II, Sämtl. Werke 16,250. Vgl. dazu den Text der Ausgabe von G. Lasson PhB 63,85. Siehe ferner Logik II (PhB 57) 485, wonach in der Sphäre der göttlichen Idee „der Unterschied noch kein *Anderssein*, sondern sich vollkommen durchsichtig ist und bleibt". Von der „Notwendigkeit" in der „Entwicklung" des Absoluten spricht Hegel ausdrücklich im ersten Teil seiner religionsphilosophischen Vorlesung (PhB 59,185f.), vgl. auch Sämtl. Werke 16,51. Zu der darauf bezogenen Kritik J. Müllers an Hegel (Die christliche Lehre von der Sünde, 1838, 3. Aufl. 1849, I, 552) siehe auch meine Ausführungen in: Gottesgedanke und menschliche Freiheit (1972), 2. Aufl. 1978, 103f.

[57] Siehe dazu den Art. Monismus im Hist. WB Philos. 6, 1984, 132-136.

verschwindendes Moment der Selbstrealisierung Gottes gedacht würde. Eine solche Weltauffassung, die der Welt nur ein verschwindendes Sein zugesteht, wäre andererseits auch mit dem Weltverständnis des christlichen Schöpfungsglaubens nicht vereinbar. Das zeigt die Heilsökonomie göttlichen Handelns, die auf eine Vollendung der Schöpfung zielt[58]. Die Freiheit des göttlichen Ursprungs der Welt einerseits und Gottes Festhalten an seiner Schöpfung andererseits gehören zusammen. Die Eigenart dieses Zusammenhangs erschließt sich aus dem Gedanken der göttlichen Liebe als Ursprung der Welt. Liebe und Freiheit Gottes sind untrennbar verbunden, aber die Freiheit der Liebe darf nicht mit einem Willkürakt verwechselt werden. Andererseits ist die Liebe Gottes auch nicht im Sinne der Gewalt eines Affektes zu verstehen, der alle persönliche Freiheit überwältigt. Beides wird vermieden durch die trinitätstheologische Explikation des Gedankens der göttlichen Liebe. Daher bedarf der biblische Schöpfungsgedanke, um gegen Mißdeutungen ebenso wie gegen kurzschlüssige Kritik gefeit zu sein, einer trinitätstheologischen Grundlegung.

3. Der trinitarische Ursprung des Schöpfungsaktes

Die Kontingenz der Welt im ganzen und aller einzelnen Ereignisse, Dinge und Wesen gründet in der allmächtigen Freiheit des göttlichen Schaffens. Gerade durch diese Freiheit ihres Ursprungs gewinnt die Tatsache, daß überhaupt etwas ist und nicht nichts, die Qualität, Ausdruck göttlicher Liebe zu sein. Es gibt keinen Grund für Gott, eine Welt zu schaffen, außer demjenigen, der sich in der Tatsache der Schöpfung selbst bekundet: Gott *gönnt* den Geschöpfen das Dasein, und zwar ein eigenes Dasein neben seinem eigenen, göttlichen Sein, in Unterschiedenheit von ihm. Dazu gehört auch eine dem geschöpflichen Dasein eigene Dauer. Erst in seiner Dauer gewinnt geschöpfliches Dasein die Selbständigkeit eines eigenen, von Gott unterschiedenen Seins, und eben darin bekundet sich die mit dem Schöpfungsakt untrennbar verbundene Intention des Schöpfers, die auf das Dasein seiner Geschöpfe zielt.

> Seltsamerweise ist dieser Aspekt von Hans Blumenberg in seiner Kritik am christlichen Gedanken der allmächtigen Freiheit Gottes als Ursprung der Welt ganz übersehen worden. Blumenberg vermochte in der Kontingenz des Geschöpfes nur das Korrelat einer blind wirkenden Willkür zu erblicken (Die Legitimität der Neuzeit, 1966, 102-200). Ein bloß launenhaftes Wirken aber ist mit der Ewigkeit des Schöpfergottes unvereinbar. Auch als freier Akt muß die Schöpfung der Welt doch auf die Ewigkeit Gottes bezogen, als Tat des ewigen Gottes gedacht werden. Für die Vorstellung einer Laune ist das Momentane, Ephemere wesentlich.

---

[58] Ähnlich urteilt L. Gilkey: Der Himmel und Erde gemacht hat (1959) 1971, 54 ff.

Ein Verhalten, das in einem Zusammenhang steht mit allem Vorausgehenden und Nachfolgenden, ist keine bloße Laune. Ein derartiger Zusammenhang ist aber für alles Handeln Gottes auch da noch anzunehmen, wo unableitbar Neues geschieht: Wenigstens im Rückblick wird ein Zusammenhang mit allem Bisherigen erkennbar. Das gilt auch für das Verhältnis des göttlichen Schöpfungshandelns zu Gottes innertrinitarischem Leben. Die Schöpfungstat ist deshalb nicht Ausdruck einer bloßen Laune. Hinzu kommt: Ein Gott, der die Welt aus einer bloßen Laune geschaffen hätte, wäre nicht Urheber einer *beständig erhaltenen* Welt. Die Vorstellung einer göttlichen Laune als Ursprung der Welt ist mit einem beständigen Festhalten Gottes an seinem Schöpfungswillen nicht vereinbar. Es wird sich aber zeigen, daß der Gott der Bibel sogar über das mit der Endlichkeit der Geschöpfe gegebene Ende hinaus an ihnen festhält auf eine eschatologische Vollendung seiner Schöpfung hin. Der freie Ursprung einer dauerhaften Schöpfung muß als Ausdruck einer in der Ewigkeit des Schöpfers begründeten Intention auf eine von ihm verschiedene Wirklichkeit hin gedacht werden.

Wie aber ist eine solche von Ewigkeit her bestehende Intention mit der Freiheit des Schöpfungsaktes vereinbar? Jürgen Moltmann sucht eine Lösung für dieses Probem in der altreformierten Lehre vom ewigen Dekret des göttlichen Willens, das dem Schöpfungsakt selbst vorausgeht (Gott in der Schöpfung, 1985, 92-98). Die „Einheit von Wesen und Wille im Begriff des ewigen *Dekrets*" schließt in der Tat „jede Vorstellung eines Willkürgottes" aus (94). Aber geht in dieser Lehre nicht auch der Gedanke der Freiheit des Schöpfungsaktes verloren, insofern dieser nun doch als notwendiger Ausdruck des ewigen Wesens Gottes erscheint? Karl Barth hat das doch wohl richtig erkannt und zu korrigieren versucht, indem er die Lehre vom ewigen Dekret durch seine christologisch begründete Erwählungslehre ersetzte (KD II/2, 172 ff.). Was immer unter Gesichtspunkten des Erwählungsthemas kritisch dazu zu sagen sein mag (vgl. vom Vf. RGG II³, 1958, 614-621), Barth hat auf diese Weise immerhin eine trinitätstheologische Begründung für den ganzen Bereich der Weltbeziehungen Gottes gegeben. Dafür möchte man nicht zuletzt bei Moltmann, der sich so energisch für den trinitarischen Sinn des christlichen Gottesglaubens eingesetzt hat, Verständnis erwarten. Die altreformierte Lehre von den ewigen Dekreten Gottes war ebenso wie entsprechende Lehrbildungen in andern konfessionellen Traditionen Ausdruck eines nichttrinitarischen Monotheismus, den Moltmann mit Recht kritisiert hat. Sollte damit nicht auch ihre Unfähigkeit, die Freiheit des Schöpfungsaktes zu wahren, in Zusammenhang stehen? Die Polemik der damaligen Lutheraner, daß die reformierte Lehre von den ewigen Dekreten den Determinismus einer Schicksalslehre enthalte, ist sicherlich den guten Absichten der reformierten Theologen nicht gerecht geworden. Aber wurde dabei nicht doch die Unzulänglichkeit der Vorstellung von einer „Einheit von Wesen und Wille im Begriff des *ewigen Dekrets*" (Moltmann 94) richtig gesehen? Dieser Begriff steht der Emanationsvorstellung nur allzu nahe. Die Theologie sollte den Gedanken, daß die Weltschöpfung Ausdruck der Liebe Gottes ist (Moltmann 88 f.), trinitarisch entfalten und darin die Antwort auf die Frage nach der Freiheit des Schöpfungsaktes suchen.

Schon das Dasein der Welt ist Ausdruck der Güte Gottes. Diese Aussage des christlichen Schöpfungsglaubens ist zunächst mit der Person des Vaters verbunden. Gott ist Vater als Ursprung der Geschöpfe in ihrer Kontingenz, indem er den Geschöpfen das Dasein gönnt, ihnen in seiner Fürsorge zugewandt ist und ihnen dadurch Fortdauer und Selbständigkeit ermöglicht.

Die Schöpfergüte des Vaters, durch die er seinen Geschöpfen ihr Dasein gewährt und erhält, ist nun aber nicht verschieden von der Liebe, mit der der Vater von Ewigkeit den Sohn liebt. Der Sohn ist der primäre Gegenstand der Liebe des Vaters. In allen Geschöpfen, denen seine Liebe zugewandt ist, liebt er den Sohn. Das heißt nicht, daß die Liebe des Vaters etwa nicht den Geschöpfen als solchen – einem jedem in seiner Besonderheit – gelten würde. Die Liebe des Vaters richtet sich nicht nur auf den Sohn, sondern auch auf jedes einzelne seiner Geschöpfe. Aber die Hinwendung des Vaters zur Besonderheit eines jeden seiner Geschöpfe ist immer schon durch den Sohn vermittelt. Die Liebe des Vaters zu seinen Geschöpfen steht nicht in Konkurrenz zu der Liebe, mit der er von Ewigkeit her den Sohn liebt. Vielmehr werden die Geschöpfe dadurch Gegenstand der Liebe des Vaters, daß sie einbezogen werden in die ewige Zuwendung des Vaters zum Sohne. Anders gesagt: Weil in den Geschöpfen der ewige Sohn in Erscheinung tritt, werden sie Gegenstand der Liebe des Vaters.

Im Sohn liegt der Ursprung von allem dem Vater gegenüber anderen, der Ursprung also auch der Selbständigkeit der Geschöpfe gegenüber dem Schöpfer: Dieser Satz versucht, die neutestamentlichen Aussagen über die Schöpfungsmittlerschaft des Sohnes (Hebr 1,2), bzw. des göttlichen Logos (Joh 1,3) in ihrem Sachgehalt nachzuvollziehen. Zur Begründung ist zu bedenken, daß alle Aussagen über den ewigen Sohn des Vaters aus Aussagen über den Menschen Jesus in seinem Verhältnis zu seinem himmlischen Vater hervorgehen. In der konkreten Beziehung Jesu zum Vater sind innergöttlicher und geschöpflicher Aspekt der Sohnesbeziehung immer schon verbunden, da ja über die Geschichtlichkeit dieser Beziehung hinaus die christliche Lehre behauptet, daß Gott *wesentlich* so ist, wie er durch Jesus offenbar wird, die Beziehung zu Jesus als dem Sohne also zur ewigen Gottheit des Vaters gehört. Entscheidend dafür ist die Selbstunterscheidung Jesu vom Vater, durch die er Gott als den Vater im Gegenüber zu sich selber Gott sein läßt, indem er sich selbst als bloßes Geschöpf vom Vater unterscheidet, sich ihm als dem einen, einzigen Gott unterwirft, sein Leben durch ihn ganz bestimmt sein läßt, so wie es seine Botschaft für das Verhältnis der Menschen zur Zukunft der Gottesherrschaft fordert, und darin den Vater als den einen Gott gelten läßt, indem er zugleich seine alleinige Gottheit den Menschen bezeugt. Dieses Geschehen der Selbstunterscheidung Jesu vom Vater konstituiert die Offenbarung des ewigen Sohnes im irdischen Dasein Jesu. Durch die Demut seiner Unterscheidung vom Vater als dem einen Gott, dem allein alle Ehre gebührt, erweist sich Jesus als der Sohn. In der Selbstunterscheidung Jesu vom Vater liegt also zunächst der *Erkenntnisgrund* für das ewige Sohnsein Jesu. Sollte dann aber nicht umgekehrt in der

Selbstunterscheidung des ewigen Sohnes vom Vater der *Seinsgrund* für das Dasein des Geschöpfes in seiner Unterschiedenheit vom Schöpfer zu suchen sein? Die der väterlichen Zuwendung zum Sohne korrespondierende Selbstunterscheidung des Sohnes, die dem Vater allein die Ehre gibt, der eine Gott zu sein, bildet den Ansatzpunkt für das Anderssein und die Selbständigkeit geschöpflichen Daseins. Wenn nämlich der ewige Sohn in der Demut seiner Selbstunterscheidung vom Vater aus der Einheit der Gottheit heraustritt, indem er den Vater allein Gott sein läßt, dann ist im Gegenüber zum Vater das Geschöpf entstanden, genauer gesagt dasjenige Geschöpf, dem sein Verhältnis zu Gott als seinem Vater und Schöpfer thematisch wird: der Mensch[59]. Mit dem Menschen aber ist auch das Dasein einer Welt gesetzt, weil sie die Bedingung für die Möglichkeit des Menschen ist[60].

Es handelt sich hier um denselben Sachverhalt, den das Bekenntnis zur Gottheit Jesu ausspricht, nur jetzt im Modus der Umkehrung: Indem Jesus sich in seinem Sohnesgehorsam als der ewige Sohn des Vaters erweist, wird doch die Differenz seines Menschseins von dem ewigen Gott nicht beseitigt, weil sie ja vielmehr als ausdrücklich anerkannte Unterschiedenheit von dem

---

[59] Dieser Sachverhalt ist im Prinzip ähnlich von Karl Rahner beschrieben worden in: Zur Theologie der Menschwerdung (1958), Schriften zur Theologie IV, 1960, 137-155 (jetzt mit Abweichungen in: Grundkurs des Glaubens, 1976, 211-226): „Wenn Gott Nicht-gott sein will, entsteht der Mensch ..." (150 = Grundkurs 223). Rahner hat darum die Annahme der menschlichen Natur durch den Logos im Geschehen der Inkarnation als Schöpfung der Menschheit Jesu durch den Logos auffassen können, unter Berufung auf Augustins Wort: *ipsa assumptione creatur* (PL 42, 688, zit. bei Rahner LThK 5, 1960, 956). Ein Jahr später wurde damit der Gedanke der Selbstentäußerung des Logos im Ereignis der Inkarnation verbunden, indem es nun heißt, daß „in der Menschwerdung der Logos schafft, indem er annimmt, und annimmt, indem er *selbst* sich entäußert ..." (Schriften IV,151, vgl. Grundkurs 224). Folgt man dieser These, dann darf man die Entäußerung allerdings nicht als Wesensverlust des Logos auffassen, sondern muß sie als Selbstverwirklichung im andern, im Akt der Erschaffung des Menschen, denken. Jedenfalls aber handelt es sich dabei primär um eine Tat des Logos, der zweiten Person der Trinität. Sie korrespondiert zwar einem Handeln des Vaters, nämlich einer *Sendung* durch den Vater. Dennoch ist der Sohn ihr primäres Subjekt, der freilich nie für sich allein, sondern nur in Gemeinschaft mit dem Vater durch den Geist handelt.

[60] Der Sache nach entsprechen diese Sätze den Ausführungen Karl Barths über die Schöpfung als äußeren Grund des Bundes (KD III/1, 1945, 103-258) in Umkehrung der inneren Begründung der Schöpfung durch den Bund (258-377). Indem jedoch Barths systematische Gedankenführung von der Erwählung des Sohnes zum Gedanken des Bundes statt von der Selbstunterscheidung des Sohnes zum Dasein des Geschöpfes (als Mensch und als Welt von Geschöpfen) führt, ergibt sich ein anderes Gesamtbild. Es ist i.U. zu der hier versuchten Darstellung von der Subjektivität des Vaters als des erwählenden Gottes her entworfen, während im obigen Text mit Rahner von der Selbstunterscheidung des Sohnes vom Vater aus argumentiert wird. Barths Orientierung an der Vorstellung des erwählenden Gottes führte ihn zum Begriff des Bundes, im Unterschied zu dem, die Schöpfung auf den Anfang beschränkt wurde (s. u. 54). Hier dagegen wird mit Rahners inkarnationstheologischer Argumentation der Übergang vom Gedanken des ewigen Sohnes zum Begriff des Menschen vollzogen, und die Reflexion auf die Welt als „äußeren Grund" für das Dasein des Menschen bezieht sich nur auf das Verhältnis von Mensch und Welt *innerhalb* der Schöpfung.

einen Gott die Bedingung der Sohnschaft Jesu ist. Die bleibende Differenz Jesu nach seiner Menschheit von dem ewigen Gott – und so auch vom ewigen Sohn – bedeutet inhaltlich, daß der ewige Sohn dem menschlichen Dasein Jesu nicht nur vorangeht, sondern auch der Grund seines geschöpflichen Daseins ist. Wie alle Geschöpfe, so hat auch das Dasein Jesu seinen Grund in Gott, dem Schöpfer der Welt. Mit seiner Unterschiedenheit und Selbstunterscheidung von Gott aber gründet es in der Selbstunterscheidung des ewigen Sohnes vom Vater. So ist der ewige Sohn Seinsgrund des menschlichen Daseins Jesu in seiner Beziehung zu Gott als dem Vater. Ist aber von Ewigkeit her und so auch in der Schöpfung der Welt der Vater nicht ohne den Sohn, dann wird der ewige Sohn nicht nur der Seinsgrund des Daseins Jesu in seiner Selbstunterscheidung vom Vater als dem einen Gott sein, sondern auch der Grund der Unterschiedenheit und des selbständigen Daseins aller geschöpflichen Wirklichkeit.

Nur unter der soeben formulierten Bedingung kann auch umgekehrt im geschöpflichen Dasein Jesu der ewige Sohn des Vaters in Erscheinung treten, der der Schöpfer der Welt ist: Das geschöpfliche Dasein Jesu realisiert in seinem Lebensvollzug die Wesensstruktur und Wesensbestimmung alles geschöpflichen Daseins überhaupt, indem er – im Unterschied zur übrigen Schöpfung – seine Unterschiedenheit von Gott dem Vater annimmt, sich ganz und gar als Gottes Geschöpf und darin Gott als seinen Vater und Schöpfer bejaht und gelten läßt. Das setzt voraus, daß Jesus nicht nur überhaupt Geschöpf, sondern Mensch ist. Als Mensch nämlich ist er nicht nur faktisch von Gott verschieden, sondern als Mensch weiß er auch von dieser seiner Verschiedenheit, von der Endlichkeit des eigenen Daseins im Unterschied zum ewigen Gott. Religion zu haben, kennzeichnet die Eigenart des Menschen unter den Geschöpfen, und das menschliche Wissen von der Gottheit im Unterschied zu allem Endlichen ist der höchste Ausdruck der Fähigkeit, zu unterscheiden und beim andern seiner selbst zu sein[61]. Damit wird dem Menschen thematisch, was das Dasein alles Endlichen immer schon bestimmt: vom Unendlichen und daher auch von anderem Endlichen verschieden zu sein. Daraus folgt aber nicht schon ohne weiteres, daß die eigene Endlichkeit auch angenommen wird. Vielmehr leben die Menschen gewöhnlich im Aufstand gegen die eigene Endlichkeit und trachten, ihr Dasein unbegrenzt zu erweitern: Sie wollen sein wie Gott. Jesus hingegen nahm seine eigene Endlichkeit und damit auch die Endlichkeit des Menschen, damit zugleich die des geschöpflichen Seins überhaupt Gott gegenüber an, indem er Gott als seinen und aller Geschöpfe Vater und Schöpfer ehrte. Gott als den einen Gott aller Geschöpfe zu ehren, ist aber nicht möglich, ohne alle anderen Menschen (und an erster Stelle das zum Zeugnis für

---

[61] Zur Begründung siehe vom Vf.: Anthropologie in theologischer Perspektive, 1983, 59 ff., 63 ff.

Gottes Gottheit erwählte Gottesvolk) in die Anerkennung der Gottheit Gottes und seiner unbeschränkten Herrschaft über ihr Leben hineinzuziehen. Damit stellte Jesus sein eigenes Dasein in den Dienst der Verherrlichung Gottes. In solchem „Gehorsam" des Sohnes ist bei Jesus von Nazareth die Struktur und Bestimmung geschöpflichen Daseins überhaupt realisiert worden. Insofern ist der ewige Sohn der Seinsgrund des geschöpflichen Daseins Jesu und damit zugleich allen geschöpflichen Daseins. Als der Seinsgrund allen geschöpflichen Daseins ist er im geschichtlichen Verhältnis Jesu zum Vater zur Erscheinung gekommen.

Im Neuen Testament ist die Vorstellung vom Sohne Gottes hinsichtlich seiner Funktion als Schöpfungsmittler im Zusammenhang mit der jüdischen Vorstellung von der präexistenten göttlichen Weisheit (Prov 8,22-31) entwickelt und durch den Logosbegriff ausgedrückt worden (Kol 1,15-20; Hebr 1,2f.; Joh 1,1ff.)[62]. Diese Aussagen sind von mir in den „Grundzügen der Christologie" (1964, § 10,3) mit einer anderen Gruppe christologischer Aussagen des Neuen Testaments verknüpft worden, nämlich mit den Aussagen über die ewige Erwählung bzw. Prädestination Jesu Christi zum Haupt einer neuen Menschheit, entsprechend Hebr 1,2: „Ihn hat er zum Erben des Weltalls eingesetzt; durch ihn hat er auch die Welten geschaffen" (vgl. Kol 1,16 u. 20; Eph 1,10). Die Aussage der Schöpfungsmittlerschaft des Sohnes ist hier zunächst *final* zu verstehen. Sie besagt, daß erst in Jesus Christus die Schöpfung der Welt vollendet sein wird. So richtig dieser Gesichtspunkt von den genannten neutestamentlichen Aussagen her ist, so wenig läßt sich jedoch die Schöpfungsmittlerschaft des Sohnes auf diesen Aspekt einschränken. Die finale Hinordnung der Geschöpfe auf das Erscheinen Jesu Christi setzt vielmehr voraus, daß die Geschöpfe schon den Ursprung ihres Daseins und Wesens im Sohne haben. Sonst bliebe die finale Zusammenfassung aller Dinge im Sohne (Eph 1,10) den Dingen selber äußerlich, und das hieße, sie wäre nicht die definitive Vollendung des den geschöpflichen Wesen eigentümlichen Seins. Wenn dagegen die Geschöpfe im ewigen Sohn oder Logos ihren Ursprung haben, dann werden sie als ihrer selbst *bewußte* Geschöpfe solange von sich selber entfremdet sein, wie sie nicht in diesem Logos ihr eigenes Wesensgesetz wahrnehmen und annehmen. So heißt es im Johannesprolog: „die Welt ist durch ihn entstanden, doch die Welt hat ihn nicht verstanden" (Joh 1,10b). Dieser Sachverhalt ist im Ereignis der Inkarnation vorausgesetzt und begründet die bei Johannes folgende Aussage (Joh 1,11), daß der Logos mit der Inkarnation in sein „Eigentum" gekommen sei.

Die theologische Tradition hat die Beteiligung des ewigen Sohnes am Akt der Schöpfung mit Hilfe der Vorstellung expliziert, daß der Begriff des Logos dem göttlichen Intellekt korrespondiert, der von Ewigkeit her die Urbilder der Dinge, ihre Ideen, in sich enthält. Diese Vorstellung geht auf die mittelplatonische Verbindung der Ideenlehre Platons mit dem göttlichen

---

[62] Siehe dazu H. Hegermann: Die Vorstellung vom Schöpfungsmittler im hellenistischen Judentum und Urchristentum, 1961.

Nus oder – so bei Philo von Alexandrien – mit dem Logos zurück[63]. Origenes hat sie in die systematische Darstellung der christlichen Lehre voll einbezogen. In der hypostatischen Weisheit Gottes, dem Sohne, sind nämlich nach Origenes die Ursprünge, Ideen und Arten aller Geschöpfe angelegt[64]. Eben deshalb werde die Weisheit in der Schrift (Prov 8,22) als Anfang der Wege Gottes (*initium viarum Dei*) bezeichnet[65]. Dieser Gedanke ist in der späteren Patristik weiter ausdifferenziert worden. So sind nach Maximus Confessor die vielen Logoi der einzelnen Geschöpfe in dem einen Logos zusammengefaßt und zusammengehalten[66].

Auch Augustinus hat den Sohn als das Schöpfungswort Gottes gedacht, durch welches alle Dinge Gott schon gegenwärtig sind, bevor sie geschaffen werden[67]. In der mittelalterlichen Scholastik hingegen ist die Annahme von Ideen in Gott durch die Lehre vom göttlichen Wissen mit der Einheit des göttlichen Wesens verbunden worden. Das gilt besonders für Thomas von Aquin, der die Ideen Gottes von den Geschöpfen auf die Erkenntnis seines eigenen Wesens als Urbild der unterschiedlichen Geschöpfe zurückführte[68]. Zwar wurde das Schöpfungshandeln Gottes auch von Thomas mit der Person des Sohnes verbunden, da Gott durch sein Wort alles erschafft; aber das ist nach seiner Ansicht so zu verstehen, daß der Sohn ebenso wie der Geist am Schöpfungsakt nur insofern beteiligt ist, als die Hervorgänge dieser beiden Personen mit den Wesenseigenschaften des göttlichen Wissens und Wollens verknüpft sind[69]. Die Grundvorstellung ist, daß der Schöp-

---

[63] Nach H. J. Krämer: Der Ursprung der Geistmetaphysik. Untersuchungen zur Geschichte des Platonismus zwischen Platon und Plotin, 1967, lassen sich die entsprechenden Ausführungen im 9. und 10. Kapitel des Didaskalikos von Albinos (dazu ebd. 101 ff., 111 f.) auf Xenokrates (121 f.), ja sogar auf Platon selbst (218 f.) zurückverfolgen. Zu der Auffassung des Logos als Inbegriff der Ideen bei Philo vgl. ebd. 264–281, bes. 276. Siehe auch die Ausführungen zu Klemens von Alexandrien 282 f., dazu ferner auch H. Meinhardt im Hist. WB Philos. 4, 1976, 61 f. (Idee n. 2).

[64] Origenes Princ. I,2,2: ... *continens scilicet in semetipsa universae creaturae vel initiae, vel rationes vel species* (ed. H. Görgemanns u. H. Karpp 1976, 126).

[65] Ebd., vgl. auch I,2,3. Der Sache nach findet sich die Rezeption der philonischen Vorstellung vom Enthaltensein der Ideen im Logos schon bei Tatian Or. 5,1, obwohl dort auf die *logike dynamis* bezogen ohne ausdrückliche Erwähnung der Ideen. Siehe M. Elze: Tatian und seine Theologie, 1960, 74 f.

[66] MPG 91, 1081 BC, vgl. L. Thunberg: Microcosm and Mediator. The Theological Anthropology of Maximus the Confessor, Lund 1965, 80 f.

[67] Augustin De gen. ad litt. II,6,12: ... *unigenitus Filius, in quo sunt omnia quae creantur, etiam antequam creantur* ... (PL 34,268). In seiner Auslegung von Joh. 1,2 spricht Augustin ausdrücklich von der Idee, die im Geiste des Künstlers dem realen Gegenstand vorausgeht (in Joann. I,17, PL 35,1387). Vgl. De div. quaest. 83 Lib. 1, q. 46,2 (PL 40,30 f.).

[68] Thomas von Aquin S. theol. I,15,2. Zur Diskussion der Vorstellung göttlicher Ideen in der Hochscholastik vgl. die eingehende Erörterung bei K. Bannach: Die Lehre von der doppelten Macht Gottes bei Wilhelm von Ockham, 1975, 111–248, bes. zu Heinrich von Gent (135 ff.) und Duns Scotus (154 ff.), ferner auch die Ausführungen von Chr. Knudsen u. a. im Hist. WB Philos. 4, 1976, 86–101.

[69] S. theol. I,45,6: *Et secundum hoc processiones personarum sunt rationes productionis creaturarum, inquantum includunt essentialia attributa, quae sunt scientia et voluntas.* Vgl. art. 6 ad 2.

fungsakt als *opus ad extra* dem einen trinitarischen Gott als Subjekt zuzurechnen ist, so daß dabei keine Differenzierung nach spezifischen Beiträgen der einzelnen göttlichen Personen erfolgt. Das ist auch die Auffassung der altprotestantischen Dogmatik geblieben. Die drei göttlichen Personen wirken danach nicht als drei verschiedene Ursachen zusammen, so daß daraus die Gemeinsamkeit ihres Wirkens nach außen resultierte, sondern der Akt der Schöpfung entspricht in seiner unteilbaren Einheit der unteilbaren Einheit des göttlichen Wesens[70]. Das alte Bekenntnis zur Schöpfungsmittlerschaft Christi wurde damit zwar nicht verleugnet, aber funktionslos. Es wurde zwar festgehalten, daß der Sohn schon an der Schöpfung beteiligt war. Aber das wurde nur noch als Konsequenz des Trinitätsdogmas mitgeschleppt. Eine spezifische Vorstellung von der Art dieser Beteiligung war damit nicht mehr verbunden.

Die Vorstellung von einer Präformation der geschöpflichen Dinge im göttlichen Geiste durch eine Vielfalt von Ideen brachte von Anfang an eine Reihe von gedanklichen Schwierigkeiten mit sich. Neben dem Anschein eines Widerspruchs zur Einheit des göttlichen Wesens erwies sich vor allem die Bindung von Gottes Schöpferwillen an ein von Ewigkeit her in seinem Intellekt bereitliegendes Weltmodell, dem durch den Schöpfungsakt lediglich Dasein verliehen wird, als problematisch. Suchte die Lösung Thomas von Aquins einen Ausweg aus der ersteren Schwierigkeit, so hatte die Kritik Ockhams an der Verankerung der göttlichen Ideen in der Wesenheit Gottes die letztere vor Augen und versuchte, ihr im Interesse der Kontingenz der geschöpflichen Wirklichkeit und ihrer Unmittelbarkeit zum Willen Gottes zu begegnen[71]. Ockhams Deutung der augustinischen Ideenlehre läuft daher auf ihre Auflösung hinaus. Bei Descartes, der in diesem Punkt wie auch sonst in seinen Auffassungen von Gott und Schöpfung weitgehend ockhamistischen Auffassungen folgte, ist diese Konsequenz dann auch ausdrücklich gezogen worden: Gott bedarf keiner vorgängigen Ideen zur Erschaffung der Dinge[72]. Dagegen hat Leibniz die cartesischen *veritates aeternae* wieder als den göttlichen Willensbeschlüssen – und also auch den geschöpflichen Dingen – in Gottes Intellekt vorausgehende Ideen aufgefaßt[73] und darauf seine Lehre von der Bindung des göttlichen Willens an die von Gottes Weisheit erkannte bestmögliche Ordnung der Welt begründet. Er ist damit in die Nähe der später von Kant getadelten Auffassung geraten, derzufolge der Weltplan „ein vor sich notwendiger Gegenstand der göttlichen Weisheit aber nicht selbst als eine Folge von diesem unbegreiflichen Wesen angesehen worden" sei. Kant bemerkte dazu: „Man hat

---

[70] Es mag genügen, dafür auf D. Hollaz zu verweisen: *Sicut una et indivisibilis est essentia divina: ita unus et indivisibilis actus creandi est* (Examen theol. acroamaticum, Stargard 1707, 513).
[71] So die Interpretation von K. Bannach a.a.O. (o. Anm. 68) 225–248. Ockham lehnte jede Identifikation der Ideen mit der göttlichen Wesenheit ab (Ord. I d 35 q 5 a 3, Opera theologica IV, 1979, 488, 3–7; vgl. Bannach 226 ff.) und verband sie stattdessen mit den Geschöpfen und ihrer Hervorbringung (227 ff.): *ostendo quod ipsa creatura est idea. Primo, quia ... ipsa est cognita ab intellectuali activo, et Deus ad ipsam aspicit ut rationaliter producat* (Opera IV, 488, 15–18).
[72] R. Descartes: Meditationes, Amsterdam 1685 mit sämtlichen Einwendungen und Erwiderungen, 580 f. (Antwort auf die sechsten Einwände n 6). Vgl. auch die Anmerkungen von E. Gilson zum Anfang des fünften Teils des Discours de la méthode in: Descartes, Discours de la Méthode, Texte et Commentaire (1925) 5. éd. 1976, 342 f.
[73] G.W. Leibniz: Monadologie § 43 und § 46, dazu Theodizée §§ 180–192.

die Abhängigkeit anderer Dinge bloß auf ihr Dasein eingeschränkt, wodurch ein großer Anteil an dem Grunde von so viel Vollkommenheit jener obersten Natur entzogen, und ich weiß nicht welchem ewigen Undinge beigemessen wird"[74].

Bei richtiger Würdigung der Schwierigkeiten, die in der Geschichte der Vorstellung von göttlichen Ideen als einer im göttlichen Geiste präexistierenden Mannigfaltigkeit von Urbildern der Dinge und ihrer Ordnung hervorgetreten sind, wird die Theologie heute bei der Interpretation der Schöpfungsmittlerschaft des Sohnes auf diese Vorstellung verzichten müssen. Sie impliziert nicht nur eine allzu anthropomorphe Unterscheidung und Zuordnung von Verstand und Willen Gottes, sondern beeinträchtigt auch die für den biblischen Schöpfungsglauben kennzeichnenden Momente der Kontingenz und Geschichtlichkeit der aus dem Schöpfungshandeln Gottes hervorgehenden Weltwirklichkeit.

Wie ist dann aber die Aussage von der Schöpfungsmittlerschaft des ewigen Sohnes und seiner Funktion als Logos der ganzen Schöpfung zu verstehen? Hegels Religionsphilosophie hat dafür einen gedanklichen Ansatzpunkt entwickelt, der das sachliche Anliegen der alten Lehre von den im Logos vereinten göttlichen Ideen, den Hervorgang des Vielen aus der göttlichen Einheit im Gedanken zu erfassen, in neuer Weise wahrnimmt, dabei aber das statische Bild eines intelligiblen Kosmos der Ideen ersetzt durch die Vorstellung eines die Vielheit und Verschiedenartigkeit der geschöpflichen Dinge generierenden Prinzips und zudem noch den christologischen Charakter des Gedankens im Gegensatz zur mittelalterlichen und nachmittelalterlichen Lehre von den Ideen im göttlichen Geiste erneuert: Das ist der Gedanke Hegels, daß der Sohn in der Trinität das Prinzip der Andersheit ist, das zum Ausgangspunkt für das Entstehen des Endlichen als des der Gottheit gegenüber schlechthin anderen wird[75]. Dieser Gedanke beschreibt nicht

---

[74] I. Kant: Der einzig mögliche Beweisgrund zu einer Demonstration des Daseyns Gottes, 1763, 181 f. Vgl. dazu H.-G. Redmann: Gott und Welt. Die Schöpfungstheologie in der vorkritischen Periode Kants, 1962, 99 ff., 105 ff.

[75] Siehe dazu die oben Anm. 56 angeführten Belege. Einen in diese Richtung weisenden Ansatz entwickelte schon Meister Eckhart, der damit die seit Petrus Lombardus eingetretene Trennung von Schöpfungslehre und Trinitätslehre (L. Scheffczyk: Schöpfung und Vorsehung, 1963, 80 f., vgl. auch 92, 94 f. zu Thomas) revidierte: In seinem Opus Tripartitum verband Eckhart die Angabe von Gen 1,1, daß Gott „im Anfang" Himmel und Erde geschaffen habe, mit Joh 1,1 und schloß daraus, daß das Wort bzw. der Sohn als der „Anfang" aufzufassen sei, in welchem alles geschaffen ist (Expositio Libri Genesis, in: Die lat. Werke I, 1964, Hrsg. K. Weiß, 49 f.) Unter Berufung auf Hiob 33,14 (*Semel loquitur Deus, et secundo id ipsum non repetit*) erklärte er sodann, daß Zeugung des Sohnes und Erschaffung der Welt in einem und demselben Akt stattfinden: *Duo hec, scilicet personarum emanationem et mundi creacionem, que tamen ipse semel loquitur, semel locutus est* (a.a.O. 51,6–9). Dieser Satz wurde 1329 von Papst Johannes XXII. unter die 26 verurteilten Thesen Eckharts aufgenommen (DS 953), weil man ihn als Leugnung des zeitlichen Anfangs der Welt verstand. Dabei wurde jedoch nicht berücksichtigt, daß auch der zeitliche Anfang der Welt als aus der Ewigkeit Gottes hervorgegangen zu denken

nur den Übergang aus der Immanenz des göttlichen Lebens zum Dasein des Endlichen überhaupt, sondern gibt auch den Grund für die Mannigfaltigkeit des Endlichen an, sofern jedes Endliche dadurch gekennzeichnet ist, ein anderes gegenüber anderem zu sein. Die Andersheit läßt sich daher als das generative Prinzip der Mannigfaltigkeit der geschöpflichen Wirklichkeit auffassen. An die Stelle des statischen Ideenkosmos der traditionellen Vorstellung von den göttlichen Ideen im Geiste Gottes als Urbildern der Schöpfung tritt ein produktives Prinzip des Hervorgehens immer neuer Unterschiede und damit auch immer wieder neuer und anderer Formen endlichen Daseins.

Hegels Gedanke des Hervorgehens der Endlichkeit aus dem Sohn als dem Prinzip des Andersseins wurden oben (bei Anm. 56) als kritikbedürftig bezeichnet, weil Hegel damit die Behauptung einer logisch notwendigen Selbstentfaltung des Absoluten zur Hervorbringung einer Welt des Endlichen verband. Diese Behauptung ist in der Tat mit dem Schöpfungsglauben nicht vereinbar. Sie ergibt sich bei Hegel daraus, daß die Trinität als Entfaltung eines nach dem Muster des Selbstbewußtseins gedachten absoluten Subjekts dargestellt wird. Wird bereits das Andere in Gestalt des Sohnes als Produkt des Heraustretens des absoluten Subjekts aus seiner Einheit mit sich selber gedacht, dann erscheint es als plausibel, daß diese Selbstentäußerung notwendigerweise forttreibt zur Hervorbringung des Endlichen, weil es erst dadurch „ernst" wird mit dem Prinzip der Andersheit. Wird jedoch das Leben der Trinität von der Wechselseitigkeit der Beziehungen der trinitarischen Personen her gedacht, dann ergibt sich eine solche Konsequenz nicht. Für jede der trinitarischen Personen nämlich erwies sich die Selbstunterscheidung von den beiden anderen als Bedingung ihrer Gemeinschaft in der Einheit des göttlichen Lebens, unbeschadet der unterschiedlichen Form der Selbstunterscheidung bei jeder einzelnen Person. Dadurch stellt sich das göttliche Leben als ein in sich geschlossener Kreis dar, der keines anderen außerhalb seiner bedarf. Auch der Sohn, obwohl in ihm das Moment der Selbstunterscheidung seine schärfste Ausprägung hat, bleibt gerade durch den Akt der Selbstunterscheidung in der Einheit des göttlichen Lebens, weil sie Bedingung seiner Einheit mit dem Vater ist. Im Geschehen der Inkarna-

---

ist (s. a. Scheffczyk a.a.O. 103). Vor allem aber wurde das kirchliche Urteil der Wiedergewinnung eines trinitarischen Ansatzes der Schöpfungslehre bei Eckhart nicht gerecht. Eckhart hat allerdings nicht ausdrücklich die Schöpfungsmittlerschaft des Sohnes als Ursprung der *Andersheit* der Schöpfung im Verhältnis zu Gott gelehrt, obwohl es in seiner Auslegung des Johannesevangeliums zu Joh. 1,1b vom Logos selbst heißt: ... *hoc ipso, quod quid procedit ab alio, distinguitur ab illo* (Die lat. Werke III, hrsg. K. Christ und J. Koch, 7,1-2). Noch Nicolaus von Kues hat die *alteritas* vom Gottesgedanken wie auch vom Begriff des Seins ausgeschlossen (De visione Dei 14, Philos.-theol. Schriften, hg. L. Gabriel III, 1967, 154). Die Wahrheit selbst ist Abwesenheit aller Andersheit (*carentia alteritatis*: Complementum theol. II a.a.O. 652), und im Reiche Gottes gibt es keine Andersheit (Apologia Doctae Ignorantiae, a.a.O. I,536).

tion jedoch, im Verhältnis Jesu von Nazareth zu seinem himmlichem Vater, ist der Sohn aus der Einheit der Gottheit herausgetreten. Indem Jesus sich in seiner Selbstunterscheidung vom Vater als *bloßen Menschen*, als Geschöpf, wußte, anerkannte er den Vater als den einen Gott *im Gegenüber* zu sich selbst. Damit zugleich ließ er auch das selbständige Dasein anderer Geschöpfe neben sich gelten. Das gehört zur Demut der Erkenntnis und Annahme der eigenen Geschöpflichkeit, und damit ist wieder verbunden, daß die Unterordnung unter den Vater als den einen Gott aller Geschöpfe sich als Sendung an die übrigen Menschen zum Zeugnis für die Gottheit Gottes realisiert. In solcher Selbstunterscheidung vom Vater erwies sich Jesus als der Sohn, der das ewige Korrelat der Vaterschaft Gottes ist. Das schließt ein, daß im Verhältnis des ewigen Sohnes zum Vater zumindest die *Möglichkeit* seines Heraustretens aus der Einheit des göttlichen Lebens in die Daseinsform des Geschöpfes begründet sein muß. Von einer göttlichen Notwendigkeit wird man hier nicht reden können, weil der ewige Sohn gerade in seiner Selbstunterscheidung und durch sie mit dem Vater verbunden bleibt in der Einheit des göttlichen Lebens. Doch darin, daß der Sohn den Vater allein Gott sein läßt und als den einen Gott von sich unterschieden weiß, ist es als möglich angelegt, daß sein Sohnsein sich auch in jener anderen Form vollziehen kann, in der Unterschiedenheit geschöpflichen Lebens, das sich in seiner geschöpflichen Endlichkeit annimmt und darin den Vater als seinen Schöpfer ehrt.

In diesem Sinne läßt sich die Schöpfungsmittlerschaft des Sohnes verstehen nicht nur als *strukturelles Urbild* (und in diesem Sinne Logos) der Bestimmung alles geschöpflichen Seins zur Gemeinschaft mit Gott durch Annahme der eigenen Unterschiedenheit von ihm, sondern darüber hinaus auch als Ursprung des *Daseins* geschöpflicher Wirklichkeit. Dabei ist vorauszusetzen, daß der Sohn wie in jeder anderen Hinsicht so auch in seinem Heraustreten aus der Einheit des göttlichen Lebens dem Vater gehorsam ist. Der Sohn ist nicht für sich allein der Schöpfer der Welt. Er selbst vollzieht sein Heraustreten aus der Gottheit als Ausführung der vom Vater empfangenen Sendung. Darum bekennt die christliche Kirche Gott den Vater als den Schöpfer der Welt, nicht etwa den Sohn. Denn das Wirken des Sohnes hat überall nur den einen Inhalt, dem Vater zu dienen, sein Reich heraufzuführen. Darum handelt durch den Sohn der Vater als Schöpfer der Welt. Dennoch ist das Heraustreten des Sohnes aus der Gottheit, um zum Logos einer Welt von Geschöpfen zu werden, ebensosehr als Ausdruck seiner *freien Selbstentscheidung* zu denken. So verhält es sich offensichtlich, wenn der Begriff des göttlichen Logos vom Sohnesverhältnis Jesu zu seinem himmlischen Vater her auszulegen ist.

Dieser Sachverhalt ist in der Darstellung des trinitarischen Ursprungs der Schöpfung bei Karl Barth nicht zu seinem vollen Recht gekommen. Zwar hat auch

Barth die Vorstellung abgelehnt, daß „exklusiv Gott der Vater der Schöpfer" sei (KD III/1,52). Das Werk der Schöpfung wird der Person des Vaters nur *appropriiert*. Aber die Beteiligung des Sohnes an der Schöpfung besteht nach der Darstellung Barths dann doch nur darin, daß der Vater „im Blick auf diesen seinen Sohn" den Menschen und seine Welt geschaffen hat (53 f.). Von einer eigenen Subjektivität des Sohnes ist dabei keine Rede, trotz der Versicherung der Gegenseitigkeit der Liebe von Vater und Sohn im Heiligen Geist (59). Dem entspricht auch Barths Lehre vom Verhältnis von Schöpfung und Bund: Nur in der Handlungslogik von Plan und Ausführung des Geplanten (vgl. III/3,3 ff.) stellt sich die Schöpfung als äußerer Grund des Bundes, der Bund als innerer Grund – nämlich als das intendierte Ziel – der Schöpfung dar. Das Subjekt aber, dem dieses Handeln zugeordnet wird, ist bei Barth Gott der Vater, wenn auch von ihm gesagt wird, daß er von Anfang an „im Blick auf" den Sohn handle.

In der freien Selbstunterscheidung des Sohnes vom Vater ist das selbständige Dasein einer von Gott unterschiedenen Schöpfung begründet, und in diesem Sinne läßt sich die Schöpfung als ein freier Akt nicht nur des Vaters, sondern des trinitarischen Gottes verstehen: Sie geht nicht schon notwendig aus dem Wesen der väterlichen Liebe hervor, die von Ewigkeit her auf den Sohn gerichtet ist. Ihr Möglichkeitsgrund ist die freie Selbstunterscheidung des Sohnes vom Vater, die aber noch im Heraustreten aus der Einheit der Gottheit mit dem Vater geeint ist durch den Geist, der der Geist der Freiheit ist (2. Kor 3,17). Die Sendung des Vaters liegt auf dem Sohn nicht als Zwang, einem Gebot väterlicher Liebe zu folgen, so als ob sie dem Sohn äußerlich auferlegt wäre. Er selber, der Sohn, tritt in einem freien Akt der Realisierung seines Sohnseins aus der göttlichen Einheit heraus, indem er den Vater allein den einen Gott sein läßt. Daß er aber noch in diesem Akt seiner Freiheit mit dem Willen des Vaters geeint ist, läßt sich nur durch ein Drittes verstehen, nämlich als Ausdruck der beide vereinenden Gemeinschaft des Geistes. So ist die Schöpfung freier Akt Gottes als Ausdruck der Freiheit des Sohnes in seiner Selbstunterscheidung vom Vater und der Freiheit väterlicher Güte, die im Sohn auch die Möglichkeit und das Dasein einer von ihm unterschiedenen Schöpfung bejaht, sowie auch des Geistes, der beide in freier Übereinstimmung verbindet.

Das so beschriebene christliche Verständnis des freien Ursprungs der Welt aus Gott unterscheidet sich sowohl von der neuplatonischen als auch von der Hegelschen Auffassung des Weltursprungs. Die Philosophie Plotins führte das leibliche Dasein und die sichtbare Welt auf einen „Fall" der Weltseele zurück (Enn. III,7,11). Plotin folgte damit Platon, der im großen Mythos des Phaidros (248 cd) das leibliche Dasein als Resultat eines Falls der Seelen darstellte. Plotin hat diesen Gedanken erweitert zur Vorstellung eines Falls der Weltseele, die das Ergebnis ihres unruhigen Begehrens nach „mehr", über die Gemeinschaft mit dem Einen durch den Nus hinaus, ist. Der Gedanke des Seelenfalls als Ursprung des leiblichen Daseins und der sichtbaren Welt ist auch in der christlichen Theologie aufgetreten, nämlich bei Origenes (De princ. I,3,8 sowie 4,1; vgl. Hieron. PL

23,368 ff.), sowie zuvor schon bei Gnostikern wie Valentin (vgl. P. Kübel: Schuld und Schicksal bei Origenes, Gnostikern und Platonikern, 1973, 95 f.). Die Kirche des 6. Jahrhunderts hat diese Auffassung zusammen mit der darin vorausgesetzten Lehre von einer Präexistenz der Seelen verworfen (DS 403: Edikt Justinians von 543; DS 433: Verurteilung origenistischer Lehren durch das 5. Ökumenische Konzil 553). Der Gegensatz zur christlichen Glaubenswahrheit besteht darin, daß die sichtbare Welt von Gott nicht als Strafort für gefallene Geschöpfe erschaffen wurde, sondern ihrem ursprünglichen Wesen und ihrer Bestimmung nach gut ist.

Der philosophische Monismus Hegels steht der christlichen Lehre näher, wie er ja auch auf ihrem Boden und als Deutung ihrer Wahrheit entstanden ist. Der Gegensatz zur christlichen Lehre tritt, wie oben erwähnt, im Gedanken der Notwendigkeit der Weltentstehung hervor, die angeblich dadurch gegeben ist, daß „der Unterschied als solcher an ihm selbst" sein Recht erhalten muß (Philosophie der Religion III, PhB 63,85). Die hier waltende Notwendigkeit ist die einer Entfaltung des absoluten Subjekts. Obwohl Hegel sagen kann: „Es ist am Sohn, an der Bestimmung des Unterschiedes ..., daß der Unterschied sein Recht erhält, das Recht der Verschiedenheit" (94), faßt er doch den Sohn nur als logisches Moment des Unterschiedes, nicht personal als freies Prinzip seiner Selbstunterscheidung.

In der christlichen Auffassung kann die Schöpfung als freier Akt Gottes gedacht werden, weil sie weder aus einer einseitig vom Vater ausgehenden Notwendigkeit entspringt, noch aus einem „Fehltritt" des Pneuma abgeleitet wird, sondern aus der freien Übereinstimmung des Sohnes mit dem Vater durch den Geist im Akt seiner Selbstunterscheidung vom Vater hervorgeht, insofern hier nun der Übergang stattfindet von der Unterscheidung des Sohnes vom Vater, die in der Einheit der Gottheit bleibt, zur Selbstunterscheidung vom Vater als dem einen Gott und damit zum Anderssein eines geschöpflichen Daseins, das aber erst im Menschen Jesus die Daseinsform des Sohnes selber sein wird. Dabei wird der Sohn Ursprung geschöpflichen Daseins nicht nur insofern, als er Prinzip der Unterscheidung und Selbstunterscheidung ist, sondern auch durch die Verbindung des so Unterschiedenen. Wie im innertrinitarischen Leben Gottes die Selbstunterscheidung des Sohnes vom Vater Bedingung seiner Einheit mit dem Vater durch den Geist ist, so sind auch die Geschöpfe durch ihren Unterschied von Gott zugleich auf ihn als ihren Schöpfer bezogen und durch ihre Unterschiede voneinander zugleich aufeinander bezogen. Ihre Unterschiede brauchen nicht die Form der Trennung und des Widerstreits anzunehmen. Das geschieht allerdings dann, wenn sie aus der Gemeinschaft mit Gott herausfallen, in der sie durch den Sohn und den Geist Gottes erschaffen sind. In seiner Verbindung mit dem Geiste wirkt der Sohn in der Schöpfung als Prinzip nicht nur der Unterschiedenheit der Geschöpfe, sondern auch ihrer Zusammengehörigkeit in der Ordnung der Schöpfung – auch in diesem Sinne als „Logos" der Schöpfung: Er „sammelt" die Geschöpfe in die Ordnung ein, die durch ihre Unterschiede und Beziehungen gegeben ist, und faßt sie durch sich selbst zusammen (Eph 1,10) zur Teilhabe an seiner Gemeinschaft mit dem Vater. Diese aber kommt nur durch den Geist zustande, wie denn das schöpferische Wirken des Sohnes durchgängig mit dem des Geistes verbunden ist.

Nach den biblischen Zeugnissen ist der Geist schon in der Schöpfung der Welt (Gen 1,2) wirksam, besonders als Ursprung des Lebens in den Geschöpfen (Gen 2,7; vgl. Ps 104,29f.). Der Geist ist einerseits das Prinzip der schöpferischen Gegenwart des transzendenten Gottes bei seinen Geschöpfen, andererseits umgekehrt Medium der Teilhabe der Geschöpfe am göttlichen Leben – und damit am Leben überhaupt. Dabei ist das Wirken des Geistes eng verbunden mit dem des Sohnes, aber zugleich auch charakteristisch von ihm verschieden: Während die Selbständigkeit der Geschöpfe Gott gegenüber und ihr von Gott unterschiedenes Bestehen auf die Selbstunterscheidung des Sohnes vom Vater zurückgeht, ist der Geist das Element der Gemeinschaft der Geschöpfe mit Gott und der *Teilhabe* an seinem Leben unbeschadet ihrer Verschiedenheit von Gott. Zwar sind auch beim Sohn Selbstunterscheidung von und Einheit mit dem Vater eng verbunden, weil die Selbstunterscheidung vom Vater Bedingung der Gemeinschaft mit ihm ist. Doch darin zeigt sich eben die unlösbare Zusammengehörigkeit von Sohn und Geist. Der Sohn ist nicht Sohn ohne den Geist.

Die Selbstunterscheidung des Sohnes vom Vater ist das Prinzip der Besonderheit, die zugleich das ihr gegenüber andere in seiner Besonderheit anerkennt. Das gilt nun auch für das geschöpflich andere. Daraus erwächst die *Ordnung* der geschöpflichen Welt in den gegenseitigen Verhältnissen ihrer unterschiedlichen Gestaltungen. Im beharrlichen Bestehen solcher Gestalten kommt die Selbständigkeit geschöpflichen Daseins in seiner Verschiedenheit von Gott ans Ziel. Ohne eigenes Bestehen wäre die geschöpfliche Wirklichkeit nur ein verschwindendes Aufleuchten und Verlöschen an der Ewigkeit Gottes. Die Erhaltung der Geschöpfe ist daher insonderheit dem Werk des Sohnes zugeordnet, der göttlichen Weisheit. Natürlich ist der Sohn auch bei der Erschaffung und Erhaltung der Geschöpfe dem Vater gehorsam. Im Hervorgehen aus dem Vater zur Schöpfung der Welt ehrt er den Vater nun auch als Vater einer Welt von Geschöpfen, nämlich als den Schöpfer dieser Welt: Er selbst ist das Wort des Vaters, der durch dieses sein Wort die Geschöpfe ins Dasein ruft.

Die Hervorbringung des Geschöpfes kommt zur Vollendung in seinem selbständigen Bestehen. Darauf also zielt die Schöpfungstat Gottes. Dieses geschöpfliche Bestehen selbst ist aber nur möglich durch Teilhabe an Gott; denn Gott allein ist unbeschränkt beständig. Alles begrenzte Bestehen leitet sich von ihm her. Solche Teilhabe an Gott erlangen die Geschöpfe nicht einfach durch ihr Dasein als von Gott verschieden, sondern in der Bewegung ihres Lebens, sofern Leben sich in Überschreitung der eignen Endlichkeit vollzieht. Solches Leben der Geschöpfe als die eigene Endlichkeit transzendierende Teilhabe an Gott ist das besondere Werk des Geistes in der

Schöpfung, das mit dem des Sohnes auf das engste verbunden ist. Das gilt nicht nur für das einzelne Geschöpf, sondern auch für die in der Interaktion der Geschöpfe sich konkretisierende Dynamik der Schöpfung insgesamt, für die „Geschichte der Natur" (C.F.v.Weizäcker).

Die dem Leben der Schöpfung innewohnende Dynamik läßt sich genauer beschreiben als ein Prozeß zunehmender *Verinnerlichung* der *Selbsttranszendenz* der Geschöpfe. Das organische Leben ist die voll ausgebildete Grundform solcher verinnerlichten Selbsttranszendenz, und die Stufen der Evolution des Lebens lassen sich als Stufen ihrer zunehmenden Komplexität und Intensität, darum auch als Stufen wachsender Teilhabe der Geschöpfe an Gott verstehen, – einer ekstatischen Teilhabe, versteht sich, die nur im Medium des Außersichseins des Lebens möglich ist ohne Verletzung der Differenz von Gott und Geschöpf. Dazu wird im zweiten Teil dieses Kapitels noch Genaueres zu sagen sein. Soviel aber läßt sich schon hier feststellen zur Erläuterung der Wirksamkeit des Gottesgeistes in der Schöpfung: Während den elementaren Ereignissen des Naturgeschehens ihre Abfolge, den dauerhaften Gebilden der anorganischen Natur ihre Umgebung und die ihnen widerfahrenden Veränderungen äußerlich zu bleiben scheinen, zeichnet das Lebendige sich dadurch aus, daß es ein inneres Verhältnis zur Zukunft seiner eignen Veränderung ebenso wie zur räumlichen Umgebung hat. Das zeigt der Entfaltungsdrang der Pflanzen, das Triebleben der Tiere. Erst hier läßt sich darum auch in einem zumindest analogen Sinne von Selbsterhaltung sprechen, obwohl ohne Ausbildung eines Selbstbewußtseins noch die Ausdrücklichkeit eines Selbstverhältnisses fehlt, die für die voll entwickelte Struktur von Selbsterhaltung vorausgesetzt ist[76]. Solche Verinnerlichung des Verhältnisses zu einer das eigene Sosein verändernden Zukunft impliziert ein Sein jenseits der eigenen Endlichkeit, und die Bewegung solcher Selbsttranszendenz, insbesondere aber ihre Verinnerlichung, läßt sich als Teilhabe der Geschöpfe an dem sie belebenden Geist beschreiben[77]. Insoweit die Evolution des Lebens sich mit Henri Bergson und Teilhard de Chardin als ein Prozeß der Hervorbringung zunehmend komplexer und damit auch zunehmend verinnerlichter Lebensformen kennzeichnen läßt, darf die Abfolge der Gestalten des Lebens dann auch als Ausdruck zunehmender Intensität der Teilhabe der Geschöpfe am göttlichen Lebensgeist aufgefaßt werden. Solche wachsende Teilhabe am Geist beseitigt auf keiner Stufe die

---

[76] Siehe D. Henrich: Die Grundstruktur der modernen Philosophie in: Subjektivität und Selbsterhaltung, hg. von H. Ebeling, 1976, 97ff., bes. 103ff.

[77] Es handelt sich hier um eine der wichtigsten Einsichten in Paul Tillichs Beschreibung des Lebens in seiner Systematischen Theologie III, 1966, Teil 4: Das Leben und der Geist. Allerdings hat Tillich gerade die Ekstatik des Lebens nicht radikal genug gefaßt und daher vom göttlichen Geist einen ontologisch dem geschöpflichen Leben selbst zuzurechnenden Geist unterschieden. Siehe dazu vom Vf.: Der Geit des Lebens, in: Glaube und Wirklichkeit, 1975, 31–56, bes. 41ff., 51f.

Unterschiedenheit von Gott, weil die Geschöpfe ja nur in der Bewegung des Hinausgehens über die eigne Endlichkeit am Leben des Geistes teilhaben. Vielmehr wird Teilhabe am göttlichen Leben den Geschöpfen in dem Maße zuteil werden, wie die Selbstunterscheidung von Gott (und also der Sohn) in ihnen Gestalt annimmt: So konvergiert das Wirken des *Geistes* in der Schöpfung auf die Inkarnation des *Sohnes* hin, die nach dem biblischen Zeugnis in besonderer Weise das Werk des Geistes ist und in der die Schöpfung zur Vollendung kommt durch das volle Inerscheinungtreten des göttlichen Ebenbildes im Menschen.

Die trinitarische Durchführung des Schöpfungsgedankens ermöglicht es also, die Schöpfungsaussage auf das Ganze der Welt in ihrer zeitlichen Erstreckung zu beziehen. Sie betrifft nicht nur den Anfang der Welt. In der Beschränkung auf den Anfang der Welt besteht eine Einseitigkeit der die alttestamentlichen Schöpfungsberichte bestimmenden Vorstellungsform, die darin der Orientierung mythischen Denkens an einer gründenden Urzeit entspricht[78]. Allerdings wollen die beiden Schöpfungsberichte am Anfang des Buches Genesis in der Form einer Schilderung des Anfangsgeschehens die für alle Folgezeit maßgebliche und bleibend wirksame Grundlegung der geschöpflichen Wirklichkeit aussagen. So gehört zur Schöpfung auch die Erhaltung der Geschöpfe im Dasein. Die Erhaltung wiederum ist nicht nur als unverändertes Festhalten an den anfänglich gegründeten Formen geschöpflichen Daseins aufzufassen, sondern als lebendiges Geschehen, als fortgesetzte Schöpfung und so zugleich auch immer als schöpferische Neugestaltung über das anfänglich ins Dasein Gesetzte hinaus. So bilden Schöpfung, Erhaltung und Regierung der Welt eine Einheit, deren Strukturzusammenhang allerdings noch genauer zu bestimmen bleibt. Durch die Trinitätslehre werden Schöpfung, Erhaltung und Regierung der Welt auf die Heilsökonomie des göttlichen Handelns in der Welt bezogen. Damit stellt sich das Handeln Gottes als ein einziger, den ganzen Weltprozeß umspannender Akt dar, der doch zugleich eine Vielzahl von Einzelakten und Phasen umfaßt und dadurch auch einer Vielheit von Geschöpfen Raum gibt. Umgekehrt ist damit auch ermöglicht, daß die Geschöpfe in ihrer Vielzahl, die Ausdruck ihrer Endlichkeit ist, an je ihrem Ort teilnehmen können an der durch die ganze Schöpfung hindurchgehenden Bewegung des göttlichen Handelns, an der Gestaltwerdung des Wortes Gottes und am Wehen seines Geistes.

---

[78] Zu diesem Begriff des Mythos vgl. vom Vf.: „Christentum und Mythos" (1972), in: Grundfragen syst. Theologie 2, 1980, 13–65, bes. 14ff., 29ff. und zur Anwendung auf die biblischen Befunde 31ff., ferner den Vortrag des Vf.: „Die weltgründende Funktion des Mythos und der christlichen Offenbarungsglaube" in: Mythos und Rationalität, hg. H. H. Schmid 1988, 108–122, bes. 111f.

4. Gottes Schöpfung, Erhaltung und Regierung der Welt

a) Erhaltung und Schöpfung

Erhaltung eines Seienden im Dasein setzt dessen Dasein bereits voraus. Nur was schon ist, kann im Dasein erhalten werden. Weiterhin impliziert der Gedanke der Erhaltung auch, daß das zu Erhaltende sein Dasein nicht schlechthin sich selbst verdankt; denn es bedürfte keiner Erhaltung, wenn es die Ursache seines Seins in sich selber hätte. Sofern nun Gottes Schöpfungsakt das Dasein der Geschöpfe begründet, so sind sie auch für ihre Erhaltung im Dasein in erster Linie auf Gott angewiesen.

Die biblischen Schriften bezeugen in großer Breite, daß Gott die Welt, die er geschaffen hat, auch erhalten will. Dabei handelt es sich zunächst um die Erhaltung der Schöpfung in den von Gott geschaffenen Ordnungen. Sie ist das besondere Thema des Noahbundes (Gen 9,8–17). Aber bei der Erhaltung der Schöpfung geht es doch nicht nur um den festen Bestand des Erdkreises (Ps 96,10; vgl. Jes 45,18) und die Unverbrüchlichkeit der Ordnungen der Natur im Wechsel von Tag und Nacht und in der Folge der Jahreszeiten (Ps 74,16f.; 136,8f.), sondern auch um die jedem einzelnen Geschöpf zugewandte Fürsorge Gottes, der Wasser und Nahrung gibt zur rechten Zeit (Dtn 11,12–15; Jer 5,24; Ps 104,13ff. u. 27, sowie 145,15f.). In den Worten Jesu über die Vögel des Himmels und die Lilien auf dem Felde (Mt 6,25f., 27ff.; Lk 12,24ff., vgl. ebd. 6f.) hat diese Fürsorge Gottes für seine Geschöpfe besonders intensiven Ausdruck gefunden durch Hinwendung zu den besonderen Bedürfnissen eines jeden von ihnen.

Wegen des engen Zusammenhangs von Erhaltung und Fürsorge hat die Theologie häufig den Begriff der Erhaltung dem der göttlichen Vorsehung zugeordnet. Im Neuen Testament allerdings ist der hellenistische Begriff der göttlichen Vorsehung noch nicht auf das Verhältnis Gottes zu seiner Schöpfung angewendet worden[79]. Aber auch von der Erhaltung der Welt wird nur an wenigen Stellen ausdrücklich gesprochen, vor allem in Verbindung mit der Weltschöpfung durch den Sohn (Kol 1,17; Hebr 1,13c). Schon im ersten Klemensbrief ist dann auch ausdrücklich von der göttlichen Vorsehung die Rede (1. Klem 24,5). Unter den Apologeten hat besonders Theophilos von Antiochien ausführlich von der Vorsehung Gottes gehandelt, aus deren Werken man seine Gottheit erkennen solle (ad Autol. I,5f.), und bei Klemens von Alexandrien und Origenes erhielt der Vorsehungsgedanke systematische Bedeutung für die Interpretation der Heilsgeschichte als einer göttlichen Erziehung der Menschheit[80]. Dabei hat Origenes die Erhal-

---

[79] Siehe dazu die Bemerkungen von R. Bultmann: Theologie des Neuen Testaments, 1953, 72.
[80] Unter diesem Gesichtspunkt hat besonders H. Koch die frühe alexandrinische Theologie dargestellt: Pronoia und Paideusis. Studien über Origenes und sein Verhältnis zum Platonismus, Berlin 1932.

tung der Schöpfung gänzlich unter den Gesichtspunkt der Weltregierung durch die göttliche Vorsehung gestellt (princ. II,1 u.ö.). Ebenso ist später noch Johannes von Damaskus (fid.orth. II,29) verfahren. Dagegen war schon Klemens auf die unwandelbare Erhaltung der Ordnung des Geschaffenen gesondert eingegangen, indem er sie als Ausdruck der Ruhe Gottes am siebten Schöpfungstag deutete (Strom. VI,16,142,1)[81]. Augustin hat diesen Gedanken aufgenommen und weitergeführt, indem er ihn verband mit dem Christuswort Joh 5,17: „Mein Vater wirkt bis jetzt und ich wirke auch". Danach kann die Ruhe Gottes am siebten Schöpfungstag nicht bedeuten, daß Gott gar nicht mehr tätig wäre, sondern nur, daß er keine neuen Arten von Geschöpfen mehr hervorbringt. Wohl aber bedarf sein Werk insofern einer Fortsetzung (*continuatio*), als die Geschöpfe darauf angewiesen sind, daß Gott sie erhält (*continet*) und regiert (*administrat*): Ohne die erhaltende und regierende Tätigkeit Gottes müßten die Geschöpfe ins Nichts zurücksinken, aus dem sie erschaffen worden sind[82].

Der augustinische Gedanke der Angewiesenheit der Geschöpfe auf Erhaltung im Dasein durch den Schöpfer ist direkt und indirekt über Gregor den Großen in das theologische Denken der lateinischen Scholastik des Mittelalters eingegangen. So begegnet er auch bei Thomas von Aquin: Wie das Tageslicht verlischt, sobald die Sonne nicht mehr scheint, so müssen die Geschöpfe vergehen, wenn Gott nicht mehr fortfährt, sie im Sein zu erhalten[83]. Dieser Gedanke hatte noch für einen so kritischen Geist wie Wilhelm von Ockham eine solche Evidenz, daß er schon durch ihn das Dasein Gottes bewiesen glaubte[84].

In seiner theologischen Summe hat Thomas von Aquin ähnlich wie schon die Genesisauslegung Augustins die Erhaltung der Geschöpfe der göttlichen Weltregierung zugeordnet (S. theol. I,103–105). In der Summe gegen die Heiden hingegen hat er die Erhaltung neben der Weltregierung als Teilaspekt des Waltens der Vorsehung Gottes dargestellt (S.c.G. III,64–67, bes. 65). Darin ist ihm noch die altprotestantische Dogmatik gefolgt[85]. Hier wurde nun die Lehre von der Vorse-

---

[81] Es erscheint als nicht ganz korrekt, wenn dieser Gedanke als Ausdruck einer Auffassung der Erhaltung als *creatio continua* gedeutet wird (so L.Scheffczyk: Schöpfung und Vorsehung, 1963, 49); denn die Hervorbringung der Geschöpfe ist auch nach Klemens mit dem sechsten Schöpfungstag abgeschlossen. Aus der christlichen Gegenwart blickt man nach dieser Darstellung auf die Schöpfung zurück als auf ein längst abgeschlossenes Geschehen.

[82] Augustin De gen. ad litt. IV,12,22f.: *Proinde et quod Dominus ait, Pater meus usque nunc operatur, continuationem quamdam operis eius, qua universam creaturam continet atque administrat, ostendit* (PL 34, 304). Augustin kannte daneben allerdings auch eine typologische Deutung des siebten Schöpfungstages auf Jesus Christus, insbesondere auf den Sabbat seiner Grabesruhe (a. a.O. c.11,21).

[83] Thomas von Aquin S. theol. I,104,1: *non autem remanet aer illuminatus nec ad momentum, cessante actione solis ... Sic autem se habet omnis creatura ad Deum, sicut aer ad solem illuminantem.* Zuvor hieß es grundsätzlich: *Dependet enim esse cuiuslibet creaturae a Deo, ita quod nec ad momentum subsistere possent, sed in nihilum redigerentur, nisi operatione divinae virtutis conservarentur in esse sicut Gregorius [Moral. XVI, 37] dicit.* Ähnlich heißt es in der Summa c. Gentiles III,65: *Nulla igitur res remanere potest in esse cessante operatione divina ... tandiu igitur sunt quandiu Deus eas esse vult.*

[84] Siehe hier Band I, 100.

[85] So definierte David Hollaz den Begriff der Erhaltung: *Conservatio est Actus providentiae divinae, quo DEUS res omnes a se creatas sustentat, ut in natura sua, proprietatibus insitis et viribus*

hung seit Abraham Calov so unterteilt, daß sie neben der *Erhaltung* der Geschöpfe zweitens die *Mitwirkung* Gottes bei ihren Tätigkeiten und drittens die *Weltregierung* Gottes umfaßt. Die Mitwirkung Gottes bei den Tätigkeiten der Geschöpfe (*concursus divinus*) wurde von ihrer Erhaltung im Dasein unterschieden, weil das Dasein eines Dinges grundlegend ist für seine Tätigkeit: Es braucht nicht immer tätig zu sein, um zu sein, aber es muß in jedem Falle dasein, – und zwar kontinuierlich dasein, – um tätig sein zu können. Die Erhaltung der Geschöpfe im Dasein ist also für ihre Tätigkeit schon vorausgesetzt. Daß die Geschöpfe für ihre Tätigkeit auf Gottes Mitwirkung angewiesen sind, ergibt sich allerdings schon daraus, daß sie sogar für ihr fortdauerndes Dasein der ständigen Erhaltung durch Gott bedürfen[86]. Andererseits soll die Mitwirkung Gottes bei den geschöpflichen Tätigkeiten die Selbständigkeit der Geschöpfe als Prinzip ihrer Tätigkeiten nicht aufheben. Die besonderen Intentionen, die die Geschöpfe in ihren Tätigkeiten verfolgen, können abweichen von den alles einzelne mit dem Ganzen verknüpfenden Intentionen der göttlichen Weltregierung[87]. Darum braucht die göttliche Mitwirkung bei den kreatürlichen Akten nicht für deren Abweichungen von den Intentionen der Vorsehung Gottes verantwortlich zu sein. Andererseits müssen auch die Sünde und das Böse in den Handlungen der Geschöpfe noch den Zwecken der göttlichen Vorsehung dienen[88].

Alle Aussagen über Gottes Erhaltung und Regierung der Welt setzen deren Schöpfung schon voraus. Auch die bei Klemens von Alexandrien und bei Augustin begegnenden Reflexionen über die Ruhe Gottes am siebenten Schöpfungstag (s.o.), die sie mit der Annahme eines dennoch fortdauernden göttlichen Wirkens zu verbinden suchten, rechnen mit der Abgeschlossenheit des Sechstagewerkes der Weltschöpfung, wie es der priesterschriftliche Schöpfungsbericht im ersten Kapitel der Genesis dargestellt hat. Das darauf folgende Wirken Gottes ist ein Wirken anderer Art, eben ein solches der Erhaltung und Regierung des Geschaffenen. Dieser strikten Unterscheidung zwischen Schöpfung und Erhaltung stand jedoch schon in der frühchristlichen Theologie eine andere Annahme in unaufgelöster Spannung gegenüber, nämlich die Auffassung, daß der Schöpfungsakt als Akt des ewigen Gottes selber ewig sein müsse. Als ein ewiger Akt des ewigen Gottes kann die Schöpfung nicht auf den Anfang der Welt begrenzt sein, sondern ist al-

---

in creatione acceptis persistere possint (Examen theol. acroamaticum, Stargard 1707,645). A.Calov identifizierte noch Providenz und *rerum creatarum gubernatio*, die auch die Erhaltung umfaßt (Syst. Loc. theol. t.3, Wittenberg 1659, 1127).

[86] Thomas von Aquin S.c.G. III,67: *Sicut autem Deus non solum dedit esse rebus cum primo esse incoeperunt, sed quandiu sunt, esse in eis causat, res in esse conservans, ... ita non solum cum primo res conditae sunt, eis virtutes operativas dedit, sed semper eas in rebus causat. Unde, cessante influentia divina, omnis operatio cessaret.* Vgl. S. theol. I,105,5.

[87] Bei Thomas wird die Differenz zwischen dem Wirken der geschöpflichen Zweitursachen und der durch sie tätigen *virtus divina* nicht auf eine Differenz der Handlungsintentionen, sondern auf einen Defekt auf seiten des Geschöpfes, dessen sich die göttliche Tätigkeit als „Instrument" bedient, zurückgeführt (S.c.G. III,71).

[88] Thomas von Aquin S.c.G. III,140.

ler geschöpflichen Zeit gleichzeitig. Denn als ewiger Akt ist der Schöpfungsakt kein in der Zeit stattfindender Akt. Vielmehr ist die Zeit selber erst mit der Hervorbringung der Geschöpfe entstanden.

Die frühchristliche Theologie konnte diesen Gedanken schon bei Philo Leg. all. I,2 formuliert finden. Im Anschluß an Philo hat dann Klemens von Alexandrien ausdrücklich verneint, daß der Schöpfungsakt in der Zeit stattgefunden habe, da ja vielmehr „die Zeit erst zugleich mit dem Seienden geschaffen wurde" (Strom. VI,16,142,4). Alles Geschaffene sei zugleich mit dem göttlichen Logos hervorgebracht worden, die Schöpfung also in einem Akt erfolgt. Das entnahm Klemens daraus, daß der priesterschriftliche Schöpfungsbericht gleich zu Beginn von der Erschaffung von Himmel und Erde insgesamt „im Anfang" spricht (Gen 1,1) und erst danach auf die einzelnen Schöpfungswerke eingeht (a.a.O. 142,2). Basilios von Caesarea hat in seiner Auslegung des Sechstagewerkes der Weltschöpfung diesen Gedanken genauer bestimmt, indem er der geschöpflichen Welt einen durch die Schöpfung gesetzten Anfang zusprach, den Schöpfungsakt Gottes selber aber als zeitlosen Ursprung aller Zeit beschrieb (Hex. I,6, MPG 29,16 CD; vgl. c.3 a.a.O. 9 AB). Durch Augustin ist dieser Gedanke der Schöpfungslehre des lateinischen Mittelalters vermittelt worden: Wie das Wort von Gott ewig gesprochen wird, so werden damit auch alle Dinge hervorgesprochen; denn das Sprechen des ewigen Wortes durch Gott findet kein Ende, so daß danach etwa anderes hätte gesprochen werden können, sondern gleichzeitig und ewig wird von Gott alles gesprochen: *Verbum Deum .. sempiterne dicitur, et eo sempiterne dicuntur omnia: neque enim finitur quod dicebatur, et dicitur aliud quod possint dici omnia; sed simul ac sempiterne dicis omnia quae dicis ...* (Conf. XI,7,9)[89]. Die Zeit ist erst mit den Geschöpfen entstanden, nämlich als Bedingung ihrer Bewegungen, ihres Entstehens und Vergehens (De civ. Dei XI,6).

Das Dasein aller Geschöpfe nimmt seinen Anfang im Akt ihrer Schöpfung. Insofern ist die Schöpfung auf den Anfang der Geschöpfe bezogen. Aber daraus folgt nicht, daß der Schöpfungsakt Gottes der Zeit des Weltanfangs angehörte und damit auch auf diese Zeit des Anfangs beschränkt wäre. Er wäre dann ein Akt in der Zeit, nicht ein ewiger Akt Gottes. Die Zeit wäre nicht erst mit dem Dasein der Geschöpfe gesetzt, sondern der Übergang von der Ewigkeit in die Zeit läge schon in Gottes Herausgehen aus der Immanenz seines Wesens zum Akt der Schöpfung. Wäre aber der Schöpfungsakt selber schon ein Akt in der Zeit, dann wäre es unvermeidlich, nach einer ihm vorausgehenden Zeit zu fragen. Damit wiederum wäre die Vorstellung einer Veränderung in Gott beim Übergang zur Schöpfung verbunden. Aus diesem Grunde hat Augustin die Auffassung des Schöpfungs-

---

[89] Man vergleiche dazu die Ausführungen Augustins in De genesi ad litteram V,23 (PL 34,337f.) darüber, wie Gott alles gleichzeitig geschaffen hat und doch in zeitlicher Folge (s.a. schon I,10,18 a.a.O. 253 und IV,35 a.a.O. 320: *Dies ergo ille quem Deus primitus facit ... praesentatus est omnibus operibus Dei hoc ordine praesentiae, quo ordine scientiae, qua et in Verbo Dei facienda praenosceret, et in creatura facta cognosceret, non per intervallorum temporalium moras, sed prius et posterius habens in connexione creaturarum, in efficacia vero Creatoris omnia simul*).

aktes als eines in der Zeit stattfindenden Aktes abgelehnt. Denn in der Ewigkeit gebe es keine Veränderung (*in aeternitate autem nulla mutatio est:* De civ. Dei XI,6). Augustin setzte dagegen seine These, die Welt sei nicht in der Zeit, sondern mitsamt der Zeit geschaffen worden (*non est mundus factus in tempore, sed cum tempore*).

Karl Barth hat gegen diese These Augustins betont von einer Schöpfung *in der Zeit*, und zwar an ihrem Anfang, gesprochen (KD III/1,72ff., 75f.). Zwar stimmte er Augustin darin zu, daß die Zeit zur geschöpflichen Welt gehört, die als unterschieden von der Ewigkeit erst mit dem Akt der Schöpfung ins Dasein tritt. Dennoch fand er es „bedenklich", daß Augustin Conf. XI,30 (40) „nicht nur eine Zeit *vor* der Schöpfung, sondern auch die Zeitlichkeit der Schöpfung *selbst* in Abrede stellt" (75). Nach seinem Urteil hat Augustin damit entgegen seiner eigenen Absicht dem göttlichen Schaffen eine „zeitliche Priorität dem Werden des Geschöpfs, dem Anfang der Zeit gegenüber" zugeschrieben (ebd.). Das trifft aber nicht den Sinn des augustinischen Gedankens. Dieser bedeutet keineswegs, wie Barth meinte, „daß Gott *zuerst* geschaffen hätte *und dann* wäre das Geschöpf geworden und es hätte eben damit die Zeit begonnen" (ebd.). Vielmehr geht es bei Augustin darum, daß die göttliche Ewigkeit und der Schöpfungsakt des ewigen Gottes dem Geschöpf sowohl vorausgehen als auch ihm gleichzeitig sind. Die Gleichzeitigkeit des Schöpfungsaktes zum Dasein des Geschöpfes wollte auch Barth nicht ausschließen (vgl. 76), obwohl er betonte, daß die Schöpfung „unter Gottes Werken das *erste* ist" (45), der „*Anfang* aller Dinge" (13) und also „*keine zeitlose Wahrheit*" (64). Mit Recht machte er geltend, daß die Ewigkeit „ihrerseits nicht einfach die Negation der Zeit", sondern „Quellort der Zeit" ist, als Einheit von Vergangenheit, Gegenwart und Zukunft (72). Darin liegt auch ein Moment berechtigter Kritik Barths an Augustins Ewigkeitsbegriff[90]. Aber indem er nun gegen Augustin darauf beharrte, daß der Akt der Schöpfung in der Zeit stattgefunden habe (76), „Gottes Schöpfung als Geschichte *in der Zeit* geschieht" (74), zog er die Kritik Augustins an der Widersprüchlichkeit solcher Hinweise auf sich. Sie implizieren unausweichlich die Vorstellung einer Zeit *vor* der Schöpfung (De civ. Dei XI,6: *Quod enim fit in tempore, et post aliquod fit, et ante aliquod tempus; post id quod praeteritum est, ante id quod futurum est*). Barth beteuerte zwar, auch seinerseits keine Zeit vor der Schöpfung annehmen zu wollen (a.a.O. 75, vgl. 83); aber dann dürfte er nicht von einem Schöpfungsakt „in" der Zeit sprechen[91]. Dieser Redeweise liegt bei Barth die Vorstellung zugrunde, daß schon im Akt der Schöpfung Gott sich zu seinem Geschöpf „herniederläßt, in seine Existenzform eingeht ... und also sein Wort in der Zeit laut werden, sein Werk in der Zeit geschehen

---

[90] Siehe dazu Band I, 437ff.
[91] Die Problematik einer solchen Auffassung ist eingehend erörtert worden von R. Rothe: Theologische Ethik I, 2. Aufl. Wittenberg 1867, 193ff. (Anm. zu § 52). Die Kritik daran trifft auch die gegen Augustin gerichtete Formulierung Luthers: *deus in tempore creavit, non in momento* (WA 12,245,38). Aber Luther ging es gerade nicht um eine Beschränkung des Schöpfungsaktes auf den Anfang, sondern darum, daß Gott unablässig Neues schafft (WA 1, 563, 7ff.). Vgl. D. Löfgren: Die Theologie der Schöpfung bei Luther, 1960, 37ff. Luthers Anliegen war die *continuata creatio* (a.a.O.), von der hier im folgenden zu reden ist.

läßt" (74). Doch bei der Schöpfung handelt es sich im Unterschied zur Inkarnation zunächst einmal darum, die „Ebene" der geschöpflichen Wirklichkeit überhaupt erst hervorzubringen, in deren „Existenzform" der Sohn bei der Inkarnation dann eingehen wird. Das gilt um so mehr, wenn man mit Barth den Begriff der Schöpfung nur unter dem Aspekt des Anfangs entwickelt.

Die bleibende Relevanz der These Augustins, daß die Welt mit der Zeit, aber nicht in der Zeit geschaffen wurde, besteht nicht so sehr in der von Augustin beabsichtigten Verteidigung der Unveränderlichkeit Gottes. In dieser Absicht, die mit Augustins Verständnis der Ewigkeit als zeitlos, der Zeit nur entgegengesetzt, zusammenhängt, hat man eher das Vergängliche an der Lehre Augustins vom Ursprung der Zeit selber im Schöpfungsakt Gottes zu erblicken. Ihr bleibender Gewinn dagegen besteht in zweierlei: einmal wird der Anschein vermieden, daß der Ursprung der Welt auf einem willkürlichen Entschluß Gottes beruhe. Für das Verständnis des Schöpfungsaktes ist zwar konstitutiv, daß er ein Akt der Freiheit Gottes ist. Aber er ist nicht Produkt eines Zufalls, nämlich einer willkürlichen Laune, die gar keine Begründung im inneren Leben Gottes hätte. Darüber hinaus ist die These von der Ewigkeit des Schöpfungsaktes jedoch vor allem darum bedeutsam, weil sie der Beschränkung des göttlichen Schöpfungshandelns auf den Anfang der Welt entgegensteht. Die Ewigkeit des Schöpfungsaktes bildet die Voraussetzung für die Auffassung der Erhaltungstätigkeit Gottes als eines fortgesetzten Schöpfungshandelns, als *creatio continuata* bzw. *creatio continua*.

Schon Thomas von Aquin konnte die Erhaltung als fortgesetzte Schöpfung bezeichnen und betonen, es handle sich dabei nicht um einen gegenüber der Schöpfung neuen Akt Gottes, sondern um die Fortsetzung des Aktes, durch den Gott den Geschöpfen das Sein gewährt: *conservatio rerum a Deo non est per aliquam novam actionem, sed per continuationem actionis qua dat esse; quae quidem actio est sine motu et tempore; sicut etiam conservatio luminis in aere est per continuatum influxum a sole* (S. theol. I,104,1 ad 4). Einen neuen und radikaleren Sinn gewann dieser Gedanke bei Wilhelm von Ockham wegen seiner Auffassung von der Kontingenz jedes einzelnen Ereignisses infolge seiner unmittelbaren Abhängigkeit von Gott[92]. Dieser Auffassung folgte noch Descartes: Das Dasein des Geschöpfes hängt in jedem Augenblick von Gottes Schöpfungshandeln ab, weil aus seiner Existenz zu einem früheren Zeitpunkt keineswegs sein Dasein im nächsten folgt: *ex eo quod paulo ante fuerim, non sequitur me nunc debere esse, nisi aliqua causa me rursus creet ad hoc momentum, hoc est me conservet*. Weil so das Geschöpf sich in jedem Augenblick seines Daseins aufs neue der schöpferischen Tätigkeit Gottes verdankt, unterscheidet sich der Begriff der Erhaltung von dem der Schöpfung nur durch die

---

[92] Insofern urteilt K. Bannach mit Recht, kein Theologe vor Ockham habe „eine so radikale Deutung der Kreatürlichkeit des Geschaffenen vorgetragen" (Die Lehre von der doppelten Macht Gottes bei Wilhelm von Ockham, 1975, 300), obwohl Ockhams Aussagen über die Einheit des göttlichen Aktes von Schöpfung und Erhaltung für sich genommen kaum über das von Thomas Gesagte hinausgehen (vgl. a.a.O. 213 zu Sent. II, q 11, H und q 3 und 4, L).

Beziehung darauf, daß Gott auch zuvor schon dem betreffenden Geschöpf sein Dasein gewährt hat: *adeo ut conservationem sola ratione a creatione differe* (Med. III,36; Adam/Tannery VII, 1964, 49,2-10). Ähnlich haben sich altprotestantische Dogmatiker geäußert, wenn auch ohne die besondere Pointe, die durch Descartes' atomistische Auffassung der Zeit als kontingenter Abfolge von Augenblicken gegeben war. So hat Johann Andreas Quenstedt die Erhaltung eines Geschöpfes als seine fortgesetzte Hervorbringung definieren können, die vom Begriff seiner Schöpfung nur äußerlich, durch die Benennung, unterschieden sei[93]. Auch nach David Hollaz ist die Erhaltung nichts anderes als ein fortgesetzter Schöpfungsakt, der nur durch die Konnotation unterschieden ist, daß sein Produkt auch zuvor schon existierte[94].

Kritiker der Auffassung von der Erhaltung als einer fortgesetzten Schöpfung haben eingewendet, daß dadurch die Selbständigkeit der Geschöpfe und ihrer Handlungen[95] oder zumindest ihre Identität und Kontinuität[96] in Frage gestellt würden. Beide Befürchtungen sind jedoch gegenstandslos, wenn Gott in seinem Schöpfungshandeln sich selber treu ist. Die Treue Gottes ermöglicht und garantiert das Entstehen und Bestehen kontinuierlich existierender Gestalten geschöpflicher Wirklichkeit, ihre zeitüberdauernde Identität und ihre Selbständigkeit. Ein weiterer Einwand macht geltend, daß nach dem Zeugnis der Schrift die Schöpfung abgeschlossen sei (Gen 2,1)[97]. Das ist in der Tat die Vorstellung des priesterschriftlichen Schöpfungsberichts. Doch dem stehen andere biblische Aussagen entgegen, besonders das johanneische Christuswort: „Mein Vater wirket bis jetzt, und ich wirke auch" (Joh 5,17), ein Wort, das schon die patristische Theologie

---

[93] J.A.Quenstedt: Theologia did.-pol. sive Systema Theol., tom. I (1685) Leipzig 1715: *Conservatio enim rei proprie nihil est alius, quam continuata eius productio, nec differunt, nisi per extrinsecam quandam denominationem* (760).

[94] D.Hollaz: Examen theol. acroam. I, Stargard 1707, 645f.: *conservatio quippe est continuata creatio, seu creativae Actionis continuatio. Neque enim alia ratione DEUS creaturam conservare dicitur, nisi quatenus actionem, qua creaturam produxerat, porro positive continuat ... Distinguuntur autem diversis connotatis. Nam creatio connotat rem ante non fuisse, conservatio rem ante fuisse supponit.*

[95] So J.F.Buddeus: Institutiones theologiae dogmaticae, Leipzig 1724, 1.2 c.2 § 47,1 (zit. nach C.H.Ratschow: Lutherische Dogmatik zwischen Reformation und Aufklärung II, 1966, 244): *Praeterea, si conservatio est creatio quaedam, sequetur, deum singulis momentis non tantum ipsam rerum essentiam, sed omnem motum, omniaque adeo libere agentium dicta, facta, atque cogitata producere; adeoque, quidquid mali ab hominibus dicitur, aut peragitur, id ipsum deum facere.* Vgl. auch J.Müller: Die christliche Lehre von der Sünde I, 3.Aufl. 1849, 302; R.Rothe: Theologische Ethik I, 2.Aufl. 1867, 217 (§ 54); F.A.B.Nitzsch/H.Stephan: Lehrbuch der evang. Dogmatik, 3.Aufl. Tübingen 1912, 413.

[96] So K.Barth KD III/3, 1950, 79.

[97] J.F.Buddeus a.a.O. nennt als erstes Argument gegen die Annahme einer *creatio continua*, Gott habe nach dem Zeugnis der Schrift die Schöpfung beendet (*deum ab opere creationis cessasse*, Gen 2,1 dicitur). Sachlich entsprechend heißt es bei K.Barth, a.a.O., 78: „Man kann *nicht* sagen: er *fährt fort*, es zu *erschaffen*. Es bedarf dessen nicht, es ist ja erschaffen, und zwar gut erschaffen".

beschäftigt hat (s.o. bei Anm. 82). Läßt sich der Inhalt dieser Aussage auf die Erhaltung des zuvor Geschaffenen beschränken, oder schließt sie gerade auch die Hervorbringung von Neuem ein? Letzteres gilt jedenfalls für das Pauluswort, das den Inhalt der Sohnesverheißung an Abraham in Parallele setzt zur Auferweckung der Toten und zum Schöpfungshandeln Gottes, der „das Nichtseiende ins Sein ruft" (Röm 4,17): Das Vertrauen Abrahams angesichts der Verheißung der so späten Geburt eines Sohnes richtet sich auf die Schöpferkraft Gottes, die eben nicht nur am Anfang die Welt begründet hat, sondern ohne die das angekündigte Geschehen nicht möglich wäre. In ähnlichem Sinne hat schon Deuterojesaja den Begriff des göttlichen Schaffens (*bārā'*) für die Hervorbringung des geschichtlich Neuen gebraucht, und zwar sowohl im Hinblick auf heilvolles als auch auf unheilvolles Geschehen (Jes 45,7f., vgl. mit anderem Verb 43,12 und 19, auch 48,6f., s.a. Num 16,30). Wenn es heißt, daß Gott Jakob (Jes 43,1) bzw. Israel (43,15) „geschaffen" habe, so wird man dabei an das geschichtliche Erwählungshandeln Gottes zu denken haben, das die Existenz des Gottesvolkes begründet hat. Auch was im Naturgeschehen neu entsteht, wird terminologisch als Gottes Schöpfungstat gekennzeichnet (Jes 41,20; vgl. Ps 104,30)[98]. Dem entspricht schließlich auch die eschatologische Erwartung, die sich auf die Erschaffung eines neuen Himmels und einer neuen Erde richtet (Jes 65,17f.). Alle diese Werke – Gottes Handeln zur Erhaltung und Regierung seiner Geschöpfe, aber auch in der Hervorbringung von Neuem und in der Versöhnung und Vollendung der von ihm geschaffenen Welt – nehmen teil an der Qualität seines Handelns als Schöpfungshandeln.

Als ein ewiger Akt umspannt das Schöpfungshandeln Gottes den ganzen Weltprozeß und durchdringt alle Phasen der Ökonomie des göttlichen Handelns in seiner Geschichte.

Friedrich Schleiermacher hat diesen Sachverhalt im Hinblick auf die Inkarnation Christi und die Stiftung eines neuen „Gesamtlebens" durch ihn auf die schöne Formel gebracht, dieses Geschehen sei „als die nun erst vollendete Schöpfung der menschlichen Natur zu betrachten" (Der christliche Glaube § 89). Doch sah Schleiermacher andererseits die Einheit des göttlichen Handelns an der Welt primär im Gedanken der Erhaltung ausgedrückt und nur sekundär in dem der Schöpfung (§ 36ff.). „Wir finden uns selbst immer nur im Fortbestehen, unser Dasein ist immer schon im Verlauf begriffen" (§ 36,1). Daher sei das „Grundgefühl" der Abhängigkeit von Gott in seinem positiven Inhalt durch die Lehre von der Erhaltung darzustellen (§ 39), während die Schöpfungsaussage nur „eine Ergänzung ist zu dem Begriff der Erhaltung, um die unbedingt alles umfassende Abhängigkeit" zum Ausdruck zu bringen (§ 36,1): Nichts darf „von dem Entstandensein durch Gott ausgeschlossen" werden (§ 40). Das theologische Interesse an der Freiheit des göttlichen Schöpfungshandelns kommt in dieser Auffassung nicht zu seinem Recht. Auch in Schleiermachers Einzelausführungen zur Lehre von der

---

[98] Weitere Belege dazu nennt W. Kern in: Mysterium Salutis II, 1967, 533.

Erhaltung treten das Moment der Freiheit Gottes und die ihm entsprechende Kontingenz der geschöpflichen Wirklichkeit zurück hinter der Einordnung alles einzelnen in den „Naturzusammenhang" (§ 46). Daher wird man den Gedanken der übergreifenden Einheit des göttlichen Handelns in Schöpfung, Erhaltung und Weltregierung besser unter dem Gesichtspunkt einer *creatio continuata* gewahrt finden.

Auch Schleiermacher hat die Möglichkeit erwogen, das Ganze des göttlichen Handelns in bezug auf die Welt als Schöpfung zu denken („die Schöpfung der Welt als Einen göttlichen Act, und mit diesem den ganzen Naturzusammenhang": Der christliche Glaube § 38,2). Wird doch „mit jedem Anfang einer Reihe von Thätigkeiten oder aus dem Subject ausgehenden Wirkungen etwas neues gesetzt, was vorher in demselben Einzelwesen nicht gesetzt war; dies ist mithin ein neues Entstehen und kann als eine Schöpfung angesehen werden ..." (§ 38,1). Man dürfe nur den Schöpfungsakt nicht denken als „aufgehört habend" (§ 38,2). Daß Schleiermacher dennoch als Benennung jenes einen göttlichen Aktes den Begriff der Erhaltung vorzog, ist in seinem Ansatz beim Abhängigkeitsgefühl begründet (s.o.). Aber noch stärker war sein Interesse daran, das Ganze des göttlichen Handelns als Einheit zu denken. Gerade gegen diese These jedoch richtet sich die Kritik von Julius Müller (Die christliche Lehre von der Sünde I, 3.Aufl. 1849, 300ff.). Müller war durchaus bereit, von einer *creatio continua* zu reden (304), die sich auf „alles neue Entstehen" bezieht (303). Er beharrte aber darauf, daß davon das erhaltende Handeln Gottes zu unterscheiden sei (304), das „die geschaffenen Kräfte in jedem Moment ihrer Thätigkeit trägt ..., ohne doch selbst ... der Wirksamkeit der kreatürlichen Kräfte irgend eine besondere Bestimmung zu geben" (317). Der Unterschied des erhaltenden vom schöpferischen Wirken Gottes begründete für Müller die Selbständigkeit des Geschöpfes und besonders seiner Tätigkeiten, die Voraussetzung für den Begriff der Sünde. Daher mußte er auch die von Richard Rothe (Theologische Ethik I, 2.Aufl. 1867, 215ff.) befürwortete Ineinssetzung von Erhaltung und Weltregierung ablehnen (316 Anm.).

Die Einheit des ewigen Wesens und so auch der Tätigkeit Gottes schließt nicht aus, von einer Vielfalt und Mannigfaltigkeit göttlicher Handlungen zu sprechen, die in der ewigen Einheit seines Wesens und seiner Tätigkeit zusammengefaßt sind (s.o. bei Anm.18). Wenn die Beziehungen göttlichen Handelns zu seinen Geschöpfen in ihrer Geschichte dem Wesen des Schöpfers nicht äußerlich sind, da vielmehr seine Ewigkeit alle Zeit umgreift, dann ist durchaus auch von Taten Gottes in Zeit und Geschichte zu reden. Die Weltschöpfung jedoch ist nicht nur eine der Geschichtstaten Gottes neben anderen, weil es sich dabei eben nicht um eine Tat in Zeit und Geschichte, wenn auch an ihrem Anfang, handelt, sondern um die die Zeit selber mitsamt aller geschöpflichen Wirklichkeit allererst konstituierende Tat Gottes. Sie begründet nicht nur den zeitlichen Anfang des geschöpflichen Daseins, sondern dieses Dasein in seiner ganzen Erstreckung. Daß Gott der Ursprung dieses Daseins ist, kommt allerdings dadurch zur Darstellung, daß insbesondere sein Anfang auf Gott zurückgeführt wird. Dabei aber ist die Perspektive der Zeit, in der die Geschöpfe ihr Dasein haben, schon vorausgesetzt. In dieser Perspektive trennen sich vom Standpunkt des Geschöpfes aus die Vorstellungen von Schöpfung und Erhaltung. Der Schöpfungsgedanke enthält dennoch mehr als eine Aussage über den Anfang der Welt. Jedes einzelne Geschöpf, sogar jedes neue Ereignis, jeder Augenblick, hat seinen „Anfang" in Gottes Schöpfung.

Der Begriff der Erhaltung impliziert, anders als der der Schöpfung, schon von sich aus eine zeitliche Differenz, nämlich die „Unterscheidung zwischen dem *Anfange* der Kreatur und ihrer *Fortdauer*"[99]. Das erhaltende Handeln Gottes ist im Unterschied zur Schöpfung immer schon ein Handeln Gottes *in* der Zeit. Dabei geht es jedoch nicht um ein bestimmtes, einzelnes Tun, wie im Falle der Berufung Abrahams oder der Inkarnation, sondern um eine generelle Kennzeichnung der Eigenart des göttlichen Handelns an seinen Geschöpfen. In diesem Sinne gilt die Regel: „Was unser Gott geschaffen hat, das will er auch erhalten"[100]. Darin findet die Treue Gottes in seinem schöpferischen Handeln ihren Ausdruck. Die Erhaltung der Geschöpfe ist allerdings nicht die einzige Form, in der die Treue Gottes, sein Festhalten an seiner Schöpfung, sich bekundet. Die Treue Gottes kommt auch durch Läuterung, Rettung, Versöhnung und Vollendung seiner Geschöpfe zum Ausdruck. Alle diese Handlungen enthalten jedoch ihrerseits die Erhaltung der Geschöpfe als Teilmoment. Andererseits setzen sie deren Dasein – und also ihre Erschaffung – schon voraus, ebenso wie das beim Akt der Erhaltung der Fall ist. Daher wird der Gedanke der Schöpfung insbesondere dem Anfang der Geschöpfe zugeordnet. Zwar bekundet sich das Schöpferhandeln Gottes auch durch seine Erhaltung und Regierung der Geschöpfe, aber ihr Anfang geht *allein* auf Gottes Schöpfung und nicht auch auf seine ihr Dasein erhaltende und regierende Tätigkeit zurück. Ähnliches gilt für alles Neue und Kontingente im Weltgeschehen wie im Leben der Geschöpfe: Auch darin tritt der schöpferische, neue Anfänge setzende Grundcharakter des göttlichen Handelns hervor. Das Ineinandergreifen dieser Aspekte ist schön von Hans Lassen Martensen ausgedrückt worden: „Die Schöpfung geht in die Erhaltung über, insofern als der schaffende Wille sich die Form des *Gesetzes* giebt, insofern als er auf jeder Entwicklungsstufe unter der Form der natürlichen und geistigen Welt*ordnung* wirkt, in, mit und durch die Weltgesetze und Weltkräfte wirkt. Aber aus der erhaltenden Thätigkeit bricht wiederum die schaffende hervor ...". Martensen fügte hinzu, dieses Hervorbrechen des schöpferischen Grundes im Weltgeschehen zeige sich in allem, was „nicht als eine bloße Wiederholung des Früheren sich auffassen

---

[99] R. Rothe: Theol. Ethik I, 2.Aufl. 1867, 216, vgl. 203 (§ 52): Im Begriff des Schöpfungsaktes als „schöpferische Funktion Gottes ... liegt es nicht im entferntesten, daß sie einen *Anfang* habe". Eben dadurch aber ist dann der Begriff der Erhaltung von dem der Schöpfung unterschieden und fällt gerade nicht, wie Rothe will (216), mit ihm zusammen.
[100] J.J. Schütz 1675 (Lied 233 im Evangelischen Kirchengesangbuch).

läßt, sondern in seinem Dasein ein Neues, ein Ursprüngliches offenbart"[101], und er verband damit auch mit Recht den Begriff des Wunders.

Wie der Schöpfungsgedanke den Anfang der Welt und alles endlichen Daseins auf die Freiheit Gottes zurückführt, so bringt das Phänomen des Wunders die schöpferische Freiheit Gottes im Rahmen einer schon bestehenden Weltordnung zum Ausdruck[102]. Es ist das Ungewöhnliche, das uns als der Natur der Dinge widersprechend (*contra naturam*) erscheinen mag. Doch hat schon Augustin betont, daß ungewöhnliche Ereignisse, die wir Wunder nennen, nicht gegen die Natur, sondern nur gegen unsere beschränkte Kenntnis des Naturlaufs geschehen[103]. Daran hat auch Thomas von Aquin festgehalten (S.c.G III,100; S. theol. I,105,6). Aber er hat doch im Unterschied zu Augustin gelehrt, daß Gott nicht nur gemäß der von ihm geschaffenen Naturordnung, sondern auch objektiv außerhalb dieser Ordnung (*praeter naturam*) handeln könne. Als Wunder könne nur das bezeichnet werden, was nicht nur vom normalen Gang einer bestimmten Art des Geschehens abweicht, sondern abweichend von der gesamten Naturordnung geschieht[104]. Diese Auffassung ist zum Ausgangspunkt einer Entwicklung geworden, die schließlich zum Konflikt der Theologie mit dem naturwissenschaftlichen Gesetzesbegriff führte. Zunächst hat die Unterscheidung des „außerhalb" der Naturordnung Geschehenden von einem gegen sie verstoßenden Geschehen (*contra naturam*) ihre Schärfe verloren, weil man den Naturbegriff nicht mehr auf den Willen Gottes als Urheber der Naturordnung, sondern auf den erfahrbaren Ablauf des Naturgeschehens bezog. In diesem Sinne hat schon Wilhelm Ockham die Bewirkung eines normalerweise durch geschöpfliche Zweitursachen hervorgebrachten Geschehens durch Gott allein als ein Eingreifen Gottes „gegen den gewöhnlichen Lauf der Natur" bezeichnet[105]. Wenn diese These auf den Gesetzes-

---

[101] H.L. Martensen: Die christliche Dogmatik, dt. Berlin 1856, 117f. Ähnlich heißt es bei R. Rothe, daß alle göttliche Wirksamkeit an der Welt „wesentlich selbst eine *schaffende* ist". Diese sei allerdings „nach der besonderen Seite, nach der sie sich auf die Welt als schon vorhandene bezieht, nicht Erhaltung, sondern Regierung", weil es sich nämlich dabei nicht um ein bloßes Fortbestehen, sondern um das *„sich* Entwickeln" der Welt handle (Theologische Ethik I, 2.Aufl. 1867, 217, vgl. 216).

[102] Zu diesem Thema vgl. neben dem Artikel von H. Fries in dem von ihm hg. Handbuch theologischer Grundbegriffe II, 1963, 886–896, bes. G. Ewald, B. Klappert u.a.: Das Ungewöhnliche, 1969, ferner auch Th. Löbsack: Wunder, Wahn und Wirklichkeit, 1976. Eine knapp gefaßte, aber inhaltsreiche Geschichte des Wunderbegriffs, sowie eine typologisch geordnete Übersicht über die Stellungnahmen zu diesem Thema in der Theologie des 20.Jh. gibt B. Bron: Das Wunder. Das theologische Wunderverständnis im Horizont des neuzeitlichen Natur- und Geschichtsbegriffs (1975), 2.Aufl. 1979.

[103] Augustinus De gen. ad litt. VI,13,24: *Nec ista cum fiunt, contra naturam fiunt, nisi nobis quibus aliter naturae cursus innotuit; non autem Deo cui hoc est natura quod fecerit* (PL 34,349). Vgl. De civ. Dei XXI, 5,3, sowie 8,5 zu Röm 11,17 und 24.

[104] S. theol. I,110,4: ... *aliquid dicitur esse miraculum, quod fit praeter ordinem totius naturae creatae*. Vgl. I,105,7 ad 1, wonach die Schöpfung der Welt und die Rechtfertigung des Gottlosen nicht in diesem Sinne als Wunder zu bezeichnen sind. In den Quaestiones Disputatae de pot.6,1 ad 1 wird auch die Möglichkeit göttlicher Wunder *contra naturam* in bestimmtem Sinne eingeräumt. Vgl. auch 6,2 ad 2.

[105] Wilhelm von Ockham, Opera theol. VI,173–178 (III. Sent. 6 a 2 O): *contra communem*

begriff der im 17. Jahrhundert aufsteigenden modernen Naturwissenschaft Anwendung fand[106], so war der Konflikt da, weil die Annahme einer zeitweiligen Suspension diesen Gesetzesbegriff selber aufhob. Spinoza hat denn auch die Kritik an der Möglichkeit von Wundern in für die Folgezeit maßgeblicher Weise daraus begründet, daß die Unveränderlichkeit der Naturordnung notwendiger Ausdruck der Unveränderlichkeit Gottes selbst sei[107]. Nach Spinoza würde es eine Unvollkommenheit des Schöpfers bekunden, wenn Gott äußerlich in den Gang der Natur eingreifen müßte, um ihren Lauf der Richtung seines Willens anzupassen. Diese Auffassung hat auch Leibniz in seiner Auseinandersetzung mit Newton und mit Samuel Clarke über das Verhältnis Gottes zu seiner Schöpfung verfochten. Clarke hingegen setzte der für das 18. Jahrhundert so suggestiven Vorstellung von Gott als einem vollkommenen Uhrmacher, dessen Werk ohne weitere Eingriffe funktionieren müsse, die Bemerkung entgegen, daß eine solche Auffassung die Welt einem materialistischen Fatum ausliefere, indem sie die Einwirkungen der göttlichen Vorsehung und Regierung aus ihr verbanne. Der Weltplan Gottes sei zwar in der Tat unveränderlich, aber er sei nicht schon in einer von Anfang an bestehenden Ordnung der Dinge und durch deren mechanisches Funktionieren realisiert, sondern entfalte sich im Prozeß der Zeit durch Phasen des Verfalls, der Unordnung und der Erneuerung hindurch. Die zu einer bestimmten Zeit von Menschen formulierten Naturgesetze („the present Laws of Motion") seien daher nicht identisch mit der göttlichen Weltordnung, sondern nur Näherungsformeln für die reale, von Gott verfügte Ordnung der Natur[108]. Folglich stehen nach Clarke auch die faktisch auftretenden Abweichungen von diesen durch Menschen aufgestellten Gesetzesformeln in keinerlei Gegensatz zur Vollkommenheit Gottes.

Mit der Zurückweisung der Spinozas Kritik am Wunderbegriff zugrunde liegenden Vorstellung von der Ordnung der Natur griff Clarke zugleich faktisch hinter den christlichen Aristotelismus der Hochscholastik zurück auf den Wun-

---

cursum naturae. H. Blumenberg hat diesen Wunderbegriff hinsichtlich seiner systematischen Relevanz als „die paradigmatische Reduktion der Verbindlichkeit der Natur" charakterisiert (Die Legitimität der Neuzeit, 1966, 155). Damit ist allerdings nicht nur, wie Blumenberg meinte, eine Vergleichgültigung des Wirklichen gegenüber dem Möglichen verbunden, sondern das Interesse an der Unmittelbarkeit des Schöpfungshandelns Gottes in der wirklichen Welt (vgl. K. Bannach a.a.O. 305ff.).

[106] So sprach J.F. Buddeus geradezu davon, daß bei den Wundern die Ordnung der Natur aufgehoben sei (*Per miracula enim ordo naturae tollitur.* Compendium Institutionum theol. dogmaticae, Leipzig 1724, 149). Eine solche Auffassung des Wunderbegriffs mußte die scharfe Ablehnung auf sich ziehen, die ihm bald bei D. Hume zuteil wurde: „A miracle is a violation of the laws of nature; and as a firm and unalterable experience has established these laws, the proof against a miracle, from the very nature of the fact, is as entire as any argument from experience can possibly be imagined" (An Inquiry Concerning Human Understanding, 1748, 10,1).

[107] B. de Spinoza: Theologisch-politischer Traktat (1670) Kap. 6 (dt. PhB 93, 110–132, bes. 112ff.). Vgl. L. Strauss: Die Religionskritik Spinozas als Grundlage seiner Bibelwissenschaft (1930) Nachdruck 1981, 106ff.

[108] S. Clarke's erste und zweite Entgegnung an Leibniz, abgedruckt in: G.W. Leibniz, Die philosophischen Schriften hg. G.J. Gerhardt VII, 347–442, hier 354 und 361 (n. 8). Die Auffassung von Leibniz findet sich ebd. 357f.

derbegriff Augustins, der keinen äußerlichen Eingriff in die objektive göttliche Weltordnung behauptete, sondern auf die beschränkte Erkenntnis dieser Ordnung durch den Menschen bezogen war. Im Auftreten ungewöhnlicher Ereignisse manifestiert sich keine Durchbrechung der Naturgesetze, sondern allenfalls die Wirksamkeit bislang verborgen gebliebener Parameter[109]. Vor allem aber sind nicht nur die Abweichungen vom gewöhnlichen Gang des Geschehens als Wunder zu betrachten. Schon Augustin hat gesagt, daß das Dasein der Welt und des Menschen ein viel größeres Wunder ist als alle spektakulären Ereignisse, die bestaunt werden, weil sie ungewohnt sind. Die Sinne der Menschen seien nur zu abgestumpft, um im alltäglich Gewohnten das Wunder der Schöpfung wahrzunehmen[110]. Die Kontingenz der Schöpfung im ganzen äußert sich in jedem Einzelgeschehen. Jeder Augenblick, jedes einzelne Ereignis ist, weil kontingent, letztlich unableitbar, sein faktisches Eintreten also wunderbar. Schleiermacher hat mit Recht gesagt: „Wunder ist nur der religiöse Name für Begebenheit, jede, auch die allernatürlichste und gewöhnlichste", sobald sie nämlich unmittelbar „aufs Unendliche, aufs Universum" bezogen wird, ist ein Wunder[111]. Schleiermacher war dem Geiste Augustins nahe in der Einsicht, daß der alltägliche Weltumgang der Menschen wegen der abstumpfenden Wirkung der Gewohnheit und wegen unserer utilitaristischen Einstellung zur Wirklichkeit der Hintergründigkeit der Erscheinungen nicht gewahr wird, sie nicht als Manifestation des Universums, sondern nur in ihren nächsten Zusammenhängen erfaßt. Die religiöse Wahrnehmung dagegen wird des tieferen Wesens der alltäglichen Begebenheiten ansichtig, indem sie sie als wunderbar, nämlich als Ausdruck der Vorsehung Gottes erfährt. Das ist allerdings nicht schon darin begründet, wie Schleiermacher meinte, daß die religiöse Wahrnehmung das einzelne Ereignis überhaupt als Ausdruck des Universums erfaßt. Wo das „Universum" als ein die Welt durchwaltendes Fatum vorgestellt wird, da erscheinen die einzelnen Ereignisse auch nicht als Wunder. Dazu ist vielmehr die Kontingenz des Weltgeschehens im ganzen wie auch in allen Einzelheiten vorausgesetzt. Das ist der Fall im Horizont des Glaubens an den biblischen Gott als Schöpfer der Welt: von ihm her erschließt sich das Unverrechenbare, Kontingente jedes einzelnen Ereignisses als Ausdruck der Freiheit des Schöpfers. Von daher läßt sich dann mit Schleiermacher – aber auch schon mit Augustin – die Tatsache der Ordnung der Natur, ihrer Gesetzmäßigkeiten und ihrer dauerhaften Gebilde als erst recht erstaunlich begreifen. Die jedem Einzelgeschehen eignende Kontingenz läßt nämlich nicht ohne weiteres erwarten, daß sich in der Abfolge der Ereignisse Konturen von Ordnung herausbilden. Umgekehrt bleibt das Einzelgeschehen wegen der Kontingenz des elementaren Sachverhalts, daß überhaupt etwas geschieht und nicht nichts, Bedingung und Basis für die Herausbildung jeder Art von Ordnung und Gestalt. Mit der Kontingenz des Geschehens

---

[109] Ähnlich lehnen heute auch röm.-kath. Theologen die Auffassung des Wunders als „Durchbrechung der Naturgesetze" ab, z.B. H. Fries: Fundamentaltheologie, 1985, 291 ff., sowie schon ders.: Handbuch theologischer Grundbegriffe II, 1962, 889 und 895. Anders noch die dort zit. Arbeit von L. Monden: Theologie des Wunders, 1961, 50, vgl. auch dort 54 f. und 334 ff.

[110] Augustinus Tract. Io. Ev. 24,1 (PL 35, 1592 f.). Vgl. auch De civ. Dei X,12.

[111] F. Schleiermacher: Über die Religion, 1799, 117 f. (2. Rede, Text nach O. Braun, Schleiermachers Werke IV,281).

ist daher eine *unmittelbare Beziehung* jedes einzelnen Ereignisses auf den göttlichen Ursprung aller Dinge gegeben, unbeschadet aller Beteiligung von geschöpflichen „Zweitursachen" an dem, was geschieht. Weil es nicht selbstverständlich ist, daß überhaupt etwas geschieht, darum ist nicht nur das Entstehen, sondern auch und erst recht der Fortbestand der kreatürlichen Gestalten und Zustände in jedem Augenblick wunderbar.

b) Gottes Mitwirkung bei den Tätigkeiten der Geschöpfe

Wenn die Erhaltung der Geschöpfe durch ihren Schöpfer dessen fortdauernde Gegenwart bei ihnen erfordert, dann läßt sich solche Wirksamkeit Gottes nicht auf die bloße Fortdauer der anfänglichen Verfassung der Geschöpfe beschränken. Sie muß sich dann auch auf ihre Veränderungen und Tätigkeiten erstrecken. Speziell im Hinblick auf die Tätigkeiten der Geschöpfe ist die schon oben (52) kurz erwähnte Lehre von der göttlichen Mitwirkung (*concursus*) entwickelt worden.

Die Unterscheidung des *concursus* von der *conservatio* beruht zunächst darauf, daß für die Ontologie der aristotelischen Scholastik das Sein der Geschöpfe (als *actus primus*) ihrer Tätigkeit (als *actus secundus*) immer schon zugrunde liegen muß, während umgekehrt die Geschöpfe auch dann noch existieren, wenn ihre Tätigkeiten aussetzen[112]. In der neueren Theologie ist der Sinn dieser Unterscheidung bezweifelt worden. So meinte Johann Christoph Döderlein, daß die Erhaltung der Kräfte der Geschöpfe, auf die Siegmund Jakob Baumgarten die Mitwirkung Gottes bezogen hat, schon in der allgemeinen Erhaltungstätigkeit Gottes mitinbegriffen sei[113]. Die altprotestantische Dogmatik hatte allerdings die Mitwirkung Gottes bei den Tätigkeiten der Geschöpfe nicht auf die Erhaltung ihrer Kräfte zum Handeln beschränkt, sondern darüber hinaus einen aktiven Einfluß Gottes auf den Akt der geschöpflichen Tätigkeit selber behauptet[114], wenn auch die Auffassun-

---

[112] So noch S.J. Baumgarten: Evangelische Glaubenslehre, hg. von J.S. Semler I, Halle (1759) 2.Aufl. 1764, 807ff. Vgl. die oben Anm.86 zit. Formulierung Thomas von Aquins. Zum Verhältnis von *actus primus* und *actus secundus* siehe S. theol. I,48,5c und 75,2c: *Non enim est operari nisi entis in actu*, sowie die Anwendung auf das Thema des göttlichen *concursus* ebd. 105,5c: *forma, quae est actus primus, est propter suam operationem quae est actus secundus; et sic operatio est finis rei creatae.*

[113] J.C. Doederlein: Institutio theologi christiani I, Nürnberg 1780, 586ff. Vgl. S.J. Baumgarten a.a.O. I,808. Auf die „Kraft der Selbsterhaltung" hat noch I.A. Dorner die Lehre von der göttlichen Mitwirkung bezogen (System der christlichen Glaubenslehre I (1879) 2.Aufl. 1886, 487) und sie konsequent dem allgemeinen Begriff der Erhaltung eingeordnet.

[114] So z.B. A. Calov: Systema locorum theologicorum III,1659,6,2,2, p.1204f., ferner J.A. Quenstedt: Theologia did.-pol. sive Systema Theol., I,1685 c.13 (Leipzig 1715, 779) und noch D. Hollaz, Examen theol. acroam. I, Stargard 1707, 648: *DEUS creaturis non solum dat vires agendi, datasque perennere iubet, sed et immediate in actionem et effectum creaturarum influit, ita ut ille effectus nec a solo Deo, nec a sola creatura, sed una eademque efficientia totali simul a Deo et crea-*

gen der Lutheraner und der Reformierten in der Frage auseinandergingen, ob das Zusammenwirken von Gott und Geschöpf als *simultan* zu denkensei, wie die Lutheraner lehrten, oder aber im Sinne einer dem geschöpflichen Akt vorausgehenden, schöpferischen Bewegung durch Gott aufgefaßt werden müsse (*concursus praevius*)[115]. Schleiermacher richtete seine Kritik auf alle derartigen Unterscheidungen mit der Bemerkung, daß sie nicht nur im Hinblick auf das in sich einfache Handeln Gottes, sondern auch hinsichtlich der geschöpflichen Wirklichkeit auf einer „Abstraction" beruhen: „Denn ein für sich zu sezendes Sein ist doch nur da wo Kraft ist, so wie Kraft immer nur ist in der Thätigkeit; eine Erhaltung die also nicht zugleich das in sich schlösse, daß auch alle Thätigkeiten irgend eines endlichen Seins unter die schlechthinige Abhängigkeit von Gott gestellt sind, wäre ein ebenso leeres wie eine Schöpfung ohne Erhaltung"[116]. Wer der ontologischen Tradition des Aristotelismus nicht mehr zu folgen vermag, der kann sich der Evidenz der Argumentation Schleiermachers schwerlich entziehen. Doch auch dann bleibt zu fragen, ob die Unterscheidung solcher abstrakten Aspekte nicht einen bestimmten Sinn hat. Nicht selten wird ja das in der Realität Ungetrennte zu Zwecken seiner Erkenntnis nach abstrakten Gesichtspunkten unterschieden. Das berühmteste Beispiel dafür ist die das Mittelalter so tief bewegende Universalienfrage: Allgemeines und Besonderes gehören in der konkreten Realität zusammen, aber dennoch ist es nicht sinnlos, diese beiden Aspekte zum Zwecke der Erkenntnis des konkret einzelnen zu unterscheiden. Könnte es nicht ähnlich stehen bei den abstrakten Unterscheidungen zwischen Erhaltung und Mitwirkung Gottes im Verhältnis zu seinen Geschöpfen?

---

tu ra producatur. Vgl. auch die Bemerkungen von J. Köstlin in PRE 4, 3.Aufl. 1898, 262–267, bes. 263f.

[115] Den Gegensatz zwischen der altlutherischen und der altreformierten Lehre vom *concursus divinus* hat K. Barth in seinen umfangreichen Ausführungen über „das göttliche Begleiten" (KD III/3, 1950, 102–175) ausführlich dargestellt und erörtert (bes. 107–120, 130ff., 151f., 164f.). Dabei hat Barth trotz kritischer Bemerkungen zur deterministischen Tendenz der reformierten Position (130f.) seine eigene Lösung doch im Anschluß an die reformierte These des *concursus praevius* gesucht (134ff.), wenn auch unter Aufnahme des Gedankens einer Simultaneität des göttlichen mit dem kreatürlichen Wirken (149f., 164f.). Die Kritik am Formalismus der Kausalvorstellung (117ff.) und die Versicherung, „von den christlich *gefüllten* und nicht von irgendwelchen leeren Begriffen ausgehen" zu wollen (132), haben Barth nicht davor bewahrt, selber im Banne jenes Formalismus zu bleiben: Seine Lösung, daß „Gottes unbedingte und unwiderstehliche Herrschaft ... gerade die Begründung der Freiheit des geschöpflichen Wirkens in seiner Eigenart und Mannigfaltigkeit" bedeute (165), ist auch schon von den altreformierten Dogmatikern vorgetragen worden (vgl. H. Heppe/E. Bizer: Die Dogmatik der evangelisch-reformierten Kirche, 1958, 203 und 218ff.). Dem Anliegen der altlutherischen Lehre, die Mitwirkung Gottes bei den Tätigkeiten seiner Geschöpfe so zu denken, daß *nicht auch die Sünde* des Geschöpfes auf Gottes schöpferisches Bewegen zurückgeführt werden muß (bei aller Beteuerung, daß dies nicht beabsichtigt sei), ist auch Barth nicht gerecht geworden. Zur Sache vgl. oben bei Anm. 87.

[116] F. Schleiermacher: Der christliche Glaube (1821) 1830, § 46 Zusatz.

Die Lehre von der göttlichen Mitwirkung bei den Tätigkeiten der Geschöpfe soll einerseits klarstellen, daß die Geschöpfe in ihren Tätigkeiten nicht einfach sich selber überlassen sind; andererseits soll das Wirken Gottes in ihnen auch nicht als Alleinwirksamkeit gedacht werden, die die Eigenständigkeit der Geschöpfe und ihr mögliches Abweichen von den Absichten Gottes mit ihnen ausschlösse[117]. So wenig solche Abweichung den Absichten Gottes mit seiner Schöpfung entspricht, so unvermeidlich ist sie als Risiko mit der Selbständigkeit verbunden, die dem Geschöpf verliehen ist und ohne die Gottes Schöpfungshandeln sich nicht in seinem Werk vollenden könnte.

Die Mitwirkung Gottes an den Tätigkeiten der Geschöpfe so zu beschreiben, daß dabei deren Selbständigkeit unangetastet bleibt, so daß die Sünde dem Geschöpf als Handlungssubjekt zuzurechnen ist und nicht Gott, das war die wichtigste Funktion der alten Lehre von der göttlichen Mitwirkung bei den Tätigkeiten der Geschöpfe. Es war bis zur Mitte des 17. Jahrhunderts auch das Anliegen der altlutherischen Dogmatik bei ihren Erörterungen der Konkurslehre. Im Ausgang des Jahrhunderts verschob sich jedoch dieser Akzent[118]: Von jetzt an ging es weniger um die Bewahrung des Spielraums geschöpflicher Selbständigkeit als darum, daß die geschöpfliche Welt nicht einer gänzlichen Verselbständigung verfällt. Die Tendenz zu einer solchen Auffassung war mit der seit Galilei und Descartes aufkommenden mechanistischen Physik und Naturphilosophie verbunden.

Descartes hatte die These entwickelt, daß Gott nach dem Schöpfungsakt nicht weiter in den Gang des Geschehens eingreife, alle Veränderungen in der Welt

---

[117] Thomas von Aquin hat gegen eine solche Auffassung vom Wirken Gottes in den Geschöpfen den Einwand erhoben, daß damit die Schöpfungstat Gottes verleugnet werde: ... *quia sic subtraheretur ordo causae et causati a rebus creatis; quod pertinet ad impotentiam creantis. Ex virtute enim agentis est quod suo effectui det virtutem agendi* (S. theol. I,105, 5c). Dieser Einwand trifft zweifellos auch Formulierungen Luthers in De servo arbitrio (1525) WA 18,753,28-31: *Hoc enim nos asserimus et contendimus, quod Deus ... omnia in omnibus, etiam in impiis, operatur, Dum omnia quae condidit solus, solus quoque movet, agit et rapit omnipotentiae suae motu.* Gott wirkt alles in allen als Schöpfer, indem er gerade die Selbständigkeit des Geschöpfes begründet und es dieser seiner Selbständigkeit nicht beraubt. Dem Einwand Thomas von Aquins gegen eine Alleinwirksamkeit Gottes hat auch K. Barth zugestimmt (KD III/3, 164), ohne allerdings zu bedenken, daß in der Logik dieses Gedankens eine *Selbstbeschränkung* des Schöpfers begründet ist, die seinem Einwirken auf die Freiheit des Geschöpfes die Form einer Überredung und „Akkommodation" verleiht, für deren Hervorhebung bei Quenstedt Barth wenig Verständnis gezeigt hat (a.a.O.).
[118] Siehe dazu C.H. Ratschow: Lutherische Dogmatik zwischen Reformation und Aufklärung II, 1966, 228ff., bes. 230f. Vgl. auch die Klage von K.G. Bretschneider (Handbuch der Dogmatik I,1822, 3.Aufl. Leipzig 1828, 607f.), daß inzwischen das Problem der Lehre von der göttlichen Mitwirkung „ungebührlich von den neueren Dogmatikern vernachlässigt" worden sei, die Frage nämlich, „ob die Erhaltung ein stets fortgehender unmittelbarer Act des göttlichen Willens sey, oder ob Gott den erschaffenen Dingen selbst die Kraft fortzudauern ertheilt habe, so daß er nun unmittelbar nichts mehr wirke, sondern die Welt durch ihre eigene Kraft bestehe".

vielmehr auf die Wechselwirkungen der den Dingen bei ihrer Schöpfung mitgeteilten Bewegungszustände zurückgehen[119]. Obgleich nämlich nach Descartes alle geschaffenen Dinge einer fortgesetzten Erhaltung durch Gott bedürftig sind, die er sogar einer fortgesetzten Schöpfung in jedem Augenblick gleichsetzte (Medit. III,36), hielt er es wegen der Unveränderlichkeit Gottes doch für ausgeschlossen, die Veränderungen innerhalb der einmal geschaffenen Welt auf Gott zurückzuführen. Sie können auch nicht aus einer inneren Dynamik der Geschöpfe stammen, da jedes Geschöpf von Gott unveränderlich in dem Zustand der Bewegung oder Ruhe gehalten wird, in welchem es geschaffen worden ist (Princ. II,37f.: Descartes' Formulierung des Trägheitsprinzips). Also können nur aus den äußerlichen, mechanischen Einwirkungen der unterschiedlichen Geschöpfe und ihrer Bewegungen aufeinander Veränderungen entstehen (Princ. II,40)[120]. Johann Franz Buddeus erblickte in einer solchen Auffassung geradezu eine Gottesleugnung[121]. Er traf in diesem Urteil mit keinem Geringeren als Isaac Newton zusammen. Auch Newton befürchtete, daß Descartes' Grundlegung der Physik zu atheistischen Konsequenzen führen müsse[122]. Dem glaubte er durch seine eigenen „Prinzipien der Naturphilosophie" vorgebeugt zu haben, weil er den absoluten Raum und die wirkenden Kräfte, wie die Gravitationskraft, die nicht durch Körperkontakt wirkt, als Ausdruck der fortgesetzten Gegenwart und Wirksamkeit Gottes in seiner Schöpfung auffaßte[123]. Außerdem nahm Newton im Gegensatz zu Descartes an, daß alle Bewegungsimpulse im Laufe der Zeit abnehmen (Opticks 1704, Buch III, p.259,23ff.), so daß es zur Erhaltung und Erneuerung der kosmischen Bewegungen aktiver Prinzipien bedarf, die nach Newton nicht materiellen Charakter haben und über räumliche Distanzen hinweg wirken (Koyré 109). Es ist nicht ohne Ironie, daß dennoch gerade Newton mit seinen *Principia mathematica philosophiae naturalis* als Vater einer rein mechanischen Welterklärung in die Geschichte einging (zu den Gründen dafür vgl. McMullin 111ff.).

Das im Sinne Newtons als *vis insita* aufgefaßte Trägheitsprinzip hat durch

---

[119] So schon um 1630 in der damals unveröffentlicht gebliebenen Schrift *Le Monde* (Adam/Tannery XI, 1967,34f.). Dieselbe These wurde 1644 in den *Principia philosophiae* II,36 in knapperer Form vorgetragen.

[120] Deutlicher noch ist dieser Gedanke im 7. Kapitel von *Le Monde* ausgedrückt: Aus der Erhaltung der Materie in demjenigen Bewegungszustand ihrer verschiedenen Teile, in welchem sie geschaffen wurde, folge notwendig „qu'il doit y avoir plusieurs changemens en ses parties, lesquels ne pouvant, ce me semble, être proprement attribuez à l'action de Dieu, parce qu'elle ne change point, je les attribue à la Nature; et les regles suivant lesquelles se font ces changemens, je les nomme les Loix de la Nature" (Adam/Tannery XI, 1967,37,8-14).

[121] J.F. Buddeus: Compendium Institutionum Theologiae Dogmaticae, Leipzig 1724, 286: ... *qui ita explicant, quod Deus in prima creatione rebus eiusmodi vim operandi concesserit, revera eum negant.*

[122] Siehe dazu A. Koyré: Newtonian Studies, 1965, 93f., ferner E. McMullin: Newton on Matter and Activity, 1978, 55f. McMullin hat gezeigt, daß das theologische Interesse an der Abhängigkeit der Geschöpfe von Gottes allmächtigem Wirken zu den Wurzeln von Newtons Begriff der Kraft als eines von der trägen Materie zu unterscheidenden Prinzips gehört (vgl. auch 32ff.).

[123] Siehe dazu G.B. Deason: Reformation Theology and the Mechanistic Conception of Nature, in: God and Nature. Historical Essays on the Encounter between Christianity and Science ed. D.C. Lindberg/R.L. Numbers 1986, 167-191, bes. 181-185.

seine Verbindung mit der entgegen den Intentionen Newtons sich durchsetzenden Zuordnung der bewegenden Kräfte zu den Körpern maßgebliche Bedeutung für die Emanzipation des mechanistischen Weltbildes der Naturwissenschaft des 18. Jahrhunderts von allen Verbindungen mit der theologischen Lehre von Schöpfung und Erhaltung der Welt durch Gottes Wirken gehabt. Heute ist dieser Vorgang vielleicht nur noch von historischer Bedeutung, seit der Kraftbegriff des 18. Jahrhunderts durch die Feldtheorien der modernen Physik bis hin zu den „Quantenfeldtheorien" des 20. Jahrhunderts überholt worden ist und seitdem im Zusammenhang damit besonders Ernst Mach und Albert Einstein die Trägheit der Körper als Ausdruck der kosmischen Gravitationsfelder gedeutet haben[124]. Jedenfalls aber bedarf der Vorgang, der damals entscheidend zur Entfremdung zwischen naturwissenschaftlichem Weltbild und Theologie beigetragen hat, im heutigen Dialog zwischen Naturwissenschaftlern und Theologen der Aufarbeitung, wenn diese Entfremdung dauerhaft überwunden werden soll[125].

Die neuzeitliche Verselbständigung der kreatürlichen Welt gegenüber ihrer Abhängigkeit von fortdauernden Einwirkungen Gottes erreichte einen ersten Höhepunkt mit Spinozas Deutung des physikalischen Trägheitsprinzips durch den Gedanken der Selbsterhaltung[126]. Nach Hans Blumenberg wäre dieser Gedanke nicht nur bei Spinoza, sondern weit darüber hinaus als Alternative zur theologischen Vorstellung einer Angewiesenheit jedes Geschöpfes auf „Fremderhaltung", nämlich auf seine Erhaltung durch Gott, zu verstehen[127]. Dabei hat Blumenberg den Zusammenhang zwischen dem christlichen, noch in Descartes' Lehre von der *creatio continua* vorausgesetzten Gedanken einer Kontingenz jedes einzelnen Ereignisses und der Angewiesenheit jedes endlichen Wesens auf („transitive") Fremderhaltung richtig

---

[124] Siehe dazu die hilfreichen Ausführungen von R.J. Russell: Contingency in Physics and Cosmology: A Critique of the Theology of Wolfhart Pannenberg, in: Zygon 23, 1988, 23–43, 31 ff.

[125] Aus diesem Grunde habe ich wiederholt die Bedeutung einer Verständigung über das Trägheitsprinzip im Dialog zwischen Naturwissenschaft und Theologie hervorgehoben, so besonders in dem Vortrag „Theological Questions to Scientists" (The Sciences and Theology in the Twentieth Century, ed. A.R. Peacocke 1981, 3–16, bes. 5f.). E. McMullin (am Ende seines dort 17–57 folgenden Artikels „How should Cosmology relate to Theology?") hat dazu die Frage gestellt, ob diese Ausführungen als eine Kritik des Trägheitsprinzips als solchen zu verstehen sind oder nur seine Interpretation betreffen (50f.). Die Theologie sollte nicht als „autonomous source of logical implication capable of affecting scientific theory-appraisal, but as one element in the constructing of a broader world view" betrachtet werden (51). Dem kann ich insofern zustimmen, als das Gespräch zwischen Theologie und Naturwissenschaften sich auf der Ebene philosophischer Reflexion über naturwissenschaftliche Theoriebildung bewegt, nicht auf der Ebene der Theoriebildung selbst. Allerdings zeigt wohl die Wissenschaftsgeschichte, beispielsweise durch die unterschiedlichen Formulierungen des Trägheitsprinzips, daß solche Reflexion auch immer schon eingewirkt hat auf den Prozeß des „scientific theory appraisal".

[126] B. de Spinoza: Ethica more geometrico demonstrata III prop. 7: *unaquaeque res in suo esse perseverare conatur.*

[127] H. Blumenberg: Selbsterhaltung und Beharrung. Zur Konstitution der neuzeitlichen Rationalität, in: H. Ebeling (Hg.): Subjektivität und Selbsterhaltung. Beiträge zur Diagnose der Moderne, 1976, 144–207, bes. 144 ff., 185 ff.

erkannt. Doch er übersah, daß der Gedanke der Selbsterhaltung dieser Problematik keineswegs enthoben ist, sondern sie seinerseits schon voraussetzt und darum auch keine Alternative zur theologischen Lehre von der Angewiesenheit alles Endlichen auf Erhaltung im Dasein durch seinen Schöpfer bilden kann: Selbsterhaltung wird nur im Hinblick auf die Kontingenz des eigenen Daseins nötig; denn wegen der Unsicherheit seines Fortbestehens bedarf es einer besonderen Bemühung um dessen Sicherung. Die Aufgabe der Selbsterhaltung stellt sich konkret angesichts der Tatsache von Veränderung. Gegenstand der Selbsterhaltung ist die *Identität im Wechsel.* Wenn es keinen Wechsel von Zuständen und Daseinsbedingungen, keine Veränderung gäbe, dann bedürfte es einer Selbsterhaltung ebensowenig wie einer Fremderhaltung. Darum unterscheidet sich Selbsterhaltung von der physikalischen Trägheit; denn der Gedanke der Trägheit im Sinne von Descartes oder Newton abstrahiert von allem Wechsel. Schon der Gedanke des Beharrens drückt mehr als die bloße Trägheit aus, weil im Beharren bereits ein aktives Prinzip in bezug auf sich verändernde Daseinsbedingungen – ein *conatus* im Sinne Spinozas – steckt. „Selbsterhaltung" aber setzt darüber hinaus noch ein weiteres Moment voraus, nämlich ein Selbstverhältnis[128], sei es in der voll entwickelten Gestalt des Selbstbewußtseins oder in der rudimentären und unausdrücklichen Selbstvertrautheit, die jedem Lebewesen eigen ist (der οἰκείωσις der stoischen Philosophie). Auf der Stufe seiner vollen Ausdrücklichkeit enthält solches Selbstverhältnis ein Wissen von der Kontingenz und Gefährdung des eigenen Daseins, und erst damit stellt sich die Aufgabe der Selbsterhaltung: „Was sich erhalten muß, muß nämlich wissen, daß es nicht jederzeit und vor allem nicht schlechthin seinen Grund in sich selber hat"[129]. Darum kann Selbsterhaltung nie für sich allein den Fortbestand des eigenen Daseins und Soseins garantieren, bleibt vielmehr stets angewiesen auf Fremderhaltung. Von dieser hängt nicht zuletzt die Bewahrung der Bedingungen der Selbsterhaltung ab, sowohl auf seiten der Umweltfaktoren als auch auf seiten der Selbsttätigkeit des sich erhaltenden Wesens. Dabei ist das zu erhaltende Selbst nicht von Anfang an fertig vorhanden. Beim Menschen wird dieses Selbst als persönliche Identität erst im Verlauf des individuellen Lebensprozesses herausgebildet und ist im jeweiligen Augenblick des Selbstbewußtseins nur antizipativ gegenwärtig[130]. Ähnlich enthält aber schon die bloße Beharrung ein über den Anfangszustand hinausschießendes Moment: Was sich als beharrlich erweist, beharrt nicht nur in der Identität seines Anfangszustandes und kraft desselben. Die Identität des Beharrenden selber bildet sich erst im Prozeß des Beharrens heraus.

---

[128] Siehe dazu D. Henrich: Die Grundstruktur der modernen Philosophie, in H. Ebeling (Hg.): Subjektivität und Selbsterhaltung, 1976, 97–121, bes. 103 ff.

[129] D. Henrich a.a.O. 111.

[130] Siehe dazu Genaueres vom Vf.: Anthropologie in theologischer Perspektive, 1983, 507 ff.

Das Trägheitsprinzip der Physik mag den Anschein erwecken, als ob sich alle Beharrung im Dasein von daher verstehe. Aber das ist nicht mehr als ein vordergründiger Schein. Verfällt man ihm, so ist der abstrakte Charakter jenes Prinzips vergessen, das noch gar kein Beharren *unter wechselnden Bedingungen* beinhaltet. Das Beharren des konkret Daseienden vollzieht sich immer schon angesichts der Kontingenz des eigenen Daseins und seiner wechselnden Bedingungen.

Weit entfernt davon, der Beharrung und Selbsterhaltung der endlichen Dinge entgegenzustehen, ermöglicht also das erhaltende Wirken Gottes allererst diejenige Selbständigkeit der Geschöpfe, die in der Fähigkeit zur Selbsterhaltung und in deren Vollzug ihren Ausdruck findet. Gott kommt seinerseits erst mit dem Entstehen dauerhaft beharrender und selbständig existierender Geschöpfe an das Ziel seines Schöpfungshandelns, insofern dieses seiner Natur nach die Hervorbringung von etwas selbständig Bestehendem, von seinem Schöpfer Verschiedenen zum Gegenstand hat. Solchem selbständigen Bestehen des Geschöpfes dient das erhaltende Wirken Gottes, und der Selbständigkeit der Geschöpfe in ihren Handlungen dient auch Gottes Mitwirkung bei ihrem Zustandekommen[131]. So legt sich die Frage nahe, ob Entsprechendes auch für die Weltregierung Gottes gilt.

c) *Weltregierung und Reich Gottes: das Ziel der Schöpfung*

Die göttliche Weltregierung ist Ausdruck der Treue Gottes in den Veränderungen der geschöpflichen Wirklichkeit. Der Gesichtspunkt der Treue Gottes verbindet Erhaltung und Regierung der geschöpflichen Welt miteinander, aber auch mit der kontingenten Freiheit seines schöpferischen Handelns[132]: Schon die Erhaltung der Geschöpfe beruht nicht einfach auf einer starren Unveränderlichkeit Gottes, wie Descartes annahm, sondern auf der Treue des Schöpfers, in der sich Gottes Identität in der kontingenten Folge seiner Handlungen bekundet. Gottes Treue, die aus der gegenseitigen Treue des Sohnes zum Vater und des Vaters zum Sohne hervorgeht, begründet auch die Identität und Fortdauer seiner Geschöpfe in einer sich unablässig verändernden Welt, trotz ihrer Untreue und ihres Versagens. Dabei ist das

---

[131] Das ist der Sinn der lutherischen Beschreibung der göttlichen Mitwirkung, wie sie etwa von D. Hollaz gegeben wurde: *Concurrit DEUS ad actiones et effecta creaturarum non consursu praevio, sed simultaneo, non praedeterminante, sed suaviter disponente* (Examen theol. acroam. I, Stargard 1707, 654). Schon A. Calov hat sowohl gegen die Calvinisten als auch gegen die Thomisten den Vorwurf erhoben, dem stoischen Schicksalsglauben verfallen zu sein (Systema loc. theol. III, Wittenberg 1659, 1210ff., vgl. auch 1205f. zur thomistischen Lehre von der *praemotio physica* bei Thomas S. theol. I, 105,1 und I-II, 109,1).
[132] Die grundlegende Bedeutung der Treue Gottes für den theologischen Begriff der göttlichen Weltregierung, vor allem auch gegenüber aller Untreue und allem Versagen auf seiten der Geschöpfe, hat K. Barth KD III/3, 211 (vgl. 47 und 203) mit Recht hervorgehoben.

Moment der Kontingenz, des schöpferisch Neuen in jedem neuen Lebensmoment, schon im Begriff der Erhaltung des Geschöpfes mitgesetzt. Dagegen gehört der Aspekt der Veränderungen in Bildungsprozeß und Geschichte der Geschöpfe, sowie in ihren Beziehungen zueinander, zum Begriff der göttlichen Weltregierung[133]. Aber damit ist der eigentliche Gegenstand der Weltregierung Gottes noch nicht genannt. Dieser bezieht sich nämlich insbesondere auf die Verhältnisse der Geschöpfe zueinander, und zwar angesichts der Gegensätze und Konflikte, die zwischen den Geschöpfen in Verbindung mit dem Streben nach Selbstbehauptung und Selbsterweiterung entstehen. Die Weltregierung Gottes ist dabei besorgt um das Ganze der Welt. Sie hat es daher notwendig auch mit den Verhältnissen ihrer Teile zueinander zu tun[134]. Sie kann sich nicht decken mit dem Bilde einer nur auf das Wohlergehen des einzelnen für sich allein gerichteten Providenz. Die Worte Jesu über Gottes Fürsorge für jedes einzelne seiner Geschöpfe (Mt 10,29f.; 6,26ff.) schließen zwar aus, daß das einzelne Geschöpf für Gott etwa nur untergeordnete Bedeutung hätte als bloßes Mittel für die höheren Zwecke seiner Weltregierung[135]. Jedes Geschöpf ist für sich selber

---

[133] So hat Franz Volkmar Reinhard den Begriff der Weltregierung Gottes definiert als *actio qua rerum omnium mutationes consiliis suis convenienter moderatur* (Vorlesungen über die Dogmatik, 1801, § 62 p.221).

[134] Bei Karl Gottlieb Bretschneider: Handbuch der Dogmatik der evang.-luth. Kirche I (1814) 3.Aufl. 1828 heißt es in § 93: Weil die Weltregierung Gottes sich auf das Ganze der Welt und darum auf die Verhältnisse ihrer Teile zueinander beziehe, sei sie „nichts Anderes als die Regierung der Theile, deren Inbegriff die Welt ist" (614). Unter den damals diskutierten Unterscheidungen zwischen Erhaltung und Regierung der Welt durch Gott hat auch Schleiermacher diejenige als die beste betrachtet, wonach der Gedanke der Erhaltung sich auf das Fürsichsein („Fürsichgeseztsein") jedes einzelnen Geschöpfes beziehe, der der Regierung hingegen auf das „Zusammensein desselben mit allen übrigen" samt allem, was daraus hervorgeht (Der christliche Glaube, § 46 Zusatz). Allerdings erblickte Schleiermacher auch in dieser Unterscheidung, wie schon in derjenigen zwischen Schöpfung und Erhaltung, „nur eine Abstraction ohne Bedeutung für unser frommes Selbstbewußtsein" (ebd.). In der älteren protestantischen Theologie ist die Beziehung der göttlichen Regierung auf das Ganze der geschöpflichen Welt, die schon bei Thomas von Aquin S. theol. I, 103,3 und 5 hervorgehoben worden war, eher auf reformierter als auf lutherischer Seite betont worden. Dem folgt auch die Bestimmung des Begriffs bei K.Barth KD III/3, 192f., unbeschadet damit verbundener Vorbehalte (bes. 194ff.).

[135] Dagegen wendet sich mit Recht K.Barth a.a.O. 195ff. Kein einzelnes Geschöpf sei lediglich Mittel für andere, sondern es habe „ein Jedes auch *für sich* Bedeutung und Geltung, Wert und Würde" (197). Diese Einsicht hätte allerdings Barth zu einer radikaleren Kritik an der final strukturierten Form der alten Vorsehungslehre veranlassen müssen, wie sie insbesondere von Thomas von Aquin ausgebildet worden war. Wie dem Ziel die Mittel untergeordnet werden müssen, so ordnet nach Thomas die göttliche Weltregierung das *bonum particulare* dem *bonum universale* unter; vergleiche S. theol. I,103 a 3 – *finis gubernationis mundi sit quod est essentialiter bonum* – mit a 2 derselben Quaestio. So ist Gott sich selbst letzter Zweck seines Handelns (S. c.G. III, 64; vgl. QD de pot. 9,9). Die Problematik dieser Bestimmung ist bei Thomas dadurch gemildert, daß die göttliche Güte (*bonitas*), die als Zweck der Ordnung des Universums bezeichnet wird, auch alles einzelne seinen eigenen Zwecken zuführt (S.c.G III,64; vgl. S. theol. I,44,4c: ... *primo agenti ... non convenit agere propter acquisitionem alicuius finis; sed intendit so-*

Zweck im Schöpfungshandeln Gottes und so auch für seine Weltregierung. Doch die Weise, wie Gott das Wohl des einzelnen Geschöpfes im Blicke hat, nämlich unter Berücksichtigung auch der den übrigen Geschöpfen gebührenden Fürsorge, kann sehr verschieden sein davon, was das einzelne Geschöpf selber als sein Glück erstrebt.

An dieser Stelle entstehen die Klagen und Proteste, die tatsächliche Einrichtung der Welt, der Verlauf ihrer Geschichte lasse oft wenig davon erkennen, daß ein Gott der Liebe und Barmherzigkeit oder doch jedenfalls ein Gott der Gerechtigkeit sie regiere[136]. Das Ausmaß und die Absurdität anscheinend sinnlosen Leidens, aber auch der Triumph und das Glück der Bosheit und Gottlosigkeit gehören von jeher auch zu den Anfechtungen der Glaubenden. Es ist nicht jedermanns Sache, Paul Gerhardt zu folgen, wenn es heißt:

„Willst du mich kränken, / mit Galle tränken
und soll von Plagen / ich auch was tragen, /
wohlan, so mach es, wie es dir beliebt. /
Was gut und tüchtig, / was schädlich und nichtig /
meinem Gebeine, / das weißt du alleine."

Am schwersten mag es sein, angesichts eigener Hilflosigkeit vor dem Leiden anderer dennoch mit Gerhardt am Schluß zu bekennen: „hast niemals keinen zu sehr noch betrübt". Aber so spricht christlicher Vorsehungsglaube. Er erschöpft sich nicht im Vertrauen auf Gottes alltägliche Fürsorge und auf seine Führung und Hilfe im Gang des Lebens; er bewährt sich erst angesichts der Absurdität von Leiden und Schuld. Das allerdings vermag der Glaube angesichts der offenbaren Herrschaft des Todes in der Welt nur in der Erwartung der Zukunft Gottes und seiner Herrschaft in einer erneuerten Schöpfung, der auch der Tod keine Grenze mehr setzen wird[137].

---

lum communicare suam perfectionem, quae est eius bonitas). Dennoch hat die Vorstellung, daß nicht etwa die Geschöpfe, sondern Gott sich selbst der letzte Zweck seiner Weltregierung sei, etwas Schiefes und verleitet zu dem Eindruck, daß solche Herrschaft Züge der Unterdrückung trage.

[136] Diese Tatsachen, die seit der Antike Anlaß zu Zweifeln an einer göttlichen Weltregierung gegeben haben, sind mit besonderem Nachdruck von C.H.Ratschow geltend gemacht worden: Das Heilshandeln und das Welthandeln Gottes. Gedanken zur Lehrgestaltung des Providentia- Glaubens in der evangelischen Dogmatik, in: NZsyTheol. 1, 1959, 25–80, bes. 76ff. Das steht auch hinter seiner Kritik an Barth (57f., 61f.). Den von Ratschow geforderten Verzicht nicht nur auf den Begriff der Vorsehung, sondern auch auf den der Erhaltung (80), wird man dennoch als voreilig beurteilen müssen. Ohne Erhaltung und Weltregierung ist Gott auch als Schöpfer nicht zu denken. Die Beziehung der Lehre von der Weltregierung Gottes zum biblischen Gedanken der Gottesherrschaft (s.u.) ist bei Ratschow nicht erörtert worden.

[137] So endet auch das Lied Paul Gerhards (EKG 346) mit einer letzten Strophe, die die eschatologische Vollendung über den Tod hinaus zum Inhalt hat. Wilhelm Lütgert (Schöpfung

Karl Barth hat mit Recht betont, daß die Weltregierung Gottes der Sache nach identisch ist mit der Königsherrschaft des Gottes Israels, die das Alte Testament bezeugt (KD III/3, 200 ff.), und mit der Gottesherrschaft, deren Nähe Jesus verkündigt hat und die in ihm selbst schon angebrochen ist. Wenn man diese Zusammenhänge sieht, dann sollte allerdings auch deutlich sein, daß die Weltregierung Gottes nicht einfach ein feststehender Sachverhalt ist, wenn auch dem Verständnis der Geschöpfe entzogen und nur zeichenhaft in der Welt manifest durch das Dasein der Bibel, der Kirche und des Volkes Israel, wie Barth meinte. Es kann doch nicht übersehen werden, daß schon die alttestamentlichen Aussagen zu diesem Thema von der Spannung zwischen der von Ewigkeit her feststehenden und der doch erst in der Geschichte zu verwirklichenden, als Zukunft ihrer Vollendung zu erwartenden Königsherrschaft Gottes erfüllt sind und daß die Botschaft Jesu ihren Ausgangspunkt in der Ankündigung hatte, daß ihre Zukunft nah ist. Erst diese Zukunft wird vor aller Augen darüber entscheiden – und daher auch offenbar machen, – daß der Gott der Bibel nicht nur der Schöpfer, sondern auch der König der Welt ist, dem die Herrschaft über seine Schöpfung keineswegs entglitten ist, der sie vielmehr im Gang ihrer Geschichte immer schon ausgeübt hat.

Mit der Spannung zwischen gegenwärtiger Verborgenheit und künftiger Vollendung der Königsherrschaft Gottes über die Welt erhebt sich noch einmal die Frage, ob und in welchem Sinne der Weltregierung Gottes eine Zielrichtung, also eine finale Handlungsstruktur eignet[138]. Wenn Gottes Herrschaft und Reich in seiner Schöpfung erst in Zukunft, nämlich in der eschatologischen Zukunft Gottes und mit ihrem Kommen vollendet sein wird, obwohl sie schon anbricht, wo immer diese Zukunft Gottes in der Welt wirksam ist, dann scheint doch alles der eschatologischen Vollendung vorhergehende Regierungshandeln Gottes an der Welt auf diese Zukunft bezogen zu sein. Aber in welchem Sinne? Sicherlich bildet die eschatologische Vollendung das innere Ziel aller geschöpflichen Wirklichkeit (vgl. Röm 8,19 ff.). Aber ist sie auch Ziel des göttlichen Handelns?

In der Vorsehungslehre der aristotelischen Scholastik des Mittelalters, aber auch schon in ihrer Schöpfungsvorstellung, ist Gott sich selbst der letzte Zweck seines Handelns[139]. In seiner theologischen Summe hat Tho-

---

und Offenbarung. Eine Theologie des ersten Artikels, 1934) hat diesen Sachverhalt deutlicher gesehen als Karl Barth (368 f.).

[138] Siehe dazu schon Band I, 418 ff., sowie inzwischen auch J. Ringleben: Gottes Sein, Handeln und Werden. Ein Beitrag zum Gespräch mit Wolfhart Pannenberg, in: J. Rohls u. G. Wenz (Hg): Vernunft des Glaubens (Festschrift W. Pannenberg), 1988, 457–487.

[139] Vgl. oben Anm. 134, ferner bes. Thomas von Aquin S. c. G. III,17 f. und QD de pot. 9,9: *volendo bonitatem suam, vult omnia quae vult*, und ebd.: *... ex eo quod Deus amat seipsum, omnia ordine quodam in se convertit.* Diese Behauptung wird dort aus der Trinitätspsychologie abgeleitet: Wie Gott alles erkennt, indem er sich selbst kennt, so will er auch alles, was er will, indem er

mas von Aquin sich dafür auf Prov 16,4 berufen, und die altprotestantische Dogmatik ist ihm darin gefolgt[140]. Es ist die einzige biblische Aussage, die jedenfalls in der lateinischen Version der Vulgata eine solche Zweckbeziehung schon für den göttlichen Schöpfungsakt ausdrücklich behauptet, während die übrigen Zeugnisse, die dafür angeführt worden sind, entweder mit einzelnen Ereignissen eine solche Zweckbeziehung verbinden (wie Joh 11,4) oder davon sprechen, daß Gottes Herrlichkeit in seinen Werken offenbar ist, die seine Ehre verkünden (wie die Himmel nach Ps 9,2) oder doch, wie der Mensch, ihm danken und ihn in seiner Gottheit ehren sollten (Röm 1,21; vgl. Lk 17,18). Die Proverbienstelle lautet in der Vulgata: *Universa propter semetipsum operatus est Dominus*. Doch diese Übersetzung entspricht nicht dem Urtext, der vielmehr von dem je besonderen Zweck eines jeden Geschöpfes spricht[141].

In der altprotestantischen Dogmatik ist die Vorstellung einer direkten Selbstbezogenheit des göttlichen Handelns, so daß Gott sich selbst letzter Zweck seines Handelns wäre, in Gestalt der Behauptung übernommen worden, daß die Herrlichkeit Gottes und deren Erkenntnis und Lobpreis durch die Geschöpfe den Zweck der Schöpfung bilde[142]. Dabei ist nicht immer deutlich, ob eine Zweckbeziehung des göttlichen Schöpfungsaktes selbst gemeint ist oder die daraus hervorgegangene geschöpfliche Wirklichkeit. Ohne Zweifel gehört es nach den biblischen Zeugnissen zur Bestimmung der Geschöpfe, Gott zu loben und zu preisen, seine Ehre zu rühmen[143]. Darin findet das Dasein der Geschöpfe und insbesondere das des Menschen sogar seine Vollendung (Apk 19,1ff.); denn darin nehmen sie teil an der

---

sich selber will. Allerdings heißt es bei Thomas auch, daß Gott nicht in der Weise Zweck seines Handelns sei, daß er dadurch etwas für sich erwürbe, was er nicht schon hätte: *quia non est in potentia ut aliquid acquirere possit, sed solum in actu perfecto, ex quo potest aliquid elargiri* (S.c.G. III,18).

[140] Bei A.Calov: Systema locorum theol. III, Wittenberg 1659, 900f. steht Prov 16,4 an der Spitze des Schriftbeweises für diese These. Vgl. auch J.A.Quenstedt: Theologia did.-pol. sive Systema theol. I, Leipzig 1715, 595 (cap. 10, th. 16).

[141] Siehe beispielsweise den Kommentar von O.Plöger (Bibl. Komm. AT XVII, 1984) 186ff. Plöger übersetzt: „Alles hat Jahwe geschaffen zu seinem Zweck" (186) und kommentiert: „zu einem bestimmten Zweck" (190).

[142] D.Hollaz: Examen theol. acroam. I,3 q 14: *Finis creationis ultimus est gloria bonitatis, potentiae et sapientiae divinae a creaturis agnoscenda et depraedicanda* (Stargard 1707, 524). Bei A.Calov heißt es: *Finis creationis ultimus est DEI gloria, ut bonitas, Sapientia, et potentia eius a creaturis rationalibus celebraretur, in creaturis universis agnosceretur* (Systema loc. theol., Wittenberg 1659, 900, vgl. 1141 zur *DEI gloria* als Zweck der göttlichen Providenz). Ähnlich äußerte sich bereits J.Gerhard (Loci theol. ed. altera II, Leipzig 1885, 15 n.85), dem auf reformierter Seite schon A. Polanus vorangegangen war: *Summus finis creationis, est gloria Deu seu celebratio Dei in omnem aeternitatem* (Syntagma theol. christianae (1610) Hannover 1625, 265b). Die dafür angeführten Schriftstellen (Ps 8,1; Röm 11,36, Apk 4,10f.; 5,13) legen es nahe, dabei an die Ehre zu denken, die die Werke Gottes ihm darbringen. Weitere Belege aus der altreformierten Dogmatik vgl. bei Heppe/Bizer: Die Dogmatik der evangelisch-reformierten Kirche, 1958, 156, n.13 und 14.

[143] D.Hollaz a.a.O. berief sich dafür speziell auf Ps 19,2.

Verherrlichung des Vaters durch den Sohn (vgl. Joh 17,4). Insofern ist es die Bestimmung des Menschen und also der „Zweck" seines Daseins, durch sein Leben Gott zu verherrlichen, und die Sünde des Menschen besteht darin, die Gott als Schöpfer geschuldete Ehre vorzuenthalten (Röm 1,21). Doch es ist etwas ganz anderes zu behaupten, daß bei Gott selbst der Entschluß zur Schöpfung der Welt darin begründet sei, daß er dadurch sich selbst verherrliche[144]. Gewiß: Das Werk, das Gott geschaffen hat, gereicht ihm zu Ehre. Jedenfalls im Lichte der eschatologischen Vollendung der Welt und im glaubenden Vorgriff auf diese Zukunft Gottes, die alle Zweifel an der Theodizee auflösen wird, ist das zu sagen. Darum soll jedes Geschöpf bekennen, daß die Welt zur Ehre Gottes geschaffen ist[145]. Aber das Geschöpf ist nicht darum geschaffen, damit Gott von ihm Ehre empfängt. Gott bedarf dessen nicht, weil er schon in sich selber von Ewigkeit her Gott ist. Er muß es nicht erst durch sein Handeln werden, geschweige denn im Spiegel des geschöpflichen Lobpreises seiner Gottheit gewiß werden. Ein Gott, der in seinem Handeln zuerst und zuletzt seine eigene Ehre suchte, wäre das Urbild desjenigen Verhaltens, das beim Menschen als Selbstsucht (*amor sui*) das Unwesen seiner Sünde ausmacht[146]. Das Schöpfungshandeln Gottes ist als Betätigung und Ausdruck seiner freien Liebe ganz und gar den Geschöpfen zugewandt. Sie sind ihm Gegenstand und Zweck der Schöpfung in einem. Gerade darin besteht seine Ehre als Schöpfer, die Ehre des Vaters, die durch den Sohn und durch den Geist in den Geschöpfen verherrlicht wird.

Im Blick auf den göttlichen Schöpfungsakt kann also nicht gelten, daß Gott in erster Linie seine eigene Ehre gesucht hätte, indem er den Geschöpfen das Dasein gab und gibt. Entsprechendes gilt für den Akt der Weltregierung. Auch er ist Ausdruck der Liebe Gottes und hat seinen Inhalt und Gegenstand in der Vollendung der Schöpfung und der Geschöpfe. Allerdings

---

[144] An dieser Stelle hatte die Kritik von Anton Günther und von Georg Hermes an der scholastischen Lehre, daß Gott sich selber Zweck seines Schöpfungshandelns sei, ihr Wahrheitsmoment. Zur Auseinandersetzung der älteren katholischen Dogmatik mit dieser Lehre vgl. M.J. Scheeben: Handbuch der katholischen Dogmatik III, 3. Aufl. 1961, 40 (n.92).

[145] Die Bestreitung dieses Satzes wurde vom I. Vatikanischen Konzil unter das Anathema gestellt: *si quis ... mundum ad Dei gloriam conditum esse negaverit: an. s.* (DS 3025). Nach M.J. Scheeben a.a.O. 35 handelt es sich bei dieser Aussage um den *finis operis* (der Kreatur), nicht aber um den *finis operantis*. Allerdings hat Scheeben selbst unter Berufung auf Prov 16,4 auch die Abzweckung des göttlichen Schöpfungsaktes auf Gott selbst gelehrt (a.a.O. II,222, § 96, n. 513f.). Ähnlich M. Schmaus: Katholische Dogmatik II/1, 6. Aufl. 1962, 118f.: „Der Beweggrund der Schöpfungstat Gottes ist seine Liebe zu sich selbst" (118). Dagegen betonte W. Kern in seinem Beitrag zu Mysterium Salutis II, 1967, 449f.: „Das ‚Innenziel' des Geschaffenen, Gott zu ehren, darf nun aber doch nicht wieder als ‚Außenziel' des Schöpfers mißverstanden werden. Als ob Gott welterschaffend seine Ehre suchte ... Die Ehre Gottes ist das ‚inständige' Ziel der geschaffenen Schöpfung, ihr eingestiftet, ihr Wesen angehend, ja dieses letztlich ausmachend, – nicht das ‚ausständige' Ziel des schaffenden Schöpfers".

[146] Siehe dazu vom Vf.: Anthropologie in theol. Perspektive, 1983, 83ff.

können die Geschöpfe nur so zur Vollendung ihres geschöpflichen Daseins kommen, daß sie Gott als ihren Schöpfer loben und ehren, darin teilnehmen an der Verherrlichung des Vaters durch den Sohn im Heiligen Geist. Aber auch hier gilt, daß Gott sein Reich in der Welt nicht aufrichtet, um sich gegen sie durchzusetzen, sondern um sie, seine Schöpfung, zu erlösen und zu vollenden.

Auch im Hinblick auf die Liebe Gottes ist allerdings die teleologische Sprache unangemessen, die dem Handeln Gottes ein Ziel unterstellt, das seinem allmächtigen Willen nicht schon vollendete Gegenwart wäre, sondern erst durch den Einsatz von Mitteln erreicht werden müßte. Die Vorstellung einer Distanz zwischen Handlungszweck und Handlungssubjekt bleibt der ewigen Selbstidentität Gottes unangemessen, es sei denn, sie wäre das Resultat der Teilhabe Gottes am Leben seiner Geschöpfe. Was Gegenstand des göttlichen Willens ist, muß als damit auch schon realisiert gedacht werden, es sei denn, Gott knüpfte die Realisierung an Bedingungen geschöpflichen Lebens und Verhaltens. Nur unter der Bedingung der Teilnahme des trinitarischen Gottes am Leben seiner Geschöpfe und damit auch an der das geschöpfliche Leben kennzeichnenden Zeitdifferenz von Anfang und Ende kann von einem Auseinandertreten von Subjekt, Ziel und Gegenstand im göttlichen Handeln die Rede sein.

Damit fällt noch einmal Licht auf die Unterscheidung von Schöpfung, Erhaltung und Regierung der Welt durch Gott. Die *Schöpfung*, so zeigte sich, kann nicht als ein Akt in der Zeit, sondern nur als Konstituierung der endlichen Wirklichkeit der Geschöpfe mitsamt der Zeit als ihrer Daseinsform angemessen gedacht werden. Der Begriff der *Erhaltung* hingegen setzt das Dasein der Geschöpfe und damit auch den Akt ihrer Schöpfung als vorgängig voraus, ist also zeitlich strukturiert. Entsprechendes gilt für den Begriff der *Weltregierung* oder Vorsehung in seiner Zielbezogenheit. Erhaltung und Weltregierung der Geschöpfe durch Gott sind vom Akt ihrer Schöpfung dadurch unterschieden, daß beide bereits Ausdruck der *Teilnahme Gottes am Leben der Geschöpfe* und seiner Zeitstruktur sind, voneinander unterschieden dadurch, daß die Erhaltung auf den Ursprung der Geschöpfe im Schöpfungsakt Gottes zurückbezogen ist, die Vorsehung oder Weltregierung hingegen auf ihre künftige Vollendung vorgreift. Solcher Teilnahme Gottes am Leben der Geschöpfe, die sich als ihre Erhaltung und Regierung auswirkt, liegt letztlich die Selbstdifferenzierung Gottes in seinem trinitarischen Leben zugrunde, die Selbstunterscheidung des Sohnes vom Vater, die durch ihr Heraustreten aus der Einheit des göttlichen Lebens zur Möglichkeitsbedingung selbständigen geschöpflichen Daseins wird. So „trägt" der Sohn das Weltall (Hebr 1,3) in seiner von Gott unterschiedenen geschöpflichen Selbständigkeit, und zugleich bildet er die Zielbestimmung der göttlichen Weltregierung, insofern diese „den Lauf der Zeiten so auf ihre Erfüllung hin" ordnet, „daß alles im Himmel wie auf Erden in

Christus einheitlich zusammengefaßt werde" (Eph 1,10), indem nämlich alles Geschaffene teilnimmt an der Sohnesbeziehung Jesu Christi zum Vater, an der durch Selbstunterscheidung vom Vater vermittelten Gemeinschaft mit ihm.

Die altprotestantische Dogmatik hat die strukturelle Differenz zwischen dem Begriff des göttlichen Schöpfungsaktes einerseits, den Begriffen von Erhaltung und Weltregierung andererseits ebensowenig ausdrücklich herausgearbeitet wie die mittelalterliche Scholastik. Sie hat ihr aber doch insofern Rechnung getragen, als sie die Unterscheidungen zwischen Erhaltung, Mitwirkung und Weltregierung auf das Verhältnis des Schöpfers zum Mißbrauch der geschöpflichen Selbständigkeit bezog[147]: Während die Erhaltung der Geschöpfe die allgemeine Bedingung geschöpflicher Selbständigkeit zum Gegenstand hat, geht es bei der begleitenden Mitwirkung Gottes an den Tätigkeiten der Geschöpfe um Gottes Teilnahme an ihrem selbständigen Lebensvollzug, und zwar auch dann, wenn die Intentionen des geschöpflichen Verhaltens von der Norm der Beziehung des Sohnes zum Vater abweichen, bei der Weltregierung aber um die Einordnung der faktischen Resultate des selbständigen Verhaltens der Geschöpfe, namentlich ihrer Verfehlungen und der daraus folgenden Übel, in die „Absichten" Gottes mit der Welt[148]. Das zentrale Thema der göttlichen Weltregierung ist die Überlegenheit Gottes über den Mißbrauch der geschöpflichen Selbständigkeit. An diesem Punkt enthält die Vorstellung von der Weltregierung Gottes ihren deutlichsten Überschuß über das, was die Begriffe der Schöpfung, der Erhaltung und Mitwirkung Gottes beinhalten. Dem Bösen und dem Übel in der Welt wird der Anspruch streitig gemacht, sich als Gegenmacht gegen Gottes Schöpferwillen behaupten zu können. Diese Pointe des Gedankens der göttlichen Weltregierung findet ihren Ausdruck darin, daß sogar die Folgen geschöpflichen Versagens durch Abwendung des Geschöpfes von seinem Schöpfer letztlich den „Absichten" Gottes mit seiner Schöpfung dienen müssen: Die Regierungskunst Gottes bewährt sich darin, daß sie immer wieder sogar aus Bösem Gutes hervorzubringen vermag[149]. Ihre endgültige Rechtfertigung wird freilich erst durch die eschatologische Verwandlung und Vollendung der Welt zum Reiche Gottes erbracht sein.

---

[147] Siehe dazu vom Vf.: Anthropologie in theol. Perspektive, 1983, 83 ff.
[148] Zum Begriff der göttlichen Weltregierung vgl. J.A.Quenstedt: Theologia did.-pol. sive Systema Theol. I, Leipzig 1715, 763 ff. Als deren Akte unterscheidet Quenstedt im einzelnen: *permissio, impeditio, directio, determinatio*.
[149] Das hat schon Klemens von Alexandrien als „die größte Tat der göttlichen Vorsehung" beschrieben (Stromata I,17,86). Ähnlich bezeichnete Augustin es als Grund der Zulassung des Bösen und des Übels durch Gott, daß er auch daraus noch Gutes hervorbringe (Enchir. ad Laurentium 11: *ut bene faceret etiam de malo*, MPL 40, 236).

II. Die Welt der Geschöpfe

Nach der Erörterung des Schöpfungsaktes, wie er sich von der Gotteslehre her darstellt und wie er sich zu den Gott zugeschriebenen Tätigkeiten der Erhaltung und Regierung der Welt verhält, wendet sich die Schöpfungslehre nun dieser Welt selbst zu, um sie als Schöpfung des trinitarischen Gottes zu interpretieren. Dabei handelt es sich um ein Thema von größter Bedeutung für die Frage nach der Wahrheit des christlichen Glaubens. Nur wenn diese Welt als Schöpfung des biblischen Gottes zu verstehen ist und Gott selbst als Schöpfer dieser Welt, nur dann kann für den Glauben an seine alleinige Gottheit der begründete Anspruch auf Wahrheit erhoben werden. Nur unter dieser Voraussetzung aber läßt sich die Geschichte Jesu Christi als Versöhnung der Welt durch den einen wahren Gott auslegen, nur dann geschieht die Verkündigung und Sendung der christlichen Kirche im Gehorsam gegen diesen einen wahren Gott, und nur auf ihn kann die christliche Zukunftshoffnung sich gründen. Darum hat Luther im Großen Katechismus als Grund dafür, daß der Glaube den Gott der Bibel, den Vater Jesu Christi, für den wahren Gott hält, angegeben, daß „sonst keiner ist, der hymel und erden schaffen künde" (WA 30/I, 483 zum ersten Glaubensartikel). Man bedenke, was damit gesagt ist: Jede alternative Auskunft auf die Frage nach dem Ursprung der Welt wird damit für unzureichend erklärt. Allenfalls abstrakte Näherungen an die Wirklichkeit der geschöpflichen Welt sind möglich, wo von ihrer konstitutiven Beziehung zu Gott abgesehen wird. Die Theologie wird allerdings damit zu rechnen haben, daß über das Recht des christlichen Wahrheitsanspruchs gerade auch im Hinblick auf das Verständnis der Welt als Schöpfung Gottes bis zum jüngsten Tage keine allgemeine Übereinstimmung zu erzielen sein wird. Die theologischen Aussagen werden gerade auf diesem Felde strittig bleiben. Dennoch kann die Theologie nicht darauf verzichten, die Welt der Natur und der menschlichen Geschichte als Schöpfung Gottes zu beschreiben, und zwar mit dem Anspruch, daß erst so das eigentliche Wesen dieser Welt in den Blick kommt. Diesen Anspruch muß die Theologie auch im Dialog mit den Wissenschaften behaupten. Sie mag sich dabei als verwundbar erweisen und ihrer Aufgabe oft nur ungenügend gerecht werden. Doch das ist immer noch besser, als sie ganz zu vernachlässigen[150]. Der Verzicht darauf, die von den Wissenschaften beschriebene

---

[150] In seinem Überblick über die verschiedenen Verhältnisbestimmungen von Naturwissenschaft und Theologie im 20. Jahrhundert unterscheidet I.G. Barbour (Issues in Science and Religion (1966) 1968, 115 ff.) drei verschiedene Varianten des Typs, der einseitig den Gegensatz zwischen beiden herausstellt: die von Barth ausgehende „neoorthodoxe" Theologie, die existenzialistisch geprägte Theologie und die ebenfalls die religiösen Behauptungen auf Subjektivität reduzierende Sprachanalyse. E. Schlink (Ökumenische Dogmatik, 1983, 86) hat das Versäumnis der Unterstellung „der von uns *heute* erkannten Welt" unter Gott als den Schöpfer mit Recht als „einen Doketismus in der Schöpfungslehre" bezeichnet (vgl. auch 75 f.). Siehe auch A.R. Peacocke: Creation and the World of Science, Oxford 1979, 46 f., sowie die Ausführungen von W.H. Austin: The Relevance of Natural Science to Theology, 1976, 1 ff. und schließlich

Welt als die Welt Gottes in Anspruch zu nehmen, bedeutet den Ausfall der gedanklichen Rechenschaft für das Bekenntnis zur Gottheit des Gottes der Bibel. Solche Rechenschaft kann nicht ersetzt werden durch Konzentration des Schöpfungsglaubens auf die Subjektivität, als Ausdruck ihres Abhängigkeitsgefühls[151]. Das Selbstverständnis des Glaubens gerät dann in einen Gegensatz zum Weltbewußtsein, durch den er leicht der Unaufrichtigkeit verfällt. Das Bekenntnis zu Gott dem Schöpfer wird dann zur Leerformel. All das mag angesichts der Emanzipation der Naturwissenschaft des 18. Jahrhunderts vom Glauben an Gott als Schöpfer und Erhalter der Welt zum Schicksal des christlichen Glaubens in der Neuzeit gehört haben. Aber die Theologie kann aus dieser Not nicht durch bloßes Vornehmtun gegenüber dem naturwissenschaftlichen Weltbild eine Tugend machen. Es ist nicht so, daß die Theologie es sich leisten könnte, sich um die Weltbeschreibung der Naturwissenschaften gar nicht zu kümmern. Die hier anstehenden Aufgaben können heute schwerlich im ersten Anlauf schon angemessen bewältigt werden. Die folgenden Darlegungen sollen aber zumindest einen Weg dahin bahnen helfen, wenn auch im einzelnen hier manches problematischer bleiben mag als in anderen Teilen der Dogmatik. Dabei wird abweichend von der herkömmlichen Behandlung der Gegenstandsseite des Schöpfungsaktes, also der geschöpflichen Welt, nicht sofort die Vielfalt der geschöpflichen Gestalten in den Blick genommen, sondern zunächst noch einmal das Wirken des Sohnes und dann das des Geistes bei der Schöpfung, diesmal unter dem Gesichtspunkt ihres weltimmanenten Wirkens als Prinzipien der kosmischen Ordnung und Dynamik.

---

auch meine Bemerkungen in „The Doctrine of Creation and Modern Science", Zygon 23, 1988, 3 ff.

[151] In der Tradition dieser von Schleiermacher begründeten Deutung des Schöpfungsglaubens stand noch F. Gogarten: Der Mensch zwischen Gott und Welt, 1952, 317-350. Obwohl Gogarten gegen den Kausalrückschluß von der Welt auf Gott als Ursache mit Recht betonte, es gebe „keinen Weg, von der Welt her Gott als ihren Schöpfer zu erkennen" (324), ist damit doch nichts gegen die Notwendigkeit gesagt, daß der Schöpfungsglaube und vor allem die theologische Reflexion auf ihn die Welt als Schöpfung Gottes denken müssen. Wenn Gogarten meinte, diese Aufgabe mit der Bemerkung abweisen zu können, daß „der Schöpfungsglaube nicht eine weltanschauliche Deutung der Welt ist" (325), so stellt er sich damit nicht nur in Gegensatz zur älteren theologischen Tradition einschließlich der Reformation, sondern leistete auch der Entleerung des Schöpfungsglaubens Vorschub. Differenzierter hat sich G. Ebeling geäußert (Dogmatik des christlichen Glaubens I, 1979, 302 ff. 264 ff.), obwohl er Gogarten darin nahesteht, daß er einen positiven Zusammenhang von Schöpfungsglaube und Naturwissenschaft vor allem darin erblickt, daß die Aussage über die Geschöpflichkeit der Welt die „Freiheit zur Erforschung der Welt" begründet habe, während er den „Grenzfall naturwissenschaftlicher Infragestellung des Schöpfungsglaubens" (302 f.) angesichts der mehr als zwei Jahrhunderte erfüllenden Auseinandersetzungen über dieses Thema doch wohl etwas zu leicht nimmt. Wenn Ebeling vom Schöpfungsglauben sagt: „seine Gewißheit wird nicht aus der Naturwissenschaft geschöpft" (304), so ist das sicherlich unbestreitbar richtig, ändert aber nichts daran, daß das Wahrheitsbewußtsein dieser Gewißheit gebunden ist an die Bedingung der Integrierbarkeit des naturwissenschaftlichen Weltverständnisses in die christliche Auffassung der Welt als Schöpfung Gottes. Ph. Hefner betrachtet das mit Recht als eine Bedingung der Kohärenz des christlichen Glaubens an Gott (in C. E. Braaten u. a.: Christian Dogmatics 1, 1984, 298): „the doctrine of creation is an elaboration of how we understand the world when we permit our understanding of God to permeate and dominate our thinking" (ebd.).

Dadurch wird einerseits die trinitarische Durchführung der Schöpfungslehre konkretisiert, andererseits das Verhältnis zu fundamentalen Aspekten naturwissenschaftlicher Weltbeschreibung geklärt.

1. Vielheit und Einheit in der Schöpfung

Die Erschaffung einer von Gott verschiedenen Wirklichkeit, die doch von Gott ewig bejaht und also der Gemeinschaft mit Gott teilhaftig sein soll, ist nur als Hervorbringung einer *Welt* von Geschöpfen denkbar. Ein einzelnes Geschöpf für sich allein wäre nur ein verschwindendes Moment gegenüber der Unendlichkeit Gottes; es hätte als endliches Wesen keine Selbständigkeit. Zur *Endlichkeit* einer Sache gehört es, *durch anderes begrenzt* zu sein, und zwar nicht nur durch das Unendliche, sondern auch durch anderes Endliches. Erst dem anderen Endlichen gegenüber hat ein endliches Wesen seine Besonderheit. Nur im Unterschied zu anderem ist es etwas. Daher existiert Endliches nur als Vielheit von Endlichem.

So stellt sich die geschöpfliche Wirklichkeit unmittelbar als eine Vielheit von Geschöpfen dar, deren Inbegriff die Welt ist. Unmittelbar gegeben ist solche Vielheit allerdings zunächst nur logisch, insofern sie mit dem Begriff des Endlichen gegeben ist. Das braucht nicht zu bedeuten, daß die Schöpfung auch zeitlich immer schon als eine Vielheit von Geschöpfen existiert. Die relativistische Kosmologie, die einen Anfang des Universums vor endlicher Zeit nahelegt[152], läßt die Vielheit endlicher Erscheinungen durch einen „Urknall" ins Dasein treten, und zwar so, daß die Vielheit materieller Formen und Gestalten sich im Zuge der Expansion des Universums herausbildet. Das wäre dann die Form, in der der Logos als generatives Prinzip der Andersheit (und also der Vielheit) der Geschöpfe wirksam ist. Jedenfalls wird an der Vorstellung der Kosmogonie als Expansion des Universums anschaulich, daß es für eine geschöpfliche Vielheit des Raumes bedarf, in welchem das eine vom andern Distanz gewinnt. Die im Fortgang der Zeit erfolgende Expansion des kosmischen Raumes ist eine Grundbedingung für das Entstehen dauerhafter Gestalten[153].

---

[152] Die Schwierigkeiten einer solchen Vorstellung im Rahmen einer physikalischen Kosmologie werden jedoch von E. McMullin: How Should Cosmology Relate to Theology? (in: A. R. Peacocke ed.: The Sciences and Theology in the Twentieth Century, Notre Dame 1981, 17-57, bes. 34ff.) mit Recht hervorgehoben: „The Big Bang cannot automatically be assumed ... to be either the beginning of time or of the universe ..." (35). „What one *could* readily say, however, is that if the universe began in time through the act of a Creator, from our vantage point it would look something like the Big Bang that cosmologists are now talking about" (39). Siehe auch P. Davies: God and the New Physics, 1983, 9ff., 25ff.

[153] Darin äußert sich die Offenheit der Zukunft. Von der Korrelation der Expansion des

Die zunehmend vielfältigen Erscheinungen haben ihre innere Einheit, ihre Identität nicht unmittelbar in ihrer eigenen Partikularität, sondern in ihren Bezügen zur Einheit der Welt, genauer: in der die vielfältigen Erscheinungen zur Einheit einer Welt verknüpfenden *Ordnung*. Theologisch betrachtet ist die Ordnung der Welt Ausdruck der Weisheit Gottes, die mit dem Logos identisch ist. Wenn der Logos das in der Selbstunterscheidung des ewigen Sohnes vom Vater begründete generative Prinzip aller endlichen Realität ist, die sich als anderes gegenüber anderem darstellt, dann bildet sich mit dem Auftreten immer wieder neuer Formen des anderen, die anders sind gegenüber allem Bisherigen, zugleich auch das System von Beziehungen zwischen den endlichen Erscheinungen, aber auch zwischen ihnen und ihrem Ursprung in der Unendlichkeit Gottes aus. Als produktives Prinzip der Andersheit ist der Logos sowohl Ursprung jedes einzelnen Geschöpfes in seiner Besonderheit als auch Ursprung der Ordnung von Beziehungen zwischen den Geschöpfen. Dabei treten in der Welt der Geschöpfe die vielen Geschöpfe und der eine Logos, aus dem sie entspringen, auseinander. Doch der Logos ist den Geschöpfen nicht nur transzendent, sondern auch in ihnen wirksam, indem er ihr besonderes Dasein in dessen Identität konstituiert. Ordnung und Einheit bleiben den Geschöpfen nicht äußerlich. Je größer die Selbständigkeit des Geschöpfes, desto deutlicher hat jedes einzelne Geschöpf seine besondere Struktur, durch die es ein Ganzes für sich bildet im Unterschied zu allem anderen. Die Zusammengehörigkeit von Transzendenz und Immanenz des Logos im Verhältnis zu den Geschöpfen wurde in der patristischen Theologie dadurch angedeutet, daß sie von einer Vielheit von *logoi* der einzelnen Geschöpfe sprach, die in dem einen Logos zusammengefaßt sind (s.o. bei Anm. 64). Die *logoi* selber galten dabei allerdings als den Geschöpfen transzendent im Sinne der platonischen Ideenlehre, während heute eher von einer Herausbildung der geschöpflichen Gestalten mit ihren strukturellen Eigentümlichkeiten durch den Prozeß ihrer Entstehung und Entwicklung im offenen Zusammenhang des Weltprozesses zu sprechen ist.

Die einheitliche Ordnung der Welt, sofern sie der Vielheit der Ereignisse und Dinge gegenübersteht als allgemeine Form der Bedingungen ihrer Hervorbringung, ist die *naturgesetzliche Ordnung* der Erscheinungen. Diese naturgesetzliche Ordnung ist zwar Inbegriff der Regeln für das Hervortreten der Erscheinungen im Prozeß der Zeit, aber sie ist als Inbegriff von Regeln dennoch abstrakt, losgelöst von der Vielheit der Geschöpfe in ihrer konkreten Realität. Sie erscheinen von der naturgesetzlichen Ordnung her als *austauschbare* und insofern gleichgültige Beispiele für die Geltung des Gesetzes.

Universums mit der wißbaren Formenmenge der Erscheinungen sagt C.F.v.Weizsäcker: „Das Wachstum des Raumes *ist* in diesem Sinne die Offenheit der Zukunft" (Die Einheit der Natur, 1971, 365).

Von der individuellen Besonderheit des einzelnen Ereignisses wird dabei zwangsläufig abgesehen. Worauf diese individuelle Besonderheit beruht, ist noch genauer zu klären. Zunächst ist es wichtig, die Abstraktheit des Gesetzes im Verhältnis zum individuell Besonderen, die Abstraktheit daher auch jeder Theorie der naturgesetzlichen Ordnung des Geschehens zu bedenken[154].

An diesem Punkte unterscheidet sich die naturgesetzliche Beschreibung der Weltwirklichkeit von der Weise, wie der göttliche Logos die Einheit in der Vielfalt der Schöpfung ist: *Der Logos ist die nicht abstrakte, sondern konkrete Ordnung der Welt.* Das ist darum so, weil im Begriff des göttlichen Logos die ewige Dynamik der Selbstunterscheidung (der *logos asarkos*) nicht getrennt werden darf von ihrer Realisierung in Jesus Christus (dem *logos ensarkos*). Der universale Logos ist in der Welt nur tätig, indem er den partikularen Logos des jeweiligen besonderen Geschöpfes hervorbringt. Allerdings ist der universale Logos erst in der Person Jesu von Nazareth im vollen Sinne eins mit dem partikularen Logos einer besonderen geschöpflichen Gestalt, nämlich mit dem „Fleisch" dieses individuellen Menschen. Die Gründe dafür sind bei der Entwicklung der Trinitätslehre (Bd. I, 287 ff., 337 f.) zur Sprache gekommen und bedürfen noch ausführlicher Erörterung und Klärung im Rahmen der Christologie. Hier in diesem Kapitel ist bereits die Umkehrung des trinitätstheologischen Begründungsganges, der vom Gottesverhältnis Jesu zur Aussage über den ewigen Sohn führte, vollzogen worden (oben 36 ff., 42 ff.): Von der Selbstunterscheidung des ewigen Sohnes her wurde nun die Hervorbringung des von Gott unterschiedenen Geschöpfes begründet. Weil dieser Weg erst im Menschen Jesus von Nazareth vollendet ist, muß jetzt von einer unauflöslichen Zusammengehörigkeit des ewigen Sohnes in seiner Funktion als schöpferischer Logos einer Welt von Geschöpfen mit dem Menschen Jesus in seinem Verhältnis zum Vater wie auch zu seinen Mitgeschöpfen gesprochen werden. Weil in diesem Menschen der die Welt der Schöpfung durchwaltende Logos voll zur Erscheinung gekommen ist, darum ist „alles im Himmel wie auf Erden in Christus einheitlich zusammengefaßt" (Eph 1,10). Der Logos ist darum als schöpferisches Ordnungsprinzip der Welt nicht eine zeitlos allgemeine Struktur, – wie das Naturgesetz und jedes theoretische System einer naturgesetzlichen Ordnung, – sondern Prinzip der konkreten, geschichtlich entfalteten Ordnung der Welt, das Prinzip der Einheit ihrer Geschichte. Somit gehört zum Wirken des Logos in der Schöpfung sein Eingehen in die Besonderheit der

---

[154] Die hier bezeichnete Abstraktheit ist nicht identisch mit der bei G. Ebeling hervorgehobenen Abstraktion der Naturwissenschaften „vom unmittelbaren Lebensbezug" (Dogmatik des christlichen Glaubens 1, 1979, 299 und 302). Handelt es sich dabei um den sonst als „Objektivierung" bezeichneten Sachverhalt, so geht es bei der im folgenden genauer zu erläuternden Abstraktheit des Gesetzesbegriffs um sein Verhältnis zur Naturwirklichkeit selber, nicht zur Subjektivität menschlichen Erlebens.

geschöpflichen Wirklichkeit, seine Immanenz oder besser Intravenienz, die ihre äußerste Konkretion in der Inkarnation gefunden hat, indem sich der Logos mit einem einzelnen, von allen andern unterschiedenen Geschöpf so verband, daß er mit ihm definitiv eins geworden ist.

Solche Vereinigung des universalen Logos mit einem einzelnen Geschöpf ist nur unter der Bedingung möglich, daß das betreffende Geschöpf als einzelnes zugleich allgemein ist, so wie umgekehrt der Logos als universaler zugleich konkret ist. Diese Bedingung ist nicht bei jedem beliebigen Geschöpf erfüllt: Die elementaren Ereignisse und die elementaren Bestandteile der Materie sind zwar in hohem Grade allgemein wegen der Einfachheit ihrer Struktur, die in ungezählten Exemplaren ihresgleichen wiederkehrt, sowie von der Bildung der Atome an auch dadurch, daß sie „Bausteine" aller höher differenzierten Gestaltungen der Schöpfung sind. Aber sie sind nicht vermöge des einmalig Besonderen eines Einzelfalls zugleich allgemein. Allgemeine Relevanz im Sinne der durch die Besonderheit einer einzelnen Erscheinung vermittelten, ihr eigentümlichen Allgemeinheit der geschichtlichen Tragweite und Bedeutsamkeit dessen, was ihre individuelle Besonderheit ausmacht, ist erst auf Stufen hoher Komplexität möglich, weil erst hier – und besonders auf der Stufe des menschlichen Lebens – die Individualität voll ausgebildet ist. Das Allgemeine der Beziehung des Geschöpfes zum Schöpfer wird auf der Stufe der menschlichen Lebensform dem Geschöpf ausdrücklich thematisch, und die Realisierung dieses Themas bildet wiederum die individuelle Besonderheit Jesu. So ist der Logos konkret mit der Vielfalt der Geschöpfe verbunden durch den Menschen, und zwar durch *einen* Menschen, der seinerseits als der „neue Mensch" die Menschheit zur Einheit integriert. Die Inkarnation ist also dem Begriff des Logos nicht fremd. Sie gehört zur Funktion des Logos als des nicht abstrakt deskriptiven, sondern konkret schöpferischen Prinzips der Einheit der Welt. Die Inkarnation ist das Integrationszentrum der geschichtlichen Ordnung der Welt, die im Logos begründet ist, ihre vollendete Gestalt allerdings erst in der eschatologischen Zukunft der Weltvollendung und Weltverwandlung zum Reiche Gottes in seiner Schöpfung finden wird. Wenn das richtig ist, dann kann die Inkarnation keine nur äußerliche Zutat zur Schöpfung sein, nicht nur Ergebnis einer Reaktion des Schöpfers auf den Sündenfall Adams. Sie bildet dann vielmehr von vornherein den Schlußstein der göttlichen Weltordnung, die äußerste Konkretion der wirkenden Gegenwart des Logos in der Schöpfung[155].

Als Schöpfung und Ausdruck des göttlichen Logos ist jedes einzelne Geschöpf mit seiner von allen anderen Geschöpfen unterschiedenen Besonder-

---

[155] Maximus Confessor PG 91, 1217 A, dazu L.Thunberg: Microcosm and Mediator. The Theological Anthropology of Maximus the Confessor, Lund 1965, 90ff. Zu Duns Scotus Ord. III d7 q3 siehe die Ausführungen von W.Dettloff in TRE 9, 1982, 223–227.

heit auf den Vater bezogen, um durch sein geschöpfliches Dasein den Vater als seinen Schöpfer zu verherrlichen. Die Bestimmung der Geschöpfe entspricht dem Verhältnis des ewigen Sohnes zum Vater, der Verherrlichung des Vaters durch den Sohn. Wie der Sohn den Vater verherrlicht, indem er sich von ihm unterscheidet und sich zugleich in seiner Unterschiedenheit ganz dem Vater verdankt, so gehört es zur Bestimmung eines jeden Geschöpfes, in seiner geschöpflichen Besonderheit den Vater als seinen Schöpfer zu ehren. Eben darin hat jedes Geschöpf teil an der Sohnesbeziehung des Logos zum Vater. Dabei handelt es sich jedoch nicht nur um einen abstrakt allgemeinen Sachverhalt, als dessen Anwendungsfälle die Geschöpfe aufzufassen wären. Vielmehr ist der Sohn als generatives Prinzip der Andersheit schöpferischer Ursprung der jeweiligen Besonderheit jedes einzelnen Geschöpfes und zugleich der konkrete Inbegriff ihrer mannigfaltigen Erscheinungen. Beides gehört zur Funktion des ewigen Sohnes als Logos der Schöpfung. Außerdem ist das Verhältnis der Geschöpfe zum göttlichen Logos auch dadurch von der Exemplifikation eines abstrakt Allgemeinen durch seine konkreten Fälle verschieden, daß die Bestimmung der Geschöpfe zur Gemeinschaft mit Gott durch dessen Anerkennung und Verherrlichung als Schöpfer und Vater nicht unmittelbar in ihrem konkreten Dasein realisiert ist. Es wird sich zeigen, daß es dazu einer Geschichte bedarf, die die Tendenzen zur Verselbständigung der Geschöpfe gegen Gott und die daraus resultierenden Konflikte mit den Mitgeschöpfen überwindet.

Läßt sich die Funktion des ewigen Sohnes als Logos einer Welt von Geschöpfen in solcher Weise gedanklich explizieren und verdeutlichen, so gewinnt damit auch das Verhältnis des christlichen Gedankens der Schöpfung und Erhaltung der Welt durch den göttlichen Logos zur naturgesetzlichen Beschreibung der Ordnung des Universums an Klarheit. Die naturgesetzliche Beschreibung der Wirklichkeit ist, wie schon hervorgehoben wurde, durch ihre Abstraktheit gekennzeichnet, obwohl sich ihre Aussagen auf Bewegung und Veränderung, damit auch auf das Entstehen und Vergehen der Erscheinungen in der Zeit beziehen. Die Gesetzeshypothesen der Naturwissenschaften beschreiben beliebig reproduzierbare oder immer wieder zu beobachtende Abläufe und können sich daher auf wiederholbare Experimente stützen[156]. Sie beschreiben die konkrete Ordnung des Geschehens unter dem Aspekt gleichförmig wiederkehrender Verlaufsformen. Nun kann es keinen Zweifel geben an der überragenden Bedeutung solcher Gleichförmigkeiten nicht nur für die technische Beherrschung von Naturvorgängen

---

[156] Vgl. die kurze Gegenüberstellung von naturwissenschaftlichen und theologischen Aussagen bei A.R.Peacocke: Science and the Christian Experiment, London 1971, 21f. Siehe auch A.M.K.Müller: Die präparierte Zeit, 1972, 264f., sowie ferner die in der nächsten Anmerkung zit. Arbeit des Vf. 66 samt den dort Anm.59 (S.80) angeführten Bemerkungen von W.Döring in Universitas 14, 1959, 974.

durch den Menschen, sondern auch für das Naturgeschehen selbst. Die Unverbrüchlichkeit seiner Gesetze ist eine Grundbedingung für das Entstehen von Gebilden höherer Komplexität. Aber das Geschehen erschöpft sich nicht in der Gleichförmigkeit seiner Abläufe. Das gilt jedenfalls dann, wenn der Lauf der Zeit, ihre Richtung vom Früheren zum Späteren, auf Zukunft hin, in den konkreten Naturprozessen unumkehrbar ist. Die Unumkehrbarkeit der Zeit berechtigt zu der Folgerung, daß jedes einzelne Ereignis als solches einmalig ist, unbeschadet der an ihm wahrnehmbaren Gleichförmigkeiten mit anderen Ereignissen. Die gleichförmigen Abläufe, die den Gegenstand von Gesetzesformeln der allgemeinen Form „wenn A, dann B" bilden, treten dann an etwas anderem auf, nämlich an einer kontingenten Folge von Ereignissen[157]. Erwin Schrödinger hat schon 1922 festgestellt, „daß zum mindesten für die erdrückende Mehrzahl der Erscheinungsabläufe, deren Regelmäßigkeit und Beständigkeit zur Aufstellung des Postulates der allgemeinen Kausalität geführt haben, die gemeinsame Wurzel der beobachteten strengen Gesetzmäßigkeit – der *Zufall* ist"[158]. Die Kontingenz der Ereignisse ist in den Gesetzeshypothesen der Naturwissenschaften allerdings in solcher Weise vorausgesetzt, daß weitgehend von ihr abstrahiert wird. Die Kontingenz des einzelnen Ereignisses im Verhältnis zu seinen Vorgängern wird nicht als solche thematisiert. Thematisch sind vielmehr die in Gesetzesform ausdrückbaren Gleichförmigkeiten der Abfolge solcher Ereignisse, sei es in Gestalt deterministischer oder lediglich statistischer Gesetze. Doch solche Gleichförmigkeiten bestehen nicht für sich allein, sondern nur *an etwas*, was in der Gleichförmigkeit nicht aufgeht[159], nämlich an kontingenten Ereignisfolgen.

Der Reflexion stellt sich dieser Sachverhalt zunächst so dar, daß die *Anwendung* der naturwissenschaftlichen Formeln auf das Naturgeschehen die Annahme von Anfangs- und Randbedingungen erfordert, welche ihrerseits aus der betreffenden Formel nicht ableitbar, im Verhältnis zu ihr also kontingent sind. Aber auch in die Gleichungen eingehende Konstanten werden als kontingente, wenngleich „feststehende" Gegebenheiten in sie einbezogen[160]. In alledem bekundet sich der Sachver-

---

[157] Näheres in den Ausführungen des Vf. über „Kontingenz und Naturgesetz" in: A.M.K. Müller/W. Pannenberg: Erwägungen zu einer Theologie der Natur, 1970, 34–80, bes. 65ff.
[158] E. Schrödinger: Was ist ein Naturgesetz? Beiträge zum naturwissenschaftlichen Weltbild, 1962, 10. Schrödingers Feststellung beruht auf der grundlegenden Bedeutung statistischer Gesetzmäßigkeiten in Mikroprozessen für alle makrophysikalische Gesetzlichkeit und setzt wohl auch die Unumkehrbarkeit der Zeitrichtung (13) voraus.
[159] Auch C.F.v. Weizsäcker hat von einer „Unausschöpfbarkeit des Wirklichen durch einzelne Strukturerkenntnisse" gesprochen (Kontinuität und Möglichkeit, in: Zum Weltbild der Physik, 6. Aufl. 1954, 211–239, 227).
[160] R.J. Russell hat in einer sehr differenzierten Analyse der verschiedenen Aspekte des Kontingenzbegriffs zu bedenken gegeben, daß die Kontingenz der Naturkonstanten für eine globale Betrachtung des Universums wieder verschwindet, falls dabei das „anthropische Prinzip" zur Anwendung kommt, das das Auftreten der Naturkonstanten final deutet (Contingency in

halt, daß die Gesetzeshypothesen der Naturwissenschaften das Material des Naturgeschehens als kontingent gegeben voraussetzen[161]. Sie formulieren die in Ereignisfolgen auftretenden Gleichförmigkeiten, die sich unbeschadet der Kontingenz jedes einzelnen Ereignisses an ihnen entdecken lassen. Wegen des Ineinandergreifens der Gesetzesaussagen kann die naturgesetzliche Beschreibung auch komplexe Ereignisfolgen näherungsweise rekonstruieren, weil die Anfangs- und Randbedingungen für die Anwendbarkeit eines bestimmten Gesetzes ihrerseits schon Ergebnis anderer Gesetzmäßigkeiten sind. Es ist daher möglich, auch bei so umfassenden Prozessen wie der Entstehung und Geschichte des uns bekannten Universums oder bei Entstehung und Entwicklung der Lebewesen die konkrete

---

Physics and Cosmology. A Critique of the Theology of Wolfhart Pannenberg, in: Zygon 23, 1988, 23-43,35). Das ist zweifellos richtig, aber bei der nomologischen Kontingenz der Naturkonstanten handelt es sich in meiner Argumentation zunächst nur um ihr Verhältnis zu den Gesetzesformeln, in die sie eingehen, nicht um die umfassendere Frage ihres Verhältnisses zu der von Russell sog. „globalen" Kontingenz des Universums überhaupt. Zum „anthropischen Prinzip" s.u. bei Anm. 177 ff.

[161] Bei dieser Feststellung geht es zunächst ebenfalls um die von Russell a.a.O. sog. „nomologische" Kontingenz, die hier aber verknüpft ist mit der Ereigniskontingenz in der realen Geschehensfolge, die Russell a.a.O. 24 und 30 ff. als „local contingency" i.U. zur „global contingency" (27 ff.) des Universums behandelt. Allgemein bezeichnet der Begriff Kontingenz das, was ist, aber nicht notwendig ist, so daß an seiner Stelle auch etwas anderes sein könnte (vgl. die von W. Hoering Hist. WB Philos. 4, 1976, 1034-1038,1035 als erste von drei heutigen Verwendungsweisen genannte Bedeutung, die aber dort nicht ontologisch, sondern nur als „Eigenschaft von Sätzen" aufgefaßt ist. In ihrer ontologischen Form geht diese Begriffsbestimmung auf Duns Scotus zurück: Ord. I d 2 p 1 q 1-2, ed. vat. 2, 1950, 178 n. 86). Die nomologische Kontingenz ist stets relativ auf Gesetzesformeln, im Verhältnis zu denen ein Sachverhalt kontingent ist (z.B. als Anfangsbedingung). Sie schließt nicht aus, daß derselbe Sachverhalt sich aufgrund anderer Gesetze als notwendig darstellt. Die Ereigniskontingenz hingegen ist nicht relativ auf Gesetzesformeln, sondern auf Zeit. Sie bezeichnet das, was nicht notwendig ist *vom Vergangenen her*, setzt also Offenheit der Zukunft voraus. Negativ erscheint sie als „Unbestimmtheit" des Einzelgeschehens im quantenphysikalischen oder thermodynamischen Sinn (cf. I.G.Barbour: Issues in Science and Religion, 1966, 273-316, bes. 298,303 ff., allerdings ohne den Terminus Kontingenz). Wenn man in den Begriff der Ereigniskontingenz nicht nur das für eine naturgesetzliche Beschreibung „unbestimmt" bleibende Geschehen, sondern alles Geschehen einbeziehen will, dann reicht die Bestimmung von Kontingenz als das, was nicht notwendig ist, nicht aus. Diese Unterscheidung drückt ja eine Beschränkung der Kontingenz auf das durch die Gesetzesformel nicht Geregelte aus. Wenn aber alles Geschehen kontingent im Sinne von Ereigniskontingenz ist und das im Sinne von Gesetzen Notwendige nur einen an solchem kontingenten Geschehen auftretenden Aspekt der Gleichförmigkeit beschreibt, dann bedarf es einer erweiterten Bestimmung des Begriffs Kontingenz im Verhältnis zur Notwendigkeit. Kontingent muß dann alles das heißen, was nicht notwendig *nicht* ist (also das Mögliche), sofern es faktisch eintritt (vgl. die oben Anm. 157 genannte Arbeit des Vf. 75, Anm. 11). In diesem letzteren Sinne läßt sich alles Geschehen als kontingent im Sinne von Ereigniskontingenz denken auch da, wo die Art seines Eintretens durch Gesetze geregelt ist. Hier wäre dann wohl von „general contingency" i.U. zu Russell's „local" und „global" contingencies zu sprechen, weil es sich um eine Charakteristik *jedes* Ereignisses handelt, aber nicht um die Kontingenz der Welt im ganzen. Grundlegende, aber auch zureichende Bedingung für eine solche Auffassung alles Geschehens als kontingent ist die Offenheit der Zukunft in einer unumkehrbar verlaufenden Zeit, weil daraus folgt, daß *jedes* Ereignis letztlich einmalig und unwiederholbar ist und schon darum durch die Regeln, denen es genügt, nicht erschöpft werden kann.

Geschehensfolge als Ergebnis des Ineinandergreifens von Gesetzen zu rekonstruieren. Allerdings bleiben solche Rekonstruktionen bloße Näherungen an den tatsächlichen Geschehensverlauf. Das ergibt sich schon daraus, daß wegen der Unumkehrbarkeit der Zeitrichtung der Weltprozeß im ganzen und jedes Einzelgeschehen letztlich einmalig ist.

Eine Beschreibung des Zusammenhangs von Ereignissen in konkreten Prozessen ist nun aber auch noch in anderer Form möglich als unter dem Gesichtspunkt der Exemplifizierung allgemeiner Regeln und ihres Ineinandergreifens. In der historischen Erzählung wird die Kontingenz im Auftreten der Ereignisse, die Bestandteile einer Geschehensfolge sind, nicht ausgeblendet, sondern ihr Zusammenhang wird gerade durch die kontingente Ereignisfolge selbst konstituiert[162]. Allerdings verfährt auch die historische Darstellung einer Ereignisfolge abstrahierend, weil sie selektiv vorgeht. Um einen Vorgang darzustellen, werden nicht alle an ihm beteiligten Ereignisse berücksichtigt, sondern nur diejenigen, die die Eigenart seines Verlaufes kennzeichnen und für sein Ergebnis wichtig sind. Doch es wird nicht abstrahiert von der Kontingenz in der Abfolge dieser Ereignisse. Der historische Zusammenhang einer Ereignisfolge ist daher ebenso wie das Eintreten der einzelnen Ereignisse in seinem ganzen Verlauf unumkehrbar und unwiederholbar. Die einzelnen Ereignisse haben ihre spezifisch historische Bedeutung nicht dadurch, daß ihr Eintreten einen Anwendungsfall allgemeiner Gesetze darstellt (obwohl das der Fall sein mag), sondern durch ihre Stelle und Funktion in der Abfolge des einmaligen Geschehensverlaufs, bezogen auf das Ganze eines geschichtlichen Prozesses, das erst von dessen Abschluß her seine eigentümliche Gestalt erkennen läßt.

In ähnlichem Sinne hat das alte Israel die Wirklichkeit des Menschen und seiner Welt als Geschichte verstanden, nämlich als unumkehrbare Abfolge je neuer Ereignisse. Im Unterschied zum anthropozentrischen Geschichtsverständnis der Moderne, das sich von seiner geschichtstheologischen Herkunft emanzipiert hat[163], ist allerdings im Alten Testament das Handeln Gottes in der Kontingenz der Ereignisse konstitutiv für Zusammenhang und Sinn der Ereignisfolge. Zwar haben auch Handeln und Absichten der Menschen ihren Ort in der Geschichte, aber deren Lauf wird letztlich nicht von den Menschen, sondern von Gott gelenkt[164]. Dabei kam es im alten Israel nicht zu einer Entgegensetzung von Natur und Geschichte, wie sie sich im abendländischen Denken der Neuzeit herausgebildet hat. Für beide Be-

---

[162] Näheres dazu in meinem Buch: Wissenschaftstheorie und Theologie, 1973, 60 ff.
[163] Die klassische Darstellung dieses Prozesses ist immer noch K. Löwith: Weltgeschichte und Heilsgeschehen, 1953. Siehe aber auch die Ausführungen von G.A. Benrath in TRE 12, 1984, 633 ff. über „Die Verselbständigung und Säkularisierung der Weltgeschichte".
[164] Grundlegend dafür bleibt G.v. Rad: Theologie des Alten Testaments II, 1960, 112–132; vgl. auch K. Koch in TRE 12, 1984, 572 f.

reiche galt die „Aktualität des Handelns Gottes" als konstitutiv[165]. Auch die Ordnungen der natürlichen Welt wurden als Setzungen Gottes verstanden, und ihre Unverbrüchlichkeit wurde auf ein geschichtliches Ereignis zurückgeführt (Gen 8,22). Dieser Gedanke scheint schon der salomonischen Zeit vertraut gewesen zu sein[166]. Jahrhunderte später hat die Priesterschrift die Schöpfung der Welt und ihrer Ordnungen nochmals in eine Darstellung der Heils- und Bundesgeschichte Gottes mit Israel einbezogen. Dennoch machte sich auch im Denken Israels zunehmend eine „Spannung" zwischen dem in der Regelmäßigkeit des Geschehens offenbaren Welthandeln Gottes und seinem Geschichtshandeln bemerkbar. Sie hat in der Weisheitsliteratur ihren deutlichsten Ausdruck gefunden[167], schon in vorexilischer Zeit, aber sicherlich verschärft durch die mit dem Ende des Königtums und der staatlichen Selbständigkeit des jüdischen Volkes im 6. Jahrhundert verbundene Erschütterung des Vertrauens in die alten geschichtlichen Heilssetzungen Gottes. Trotz mancher Vermittlungsversuche im jüdischen Denken[168] wurde die Spannung zwischen dem Handeln Gottes in der Ordnung der Schöpfung einerseits, in der Erwählungsgeschichte Israels andererseits erst durch die christliche Lehre von der Inkarnation des mit der Weisheit Gottes identischen Logos in Jesus von Nazareth definitiv gelöst: Die Weisheitsthematik wurde dadurch wieder eingebunden in den Zusammenhang des heilsgeschichtlichen Denkens, dieses aber ausgeweitet zum Weltdrama. Damit ist der christlichen Theologie allerdings auch die Aufgabe zugefallen, das Anliegen der weisheitlichen Frage nach der von Gott gesetzten Naturordnung in der Lehre von der Schöpfungsmittlerschaft des Logos zu bewahren.

In der theologischen Tradition war das eine der Funktionen der Vorstellung von den in Gottes Intellekt zusammengefaßten Ideen als Urbildern der geschöpflichen Dinge und ihrer Verhältnisse (s. o. 39 ff.). Wenn eine heutige Theologie statt des-

---

[165] G. v. Rad: Aspekte alttestamentlichen Weltverständnisses, in: Ev. Theol. 24, 1964, 57-98, 65. Das alttestamentliche Verständnis der Natur ist nach v. Rad ebenso und im gleichen Punkt modernen Auffassungen entgegengesetzt wie das Geschichtsverständnis (64).

[166] Dabei ist vorausgesetzt, daß Gen 8,22 der jahwistischen Quellenschrift des Pentateuch zuzurechnen und diese zeitlich im 9. Jahrhundert v.Chr. anzusetzen ist.

[167] G. v. Rad in Ev. Theol. 24, 1964, 65 ff., sowie ders.: Weisheit in Israel, 1970, 227 f., 357 ff., 359. In seinem Weisheitsbuch betonte v. Rad stärker als in früheren Äußerungen, daß Israel mit seiner „im alten Orient einzigartigen Anerkennung der Kontingenz alles Geschichtlichen" zunehmend „vor eine neue Frage gestellt" wurde, „nämlich vor die nach dem Konstanten in der Geschichte" (368). Für H.H. Schmid (Altorientalisch-alttestamentliche Weisheit und ihr Verhältnis zur Geschichte, 1972) stellt sich der Sachverhalt dagegen so dar, daß das weisheitliche Denken in Israel von vornherein „den Verstehenshorizont für geschichtliche Erfahrungen abgegeben hat" (jetzt in: Altorientalische Welt in der alttestamentlichen Theologie, 1974, 64-90).

[168] So heißt es schon im Buche Jesus Sirach (24,8 u. 11), daß die göttliche Weisheit geschichtlich in Israel „eine bleibende Stätte" gefunden und dort „Wohnung" genommen habe. Auf der damit vorgezeichneten Linie hat auch noch Philo von Alexandrien die Offenbarung des Gottesgesetzes an Mose auf dem Sinai als Offenbarung des das All durchwaltenden Logos gedeutet.

sen aus der Selbstunterscheidung des Sohnes vom Vater und aus seiner produktiven Tätigkeit das Dasein und die Ordnung der geschöpflichen Erscheinungen begründen will, dann muß sie dabei auch der naturgesetzlichen Ordnung den ihr zukommenden Platz und Rang im Verständnis des Naturgeschehens einräumen. Es genügt nicht, wenn die christliche Theologie der naturgesetzlichen Beschreibung lediglich eine andere Auffassung der Wirklichkeit insgesamt, als Feld persönlichen Erlebens im offenen Prozeß einer Geschichte, entgegensetzt[169]. Das bliebe ein ohnmächtiger, weil bloß subjektiver Protest gegen „das Weltbild des notwendigen gesetzlichen Zusammenhangs" in allem Geschehen. Auch der Hinweis auf die Abstraktheit der Gesetzesformeln vermag für sich allein daran noch nichts zu ändern, solange nicht darauf reflektiert wird, *wovon* sie abstrahieren, wovon also die naturgesetzliche Beschreibung des Geschehens auch abhängig bleibt, nämlich auf die Ereigniskontingenz als Grundcharakter *allen* Geschehens. Wenn es richtig ist, daß „Kontingenz" nur ein philosophischer Ausdruck für das ist, was theologisch als schöpferisches Handeln Gottes gewürdigt werden muß[170], dann muß solche Kontingenz von *allem* Einzelgeschehen und *darum* auch von der Welt im ganzen[171] behauptet werden: Nur so wird Gott als Schöpfer aller Dinge und damit auch als Schöpfer der Welt als ganzer gedacht. Das hat aber zur unerläßlichen Bedingung, daß auch das Auftreten von Regelmäßigkeiten, gleichförmigen Verlaufsformen, die Gegenstand von Gesetzesformeln werden können, im Horizont der offenen Prozeßhaftigkeit[172] des Naturgeschehens als ein selber

---

[169] So P. Althaus: Die christliche Wahrheit, 3. Aufl. 1952, 319–323. Das folgende Zitat dort 322. Obwohl Althaus mit der Gegenüberstellung von Gesetzlichkeit und Geschichte das Problem einer Verhältnisbestimmung von naturwissenschaftlicher und theologischer Betrachtungsweise treffend bestimmt hat, unterscheidet er sich wegen seiner bloßen Entgegensetzung beider nicht grundsätzlich von K. Barth, der aus eben diesem Grunde seine Schöpfungslehre gänzlich ohne Bezugnahme auf die naturwissenschaftliche Beschreibung der Welt entwickelte (cf. KD III/1, 1945, Vorwort).

[170] E. Brunner: Die christliche Lehre von der Schöpfung und Erlösung (Dogmatik 2), 1950, 14: „Der Gedanke der Kontingenz selbst ist nichts anderes als eine philosophische Formulierung des christlichen Schöpfungsgedankens" (= 3. Aufl. 1974, 22).

[171] "Lokale" Kontingenz des Einzelgeschehens als *generelles* Kennzeichen allen Geschehens ist grundlegend für die von R.J.Russell (o. Anm. 160f.) sog. „globale" Kontingenz des Universums (a.a.O. 27 ff.). Letztere ist nicht notwendig an die Annahme eines zeitlichen Anfangs gebunden: Daher hat schon die mittelalterliche Theologie zwischen der Geschöpflichkeit der Welt, die als rational beweisbar galt, und der Frage ihres zeitlichen Anfangs unterschieden. Der Gedanke der Kontingenz des Universums bedarf m. E. auch nicht, wie Russell annimmt (28 f.), des sog. „anthropischen Prinzips", und dieses leistet umgekehrt keine einwandfreie Begründung für die Kontingenz des Universums. Sicherlich könnte die Vorstellung, daß dieses Universum auf den Menschen hin angelegt ist, seine Kontingenz als Schöpfung eines zweckhaft handelnden Willens nahelegen. Zwingend ist dieser Schluß aber nicht: Schon die aristotelische Metaphysik hat ein Beispiel für eine Teleologie des Universums ohne Kontingenz gegeben. – Die globale Kontingenz des Universums ist das Thema der Ausführungen von T.F.Torrance über „Divine and Contingent Order" in A.R.Peacocke (ed.): The Sciences and Theology in the Twentieth Century, 1981, 81–97.

[172] *„Die in der Naturwirklichkeit beobachteten Systeme sind immer offene, da sie als wirkliche grundsätzlich(e) zeitliche Systeme sind,* das heißt solche, in denen sich zeitliche Veränderungsprozesse entwickeln" (H. Wehrt: Über Irreversibilität, Naturprozesse und Zeitstruktur, in E.v.

kontingenter Sachverhalt erfaßt wird[173]. Nur so wird Gott als der Schöpfer der Naturwelt, wie wir sie kennen, gedacht, gerade auch in ihrer Gesetzesordnung, und das darf wiederum keine dem Naturgeschehen selber äußerliche Behauptung der Theologie bleiben. Noch in der naturwissenschaftlichen Beschreibung dieses Geschehens müssen trotz aller Abblendung der Bezüge von Gesetzesaussagen auf kontingente Gegebenheiten die Ansatzpunkte für die theologische Interpretation der Naturwirklichkeit als Ausdruck und Ergebnis kontingenten göttlichen Handelns aufweisbar sein. Dabei darf natürlich nicht die Differenz der methodischen Ebenen naturwissenschaftlicher und theologischer Aussagen verwischt werden. Die Physik hat nach Gesetzen zu fragen und nicht vom Handeln Gottes zu reden. Schon die Rede von einer „Geschichte der Natur" im Hinblick auf die physikalische Kosmologie ist eine Aussage nicht der Physik, sondern einer philosophischen Reflexion auf kosmologische Theoriebildungen. Der Begriff der Kontingenz erscheint in der Logik naturwissenschaftlicher Aussagen ganz am Rande, und zwar als Korrelat der Gesetzlichkeit, nicht schon als genereller Index von Ereignissen überhaupt. Ereigniskontingenz tritt nur als Unbestimmtheit in Erscheinung. Dennoch sind dies in Verbindung mit der Unumkehrbarkeit der Zeit die Ansatzpunkte, die eine philosophische Reflexion auf die naturwissenschaftliche Beschreibung der Welt zur These von der Kontingenz des Geschehens, auch gesetzlich geregelter Vorgänge führen müssen, im Zusammenhang des in der Zeit offenen Prozesses einer Geschichte der Natur. Die Theologie wiederum bedient sich solcher philosophischen Reflexion der naturwissenschaftlichen Weltbeschreibung, um die Kontingenz des Geschehens im einzelnen wie im Hinblick auf die Welt als ganze als Ausdruck der schöpferischen Tätigkeit des geschichtlich handelnden Gottes der Bibel zu identifizieren. Auch das Auftreten gleichförmiger Verlaufsformen, die durch Gesetzesformeln beschreibbar sind, stellt sich der Theologie als eine kontingente Setzung des Schöpfers dar. Dabei kann sie sich darauf berufen, daß in einem durch Unumkehrbarkeit der Zeitrichtung gekennzeichneten kosmischen Prozeß solche gleichförmigen Abläufe ebenso wie im Pro-

---

Weizsäcker: Offene Systeme I, 1974, 114–199, Zitat 140). In dem von G. Altner herausgegebenen Band „Die Welt als offenes System" (1986), der dem Dialog mit I. Prigogine gewidmet ist, hat H.-P. Dürr (Über die Notwendigkeit, in offenen Systemen zu denken – Der Teil und das Ganze, 9–31) die Vermutung begründet, das in der Thermodynamik behandelte Phänomen offener Systeme (i.U. zu geschlossenen) sei „letzten Endes doch durch die in der Quantenphysik prinzipiell angelegte Offenheit der Zukunft verursacht" (31). Zur unterschiedlichen Auffassung des Begriffs „offener" Systeme vgl. jedoch unten Anm. 277.

[173] In der Terminologie von R.J. Russell handelt es sich hier um „absolute nomological contingency" (a.a.O. 35 f.). Sie ist eng verknüpft mit der These, daß unter Voraussetzung der Irreversibilität der Zeit alle durch Gesetzesformeln beschreibbaren Gleichförmigkeiten im Naturgeschehen als geworden aufzufassen sind, also irgendwann erstmalig aufgetreten (first instantiation, cf. a.a.O. 36ff.) und dann „eingeklinkt" sein müssen (vgl. Kontingenz und Naturgesetz 65 f. und schon 57 ff., sowie Wissenschaftstheorie und Theologie, 1973, 65 ff., 67 f.). Das wird dadurch bestätigt, daß die moderne Kosmologie lehrt, daß die Anwendungsbereiche für die meisten Naturgesetze (z.B. für die der klassischen Mechanik) erst in fortgeschrittenen Phasen der Expansion des Universums entstanden sind. Ohne seinen Anwendungsbereich aber hat es keinen Sinn, von einem Naturgesetz zu sprechen. Zum informationstheoretischen Aspekt der Erstmaligkeit siehe E.v. Weizsäcker: Erstmaligkeit und Bestätigung als Komponenten der pragmatischen Information, in: Offene Systeme I, 200–221.

zeß der wissenschaftlichen Beobachtung einmal erstmals stattgefunden haben müssen, um dann gleichsam „eingeklinkt" zu sein („first instantiation"). Auf diese Weise wird zwar keineswegs das Dasein des Schöpfers naturwissenschaftlich bewiesen, denn es handelt sich um eine Argumentation auf der Ebene philosophischer und theologischer Reflexion. Wohl aber wird der Wahrheitsanspruch des Schöpfungsglaubens dadurch erhärtet, daß die Theologie die naturwissenschaftlichen Gesetzesaussagen prinzipiell in den Kohärenzrahmen ihrer Beschreibung der Welt als Schöpfung Gottes einordnen kann. Ohne eine solche gedankliche „Synthese", die es erlaubt, auch die Gleichförmigkeiten des Naturgeschehens in eine insgesamt durch Kontingenz und Geschichtlichkeit gekennzeichnete Auffassung der Welt als Schöpfung Gottes einzubeziehen[174], müßte die Naturgesetzlichkeit als Gegeninstanz gegen die Wahrheit des Schöpfungsglaubens ins Gewicht fallen. So ist es denn auch im Laufe der Neuzeit weithin empfunden worden. Die quantenphysikalische und die thermodynamische Ereigniskontingenz ließen sich dann allenfalls als Ausnahmen von der sonst durchgängigen gesetzlichen Bestimmtheit alles Geschehens betrachten, als „Lücken" seiner naturwissenschaftlichen Beschreibung, wie sie durch den Fortschritt der Forschung nach aller geschichtlichen Erfahrung immer wieder geschlossen worden sind. Ein darauf begründetes Reden von einem Handeln Gottes im Naturgeschehen bliebe der fatalen apologetischen Argumentation verhaftet, die Gott gerade in solchen „Lücken" am Werke sah, so daß jeder Fortschritt der Naturerkenntnis zu einem Rückschlag für die Theologie werden mußte. Ganz anders stellt sich der Sachverhalt dar, wenn *alles* Geschehen, auch das der durch Naturgesetze beschriebenen Abläufe, prinzipiell als kontingent zu betrachten ist, wie es vor allem durch die Irreversibilität der Zeitrichtung nahegelegt ist. In diesem Fall handelt es sich nicht mehr um Lücken, sondern um ein auch die Grundaussagen der Naturwissenschaft umgreifendes Gesamtverständnis der Weltwirklichkeit, in dessen Rahmen die Tatsache

---

[174] Gegen eine derartige „Synthese" von geschichtlicher und naturgesetzlicher Betrachtungsweise wendet sich P. Althaus a.a.O. 320f. aus zwei Gründen: Erstens sollte der Glaube nicht „eine bestimmte wissenschaftliche Lage in der Physik für sich ausbeuten", nämlich die Unbestimmtheit des Einzelgeschehens im Sinne der Quantenphysik (320f.). Zweitens befürchtete Althaus, daß damit wiederum „die Lücken oder Ausnahmen" der naturgesetzlichen Erklärung von der Theologie in Anspruch genommen werden mit der Folge, daß „alles übrige gesetzliche Geschehen nicht in dem Sinne wie die Wunder unmittelbares lebendiges Handeln Gottes wäre" (321). Die beiden Gesichtspunkte hängen zusammen und haben durchaus Gewicht. Ähnliche Bedenken scheinen hinter den Bemerkungen von J. Polkinghorne: One World. The Interaction of Science and Theology, 1986, 71f. zu W. Pollard (Chance and Providence, 1958) zu stehen. Der Gesichtspunkt der Kontingenz des Naturgeschehens ist nur dann gegen den Einwand geschützt, daß die Theologie hier nochmals eine Lücke naturgesetzlicher Beschreibung für ihr Reden vom Handeln Gottes im Naturgeschehen beansprucht, wenn erstens gezeigt werden kann, daß solche Kontingenz für den Begriff des Naturgesetzes selbst konstitutiv ist, und zweitens Ereigniskontingenz nicht nur für das durch Gesetzesformeln nicht geregelte Einzelgeschehen, sondern generell für alles natürliche Geschehen behauptet werden kann. Letzteres ist der Fall, wenn generell die Ereigniskontingenz jedes einzelnen Geschehens als Konsequenz aus der Unumkehrbarkeit der Zeit behauptet wird. Wenn diese Argumentation in sich stichhaltig ist, kann die These durchgängiger Ereigniskontingenz nur durch Bestreitung der Unumkehrbarkeit der Zeit entkräftet werden.

der naturgesetzlichen Ordnung des Geschehens einen speziellen und in mehrfacher Hinsicht besonders bedeutsamen Platz einnimmt.

Die Regelhaftigkeit des Geschehens in den elementaren Prozessen bildet über die dadurch ermöglichten Ordnungszustände die fundamentale Voraussetzung für das Entstehen dauerhafter Gestalten. Ohne Dauer aber gibt es kein selbständiges Dasein. Die Gleichförmigkeit des naturgesetzlich geregelten Geschehens ist daher Bedingung aller geschöpflichen Selbständigkeit. Wollte der Schöpfer selbständig existierende Geschöpfe hervorbringen, so bedurfte es dafür in erster Linie der Gleichförmigkeit elementarer Prozesse. Die naturgesetzliche Ordnung steht also nicht im Gegensatz zum kontingenten Wirken Gottes bei der Hervorbringung der geschöpflichen Gestalten, sondern sie ist das wichtigste Mittel dazu. Die Gleichförmigkeit des Naturgeschehens ist einerseits Ausdruck der Treue und Beständigkeit Gottes in seiner Tätigkeit als Schöpfer und Erhalter, und bildet andererseits den Boden, der für das Entstehen immer neuer und komplexerer Gestalten in der Welt der Geschöpfe unerläßlich ist. Erst unter Voraussetzung der Gleichförmigkeit elementarer Prozesse können die thermodynamischen Schwankungen von stationären Zuständen zur Quelle des Neuen werden, insbesondere bei der Entstehung und Entwicklung des Lebens und seiner Formen.

Die Selbständigkeit der komplexeren geschöpflichen Gebilde wird nicht, wie die frühe Neuzeit glaubte, dadurch beeinträchtigt, daß sie als Ergebnis der Wirksamkeit von Naturgesetzen entstehen. Diese Vorstellung war verständlich im Zeitalter der mechanistischen Naturbetrachtung. Da aber die Naturprozesse nicht in deterministisch geschlossenen, isolierten Systemen ablaufen (s. o. Anm. 172), so tritt mit jeder neuen Gestalt eine neue Ganzheit ins Dasein, die regulierend auf die Bedingungen ihres eigenen Daseins zurückwirkt[175] und sich auch als neuer Faktor im Verhältnis zur Umwelt geltend macht. Die Konstanz der Umweltbedingungen regelt den Bestand, freilich auch das Vergehen der Gestalten. Bei den Lebensformen, die sich durch

---

[175] So I. A. Barbour (Issues in Science and Religion, 1966) über die Auswirkungen des Ausschließprinzips von Wolfgang Pauli (295 f.). Zu diesem Prinzip siehe auch J. D. Barrow u. F. J. Tipler: The Anthropic Cosmological Principle, 1986, 302 ff. In einer Rezension des Buches von Barbour hat D. R. Griffin vorgebracht, sein *„relational emergentism"* vermöge nicht, wie das einer an Whitehead orientierten Prozeßphilosophie möglich sei, zwischen organischen Ganzheiten (*„compound individuals"*) und bloßen Aggregaten (*„nonindividuated wholes"*) zu unterscheiden (Zygon 23, 1988, 57–81, 62). Das scheint mir angesichts der Deutung des Pauliprinzips durch Barbour nicht richtig zu sein. Der Eindruck mag aus prozeßphilosophischer Perspektive darum entstehen, weil hier der emergierenden Ganzheit kein eigener ontologischer Rang zuerkannt wird (vgl. meine Auseinandersetzung mit dieser Konsequenz des Ereignisatomismus von Whitehead in: Metaphysik und Gottesgedanke, 1988, 88 f.). Dadurch aber bleibt der Prozeßphilosophie ihrerseits eine ontologisch angemessene Beschreibung komplexer Gestalten versagt, weil sie deren Einheit als etwas letztlich Sekundäres beurteilen muß (eben als „compound", mit Griffin zu reden). Barbour hat sich darauf mit gutem Grund nicht eingelassen.

ihren Bezug zu ihrer Umgebung erhalten, wird deren Stabilität zur Bedingung der Lebensfristung. Für den Menschen ist sie zur Voraussetzung einer immer weiter ausgedehnten Herrschaft über die Natur geworden.

Die Selbstbindung des göttlichen Schöpfungshandelns an die Naturgesetze, die in diesem Handeln begründet sind, schließt das schöpferisch Neue ebensowenig aus wie die Unmittelbarkeit jeder neuen geschöpflichen Gestalt im Verhältnis zu Gott. Vermittlung und Unmittelbarkeit sind auch hier nicht unvereinbar[176]. Die Vorstellung, daß Gott das Neue und Ungewöhnliche nur hervorbringen könne, wenn er die Naturgesetze durchbricht, ist spätestens durch die Einsicht überholt, daß die Naturprozesse unbeschadet ihrer Gesetzlichkeit nicht den Charakter geschlossener (oder genauer: isolierter) Systeme haben. Andererseits ist die Vermittlung allen Entstehens und Vergehens durch die Geltung der Naturgesetze eine Bedingung dafür, daß die geschöpflichen Gestalten auch Gott gegenüber diejenige Selbständigkeit gewinnen können, die in der Vorstellung eines von seinem Schöpfer verschiedenen Geschöpfes liegt. Nur unter dieser Voraussetzung können sich Geschöpfe auch zu Gott selbständig verhalten, und das ist die Bedingung dafür, daß die Geschöpfe in das Verhältnis des Sohnes zum Vater einbezogen werden können und so zur Gemeinschaft mit Gott gelangen. Die Naturgesetze haben also eine unentbehrliche Dienstfunktion in der trinitarischen Geschichte der Schöpfung.

Die Teilhabe der Geschöpfe an der trinitarischen Gemeinschaft des Sohnes mit dem Vater ist in der Sicht christlicher Theologie das Ziel der Schöpfung. An der Inkarnation des göttlichen Logos in Jesus von Nazareth wird das offenbar. Denn dieses Geschehen zielte darauf, „das All zu versöhnen

---

[176] Die altprotestantische Dogmatik unterschied seit L. Hutter (1618) zwischen *creatio immediata* und *creatio mediata* (Loci communes theologici III, q 2), weil nach dem Schöpfungsbericht der Priesterschrift nur das Werk des ersten Tages ohne jede geschöpfliche Beteiligung von Gott hervorgebracht wurde, während die Werke der folgenden fünf Tage schon das zuvor Geschaffene voraussetzen (J.A. Quenstedt: Theologia did.-pol. sive Systema Theol. I (1685) Leipzig 1715: *Omnia itaque ex nihilo creata sunt, alia tamen* immediate, *sc. opera primi diei, alia* mediate, *scil. mediante illa materia quam Deus ante ex nihilo pure negativo creaverat, nempe opera sequentium quinque dierum*, 594 th. 13). Diese Unterscheidung ist auch von reformierten Theologen übernommen worden, trotz Ablehnung der bei Quenstedt und anderen Lutheranern damit verbundenen Vorstellung, daß die unmittelbare Schöpfung nur ungestaltete Materie, ein formloses Chaos, hervorgebracht habe, aus dem dann alles andere erschaffen wurde (vgl. die bei H. Heppe/E. Bizer: Die Dogmatik der evangelisch-reformierten Kirche, 1958, 157f. angegebenen Belege). Die Differenz zwischen unmittelbarer und mittelbarer Schöpfung wurde allerdings relativiert durch die noch bei F. Buddeus begegnende ausdrückliche Erklärung, daß auch die durch geschöpfliche Vermittlung erschaffenen Geschöpfe von Gott *ex nihilo* geschaffen wurden (Compendium institutionum theol. dogmaticae II,3, Leipzig 1724, 212f.: *omnes quidem ex nihilo factae sunt, sed hae mediate, illae immediate*). Insofern ist dann doch jedes Geschöpf unmittelbar zu Gott, und Buddeus wandte sich mit Heftigkeit gegen die Vorstellung, Gott könnte seine Schöpfermacht an die geschöpfliche Vermittlung abgetreten haben (a.a.O. § 8, 216).

auf ihn hin" (Kol 1,20; vgl. Eph 1,10). Erst auf der Stufe des Menschen ist dieses Ziel realisiert und auch hier nicht unmittelbar, sondern erst als Ergebnis einer Geschichte, in der die Abwendung des Menschen von Gott samt ihren Folgen überwunden werden muß. Nach den Worten des Apostels geht es dabei um die Bestimmung der ganzen Schöpfung (Röm 8,19 ff.): Die ganze Schöpfung wartet auf das Offenbarwerden der Gottessohnschaft in der Menschheit, weil dadurch die Vergänglichkeit überwunden wird, unter der alle Geschöpfe leiden. Was immer von der Unmittelbarkeit der außermenschlichen Geschöpfe in ihrer Beziehung zu Gott zu sagen sein mag, sie hat jedenfalls die Kehrseite des Leidens an der Vergänglichkeit. Wenn also das Leiden an der Vergänglichkeit überwunden wird durch die Aufnahme des Menschen in die Sohnesbeziehung Jesu zum Vater, dann geht es darin auch um die Vollendung des Verhältnisses der außermenschlichen Geschöpfe zu ihrem Schöpfer.

Ist also der Mensch das Ziel der Schöpfung? Die christliche Inkarnationslehre impliziert offenbar eine solche Auffassung, wie sie auch schon in den alttestamentlichen Schöpfungsberichten ausgesprochen worden ist. Im Lichte des Inkarnationsglaubens ist freilich der Mensch nur darum als Ziel der Schöpfung zu bezeichnen, weil in ihm – genauer in dem einen Menschen Jesus von Nazareth – die Gemeinschaft des Geschöpfes mit dem Schöpfer realisiert wird, indem der Gottessohn in der Gestalt eines Menschen in Erscheinung tritt. Dennoch bleibt es dabei, daß unter diesem Gesichtspunkt die gesamte Geschichte des Universums sich als Vorgeschichte für das Erscheinen des Menschen darstellt. Mit der modernen Naturwissenschaft schien eine solche Sicht lange unvereinbar zu sein. Da die Erde seit Kopernikus nicht mehr den Mittelpunkt des Universums bildet, schien damit auch der Mensch zu einer Randerscheinung des Kosmos geworden zu sein. Sollte es nicht auch in andern Sonnensystemen und Galaxien Planeten geben, auf denen Leben entstehen konnte und auf denen es intelligente Wesen gibt? Und sollte auf dieser Erde selbst die Evolution des Lebens mit dem Menschen zu Ende sein? Erst die naturwissenschaftliche Kosmologie des 20. Jahrhunderts hat im Zusammenhang mit ihren Berechnungen von Alter und Entwicklung des Universums zu Betrachtungen darüber geführt, daß eine Reihe von grundlegenden kosmologischen Daten gerade so eingerichtet sind, wie es für die Entstehung des Lebens und damit auch des Menschen auf dieser Welt unerläßlich ist.

Dazu gehören die Lichtgeschwindigkeit, die Gravitationskonstante, die elektrische Elementarladung[177]. Aber auch das Zahlenverhältnis von Photonen und Protonen im Universum, sowie die relative Stärke der nuklearen und elektromagnetischen Kräfte sind so beschaffen, daß nur sehr geringe Änderungen vorstellbar

---

[177] R. Breuer: Das anthropische Prinzip. Der Mensch im Fadenkreuz der Naturgesetze, 1981, 25.

wären, ohne daß damit die Entstehung von Leben auf unserer Erde unmöglich würde[178]. Auch das heute auf 15 oder 17 Milliarden Jahre geschätzte Alter unseres Universums wird als erforderlich für die Bildung der Galaxien und der chemischen Elemente und Verbindungen betrachtet, ohne die ein auf Kohlenstoffverbindungen begründetes organisches Leben nicht hätte entstehen können. Auf die Beobachtung solcher Zusammenhänge gründet sich das heute von vielen Naturwissenschaftlern für plausibel gehaltene, aber von andern bestrittene „anthropische Prinzip". Es besagt in seiner 1961 von Robert H. Dicke begründeten „schwachen" Version, daß das Universum Eigenschaften besitzen muß, die die Entstehung von Leben und intelligenten Wesen zulassen. Die „starke" Version des anthropischen Prinzips ist 1973 von dem britischen Physiker Brandon Carter vorgetragen worden und besagt, das Universum müsse so beschaffen sein, daß es die Entstehung von intelligenten Wesen (und damit auch von Physik) nicht nur zuläßt, sondern über kurz oder lang *notwendig* hervorbringt[179]. In beiden Versionen besteht der Reiz der Annahme eines solchen Prinzips offenbar darin, daß es die sonst unerklärliche Faktizität der erwähnten Naturkonstanten als sinnvoll erscheinen läßt. Dagegen ist jedoch der berechtigte Einwand erhoben worden, daß das „anthropische Prinzip" keine Erklärung im physikalischen Sinne bietet[180]. Immerhin bleibt bestehen: Das anthropische Prinzip „reveals an intimate connection between the large and small-scale structure of the Universe"[181]. Das gilt vor allem für seine „schwache" Version; denn die „starke" Form des Prinzips geht mit ihren Behauptungen der Notwendigkeit eines Leben und Intelligenz hervorbringenden Universums erheblich darüber hinaus, ist dementsprechend umstritten und wird auch von Barrow und Tipler als „spekulativ" bezeichnet (23). Das gilt in noch weit höherem Maße für ihre eigene Version eines „final anthropic principle",

---

[178] J.D. Barrow und F.J. Tipler: The Anthropic Cosmological Principle, 1986, 5, 125 und 175.

[179] R. Breuer a.a.O. 24, vgl. Barrow und Tipler a.a.O. 16ff., 21f. Eher verwirrend erscheint dort die Verknüpfung des anthropischen Prinzips mit der Behauptung einer Abhängigkeit des Beobachteten von der Eigenart nicht nur der Instrumente, sondern auch des Beobachters (15ff., 23, auch 557). Diese seit den Diskussionen um die Quantenphysik häufig behauptete Parallelität erscheint als prinzipiell problematisch. Im Unterschied zu Instrumenten ist der Mensch von Natur aus nicht auf eine bestimmte Sichtweise festgelegt, nicht einmal was die Reichweite seiner Sinne angeht, da er diese durch Instrumente erweitern kann. Dem Menschen ist durchaus auch die Wahrnehmung von Gegebenheiten möglich, die sein eigenes Dasein in eine marginale Rolle verweisen: So haben schließlich für Jahrhunderte das kopernikanische Weltbild und anfänglich auch die Evolutionstheorie gewirkt.

[180] E. McMullin: How should Cosmology relate to Theology?, in: A.R. Peacocke (ed.): The Sciences and Theology in the Twentieth Century, 1981, 17–57, 43: „The anthropic principle would tell us to *expect* these physical features, once we know that this is the universe that has man in it. But to expect them, given the presence of man, is not the same as to explain why they occur in the first place". McMullin bezieht sich dabei besonders auf die seit Collins und Hawking (1973) erörterte anthropische Relevanz der Isotropie des Universums, deren Bedeutung aber neuerdings von Barrow und Tipler eher zurückhaltend beurteilt wird (a.a.O. 419–430, bes. 428f.). Der Einwand von McMullin gilt aber ebenso für alle anderen Sachverhalte, insbesondere für die Naturkonstanten, zu deren „Erklärung" das anthropische Prinzip in Anspruch genommen wird.

[181] Barrow und Tipler a.a.O. 4.

demzufolge Intelligenz, wenn sie einmal in einem Universum entstanden ist, nicht mehr aussterben kann, sondern die Herrschaft über alle materiellen Prozesse gewinnen und selber unsterblich sein wird[182].

Die neuerdings wieder ernsthaft erörterte Vorstellung, daß das Universum mit den maßgeblichen Einzelheiten seiner Konstruktion auf die Hervorbringung menschlichen Lebens angelegt ist, stößt nicht zuletzt wegen der Aussicht auf die Entdeckung außerirdischen Lebens im Zuge der weiteren Erforschung des kosmischen Raumes vielfach auf Ablehnung. Auch für die christliche Erlösungslehre hat man Schwierigkeiten vorausgesehen für den Fall der Entdeckung außerirdischer Formen intelligenten Lebens[183]. Bezieht sich die mit der Inkarnation verbundene Erlösung dann nur auf die irdische Menschheit? Bedurften die intelligenten Wesen anderer Galaxien keiner Erlösung oder wären für jene anderen Welten andere, für sie bestimmte Heilsveranstaltungen anzunehmen? Dazu ist erstens zu sagen, daß die von einigen Autoren behauptete Wahrscheinlichkeit außerirdischer Formen von Leben und Intelligenz von anderen Forschern mit beachtlichen Gründen abgelehnt wird[184]. Zweitens kennt schon die traditionelle christliche Lehre intelligente Wesen außer dem Menschen, nämlich die Engel, die aber teils für keiner Erlösung bedürftig, zum andern Teil, soweit sie sich gegen Gott gewendet haben, für keiner Erlösung fähig galten. Die traditionelle christliche Lehre hat also ihre mit der Inkarnationslehre verbundene These von der zentralen Stellung des Menschen im Universum unbeschadet der Annahme anderer und den Menschen weit überlegener intelligenter Wesen entwickelt. Darum ist nicht einzusehen, weshalb jede Entdeckung außerirdischer intelligenter Wesen schon eine Erschütterung der christlichen Lehre zur Folge haben müßte. Sollte es einmal zu derartigen Entdeckungen kommen, so wird sich allerdings die Aufgabe stellen, das Verhältnis solcher Wesen zu dem in

---

[182] A.a.O. 23, vgl. 659ff. Die argumentativen Schritte, die zu dieser in mancher Hinsicht an Teilhard de Chardin erinnernden eschatologischen Vision führen, sind in der Rezension von F.W.Hallberg (Zygon 23, 1988, 139-157) zusammengefaßt und kritisch erörtert worden (bes. 148ff., 151ff.). Inzwischen hat jedoch Frank Tipler seine im Zeichen des anthropischen Prinzips begonnene physikalische Kosmologie weiterentwickelt zu einer *Omega Point Theory*, die nicht mehr das Auftreten des Menschen, sondern den eschatologischen Vollendungszustand als maßgeblich für den konkreten Verlauf des kosmischen Gesamtprozesses annimmt (The Omega Point als *Eschaton*: Answers to Pannenberg's Questions for Scientists, Zygon 24, 1989, 217-253).
[183] So etwa R. Pucetti: Persons. A Study of Possible Moral Agents in the Universe, 1969, 125f. und dazu E. McMullin: Persons in the Universe, Zygon 15, 1980, 69-89, bes. 86ff.
[184] Barrow und Tipler a.a.O. 576-612, vgl. 132f. zur evolutionstheoretischen Unwahrscheinlichkeit der Entstehung intelligenter Lebewesen und 558 zu den damit verbundenen Erfordernissen an die Lebensdauer eines Planeten. Zur letzteren Frage siehe auch die Ausführungen von W. Stegmüller in seiner vorzüglichen Zusammenfassung von Problemen und Resultaten der modernen physikalischen Kosmologie in: Hauptströmungen der Gegenwartsphilosophie II, 6.Aufl. 1979, 693-702.

Jesus von Nazareth inkarnierten Logos und damit auch zum Menschen theologisch zu bestimmen. Die bisher eher problematischen und vagen Möglichkeiten einer Existenz außerirdischer intelligenter Wesen können jedenfalls die Glaubwürdigkeit der christlichen Lehre nicht beeinträchtigen, wonach in Jesus von Nazareth der das ganze Universum durchwirkende Logos Mensch geworden und dadurch der Menschheit und ihrer Geschichte eine Schlüsselfunktion für Einheit und Bestimmung der gesamten Schöpfung zugefallen ist.

2. Der Geist Gottes und die Dynamik des Naturgeschehens
a) Der biblische Ausgangspunkt

Sind die Geschöpfe in ihrer Verschiedenheit sowohl von Gott als auch untereinander als das Werk des Sohnes zu verstehen, der dabei zugleich als Logos der Schöpfung das Prinzip ihrer Ordnung ist, durch die alle Erscheinungen in ihrer Unterschiedenheit aufeinander bezogen sind, so ist der Geist Gottes nach dem Zeugnis der Bibel das belebende Prinzip, dem alle Geschöpfe Leben, Bewegung und Tätigkeit verdanken. Das gilt besonders von den Tieren und Pflanzen und mit ihnen vom Menschen. Von ihnen allen heißt es im 104. Psalm: „Sendest du deinen Odem aus, so werden sie geschaffen, und du erneuest das Antlitz der Erde" (Ps 104,30). Dem entspricht, daß nach dem älteren, jahwistischen Schöpfungsbericht der Mensch, dessen Gestalt Gott aus Lehm geformt hatte, zu einem lebendigen Wesen wurde, als Gott ihm seinen Odem in die Nase blies (Gen 2,7; vgl. Hi 33,4)[185]. Umgekehrt erstirbt alles Leben, wenn Gott seinen Geist zurückzieht (Ps 104,29; Hi 34,14f.). So liegt in der Tat in seiner Hand „alles Lebenden Seele und der Odem aller Menschen" (Hi 12,10).

Diese biblische Sicht des Lebens ist mit modernen Auffassungen zumindest auf den ersten Blick schwer zu vereinen. Denn für die moderne Biologie ist Leben eine Funktion der lebendigen Zelle oder des Lebewesens als eines sich selbst erhaltenden (vor allem ernährenden) und reproduzierenden Systems[186], nicht Wirkung einer dem Lebewesen transzendenten, es belebenden Kraft[187]. Nun ließe sich annehmen, die hierher gehörigen biblischen

---

[185] Wie sich dabei Gottes Geist und menschlicher Geist zueinander verhalten, wird im nächsten Kapitel, im Rahmen der Anthropologie, noch genauer zu klären sein.

[186] Siehe beispielsweise L.v. Bertalanffy: Theoretische Biologie 2, 2.Aufl., 1951, 49ff. (zur „Erhaltungsarbeit" der Zelle vgl. 62ff.), sowie M. Hartmann: Allgemeine Biologie, 1953, 17, aber auch J. Monod: Zufall und Notwendigkeit. Philosophische Fragen der modernen Biologie (1970) dt. 1971, 17ff., 21f.

[187] Auch die vitalistischen Annahmen einer speziellen Lebenskraft stellten diese als eine dem Organismus eigene Kraft vor, analog der im 18. und 19. Jahrhundert vorherrschenden Auffas-

Vorstellungen seien einfach als Ausdruck eines archaischen, für uns überholten Weltverständnisses zu beurteilen, wie das in der Tat für viele biblische Auffassungen von Naturerscheinungen zutrifft. Davon wird noch zu reden sein. Die bildhafte Direktheit der Vorstellung vom göttlichen Atem, der den Geschöpfen eingehaucht wird, berührt denn auch den heutigen Menschen eher als poetische Metapher denn als Erklärung für die Entstehung des Lebens. Es fragt sich nur, ob in solcher Metaphorik nicht ein tieferer Sinn steckt, der auch für das moderne Verständnis der Naturvorgänge noch erhellend sein könnte[188]. Ihm auf die Spur zu kommen, wäre dann sicherlich lohnend. Für die Theologie ist damit eine schon deshalb unabweisbare Aufgabe gestellt, weil die paulinischen Aussagen über das neue Leben der Totenauferstehung als Wirkung des göttlichen Geistes (Röm 8,11, vgl. 1,4; 1.Kor 15,44f.) die alttestamentlich-jüdischen Auffassungen über das Verhältnis von Gottesgeist und Leben voraussetzen (vgl. auch Ez 37,5ff.).

Die Komplexität des Themas wird noch erhöht dadurch, daß der priesterschriftliche Schöpfungsbericht die schöpferische Funktion des Gottesgeistes über die Belebung der Pflanzen und Tiere hinaus ausgeweitet hat auf das ganze Schöpfungswerk (Gen 1,2). Die Beschreibung des chaotischen Anfangszustandes wird dort mit der Wendung abgeschlossen: „und der Geistwind Gottes rüttelte über der Tiefe". Die Bedeutung der hier durch „Geistwind Gottes" wiedergegebenen[189] Worte *ruah elohim* ist bis heute exegetisch umstritten, allerdings nur für diese eine Belegstelle der im Alten Testament häufiger belegten Wortverbindung[190]. An den übrigen Stellen wird, wie der Wortlaut der Wendung es nahelegt, mit „Geist Gottes" übersetzt. Warum hier anders? Daß es sich Gen 1,2 um einen vom Gottesgeist scharf zu unterscheidenden „Gottessturm" im Sinne eines superlativischen Orkans handle[191], ist im Hinblick auf diesen „im höchsten Grade reflektiert formulierten Text", der *elohim* sonst stets als Gottesname verwendet, mit Recht als „eine groteske Annahme" bezeichnet worden[192]. Der Verdacht liegt nahe, daß es sich dabei um das Ergebnis einer vorgefaßten theologischen Auffassung vom göttlichen Geist handelt, die mit der physischen Bewegtheit des

---

sung der anorganischen Kräfte als Funktionen der physikalischen Körper. Vgl. dazu den Art. Lebenskraft von E.-M. Engels im Hist. WB Philos. 5, 1980, 122–128.

[188] Vgl. dazu vom Vf.: Der Geist des Lebens (1972), in ders.: Glaube und Wirklichkeit, 1975, 31–56.

[189] Mit K. Koch: Wort und Einheit des Schöpfergottes in Memphis und Jerusalem, in: ZThK 62, 1965, 251–293, 275f.

[190] Siehe etwa Ex 31,3; 35,31; Num 24,2; 1. Sam 10,10; 11,6; 19,20.2; 2. Chron 15,1; 24,20, sowie auch Hi 33,4 (*ruah ēl*). Erheblich häufiger ist die Verbindung mit dem Jahwenamen.

[191] So u.a. G.v. Rad: Das erste Buch Mose Kap. 1–12,9 (ATD 2), 1949, 37, sowie auch C. Westermann: Genesis I, 1974, 148f.

[192] O.H. Steck: Der Schöpfungsbericht der Priesterschrift, 1975, 235; vgl. auch K. Koch a.a. O. 281 n.92, sowie B.S. Childs: Myth and Reality in the Old Testament (Studies in Biblical Theology 27) 1968, 35f. (zit. bei Steck l.c.).

Windes unvereinbar scheint[193], welche offenbar im Spiele ist, wenn der Text der *ruaḥ* ein „Rütteln" (oder Vibrieren) zuschreibt. Warum muß es sich bei den Bedeutungen „Geist" und „Wind" um eine Alternative handeln? Die Verbindung des Wortes mit der Gottesbezeichnung *elohim* legt es nahe, daß hier der Geist Gottes selbst als Wind vorgestellt ist, ähnlich wie Ez 37,9f. (vgl. 5). Diese Auffassung steht der sonst häufig belegten Vorstellung vom belebenden Atem Gottes nahe, weil es sich beim Atem wie beim Wind um die bewegte (i.U. zur ruhenden) Luft handelt, eine Vorstellung, die auch den ursprünglichen Bedeutungsgehalt des griechischen Wortes *pneuma* (i.U. zu *aër*) bildet[194]. Dabei sollte im Hinblick auf Gen 1,2 zwischen Wind und Atem nicht getrennt werden. Es leuchtet ein, daß die Erwähnung des göttlichen Geistes in einem Zusammenhang mit dem unmittelbar folgenden schöpferischen Sprechen Gottes gesehen werden muß: Gemeint ist „der Atem Gottes, der in Affinität zum Sprechen steht"[195]. Das wird auch dadurch nahegelegt, daß im folgenden nur noch vom Sprechen Gottes, nicht mehr von seinem Geist als Subjekt des Schöpfungswerkes die Rede ist. Ob man aber daraus schließen kann, daß der Atem oder Hauch Gottes hier im Unterschied zu andern alttestamentlichen Vorstellungen nicht „als solcher schon belebend und wirksam ist"[196]? Immerhin wird dem Geistwind doch die Funktion zugeschrieben, das Chaoswasser aufzuwühlen. Es handelt sich nicht nur um einen Vorgang in der Innerlichkeit Gottes. Gottes Atemholen

---

[193] So argumentiert tatsächlich C.Westermann a.a.O. 149: *rūaḥ* „als Wind aufzufassen, ist aber durch die Verbindung mit אלהים erschwert". Deshalb habe B.S.Childs *rūaḥ* trotz der im Verb ausgesprochenen physischen Bewegung auch an dieser Stelle „als den schaffenden Geist Gottes" im Gegensatz zum „Chaos" aufgefaßt. Es kommt also darauf an, welche Vorstellung von Gott man voraussetzt oder doch für möglich hält. Denn das mit *rūaḥ elohim* verbundene Verbum der Bewegung ist nach Westermann der allein ausschlaggebende Grund dafür, den Subjektausdruck hier anders zu verstehen als überall sonst, nämlich nicht durch das Wort „Gott" zu übersetzen.

[194] Zum Unterschied dieser beiden Vorstellungen in der griechischen Frühzeit, bei Anaximenes und Empedokles im Gegensatz zur späteren stoischen Auffassung, vgl. J. Kerschenstein: Kosmos. Quellenkritische Untersuchungen zu den Vorsokratikern, 1962, 79f.

[195] O.H.Steck a.a.O. 236. Steck weist auf die enge Beziehung der Vorstellung zu Ps 33,6 hin: „durch das Wort Jahwes sind die Himmel gemacht und durch den Hauch seines Mundes ihr ganzes Heer".

[196] A.a.O. 235. Steck begründet das damit, daß die Wendung zu der in Gen 1,2 insgesamt vorliegenden Zustandsbeschreibung der Situation vor Beginn des eigentlichen Schöpfungswerkes gehört. Aber darf man beides so scharf scheiden? Haben wir es hier nicht vielmehr mit dem *Übergang* zum Schöpfungswirken zu tun? Steck wirft immerhin in einer langen Anmerkung (236 n.971) selber die Frage auf, ob die Aussage „nicht doch auch positiv im Sinne des Befähigtseins Gottes, das Schöpfungswirken anzugehen", verstanden werden müsse. Damit würde der Gegensatz zu den sonstigen Vorstellungen des Alten Testaments von der schöpferischen Dynamik des belebenden Geistwirkens Gottes verschwinden, wenn auch als Besonderheit der Priesterschrift bestehen bleibt, daß die Dynamik des Geistes dort eng mit dem Reden Gottes (und im Sinne von Ps 33,6 mit seinem Worte) verbunden wird.

ist ein aufwühlender Sturm, und aus seiner Dynamik heraus ergeht das schöpferische „Sprechen".

Der Geist Gottes ist schöpferisches Prinzip nicht erst des Lebens, sondern schon der Bewegung. Das Alte Testament hat keine allgemeine Konzeption der kosmischen Bewegung als zusammenfassende Bezeichnung für die verschiedenen Bewegungen und Tätigkeiten der Geschöpfe entwickelt. Aber in der Vorstellung von der schöpferischen Dynamik des Gottesgeistes liegt ein Ansatzpunkt dazu. Doch werden dadurch die Aussagen über den Geist Gottes als Ursprung des Lebens dem modernen Verständnis nähergebracht?

b) Kraft, Feld und Geist

Die Beschreibung der Bewegungsformen und der bewegenden Kräfte ist wohl das zentrale Thema der neuzeitlichen Physik. Um Bewegung und Veränderung zu beschreiben, hat die Physik den Begriff der Kraft oder Energie entwickelt, die auf Körper einwirkt und so deren Bewegungen hervorbringt[197]. Dabei bemühte sich die klassische Dynamik, den Begriff der Kraft auf den des Körpers und seiner Bewegungsimpulse zurückzuführen, um damit die ganze Physik auf den Begriff des Körpers und auf die Beziehungen zwischen Körpern begründen zu können. So hatte schon Descartes versucht, die mechanischen Einwirkungen der Körper aufeinander als Übertragung der Bewegung des einen auf den andern zu beschreiben[198]. Newton hingegen deutete zwar die Trägheit als den Körpern eigene Kraft (*vis insita*), schränkte jedoch die auf die Körper einwirkenden Kräfte (*vis impressa*) nicht auf die Bewegungsübertragung durch andere Körper ein und schuf damit den Begriff der vom Körper verschiedenen Kraft[199]. Mit seinem Satz über die Änderung der Bewegung als proportional zur Kraft beschränkte er sich auf die Angabe einer Methode der Kraftmessung, während er die Natur der Kräfte selbst als weitgehend dunkel beurteilte[200]. Dabei rechnete er im Unterschied zu Descartes mit nichtmateriellen Kräften, die analog zur Bewegung des Körpers durch die Seele wirken. Als eine solche Kraft betrachtete er auch die Gravitation, die ihm als Ausdruck der Bewegung des Universums durch Gott vermittels des Raumes erschien[201]. Gerade diese

---

[197] C.F.v.Weizsäcker: Die Einheit der bisherigen Physik (1962), in ders.: Die Einheit der Natur, 1971, 133–171.

[198] R.Descartes: Le Monde (1664, geschrieben 1633) c.7, 2. Regel (Adam/Tannery XI,41f.). Der Kraftbegriff wird hier nur gestreift (42,14).

[199] I.Newton: Philosophiae naturalis principia mathematica I, 3.ed. 1726, Neudruck Cambridge 1972, Def.3 und 4. Vgl. E.McMullin: Newton on Matter and Activity, 1978, 43ff., 52f., 80ff.

[200] M.Jammer im Hist. WB Philos. 4, 1976, 1178f., bes. auch 1179 zu Opticks III, q 31.

[201] A.Koyré: Newtonian Studies, 1965, 109, vgl. 91. Siehe auch E.McMullin a.a.O. 55ff. und speziell zur Gravitation 57ff.

theologischen Implikationen der Auffassung Newtons von nichtmateriellen Kräften als Ursachen materieller Veränderungen mögen beigetragen haben zu der Kritik, die von den französischen Physikern des 18. Jahrhunderts bis hin zu Ernst Mach und Heinrich Hertz an diesem Aspekt von Newtons Kraftbegriff geübt worden ist. Diese Physiker haben im Gegensatz zu Newton die Kräfte auf Körper oder auf deren „Massen" (Hertz) zu reduzieren versucht. Wenn alle Kraft von Körpern (bzw. Massen) ausgeht, dann und erst dann ist das Verständnis des Naturgeschehens definitiv losgelöst von jeder Beziehung auf den Gottesgedanken, weil Gott jedenfalls nicht als Körper vorgestellt werden kann[202]. Das theologische Reden von Einwirkungen Gottes auf das Weltgeschehen wird dann schlicht unverständlich[203].

Die antireligiösen Implikationen der Reduktion des Kraftbegriffs auf den des Körpers und seiner trägen Masse lassen sofort auch die zumindest implizit theologische Relevanz der Umkehrung des Verhältnisses von Kraft und Körper als Folge der wachsenden Bedeutung von Feldtheorien in der modernen Physik seit Michael Faraday ermessen. Faraday betrachtete die Körper selbst als Erscheinungsformen von Kräften, die ihrerseits nun nicht mehr als Eigenschaften von Körpern, sondern als den körperhaften Erscheinungen vorgegebene, selbständige Realitäten aufgefaßt wurden. Diese wurden jetzt als raumfüllende Felder vorgestellt, um die Schwierigkeiten des Gedankens einer über Distanzen hinweg wirkenden Kraft zu vermeiden, und Faraday hoffte, daß sich alle Kraftfelder auf letztlich ein einziges, umfassendes Kraftfeld zurückführen lassen[204].

Anregungen in dieser Richtung hatte schon Leibniz gegeben, indem er die Monaden als punktförmig sich manifestierende Kräfte dachte und die Undurchdringlichkeit der Materie, ihrer Masse, auf den Kraftbegriff zurückführte, nämlich auf die von der Kraft ausgehende *Repulsion*[205], während für die Kontinuität der Naturerscheinungen in der Nachfolge von Leibniz die entgegengesetzte Kraft der *Attraktion* verantwortlich gemacht wurde[206]. Während jedoch hier die Kraft bzw.

---

[202] Dafür genügt es, sich an die von Origenes vorgetragenen Argumente zu erinnern, die in Bd. I, 403 zusammengefaßt worden sind. Vgl. auch Thomas von Aquin S. theol. I, 3,1.
[203] Daher ist der Kampf der Theologie des frühen 18. Jahrhunderts für die Lehre vom göttlichen *concursus* als einer unerläßlichen Bedingung der geschöpflichen *facultas se movendi* sehr begreiflich, mußte aber unter den geschilderten Umständen erfolglos bleiben. Vgl. J.F. Buddeus: Compendium institutionum theologiae dogmaticae 1724, II/2 §48. Zum Kraftbegriff und seiner Geschichte siehe M. Jammer: Concepts of Force, 1957 und M.B. Hesse: Forces and Fields. The Concept of Action at a Distance in The History of Physics, 1961, sowie das in der folgenden Anmerkung zit. Werk von W. Berkson.
[204] W. Berkson: Fields of Force, 1974, 31 und 58-60 zeigt, daß Faraday sich bei seinen Experimenten von einer solchen metaphysischen Position leiten ließ.
[205] W. Berkson a.a.O. 24.
[206] Von beiden Kräften später ausdrücklich I. Kant: Kritik der reinen Vernunft B 321, vgl. das 2. Hauptstück in: Metaphysische Anfangsgründe der Naturwissenschaft 1786. Wie Schelling von da aus zu seiner zunehmend an elektrischen Erscheinungen orientierten Vorstellung

ihre Manifestation zwar nicht mehr an Körper, aber immer noch an Raum*punkte* gebunden gedacht wurde, verknüpfte Faraday den Kraftbegriff mit dem Ganzen des einen Körper bzw. viele Körper umgebenden Feldes. Die Masse (als „rate of response to forces", also Trägheit) hängt in Faradays Sicht nun von der Kraftkonzentration am jeweiligen Raumpunkt ab, tritt also punktförmig in Erscheinung. Das materielle Partikel gilt daher als Konvergenzpunkt von Kraftlinien bzw. als durch einige Zeit hindurch fortbestehendes „cluster" solcher Kraftlinien[207]. Durch die Vorstellung der Kraft als Feld wurde der Begriff der Kraft verknüpft mit dem „metrischen Feld" des Raumes bzw. der Raumzeit. Daher konnte Albert Einstein in seiner Allgemeinen Relativitätstheorie (1916) sogar den Versuch einer Reduktion des Kraftbegriffs auf das metrische Feld einer nichteuklidischen Raumzeit machen[208]. Denkbar bleibt auch die umgekehrte Reduktion des metrischen Feldes der Raumzeit auf den Kraftbegriff[209]. Jedenfalls aber sind im Rahmen der Feldtheorien Kraft und Raumzeit als eng zusammengehörige Gegebenheiten zu verstehen.

Die Behauptung einer implizit theologischen Relevanz der Hinwendung der modernen Physik zu immer weiter ausgreifenden Feldtheorien des Naturgeschehens wird durch die metaphysische Herkunft des Feldbegriffs nahegelegt. Die Vorstellung des Kraftfeldes läßt sich über die Stoa bis auf die vorsokratische Philosophie zurückführen, nämlich auf Anaximenes' Lehre von der Luft als *archē*, derzufolge alle Dinge als Verdichtungen der Luft entstanden sind. Als direkten Vorläufer des modernen Feldbegriffs aber hat Max Jammer die stoische Lehre vom göttlichen Pneuma bezeichnet, das als feinster Stoff alles durchdringt und durch seine Spannung (τόνος) alle Dinge im Kosmos zusammenhält, sowie ihre verschiedenen Bewegungen und Qualitäten erzeugt[210]. Diese stoische Lehre vom Pneuma hat nicht nur Philos Denken, sondern auch die frühchristliche Theologie in ihren Aussagen über das Wirken des göttlichen Geistes in der Schöpfung beeinflußt[211].

---

einer spannungsvollen Dualität als „Bedingung aller Gestaltung" gelangte (Einleitung zu seinem Entwurf eines Systems der Naturphilosophie, 1799, Sämtl. Werke III, 299), beschreibt F. Moiso: Schellings Elektrizitätslehre 1797–1799, in R. Heckmann/H. Krings/R. W. Meyer (Hgg.): Natur und Subjektivität. Zur Auseinandersetzung mit der Naturphilosophie des jungen Schelling, 1985, 59–97, bes. 92ff. Die Entwicklung Schellings konvergierte ihrerseits auf eine Feldvorstellung als Grundmodell des Naturgeschehens (Moiso 94).
[207] W. Berkson a.a.O. 52ff.
[208] M. Jammer in Hist. WB Philos. 2, 1972, 925. Vgl. W. Berkson a.a.O. 318.
[209] W. Berkson a.a.O. 324f. erkennt dem auf Faraday zurückgehenden Gedanken eines kosmischen Feldes als Kraftfeld den Vorzug theoretischer Konsistenz zu, weil auch Einsteins Feldtheorie nicht alle Kräfte, so wie die Gravitation, auf gekrümmte Raumformen zurückzuführen, also rein geometrisch zu beschreiben vermöge, sondern das Auftreten von Energiegefälle im Feld zulassen müsse (320).
[210] M. Jammer: „Feld" in Hist. WB Philos. 2, 1972, 923. Vgl. dazu M. Pohlenz: Die Stoa. Geschichte einer geistigen Bewegung I (1959) 1978, 74f., 83 und die Belege in Bd. II, 42f.
[211] Th. Rüsch: Die Entstehung der Lehre vom Heiligen Geist bei Ignatius von Antiochia,

Die Berührungen mit der stoischen Pneumalehre traten allerdings in der späteren Patristik zurück, besonders seit Origenes' Kritik an der stoischen Auffassung von der materiellen Natur des Pneuma (vgl. Bd. I, 403 u. 414). Im Hinblick auf den modernen Feldbegriff entfallen solche Schwierigkeiten, besonders seit seiner Ablösung von der Vorstellung eines Äthers als Substrat des Feldes. Insofern aber der Feldbegriff den alten Pneumalehren entspricht, ist es gar nicht abwegig, sondern liegt sogar von der Begriffs- und Geistesgeschichte her recht nahe, die Feldtheorien der modernen Physik zur christlichen Lehre von der dynamischen Wirksamkeit des göttlichen Pneuma in der Schöpfung in Beziehung zu setzen.

Für die Theologie besteht zwischen ihrer Lehre vom göttlichen Pneuma und den Feldtheorien der modernen Physik ein sachlich viel engerer Zusammenhang als er im Mittelalter im Verhältnis zur aristotelischen Bewegungslehre gegeben war. Die Bewegungslehre des mittelalterlichen christlichen Aristotelismus betrachtete ebenso wie die mechanistische Naturbeschreibung den Körper als Ausgangspunkt der Bewegung, nicht nur bei der Selbstbewegung, sondern auch bei der Fremdbewegung. Die Frage nach dem Verhältnis des Naturgeschehens zu Gott mußte sich hier konzentrieren auf Möglichkeit und Notwendigkeit des Rekurses auf eine erste Ursache aller Bewegung, und zwar auf eine nichtkörperliche Ursache für die Bewegungen der Körper, sowie auf die Notwendigkeit ihrer unausgesetzten Wirksamkeit bei allen Tätigkeiten und Wirkungen der Zweitursachen. Konnten die natürlichen Körper als keiner weiteren Ursache bedürftige Träger der Bewegungskräfte aufgefaßt werden, so wurde die Vorstellung einer Einwirkung Gottes auf das Naturgeschehen nicht nur überflüssig, sondern sogar unverständlich (s. o.). Dagegen haben die Erneuerung des Gedankens vom Primat der Kraft bei Leibniz, die aber auch schon bei Newton angebahnt war, und die Entwicklung der physikalischen Feldtheorien seit Faraday es ermöglicht, die Funktion des göttlichen Geistes bei der Schöpfung der Welt wieder auf die Naturbeschreibung der Physik zu beziehen[212]. Das gilt insbesondere für die Auffassung aller materiellen, körperhaften Erscheinungen als Manifestationen von Kraftfeldern und letztlich, wie es Faraday vorschwebte, eines einzigen kosmischen Kraftfeldes[213]. Einsteins metaphysisches Interesse hing dagegen mehr an der Unveränderlichkeit des Ge-

---

Theophilus von Antiochia und Irenäus von Lyon, 1952, 80ff. zu Theophilus (bes. 82) und 103ff. zu Irenäus.

[212] Th. F. Torrance hat das Verdienst, wohl als erster auf diese Zusammenhänge hingewiesen und für die Aufnahme des Feldbegriffs in die Theologie plädiert zu haben: „... the field that we are concerned with is surely the interaction of God with history understood from the axis of Creation-Incarnation ... Our understanding of this field will be determined by the force or energy that constitutes it, the Holy and Creator Spirit of God" (Space, Time and Incarnation, 1969, 71).

[213] Im Gegensatz zum mechanistischen Bewegungsmodell von Druck und Stoß, sowie auch zu allen in weiterem Sinne „mechanistischen" Beschreibungen des Naturgeschehens ermöglichen nach G. Süßmann die Feldtheorien der modernen Physik ein „geistiges" Verständnis der Naturwirklichkeit (G. Süßmann: Geist und Materie, in H. Dietzfelbinger und L. Mohaupt (Hgg.): Gott-Geist-Materie, 1980, bes. 18ff.).

setzes und der geometrischen Ordnung des Feldes[214]. Man erinnere sich der skeptischen Bemerkung Einsteins über den Indeterminismus der Quantenphysik: „Der Alte würfelt nicht"[215]. Möglicherweise stehen bei Einstein und seiner Neigung zu Spinoza einerseits, bei dem auf Faraday zurückgehenden Kraftfeldkonzept andererseits – aber auch beim quantenphysikalischen Indeterminismus der Gegenwart – unterschiedliche theologisch-metaphysische Gesamtauffassungen der Wirklichkeit im Hintergrund.

Die prinzipiellen Differenzen zwischen physikalischer und theologischer Betrachtungsweise bei der Beschreibung der Weltwirklichkeit verbieten es allerdings, physikalische Feldtheorien direkt theologisch zu interpretieren. Sie können nur als der Eigenart der naturwissenschaftlichen Betrachtungsweise (s.o. 81f., 83ff.) gemäße Näherungen an diejenige Wirklichkeit aufgefaßt werden, die auch Gegenstand der theologischen Aussagen über die Schöpfung ist. Daß es sich dabei um dieselbe Wirklichkeit handelt, läßt sich dann *einerseits* daran erkennen, daß theologische Aussagen über das Wirken des Geistes Gottes in der Schöpfung begriffsgeschichtlich auf dieselbe philosophische Wurzel zurückgehen, die durch mathematische Formalisierung auch Ursprung der physikalischen Feldtheorien geworden ist, wobei die verschiedenen physikalischen Theoriebildungen durchaus auch noch die unterschiedliche Akzentuierung der zugrunde liegenden metaphysischen Intuition erkennen lassen. *Andererseits* muß aber die theologische (im Unterschied zur naturwissenschaftlichen) Begriffsbildung auch dazu in der Lage sein, innerhalb ihrer eigenen Reflexion der anders gearteten Beschreibungsform (also den physikalischen Beschreibungen, soweit sie empirisch bestätigt werden können) einen Platz einzuräumen, um dadurch die Kohärenz der eigenen Aussagen über die Weltwirklichkeit zu bewähren. Dabei darf es sich nicht um eine bloß äußerlich hergestellte Beziehung handeln. Das wäre schlechte Apologetik. Es muß Gründe aus der eigenen Sachthematik der Theologie geben, einen naturwissenschaftlichen Grundbegriff wie den Feldbegriff im Rückgang auf seine vorphysikalische, philosophische Prägung für die Theologie in Gebrauch zu nehmen. Nur dann ist die Theologie auch berechtigt, solche Begriffe in einer ihrer eigenen Thematik angemessenen Weise, dem naturwissenschaftlichen Sprachgebrauch selbständig gegenübertretend, zu entwickeln. Solche Gründe für die Einführung des Feldbegriffs

---

[214] Vgl. W. Berkson a.a.O. 317f.
[215] Brief A.Einsteins an Max Born vom 4.12.1926 (Albert Einstein, Hedwig und Max Born, Briefwechsel 1916-1955, kommentiert von Max Born, München 1969, 129f.). Siehe auch Einsteins Brief an Born vom 7.9.1944 (ebd. 204), sowie Borns Bemerkungen dazu in seinem Aufsatz über Einsteins „Statistical Theories" in: P.A.Shilpp (ed.): Albert Einstein: Philosopher - Scientist, 1951, 163-177, 176f. Einsteins Bekenntnis zum Spinozismus in der New York Times vom 25.April 1929 wird im gleichen Bande von V.G.Hinshaw (Einstein's Social Philosophy, 649-661) behandelt (659f.). Vgl. auch I.Paul: Science, Theology and Einstein, 1982, 56f. und 122ff.

in die Theologie haben sich nun tatsächlich im Rahmen der Gotteslehre ergeben, nämlich bei der Interpretation der überlieferten Rede von Gott als Geist. Die Kritik an der traditionellen Auffassung der Geistigkeit Gottes als vernünftige Subjektivität (als *Nus*) hat zu der Einsicht geführt (Bd. I, 403–416), daß es den biblischen Aussagen über den Geist Gottes und über Gott als Geist besser entspricht, das dabei Gemeinte als dynamisches Feld zu denken, das trinitarisch strukturiert ist, wobei die *Person* des Heiligen Geistes als eine der personalen Konkretisierungen der Wesenheit des einen Gottes als Geist, und zwar im Gegenüber zu Vater und Sohn, aufzufassen ist. Die *Person* des Heiligen Geistes ist also nicht selber als Feld, sondern eher als einmalige Manifestation (Singularität) des Feldes der göttlichen Wesenheit zu verstehen. Weil aber das personale Wesen des Heiligen Geistes erst im Gegenüber zum Sohn (und so auch zum Vater) offenbar wird, hat sein Wirken in der Schöpfung mehr den Charakter dynamischer Feldwirkungen. Auch bei der Schöpfungsmittlerschaft des Sohnes ist ja die personale Beziehung zum Vater erst in der Inkarnation, im Gegenüber des Menschen Jesus zum Vater, voll ausgeprägt, obwohl alle geschöpfliche Andersheit gegenüber Gott wie gegenüber den Mitgeschöpfen von der Selbstunterscheidung des Sohnes vom Vater her und auf ihr Offenbarwerden hin zu verstehen ist. Entsprechendes gilt auch für das Wirken des Heiligen Geistes in der Schöpfung. Es läßt sich im Unterschied zur Schöpfungsmittlerschaft des Sohnes und ihrer Bedeutung für die Unterschiedenheit und Andersheit jedes besonderen Geschöpfes dem Bezogensein und darum auch der Bewegung zuordnen, die die Geschöpfe untereinander und mit Gott verbindet. Insofern erschöpft sich das Wirken des Geistes in der Schöpfung nicht einfach im Feldcharakter der göttlichen Wesenheit. Es ist deutlich bezogen auf das Spezifische der Person des Heiligen Geistes im Unterschied zum Sohne, so daß damit auch die Zuordnung zur dritten Person der Trinität als gerechtfertigt erscheint. Gewiß läßt sich das Anderssein der verschiedenen Geschöpfe untereinander und im Verhältnis zu Gott gar nicht denken ohne Bezogensein des so Unterschiedenen. Aber das gilt schon vom Verhältnis des Sohnes selbst zum Vater: Auch die Gemeinschaft des Sohnes mit dem Vater ist immer schon vermittelt durch den Geist. Der Sohn ist der erste Empfänger des Geistes (Bd. I, 343 f.). Das positive Bezogensein im Sinne der Gemeinschaft des Unterschiedenen und die damit verbundene Dynamik ist darum ebenso wie im trinitarischen Leben Gottes so auch in der Schöpfung der dritten Person der Trinität zuzurechnen. Dabei wird unter den Bedingungen der Zeit in den geschöpflichen Verhältnissen die Dynamik des Geisteswirkens sich anders äußern als in der ewigen Gemeinschaft der Trinität. Sie hat die Trennungen zu überwinden, die mit der Verselbständigung des geschöpflichen Daseins entstehen. Das aber ist nur im Durchgang durch Gegensätze und Kollisionen hindurch möglich, die die dynamischen Verhältnisse in der Schöpfung charakterisieren.

Die trinitarische Begründung und Strukturierung einer theologischen Beschreibung der Beteiligung des Heiligen Geistes am Schöpfungswerk durch Feldbegriffe läßt erwarten, daß der Gebrauch dieser Begrifflichkeit in der Theologie nicht nur Gemeinsamkeiten, sondern auch charakteristische Verschiedenheiten gegenüber ihrer naturwissenschaftlichen Verwendung aufweisen wird. Beides läßt sich an den Beziehungen der Feldvorstellung zu den Begriffen von Raum und Zeit verdeutlichen.

c) Raum und Zeit als Aspekte des Geisteswirkens

Wenn der Schöpfungsbericht der Priesterschrift vom „Rütteln" des Gottesgeistes gleich einem Sturmwind über der „Urflut" spricht (Gen 1, 2), dann ist die Vorstellung von seiner aufwühlenden Gewalt unvollziehbar ohne Zeit und Raum. Nur im Raum kann der Sturmwind seine Dynamik entfalten, und indem er dahinfegt, braucht er Zeit. Entsprechendes gilt – in vermutlich sanfterer Weise – für das „Aussenden" des göttlichen Odems, der nach Ps 104,30 das Leben auf der Erde erneuert. Solche Aussagen sind gewiß bildlich zu nehmen, aber ihr Sachgehalt läßt sich nicht in der Manier spiritualisierender Interpretation von ihrer Bildform ablösen.

Räumliche Vorstellungen begegnen auch sonst in den biblischen Aussagen über Gottes Verhältnis zur Schöpfung. So ist von seinem Wohnen im Himmel die Rede, aber auch davon, daß seine Macht oder sogar er selbst auf Erden in Erscheinung tritt (s. Bd. I, 444 ff.). Die Vorstellung der Transzendenz Gottes ist nicht ohne räumliche Anschauung vollziehbar, wenn sie nicht auf die logische Form der Unterscheidung des Unendlichen von allem Endlichen reduziert wird. Umgekehrt impliziert der Inkarnationsgedanke mit dem Eingehen Gottes in die von ihm verschiedene Sphäre geschöpflichen Daseins eine räumliche Differenz, die in einem zeitlichen Vorgang überwunden wird[216]. Zwar ist es unangemessen, Gott selbst als im Raum lokalisiert, auf einen Ort im Raume beschränkt und von andern Raumteilen unterschieden vorzustellen, aber dem entgeht man noch nicht dadurch, daß man die Vorstellung des Raumes auf die Beziehungen Gottes zu seinen Geschöpfen einschränkt[217]. Gerade die Unterscheidung dessen, was in Beziehung steht, von der Beziehung selbst verdankt sich der räumlichen Vorstellung und bleibt ihren Schranken verhaftet. Gottes Beziehungen zur Welt

---

[216] Th. F. Torrance: Space, Time and Incarnation, 1969, 67: „Incarnation ... asserts the reality of space and time for God in the actuality of His relations with us".

[217] So Torrance a.a.O., sowie 23 f. Auch K. Heim wollte den von ihm postulierten „überpolaren Raum" als den „Raum, in dem Gott für uns gegenwärtig ist", von der „Wirklichkeit Gottes selbst" unterschieden wissen. Dieser Raum sei nur „ein Aspekt, eine uns zugekehrte Seite, von der aus Gott ... für uns ... allein zugänglich sein kann" (Der christliche Gottesglaube und die Naturwissenschaft I, 1949, 183 f.).

lassen sich der Vorstellung seines Wesens nicht so entgegensetzen, als ob dieses von seinen Beziehungen zu anderem unberührt bliebe. Es erwies sich auch bereits, daß „Wesen" selber ein Beziehungsbegriff ist (Bd. I, 389 ff., 396 ff.). Doch gilt von den Beziehungen Gottes zu seinen Geschöpfen, daß sie als Ausdruck der Freiheit seines Wesens zu denken sind, also als in seinem Wesen begründet dargetan werden müssen.

Im jüdischen Denken ist seit dem ersten Jahrhundert nach Christus das Wort „Raum" (*makôm*) häufig als Gottesname behandelt worden, im Anschluß an Ex 33,21 („Siehe, da ist Raum neben mir") und an Ex 24,10 LXX, aber auch an Psalmworte wie Ps 139,5 ff. oder 90,1[218]. Diese Auffassung hat sowohl die frühchristliche Theologie beeinflußt (s. u. Anm. 224) als auch die Renaissancephilosophie. Bei Thomas Campanella ist sie mit dem geometrischen Raumbegriff Bernhardino Telesios und Francesco Patrizzis verknüpft worden, und zwar unter Berufung auf die Unendlichkeit des mathematischen Raumes[219]. Durch andere Denker des 17. Jahrhunderts wie Pierre Gassendi und Henry More ist die antiaristotelische Vorordnung des Raumbegriffs vor den der Materie, die den Raum erfüllt, bedeutsam geworden als Vorbereitung der Physik Newtons, besonders hinsichtlich seiner Annahme eines absoluten Raumes. Henry More, der sich gegen Descartes für eine geistige, von aller Materie unabhängige Auffassung des Raumes einsetzte, hat auch den Schritt zur Identifizierung von Gott und Raum nicht gescheut[220]. Es ist das in Verbindung mit dem geometrischen Raumbegriff die Auffassung, die Leibniz in seinem Briefwechsel mit Samuel Clarke bekämpfte, weil er sie auch hinter Newtons Bemerkungen über den Raum als *sensorium Dei* vermutete[221]. Gott kann nicht wie der Raum Teile haben und aus Teilen zusammengesetzt sein. Dem hielt Clarke entgegen, der unendliche Raum sei als solcher ungeteilt und gehe aller Teilung in Teilräume voraus, weil Teilräume und der Vorgang der Teilung nur unter Voraussetzung des unbegrenzten Raumes vorstellbar sind[222]. Diesen unbegrenzten Raum hielt Clarke für identisch mit der Unermeßlichkeit Gottes (*immensitas Dei*). Gott ist also nicht identisch mit dem unbegrenzt teilbaren Raum der Geometrie. Damit ist im Prinzip auch die Vorstellung

---

[218] M. Jammer: Das Problem des Raumes (1953) dt. 1960, 28 ff.

[219] A. a. O. 34 ff., 91 ff., 96 ff. Jammer vermutete auch einen Einfluß dieser Traditionslinie auf Spinoza (50).

[220] Belege dafür bei Jammer a. a. O. 48 f.

[221] Siehe dazu ausführlicher meinen Aufsatz: Gott und die Natur, in: Theologie und Philosophie 58, 1983, 481-500, bes. 493 ff. Siehe auch Bd. I, 446 f. Zum Begriff des Sensoriums vgl. M. Jammer a. a. O. 122 ff. Wichtig ist vor allem die Bemerkung von Clarke in seiner zweiten Antwort an Leibniz, der Ausdruck *sensorium* bezeichne nicht das Organ, sondern den Ort der Wahrnehmung (G. W. F. Leibniz, Die philosophischen Schriften hg. G. J. Gerhardt VII, 360).

[222] S. Clarke a. a. O. (G. W. F. Leibniz: Die philos. Schriften hg. Gerhardt VII) 368: „... *Infinite Space is One*, absolutely and *essentially indivisible*: And to suppose it *parted*, is a *contradiction in Terms;* because there must be *Space* in the *Partition itself*". Entsprechend heißt es 1781 in Kants Erörterung des Raumbegriffs in der Kritik der reinen Vernunft, der Vorstellung verschiedener Orte im Raume „muß die Vorstellung des Raumes schon zum Grunde liegen" (A 23). Daher könne man „sich nur einen einzigen Raum vorstellen", und eine Vielheit von Räumen könne „nur *in ihm* gedacht werden" (A 25).

der Renaissancephilosophie vom unendlichen Raum als einem für sich leeren Behälter zur Aufnahme der Dinge (*receptaculum rerum*) überwunden[223].

Indem Gott schafft, gibt er den Geschöpfen Raum neben sich, ihm gegenüber. Aber dieses Gegenüber bleibt umgriffen von der Gegenwart Gottes. Wie die frühe Patristik sagte, umgreift Gott alles und wird selber von nichts und niemandem umgriffen[224]. In der Unermeßlichkeit Gottes selber werden die Unterschiede gesetzt und eingeräumt, die zum Dasein geschöpflicher Endlichkeit gehören. Im Blick auf die Raumvorstellung besagt dies, daß erst mit der Erschaffung von Geschöpfen eine Mannigfaltigkeit von Örtern, also von gegeneinander abgegrenzten Teilräumen entsteht. Dem geht allerdings schon eine Mannigfaltigkeit in Gott selbst voraus, nämlich die Mannigfaltigkeit seines trinitarischen Lebens. Dabei mag die ewige Gleichzeitigkeit der drei Personen in ihren Beziehungen zueinander die Vorstellung räumlicher Unterschiede und Beziehungen in Gott selber nahelegen. Aber die trinitarischen Unterschiede sind nicht von der Art eines festen Unterschiedenseins, einer Teilung, sondern im Akt der Selbstunterscheidung ist jede der trinitarischen Personen zugleich vereint mit dem Gegenüber, von dem sie sich unterscheidet. Darum kann die Hervorbringung der Geschöpfe nicht so vorgestellt werden, daß diese *Gegenstand* einer göttlichen Selbstunterscheidung wären. Nur indirekt gehen sie aus der Selbstunterscheidung des Sohnes vom Vater hervor, und ebenso werden sie vom Vater in seiner Selbstunterscheidung vom Sohne, durch die er zugleich den Sohn in seiner Unterschiedenheit bejaht, mitbejaht und mitgewollt als Ausdruck des Überflusses der göttlichen Liebe, mit der der Vater den Sohn liebt. Die Unterschiede in der geschöpflichen Welt nehmen die Form der Teilung und des getrennten Daseins an, sofern die Geschöpfe im Raum nebeneinander existieren, obwohl auch hier das Geteilte aufeinander bezogen bleibt. Der Raum der Geschöpfe wird dadurch gebildet, daß sie gerade durch ihre Endlichkeit – in der Abgrenzung voneinander – gleichzeitig aufeinander bezo-

---

[223] Zu dieser Vorstellung siehe M. Jammer a.a.O. 91 f. (zu Telesio) und schon 83 f. (zu Hasdai Crescas). Sie begegnet auch noch in Newtons Aussagen über den absoluten Raum (Jammer 121 f.), obwohl Newton in dieser Hinsicht sehr zurückhaltend formulierte und es offenbar vorzog, den Raum als *Wirkung* der Gegenwart Gottes zu charakterisieren. Der Ansatz zur Überwindung der Vorstellung vom Raum als *receptaculum rerum* ist erst in der Bemerkung von Clarke über die wesentliche Unteilbarkeit des unendlichen Raumes erkennbar (s. vorige Anm.).

[224] So schon der Hirt des Hermas Mand. I,26,1, ferner Aristides Apol. I,4; Theophilus ad Autol. I,5 und II,10; vgl. noch Irenäus adv. haer. II,1,2, sowie II,30,9. Ist diese Redeweise später wegen der Hinwendung der Väter zu einer platonischen, rein „geistigen" Auffassung in den Hintergrund getreten? Th. F. Torrance (Space, Time and Incarnation, 1969, 10 ff.) erblickt in diesem Typus von Aussagen eine Alternative zur Auffassung des Raumes als „Behälter". Das ist insofern einleuchtend als das räumliche „Umfassen" in den patristischen Aussagen wie schon in der Stoa dynamisch gemeint ist (Torrance 11), aber es handelt sich dabei nicht um eine Auffassung des Raumes als System von Relationen, wie Torrance sie im folgenden bei Athanasius und im Gedanken der Perichorese zu finden meint (14 ff.).

gen sind. Unter diesem Gesichtspunkt stellt sich der Raum dar als ein Inbegriff von Relationen zwischen Teilräumen, idealisiert als Inbegriff von Beziehungen zwischen Raumpunkten.

Die Auffassung des Raumes als Inbegriff von Relationen ist besonders von Leibniz entwickelt und der Vorstellung eines absoluten Raumes entgegengesetzt worden[225]. Die arabische Philosophie des Mittelalters war damit vorangegangen[226]. Das sie leitende theologische Interesse, daß der Raum ebenso wie die Zeit erst mit der Hervorbringung der Geschöpfe entstanden sein könne, findet sich aber auch in der christlichen Theologie, und zwar schon bei Augustin. Die Annahme unbegrenzter Räume (*infinita spatia locorum*) außerhalb unserer Welt hat Augustin ebenso abgelehnt wie die Vorstellung einer Zeit vor Erschaffung der Welt: ersteres, weil man dann mit den Epikureern neben der vom Gott der Bibel geschaffenen einen Welt noch zahllose andere Welten annehmen müßte (De civ. Dei XI,5), letzteres, weil damit die Unveränderlichkeit Gottes gefährdet wäre (s.o. 53f.). Sein Argument dafür war: Wo es keine Geschöpfe mit veränderlichen Bewegungen (*mutabilibus motibus*) gibt, da gibt es auch keine Zeit (XII,15,2); und ebensowenig gibt es einen Raum außerhalb dieser Welt von Geschöpfen (*cum locus nullus sit praeter mundum*: XI,5). Die Auffassung des Raumes als Inbegriff von Relationen bei Leibniz geht darüber nur durch ihre kategoriale Präzision hinaus, indem festgestellt wird, daß der Raum weder als unendliche Substanz (sei es neben Gott oder mit Gott identisch) gedacht werden kann, noch auch als Attribut (weil die Dinge ihren Ort wechseln, der Ort, den sie einnehmen, also nicht zu ihren Eigenschaften gehören kann). So bleibt nur übrig, daß es sich beim Raum um den Inbegriff der Relationen zwischen den Dingen handelt, wie sie sich in der Vorstellung sei es Gottes, sei es der Geschöpfe darstellen. Diese Auffassung ist gegen Newtons Annahme eines absoluten Raumes als *receptaculum rerum* durch Albert Einsteins Allgemeine Relativitätstheorie bestätigt worden: Schon B. Riemann hatte vermutet, daß die metrische Struktur des Raumes abhängig sein könnte von der Verteilung der Materie im Raum. Die Relativitätstheorie führte diesen Gedanken aus durch eine geometrische Interpretation der Gravitation, und damit entfiel die Funktion des absoluten Raumes als Bedingung der Trägheitsdefinition (nämlich der Annahme einer unabhängig vom Bezugssystem „geradlinig" verlaufenden Bewegung)[227]. Die Relativitätstheorie hat wiederum Thomas F. Torrance veranlaßt, auch in der Theologie auf eine relationale Bestimmung des Raumbegriffs zurückzugreifen, entgegen der Auffassung vom Raum als „receptacle" oder „container"[228]. Es bleibt allerdings auch in der modernen, durch die Relativitätstheorie

---

[225] G.W.F.Leibniz: Die philos. Schriften hg. Gerhardt VII, 389–420 (5. Schreiben an Clarke).

[226] Siehe dazu M.Jammer a.a.O. 52ff.

[227] M.Jammer 178f., 183ff., 192f. Vgl. auch die Worte Einsteins selbst in seinem Vorwort zu Jammers Buch (XIVf.), wo er bestätigt, daß die Relativitätstheorie Leibniz und Huygens in ihrem Widerstand gegen die Annahme eines absoluten Raumes „Recht gegeben" habe.

[228] T.F.Torrance: Space, Time and Incarnation, 1969, 11ff., 22ff. (vgl. schon 4f.), 60ff. Unklar bleibt bei Torrance, wie sich Raum und Zeit als „a continuum of relations" in der geschöpflichen Sphäre (61) verhalten zu der Rede von einer „Beziehung" (relation) *zwischen* Gott und der geschöpflichen Welt. Es heißt davon einerseits, daß Raum und Zeit das „me-

gekennzeichneten Diskussionslage bestehen, daß jede Vorstellung einer Relation von Teilräumen oder Orten immer schon die Einheit des Raumes voraussetzt, entsprechend dem von Samuel Clarke vorgetragenen und von Kant übernommenen Argument, daß alle Teilung und alles Verhältnis von Teilräumen immer schon die Einheit des Raumes als „unendliche *gegebene* Größe" (Kant Kr.r.V. B 39) zur Bedingung hat. Dieser Raum ist allerdings nicht der Raum irgendeiner Geometrie, der immer schon als teilbar durch Punkte, Linien, Flächen und Körper vorgestellt wird, sondern es handelt sich dabei eher im Sinne von Clarke um die *immensitas Dei,* die als solche unteilbar ist, aber allen Raumvorstellungen mit ihren Unterscheidungen und Zuordnungen schon als Bedingung zugrunde liegt, nämlich in der Intuition des Unendlichen als oberster Bedingung aller menschlichen Vorstellungen und Erkenntnisse.

Die beiden historisch einflußreichen Auffassungen des Raumes als Inbegriff der Relationen von Körpern bzw. von Teilräumen und Orten *einerseits,* als aller Teilung und aller Beziehung von Geteiltem vorgegeben *andererseits* brauchen sich nicht auszuschließen. Sie lassen sich so verbinden, daß die erstere Auffassung den Raum der geschöpflichen Welt beschreibt, die zweite hingegen die diesen Raum konstituierende Unermeßlichkeit Gottes[229]. Da-

---

dium" bilden für das Verständnis dieser Beziehung (ebd., vgl. 68), andererseits aber, daß diese Relation selber nicht räumlich oder zeitlich bestimmt sei (23 u.ö.). Wie ist dann „the reality of space and time for God in His relations with us" (24) zu verstehen? Die an K.Heim erinnernde Redeweise von einer Erweiterung der Raumzeit um die „vertical dimension" der Beziehung zu Gott durch den Geist (72) kann als Antwort auf diese Frage schwerlich genügen. Der Zusammenhang von Raum und Zeit mit der Dynamik des Geistes bedarf genauerer Bestimmung. Doch hat Torrance die Aufgabe, die der Theologie an diesem Punkt gegeben ist, gesehen und formuliert. – (Am Rande sei bemerkt, daß die Zuordnung der lutherischen Christologie und Abendmahlslehre zu einer „receptacle notion of space" (30f.) wenig überzeugt, da Luthers Lehre von der Teilhabe des erhöhten Christus an der Ubiquität Gottes sich gerade gegen eine lokal beschränkende („circumscriptive") Auffassung des Sitzens zur Rechten Gottes wendete, wie sie Zwingli vertreten hatte. Vgl. dazu H.Graß: Die Abendmahlslehre bei Luther und Calvin, 1940, 53ff., sowie jetzt auch J.Rohls in Garijo-Guembe/Rohls/Wenz: Mahl des Herrn, 1988, 159ff., 166 über Himmelfahrt und Allgegenwart Christi, bes. 164f. Der Satz von Torrance, lutherische Theologie „could only read the language about the body of Christ in heaven to mean that it was confined there as in a container" (32) schreibt der altlutherischen Lehre das genaue Gegenteil des von ihr Behaupteten zu).

[229] Eine solche Verbindung strebt auch J.Moltmann an (Gott in der Schöpfung, 1985, 166). Er sieht sie durch den Begriff der Schöpfung begründet: „Erst der Begriff der Schöpfung unterscheidet den *Raum Gottes* und den *Raum der geschaffenen Welt"* (ebd.). Das entspricht auch dem oben Ausgeführten. Allerdings vermag ich nicht der These Moltmanns zu folgen, daß *„der Raum der Schöpfung* der Schöpfung und den in ihr *geschaffenen Räumen* voraus" ein Drittes zwischen der Allgegenwart Gottes und der Welt der Geschöpfe bilde, wie Moltmann im Sinne der jüdischen Lehre vom *Zimzum* annimmt: Der leere Raum soll dadurch entstanden sein, daß Gott seine Gegenwart auf die eigene Wesenheit zurückgenommen habe (vgl. Jammer a.a.O. 50 und 37). Dieser These steht zunächst entgegen, daß Gott doch gerade auch im Raum der Geschöpfe allgegenwärtig ist. Außerdem zieht diese These alle von T.F.Torrance vorgetragenen Einwände gegen die Vorstellung eines leeren Raumes als *receptaculum rerum* auf sich. Die Vorstellung eines leeren Raumes *zwischen* dem absoluten Raum der Gegenwart Gottes und dem

bei darf jedoch nicht, wie es in der Renaissancephilosophie geschehen ist, die Unbegrenztheit des geometrischen Raumes mit der Unermeßlichkeit Gottes identifiziert werden. Sonst gelangt man entweder zum Pantheismus Spinozas oder zur Vorstellung eines absoluten Raumes als eines für sich leeren Behälters für die allererst noch zu erschaffenden Dinge. Raumkonzepte der Geometrie können zwar grenzenlos sein, potentiell unendlich im Sinne unbegrenzter Erweiterungsfähigkeit, aber nicht aktual unendlich[230]. Die potentielle Unendlichkeit geometrischer Räume ist nur eine gebrochene Spiegelung der göttlichen Unendlichkeit im Geist des Menschen. Durch seine Unendlichkeit ist Gott nicht nur allen Dingen gegenwärtig, um durch seine Allgegenwart den Raum der Schöpfung zu konstituieren, sondern seine Unendlichkeit ist auch Bedingung jeder menschlichen Auffassung von den räumlichen Verhältnissen, in denen die Dinge voneinander geschieden und miteinander verbunden sind. Die Raumanschauung, die nach Kant zusammen mit der Anschauung der Zeit aller menschlichen Erfahrung zugrunde liegt, ist ein Modus der Intuition des Unendlichen, die nach Descartes die oberste Bedingung aller unterscheidenden Bestimmung von Erkenntnisinhalten und Vorstellungen ist[231]. Mit ihr teilen Raum und Zeit als „Anschauungsformen" die Grenzenlosigkeit, und nur so gehen sie allen endlichen Inhalten der Erfahrung voraus. Jede bestimmte Vorstellung von Raum hingegen, wie sie die Geometrie entwirft, ist bereits von der für den Anschauungsraum charakteristischen Gegebenheitsweise als eines unendlichen Ganzen verschieden, indem sie die Raumanschauung für die Vorstellung oder auch rein gedanklich rekonstruiert[232].

---

konkreten Beziehungsraum, der mit dem Dasein der Geschöpfe entsteht, dürfte zu den Hypostasierungen abstrakter Raumvorstellungen gehören, die durch die Relativitätstheorie erledigt sind. Der Raum der Schöpfung ist von der Welt der Geschöpfe nicht real verschieden. Diese aber ist als Inbegriff von Relationen durch die Gegenwart des unendlichen Gottes bei seinen Geschöpfen konstituiert und hat darin die Gewähr ihrer Einheit. Erst so wird Moltmanns richtiger Satz, daß durch den Begriff der Schöpfung der „Raum der geschaffenen Welt" auf den Raum der Allgegenwart Gottes bezogen sei, konkret einlösbar: Der Schöpfungsgedanke beinhaltet nämlich, daß das Geschöpf nicht abgelöst von der für sein Dasein konstitutiven Gegenwart seines Schöpfers bei ihm angemessen verstehbar ist.

[230] M. Jammer a.a.O. 168 verweist auf die Einführung der Unterscheidung zwischen dem Unbegrenzten und dem Unendlichen in die Geometrie durch G.F.B. Riemann: Über die Hypothesen, welche der Geometrie zu Grunde liegen, 1854.

[231] Zur genaueren Begründung siehe vom Vf.: Metaphysik und Gottesgedanke, 1988, 25–28.

[232] Die These, daß die *immensitas Dei* konstitutiv ist für den Raum der Geschöpfe, und die damit verbundene theologische Interpretation der Ausführungen Kants über das unendliche gegebene Ganze des Anschauungsraumes als Bedingung aller räumlichen Unterscheidungen und Zuordnungen nimmt in anderer Argumentationsform auf, was K. Heim als den „überpolaren" Raum bezeichnete, durch den Gott seiner Schöpfung gegenwärtig sei (Der christliche Gottesglaube und die Naturwissenschaft I, 1949, 179 ff., bes. 183 ff.). Die Form, in der Heim seine These hervorgebracht hat, ist dadurch belastet, daß er – der damaligen Diskussion über mehrdimensionale Räume analog – jenen „überpolaren" Raum durch Einführung einer zusätz-

Auch die Unterscheidung des Raumes von der Zeit ist bereits ein Werk der Reflexion, die das Nebeneinander der Erscheinungen im Raume vom Nacheinander der zeitlichen Folge abhebt. Dabei erweist sich jedoch der Begriff der Zeit als fundamental, weil er konstitutiv ist für den des Raumes. Der Begriff des Raumes ist nämlich durch die Gleichzeitigkeit des Verschiedenen konstituiert. Der Raum umfaßt alles das, was gleichzeitig gegenwärtig ist. Etwas überspitzt konnte Georg Picht darum sagen, daß in Wahrheit „der Raum Zeit ist"[233]. Die damit ausgesprochene Reduktion des Raumes auf die Zeit ist Bedingung für eine theologische Interpretation der Gegenwart Gottes im Raum als dynamische Wirksamkeit des göttlichen Geistes. Darum mußten die Ausführungen dieses Abschnitts beim Raumbegriff einsetzen. Dieser Ansatz wird nun aufgehoben in eine Beschreibung der zeitlichen Struktur des Wirkungsfeldes des göttlichen Geistes in seiner schöpferischen Tätigkeit. Den Ausgangspunkt dafür soll eine Interpretation der Gleichzeitigkeit bilden.

Die konstitutive Bedeutung der Gleichzeitigkeit für den Raumbegriff macht die Zusammenfassung von Raum und Zeit zur Vorstellung der

---

lichen „Dimension" erreichen wollte wie beim Übergang von der Linie zur Fläche und von dieser zum Tiefenraum. W.H.Austin hat in seiner eingehenden kritischen Erörterung dieser Ausführungen Heims ihren „halb-metaphorischen" Charakter beanstandet (The Relevance of Natural Science to Theology, 1976, 59-72, Zitat 71, cf. schon 64f.). Aber auch der rationale Kern der Argumentation Heims verfällt der Kritik, das Verfahren nämlich, ein Auftreten von Paradoxien auf dem Boden eines bestimmten Raumes als Argument für dessen Erweiterung durch Einführung einer neuen Dimension zu nutzen: „Heim's examples do not establish (or render highly probable) that paradoxality is either a necessary or a sufficient condition for the presence of a new space" (69). Außerdem sei Heims Beschreibung des „überpolaren" Raumes „sermonic in style and quite obscure in content" (71), so daß sich nicht erkennen lasse, ob es sich dabei überhaupt um einen Raum handelt (72). Im Unterschied zu Heims Argumentation stützt sich die hier vorgetragene nicht auf das Verfahren geometrischer Raumkonstruktion durch Einführung zusätzlicher Dimensionen, sondern reflektiert mit Kant auf die Bedingungen von Raumvorstellungen überhaupt, die aber zugleich für von menschlichen Raumanschauungen unabhängige Raumverhältnisse zu gelten haben, wenn Kants Einschränkung auf die Subjektivität der Raumanschauung aufgelöst wird durch Rückgang auf den bei Kant nicht eingeholten metaphysischen Hintergrund seiner Argumentation. Das Recht dazu ergibt sich daraus, daß die Vorstellung eines erkennenden Subjekts selbst erst durch Einschränkung der Intuition des Unendlichen gebildet wird, ebenso wie die Vorstellung jedes anderen endlichen Gegenstandes (Descartes Med. III,28).

[233] G.Picht: Die Zeit und die Modalitäten, in H.P.Dürr (Hg.): Quanten und Felder (Festschrift W.Heisenberg) 1971, 67-76, zit. nach dem Abdruck in Pichts gesammelten Aufsätzen: Hier und Jetzt 1980, 362-374, 372. In dieselbe Richtung weist die Tatsache, daß die Vorstellung des (erfüllten) Raumes an die Vorstellung des Körpers gebunden ist (vgl. A.Einstein: Die Grundlage der allgemeinen Relativitätstheorie, in O.Blumenthal (Hg.): Das Relativitätsprinzip, 1913, 6.Aufl. 1958, 81). Ein Körper nämlich ist „nur dann etwas, wenn er dauert" (G.Schwarz: Raum und Zeit als naturphilosophisches Problem, 1972, 152). Das gilt auch für die geometrischen Körper, weil den geometrischen Raumvorstellungen eine ideale Gleichzeitigkeit zugrundeliegt, die die unbegrenzte Dauer der Körper in der geometrischen Vorstellung ermöglicht.

Raumzeit als eines vierdimensionalen Kontinuums philosophisch plausibel. Der Gedanke einer absoluten Gleichzeitigkeit unterliegt jedoch schwerwiegenden Bedenken von seiten der Relativitätstheorie. Ihr zufolge kann es keine strenge Gleichzeitigkeit für verschiedene Beobachter in unterschiedlich bewegten Bezugssystemen geben, weil die Zeitbestimmung von der Lichtgeschwindigkeit abhängt. Dadurch wird aber Gleichzeitigkeit nicht etwa gänzlich eliminiert. Sie wird nur relativ auf den Standort des Beobachters, ebenso wie mit ihr die räumlichen Abmessungen relativiert werden. Solche relative Gleichzeitigkeit ist stets Gleichzeitigkeit des in sich Ungleichzeitigen. Im Falle des menschlichen Zeitbewußtseins ist sie ermöglicht durch das Phänomen zeitüberbrückender Gegenwart, das wohl erstmalig von Augustin beschrieben worden ist.

> In seiner berühmten Zeitabhandlung im 11. Buch der *Confessiones* hat Augustin an Beispielen wie dem Verstehen sprachlicher Rede und dem Hören einer Melodie erläutert, daß menschliches Erleben von Gegenwart erst dadurch ermöglicht wird, daß wir über den unanschaulichen Punkt des Jetzt hinaus, der im Gewahrwerden immer schon vergangen ist, uns durch das Gedächtnis (*memoria*) das unmittelbar Vergangene und durch die Erwartung (*expectatio*) das Bevorstehende gegenwärtig halten (Conf. XI,28,38). Das geschieht vermöge der Aufmerksamkeit (*attentio*). So kommt es zu einer „Ausdehnung der Seele" (*distentio animi*: XI,26,33) über das momentane Jetzt hinaus[234]. Man muß allerdings genauer unterscheiden zwischen derjenigen Zeitspanne, die noch tatsächlich als ein einziger Gegenwartsmoment erlebt werden kann, und den vergangenen oder künftigen Ereignissen, die wir im Bewußtsein ihres zeitlichen Abstandes durch Erinnerung oder Erwartung mit unserer Gegenwart verbinden. Die im strengen Sinne als gegenwärtig erlebbare Zeitspanne, die aber auch ihrerseits schon eine Folge von Ereignissen integriert, ist auf wenige Sekunden begrenzt[235]: Doch auch das als vergangen erinnerte und das als künftig erwartete Geschehen gehen in das Gegenwartsbewußtsein ein, wenn ihre Inhalte als zugehörig zu einer in der Gegenwart dauernden Gestalt der Wirklichkeit erlebt werden. Das Erlebnis der Dauer ist die umfassendste und komplexeste Gestalt zeitübergreifender Gegenwart[236].

Als zeitüberbrückend muß auch die Gegenwart des geschöpflichen Geschehens für Gott gedacht werden. Was vor Gott gegenwärtig ist, gehört ja auf der Ebene seiner eigenen, geschöpflichen Wirklichkeit unterschiedlichen Zeiten an. Vor Gott sind und bleiben sie gegenwärtig. Dabei bedarf die

---

[234] Siehe dazu ausführlicher vom Vf.: Metaphysik und Gottesgedanke, 1988, 58 f., sowie jetzt K.H.Manzke: Zeitlichkeit und Ewigkeit. Aspekte für eine theologische Deutung der Zeit, Diss. München 1989, 259–360.

[235] E.Pöppel nimmt dafür eine Spanne von zwei bis vier Sekunden an (Erlebte Zeit und Zeit überhaupt, in: Die Zeit. Schriften der Carl-Friedrich-von-Siemens-Stiftung 6, 1983, 369–382, 372).

[236] E.Pöppel a.a.O. 373f.: „Für das Erlebnis von Dauer ist die Identifikation und Integration von Ereignissen zu Wahrnehmungs-Gestalten notwendig", und zwar in Verbindung mit dem Gedächtnis (374).

Ewigkeit Gottes keiner Erinnerung und Erwartung, weil sie von sich aus allem Geschehen gleichzeitig ist, und zwar im strengen Sinne dieses Wortes: Gott bedarf nicht einmal des Lichtes und seiner Geschwindigkeit als Informationsmedium, weil er durch seine Allgegenwart jedem Geschöpf an dessen eigenem Ort gegenwärtig ist[237].

Ewigkeit ist ungeteilte Gegenwart des Lebens in seiner Ganzheit (Bd. I, 436ff.). Das ist nicht im Sinne einer vom Vergangenen einerseits, vom Zukünftigen andererseits abgesonderten Gegenwart vorzustellen, sondern als zeitübergreifende Gegenwart, und zwar im Unterschied zu der des menschlichen Zeiterlebens als eine zeitübergreifende Gegenwart, die keine Zukunft außer sich hat: Was eine Zukunft außer sich hat, dessen Gegenwart ist dadurch begrenzt. Ewig kann nur eine solche Gegenwart sein, die von ihrer Zukunft ungeschieden ist und für die darum auch nichts in Vergangenheit versinkt[238].

---

[237] Der zeitübergreifende Charakter des göttlichen Wissens als Gleichzeitigkeit des Ungleichzeitigen macht auch Sören Kierkegaards Verwendung des Begriffs der Gleichzeitigkeit für den Glauben an Jesus Christus verständlich. Denn die Gleichzeitigkeit mit Jesus Christus ist im Unterschied zur bloß geschichtlichen Erinnerung vermittelt durch die *Gabe* des Geistes, also durch die Gegenwart der Ewigkeit: Dem Glaubenden wird mit und durch den ewigen Gott auch die Vergangenheit des Heilsgeschehens gegenwärtig. Vgl. die Bemerkungen Kierkegaards gleich zu Beginn der „Einübung im Christentum" (geschrieben 1848), SV XII,1 (= dt. Werkausgabe von E. Hirsch Abt. 26,5), und ausführlicher XII,59-63 (Hirsch 61-66).

[238] G. Pichts kritische Distanznahme von dem „griechischen" Gedanken der ewigen Gegenwart zugunsten einer Option für den Primat der Zukunft im Zeitverständnis (in dem Anm. 233 zit. Aufsatz) setzt eine Auffassung des Gedankens der ständigen Gegenwart voraus, die von den drei Zeitmodi einen – die Gegenwart – aus dem Zusammenhang mit den beiden andern isoliert. Ein Verständnis ewiger Gegenwart im Sinne zeitübergreifender Gegenwart schließt jedoch Vergangenheit und Zukunft nicht aus, sondern ein, und ist nur aus der Perspektive unüberschreitbarer Zukunft (oder ihrer Antizipation) möglich. Das Phänomen zeitübergreifender Gegenwart sollte übrigens nicht verwechselt werden mit dem Schematismus (auch „Matrix" genannt) „verschränkter Zeitmodi" (A.M.K. Müller) oder auch „verschränkter Zeiten", wie J. Moltmann dafür sagt (Gott in der Schöpfung. Ökologische Schöpfungslehre, 1985, 135-150, bes. 139). Diese „Matrix" ist von A.M.K. Müller in seinem Beitrag „Naturgesetz, Wirklichkeit, Zeitlichkeit" zu dem Band „Offene Systeme I" (hg. E.v. Weizsäcker) 1974, 303-358 entwickelt worden (bes. 338-357) auf der Basis von Überlegungen G. Pichts im Zusammenhang mit seiner Verknüpfung der drei Zeitmodi mit den drei Modalitäten Möglichkeit, Wirklichkeit, Notwendigkeit (a.a.O. 339f.): Jede Erkenntnis, die alle drei Modalitäten übergreife, beziehe sich auf die Einheit der Zeit. Dabei handelt es sich jedoch im Verhältnis zum normalen Gebrauch der Zeitmodi lediglich um eine höhere Reflexionsstufe, während das Phänomen zeitübergreifender Gegenwart dem Zeitbewußtsein selber angehört. Von diesem Phänomen hatte auch Augustin gesprochen (Conf. XI,20,26): Ihm ging es nicht um eine durchkonjugierte Kombinatorik der Zeitmodi als vergangene Gegenwart, vergangene Vergangenheit, vergangene Zukunft usw., wie sie von A.M.K. Müller entwickelt worden ist zu dem Zweck, die Einlinigkeit des physikalischen Zeitverständnisses kritisch zu beleuchten (vgl. zuletzt „Zeit und Evolution" in G. Altner (Hg.): Die Welt als offenes System, 1986, 124-160). Zu diesem Zweck mag eine solche Kombinatorik nützlich sein, zumal wenn sie als Anlaß von Reflexionen über die Geschichtlichkeit des Zeiterlebens dient. Ob man der Einsicht in das Wesen der Zeit damit näher kommt, bleibt aber zweifelhaft. Was an der Rede von verschränkten Zeitmodi oder, blasser, von verschränkten

Die Ewigkeit ist aber nicht Inbegriff der Zeit, sondern eher ist die Zeit mit dem Auseinandertreten ihrer Modi – Zukunft, Gegenwart, Vergangenheit – zu einer Geschehensfolge als aus der Ewigkeit hervorgegangen und bleibend von ihr umgriffen zu denken[239]. Zumindest ist die Ewigkeit konstitutiv für das Erleben und den Begriff der Zeit; denn der Zusammenhang des im Fortgang der Zeit Getrennten wird nur verständlich, wenn die Zeit als Einheit – d.h. aber als Ewigkeit – schon zugrunde liegt.

Darum hat Plotin die Seele als Ursprung der Zeit gedacht; denn obwohl die Seele in das Vielfältige verstrickt ist, hat sie doch noch am Einen teil, so daß das Nacheinander der Zeitmomente einen Zusammenhang bildet, ein *synecheia hen* (Enn. III,7,11). Diese Begründung des Zeitbegriffs aus dem Gedanken der Ewigkeit hat Plotin nicht nur der stoischen und der epikureischen Zeittheorie, sondern vor allem der aristotelischen These entgegengesetzt, die die Zeit als „Zahl der Bewegung" definierte (Phys. 219b 1f.), wobei die Maßeinheit der Bewegung selber wiederum eine Bewegung ist: Nach Plotin ist dabei Zeit immer schon vorausgesetzt, so daß Wesen und Konstitution der Zeit in solcher Beschreibung unaufgeklärt bleiben[240]. Diese Kritik trifft auch noch die Bestimmung der Zeit in der modernen Physik, denn indem diese die Zeit vom Verfahren der Zeitmessung her bestimmt und dabei eine als Maß dienende Bewegungseinheit – in der Relativitätstheorie die Lichtgeschwindigkeit – zugrunde legt, folgt sie der aristotelischen Tradition der Zeitauffassung[241]. Mit der Orientierung an der Zeitmessung hängt auch die These der Gleichförmigkeit der Zeitabschnitte zusammen, sowie die Vernachlässigung der Zeitmodi Zukunft, Gegenwart, Vergangenheit für das Ver-

---

Zeiten wirklich fundamental ist, ist neben der Relativität des Zeitbewußtseins das solchen Reflexionen zugrundeliegende, aber von ihnen nicht eigentlich aufgeklärte Phänomen zeitübergreifender Gegenwart. Vgl. aber A.M.K.Müller: Die präparierte Zeit, 1972, 206ff. über die Bedeutung der Dauer für die Zeiterfahrung.

[239] Dieser Auffassung Plotins (Enn. III,7) steht in der heutigen Diskussion des Zeitbegriffs David Bohm mit seiner Lehre von einer *implicate order* als Ursprung der distinkt hervortretenden Phänomene der *explicate order* in den Naturprozessen nahe (cf. bes.: Time, the Implicate Order, and Pre-Space, in: D.R.Griffin (ed.): Physics and the Ultimate Significance of Time. Bohm, Prigogine and Process Philosophy, 1986, 177-208, bes. 192f.: „... the order of unfoldment at a given level emerges from a ‚timeless' ground in which there is no separation" (196). In Spannung dazu steht allerdings Bohms Annahme, daß Zeit als Abstraktion von Bewegung aufgefaßt werden müsse (177, 189). Zur Kritik an den Versuchen, den Zeitbegriff von spezifischen physikalischen Gegebenheiten abzuleiten, statt ihn als Voraussetzung aller physikalischen Beschreibungen von Naturprozessen zu behandeln, vgl. im gleichen Band die Ausführungen von D.R.Griffin 1-48, bes. 19ff. zu I.Prigogine u.a. Gewisse Paradoxien in den Gedanken Bohms (dazu R.J.Russell im gleichen Band 216) dürften nur zu lösen sein, wenn der vorphysikalische Charakter der Zeit und ihres Ewigkeitsgrundes berücksichtigt wird.

[240] Enn. III,7,9: siehe dazu den Kommentar von W.Beierwaltes: Plotin über Ewigkeit und Zeit (1967) 3.Aufl. 1981, 228ff., bes. 233ff.

[241] G.Schwarz: Raum und Zeit als naturphilosophisches Problem, 1972, 183ff., bes. 186ff. Zum aristotelischen Ursprung dieser Auffassung der Zeit vgl. 168ff. Schwarz weist 192f. auf die von Einstein ausdrücklich hervorgehobene Absolutheit der durch die Lichtgeschwindigkeit definierten Raumzeit hin: Sie steht im Weltbild seiner Relativitätstheorie an der Stelle der Absolutheit der die Zeit konstituierenden Ewigkeit.

ständnis des Wesens der Zeit[242]. All das mag für die mit Messungen arbeitende Naturwissenschaft pragmatisch angemessen sein, bleibt aber nicht nur hinter der Alltagserfahrung der Zeit, sondern auch hinter der philosophischen Frage nach dem Wesen der Zeit zurück, die Plotin zur Einsicht in die Fundierung der Zeit durch die Ewigkeit geführt hat. Diese Argumentation Plotins hat in der Zeitlehre Kants eine merkwürdige Entsprechung gefunden, merkwürdig wegen ihrer Spannung zu der ganz anders, nämlich anthropozentrisch orientierten Intention Kants: Analog zum Raume ist nach Kant auch bei der Zeit in der Vorstellung verschiedener Zeiten immer schon die Einheit der Zeit vorausgesetzt[243]. Die „ursprüngliche Vorstellung *Zeit* als uneingeschränkt" (A 32), also als unendliche „Einheit" ist aber der Sache nach nichts anderes als der Gedanke der Ewigkeit. Vielleicht hat sich Kant davon keine Rechenschaft gegeben, weil ihm die plotinische (oder boethianische) Verhältnisbestimmung von Ewigkeit und Zeit nicht mehr vor Augen stand, Ewigkeit ihm für zeitlos galt (vgl. B 71 f.). Jedenfalls hat er die Einheit der Zeit wie die des Raumes auf die Subjektivität des Menschen zu begründen versucht[244]. Das Subjekt kann jedoch als endliche Größe nicht Grund eines aktual

---

[242] Das ist die von A.M.K.Müller sog. „manipulierte" oder „präparierte" Zeit (Die präparierte Zeit, 1972, bes. 189–223, 228 ff., 264 f., 275 f. u.ö.). G. Picht, auf den Müller sich in erster Linie stützt, verwies besonders auf die Ausblendung der Zeitmodi aus dem Zeitbegriff der klassischen Physik (in dem Anm. 233 zit. Aufsatz 366 ff.). Sicherlich sind die Zeitmodi in ihrer jeweiligen Bestimmtheit relativ auf das sich in der Zeit orientierende Bewußtsein und seinen Standort. Doch auf jedem Standort stellt sich die Unterscheidung von Zukunft, Gegenwart und Vergangenheit wieder ein, bezogen auf die Gegenwart des Subjekts. Dieser Sachverhalt ist von P. Bieri in eingehender Auseinandersetzung mit den analytisch begründeten Zeitauffassungen von J. E. McTaggart, H. Reichenbach, A. Grünbaum, G. J. Withrow u. a. (Zeit und Zeiterfahrung, Exposition eines Problembereichs, 1972) so gedeutet worden, daß nur die Unterschiede von früher und später (unter Voraussetzung ihrer Irreversibilität), nicht aber die Modi von Vergangenheit, Gegenwart und Zukunft der physikalisch objektiven und der für die subjektive Zeiterfahrung konstitutiven realen Zeit zugerechnet werden (142 ff., 165 ff., 203 ff.). Die These jedoch, daß die Voraussetzungen für eine „Objektivierung" der Differenz der Zeitmodi, bes. des Zukünftigen gegenüber dem schon Faktischen, nicht gegeben seien (165 ff.), erörtert nur die Begründung Reichenbachs aus dem Unterschied von Zeitbestimmtheit des Faktischen und Unbestimmtheit der Zukunft (155 ff., 166 ff.), nicht aber ihre Präzisierung durch die Verknüpfung von Zukunft und Möglichkeitsbegriff bei G. Picht und C. F. v. Weizsäcker.
[243] I. Kant: Kritik der reinen Vernunft A 31 f.: „Verschiedene Zeiten sind nur Teile eben derselben Zeit", so daß „alle bestimmte Größe der Zeit nur durch Einschränkungen einer einzigen zum Grunde liegenden Zeit möglich" ist.
[244] Das geschah durch die These, die Zeit als „innerer Sinn" sei begründet in einer „Selbstaffektion" des Subjekts (Kritik der reinen Vernunft B 67 ff., vgl. schon A 33). Siehe dazu jetzt K. H. Manzke: Zeitlichkeit und Ewigkeit. Aspekte für eine theologische Deutung der Zeit, Diss. München 1989, 118–145, vgl. schon 111 f., sowie 152 f. Nach G. Picht ist bei Kant dennoch die „ständige Gegenwart der Ewigkeit" als Grund der Einheit der Zeit wirksam geblieben, weil ihm die Zeit als solche im Unterschied zu den in ihr stattfindenden Veränderungen als unwandelbar galt: „Die Zeit also, in der aller Wechsel der Erscheinungen gedacht werden soll, bleibt und wechselt nicht" (B 224 f.); vgl. G. Picht a.a.O. 366. Insofern aber Kant dieses Bleiben der Zeit im Wechsel der Erscheinungen als grundlegend für die Kategorie der Substanz betrachtet hat, ist deren Begriff schon bei ihm eigentlich auf das Zeitbewußtsein begründet worden. Andererseits liegt aber der These von der Wechsellosigkeit der Zeit die der zeitlosen Identität des Subjekts zugrunde (B 132, vgl. A 123).

Unendlichen, eines (auch nach Kant) unendlichen gegebenen Ganzen sein[245], sondern allenfalls Prinzip eines Fortgehens ohne Ende, also eines potentiell Unendlichen, und auch dieser Sachverhalt wird erst verständlich aus der Konstitution der Subjektivität selber durch die Intuition des Unendlichen als Bedingung aller endlichen Inhalte des Bewußtseins mit Einschluß des Gedankens des Ich selber: Auf diese Einsicht Descartes' ist der späte Fichte am Ende seiner Bemühungen um die Konstitution des Selbstbewußtseins aus einer Setzung des Ich wieder zurückgekommen[246]. Man wird daher Kants Ersetzung der Ewigkeit als Konstitutionsgrund der Zeit durch die Subjektivität, samt der Weiterführung dieses Gedankens durch den frühen Heidegger, nicht als abschließende Lösung des Problems beurteilen dürfen.

Obwohl die Ewigkeit für den Zusammenhang der Zeit und des durch die Abfolge der Zeitmomente Getrennten konstitutiv ist, läßt sich die Zeit doch nicht aus dem Begriff der Ewigkeit ableiten: Jeder Versuch, einen Ursprung der Zeit vorstellig zu machen, muß immer schon Zeit voraussetzen. Daher hat Plotin den Übergang von der Ewigkeit zur Zeit mit Recht als einen Sprung aufgefaßt. Allerdings hat er diesen Sprung im Anschluß an Platons Phaidros (248c 8) in mythologisierender Sprache als einen „Fall" beschrieben[247]. Dieser Gedanke hat auch in der christlichen Gnosis eine Rolle gespielt. Doch konnte die christliche Theologie ihm nicht folgen, wenn sie den Schöpfungsgedanken festhielt. Ist die Welt mit allen Geschöpfen positiv von Gott gewollt, so gilt das auch für die Zeitform ihres Daseins. Augustin hat darum mit Recht gelehrt, daß Gott die Zeit zusammen mit den Geschöpfen hervorgebracht habe[248].

Ist also mit der Endlichkeit der Geschöpfe immer auch die Zeit verbunden? Versteht man darunter die Trennung des Früheren und Späteren in der Abfolge der Zeiten mit der Konsequenz, daß unablässig das soeben noch Gegenwärtige in Vergangenheit versinkt, dann steht der Vorstellung eines unbegrenzten Fortgangs der so gearteten Zeit theologisch entgegen, daß sich die eschatologische Erwartung der Christen auf ein Ende dieser Weltzeit (*aion*) richtet (Mt 13,39f.; vgl. 24,3; 28,20) und eine Auferstehung der Toten erhofft. Die damit verbundenen Probleme werden im Zusammenhang des Eschatologiekapitels ausführlicher zur Sprache kommen. Doch läßt sich schon hier sagen: Das Ende dieses Äons ist nicht nur eine Epochenschwelle im weiterlaufenden Fluß dieser Weltzeit. Vielmehr wird mit der Vollendung des göttlichen Geschichtsplans im Reiche Gottes auch

---

[245] Vgl. vom Vf.: Metaphysik und Gottesgedanke, 1988, 60f.
[246] Zu Fichtes Entwicklung siehe D. Henrich: Fichtes ursprüngliche Einsicht, 1967.
[247] Enn. III,7,11. Siehe dazu W. Beierwaltes a.a.O. 244–246. Vgl. aber auch Enn. II,9,4, wo Plotin gegen die gnostische Herleitung der sichtbaren Welt aus einem Fall der Seele geltend macht, daß die Weltseele den sichtbaren Kosmos in Erinnerung an die obere Welt hervorbringt, also doch in fortdauernder Verbindung zu ihr stehen muß.
[248] De civ. Dei XI,6; vgl. XII,15,2. Vgl. oben 53ff.

die Zeit jedenfalls in dem Sinne an ein Ende kommen (cf. Apk 10,6f.), daß die Trennung des Vergangenen von der Gegenwart und von der Zukunft Gottes überwunden wird, jene Trennung des Gegenwärtigen vom Vergangenen und Künftigen also, die diese kosmische Zeit im Unterschied zur Ewigkeit kennzeichnet. Für die eschatologische Vollendung wird nicht ein Verschwinden der in der kosmischen Zeit hervorgetretenen Unterschiede erwartet, aber die Trennung der Zeiten wird hinfällig, wenn die Schöpfung Anteil erhält an der Ewigkeit Gottes. Das Auseinandertreten der Lebensmomente in der Folge der Zeit kann daher nicht zu den Bedingungen der Endlichkeit überhaupt gehören. Denn die Endlichkeit der Geschöpfe, ihre Unterschiedenheit von Gott und voneinander, wird auch in der eschatologischen Vollendung bestehen bleiben. Dennoch hat das Auseinandertreten der Lebensmomente in der Zeit etwas mit der Endlichkeit geschöpflichen Daseins zu tun, wenn auch nur als Durchgangsmoment auf dem Wege zu seiner Vollendung.

Das Nacheinander in der Zeitfolge ist offenbar eine Bedingung dafür, daß die Geschöpfe als endliche Wesenheiten *Selbständigkeit* gewinnen können, Selbständigkeit sowohl in ihren Verhältnissen untereinander als auch im Verhältnis zu ihrem Schöpfer. Nur im Prozeß der Zeit kann sich ein endliches Wesen betätigen und dabei als Zentrum einer eigenen Tätigkeit in Erscheinung treten. Nachdem es einmal Selbständigkeit gewonnen hat, mag diese auch in der Teilhabe an der Ewigkeit Gottes bewahrt oder erneuert werden können: Das ist hier noch nicht zu erörtern. Sie zu gewinnen und ihre Eigenart auszubilden, ist jedenfalls nur unter Bedingungen des Werdens und Vergehens in der Zeit möglich. Damit ist aber auch schon gesagt, in welchem Sinne die kosmische Zeit als Gegenstand des göttlichen Schöpfungshandelns zu verstehen ist: Weil das Handeln des Schöpfers auf das selbständige Dasein seiner Geschöpfe als endlicher Wesen zielt, darum ist auch die Zeit als Form ihres Daseins von ihm gewollt.

Das selbständige Dasein der Geschöpfe hat die Form der Dauer als zeitübergreifende Gegenwart, durch die sie anderen gleichzeitig sind und sich zu ihnen verhalten – im Außereinander des Raumes. Da sie ihr Dasein nicht aus sich selber haben, ist ihre Gegenwart von ihrer Herkunft als ihrer Vergangenheit unterschieden. Andererseits haben sie zur Ewigkeit, die ihren Ursprung bildet, zugleich noch ein anderes Verhältnis: Sie sind für ihr Dasein als Dauer auf die Ewigkeit angewiesen als auf die Zukunft des Guten, das den Geschöpfen Dauer und Identität gewährt. Doch wie die Geschöpfe durch ihre Selbständigkeit von ihrer Herkunft aus der Ewigkeit geschieden sind, so haben sie auch ihre Zukunft außer sich, obwohl sie in der Dauer ihres Daseins immer schon als Antizipation der Zukunft ihres Ganzseins existieren[249].

---

[249] Siehe zum Antizipationsbegriff ausführlicher vom Vf.: Metaphysik und Gottesgedanke,

Die Zukunft, der die geschöpflichen Gestalten in der Dauer ihres Daseins entgegengehen, zeigt ihnen aber ein ambivalentes Gesicht: Einerseits sind sie für die Bewahrung, Ausbildung und Vollendung ihres Wesens auf eine Zukunft angewiesen, derer sie nicht oder allenfalls teilweise mächtig sind, andererseits droht ihnen als endlichen Wesen aus der Zukunft das Ende und die Auflösung ihrer selbständigen Gestalt. Dabei liegt es gerade in der geschöpflichen Selbständigkeit – wegen der damit verbundenen Ablösung von ihrem schöpferischen Ursprung – begründet, daß die Geschöpfe dem Geschick der Auflösung ihrer Gestalt überantwortet sind.

Origenes hat den dunklen paulinischen Satz von der Nichtigkeit, der die Schöpfung ohne ihren Willen unterworfen ist (Röm 8,20)[250] auf die Bindung der Seelen an Körper bezogen, deretwegen sie dem Schicksal der Vergänglichkeit ausgeliefert sind (De princ. I,7,5). Die Seelen als solche hielt er nicht für der Vergänglichkeit unterworfen. Wenn aber im Unterschied zu Origenes eine ursprüngliche Verwurzelung aller seelischen Phänomene in materiellen Entwicklungen und Gestalten anzunehmen ist, so tritt die Radikalität der paulinischen Aussage erst voll ins Licht: Die Unterwerfung unter die Macht der Vergänglichkeit geht auf den Schöpferwillen Gottes selbst zurück. Den Ausdruck dieses Sachverhalts mag man heute in dem für alle Naturprozesse maßgeblichen thermodynamischen Prinzip zunehmender Entropie erblicken, einer irreversibel fortschreitenden Umwandlung anderer Energieformen in Wärme, gleichbedeutend mit einer alle kosmischen Prozesse durchziehenden Tendenz zum Abbau gestalthafter Differenzierungen. Dieses Prinzip ist für die kosmischen Prozesse so bedeutsam, daß man es sogar für die Irreversibilität der Zeit verantwortlich gemacht hat[251]. Doch eher wird man umgekehrt in der Entropievermehrung eine der Erscheinungsformen der Unumkehrbarkeit des Zeitverlaufs zu erkennen haben[252]. Einleuchtender als die

---

1988, 66–79, bes. 76f., ferner auch G.Picht in: Hier und Jetzt I, 1980, 375–389: „... die Potentialität alles Lebendigen ist implizite Antizipation".

[250] U.Wilckens (Der Brief an die Römer 2, 1980, 154) stellt dazu fest, daß jedenfalls Gott selbst als derjenige zu verstehen ist, der die Schöpfung der Macht der Vergänglichkeit (8,21) unterworfen hat. Ob dabei an die von Gott am Ende der Paradiesesgeschichte (Gen 3,15ff.) getroffenen Anordnungen zu denken ist, muß offen bleiben und erscheint eher als zweifelhaft; denn nach Paulus handelt es sich um eine Verfügung, die nicht nur *von* Gott, sondern auch um Gottes willen – nicht etwa Adams wegen – getroffen wurde, und zwar mit der Perspektive auf die Überwindung der Vergänglichkeit durch die „Freiheit der Kinder Gottes" hin (Röm 8,21; vgl. 8,19).

[251] So P.Davies: God and the New Physics, 1983, 125: „All physicists recognize that there is a past-future asymmetry in the universe, produced by the operation of the second law of thermodynamics".

[252] C.F.v.Weizsäcker hat schon 1939 in seinem Aufsatz: „Der zweite Hauptsatz und der Unterschied von Vergangenheit und Zukunft" (jetzt in: Die Einheit der Natur, 1971, 172–182) die Unumkehrbarkeit der auf Zukunft gerichteten Zeitfolge im Naturgeschehen auf Unterschiede zwischen Vergangenheit und Zukunft in der Struktur der Zeit zurückgeführt, nämlich auf den Unterschied zwischen der Faktizität des Vergangenen und der Unbestimmtheit seiner Zukunft (180ff.). 1948 in seiner „Geschichte der Natur" betonte C.F.v.Weizsäcker sodann, daß die Unumkehrbarkeit der Zeit eine „Voraussetzung" des zweiten Hauptsatzes der Ther-

Zurückführung des gerichteten Ablaufs der Zeit auf das Wachstum der Entropie ist dessen Zuordnung zum theologischen Problem des Übels in der Welt im Sinne von Röm. 8,20. Dabei wird allerdings dieses physische Übel in den Händen des Schöpfers und seiner Weltregierung auch zum Mittel der Hervorbringung neuer Gestalten[253]. So ist die Herrschaft des Entropieprinzips in den Naturprozessen hinsichtlich ihrer Wirkungen ambivalent. Soweit sie dem Übel zuzurechnen ist, darf sie jedenfalls nicht als Folge der Sünde des Menschen betrachtet werden. Eher bildet sie einen Teil des Preises für das Entstehen selbständiger geschöpflicher Gestalten im Rahmen einer den Gesamtprozeß des Universums regelnden naturgesetzlichen Ordnung.

Noch bedeutsamer ist jedoch der andere, positive Aspekt der Zukunft: Die Zukunft ist das Feld des Möglichen[254], daher auch Grund der Offenheit der Schöpfung auf eine höhere Vollendung hin und Quelle des Neuen, also der Kontingenz in jedem neuen Ereignis. Dieser Sachverhalt ist auch im Verhältnis zur Tragweite des Entropiesatzes fundamental: Ohne Ereignisse und aus ihnen hervorgehende Gestalten gibt es auch keine Entropie. Diese ist im Verhältnis zu ihnen parasitär[255]. In der schöpferischen Macht der Zukunft als Feld des Möglichen aber äußert sich die Dynamik des göttlichen Geistes in der Schöpfung.

Dieser letzte Satz mag auf den ersten Blick als theologisch ebenso wie naturphilosophisch reichlich gewagt, um nicht zu sagen unbegründet erschei-

---

modynamik sei, also nicht auf ihm begründet ist (2. Aufl. 1954, 41). Ausführlicher wird die Frage erörtert von H. Werth: Über Irreversibilität, Naturprozesse und Zeitstruktur, in: E. v. Weizsäcker (Hg.): Offene Systeme I, 1974, 114–199, bes. 127 f. und 186 ff. Siehe auch K. Pohl: Geschichte der Natur und geschichtliche Erfahrung, in: G. Altner (Hg.): Die Welt als offenes System, 1986, 104–123, 106 f., ferner D. R. Griffin a.a.O. (oben Anm. 239) 18 ff. Klärend ist die von P. Bieri: Zeit und Zeiterfahrung, 1972, 136 ff. geforderte Unterscheidung zwischen der im vorphysikalischen Zeitbewußtsein begründeten Einführung des Unterschieds von „früher-später" in die Physik und seiner „Objektivierung" durch den zweiten Hauptsatz der Thermodynamik als einer den Naturprozessen unabhängig von aller menschlichen Beobachtung eigentümlichen Gerichtetheit (155, vgl. 148).

[253] Siehe dazu R. J. Russell: Entropy and Evil, in: Zygon 19, 1984, 449–468, bes. 465: „… if evil is real in nature, entropy is what one would expect to find at the level of physical processes". Aber unter Hinweis auf die Bifurkationstheorie von Ilya Prigogine (von der noch zu reden sein wird) betont Russell auch, daß die Herrschaft des Entropieprinzips in den Naturprozessen auch die Bedingung für eine „irenäische" Perspektive einer Entstehung von „order out of chaos" eröffnet (466).

[254] A. M. K. Müller: Die präparierte Zeit, 1972, 287 f. G. Picht a.a.O. 383 nennt Möglichkeit „die indirekte Gegenwart von Zukunft". Siehe auch C. F. v. Weizsäcker: Kontinuität und Möglichkeit (1951 in ders.: Zum Weltbild der Physik, 6. Aufl. 1954, 224 f. Vgl. auch das bereits in Bd. I, 454 zitierte Plädoyer E. Jüngels für einen Vorrang der Möglichkeit (und damit der Zukünftigkeit) in einem theologischen Verständnis von Wirklichkeit (Die Welt als Möglichkeit und Wirklichkeit, in: Unterwegs zur Sache. Theologische Bemerkungen, München 1972, 206–233).

[255] R. J. Russell a.a.O. 458 sieht darin eine Analogie zur augustinischen Auffassung des Bösen als Privation am Guten (vgl. ebd. 455 f.).

nen. Doch bei genauerem Zusehen ergibt sich ein anderes Bild. Was zunächst seine theologischen Voraussetzungen betrifft, so bezeugt das Neue Testament die Gegenwart des Geistes bei Jesus Christus und bei den Glaubenden als das entscheidende Indiz für den Anbruch der eschatologischen Vollendung. Das gilt schon für die Jesustradition. Die machtvolle Gegenwart des Gottesgeistes in der Person Jesu weist ihn als den eschatologischen Offenbarer Gottes aus, durch welchen das kommende Reich Gottes schon gegenwärtig anbricht. Dem entspricht in der paulinischen Theologie, daß der den Glaubenden verliehene Geist ihnen die Teilhabe an der künftigen Vollendung verbürgt (Röm 8,23; 2.Kor 1,22; 5,5; vgl. Eph 1,13f.). Begründet ist das darin, daß der Geist der schöpferische Ursprung des neuen Lebens aus der Auferweckung der Toten ist (Röm 8,11). Damit rückt auch die traditionelle jüdische Auffassung vom Geiste Gottes als dem Ursprung allen Lebens in eine neue Perspektive, in die Perspektive der eschatologischen Zukunft: Die Funktion des Geistes als Urheber allen Lebens erscheint als Vorbereitung der Vollendung seines Wirkens in der Hervorbringung des neuen, eschatologischen Lebens (1.Kor 45,45ff.). Muß die Theologie dieser Sachlage nicht dadurch Rechnung tragen, daß sie schon das allen Geschöpfen zugewandte, belebende Wirken des Geistes in der Schöpfung als vorlaufende Wirkung seiner eschatologischen Wirklichkeit zu verstehen sucht? Dann aber wird die Dynamik des Geistes in der Schöpfung von vornherein unter dem Gesichtspunkt der in ihr sich anbahnenden Vollendung, also als Äußerung der Macht seiner Zukunft zu würdigen sein[256]. Das gilt auch da, wo der Zusammenhang mit der endgültigen eschatologischen Zukunft nicht ohne weiteres auf der Hand liegt: Auch beim Leben der Geschöpfe bleibt dieser Zusammenhang ja der alltäglichen Betrachtung und der wissenschaftlichen Beschreibung verborgen.

Wie steht es aber mit der naturphilosophischen Einlösbarkeit einer solchen Sicht der Dinge? Läßt sie sich sinnvoll beziehen auf eine Beschreibung des Naturgeschehens, die nach heutiger Erkenntnis Anspruch auf Allgemeingültigkeit hat? Läßt sie sich als integrierende Interpretation eines entsprechend fundamentalen Sachverhalts heutiger Naturerkenntnis ausweisen?

Zu den noch immer unabgeschlossenen Bemühungen um eine angemessene philosophische Interpretation der Befunde, die der Quantentheorie zugrunde liegen[257], hat Hans-Peter Dürr einige Bemerkungen aus der Sicht

---

[256] Eine erste Skizze dazu habe ich 1967 unter dem Titel „Eschatologie, Gott und Schöpfung" vorgelegt (dt. in dem Band „Theologie und Reich Gottes", 1971, 9-29, bes. 18ff.); vgl. schon meine Auseinandersetzung mit E.Bloch („Der Gott der Hoffnung", 1965), jetzt in: Grundfragen systematischer Theologie I, 387-398.

[257] Siehe dazu die Übersicht von M.Jammer: The Philosophy of Quantum Mechanics: The Interpretations of Quantum Mechanics in Historical Perspective, 1974, sowie ferner R.J.Rus-

der Quantenfeldtheorie beigetragen, die einen Ansatzpunkt für weiterführende Betrachtungen bieten.

Dürr hat die quantenphysikalische Unbestimmtheit zunächst mit dem Möglichkeitsbegriff verknüpft, diesen wiederum (ähnlich wie schon G. Picht und A. M. K. Müller) mit dem Zukunftsaspekt des Geschehens, so daß die Zukunft als das „Reich des Möglichen" dem Vergangenen als dem „Reich des Faktischen" gegenübertritt, die Gegenwart aber den Zeitpunkt bezeichnet, „wo Möglichkeit zu Faktizität gerinnt"[258]. Diese Beschreibung erweckt den Eindruck einer aus der Zukunft auf die Gegenwart zukommenden, in ihr „gerinnenden" und in der Vergangenheit erstarrten Bewegung. Damit stimmen jedoch spätere Formulierungen Dürrs nicht überein, wonach das gegenwärtige Ereignis „für die Zukunft ein Möglichkeitsfeld festlegt, welches den ganzen Raum mit einer bestimmten Wahrscheinlichkeitsdichte für das mögliche Wiederauftreten eines ‚Teilchens' überdeckt" (a. a. O. 20). Geht nun die Dynamik von der Zukunft aus, der Dürr zuvor die größere „Mächtigkeit" gegenüber dem Faktischen zugesprochen hatte (17), oder wird die Zukunft durch das gegenwärtig „gerinnende" Faktische festgelegt? Vielleicht sollte besser von einer Konkretisierung der „Mächtigkeit" des „Reiches des Möglichen" durch das jeweils gegenwärtig eintretende Ereignis gesprochen werden. Das würde der von Dürr ausdrücklich bekundeten Intention entsprechen, die „klassische", auf die Determination der Zukunft vom faktisch Gegebenen her zielende Fragerichtung *umzuwenden* auf eine Betrachtungsweise hin, die der Zukunft Priorität einräumt im Sinne ihrer größeren „Mächtigkeit" gegenüber dem Faktischen. Sollte nicht das „Möglichkeitsfeld zukünftiger Ereignisse" (28), wenn ihm eine solche Priorität zugesprochen wird, für eine philosophische Interpretation des Geschehens zum Ausgangspunkt werden[259]? Von daher würde sich jedenfalls ein sinnvoller Zusammenhang ergeben zwischen der Feststellung: „Eine Extrapolation in die Zukunft ist nicht möglich" (17) und der anderen: „... diese Welt ereignet sich gewissermaßen in jedem Augenblick neu" (21). Das Interesse des Physikers mag unbeschadet dessen an der Vorhersagbarkeit der Zukunft auf der Basis von bereits eingetretenen Ereignissen hängen, obwohl die Vorhersagbarkeit sich jetzt auf Möglichkeiten oder statistische Wahrscheinlichkeiten reduziert. Philosophischer Reflexion muß sich jedoch die Frage aufdrängen, ob dabei nicht das Interesse an der Vorhersagbarkeit eine *Umkehrung* des sachlichen Fundierungszusammenhangs impliziert, der von Dürr angedeutet wurde. Es bedarf dann immer noch einer sachlichen Basis für die Möglichkeit und erfolgreiche Anwen-

---

sell: Quantum Physics in Philosophical and Theological Perspective, in: R. J. Russell u. a. (Hg.): Physics, Philosophy and Theology. A Common Quest for Understanding, 1988, 343–374.

[258] H.-P. Dürr: Über die Notwendigkeit, in offenen Systemen zu denken – Der Teil und das Ganze, in G. Altner (Hg.): Die Welt als offenes System. Eine Kontroverse um das Werk von Ilya Prigogine, 1986, 9–31, zit. 17. Siehe auch I. G. Barbour: Issues in Science and Religion (1966) 1968, 273–395, bes. 273f., 278f., 297f., 304f.

[259] Sie hätte vor allem dem eigentümlich „holistischen" Charakter der quantenphysikalischen Gegebenheiten (vgl. R. J. Russell a. a. O. (Anm. 257) 350ff.) Rechnung zu tragen, der zwar bei D. Bohm als „implicate order" von klassischen Feldbegriffen unterschieden wird, aber doch Feldeigenschaften in einem weiteren Sinn des Begriffs besitzt (vgl. Bohms oben Anm. 239 zit. Ausführungen, bes. 186ff. zum „vacuum state").

dung solcher Umkehrung. Doch es bliebe dabei, daß die naturwissenschaftliche Beschreibung auf einer *Inversion* des realen Begründungszusammenhangs des Naturgeschehens beruht, wenn sie Kausalzusammenhänge beschreibt, die vom Faktischen her die Zukunft bestimmen. Erst im Grenzfall der geschlossenen Determination (28) wäre allerdings die Umkehrung des von der Zukunft ausgehenden Begründungszusammenhangs vollständig. Auch dafür noch bliebe aber das kontingente Eintreten der Ereignisse in „jedem" Augenblick (21) grundlegend: Auch die die Verläßlichkeit der Welt für die Geschöpfe gewährleistende, naturgesetzliche Ordnung des Geschehens im makrophysikalischen Bereich ist noch fundiert auf die in umgekehrter Zeitrichtung erfolgende Konstitution der Ereignisse aus dem Möglichkeitsfeld der Zukunft[260].

Wenn das Eintreten der Mikroereignisse im jeweils gegenwärtigen Augenblick als Manifestation der Zukunft (hervorgehend aus dem „Möglichkeitsfeld zukünftiger Ereignisse") aufgefaßt werden kann, dann hat das erhebliche naturphilosophische und auch theologische Konsequenzen. Es legt sich damit eine Interpretation des Mikrogeschehens nahe, die jenseits der Alternative einer „objektivistischen" und einer bloß „epistemischen" oder statistischen Deutung der quantenphysikalischen Befunde steht: Eine ontologische Deutung des Naturgeschehens unter dem Gesichtspunkt eines Primats der Zukunft[261] ist zweifellos nicht mehr „objektivistisch" im Sinne der klassischen Physik. In einer solchen ontologischen Perspektive läßt sich das „Möglichkeitsfeld zukünftiger Ereignisse" im eigentlichen Sinne als ein Kraftfeld verstehen, und zwar als ein Feld mit spezifischer temporaler Struktur. Als ein Kraftfeld muß es wohl auch verstanden werden, wenn die kontingent eintretenden Ereignisse jeweils aus ihm hervorgehen. Dabei wird durch die faktisch eintretenden Ereignisse auch das Möglichkeitsfeld selber, relativ auf die jeweilige Gegenwart, konturiert, ohne daß dadurch die Kontingenz der folgenden Ereignisse beeinträchtigt würde. Eine derartige Konstitution der elementaren Ereignisse bildete die Grundlage auch für das naturgesetzlich im klassischen Sinne ablaufende Makrogeschehen, schlüge

---

[260] Eine direkte Ontologisierung der Vielzahl der Möglichkeiten im Sinne einer auch tatsächlich realisierten Mannigfaltigkeit, wie in der „quantum many worlds" Auffassung von H. Everett oder bei der „Aufsummierung von Möglichkeiten" in der „Pfadintegralmethode" R. Feynman's, an den sich S. W. Hawking anschließt (Eine kurze Geschichte der Zeit. Die Suche nach der Urkraft des Universums, 1988, 170 ff.), dürfte dagegen eher eine Umgehung der im Holismus der quantenphysikalischen Phänomene beschlossenen ontologischen Problematik darstellen (vgl. auch R. J. Russell a. a. O. 359).

[261] Eine auf die „Macht der Zukunft" gegründete „eschatologische Ontologie" habe ich in der Anm. 256 genannten Arbeit postuliert und skizziert. Einige Elemente zur philosophischen Grundlegung dieses Konzepts finden sich in dem Band „Metaphysik und Gottesgedanke", 1988, vor allem in den Ausführungen zum Verhältnis von Sein und Zeit (52 ff.) und zur Kategorie der Antizipation (66 ff.). Die Schöpfungslehre und insbesondere die Ausführungen über den Feldcharakter des Geisteswirkens verstehen sich als theologische Durchführung dieses Ansatzes.

aber im Sinne der Vermutungen von Dürr[262] vielleicht in bestimmten Fällen, wie beim Auftreten thermodynamischer Fluktuationen, auf das Makrogeschehen durch. Das Kraftfeld des künftig Möglichen wäre so dafür verantwortlich, daß die im ganzen durch das Entropiewachstum zur Auflösung der Gestalten und Strukturen tendierenden Naturprozesse doch auch Raum bieten für das Entstehen neuer Strukturen, ja sogar für eine Entwicklung auf zunehmende Differenzierung und Komplexität hin, wie sie in der Evolution des Lebens stattgefunden hat.

Damit erhält der Feldbegriff sicherlich eine gegenüber den Feldtheorien der Physik neue Wendung. Das gilt jedenfalls im Hinblick auf seinen bisherigen Gebrauch in der Physik. Die Rede von einem Kraftfeld des künftig Möglichen als Ursprung aller Ereignisse steht zwar in einem Zusammenhang mit physikalischen Feldbegriffen, erweitert sie aber. Das gilt nicht erst für die Priorität der Zukunft gegenüber dem Gegenwärtigen und Vergangenen, sondern auch schon für den dabei zugrunde liegenden Gedanken einer *schöpferischen* Dynamik des Feldes im Verhältnis zu den in ihm auftretenden Erscheinungen. Jeffrey S. Wicken hat dagegen eingewendet, daß in physikalischer Betrachtung ein Kraftfeld ebenso durch die in ihm auftretenden materiellen Elemente und ihre Bewegungen konstituiert werde, wie umgekehrt das Feld diese ihm zugehörigen Elemente reguliert: Erst beide zusammen bilden das Ganze, auf das die physikalische Beschreibung sich bezieht (Theology and Science in the Evolving Cosmos, in: Zygon 23, 1988, 45-55, 52). Das mag so sein, obwohl die metaphysische Intuition Faradays mit dem Gedanken der Priorität des Kraftfeldes gegenüber den Körpern darüber hinausging (s. o. 100f.), indem sie auf eine Umkehrung der Zuordnung der Kräfte zu Körpern zielte und diese selbst als Manifestationen von Kraftfeldern zu begreifen trachtete. Soweit bei physikalischen Feldern im Sinne von Wicken eine Wechselbeziehung zwischen Körpern und Feld besteht (wie das etwa beim Gravitationsfeld der Fall ist), ließe sich dieser Sachverhalt als abgeleitet von einer schöpferischen Funktion des Feldes verstehen: Sobald materielle „Elemente" im Feld auftreten, wirken sie auf dieses zurück, analog der Restrukturierung des Möglichkeitsfeldes aus der Perspektive jedes eingetretenen Mikroereignisses in der Beschreibung von Dürr. Ob die Priorität des Feldes vor jeder Art materieller Manifestationen einer physikalischen Beschreibung zugänglich ist oder nicht, kann dann der Entwicklung der Physik überlassen bleiben. Umgekehrt ist das schöpferische Wirken des göttlichen Geistes sicherlich nicht als seiner Natur nach bedingt durch die aus ihm hervorgehenden geschöpflichen Erscheinungen aufzufassen. Aber das Wirken des Geistes kann sich sehr wohl um seiner Geschöpfe willen den Bedingungen ihres Daseins und ihrer Tätigkeit anpassen und ihnen also auch Raum geben für eine Einwirkung auf die Feldstruktur des Geistwirkens.

Solche Erwägungen mögen zeigen, daß die theologisch begründete Vorstellung von einer Dynamik des göttlichen Geistes, die als Macht der Zukunft in allem Geschehen schöpferisch wirksam ist, keineswegs als naturphi-

---

[262] A.a.O. 29ff.

losophisch abwegig beurteilt werden muß. Sie steht in einer ausweisbaren Beziehung zu grundlegenden naturwissenschaftlichen Gegebenheiten. Dabei vermag sie sogar die Beschreibungen der Naturwissenschaft in ein neues Licht zu rücken, und zwar gerade deshalb, weil sie auf einer anderen Argumentationsebene begründet ist. Das schließt eine Verwechslung mit naturwissenschaftlich möglichen Aussagen aus, nicht aber eine Konvergenz in der philosophischen Reflexion auf deren Inhalt.

Die in der schöpferischen Dynamik des göttlichen Geistes sich manifestierende Macht der Zukunft ist nun aber nicht nur als Ursprung der Kontingenz des Einzelgeschehens zu verstehen. Sie muß auch als Ursprung der dauerhaften Gestalten wie schon der beständigen Ordnung und Verläßlichkeit im Gang des Naturgeschehens gelten, ohne die es keine dauerhaften Gestalten gäbe: Die Zukunft, um die es sich bei der Dynamik des göttlichen Geistes handelt, ist ja der Eintritt der Ewigkeit Gottes in die Zeit. Die in der Abfolge der Zeitmomente nur teilhaft in Erscheinung tretende Einheit des Lebens, das nur in der Ewigkeit als ein Ganzes in Gleichzeitigkeit realisiert wäre, kann im Prozeß der Zeit nur von der ihn zum Ganzen vollendenden Zukunft her gewonnen werden[263]. Genauer gesagt, sie kann nur als Integration der in der Zeit zunächst je kontingent – und das heißt auch: je für sich und getrennt – auftretenden Augenblicke und Ereignisse realisiert werden. Das Hervorgehen des kontingenten Einzelgeschehens aus dem Möglichkeitsfeld der Zukunft bildet also nur den elementaren Aspekt in der schöpferischen Dynamik des Geistes, den Anfang ihrer Entfaltung. Sie kulminiert in der Integration der Ereignisse und Lebensmomente zur Einheit der Gestalt. In der Dauer der Gestalten als zeitüberbrückender Gegenwart tritt sie im Rahmen der Weltzeit in Erscheinung. In der Dauer der geschöpflichen Gestalten, mit der auch ihr Zusammensein im Raum ausgebildet wird, geht so etwas wie eine Ahnung der Ewigkeit auf. Darauf zielt die Dynamik des Geistes: den geschöpflichen Gestalten durch Teilhabe an der Ewigkeit Dauer zu gewähren und sie gegen die aus der Verselbständigung der Geschöpfe folgenden Auflösungstendenzen zu behaupten.

So ist die Dynamik des göttlichen Geistes als Wirkungsfeld in Verbindung mit Zeit und Raum zu denken: mit der Zeit durch die Macht der Zukunft, die den Geschöpfen eine eigene Gegenwart und Dauer gewährt, mit dem Raum durch die Gleichzeitigkeit der Geschöpfe in ihrer Dauer. Dabei stellt sich auf dem Standort des Geschöpfes sein Ursprung aus der Zukunft des Geistes als Vergangenheit dar. Aber das Wirken des Geistes selber begegnet dem Geschöpf jederzeit als seine Zukunft, die seinen Ursprung und seine mögliche Vollendung umschließt.

---

[263] Vgl. dazu die Ausführungen in Bd. I, 436ff. zur Verbindung von Ewigkeit und Zukunft bei Plotin und zu ihrer im christlichen Denken erforderlichen Modifikation (bes. 441f.).

d) Das schöpferische Wirken des Geistes und die Lehre von den Engeln

Die Beschreibung des göttlichen Geistes als Feld, das sich in seiner schöpferischen Wirksamkeit zeitlich und räumlich manifestiert, eröffnet einen neuen Zugang zur alten dogmatischen Lehre von den Engeln. Die Engel der Bibel wurden seit der frühen Patristik analog zu in der Antike verbreiteten Vorstellungen als geistige Wesenheiten und Mächte aufgefaßt, die ihr Wirken sowohl in der Naturwelt als auch in der Geschichte entfalten, entweder im Auftrag Gottes oder aber in dämonischer Verselbständigung gegen Gott. Es handelt sich dabei in erster Linie um kosmische Mächte, ehemalige Gottheiten wie die sieben Planetengötter, die in der biblischen Tradition zu Geschöpfen des einen Gottes wurden und noch in der Johannesapokalypse als sieben Geister, Lichter, Fackeln, Sterne – oder eben Engel – begegnen (Apk 1,4 und 12ff. u.ö.; 4,5). Dazu gehören auch die vier Windengel von Apk 7,1 (vgl. Ps 104,4 zit. Hebr 1,7); ihre Vierzahl umschreibt wohl mit den vier Himmelsrichtungen den Inbegriff der kosmischen Ausdehnungen. Die jüdischen Zählungen von vier oder sieben Erzengeln[264] dürften ähnlichen Hintergrund haben, nämlich zum Teil astrale, letztlich auf die babylonische Astrologie zurückgehende Vorstellungen, mit der auch die Funktion der Schutzengel für Individuen und Völker zusammenhängen mag, zum andern Teil Vorstellungen der Naturkräfte oder Elemente, denen Engel des Feuers, des Wassers und der Luft zugeordnet sind[265].

Karl Barths Lehre von den Engeln (KD III/3, 1950, § 51, 426–623), die bedeutendste Erörterung des Themas in der neueren Theologie, ist in ihren sonst sehr differenzierten Ausführungen zu den biblischen Aussagen über die Funktionen der Engel auf diesen Sachverhalt nicht eingegangen. Im Unterschied zur Tradition, besonders zur Engellehre Thomas von Aquins (S. theol. I,50–64 und 106–114, dazu Barth 452–466) lehnte es Barth überhaupt ab, nach der „Natur" der Engel zu fragen. Er erblickte darin den Abweg einer „Engelphilosophie" (479), also einer nicht genügend entschiedenen Orientierung der Lehre von den Engeln an den Aussagen der Schrift. Diese lasse uns über die „vielberufene" Natur der Engel „ohne Nachricht" (477), konzentriere sich hingegen auf Funktion und Dienst der Engel (536ff., vgl. 600), und Barth meinte, diesen Dienst zusammenfassend als den „Dienst von *Zeugen*" Gottes und seines Reiches bestimmen zu dürfen (538ff., 581ff.). Das den Engeln in der Bibel zugeschriebene Handeln wurde bei Barth zwar nicht verschwiegen (600f.), blieb aber doch dem Gesichtspunkt des Zeugendienstes untergeordnet, wohl weil Gott für sein Handeln auf die Engel nicht angewiesen ist (vgl. 580f.). Daher ist es verständlich, daß bei Barth die kosmischen Funktionen der Engel im Hintergrund blieben und allenfalls beiläufig

---

[264] Belege in dem Artikel von K.E. Grözinger TRE 9, 1982, 586–596, bes. 588. Zu den kosmologischen Funktionen der Engel ebd. 587.
[265] Diese „*Natur- und Elementarengel*" bezeichnet O. Böcher (TRE 9, 1982, 596–599) als „personalisierte Kräfte der Natur" (597).

gestreift wurden (546f., 581). In den biblischen Schriften sind jedoch gerade die Aussagen über das Handeln der Engel grundlegend auch für ihren Zeugendienst, und ihr Handeln in der Heilsgeschichte scheint seine Basis wiederum in ihren kosmischen Funktionen zu haben. Auch daß die Schrift uns hinsichtlich der „Natur" der Engel ohne Nachricht lasse, trifft nicht zu. Vielmehr werden im Neuen Testament die Engel ausdrücklich als „Geister" (*pneumata*) bezeichnet (Hebr 1,14; 12,9; Apg 23,8f.; Apk 1,4 u.ö.). Ihre Kennzeichnung als „dienende Geister" (Hebr 1,14; λειτουργικὰ πνεύματα) hat auch Barth als „eine definitionsähnliche Bestimmung des Wesens der Engel" anerkannt (528). Daß dabei der Ton auf dem Dienen liegt, wird man Barth (ebd.) nicht bestreiten können. Doch darf deswegen die Bestimmung der Engel als „Geistwesen" nicht übersehen oder verdrängt werden: Wäre die „Natur" der Engel gänzlich unbestimmbar, dann hingen auch alle Aussagen über ihr Dasein und ihre Funktionen in der Luft. Vielleicht ist das ein Grund dafür, daß Barths intensive Bemühung um dieses Thema nun doch nicht zu einer Erneuerung der Engelvorstellung in der Theologie geführt hat.

Die Beschreibung der Engel als „Geister" (*pneumata*) wirft die Frage nach ihrem Verhältnis zum Geist schlechthin, zum Geist Gottes auf[266]. Diese Frage wiederum weitet sich aus zu der nach dem Verhältnis der Engel zu Gottes Wirken überhaupt. Daß die Engel, soweit sie von Gott selbst unterschieden werden, Geschöpfe sind, versteht sich im Zusammenhang jüdischen Denkens von selbst und ist auch im Neuen Testament überall vorausgesetzt. Es wird wenigstens einmal auch ausdrücklich erwähnt (Kol 1,16), in nachapostolischer Zeit dann deutlicher ausgesprochen (1.Klem 59,3; vgl. Hebr 12,9). Allerdings bleibt ihr Status als Geschöpfe in den biblischen Aussagen insofern eigentümlich unfaßbar, als in ihnen, den Werkzeugen und Boten Gottes, auch unmittelbar Gott selbst in Erscheinung tritt, so daß zweifelhaft sein kann, ob es sich im Einzelfall bei ihrem Auftreten um Gott selbst oder um eine von ihm unterschiedene Gestalt gehandelt hat (Gen 18,2ff.; 21,17ff.; 31,11ff.; Ex 3,2ff.; Ri 13,21f.)[267].

Karl Barth hat damit seine These begründet, daß den Engeln – im Unterschied zu den irdischen Geschöpfen – überhaupt keine „Eigenständigkeit" zukomme (562, vgl. 577). „Sie existieren und agieren nie selbständig, nie für sich" (562). Sie existieren nicht selbständig? Wie können sie dann – wie doch auch Barth sagt (488, 601) – Kreaturen sein? Trotz der Problematik einer so rigorosen Verneinung jeder Selbständigkeit der Engel hat Barth hier doch einen Sachverhalt gesehen, der so in der dogmatischen Engellehre kaum wahrgenommen worden ist, allenfalls bei Ps.-Dionysios Areopagita, dessen Werk über „Die himmlische Hierarchie" Barth bei aller Distanz gegenüber der Vorstellung hierarchischer Ordnung doch mit viel größerer Sympathie dargestellt hat (KD III/3, 445–449) als er sie Thomas

---

[266] Barth sah einen Zusammenhang zwischen Engeln und Heiligem Geist besonders in den Aussagen der Apokalypse angedeutet (KD III/3,543, cf. 605). Es gibt aber auch Anzeichen für ein Zurückdrängen der Engelvorstellungen im Urchristentum durch die Ausbildung der Lehre vom Heiligen Geist als dem Pneuma schlechthin (Böcher TRE 9, 598).

[267] Siehe dazu die eindringlichen Ausführungen von K.Barth a.a.O. 571ff.

von Aquin in dieser Sache entgegenbrachte: Die Engel sind zwar „distinkte Geschöpfe" (526), aber doch voneinander nicht so deutlich geschieden wie irdische Individuen (532). Sie bilden vielmehr das himmlische „Heer" (522ff.), und „seine einzelnen Gestalten" werden nur „in besonderem Auftrag, in einem besonderem Verhältnis zur irdischen Heilsgeschichte, besonders aufgeboten, aus der Menge und Reihe der anderen *herausgestellt* ..., um nachher wieder spurlos in dieser zu verschwinden" (532). Das ist die Übersetzung der von Barth an Dionysios gerühmten Konzeption der Engelwelt als eines „dynamisch bewegten Systems" (448) in die Sprache der Heilsgeschichte: An die Stelle der Engelhierarchie, in der von oben nach unten das von Gott ausströmende Licht weitergegeben wird, ist bei Barth das „Himmelreich" (486–558) getreten als „eine von Gott *ausgehende*, auf die Kreatur *zielende* und sie erreichende *Bewegung*" (499), die eine in sich vielfältige Einheit bildet (521f.). Die einzelnen Engel erscheinen von daher als die mehr oder weniger ephemeren Manifestationen dieser einheitlichen Bewegung. Ist damit nicht der Sache nach das Himmelreich in der Bewegung seines Kommens als ein dynamisches Feld beschrieben, das sich in den Engeln in je besonderer Weise manifestiert? Wie sich innerhalb der Einheit eines Feldes besondere Zentren als Teile des Gesamtfeldes herausbilden können, so etwa wäre dann die jeweils besondere Manifestation der Herrschaft Gottes über Kosmos und Geschichte in der Gestalt eines Engels aufzufassen. Dabei wäre aber mit dem Hervortreten besonderer Gravitationsfelder innerhalb des Gesamtfeldes der Gottesherrschaft doch auch eine gewisse kreatürliche Eigenständigkeit verbunden, ohne die die „Engel" überhaupt nicht als Geschöpfe unterscheidbar wären. Diese Eigenständigkeit soll im folgenden genauer herausgearbeitet werden.

Wenn die Bezeichnung der Engel als „Geister" (*pneumata*) in Analogie zu dem bisher über den Geist als Feld Gesagten zu verstehen ist, dann wird das damit Gemeinte nicht in erster Linie als personale Gestalt, sondern als „Macht" vorzustellen sein. So werden im Neuen Testament die Bezeichnungen Engel, Mächte und Gewalten miteinander verbunden (1.Ptr 3,22; vgl. 1.Kor 15,24; Eph 1,21; auch Röm 8,38). Diese Zusammenstellung begegnet durchweg mit der Pointe, daß alle diese Mächte und Gewalten der Herrschaft des erhöhten Christus unterstellt sind. Anscheinend ist das nicht selbstverständlich. Die Feldkräfte, die im Dienst der Herrschaft Gottes über die Schöpfung stehen, können sich offenbar verselbständigen zu eigenen Machtzentren, deren Sog von den Glaubenden als bedrohlich erfahren werden kann (Röm 8,38f.)[268].

---

[268] Die damit gegebene Ambivalenz der „Mächte und Gewalten" mochte K.Barth für die Vorstellung von Engeln Gottes nicht gelten lassen, trotz der dafür bestehenden biblischen Anhaltspunkte nicht nur in der ausdrücklichen Verknüpfung 1.Ptr 3,22, sondern auch in den Andeutungen von Gen 6,1-4 über den Ungehorsam von Engeln, die dann in der jüdischen Apokalyptik zur Vorstellung eines Engelfalls ausgebaut wurden und vielleicht auch in 1.Ptr 3,19 anklingen (vgl. L.Goppelt: Der Erste Petrusbrief, 1978, 247ff. mit Belegen; Goppelt selbst folgt allerdings der Deutung der Stelle auf die Seelen verstorbener Menschen, 250). Vorausgesetzt ist solcher Ungehorsam von Engeln auch in den im Neuen Testament begegnenden Anspielungen auf ihren Sturz (Belege bei O.Böcher TRE 9, 1982, 596; zu den dahinterstehenden jüdi-

Gerade derartige Erfahrungen haben in der Theologie dieses Jahrhunderts zu einer für manche Beobachter erstaunlichen Neubelebung der Lehre von Engeln und Dämonen geführt. Paul Tillich sah sie in Zusammenhang mit den Archetypen der Tiefenpsychologie und einem neuen Gewahrwerden der übermenschlichen Macht des Dämonischen in der Literatur[269]. Gerhard Ebeling hat sie auf die Erfahrung bezogen, „daß in unser Verhältnis zu Gott und zur Welt Mächte eingreifen, die uns verborgen, aber nichtsdestotrotz an uns wirksam sind"[270]. Schon Paul Althaus hat die Wirklichkeit der Engel als eine Sache nicht nur des Glaubens, sondern auch der Erfahrung bezeichnet[271], und Hans-Georg Fritzsche hat für solche Erfahrung den Begriff „Kraftfeld" verwendet, wenn auch ohne Klärung der Beziehung solcher Redeweise zum naturwissenschaftlichen Feldbegriff: Der Mensch stehe in einem „sein Ich umgreifenden Kraftfeld", und darauf beziehe sich die Rede von Engeln und Dämonen[272].

Die größte Schwierigkeit der traditionellen christlichen Engellehre liegt in der Vorstellung, daß Engel personhafte Geistwesen, Subjekte seien, die Gott dienen oder, – im Falle der Dämonen, – sich gegen Gott gewendet haben. Wenn man sich jedoch vor Augen hält, daß die Anwendung personaler Prädikate ihren Ursprung hat in der Erfahrung, von der Einwirkung nicht voll durchschaubarer Mächte betroffen zu sein, einer Einwirkung, die in einer bestimmten Richtung wirksam ist und sich insofern als „Wille" bekundet[273], dann sollte diese Vorstellung keine unüberwindlichen Schwierigkeiten bereiten. Sie ist jedenfalls sekundär gegenüber der Erfahrung von Machtwirkungen.

Nun hat allerdings David Friedrich Strauß gerade im Hinblick auf „die weltliche Wirksamkeit der Engel" von einem „Widerspruch gegen die moderne Naturanschauung" gesprochen, weil diese „Naturerscheinungen, wie Blitz und Donner, Erdbeben, Pest und dgl." nicht als „spezielle Veranstaltungen Gottes" betrachte, sondern sie auf „Ursachen innerhalb des Natur-

---

schen Vorstellungen siehe 591 f. die Angaben von K. E. Grözinger, sowie den Art. Dämonen IV von O. Böcher in TRE 8, 1981, 279–286, bes. 279 f.). K. Barth mag recht haben mit seiner Versicherung: „*Ein wirklicher, ordentlicher Engel tut das nicht*" (KD III/3, 562; vgl. 623). Doch nach dem Zeugnis der Bibel, dem Barth doch mit größerer Strenge folgen wollte als die klassischen Engellehren der theologischen Tradition, scheinen eben nicht alle Engel jederzeit „ordentliche" Engel zu sein, ohne deswegen sofort alle Wirklichkeit einzubüßen. Die jüdische (und christliche) Lehre vom Ungehorsam einiger Engel war ein Mittel, um angesichts der Tatsache des Dämonischen in der Welt den Dualismus zu vermeiden, der in Barths Lehre vom Nichtigen und von den Dämonen wieder zum Vorschein gekommen ist: Alle, auch die dämonischen Mächte, sind Gottes Geschöpfe, wenn auch einige von ihnen sich als ungehorsam erwiesen haben.

[269] P. Tillich: Systematische Theologie I, deutsch 1958, 6. Aufl. 1980, 300.
[270] G. Ebeling: Dogmatik des christlichen Glaubens 1, 1979, 333.
[271] P. Althaus: Die christliche Wahrheit, 3. Aufl. 1952, 317.
[272] H. G. Fritzsche: Lehrbuch der Dogmatik II, 1967, § 12,9 (Zitat 352).
[273] Vgl. hier Bd. I, 412 f.

zusammenhangs" zurückführe[274]. Doch dieser Einwand betrifft das besondere Wirken Gottes selbst im Naturgeschehen ebenso wie das der Engel, setzt die Auffassung des Naturzusammenhangs als eines geschlossenen Systems voraus (wie es allerdings dem mechanistischen Weltbild entsprach) und erblickt in theologischen Aussagen über das Wirken Gottes oder der Engel im Weltgeschehen, jedenfalls im Einzelgeschehen der Natur, Erklärungen von Naturvorgängen, die mit naturwissenschaftlichen Beschreibungen und den durch sie geltend gemachten Faktoren konkurrieren. Wenn man sich jedoch Rechenschaft davon gibt, daß naturwissenschaftliche Beschreibungen nicht als erschöpfende Erklärung des Einzelgeschehens aufzufassen sind und daß dessen Einbettung in Kausalzusammenhänge die Kontingenz nicht aufhebt, sondern voraussetzt, die jedem Einzelgeschehen eignet, wenn man ferner den Naturzusammenhang selbst als ein für Kontingenzen offenes, nicht geschlossenes System zu verstehen hat, dann entfällt die Konkurrenz zwischen naturwissenschaftlichen und theologischen Aussagen. Beide können sich sehr wohl auf dasselbe Geschehen beziehen. Die Engelvorstellungen der biblischen Überlieferungen benennen in ihrem Grundbestand Naturmächte, die in anderer Betrachtungsweise auch Gegenstand naturwissenschaftlicher Beschreibungen sind. Wenn solche Mächte wie Wind, Feuer, Gestirne als Engel Gottes bezeichnet werden, dann werden sie in ihrem Verhältnis zu Gott dem Schöpfer thematisch, sowie im Hinblick auf Erfahrungen der Betroffenheit von Menschen durch sie als Diener Gottes oder auch als dämonische Mächte, die dem Willen Gottes widerstreben. Warum also sollten die Naturkräfte nicht auch in den Formen, in denen die moderne Menschheit sie kennt, als Diener und Boten Gottes – und also als „Engel" – aufgefaßt werden?

Die biblischen Zeugnisse haben nun allerdings die Engel dem Himmel zugeordnet, den Gott bewohnt und von dem her er seiner irdischen Schöpfung gegenwärtig und mächtig ist (Bd. 1, 444 ff.). Die Engel bilden das von Gott erschaffene „Heer" des Himmels (Ps 33,6; vgl. Gen 2,1; Jes 45,12; Jer 33,22; Neh 9,6 u.ö.). Der Himmel aber ist der Bereich der Schöpfung, der menschlicher Verfügung entzogen ist. Er ist „im Unterschied zur Erde als die *unsichtbare* Geschöpfwirklichkeit: unsichtbar und darum auch unbegreiflich, unzugänglich, unverfügbar"[275]. Ist dagegen nicht die Welt der Naturkräfte menschlicher Wissenschaft durchaus zugänglich? Dennoch lassen sich die kosmischen Kräfte, die die Wissenschaft erforscht, nicht ausschließlich der Erde zurechnen. Vielleicht sollte schon für die biblischen Aussagen

---

[274] D.F.Strauß: Die christliche Glaubenslehre in ihrer geschichtlichen Entwicklung und im Kampfe mit der modernen Wissenschaft dargestellt I, 1840, 671.
[275] K.Barth KD III/3, 494 im Anschluß an die im ersten Artikel des Symbols von Nicaea aufgenommene Aussage von Kol 1,16, die die Differenz von Himmel und Erde erläutert durch die Gegenüberstellung des Sichtbaren und des Unsichtbaren. Vgl. auch M.Welker: Universalität Gottes und Relativität der Welt, 1981, 203 ff.

die Unbegreiflichkeit des Himmels nicht überzogen werden: Bezeichnet sie die Überlegenheit der Wege und Gedanken Gottes über die des Menschen (Jes 55,8f.), so werden sie dem Menschen dennoch offenbar, und gerade angesichts ihrer Offenbarung (Röm 11,25ff.) rühmt Paulus die Unergründlichkeit der Wege Gottes (11,33). So ist auch die am Lauf der Gestirne ablesbare Ordnung der Zeiten (Gen 1,14) den Menschen durchaus erkennbar, obwohl sie eine Ordnung des Himmels ist. Doch allerdings ist diese Ordnung gerade in ihrer Zugänglichkeit für menschliches Erkennen von einer alle menschliche Erkenntnis übersteigenden Tiefe und Höhe. Gerade in seiner Klarheit ist der Himmel unergründlich. Das gilt nach dem Zeugnis der besten Naturforscher der Neuzeit auch für das Verhältnis der modernen Naturwissenschaft zur Wirklichkeit der Natur: Im Fortschreiten der Erkenntnis zeigen sich immer neue Rätsel und Geheimnisse der Natur.

Jürgen Moltmann hat die *„fundamentale Unbestimmbarkeit"*, die der Schöpfung nach dieser Seite hin eigen ist, speziell auf die *Zukunft* der Welt bezogen[276]. Das entspricht der Eigenart der Botschaft Jesu vom „Reich der Himmel" als einer nahe bevorstehenden, zukünftigen Wirklichkeit, die dennoch schon in die Gegenwart hineinwirkt. Die Bezogenheit der Erde auf den Himmel bildet dann *„die gottoffene Seite der Schöpfung"*, und der Himmel ist *„das Reich der schöpferischen Möglichkeiten Gottes"*. In diesem Sinne nimmt Moltmann die von den Diskussionen über die thermodynamische Struktur des Naturgeschehens ausgehende Auffassung des Universums als eines auf Zukunft hin „offenen Systems" auf[277]. Die Grundlage dafür ist die theologische Deutung der im thermodynamischen Sinne offenen Zukunft als *„Be-*

---

[276] J. Moltmann: Gott in der Schöpfung. Ökologische Schöpfungslehre, 1985, 166–192, Zitat 168.

[277] A.a.O. 172. Vgl. 63f., wo Moltmann auf die beiden unter dem Titel „Offene Systeme" erschienenen Bände (1974 und 1981) verweist. Zum thermodynamischen Begriff des „offenen" i.U. zum „geschlossenen" System vgl. im ersten dieser beiden Bände (hg. E.v.Weizsäcker, 1974) den Beitrag von H.Wehrt 114–199, bes. 135ff. Siehe ferner den oben Anm.252 zitierten, von G.Altner hg. Band: Die Welt als offenes System, 1986. Eine andere Terminologie wird in der amerikanischen Diskussion verwendet, so bei J.F.Wicken: Evolution, Thermodynamics and Information. Extending the Darwinian Program, 1987. Wicken unterscheidet drei statt zweier Systemformen, nämlich isolierte, geschlossene und offene Systeme (34). Von diesen entsprechen die isolierten Systeme den geschlossenen im Sinne der Beschreibung von Wehrt, während Wicken solche Systeme „geschlossen" nennt, die zwar Energie, aber nicht Materie mit ihrer Umgebung austauschen. In nochmals anderem Sinn wird die Unterscheidung zwischen offenen und geschlossenen Systemen in der physikalischen Kosmologie verwendet, nämlich im Hinblick auf die Frage, ob die Expansion des Universums sich unbegrenzt fortsetzt, so daß *entweder* die Materie sich im Raum verliert oder in einem „flachen" Universum ihren Weg ohne Begrenzung fortsetzt, *oder aber* die Expansion des Universums durch eine Wiederzusammenziehung abgelöst wird, die in einem der Anfangssingularität des Big Bang entsprechenden „Big Crash" endet, weil die Schwerkraft Oberhand über die expandierenden Kräfte gewinnt. Das letztere Modell des Universums wird als „geschlossenes System" bezeichnet, obwohl auch dabei die Zeit als irreversibel betrachtet wird (F.Tipler: The Omega Point as Eschaton, in: Zygon 24, 1989, 217–253).

reich der schöpferischen Möglichkeiten und Kräfte Gottes", der nach Moltmann die nach heutiger Erkenntnis maßgebende Interpretation des Begriffs „Himmel" darstellt[278]. Diese Deutung setzt voraus, daß die das Naturgeschehen bestimmenden Kraftfelder und deren Wirkungsweisen temporale Struktur haben, und zwar so, daß diese von der Zukunft her bestimmt ist. Das mag auf der Ebene des Mikrogeschehens tatsächlich der Fall sein, wenn die oben (120ff.) vorgetragenen Erwägungen zutreffen. Allerdings macht sich schon auf dieser Ebene eine Umkehrung der Zeitrichtung im Sinne einer Einschränkung des Möglichkeitsfeldes durch die jeweils gegenwärtig eintretenden Ereignisse geltend. Solche teilweise, aber im Bereich der klassischen Mechanik und Elektrodynamik nahe an eine vollständige Determination herankommende Festlegung des Künftigen vom Vergangenen und Gegenwärtigen her ist als temporale Inversion der Geschehensstruktur gegenüber ihrer Fundierung im Mikrogeschehen nicht ohne weiteres theologisch negativ zu beurteilen, weil sie vielmehr Bedingung der Kontinuität des Naturgeschehens und so Ausdruck der Treue des Schöpfers in seinem Willen zur Hervorbringung selbständiger geschöpflicher Gestalten ist. Aber solche Inversion der temporalen Struktur und Wirkungsweise der Naturkräfte läßt sich als Indiz ihrer geschöpflichen Eigenständigkeit im Verhältnis zur schöpferischen Dynamik des göttlichen Geistes werten, aus der sie hervorgegangen sind.

Die temporale Inversion in der Struktur und Wirkungsweise der Naturkräfte läßt sie erst dann zu widergöttlichen, dämonischen Mächten werden, wenn sie sich der Zukunft Gottes, dem Reich seiner Möglichkeiten verschließen, also zu „geschlossenen Systemen" werden. Es läßt sich nicht ausschließen, daß das Weltgeschehen wenigstens teilweise unter dem Einfluß solcher Machtzentren steht. Nach dem Zeugnis des Neuen Testamentes ist sogar die Welt insgesamt unter die Tyrannei einer widergöttlichen Macht, des „Fürsten dieser Welt" geraten, dessen Macht aber durch Jesus Christus gebrochen ist (Joh 12,31; 14,30; 16,11; vgl. Eph 2,2). Der Zusammenhang von Sünde und Tod, der die ganze Schöpfung in der Vergänglichkeit gefangen hält (Röm 8,20 und 22), gibt Anlaß, mit der Herrschaft einer solchen Verderbensmacht zu rechnen. Wenn es richtig ist, daß das Prinzip der Entropievermehrung im Weltprozeß einen Aspekt dieser Verderbensmacht oder ihrer Wirkungsweise erkennen läßt (s.o. Anm. 253), so läßt sich daran allerdings auch veranschaulichen, daß sogar diese Verderbensmacht noch als Diener Gottes (Hi 1,6) und seines Schöpferwillens zu verstehen ist, obwohl sie dem Menschen als Widersacher Gottes begegnet. Jedenfalls ist keine Verderbensmacht erschöpfender Bestimmungsgrund der geschöpflichen Wirklichkeit, in der sie herrscht. Vielmehr bekundet sich durch alle anderen Mächte und Kraftfelder hindurch immer auch das Wirken des göttlichen Geistes als Ursprung des Lebens in den Geschöpfen.

---

[278] Moltmann a.a.O. 190.

Im Wirken des Geistes wie auch des göttlichen Logos hat die Zukunft der Vollendung der Schöpfung im Reiche Gottes eine Präponderanz, durch die sich das theologische Reden von der Dynamik des Gottesgeistes in der Schöpfung unterscheidet von den mit naturwissenschaftlichen Gesetzesformeln arbeitenden physikalischen Feldtheorien. Das damit bezeichnete Problem läßt sich jedoch auch im Rahmen naturwissenschaftlicher Theoriediskussion aufwerfen mit der Frage, wie eine Feldtheorie der Evolution des Lebens aussehen müßte und ob eine solche Theorie eine Neuformulierung auch der physikalischen Kosmologie erforderlich machen würde. Ansätze dazu finden sich in den Bemühungen um eine thermodynamische Beschreibung der Bedingungen für Entstehung und Evolution des Lebens.

e) Das Zusammenwirken von Sohn und Geist beim Werk der Schöpfung

Zu Beginn dieses Abschnitts war von der Schöpfungsmittlerschaft des Sohnes die Rede. Seinem Wirken ist die Besonderheit jeder geschöpflichen Gestalt in ihrer Unterschiedenheit von andern und von Gott dem Schöpfer zuzuschreiben. Als Inbegriff der so begründeten Unterschiede und Beziehungen ist der Sohn der Logos der Schöpfung, Ursprung und Inbegriff ihrer Ordnung. Die konkrete Ordnung des Weltprozesses stellte sich dabei dar als bezogen auf die Inkarnation des Logos, also als Prozeß einer Geschichte, die in der Selbständigkeit des Geschöpfes als Ort seines Sichunterscheidens von Gott und seinen Mitgeschöpfen ihr Ziel hat. Inzwischen ergab die Erörterung der Funktion des Geistes im Schöpfungswerk, daß seine Feldwirkungen ebenfalls zeitlich strukturiert sind, insofern jedes neue Ereignis aus der Zukunft Gottes hervorgeht, von der alle geschöpflichen Gestalten sowohl ihren Ursprung nehmen als auch ihre Vollendung erstreben. Sohn und Geist sind, wie Irenäus gesagt hat, die beiden „Hände" des Vaters, durch die er alles geschaffen hat[279]. Es bleibt nun noch zu fragen, wie sie im Werk der Schöpfung zusammenwirken. Es gibt dafür kaum ausdrückliche Aussagen der Schrift, obwohl Ps 33,6 Wort und Geist Gottes nebeneinander nennt als Organe der Schöpfertätigkeit Gottes. Den wichtigsten Hinweis bildet Gen 1,2f., wonach das schöpferische Sprechen Gottes in der Kraft seines Geistes, durch seinen gewaltigen Atem geschieht (s.o. 97ff.). Das stimmt damit überein, daß auch in anderen Zusammenhängen der Sohn Empfänger und Träger des Geistes ist (s. Bd.I, 343ff.). Gen 1,2f. rechtfertigt die Annahme, daß es sich so auch beim Werk der Schöpfung verhält. Die Schöp-

---

[279] Irenäus adv. haer. IV,20,1. Allerdings dachte Irenäus beim Werk des Geistes noch an die Weisheit Gottes, die er also nicht dem Begriff des Logos zuordnete (vgl. IV,20,3 und Bd.I, 294f., wo Anm. 40 weitere Belege für die Vorstellung von Sohn und Geist als „Händen" Gottes angegeben sind).

fungsmittlerschaft des Sohnes vollzöge sich dann so, daß er durch die Kraft des Geistes Ursprung der verschiedenen Geschöpfe in ihrer je eigentümlichen Besonderheit wird. Gibt es dafür auch eine naturphilosophische Plausibilität im Zusammenhang mit den Erwägungen über die Eigenart des schöpferischen Geistwirkens als Kraftfeld der göttlichen Zukunft, aus der die Ereignisse kontingent hervorgehen?

Das schöpferische Wirken des Gottesgeistes ist als Kraftfeld in seiner Wirkungssphäre mit Eigenschaften der Zeit und des Raumes verbunden. Die Ausführungen über Raum und Zeit sollten eine Vorstellung davon vermitteln, wie göttliche und geschöpfliche Wirklichkeit dabei auseinandertreten, indem aus der schöpferischen Zukünftigkeit Gottes geschöpfliches Dasein hervorgeht mit einer ihm eigenen Dauer, die mit anderem zusammenbesteht in Verhältnissen des Raumes. Dabei reicht aber die Vorstellung einer schöpferischen und belebenden Dynamik nicht aus, um die aus dem Wirken des Geistes hervorgehende Besonderheit geschöpflichen Daseins in seiner jeweiligen Unterschiedenheit und Beziehung zu anderem verständlich zu machen. Dazu bedarf es eines Prinzips der Besonderung, wie es in der Selbstunterscheidung des Sohnes vom Vater zu finden ist, also des göttlichen Logos. Während dem Geist die schöpferische Dynamik im Geschehen der Schöpfung zugeordnet ist, bildet der Logos den Ursprung der unterscheidenden Form oder Gestalt des Geschöpfes in der Ganzheit seines Daseins, aber auch im Ensemble der Unterscheidungen und Verhältnisse der Geschöpfe untereinander in der Ordnung der Natur. Dabei läßt sich das eine vom andern nicht trennen: Die schöpferische Dynamik und die bestimmte Form ihrer Äußerung gehören im Schöpfungsakt zusammen. Im priesterschriftlichen Schöpfungsbericht kommt das zum Ausdruck in der Vorstellung des schöpferischen Sprechens Gottes, durch welches die Dynamik des Gottesgeistes jedesmal Ursprung einer besonderen geschöpflichen Wirklichkeit wird. In den Feldbegriffen der Naturwissenschaft kommt derselbe Sachverhalt darin zum Ausdruck, daß die Dynamik des Feldes nach naturgesetzlichen Regeln wirksam wird. Dabei können die allgemeinen Regeln naturgesetzlicher Beschreibung nur Näherungen an eine Erklärung des konkreten Geschehens in seiner jeweiligen Einmaligkeit sein. Auch die schöpferische Dynamik des Geistes enthält für sich ein Moment der Unbestimmtheit. In ihr ist die von andern unterschiedene Gestalt, die aus ihr hervorgehen wird, gleichsam verborgen, bevor sie im Geschöpf selber konkrete Form gewinnt. Dennoch entsteht aus der Dynamik des Geistes nach Verhältnissen des Logos die unterschiedene, selbständige, in sich zentrierte Gestalt der geschöpflichen Wirkung. Den Übergang dazu bildet das Ereignis der *Information.*

Der Begriff der Information geht einerseits auf die antike Rhetorik[280], andererseits auf den christlichen Aristotelismus der Scholastik zurück. Hier liegt die Wurzel seiner ontologischen und naturphilosophischen Verwendung[281]. Er bezeichnete im christlichen Aristotelismus die Formung einer vorgegebenen Materie, und dieser Sachverhalt wurde bei Thomas von Aquin scharf unterschieden vom Akt der Schöpfung, bei der die ganze Substanz einer Sache (*tota substantia rei*) vom Schöpfer hervorgebracht wird, nicht nur die Form, sondern auch die Materie[282]. In der modernen Naturwissenschaft hat sich der Begriff der Information im Verhältnis zum aristotelischen Sprachgebrauch verändert, weil der moderne Energiebegriff, mit dem der Informationsbegriff zusammenhängt, von der aristotelischen *energeia* tiefgehend verschieden ist. Energie heißt nicht mehr die in sich ruhende Vollendung des Seins (Arist. Met. 1048a 31), sondern eine Veränderung erzeugende Dynamik. Dabei war der Begriff der Energie zunächst immer noch auf einen Gegenbegriff der Materie bezogen. Als Hermann v. Helmholtz 1847 Energie als das Maß für die Fähigkeit definierte, durch Überwindung von Widerständen Arbeit zu leisten[283], war der Dualismus von Energie und Materie noch vorausgesetzt. Erst die Relativitätstheorie Albert Einsteins hat diesen Dualismus überwunden und Masse (Materie) als eine Manifestation von Energie begriffen[284]. Diesen verselbständigten Begriff von Energie hat Carl Friedrich v. Weizsäcker mit dem Informationsbegriff verbunden. Dabei bezeichnet Information das Maß der Ungewöhnlichkeit, also Unwahrscheinlichkeit eines durch Energie zu bewirkenden oder schon bewirkten Geschehens[285]: Die aufzuwendende Energie muß um so

---

[280] Siehe dazu den Art. von H. Schnelle im Hist. WB Philos. 4, 1976, 356f. Frühe Belege dafür finden sich neben Cicero (De orat. 2,358 u.ö.) auch in der Vulgataversion von 1.Tim 1,16: Auch hier hat das Wort lediglich den Sinn von sprachlicher Mitteilung und Belehrung.

[281] Allerdings gibt es dafür eine komplexe Vorgeschichte, die auf den Neuplatonismus (bes. Proklos) zurückgeht. Albert der Große unterschied in seinem Metaphysikkommentar die transzendentale Identität von *ens* und *unum* von der Vorstellung *eines* bestimmten Seienden im Unterschied zu anderem: Bei letzterem ist die Bestimmung seiner Einheit eine *informatio*, die zum Seinsbegriff hinzutritt (Opera Omnia XVI/2, 1964, 397,1ff.). Er verwies für diese Unterscheidung auf den *Liber de Causis* (vgl. dort § 17 in der Edition von Bardenhewer 180,5). Zu der dahinterstehenden auch in der christlichen Patristik begegnenden Vorstellung von *formatio* vgl. W. Beierwaltes: Denken des Einen, 1985, 359 Anm. 65 und zu Plotin ebd. 52ff.

[282] Thomas von Aquin S. theol. I, 45,2c und ad 2.

[283] H. L. F. v. Helmholtz: Über die Erhaltung der Kraft, 1847. Siehe dazu M. Jammer in Hist. WB Philos. 2, 1972, 494-499, bes. 496f.

[284] Die Entwicklung zur Ausarbeitung dieser Einsicht wurde von M. Jammer: Der Begriff der Masse in der Physik (1961) dt. 1964, 185-205 beschrieben, bes. 190f., 202ff.; vgl. auch 240f.

[285] C. F. v. Weizsäcker: Materie, Energie, Information, in: ders.: Die Einheit der Natur, 1971, 342-366, 347f. Diese Ausführungen sind besonders auch darum bemerkenswert, weil sie den philosophischen Hintergrund des Formbegriffs mit der modernen, naturwissenschaftlichen Informationstheorie verknüpfen. Die dabei vorausgesetzte Unterschiedenheit (bzw. Entgegensetzung) von Information und Entropie ist von J. S. Wicken (Evolution, Thermodynamics and Information, 1987) gegen die Ineinssetzung der beiden Größen durch C. E. Shannon mit überzeugenden Gründen verteidigt worden (17-28, bes. 26ff.). Die Selbstkorrektur C. F. v. Weizsäckers (Evolution und Entropiewachstum, in E. v. Weizsäcker (Hg.): Offene Systeme I, 1974, 200-221, bes. 203ff.) gegenüber seinen früheren Ausführungen zu diesem Thema ist insoweit

größer sein, je höher der Informationsgehalt des zu bewirkenden Ereignisses, seine Besonderheit oder – zeitlich ausgedrückt – sein Neuigkeitswert ist. Durch den Wahrscheinlichkeitsbegriff ist der Energiebegriff mit den Kontingenzproblemen der Thermodynamik und der Quantentheorie verknüpft worden, aber auch mit der Offenheit der Zukunft. Der darauf bezogene Informationsbegriff fügt sich ein in die oben gegebene Darstellung der Feldwirkungen des göttlichen Geistes als Ursprung der aus der Zukunft Gottes kontingent eintretenden Ereignisse[286]. Die Gründe, die Thomas v. Aquin und Albert den Großen veranlaßten, zwischen Schöpfung und Information zu unterscheiden, weil Information schon Materie voraussetze, sind damit entfallen, daß Materie selbst sich als ein Modus der Manifestation von Energie darstellt.

Die wahrscheinlichkeitstheoretische Bestimmung des Informationsbegriffs erlaubt es der Theologie heute, Information als das Maß des schöpferisch Neuen zu begreifen, das mit jedem neuen Ereignis aus der schöpferischen Macht Gottes durch seinen Geist hervorgeht. Als Maß der schöpferischen Wirkungen des göttlichen Geistes ist der Informationsbegriff dem Logos zugeordnet. Der unterschiedliche Informationsgehalt der Ereignisse konstituiert ihre jeweilige Besonderheit, durch die sie Ausdruck der schöpferischen Tätigkeit des Logos sind.

Aus der Perspektive der Geschöpfe stellt sich das fortgesetzte, aus der Macht der Zukunft Gottes hervorgehende Schöpfungsgeschehen wiederum im Modus temporaler Inversion dar, als ein aus der Vergangenheit in die Zukunft verlaufender Prozeß. Er ist in dieser Perspektive durch die Spannung zwischen zunehmender Entropie einerseits, fortschreitender Höherstrukturierung andererseits charakterisiert. In ihrer Verselbständigung nämlich ist alle geschöpfliche Wirklichkeit dem Geschick der Destrukturierung, der Auflösung nach dem Gesetz der Entropie, verfallen. Andererseits kann es wegen der „Offenheit der Prozeß-Strukturen gegenüber zukünftigem Geschehen"[287] auch zum Auftreten neuer Strukturbildung kommen, weil die realen Prozesse nicht in geschlossenen, sondern in offenen Systemen ablaufen[288].

---

als überholt zu betrachten. Der zit. Begriffsbestimmung v. Weizsäckers entspricht, was Wicken als funktionale Bestimmung des Informationsbegriffs bezeichnet (a.a.O. 40ff., 48).

[286] C.F.v. Weizsäcker hat am Schluß seines in der vorigen Anmerkung genannten Aufsatzes Gott als den aller Objektivierung entzogenen „Grund der Form" bezeichnet (a.a.O. 366), indem er zugleich die Auffassung Gottes als „Inbegriff der Formen" ablehnt: „Gott ist nicht der Inbegriff der Formen, sondern der Grund der Form". Aus der Perspektive der altkirchlichen Logostheologie muß eine solche Entgegensetzung jedoch als problematisch erscheinen: Gott ist nicht ohne den Logos, und der Logos ist sowohl Grund als auch Inbegriff der geschöpflichen Logoi (s.o. 39f.). Es handelt sich hier um einen Anwendungsfall der Einheit von Transzendenz und Immanenz in der Unendlichkeit des göttlichen Wesens.

[287] H. Wehrt: Über Irreversibilität, Naturprozesse und Zeitstruktur in: E.v. Weizsäcker (Hg.): Offene Systeme I, 1974, 114–199, 174.

[288] H. Wehrt a.a.O. 140. Vgl. auch E. Lüscher in: A. Preisl und A. Mohler (Hgg.): Die Zeit,

Obwohl die Anfänge solcher Strukturbildung selten und geringfügig sein mögen, kann dadurch doch der weitere Ablauf des Naturgeschehens entscheidend bestimmt werden. Ein Beweis dafür ist der winzige Überschuß von 1:1000 000 000 bei der Produktion von Elektronen, Protonen und Neutronen über ihre Antikörper in der Phase des frühen Universums, in dessen extremer Hitze Photonenkollisionen ständig zum Zerfall der Photonen in Teilchen und Antiteilchen führten, die sich ihrerseits gegenseitig vernichteten und wiederum Photonen erzeugten: Der dabei entstehende, verschwindend geringe Überschuß von Elektronen, Protonen und Neutronen hat mit fortschreitender Abkühlung des Universums den gesamten Bestand seiner sich dann zu Atomen und Molekülen vereinigenden Materie gebildet[289]. Ähnlich stellt sich in der Erdgeschichte die Entstehung des organischen Lebens und die fortgesetzte Höherstrukturierung der Lebensformen im Prozeß der Evolution als eine Kette von Ereignissen dar, die zunächst als Ausnahmeerscheinungen ins Dasein traten, um sodann schubweise das Antlitz der Erde zu verändern: So wurde sie begrünt von Vegetation, überschwemmt von Mollusken und Crustazeen, beherrscht zuerst von Reptilien, dann von Säugetieren und unter ihnen zuletzt vom Menschen. Dem Theologen sollte bei der Betrachtung dieser Geschichte einer fortgesetzten Höherstrukturierung der Gestaltbildung die Analogie zur Erwählungsgeschichte Gottes auffallen: Hier wie dort wird die unwahrscheinliche Ausnahme zur Ankündigung einer neuen Norm, einer neuen Stufe der Schöpfung. „Was schwach ist in der Welt, das hat Gott sich erwählt, um zu beschämen, was stark ist" (1. Kor 1,27). Gehört das zur Eigenart schon der Geschichte der Schöpfung, nicht erst zur menschlichen Heilsgeschichte?

Die Kette von Höherstrukturierungen im Prozeß der Bildung von Gestalten, von den Atomen und Sternen bis hin zum Menschen, insbesondere aber im Gang der Evolution des Lebens, hat seit den Anfängen der modernen Thermodynamik häufig den Eindruck entstehen lassen, es handle sich hier um eine Art Gegenbewegung zum abwärts gerichteten Trend der Entropiezunahme in den Naturprozessen: Der zunehmenden Destrukturierung und Auflösung von Gestaltunterschieden infolge der Entropiezunahme schien in der Evolution des Lebens eine „aufwärts" gerichtete Bewegung zu immer höheren und komplexeren Formen seiner Organisation entgegenzutreten[290]. Dabei handelt es sich jedoch nicht um einen Sachverhalt, für den das Prinzip der Entropiezunahme etwa keine Geltung hätte. Vielmehr wird die partielle Entstehung neuer Strukturen durch eine ent-

---

1983, 367. J.S. Wicken a.a.O. 68 bezeichnet die Selbstorganisation durch Wettbewerb um die Ausnutzung des thermodynamischen Energiegefälles als eine Antwort („response") auf die dadurch gegebene Situation und zugleich (64) als ein Mittel zur Beschleunigung des thermodynamischen Energieumsatzes. Daher kann er schreiben: „Whereas the universe is steadily running downhill in the sense of depleting thermodynamic potential, it is also running uphill in the sense of building structure. The two are coupled through the Second Law" (72).
[289] St. Weinberg: The First Three Minutes, 1977, 89 ff., vgl. 97 f.
[290] So schon H. Bergson: L'évolution créatrice (1907) Paris 1948, 243 ff., bes. 246 f., vgl. 368 f. Auch bei Teilhard de Chardin begegnet das Bild dieser Gegenläufigkeit. Obwohl er sah, daß alle Strukturbildung ihren Preis hat in Gestalt vermehrter Entropie im Gesamthaushalt der Natur (Der Mensch im Kosmos (1947), dt. 1959, 25 f.), erschien ihm die Aufwärtsentwicklung des Lebens als „Flucht aus der Entropie durch Rückkehr zu Omega" (266).

sprechende Zunahme der Entropie im Gesamtsystem ausgeglichen[291]. Darüber hinaus läßt sich der Vorgang der Höherstrukturierung selber durchaus im Rahmen der generellen Entropiezunahme verstehen. Höherstrukturierung im Sinne von zunehmender Komplexität ist eine innerhalb dieses Rahmens offene Möglichkeit[292]. Ihr faktisches Eintreten ist damit allerdings noch nicht entschieden, weil die Thermodynamik es nur mit Möglichkeiten und Wahrscheinlichkeiten zu tun hat[293]. Die im Rahmen ihrer Gesetze ablaufende Geschichte des Universums bleibt daher ein „indeterministisches System", in welchem „der Zufall regiert"[294]. Dennoch findet in ihr ein Zusammenspiel von Zufall und Gesetzlichkeit statt, das der Entstehung und Entwicklung des Lebens auf der Erde eine „*holistische Unabwendbarkeit*" verleiht[295], in der der Christ das Werk des göttlichen Logos erkennen wird[296].

Im Hervortreten der jeweils besonderen geschöpflichen Gestalt darf man theologisch den unmittelbaren Ausdruck der Wirksamkeit des Logos, also des göttlichen Schöpfungswortes, in der geschöpflichen Wirklichkeit erblicken. Seine voll ausgebildete Form findet solches unterschiedene Hervortreten der besonderen Gestalt allerdings erst in der *Selbstunterscheidung*, durch die das einzelne Geschöpf auch von sich aus alles andere in dessen eigener Besonderheit gelten läßt. Nur so wird es auch Gott als den Ursprung alles Endlichen in seiner Unterschiedenheit von allem Geschöpflichen gelten lassen können, ihm also die Ehre seiner Gottheit geben. Daher tritt der Logos noch nicht voll in Erscheinung in der isolierten Besonderheit eines einzelnen Phänomens, sondern in dessen Verhältnissen zu allem übrigen, also in der *kosmischen Ordnung,* die als solche ihren Schöpfer lobt. So empfängt alles durch den Logos die einem jeden zukommende Gestalt und seinen Platz in der Ordnung der Schöpfung. Dabei ist das Wirken des Logos in der Schöpfung ebenso durch den Geist vermittelt wie beim Geschehen der Inkarnation. Die Inkarnation ist nur der theologisch höchste Fall der Schöpfung, die vollkommene Realisierung des Logos in der Besonderheit einer einzelnen geschöpflichen Gestalt, die nicht nur faktisch von anderen unterschieden ist, sondern das andere neben sich gelten läßt und vor allem Gott sich

---

[291] H. Wehrt a.a.O. 158 ff. und 161. Siehe auch A. Peacocke: God and the New Biology, 1986, 140 ff., sowie das Zitat von J.S. Wicken o. Anm. 288.

[292] Siehe dazu außer der Darstellung von J.S. Wicken bes. C.F. v. Weizsäcker: Evolution und Entropiewachstum, in: Offene System I, 1974, 200–221, 203 ff. Für die genauere Beschreibung des Sachverhaltes sind die thermodynamischen Arbeiten von I. Prigogine bahnbrechend geworden, die die Neuentstehung von Zuständen lokaler Ordnung höherer Komplexität aus Schwankungen in gleichgewichtsfernen Systemzuständen hervorgehen lassen, welche über „Bifurkationen" zu neuen „dissipativen Strukturen" von hoher Stabilität führen können (From Being to Becoming: Time and Complexity in the Physical Sciences, 1980, bes. 77–154).

[293] A. Peacocke 158 f.

[294] So W. Stegmüller in dem Kapitel über „Die Evolution des Kosmos" in ders.: „Hauptströmungen der Gegenwartsphilosophie II", 6. Aufl. 1979, 495–617, 583 ff.

[295] Ebd. 694. Cf. A. Peacocke: Creation and the World of Science, 1979, 103 f., sowie 69 ff.

[296] A. Peacocke a.a.O. 105, vgl. 205 ff.

und der ganzen Schöpfung gegenüber gelten läßt und von daher auch die Begrenzung der eigenen Endlichkeit durch andere Geschöpfe annimmt. Daß in solcher Weise Gott in seiner Schöpfung insgesamt zu Ehren gebracht wird, gehört unabtrennbar zur Inkarnation des Logos in einem einzelnen Geschöpf, und damit wird auch verständlich, daß erst im Ereignis der Inkarnation das Wirken des Logos in der Weite der Schöpfung seine Vollendung findet.

Das Wirken des Logos in der Schöpfung hat also zeitliche Struktur im Sinne zunehmender Verinnerlichung der Logoshaftigkeit in den Geschöpfen. Die Geschichte der Schöpfung läßt sich beschreiben als Weg zur Realisierung des dem Geschöpf als Darstellung des Logos gemäßen Verhältnisses zu Gott dem Vater. Nicht alle Geschöpfe realisieren in ihrer eigenen Besonderheit die volle Struktur der Sohnesbeziehung zum Vater. Das ist vielmehr die besondere Bestimmung des Menschen in der Schöpfung, und diese Bestimmung des Menschen ist in dem einen Menschen Jesus von Nazareth erfüllt, während von den übrigen Menschen gilt, daß sie nur durch die Gemeinschaft mit Jesus an der in ihm realisierten Vollendung der menschlichen Bestimmung teilhaben können. Weil es nun aber der Mensch ist, in welchem die Bestimmung der Schöpfung zur Gemeinschaft mit Gott ihre definitive Gestalt findet, darum hat umgekehrt die Ordnung der Schöpfung in der Zeit die Form eines Weges zur Ermöglichung des Menschen.

Das ist der Wahrheitsgehalt in den Behauptungen über ein „anthropisches Prinzip" in der Geschichte des Universums (s. o. bei Anm. 177 ff.). So wenig diese Thesen einen spezifisch physikalischen Erklärungswert beanspruchen können, so eindrucksvoll haben sie doch herausgearbeitet, daß das Universum *de facto* so eingerichtet ist, daß es den Bedingungen für die Hervorbringung intelligenter Wesen genügt. Theologische Interpretation darf über diese Feststellung hinausgehen zu der Aussage, daß sich in diesem Sachverhalt die auf die Inkarnation des göttlichen Logos in einem Menschen bezogene Ökonomie des göttlichen Schöpfungswerkes bekundet.

Der Weg der Schöpfung zum Menschen – in der geschöpflichen Perspektive temporaler Inversion des göttlichen Schöpfungshandelns gesehen – stellt sich konkret dar als eine Stufenfolge von Gestalten. Jede dieser Gestalten ist als selbständiges Geschöpf ins Dasein gerufen. Keine von ihnen ist lediglich Mittel für das Dasein des Menschen. Es führen auch nicht alle Linien in der Stufenfolge zum Menschen, aber insgesamt bildet sie die Basis für sein Hervortreten. In der Vielfalt dieser Gestalten kommt der unerschöpfliche Reichtum der Schöpferkraft Gottes zum Ausdruck. Als Darstellung dieses Reichtums lobt die Welt der Schöpfung schon durch ihr bloßes Dasein ihren Schöpfer, und ohne einzustimmen in das Gotteslob der Schöpfung wäre auch der Mensch nicht, was er seiner Bestimmung nach sein soll: Ort und Mittler für die Gemeinschaft der Schöpfung mit Gott.

3. Die Reihe der Gestalten

Die Geschöpfe sind dadurch miteinander verbunden, daß sie aufeinander verwiesen und angewiesen sind. Einerseits lebt jedes einzelne Geschöpf von anderen vor und neben ihm, andererseits hat es die Rechtfertigung seines eigenen Daseins im Dienst an anderen, die von ihm leben. Allerdings hat das Nebeneinander der natürlichen Ereignisse und Gestalten in der Geschichte des Universums von Anfang an auch die Form des Konflikts, das Nacheinander die Form von Zerstörung und Neubildung. Grundlegend für die Bildung aller höher organisierten Gestalten ist jedoch die Wiederholung elementarer Formen und ihr Eingehen in dauerhafte Verbindungen. Erst auf der Basis der Beständigkeit elementarer Prozeßformen und der unabsehbaren Häufigkeit ihrer Produkte kommt es über Schwankungen von stationären Zuständen und durch Stabilisierung auf neuem Niveau zu einer Stufenfolge von Gestalten, von denen die komplexeren (oder „höheren") sich jeweils über die einfacheren (oder „niederen") erheben. Dabei bleibt das Verhältnis der Geschöpfe trotz aller Konflikte durch gegenseitige Angewiesenheit bestimmt. Auch der Mensch sollte nicht nur *von* den niederen Geschöpfen leben, sondern immer auch *für* sie als Grundlage seines eigenen Überlebens. Er sollte Statthalter des Schöpferwillens Gottes in der von ihm geschaffenen Welt sein. So versetzt der ältere Schöpfungsbericht der Bibel den Menschen in den Garten der Welt als Gärtner, „damit er ihn bebaue und bewahre" (Gen 2,15). Allerdings scheint der Mensch dieser Aufgabe zu keiner Zeit voll gerecht geworden zu sein, und nach dem Neuen Testament wird erst der Geist Christi ihn dazu befähigen, diese seine Bestimmung zu erfüllen.

Als Stufenfolge von Gestalten ist der Aufbau der geschöpflichen Welt schon im jüngeren Schöpfungsbericht der Bibel dargestellt worden: Nacheinander entstehen in der Abfolge der Schöpfungstage Licht und Nacht, Wasser und Firmament, dann Erde, Vegetation, Gestirne, danach Seetiere und Vögel, schließlich die Landtiere und zuletzt der Mensch. In der Sicht heutiger Naturerkenntnis würde die Reihenfolge der Gestalten in mancher Hinsicht anders aussehen[297]. Doch ist es vielleicht erstaunlicher, daß hinsichtlich der Tatsache einer derartigen Stufenfolge Übereinstimmung besteht. Der priesterschriftliche Bericht trägt die Züge einer Naturauffassung, die im ersten Jahrtausend vor Christus im Alten Orient verbreitet war, und man könnte vermuten, daß deren Annahmen vom heutigen Stand der Welterkenntnis noch viel weiter entfernt wären als das tatsächlich der Fall ist.

Ein besonders plastisches Beispiel zeitbedingter Naturerkenntnis, die für die heutige Menschheit überholt ist, bietet die Vorstellung von der Schei-

---

[297] Vgl. dazu die knappe Übersicht bei I. Asimov: In the Beginning, dt. Genesis: Schöpfungsbericht und Urzeit im Widerstreit von Wissenschaft und Offenbarung, 1981, 25-71, bes. 41f.

dung der Wasser der „Urflut" durch Einziehen eines Firmaments, einer „Himmelsglocke" (Gen 1,6f.)[298]. Diese Himmelsglocke macht es mechanisch verständlich, daß die darunter befindlichen und die Erde bedeckenden Wasser abziehen, sich sammeln, den festen Untergrund hervortreten lassen, weil kein Nachschub mehr von oben kommt, nämlich aus den durch das Himmelsgewölbe abgeschirmten Wassermassen (Gen 1,6 und 9f.). Was hingegen geschieht, wenn die „Luken" am Himmelsgewölbe geöffnet und nicht wieder verschlossen werden (Gen 7,11), das berichtet und veranschaulicht die Erzählung von der Sintflut.

Die in der Vorstellung vom Firmament zum Ausdruck kommende Kosmologie ist ein eindrucksvolles Zeugnis archaischer Naturwissenschaft, die die Ordnung des Universums rational nach Analogie menschlichen Ingenieurwissens erklärte. Darum wäre es ihrem Geist ganz entgegengesetzt, wollte man die Theologie auf den buchstäblichen Sinn dieser Vorstellung festlegen. Theologische Schöpfungslehre sollte gerade dadurch der Wegweisung des biblischen Zeugnisses folgen, daß sie den darin erkennbaren Akt der Inanspruchnahme zeitgenössischer Welterkenntnis für die Beschreibung des göttlichen Schöpfungswerkes nachvollzieht mit den Mitteln des jeweils aktuellen Standes der Welterkenntnis. Der Autorität des biblischen Zeugnisses würde die Theologie gerade dann nicht entsprechen, wenn sie die zeitgebundenen Vorstellungen, mit denen der biblische Schöpfungsbericht arbeitet, konservieren würde, statt den Akt theologischer Aneignung des Weltwissens für die eigne Gegenwart zu wiederholen[299].

Ein anderes Beispiel für die Zeitgebundenheit einzelner Aussagen im priesterschriftlichen Schöpfungsbericht ist die Einordnung der Gestirne an relativ später Stelle, nämlich erst am vierten Schöpfungstag (Gen 1,14ff.). Hier handelt es sich erst in zweiter Linie um für den modernen Leser überholte kosmologische Vorstellungen, vor allem aber um den Ausdruck einer inzwischen überholten Kontroverslage: Entgegen dem babylonischen Schöpfungsepos, welches die Erschaffung der Gestirne im Anschluß an die Bildung des Firmaments behandelte, geht im Bericht der Priesterschrift die Scheidung von Land und Meer voraus (Gen 1,10) sowie auch die Erschaffung der Pflanzenwelt (1,11f.). Man kann darin einerseits eine Konsequenz der Genauigkeit erkennen, mit der die mechanische Funktion des Firmaments in der Genesis beschrieben wird: Die Errichtung der Himmelsglocke hat *zur Folge*, daß sich die unter ihr befindlichen Wasser sammeln, so daß an anderer Stelle das trockene Land hervortritt (Gen 1,9)[300], und damit wie-

---

[298] G.v. Rad: Das erste Buch Mose Kap. 1-12,9, 2.Aufl. 1950, 41.
[299] So auch E. Schlink: Ökumenische Dogmatik, 1983, 75f.
[300] Von einer Erschaffung der Erde selber ist außer in der „Überschrift" Gen 1,1 nur in Gestalt dieser Scheidung von Wasser und Land die Rede, ebenso wie auch die beiden vorangehenden Schöpfungswerke jeweils mit einer Scheidung verbunden waren (vgl. dazu W.H. Schmidt:

derum ist das Aufsprießen der Vegetation eng verbunden, weil sie von der Erde hervorgebracht wird (Gen 1,11f.)[301]. Andererseits kommt durch die auffällige Nachordnung der Erschaffung der Gestirne[302] eine Herabstufung zum Ausdruck im Vergleich zu dem göttlichen Rang, der den Gestirnen in der religiösen Umwelt Israels, vor allem in Babylon, zuerkannt wurde: Die Gestirne werden in der Bibel auf ihre Funktionen als „Lampen" und als Zeichen für die Einteilung der Zeit reduziert[303]. Die Kontroverse über Göttlichkeit oder Geschöpflichkeit der Gestirne, die sich in dieser Einordnung äußert, ist für das moderne Denken nicht mehr relevant. Das Interesse des priesterschriftlichen Berichts an einem inneren Zusammenhang in der Abfolge der einzelnen Schöpfungswerke aber findet in einer modernen Darstellung der Welt als Schöpfung seinen natürlichen Ausdruck dadurch, daß die Entstehung der Erde der Bildung der Gestirne, der Galaxien und, innerhalb unserer Galaxie, der Bildung des Sonnensystems nachgeordnet wird.

Erstaunlicher als die Differenzen zwischen der durch die moderne Naturwissenschaft begründeten Auffassung von der Abfolge der geschöpflichen Gestalten und der Darstellung der Priesterschrift aus dem sechsten Jahrhundert vor Christus ist das Ausmaß sachlicher Berührungen: das Licht am Anfang, der Mensch am Ende der Reihe, die Ursprünglichkeit des Lichtes gegenüber der späteren Entstehung der Gestirne; die Hervorbringung der Pflanzen durch die Erde sowie die Funktion der Vegetation als Voraussetzung tierischen Lebens[304]; die enge Zusammengehörigkeit von Mensch und „Landtieren"[305] am sechsten Schöpfungstag, im Unterschied zu Wassertieren und Vögeln, die das Werk des fünften Tages bilden. Noch bemer-

---

Die Schöpfungsgeschichte der Priesterschrift, 1964, 25f., sowie auch C. Westermann: Genesis 1–11, 1974, 168 und 166, sowie grundsätzlich zur Schöpfung als „Sonderung oder Scheidung" 46ff.). Nach Westermann 166 konstituieren die in den drei ersten Schöpfungswerken vollzogenen Scheidungen die Zeit (durch die Scheidung von Licht und Finsternis) und den Raum durch die Scheidung von oben und unten, sowie von hier und dort.

[301] W.H. Schmidt a.a.O. 108 Anm 4: „Werden die Pflanzen in Gen 1 vor den Gestirnen geschaffen, so hat das seinen Grund ... sachlich ... darin, daß die Pflanzen besonders eng zur Erde gehören". Siehe auch die analoge Abfolge der Schöpfungswerke in Ps 104, die Schmidt ebd. als Beleg für den Traditionshintergrund von Gen 1 nennt (a.a.O. 44).

[302] H. Gunkel: Genesis, 3.Aufl. 1910, 127: „Die Himmelskörper werden im Babylonischen an viel früherer Stelle als im Hebräischen geschaffen", vgl. 108f.

[303] Ebd. 109. Der polemische Sinn von Gen 1,14–19 ist besonders bei G.v. Rad: Das erste Buch Mose Kap. 1–12,9, 2.Aufl. 1950, 42f. betont worden. Vgl. auch W.H. Schmidt a.a.O. 119f. C. Westermann hat wohl mit Recht bemerkt, daß die Bezeichnung der Gestirne als „Lampen" sie noch nicht „degradiert" (a.a.O. 179), aber er urteilt auch seinerseits, daß die Reduktion auf ihre Funktion zugleich deren Geschöpflichkeit ausdrückt (ebd.).

[304] Allerdings werden im Alten Testament die Pflanzen noch nicht gemeinsam mit den Tieren als Lebewesen aufgefaßt: Vgl. W.H. Schmidt a.a.O. 150ff. zu Gen 1,29.

[305] Die Klassifizierung der Tiere Gen 1,24f. unterscheidet allerdings nicht wie die moderne Klassifizierung zwischen Säugetieren und anderen Stämmen landbewohnender Tiere, sondern hebt nur die Wildtiere einerseits, die Haustiere andererseits vom sonstigen „Gewimmel des Erdbodens" ab (vgl. W.H. Schmidt a.a.O. 124ff.).

kenswerter als solche Berührungspunkte in Einzelheiten ist jedoch die Übereinstimmung in der Grundvorstellung einer Stufenfolge bei der Entstehung der geschöpflichen Gestalten. Mag diese Stufenfolge sich heutiger Naturerkenntnis in vielen Einzelheiten anders darstellen als dem Schöpfungsbericht der Priesterschrift: Um eine Stufenfolge handelt es sich auch in der Weltauffassung, die aus der Arbeit der modernen Wissenschaft entstanden ist.

Die Differenz zwischen der modernen Sicht der Abfolge im Entstehen der Gestalten und ihrer Darstellung durch den Schöpfungsbericht der Priesterschrift hat Edmund Schlink vor allem darin erblickt, „daß sich nach biblischem Verständnis das Eigenwirken der Geschöpfe in den ihnen von Anfang an vorgegebenen konkreten Ordnungen vollzieht, während die neuzeitliche Forschung zunehmend zu der Annahme gelangt ist, daß konkrete Ordnungen aus dem Eigenwirken des Vorhandenen hervorgegangen sind"[306]. Der priesterschriftliche Bericht kennt allerdings schon den Gedanken einer Beteiligung geschöpflicher Instanzen an der Schöpfungstätigkeit Gottes, nämlich bei der Hervorbringung nicht nur der Vegetation (Gen 1,11f.), sondern auch der Landtiere (Gen 1,24)[307] durch die Erde. Dennoch ist dieser Darstellung der Gedanke einer durchgängigen Entwicklung, in deren Verlauf die verschiedenen Gestalten geschöpflicher Wirklichkeit aus ihren Vorstufen entstanden wären, völlig fremd. Das kann nicht daran liegen, daß die Vorstellung der Schöpfertätigkeit Gottes eine Beteiligung geschöpflicher Instanzen ausschlösse: Die Beteiligung der Erde an der Erschaffung der Pflanzen und Landtiere beweist das Gegenteil. Die Distanz des Textes zu jedem Gedanken an eine Evolution der Gestalten geschöpflicher Wirklichkeit ist vielmehr darin begründet, daß in der Sicht der Priesterschrift durch die Schöpfung am Anfang eine für alle Zeiten bleibende Ordnung begründet worden ist, so daß jedes der Schöpfungswerke für alle Folgezeit auf Dauer gestellt wird[308]. Gerade mit diesem Interesse aber, daß die verschiedenen geschöpflichen Gestalten – also auch die Arten der Lebewesen – bereits durch den Schöpfungsakt im Anfang ihre für alle Zukunft dauernde Daseinsform empfangen haben, steht der priesterschriftliche Schöpfungsbericht im Gegensatz zu anderen biblischen Auffassungen von der Schöpfertätig-

---

[306] E. Schlink: Ökumenische Dogmatik, 1983, 93.

[307] Auf die in Gen 1,24f. zwischen Befehl und Ausführung bestehende Spannung hat W.H. Schmidt a.a.O. 126 hingewiesen: Der Befehl Gottes richtet sich an die Erde, während die Ausführung als unmittelbares Schöpfungshandeln Gottes selbst dargestellt wird (vgl. auch O.H. Steck: Der Schöpfungsbericht der Priesterschrift, 1975, 118ff.).

[308] O.H. Steck hat die Bedeutung dieses Motivs für den Schöpfungsbericht der Priesterschrift besonders betont (a.a.O. 68ff., vgl. 94, 110, 121f., 126f.). Von daher erklärt sich insbesondere auch, daß bei der Erschaffung der Lebewesen zum Schöpfungsakt noch ein besonderer, auf die Fortpflanzung bezogener Segensakt hinzutritt (Gen 1,22, vgl. 28), weil sie für die Fortdauer ihrer Art auf Vermehrung angewiesen sind (a.a.O. 82f.).

keit Gottes, die diese nicht auf den Anfang beschränken, sondern sie als eine fortdauernd gegenwärtige, besonders auch in Gottes Geschichtshandeln zum Ausdruck kommende Aktivität Gottes verstehen (s. o. 56 ff.). Die dogmatische Schöpfungslehre hat daher, wenn sie dem biblischen Gesamtzeugnis gerecht werden will, die Aufgabe, das im priesterschriftlichen Schöpfungsbericht zum Ausdruck kommende Interesse an der Beständigkeit der einmal von Gott gesetzen Ordnung zu verbinden mit dem Gedanken seiner fortgesetzten Schöpfertätigkeit. Der Gesichtspunkt der Beständigkeit der von Gott gesetzten Ordnung der Natur bedarf im Rahmen der modernen Naturauffassung nicht mehr der Annahme einer Unveränderlichkeit der einmal von Gott geschaffenen Formen der Geschöpfe in ihren Arten und Gattungen. Er wird hinreichend gewahrt durch den in der Priesterschrift noch nicht selbständig thematisierten Gedanken der Naturgesetze und ihrer unverbrüchlichen Geltung[309]. Die Chance jedoch, die fortgesetzte schöpferische Tätigkeit Gottes in der von ihm geschaffenen Welt nicht nur als Erhaltung einer einmal gesetzten Ordnung, sondern als unablässig Neues schaffend begreifen zu können, ist der Theologie durch die Evolutionslehre eröffnet worden.

Die christlichen Kirchen und ihre Theologen sind im späten 19. und noch in der ersten Hälfte des 20. Jahrhunderts zu ihrem Schaden weithin nicht in der Lage gewesen, die Chance zu erkennen, die die Evolutionslehre für die Theologie im Verhältnis zur modernen Naturwissenschaft bot. Der Kampf gegen den Darwinismus gehört zu den folgenschwersten Fehlentwicklungen im Verhältnis von Theologie und Naturwissenschaften[310]. Das gilt in besonderem Maße für die deutsche evangelische Theologie, deren Ablehnung des Darwinismus aber bis zu einem gewissen Grade verständlich ist als Reaktion auf dessen einseitige Deutung durch führende Biologen. Beide Seiten hätten in Darwins Theorie, wie Günter

---

[309] Auch am Ende der Sintfluterzählung wird in der Priesterschrift nur der Fortbestand des auf Dauer der Schöpfung gerichteten Schöpferwillens im Hinblick auf alles Lebende nochmals bekräftigt (Gen 9,11), während der in der jahwistischen Version ausgesprochene Gedanke einer naturgesetzlichen Ordnung in den Rhythmen von Saat und Ernte, Sommer und Winter, Frost und Hitze, Tag und Nacht (Gen 8,22) nicht aufgenommen ist. Vielleicht sind für die Priesterschrift diese Rhythmen schon in der „Herrschaft" von Sonne und Mond über Tag und Nacht (Gen 1,16) und in ihrer Funktion für die Erkenntnis des Jahreslaufs (1,14) begründet, so daß sich ihre Erwähnung am Ende der Sintflutgeschichte erübrigte. Dem Gedanken einer von der Funktion der Gestirne zu unterscheidenden Naturgesetzlichkeit wäre dann der Jahwist bereits näher gekommen als die Priesterschrift.

[310] Diese Feststellung ist auch angesichts des bis in die Gegenwart hypothetischen Charakters der Evolutionstheorie unumgänglich. Zu den Schwierigkeiten, denen die empirische Beweisführung für die Entstehung der Arten durch Evolution immer noch gegenübersteht, vgl. etwa A. Hayward: Creation and Evolution. The Facts and the Fallacies, 1985, 21 ff. Siehe ferner A. Peacocke: God and the New Biology, 1986, 44 ff., sowie J.S. Wicken a.a.O. 209 mit Hinweis auf E. Mayr: Principles of Systematic Zoology, 1969, sowie ders.: The Growth of Biological Thought, 1982. Die Gründe, aus denen die Evolutionstheorie von Theologen abgelehnt wurde, hatten aber mit solchen inneren Schwierigkeiten ihrer empirischen Bestätigung wenig zu tun.

Altner gezeigt hat, den Durchbruch zu einer neuen Auffassung von der Natur, nämlich im Sinne einer „Geschichtlichkeit der Natur im Gegensatz zur klassischen Physik" wahrnehmen sollen. Statt dessen erblickten Biologen wie Ernst Haeckel in der Evolutionstheorie einen Triumph für „den mechanischen Erklärungsansatz der klassischen Physik", und die Theologen „reagierten auf Darwin mit Polemik und Ablehnung", weil sie ihrerseits „eingeschnürt in die weltanschaulichen Prämissen der Konstanztheorie (alle Arten unverändert seit Weltbeginn) und benebelt durch eine idealistische Selbstüberschätzung des Menschen" waren[311]. Vor allem war die Theologie alarmiert wegen der Gefährdung der Sonderstellung des Menschen in der Schöpfung durch Darwins Abstammungslehre, und den eigentlichen Kern des Gegensatzes erblickte man in der Ersetzung einer teleologischen Naturbetrachtung im Lichte göttlicher Zwecksetzungen durch die „Betonung der Zufälligkeit vieler Ereignisse im Wechselspiel zwischen Vererbung und Auslese". Letzteres war in der Tat richtig gesehen. Schon bei Darwin selbst hatten seine Einsichten in den Mechanismus der Selektion eine Abwendung von der teleologischen Naturbetrachtung bewirkt, der in der einst auch von Darwin studierten und bewunderten *Natural Theology* von William Paley (1802) durch das *argument of design* die Basis des Gottesbeweises bildete[312]. Das Zusammenspiel von Vererbung und Selektion erklärte die Zweckmäßigkeit in den Erscheinungen des organischen Lebens, die der teleologische Gottesbeweis für allein durch die Annahme einer planenden Vernunft erklärbar gehalten hatte. Daher galt die Selektionstheorie Freunden und Gegnern als Widerlegung der theistischen Gottesvorstellung. Beiden Seiten konnte es so scheinen, als ob die Selektionstheorie der Evolution eine im Prinzip rein mechanische Erklärung für die Entstehung der Arten gab. Darüber wurde, wie Altner bemerkt, übersehen, daß „das neue evolutive Weltbild die Gelegenheit bot, die Dynamik des Schöpfungsgeschehens als einen in der Zeit offenen Prozeß zu durchdenken ...".

Das gilt hauptsächlich für die deutsche Theologie, abgesehen von wenigen Ausnahmen wie dem Erlanger Karl Beth[313]. In der englischen Theologie hat es schon frühzeitig Versuche gegeben, die christliche Lehre mit der Perspektive der Evolutionstheorie zu verknüpfen. Dabei wurde die Heilsgeschichte als Fortset-

---

[311] G. Altner: Wer ist's, der dies alles zusammenhält? Das Gespräch zwischen Theologie und Naturwissenschaften im Lichte von Prigogines „Dialog mit der Natur", in: G. Altner (Hg.): Die Welt als offenes System (1984) 1986, 161-171, 164 f. Die folgenden im Text zitierten Wendungen stammen aus dieser ausgezeichnet knappen Zusammenfassung der Problematik durch Altner. Vgl. auch sein Buch: Schöpfungsglaube und Entwicklungsgedanke in der protestantischen Theologie zwischen Ernst Haeckel und Teilhard de Chardin, 1965.

[312] R.H. Overman: Evolution and the Christian Doctrine of Creation. A Whiteheadian Interpretation, 1967, 57-68, zu Paley bes. 58. Im folgenden Kapitel (69-116) hat Overman einen inhaltsreichen Überblick über die auf Darwins Werk folgenden Auseinandersetzungen zum Verhältnis von Evolutionstheorie und Theologie gegeben. Siehe dazu auch schon J. Dillenberger: Protestant Thought and Natural Science 1960, 217-253; I.G. Barbour: Issues in Science and Religion, 1966, 80-114, sowie E. Benz: Schöpfungsglaube und Endzeiterwartung. Antwort auf Teilhard de Chardins Theologie der Evolution, 1965, 157-183, und J. Hübner: Theologie und biologische Entwicklungslehre, 1966. Weitere Literatur bei S.M. Daecke: Entwicklung, in TRE 9, 1982, 705-716, bes. 714 f.

[313] K. Beth: Der Entwicklungsgedanke und das Christentum, 1909.

zung und Vollendung der Evolution betrachtet, die man in Jesus Christus als dem neuen Menschen kulminieren sah. Die theistische Vorstellung von Gott als Zwecke setzender und planender Vernunft wurde nun auf diesen Gesamtprozeß bezogen statt auf die Zweckmäßigkeit einzelner Gebilde.

Bahnbrechend für diese Betrachtungsweise ist der 1889 von Charles Gore herausgegebene Sammelband *Lux Mundi* geworden. Hier wurde die Evolutionstheorie geradezu als Befreiung von einer mechanistischen Naturbetrachtung begrüßt, die Gott allenfalls deistisch als einstigen Urheber der Naturordnung anzunehmen erlaubte, aber nicht als im Prozeß des Naturgeschehens fortgesetzt schöpferisch wirkend[314]. Die durch *Lux Mundi* begründete englische Tradition einer Theologie der Evolution hat im 20. Jahrhundert ihre wichtigsten Vorkämpfer in William Temple und Charles Raven, sowie gegenwärtig in Arthur R. Peacocke gefunden[315]. Allerdings hat sich daneben gerade in England und besonders in Nordamerika auch der Widerstand der sog. „*Creationists*" gehalten, die jede Form der Evolutionstheorie als unvereinbar mit einem buchstäblichen Bibelglauben ablehnen. Seit Henry M. Morris und John C. Witcomb 1961 den Versuch unternahmen, die geologischen und paläontologischen Befunde mit Hilfe der biblischen Sintfluterzählung (Gen 6,13-8,22) zu deuten (The Genesis Flood, 1961), ist eine „creationistische" Konkurrenzwissenschaft zur geologischen und biologischen Evolutionslehre entstanden[316]. Die theologische Auseinandersetzung mit ihr muß sich in erster Linie auf das ihr zugrunde liegende fundamentalistische Verständnis der Bibelautorität und der biblischen Texte richten: Zum Glauben an Gottes rettendes Handeln in der Geschichte gehört eben auch die Anerkennung der Geschichtlichkeit der biblischen Schriften und der geschichtlichen Bedingtheit der zur Zeit ihrer Abfassung herrschenden Auffassungen.

In mancher Hinsicht vergleichbar mit der englischen und amerikanischen Evolutionstheologie ist das Werk von Teilhard de Chardin[317]. Allerdings hat Teilhard die Vorstellung von Gott als Omega der Evolution mit der Zukunft der Welt verknüpft, auf die hin die Dynamik der Evolution von sich aus (durch ihre „radiale" Energie) tendiere und deren Wirksamkeit in den Lebensformen durch zunehmende Komplexität und Innerlichkeit, sowie auch, auf der Stufe des Menschen vor allem, durch zunehmende Vergemeinschaftung in Erscheinung trete. Für die bis dahin ablehnende Einstellung der römisch-katholischen Theologie und Kirche zur Evolutionstheorie[318] hat die anfänglich mühsame und durch Verbote behin-

---

[314] Belege bei R. H. Overman a.a.O. 78f.

[315] W. Temple: Nature, Man and God, 1934; Ch. Raven: Natural Religion and Christian Theology I, 1953; A. R. Peacocke: Science and the Christian Experiment, 1971; Creation and the World of Science, 1979.

[316] Siehe dazu kritisch A. Hayward a.a.O. 69-157, sowie R. L. Numbers: The Creationists, in: Zygon 22, 1987, 133-164, bes. 153 ff.

[317] Hier ist vor allem sein Hauptwerk zu nennen: Der Mensch im Kosmos (1955) dt. 1959. Aus der umfangreichen Literatur siehe bes. S. M. Daecke: Teilhard de Chardin und die evangelische Theologie, 1967, ferner A. Gosztonyi: Der Mensch und die Evolution. Teilhard de Chardins philosophische Anthropologie, 1968.

[318] Sie kam noch 1950 in die Enzyclica *Humani Generis* zum Ausdruck. Vgl. DS 3877f. Siehe auch Z. Alszeghy: Die Entwicklung in den Lehrformulierungen der Kirche über die Evolutionstheorie, in: Concilium 3, 1967, 442-445.

derte Diskussion der Gedanken Teilhards eine Wende gebracht. Während Hermann Volk das Verhältnis von Schöpfung und Evolution 1959 noch so bestimmte, daß Schöpfung sich auf den Anfang und nicht auf ein Werden beziehe, Entwicklung umgekehrt den gesetzten Anfang immer schon voraussetze[319], hat zehn Jahre später Joseph Ratzinger schreiben können: „Schöpfung ist, von unserem Weltverständnis her betrachtet, nicht ein ferner Anfang und auch nicht ein auf mehrere Stadien verteilter Anfang, sondern sie betrifft das Sein als zeitliches und werdendes: das zeitliche Sein ist als ganzes umspannt von dem einen schöpferischen Akt Gottes, der ihm in seiner Zerteilung seine Einheit gibt, in der zugleich sein Sinn besteht ..."[320]. Inzwischen kann diese Sicht der Dinge als auch in der katholischen Theologie weitgehend anerkannt gelten[321]. Dabei wird „das Entstehen von wirklich und förmlich Neuem" in der Evolution betont[322], durch Anwendung und Erweiterung des alten Begriffs einer *creatio continua*, der allerdings bei Leo Scheffczyk anders als in der englischen Evolutionstheologie nur auf die Erhaltung des Geschaffenen im Unterschied zur Schöpfungstat des Anfangs bezogen wird[323].

Die Anwendung des Gedankens der Schöpfung auf die Evolution kann sich auf die alttestamentlichen, vor allem bei Deuterojesaja begegnenden

---

[319] H. Volk: Entwicklung, LThK 3, 2. Aufl. 1959, 906–908, 907.

[320] J. Ratzinger: Schöpfungsglaube und Evolutionstheorie, in: H.J. Schultz (Hg.): Wer ist das eigentlich – Gott?, 1969, 232–245, 242. Nach Ratzinger zeigen die gegensätzlichen Bilder vom Ablauf der Schöpfung, daß „schon innerhalb der Bibel selbst Glaube und Weltbild nicht identisch sind" (239). Die „vor Darwin herrschende Idee der Konstanz der Arten" wird ausdrücklich als „heute unhaltbar geworden" bezeichnet (233, vgl. 235).

[321] Besonders K. Rahner war damit schon vorangegangen; vgl. seinen Artikel Evolution/Evolutionismus (2.) in: Sacramentum Mundi 1, 1967, 1251–1262, dem seit 1960 eine Reihe von Beiträgen zur Bedeutung des Evolutionsgedankens für Einzelthemen der Dogmatik vorausgegangen waren (bes. Die Christologie innerhalb einer evolutiven Weltanschauung, in: Schriften zur Theologie V, 1962, 183–221). Siehe ferner L. Scheffczyk: Einführung in die Schöpfungslehre (1975) 2. Aufl. 1982, 59 ff., S.N. Bosshard: Evolution und Schöpfung, in: Christlicher Glaube in moderner Gesellschaft 3, 1981, 87–127, sowie ders.: Erschafft die Welt sich selbst? Die Selbstorganisation von Natur und Mensch aus naturwissenschaftlicher, philosophischer und theologischer Sicht, 1985, und A. Ganoczy: Schöpfungslehre, 1983, 143 ff., bes. 150 f. (vgl. dass. 2. Aufl. 1987, 196–258).

[322] L. Scheffczyk a.a.O. 61, vgl. A. Ganoczy a.a.O. (1983) 154 ff. und (1987) 213 f.

[323] L. Scheffczyk a.a.O. 61 betont mit Recht, daß eine solche evolutive Deutung des Begriffs *creatio continua* „im gewissen Sinne eine theologische Neuerung" darstelle, sofern dieser Begriff dabei „um ein dynamisches Element bereichert" wird. In der englischen und amerikanischen Evolutionstheologie ist man gelegentlich noch weiter gegangen, indem der Begriff der *creatio continua* als Alternative zu dem einer *creatio ex nihilo* behandelt wurde (so bei I.G. Barbour: Issues in Science and Religion, 1966, 384 f.; cf. dazu oben 28 und 55 ff.). Hält man hingegen daran fest, daß der Begriff einer *creatio continua* den der *creatio ex nihilo* immer schon voraussetzt, so folgt daraus nicht schon die Beschränkung des ersteren auf die Erhaltung i.U. zur Schöpfung am Anfang. Vielmehr ist die Behauptung einer *creatio ex nihilo* im Sinne von J. Ratzinger (o. Anm. 320) auf die ganze zeitliche Erstreckung des geschöpflichen Seins zu beziehen, *creatio continua* also als eine Näherbestimmung der *creatio ex nihilo* aufzufassen. In diesem Sinne kann man mit I. Barbour die ganze Geschichte des Universums unter das Thema „Evolution and Creation" stellen (a.a.O. 365–418, bes. 383 ff., 414 ff., auch 456 ff.).

Aussagen über den schöpferischen Charakter des Handelns Gottes in der Geschichte berufen, unter der Voraussetzung, daß im Prozeß der Evolution von Schritt zu Schritt genuin Neues entsteht, das sich nicht auf das bereits zuvor Vorhandene reduzieren läßt. Diese Voraussetzung ist durch die Beschreibung der Evolution als „emergent evolution"[324] erfüllt. Sie hat ihre Pointe in der Zurückweisung eines reduktionistischen Verständnisses der Evolution. Gerade der Zufallsfaktor, den Jacques Monod im Gegensatz zu teleologischen Deutungen der Evolution so stark betont hat[325], ist für eine theologische Interpretation der Evolutionsschritte als Ausdruck eines fortgesetzten schöpferischen Handelns Gottes wichtig. Dabei bilden die durchgängige Gesetzlichkeit der evolutiven Prozesse und das Hervorgehen jeder neuen Gestalt aus den ihr in der Kette der Evolution vorangegangenen Lebensformen keine Hindernisse. Eine Vermittlung des göttlichen Schöpfungshandelns durch kreatürliche Instanzen kennt ja bereits der priesterschriftliche Schöpfungsbericht. Entscheidend für die Möglichkeit einer theologischen Interpretation der evolutiven Prozesse im Sinne eines schöpferischen Geschichtshandelns Gottes ist der „epigenetische", auf jeder Stufe durch das Hinzutreten von unableitbar Neuem gegebene Charakter der Evolution.

Die tiefste Differenz der modernen Auffassung des Naturgeschehens von der des priesterschriftlichen Schöpfungsberichts dürfte darin liegen, daß die moderne Naturwissenschaft alle Gestalten der natürlichen Welt auf elementare Vorgänge und Bestandteile zurückführt. Diese Betrachtungsweise hat ihre antiken Wurzeln in der Atomtheorie Demokrits, die alle Gebilde der Natur als zusammengesetzt aus denselben kleinsten Bestandteilen auffaßte, wobei sich ihre Unterschiede aus der verschiedenen Art ihrer Verbindung erklären sollten. Dieser Gesichtspunkt eines Aufbaus aller komplexen Gebilde aus elementaren Bestandteilen hat die Betrachtungsweise der modernen Naturwissenschaft entscheidend geprägt. Ohne ihn läßt sich die Stufenfolge der Entwicklung der kreatürlichen Gestalten heute nicht mehr vorstellen.

Die Stufenfolge beginnt mit den elementaren, am wenigsten komplexen Phänomenen, auf denen alle anderen Gestalten beruhen. Doch weder die

---

[324] C.L. Morgan: Emergent Evolution, 1923. Vgl. dazu E.C. Rust: Evolutionary Philosophies and Contemporary Theology, 1969, 77ff. Angesichts der Kontingenz der Evolutionsschritte konnte Th. Dobzhansky die Evolution geradezu als „a source of novelty" bezeichnen (The Biology of Ultimate Concern, 1967, 2.ed. 1969, 33). Damit stimmt im Ergebnis auch M. Eigens Spieltheorie der Evolution überein (vgl. M. Eigen: Evolution und Zeitlichkeit, in: Die Zeit, hg. A. Preisl und A. Mohler 1983, 35-57, bes. 52).

[325] J. Monod: Zufall und Notwendigkeit. Philosophische Fragen der modernen Biologie (1970) dt. 1971, bes. 120ff., 141ff., vgl. 177f. Vgl. dazu die Ausführungen von A.R. Peacocke: Creation and the World of Science, 1979, 92-111, bes. 95ff. mit Hinweis auf W.G. Pollard sowie auch S.N. Bosshard: Erschafft die Welt sich selbst?, 1985, 94ff.

chemischen „Elemente", noch die ihnen zugrundeliegenden „Atome", in denen die moderne Naturwissenschaft lange das nicht weiter auflösbar „Elementare" und die nicht weiter teilbaren, ursprünglichen Bestandteile der Materie gesucht hat, boten eine endgültige Antwort auf die Frage nach deren letzten Bausteinen. Die vermeintlichen Atome stellten sich als ihrerseits zusammengesetzt aus einer Vielzahl von kleineren Teilen heraus, und diese lassen sich wiederum in „Quarks" und „Strings" aufteilen, die noch dazu untereinander qualitativ verschiedenartig sind, so daß auch sie nicht der Forderung der Atomtheorie Demokrits nach kleinsten und gleichartigen Bausteinen der Materie entsprechen, auf deren Kombination alle Verschiedenheiten zurückgehen sollten.

Ist das letztlich Elementare überhaupt als im Raum beharrende Gestalt, als kleinster Körper, Korpuskel, vorstellbar? Oder hat es eher die Form momentaner Ereignisse ohne Beharrung und eindeutige Lokalisierbarkeit? Vieles spricht dafür, daß alle korpuskulare Materie als abgeleitet aus elementaren Ereignissen zu betrachten ist, die ihrerseits als Manifestationen von Feldgrößen auftreten.

Es ist ein Verdienst von Alfred North Whitehead gewesen, aus der physikalischen Revolution der Quantenphysik die naturphilosophische Schlußfolgerung gezogen zu haben, daß momentane Ereignisse und Ereignisfolgen aller Bildung von in Raum und Zeit beharrenden Körpern vorangehen[326]. Erst die unablässige Wiederholung von Ereignissen einer bestimmten Form erzeugt danach die beharrende Gestalt von Körpern. Während Henri Bergson die kontinuierliche „Dauer" als Grundphänomen aller lebendigen Wirklichkeit betrachtete und ihre Auflösung in eine Folge von Momentaufnahmen, die bei genügender Geschwindigkeit ihrer Abfolge wie in einer Filmvorführung die Illusion des kontinuierlich Bestehenden vermitteln, als Produkt einer Verräumlichung der Zeit durch den trennenden Verstand kritisierte, unter deren Bedingungen die reale Bewegung ebensowenig rekonstruierbar ist, wie nach der berühmten Paradoxie Zenons von Elea Achill die Schildkröte einzuholen vermag[327], erscheint bei Whitehead der Mechanismus des „Kinematographen" als keineswegs abwegige, sondern sehr zutreffende Veranschaulichung des Zustandekommens kontinuierlicher Phänomene, vor allem des kontinuierlichen Bestehens der Körper[328].

Mit seiner These der Priorität von flüchtigen Ereignissen und Ereignisreihen vor dem Auftreten von in der Zeit beharrenden, räumlichen Gestalten findet Whitehead inzwischen breite Zustimmung. Das Problematische seiner Position besteht jedoch in der Isolierung dieses Gesichtspunkts zu einem dogmatischen Ereignisatomismus, der die momentan und diskret auftretenden Ereignisse für das

---

[326] A.N. Whitehead: Science and the Modern World, 1925, dt. 1949, sowie ders.: Process and Reality, 1929, dt. 1979. Siehe dazu M. Welker: Universalität Gottes und Relativität der Welt, 1981, bes. 35-137, sowie ferner auch die Einleitung von R. Wiehl zu Whitehead: Adventures of Ideas (1933) in seiner deutschen Ausgabe von 1971.
[327] H. Bergson: L'évolution créatrice, 1907, 304 ff., 308 ff.
[328] Process and Reality. An Essay in Cosmology, HTB 1033, 1960, 53.

letztlich allein Wirkliche hält[329]. Das extensive Kontinuum der Raumzeit wird auf das Auftreten von Ereignissen fundiert[330], während es doch ebensosehr als Bedingung ihres Auftretens zu begreifen wäre. Das Möglichkeitsfeld, aus dem Ereignisse hervorgehen, wird bei Whitehead nicht als ihr schöpferischer Ursprung, die Ereignisse werden vielmehr als selbstschöpferisch gedacht. Mit dem ontologischen Primat des Feldes vor dem Ereignis, sowie des Unendlichen vor dem Endlichen, wird auch die Unableitbarkeit des Ganzen aus den Teilen beim Auftreten der dauerhaften Gestalten in Whitehead's Darstellung der Kosmologie verkannt[331].

Unbeschadet der Zusammensetzung aller natürlichen Gebilde aus sehr viel kleineren Bestandteilen gehören diese letzteren ihrerseits schon immer in Ganzheitshorizonte, aus denen auch die größeren und komplexeren natürlichen Gestalten hervorgehen, die als Ganzheiten nirgends einfach auf ihre Teile reduzierbar sind. Im Hinblick auf diesen Sachverhalt kann theologisch von der Hervorbringung der geschöpflichen Gestalten durch Gottes Schöpfungshandeln gesprochen werden, ohne damit zur naturwissenschaftlichen Aufklärung der Bedingungen ihres Hervortretens in Konkurrenz zu geraten und prinzipielle Lücken der naturwissenschaftlichen Beschreibung zu postulieren. Die Aussagen der Theologie über die geschöpfliche Wirklichkeit in ihren einzelnen Gestaltungen sind aber auch nicht bloß äußerlich auf die naturwissenschaftlich beschriebenen Sachverhalte bezogen, sondern richten sich auf die strukturellen Zusammenhänge, die die geschöpflichen Gestalten mit dem Ganzen der Schöpfung verbinden. Damit kann die Theologie nicht zuletzt auch dazu beitragen, das Bewußtsein für die Notwendigkeit weiterer Fortschritte naturwissenschaftlicher Aufklärung über die Wirklichkeit der Natur offenzuhalten.

Obwohl alle materiellen Gebilde aus Atomen und den sie konstituierenden Teilchen und Prozessen bestehen, läßt sich gegenwärtig nicht mehr ohne weiteres behaupten, daß die bei bestimmten Anlässen ineinander übergehenden (bzw. „zerfallenden") Elementarteilchen als in jeder Hinsicht deutlich und dauerhaft voneinander geschiedene „Bausteine" der Materie zu betrachten wären, aus denen alle komplexeren Gebilde zusammengesetzt wären[332]. Vielmehr muß den subatomaren Vorgängen und Zuständen ein ganzheitlicher (holistischer) Charakter zu-

---

[329] A.a.O. 27, vgl. 53, sowie auch 95: „Continuity concerns what is potential; whereas actuality is incurably atomic".
[330] A.a.O. 103: Das extensive Kontinuum ist nur insofern „real", als es von der „acutal world" elementarer Ereignisse abgeleitet ist („derived"). Siehe auch die Ausführungen 123f. zum Feldbegriff als einer speziellen Form des extensiven Kontinuums.
[331] Siehe dazu vom Vf.: Atom, Duration, Form. Difficulties with Process Philosophy, in: Process Studies 14, 1984, 21–30, dt. jetzt in ders.: Metaphysik und Gottesgedanke, 1988, 80–91.
[332] W. Stegmüller: Die Evolution des Kosmos, in ders.: Hauptströmungen der Gegenwartsphilosophie II, 6.Aufl. 1979, 599ff., vgl. 586–604.

erkannt werden³³³. Solche (unbestimmte) Ganzheit äußert sich zwar in Einzelerscheinungen, ist aber nicht aus ihnen zusammengesetzt. Zudem entzieht sie sich ebenso wie ihre Äußerungen genauer Lokalisierung³³⁴. So mag es naheliegen, Teilchen eher als lokale Erregungen eines den ganzen Raum erfüllenden Feldes aufzufassen³³⁵.

Dabei drängen sich Zusammenhänge zwischen Mikrophysik und physikalischer Kosmologie auf. Das auf engem Raum zusammengedrängte „frühe Universum" muß sich in einem Zustand von so extremer Hitze befunden haben, daß aus den elementaren Prozessen keine dauerhaften und komplexen Gestalten entstehen konnten³³⁶. Das frühe Universum bildet den natürlichen Ganzheitshorizont eines solchen Zustandes. Erst die mit seiner Expansion verbundene Abkühlung ermöglichte die Entstehung von Atomen und Molekülen sowie deren Zusammenballung zu Galaxien und Gestirnen durch die Wirkungen der Gravitation³³⁷. Dabei ist wiederum der Gesamtzustand des Universums als Ganzheitsbedingung für das Hervortreten seiner Gestaltungen zu berücksichtigen.

Das gilt auch für die Rahmenbedingungen, die das Entstehen einer Biosphäre auf der Erde ermöglicht haben: Abschirmung der Erdoberfläche gegen die kosmische Strahlung durch den Sonnenwind, dessen Wirkungen wiederum durch die unter dem Einfluß des Mondes stehende Magnetsphäre der Erde abgeschwächt werden³³⁸; Bildung von Großmolekülen unter der Einwirkung ultravioletter Strahlung und deren anschließende Filterung durch Anreicherung der Erdatmosphäre mit Sauerstoff infolge der Photodissoziation des Wassers³³⁹; schließlich die weitere Zunahme des Sauerstoffgehalts der Atmosphäre infolge der Photosynthese der Pflanzen: Bedingung alles höheren animalischen Lebens³⁴⁰.

Die Lebenserscheinungen haben sich unter diesen besonderen Bedingungen durch Ausnutzung des thermodynamischen Energiegefälles gebildet, das im Zuge der Expansion des Universums auftritt und schon die Entstehung der Galaxien und Sterne ermöglichte³⁴¹. Die Lebewesen sind vor anderen Gebilden dadurch ausgezeichnet, daß sie als Produkte aktiver Selbstgestaltung durch Selbstorganisation hervortreten³⁴². Ihre Entstehung hat Vorformen in Fluktuationen, wie sie in

---

[333] R.J. Russell a.a.O. 350f. Ähnlich schon I.G. Barbour: Issues in Science and Religion (1966), 1968, 295ff.

[334] R.J. Russell a.a.O. 351ff. mit Beziehung auf J.S. Bell u.a.

[335] W. Stegmüller a.a.O. 603, vgl. R.J. Russell a.a.O. 356f.

[336] St. Weinberg: The First Three Minutes. A Modern View of the Origin of the Universe (1977), 1978, 14ff.

[337] St. Hawking: Eine kurze Geschichte der Zeit. Die Suche nach der Urkraft des Universums, 1988, 149ff. Die Bildung der ersten Deuterium- und Heliumkerne hätte danach bereits weniger als zwei Minuten nach dem „Urknall" stattgefunden, während es Millionen Jahre brauchte, bis sich Elektronen und Kerne zu Atomen verbanden (151). Zur Bildung von Sternen und Galaxien vgl. auch die anschauliche Beschreibung von W. Stegmüller a.a.O. 526–574.

[338] W. Stegmüller a.a.O. 693ff., bes. 700.

[339] W. Stegmüller a.a.O. 606f.

[340] Ebd. 715.

[341] J.S. Wicken: Evolution, Thermodynamics and Information. Extending the Darwinian Program, 1987, 72.

[342] A.a.O. 31f.

Strömungsprozessen vorkommen und für einige Zeit eine eigene Bewegungsform gegen ihre Umgebung bewahren. Besonders das Auftreten von Flammen ist mit Recht als Analogie zu Lebenserscheinungen aufgefaßt worden: „Feuerflammen weisen sogar Energie- und Stoffwechsel auf und vermehren sich, indem sie Brennstoff fressen und unter geeigneten Umständen ihresgleichen hervorbringen"[343]. Die Kerzenflamme ist darum ein Sinnbild des Lebens als einer „dissipativen", durch Energieverbrauch (genauer durch katalysatorische Vermittlung der Umsetzung von potentieller Energie in Wärme) ermöglichten und sich so stabilisierenden Struktur[344]. Organismen sind jedoch bei weitem komplexer strukturiert und bringen ihre Formen und Zustände durch Verarbeitung von Information sowie von gespeicherter Energie selber hervor (s.o. Anm. 342.).

Die Bedingtheit des Auftretens der Lebensformen und unter ihnen des Menschen durch die Gesamtanlage des Universums und seiner Expansion ist durch das schon mehrfach erwähnte „anthropische Prinzip" (s.o. 93ff.) pointiert ins Licht gerückt worden. Auch wenn dadurch keine kausale Erklärung für das Zusammenstimmen fundamentaler Naturkonstanten mit den Bedingungen für die Entstehung von Leben und Intelligenz gegeben wird, bringt es doch jedenfalls zum Ausdruck, daß das Universum eine Ganzheit bildet, die die umfassende Bedingung für alle in ihm auftretenden Erscheinungen und Gestalten ist. Das bedeutet nicht, daß das Universum durch seine dynamische Ordnung zur Annahme eines intelligenten Urhebers zwingt, im Sinne des kosmoteleologischen Gottesbeweises. Aber jene Zusammenstimmung scheint doch zu besagen, daß das Universum als ein „Naturzweck" im Sinne Kants zu betrachten ist, bei welchem Teile und Ganzes sich gegenseitig bedingen[345], so daß auch das Auftreten des Lebens und des Menschen nicht als ein für den Begriff des Universums entbehrlicher Zufall beurteilt werden kann. Was immer der letzte Grund für die Existenz des Universums sein mag: er muß als Grund des kosmischen Prozesses im ganzen und in allen seinen Teilen gedacht werden. Dabei kommt den Organismen schon insofern zentrale Bedeutung zu, als sie ihrerseits in besonderer Weise „Naturzwecke"

---

[343] G. Süßmann: Geist und Materie, in: Gott-Geist-Materie. Theologie und Naturwissenschaft im Gespräch, hg. H. Dietzfelbinger und L. Mohaupt 1980, 14–31, 23; vgl. auch J.S. Wikken a.a.O. 115f.

[344] J.S. Wicken a.a.O. 116: „The stability of a kinetic (dissipative) structure is a function of its ability to concentrate and dissipate thermodynamic potential". Zum Begriff der dissipativen Strukturen vgl. I. Prigogine: From Being to Becoming: Time and Complexity in the Physical Sciences, 1980, 90ff.

[345] I. Kant: Kritik der Urteilskraft, 1790, § 64f. (A 280ff.). Kants vorläufige Definition lautet: „ein Ding existiert als Naturzweck, *wenn es von sich selbst* (obleich in zwiefachem Sinne) *Ursache und Wirkung ist*" (A 282, etwas erweiterte Fassung nach der zweiten und dritten Auflage 1793 bzw. 1799, 286). doch im nächsten Paragraphen wird die Definition dahin modifiziert, „daß die Teile (ihrem Dasein und der Form nach) nur durch ihre Beziehung auf das Ganze möglich sind" (A 286), und zwar so, „daß sie voneinander wechselseitig Ursache und Wirkung ihrer Form sind" (A 287). Kant hat allerdings wegen der damaligen mechanistischen Auffassund des Naturgeschehens eine Anwendung seines Begriffs eines Naturzwecks auf „die Natur im Ganzen" nur für die reflektierende Urteilskraft zugestanden (§75, A 330f.). An dieser Stelle könnten die unter der Formel eines „anthropischen Prinzips" erörterten Befund weitergehende Aussagen rechtfertigen hinsichtlich einer konstitutiven Bedeutung für das Naturgeschehen selbst.

sind[346]. Die alte Vorstellung vom Leben und insbesondere vom menschlichen Leben als „Mikrokosmos"[347] besitzt somit doch einen wahren Kern, wenn auch weniger im Sinne einer Teilhabe des Menschen an allen Schichten der kosmischen Wirklichkeit als im Hinblick auf die Struktur des Menschen als Lebewesen, und auch das nur in der Weise einer Steigerung der durch den Begriff des Naturzwecks ausgedrückten Struktur, weil Leben Selbstorganisation bedeutet, die dem Universum im ganzen so nicht zugesprochen werden kann.

Die Expansion des Universums ist theologisch als Mittel des Schöpfers zur Hervorbringung selbständiger Gestalten geschöpflicher Wirklichkeit zu würdigen. Das gilt nicht nur in dem Sinne, daß die kosmische Expansion einer wachsenden Zahl von Geschöpfen Raum gibt. Vielmehr ist die Gestaltbildung selber bedingt durch die mit der Expansion verbundene Abkühlung. Im Unterschied zur flüchtigen Existenz der Elementarteilchen ist die dauerhafte Gestalt die Grundform selbständigen Bestehens, sei es in der Weise integrierter Systeme wie bei Atomen und Molekülen, sei es in der Weise bloßer Aggregate wie bei Gestirnen, Gebirgen und Meer, die durch Wegnahme von Teilen zwar vermindert, aber nicht zerstört werden. Eine höhere Stufe der Selbständigkeit des geschöpflichen Daseins wird erst mit den Organismen erreicht, deren Leben in der Form der Selbstorganisation katalytischer Prozesse, also als Autokatalyse, in Erscheinung tritt.

Die Verwandtschaft des organischen Lebens mit Strömungsgebilden wurde schon hervorgehoben. Organismen sind Katalysatoren, „Auslöser" von Strömungsvorgängen, die aber selber schon das Strömungsgefälle kosmischer Energieumsetzungen für ihre Bildung voraussetzen. Organismen heißen autokatalytische Systeme, weil sie sich selbst hervorbringen und reproduzieren[348]. Das geschieht durch informationsgesteuerte Strukturbildung und Eigenaktivität[349]. Nach Jeffrey S. Wikken muß die in Genen gespeicherte Information der DNA-Doppelhelix in der katalytischen Prozessen entwickelt worden sein[350]. Die Lebensvorgänge können also

---

[346] J.S. Wicken a.a.O. 31 hat von Kants Auffassung des Lebewesens als Naturzweck geurteilt, sie bleibe auch unter den Bedingungen der gegenwärtigen Forschungslage „an extremely useful definition". Er betrachtet seine eigene Beschreibung des Lebewesens als „informed autocatalytic system", das sich durch „participation in the dissipative flow of nature" bildet und erhält, als eine Weiterbildung und Konkretisierung der formalen Bestimmung Kants.

[347] Siehe dazu den Art. Makrokosmos/Mikrokosmos von M. Gatzemeier und H. Holtzhey im HistWBPhilos 5, 1980, 640–649.

[348] M. Eigen: Selforganization of Matter and the Evolution of Biological Macromolecules, in: Die Naturwissenschaften 58/10, 1971, 465–523.

[349] M. Eigen a.a.O. 502ff. J.S. Wicken kann daher Organisation als „informed constraint for functional acitivty" bestimmen (a.a.O. 41).

[350] "Information evolves only within a context of utilization" (J.S. Wicken a.a.O. 104, vgl. 105f.). Wicken wendet sich damit gegen die Hyperzyklentheorie von M. Eigen, der seine Rekonstruktion der Bildung autokatalytischer Systeme zu einseitig als Informationsübertragung von DNA zu RNA zu Proteinen angelegt habe (98–107). Dieses Modell treffe so nur auf parasitäre Prozesse zu, bei denen RNA-Fasern für ihre eigene Reproduktion fremde Proteine ausbeuten (102f.). Das entspricht dem Sachverhalt bei Virusinfektionen, deren Erforschung den

nicht nur von der Replikation der Träger genetischer Information her verstanden werden. Schon im Ursprung des Lebens ist vielmehr die Beziehung auf ein die verschiedenen Funktionen von RNA und Proteinen in ihrer Entwicklung verknüpfendes „Ganzes" erforderlich[351]. Dementsprechend bleiben auf allen Stufen der Evolution des Lebens Teile vom jeweiligen Ganzen abhängig, auf das sie funktional bezogen sind[352].

Mit der Spontaneität der Lebensprozesse als Gestaltbildung durch Selbstorganisation gehört offenbar auch die Vielfalt der Lebewesen zusammen, die in überschäumender Fülle entstehen und um die Ausnutzung des Energiegefälles ihrer Umgebung konkurrieren. An dieser Stelle setzt der Mechanismus der Selektion ein[353], der in der Evolutionstheorie Darwins die Entwicklung der Lebensformen als Resultat ihres Wettstreits um die natürlichen Ressourcen ihrer Umgebung und um Chancen zur Vermehrung erscheinen läßt. Quelle der Vielgestaltigkeit des Lebens ist allerdings etwas anderes, nämlich seine spontane Produktivität. Der überquellende Reichtum an Lebensformen ist auch nicht von Hause aus durch einen Drang nach Anpassung an die Umgebung charakterisiert[354]. Er ist vielmehr in Verbindung mit der Tendenz der Lebensformen auf zunehmende Komplexität hin dadurch ausgezeichnet, daß den Lebensformen die Würde eignet, in scheinbarer Leichtigkeit um ihrer selbst willen, als Selbstzweck, ins Dasein zu treten. Das ist ein wichtiges Moment ihrer eigentümlichen Schönheit. Der Reichtum an Lebensformen läßt sich nicht auf die Funktion der Anpassung an die Umwelt reduzieren, so bedeutsam diese Funktion für den Vorgang der Se-

---

Ausgangspunkt der modernen Genetik gebildet hat (vgl. W. Stegmüller a.a.O. 620ff.). Die Ausweitung des Informationsprogramms der DNA/RNA auf die vielfältigen Proteinfunktionen eines Organismus ist damit nach Wicken (104) noch nicht erklärt, daher auch nicht die Verbindung von RNA und Proteinen in der Organisation eines Lebewesens. Wicken vermutet, daß der Ansatzpunkt dafür eher bei den Proteinen zu suchen sei (110ff.).

[351] J.S. Wicken spricht von „catalytic microspheres" (a.a.O. 106), die bei der Entstehung des Lebens schließlich von der Bildung der durch eine Membrane von der Umgebung abgegrenzten Zelle abgelöst werden (125). Ähnlich auch H. Kuhn: Entstehung des Lebens: Bildung von Molekülgesellschaften, in: Forschung 74, 1973, 78–104. Kuhn dachte aber zunächst nur an Nukleinsäuresysteme.

[352] „Organismic wholes cannot be built piecemeal from molecular parts. The whole provides rules and contexts in which parts emerge and acquire functional significance" (J.S. Wicken a.a.O. 130, vgl. 136, 166ff. und 207). Das Verhältnis des Begriffs der „integrierten Ganzheit" zum Systembegriff erörtert ausführlich S.N. Bosshard: Erschafft die Welt sich selbst?, 1985, 110ff., 117ff. in Abgrenzung zur finalistischen Tendenz des Gebrauchs, den der Vitalismus vom Gesichtspunkt der Ganzheit gemacht hat. Siehe auch die Gegenüberstellung „holistischer" und „reduktionistischer" Tendenzen in der Biologie bei A. Peacocke: God and the New Biology, 1986, 32ff., 57ff.

[353] Nach J.S. Wicken fungierte das Selektionsprinzip bereits vor Entstehung der Fähigkeit zur Replikation (a.a.O. 109).

[354] Vgl. J.S. Wicken a.a.O. 179: „The drive toward complexity is constrained by fitness, but not moving on its behalf ... The important point is that experiments in organizational complexity provide *access* to new adaptive zones".

lektion ist. Eher gilt umgekehrt, daß der Reichtum neuer Lebensformen gleichsam als Nebenprodukt auch neue Möglichkeiten einer Nutzung von Lebensbedingungen erschließt.

Im biblischen Schöpfungsglauben spielt der Reichtum des Lebens in der Vielfalt seiner Formen eine wichtige Rolle. So nimmt der 104. Psalm die Vielgestaltigkeit der Tierwelt mit besonderer Ausführlichkeit zum Anlaß dafür, den Schöpfer zu loben (Ps 104,11 ff.), und in der großen Gottesrede, die den klagenden Hiob zur Anerkennung und zum Lobpreis der Überlegenheit des Schöpfers über alle partikularen Rechtsansprüche eines einzelnen Geschöpfes bringt[355], kommt die Aufzählung der Wunder der Schöpfung Gottes mit der Vielfalt der Tierwelt (Hi 38,39–39,30) und in nochmaliger Steigerung mit der staunenswerten Großartigkeit von Flußpferd und Krokodil (40,10–41,25) zu ihrem Höhepunkt. Noch in der Botschaft Jesu wird der an Tieren und Pflanzen anschauliche Reichtum der Schöpfergüte und väterlichen Fürsorge Gottes der menschlichen Neigung zum Sorgen entgegengehalten (Lk 12,24–28, Mt 6,26–30).

Angesichts solcher Faszination biblischer Frömmigkeit durch Vielfalt und Pracht der Lebensformen verwundert es nicht, daß auch der priesterschriftliche Schöpfungsbericht ausführlich auf die Erschaffung der verschiedenen Arten und Gattungen von Pflanzen und Tieren eingeht. Obwohl die Priesterschrift nur von den Tieren sagt, daß sie „Lebensodem" in sich haben (Gen 1,30), werden doch Pflanzen und Tiere gleichermaßen von allen anderen Geschöpfen dadurch abgehoben, daß sie „nach ihren Arten" erschaffen werden. Damit kommt die Vielfalt der geschöpflichen Gestalten in diesem Bereich der Schöpfung eigens zur Sprache. Der klassifizierende Gesichtspunkt, unter dem das geschieht, bringt das Interesse daran zum Ausdruck, daß diese Vielgestaltigkeit in ihrer Totalität Gottes Schöpfung ist[356]. Sie wird allerdings nicht wie in der Betrachtungsweise moderner Naturwissenschaft als Produkt der Selbstorganisation und Evolution des Lebens aufgefaßt, sondern als von Anfang an gegeben. Zwar hat auch die Priesterschrift berücksichtigt, daß Pflanzen und Tiere nicht einfach in ihrer einmal empfangenen Gestalt für alle Zeiten fortbestehen, sondern sich durch Samen (Gen 1,12) oder, im Fall der Tiere, durch den ihnen verliehenen Fruchtbarkeitssegen (Gen 1,22) fortpflanzen und vermehren. Doch gerade dadurch wird die Erfahrung der fortgesetzten Erneuerung und Neugestaltung des

---

[355] So deutet R. Rendtorff den Sinn der an Hiob gerichteten Gottesrede: „Wo warst Du, als ich die Himmel gründete?" Schöpfung und Heilsgeschichte, in G. Rau u. a. (Hgg.): Frieden in der Schöpfung. Das Naturverständnis protestantischer Theologie, 1987, 35–57, bes. 49 ff.

[356] C. Westermann: Genesis I, 1974, 171 ff., 186 ff., 195 ff. erblickt in den Ansätzen zu einer klassifizierenden Systematik einen Schritt „auf dem Wege zur wissenschaftlichen Erklärung" der Entstehung der Pflanzen (172) wie auch der Tiere (197). Das dabei schon vorausgesetzte Interesse an der Vielgestaltigkeit dieser Geschöpfe als solcher wird in den Kommentaren gewöhnlich nicht besonders hervorgehoben.

Lebens zurückgebunden an die Einrichtung des Anfangs[357] und zugleich beschränkt auf den Kreis der von Anfang an geschaffenen Arten. Es war schon davon die Rede, daß dieser Zug des priesterschriftlichen Berichts Ausdruck seiner zeitbedingten Abhängigkeit von einer mythischen Betrachtungsweise ist, die alles gegenwärtig Bestehende auf eine gründende Urzeit zurückführt (s. o. 142 f.). Das kann schon angesichts der Spannung zum Gedanken einer fortgesetzten Schöpfertätigkeit Gottes in anderen biblischen Aussagen nicht zum Kerngehalt des biblischen Schöpfungsglaubens gehören. Wichtiger ist das Interesse an der Vielfalt der Lebensformen und das Bemühen um ihre Erfassung in ihrer Totalität unter Berücksichtigung auch der Kraft zur Erneuerung und Ausbreitung des Lebens durch Fortpflanzung. Die moderne Betrachtungsweise faßt alle diese Momente unter dem Gesichtspunkt der Selbstorganisation des Lebendigen in seiner Evolution zusammen. Sie berührt sich dabei mit dem Gedanken der Priesterschrift, daß dem Lebendigen (dem animalischen Leben) durch den Segen Gottes die Kraft der Fruchtbarkeit zueigen gegeben worden ist[358]. Nur wird dieser Gedanke eines schöpferischen Wirkens Gottes durch eine den lebendigen Geschöpfen selber verliehene schöpferische Lebenskraft in der modernen Auffassung so verallgemeinert, daß er auch die Hervorbringung der Lebensformen selbst in ihrer Vielfalt umfaßt.

Besondere Bedeutung für die Produktivität des Lebens in der Entwicklung neuer Varianten kommt in moderner Sicht der Entstehung der sexuellen Form der Fortpflanzung und Vermehrung zu. Durch Verbindung des Erbguts zweier Individuen und durch die Reduktionsteilung wird die genetische Variabilität beträchtlich erhöht und das Erbgut des Individuums mit der Gemeinschaft der Art verbunden[359]. Durch die Selektivität sexueller Verbindungen der Individuen innerhalb einer Art gewinnt die Fortpflanzung des Lebens eine historische Dimension und eröffnet schöpferisch den ökologischen Raum, in den hinein das Leben sich ausbreitet[360]. Das geht weit hinaus über die Funktion, die dem Segen der Fruchtbarkeit in der Priesterschrift zuerkannt wurde. Dort ging es vor allem um die Fortdauer des von Gott am Anfang der Welt geschaffenen Lebens in seinen Arten. Das Leben ist in besonderer Weise Wirkung der Schöpferkraft Gottes. Das be-

---

[357] So O. H. Steck: Der Schöpfungsbericht der Priesterschrift, 1975, 65 ff., sowie 94 f., 121 ff.
[358] C. Westermann a.a.O. 187 f. Nach O.H. Steck a.a.O. 121 f. und 126 ff. steht bei den Landtieren an der Stelle des Fruchtbarkeitssegens der an die Erde gerichtete Auftrag (Gen 1,24), „die für den Fortbestand der Landtiere entscheidende Kraft" der Fortpflanzung zu spenden (121). Erst nach der Sintflut wird der Fruchtbarkeitssegen bei P auf alle Tiere ausgeweitet (Gen 8,17).
[359] Im Anschluß an M. Ghiselin: The Economy of Nature and the Evolution of Sex, 1974, 57 charakterisiert J.S. Wicken a.a.O. 218 die Sexualität als „a means for mobilizing genetic variability", das individuelle Mutationen zur Bereicherung der Art werden läßt („sex makes evolutionary novelties public property" 213).
[360] Wicken 218 f.

tont die Priesterschrift durch Wiederaufnahme des Schöpfungsterminus *bārā* (Gen 1,21). Dementsprechend bedarf es auch zur Weitergabe des Lebens eines besonderen göttlichen Segens, weil die Lebewesen dabei an Gottes schöpferischem und erhaltenden Wirken teilnehmen[361]. In der Sicht der modernen Evolutionslehre erstreckt sich solche Teilhabe an der schöpferischen Tätigkeit Gottes auch auf die Hervorbringung neuer, noch nicht dagewesener Varianten und Gestalten des Lebens. Das ist eine Ausweitung, die auch dem christlichen Interesse an der Einzigartigkeit jedes einzelnen Individuums, das durch Weitergabe des Lebens ins Dasein tritt, besser Rechnung trägt als eine Einschränkung der kreatürlichen Mitwirkung bei Gottes schöpferischem Handeln auf bloße Reproduktion von immer schon vorhandenen Lebensformen.

Solche Teilhabe an der von Gott ausgehenden schöpferischen Kraft schließt freilich nicht aus, daß von der empfangenen Gabe schlecht oder sogar in Formen dämonischer Verkehrung Gebrauch gemacht wird. Auch das Neue ist nicht immer das Bessere. Geschöpfliche Teilhabe an Gottes schöpferischem Wirken bringt nicht schon eine Verbundenheit mit Gott und seinem Willen mit sich. So überrascht es denn auch nicht, daß der auch den Menschen verliehene und ihnen sogar zu selbständiger Verantwortung zugesprochene Segen der Fruchtbarkeit (Gen 1,28) sorgfältig von der Bestimmung des Menschen zur Gottebenbildlichkeit abgehoben und ihr untergeordnet wird[362]. Erst die mit der Gottebenbildlichkeit gegebene Nähe zu Gott begründet die Stellung des Menschen im Zusammenhang des Schöpfungswerkes als dessen Abschluß und Krönung sowie sein Verhältnis zu den übrigen Geschöpfen, wie es in der Beauftragung des Menschen mit der Herrschaft über das Reich der Lebewesen (Gen 1,26) und sogar über die Erde (1,28) zum Ausdruck kommt: Dieser Auftrag läßt sich nicht trennen von der Bindung an den Schöpferwillen Gottes.

Von der Gottebenbildlichkeit des Menschen wird im nächsten Kapitel noch genauer zu reden sein. Auch der darin begründete Herrschaftsauftrag an den Menschen kommt im gegenwärtigen Zusammenhang nur im Hinblick auf die darin erkennbare Selbständigkeit des Menschen als Geschöpf im Verhältnis zur übrigen Schöpfung zur Sprache. Doch muß schon hier betont werden, daß dieser Auftrag im Sinne der Priesterschrift keineswegs beinhaltet, daß die übrigen Lebewesen und die Erde selbst den Menschen zu beliebiger Verfügung überlassen wären. Das ist schon dadurch ausgeschlossen, daß nach Gen 1,29 ursprünglich nicht die

---

[361] Vgl. G.v. Rad: Das erste Buch Mose Kap. 1–12,9, 2.Aufl. 1950, 43. Im Falle der Landtiere ist die Teilnahme an der von Gott ausgehenden Lebenskraft nach Gen 1,24f. durch die Erde vermittelt (vgl. dazu O.H. Steck a.a.O. 126ff.). Vgl. C. Westermann a.a.O. 192ff. und bes. 221f. gegen eine Beschränkung des Segens auf die Erhaltung des bereits Geschaffenen.
[362] G.v. Rad a.a.O. 47 zu Gen 1,27f. Das gilt auch dann, wenn man mit O.H. Steck a.a.O. 142f. für das an die Menschen als Anrede gerichtete Segenswort eine über Gen 1,22 hinausgehende Bevollmächtigung des Menschen annimmt.

Tiere, sondern nur die Pflanzen den Menschen zur Nahrung bestimmt waren. Erst nach der Sintflut ist den Menschen der Priesterschrift zufolge der Fleischgenuß gestattet worden (Gen 9,3). Um eine Gewaltherrschaft kann es sich also bei dem ursprünglichen Herrschaftsauftrag an den Menschen nicht handeln, eher um ein Verhältnis, wie es in der Haustierhaltung vor Augen stand und beim Herdenvieh, mit Einschluß der Fürsorge für den Bestand der Tierwelt, wie sie etwa in dem Auftrag an Noah beim Bau der Arche zum Ausdruck kommt (Gen 6,19f.)[363]. Bei der Herrschaft über die Erde wird primär an den Ackerbau zu denken sein[364], aber sicherlich auch an den Bergbau. Der technische Umgang des Menschen mit den Bodenschätzen der Erde ist im Herrschaftsauftrag der Priesterschrift grundsätzlich inbegriffen. In allen diesen Phänomenen menschlicher Kulturtätigkeit dokumentiert sich die Tatsache menschlicher Herrschaft über die Erde wie über die Tierwelt. Doch erst die Emanzipation der abendländischen Neuzeit von der Bindung an den Gott der Bibel hat den biblischen Gedanken, daß der Mensch zur stellvertretenden Wahrnehmung der Herrschaft des Schöpfers in seiner Schöpfung bestimmt ist, durch die Vorstellung verdrängt, daß der Mensch ein Recht zu unbeschränkter Ausbeutung der Natur besitze. Es ist darum nicht gerechtfertigt, das biblische Menschenbild für die hemmungslose Ausbeutung der Natur durch die moderne Menschheit verantwortlich zu machen[365]. Der Mensch ist als zur Herrschaft über die Erde und über alles Lebendige Berufener zugleich auch selber Glied der Schöpfung Gottes und in Ausübung seiner Herrschaft verantwortlich für die Bewahrung ihrer Ordnung[366]. Im Unterschied zur Priesterschrift mag diese Verantwortung weniger als Gebundenheit an eine im Anfang der Welt begründete Ordnung aufgefaßt werden, vielmehr als Verantwortung für die Bestimmung der Schöpfung in ihrer schöpferischen Entwicklung. Aber in solcher Gestalt ist die Verantwortung des Menschen erst recht gebunden an Gottes Schöpferwillen, der auf die Versöhnung und Erlösung seiner Schöpfung gerichtet ist.

Der Mensch ist das am höchsten entwickelte Lebewesen. Das ergibt sich schon in der Sicht einer rein biologischen Betrachtung aus dem Vergleich mit anderen Arten animalischen Lebens[367]. Daraus folgt jedoch noch nicht, daß der Mensch das Ziel der Evolution des Lebens, geschweige denn des ganzen Universums ist. Es läßt sich nicht ausschließen, daß die Evolution

---

[363] O.H. Steck a.a.O. 145 n.584, vgl. 143f. n.579, sowie 151ff.
[364] O.H. Steck a.a.O. 156.
[365] So Lynn White: The Historical Roots of Our Ecological Crisis, in: The Environmental Handbook 1970, sowie in Deutschland bes. C. Amery: Das Ende der Vorsehung. Die gnadenlosen Folgen des Christentums, 1972. Kritisch dazu u.a. G. Altner: Schöpfung am Abgrund, 1974, 58ff., 81f.
[366] Zu den anthropologischen Grundlagen dafür vgl. vom Vf.: Anthropologie in theologischer Perspektive, 1983, 40-76, bes. 74ff.
[367] A.R. Peacocke: Creation and the World of Science, 1979, 157. Der Evolutionsforscher G.G. Simpson (The Meaning of Evolution, 1971, 236), auf den Peacocke sich bei dieser Feststellung besonders bezieht, urteilt sogar, daß die Summe der „basic diagnostic features", die den Menschen von anderen Tierarten unterscheiden, ihn nicht nur von allen vergleichbaren Arten scharf abhebt, sondern in einer „absolute difference in kind and not only a relative difference in degree" resultiert (vgl. auch A.R. Peacocke: God and the New Biology, 1986, 51f.).

über den Menschen hinausführt zu anderen Formen intelligenten Lebens. Allerdings gibt es dafür keine empirischen Anhaltspunkte. Dennoch läßt sich theoretisch eine solche Möglichkeit auf der Grundlage der biologischen Evolutionslehre nicht einfach abweisen. Auch die Feststellung, daß maßgebliche Naturkonstanten gerade so beschaffen sind, daß ihre Werte das Entstehen von Leben und Intelligenz ermöglichen, erzwingt trotz des darauf begründeten „anthropischen Prinzips" der physikalischen Kosmologie nicht den Schluß, daß die Welt um des Menschen willen oder auf ihn hin geschaffen wurde. Sie besagt nur, daß die Entstehung organischen Lebens und der menschlichen Lebensform innerhalb unseres Universums möglich geworden sind und daß dessen Eigenart wesentlich dadurch charakterisiert ist: Die Entstehung des Lebens und der menschlichen Lebensform sind nicht, wie man früher angesichts der Weite des Universums gemeint hat, belanglose Zufälle der Natur. Daß die Entstehung des Lebens auf Erden und auch der menschlichen Lebensform kennzeichnend für die Eigenart unseres Universums im ganzen sind, ist dann allerdings ein Sachverhalt, der nach einer Erklärung dafür verlangt, warum das so ist.

Eine solche Erklärung könnte nur dann gegeben werden, wenn man den Ursprung des Universums als ganzen kennen und auch das Verhältnis der Entstehung des Lebens und der Menschheit zu ihm bestimmen könnte. Für den biblischen Schöpfungsglauben sind beide Voraussetzungen gegeben, und im Lichte des christlichen Glaubens an die Gottheit Jesu Christi und an seine Schöpfungsmittlerschaft gewinnt die jüdische Tradition zum Thema der Stellung des Menschen im Ganzen der Schöpfung nochmals besondere und schärfere Konturen. Die christliche Theologie kann daher den Schritt zu der Behauptung vollziehen, daß Entstehung und Entwicklung des Lebens und das Erscheinen des Menschen den Sinn geschöpflicher Wirklichkeit überhaupt erst voll ans Licht gebracht haben.

Orientiert man sich an den Aussagen des priesterschriftlichen Schöpfungsberichts über den Menschen im Verhältnis zum Ganzen der Schöpfung, dann liegt es nahe, den Sinn geschöpflichen Daseins in der Übereinstimmung des Geschöpfes mit dem Schöpferwillen Gottes zu suchen. Denn darin hat die dem Menschen anvertraute Herrschaft über die Schöpfung ihre Richtschnur. Worin aber besteht der Schöpferwille Gottes? Sosehr der Gegenstand dieser Frage in der Konkretion der Einzelfälle und ihrer Vielgestaltigkeit die Fassungskraft des menschlichen Verstandes übersteigt, so ist doch so viel deutlich: Der Schöpferwille Gottes geht jedenfalls dahin, daß das Geschöpf sei. Anders gesagt, er ist auf das selbständige Bestehen des Geschöpfes gerichtet. Denn nur im Maße ihres selbständigen Bestehens haben die Geschöpfe eine eigene, vom Schöpfer und von anderen Geschöpfen unterschiedene Wirklichkeit.

Hier läßt sich nun sagen, daß mit der Entstehung der Lebewesen und besonders der Tiere trotz aller Gefährdung und Hinfälligkeit ihres Daseins ein höherer Grad von Selbständigkeit verbunden ist im Vergleich zu Atomen, Molekülen, Gestirnen, Flüssen, Meer oder Gebirgen. Nicht im Sinne größerer Dauerhaftigkeit: Darin sind jene anderen Gestalten der Schöpfung den Lebewesen weit überlegen. Dennoch ist mit den Lebewesen eine neue Stufe selbständigen Daseins erreicht: Selbständigkeit als Selbstorganisation der eigenen Daseinsformen. Damit kommt es erstmalig zur Aktivität eines Sichverhaltens, das nicht nur Ergebnis äußerer Einwirkungen ist. Solches aktive Sichverhalten aber ist immer auf ein Anderes gerichtet, auf die Umgebung, in und von der das Lebewesen lebt[368]. Bei Pflanzen ist die Selbständigkeit des Verhaltens noch eingeschränkt durch ihre Standortgebundenheit. Die Tiere hingegen bewegen sich frei im Raume. Dabei verhält sich das Tier, indem es sich zu seiner Umwelt verhält, zugleich zu sich selbst, nämlich zur Zukunft des eigenen Lebensvollzuges; das ist unmittelbar anschaulich am Beispiel der Nahrungssuche. Die umgebende Wirklichkeit und damit die Bedingungen der eigenen Fortdauer sind dem Tier nicht mehr bloß äußerlich. Allerdings scheint ein ausdrückliches Selbstverhältnis vor der Stufe der menschlichen Lebensform noch zu fehlen, mit Ausnahme vielleicht von Schimpansen[369], ebenso wie das Andere der gegenständlichen Wirklichkeit noch nicht oder nur in Ansätzen *als* anderes unterschieden wird. Dem entspricht das Fehlen einer Unterscheidung der Zukunft als Zukunft von der eigenen Gegenwart.

Damit könnte zusammenhängen, daß wiederum erst der Mensch die göttliche Wirklichkeit in ihrer Andersheit von allem Endlichen unterscheiden lernt. Erst der Mensch, so scheint es, hat Religion. Dennoch ist die Lebensbewegung auch der Tiere schon auf Gott bezogen. Suchen doch die jungen Löwen „ihre Speise von Gott", wenn sie nach Raub brüllen (Ps 104,21). Der Verinnerlichung des Verhältnisses zur Umgebung und damit zur Zukunft des eigenen Lebensvollzugs liegt eine Verinnerlichung der Beziehung zum Schöpfer und zu seinem lebenspendenden Geist zugrunde: Die Tiere schon haben „Lebensgeist" in sich (Gen 1,30), solange sie atmen.

Die mit den Lebewesen erreichte Stufe der Selbständigkeit kreatürlichen Daseins setzt nun aber die elementaren Gestalten dauerhaften Bestehens, Atome und Moleküle, schon voraus. Mehr noch, die Spontaneität der Selbstorganisation der Lebewesen beruht auf der durchgängigen Wirksamkeit der das anorganische Geschehen beherrschenden Kräfte und Gesetze.

---

[368] J.S. Wicken a.a.O. 129: „With the emergence of autocatalytic organization, „function" became a part of nature. The emergency of AOs [= autocatalytic organizations] was accompanied by a gradual shift from the deterministic responses to impressed energy gradients that dominated the prebiotic phase of evolution to the exploitative transformations of environments that characterized its biotic phase".

[369] Siehe dazu D.R. Griffin: The Question of Animal Awareness, 1976, 30-33, und die daran anschließenden Ausführungen von J.C. Eccles: Animal consciousness and human selfconciousness, in: Experientia 38, 1982, 1384-1391, bes. 1386ff.

Nicht als unvermittelte göttliche Schöpfung, sondern nur auf dem Umweg der Expansion und Abkühlung des Universums, der Bildung von Atomen, Molekülen, Gestirnen und der Entstehung des Planeten Erde mit den besonderen Bedingungen seiner Atmosphäre ist diejenige Selbständigkeit kreatürlichen Daseins möglich geworden, die durch pflanzliches und tierisches Leben und schließlich durch den Menschen Gestalt gewonnen hat.

Wenn also der Schöpfungsakt auf die Selbständigkeit kreatürlichen Daseins zielt, dann ist auch in bestimmtem Sinne die Behauptung berechtigt, daß die Weite des expandierenden Universums mit dem Reichtum seiner Gebilde als Mittel für die Entstehung organischen Lebens zu betrachten ist. Nicht als ob die Gebilde der anorganischen Natur nicht auch ihre Schönheit und ihren Sinn in sich selber hätten: Schon durch ihr bloßes Dasein preisen sie Gott als ihren Schöpfer. Aber volle geschöpfliche Selbständigkeit wird doch erst mit den Lebewesen erreicht und unter ihnen in besonderer Weise mit der Entstehung des Menschen.

Auch für den Menschen gilt, daß seine Herkunft aus der Evolution des Lebens Bedingung für die Selbständigkeit seines Daseins als Geschöpf ist. Der Kampf gegen die Evolutionslehre erscheint von daher als theologisch geradezu widersinnig. Die Herkunft der menschlichen Art aus der Evolution des Lebens schließt die Unmittelbarkeit der Beziehung des Menschen zu Gott nicht aus. Wenn schon die Tiere in ihrem Lebensvollzug auf Gott und seinen Geist bezogen sind, so erst recht der Mensch. Beim Menschen aber kommt nun hinzu, daß das Verhältnis zu Gott ihm explizit thematisch wird, und zwar als Bedingung des eigenen geschöpflichen Daseins und seines Bestandes. Dem Menschen wird damit thematisch, was der Sache nach für alles geschöpfliche Dasein gilt: Alle Geschöpfe verdanken ihr Dasein der unausgesetzten Schöpfertätigkeit Gottes. Sie sind wie der Mensch auf die Verbundenheit mit Gott und auf das Wirken seines Geistes angewiesen. Darum wird dem Menschen nicht nur sein eigenes, sondern das Dasein aller Geschöpfe vor Gott zum Thema, indem er sich vor Gott als Geschöpf weiß und annimmt. Das geschieht, indem der Mensch sich mit allen anderen Geschöpfen Gottes zusammennimmt und sich gleichsam zu ihrer aller Sprecher macht, indem er sich als Gottes Geschöpf erkennt. Darum ist er auch zum Statthalter der Herrschaft Gottes in seiner Schöpfung gegenüber den übrigen Geschöpfen berufen.

Geschöpfliche Selbständigkeit[370] kann nicht ohne Gott oder gegen Gott Bestand haben. Sie braucht auch nicht gegen Gott errungen zu werden, denn sie ist das Ziel seines Schöpferhandelns[371]. Von Gott ge-

---

[370] Mit ihr wird das Geschöpf zu einem Einzelnen im Sinne von D. Henrich: Ding an sich. Ein Prolegomenon zur Metaphysik des Endlichen, in J. Rohls/G. Wenz: Vernunft des Glaubens. Wissenschaftliche Theologie und kirchliche Lehre, 1988, 42–92, bes. 55ff., 83ff.
[371] Ganz anders wird nach dem mesopotamischen Schöpfungsepos Enumaelisch der Mensch

trennt muß das Geschöpf der eigenen Vergänglichkeit anheimfallen. Um angesichts ihrer Bestand zu haben, bedarf es der Gemeinschaft mit dem ewigen Gott. Dieses Thema kommt allerdings erst da auf, wo das Geschöpf sich selber und alles Geschöpfliche in seiner Endlichkeit von dem ewigen Gott zu unterscheiden vermag. Das ist der Fall auf der Stufe des Menschen. Wenn der Mensch sich und alles Geschöpfliche von Gott unterscheidet und folglich auch sich selber zusammen mit allen Geschöpfen Gott als dem Schöpfer unterordnet und damit Gott die Ehre seiner Gottheit gibt, nimmt in ihm die Selbstunterscheidung des ewigen Sohnes vom Vater Gestalt an im Verhältnis des Geschöpfes zu seinem Schöpfer. Die Bestimmung des Menschen als Geschöpf zielt also auf die Inkarnation des Sohnes in ihm und damit auf seine Teilhabe an der ewigen Gemeinschaft des Sohnes mit dem Vater. Dabei geht es zugleich um die Bestimmung der übrigen Schöpfung, weil in der Selbstunterscheidung des Menschen als Geschöpf von Gott alle übrigen Geschöpfe mit dem Menschen zusammengenommen werden, um mit ihm von Gott unterschieden und somit zugleich auf ihn als den Schöpfer bezogen zu werden.

Erst im Hinblick auf die Inkarnation des Sohnes im Verhältnis des Menschen zu Gott läßt sich die Behauptung, daß die Schöpfung im Menschen vollendet und das ganze Universum auf ihn hin geschaffen sei, theologisch begründen. Diese Bestimmung ist allerdings – aus noch zu erörternden Gründen – im Menschen nicht unmittelbar realisiert. Sie wird darum Thema einer Geschichte der Menschheit und, im Hinblick auf die Menschheit als ganze, Gegenstand eschatologischer Hoffnung. Die gegenwärtige Realität menschlichen Lebensvollzuges stimmt damit noch nicht überein.

Mit diesen Sätzen ist schon weit vorgegriffen, über die Anthropologie hinaus auf Christologie und Eschatologie. Bevor aber als nächster Schritt auf dem Wege der Explikation der Gottesoffenbarung in Jesus Christus die Anthropologie zu behandeln ist, muß die Schöpfung noch einmal im Hinblick auf den Gesamtprozeß ihrer Geschichte thematisiert werden, nun unter dem Gesichtspunkt der geschöpflichen Welt in der Folge ihrer Gestalten. Dabei geht es noch einmal abschließend auch um die Konstitution der Welt im ganzen von ihrem Schöpfer her.

---

als Sklave der Götter geschaffen, um ihnen die Feldarbeit abzunehmen (Tafel VI, 6–10 und 33f., Ancient Near Eastern Texts relating to the Old Testament, ed. J.B. Pritchard, 2.ed. 1955, 68). Vgl. auch die Bemerkungen von Th. Jacobsen, in: Frankfort/Wilson/Jacobsen: Frühlicht des Geistes (1946) dt. 1954, 164f. zum Verhältnis des Menschen zu den Göttern nach Auffassung der altmesopotamischen Religion.

III. Schöpfung und Eschatologie

1. Einheit und Unterschied von Schöpfungsakt und Eschaton

Nicht nur der Mensch, sondern die ganze Schöpfung ist dazu bestimmt, an Gottes Leben teilzunehmen. Warum sonst seufzt sie (Röm 8,21f.) unter der Last der Vergänglichkeit? Man wird dieses Seufzen in der außermenschlichen Schöpfung ebenso wie im Falle des Menschen (Röm 8,26) als Ausdruck der Gegenwart des lebenspendenden Geistes Gottes in den Geschöpfen verstehen dürfen. Der schöpferische Gottesgeist ist in der ganzen Weite der Schöpfung belebend wirksam, aber seinen Geschöpfen angesichts ihrer Vergänglichkeit auch leidend gegenwärtig, so wie der Sohn im Hervortreten der geschöpflichen Gestalten schöpferisch wirksam ist, bis er im Menschen – in *einem Menschen* – selber geschöpfliche Gestalt gewinnt. Erst durch den Menschen soll nach Paulus auch die übrige Schöpfung Anteil gewinnen an der Freiheit der Kinder Gottes (Röm 8,19 und 21) und zwar in der eschatologischen Zukunft der Totenauferstehung, die zwar in Jesus Christus schon angebrochen ist, der aber die Christen noch mit allen anderen Menschen entgegengehen[372].

Nach Paulus gehört es zum „Wissen des Glaubens, daß Gott in seiner Schöpfung als ihr Schöpfer selbst gegenwärtig ist und sie darum ebenso „stöhnt" und „Schmerz empfindet" über den Widerspruch zwischen ihrem Sosein und ihrem Ziel, das Gott ihr gesetzt hat, wie sie Erwartung, ja Hoffnung hat, Gott werde diesen Widerspruch zu seiner Zeit aufheben."[373] Diese schöpferische, dabei aber auf die eschatologische Vollendung hindrängende Gegenwart Gottes in der „Immanenz" der geschöpflichen Welt und ihrer Gestalten ist neuerdings zum Anlaß genommen worden, von einer „sakramentalen" Auffassung der Natur im Christentum zu sprechen[374]. Wie die Materie der Sakramente, so sei auch das materielle Universum nicht nur äußerlich sichtbares Zeichen einer unsichtbaren Gnade (der Gegenwart Gottes in ihr), sondern auch Mittel ihrer Mitteilung[375]. Der damit

---

[372] Vgl. U. Wilckens: Der Brief an die Römer II, 1980, 152ff., bes. 155f.

[373] U. Wilckens a.a.O. 156. Vgl. auch K. Koch: The Old Testament View of Nature, in: Anticipation 25, Genf 1979.

[374] So wohl zuerst bei W. Temple: Nature, Man and God, 1934, 473–495, bes. 482ff. Vgl. auch A.R. Peacocke: Science and the Christian Experiment, 1971, 178–188, sowie S.M. Daecke: Profane and Sacramental Views of Nature, in: A.R. Peacocke (ed.): The Sciences and Theology in the Twentieth Century, 1981, 127–140, bes. 134ff.

[375] W. Temple a.a.O. 482ff. Ähnlich A.R. Peacocke: Creation and the World of Science, 1979, 290: „... the world of matter, in its relation to God, has both the symbolic function of ex-

verbundene Protest gegen eine von Gottes schöpferischem Wirken in der Natur und ihren Bildungen abstrahierende, bloß instrumentelle Auffassung der Natur[376] ist sicherlich berechtigt. Er entspricht dem Gegensatz des christlichen Schöpfungsglaubens gegen die säkularistische Umdeutung des göttlichen Herrschaftsauftrages an den Menschen (Gen 1,28) im Sinne einer Auslieferung der Natur an den Menschen zu beliebiger Verfügung und Ausbeutung (s.o. 156f.). Dennoch ist auch abgesehen von gelegentlich damit verbundenen Rückfällen in religiöse Naturverehrung[377] die Verwendung des Ausdrucks „sakramental" für diesen Sachverhalt terminologisch nicht glücklich, weil der Begriff des Sakramentes nicht nur eine allgemeine Zeichenhaftigkeit des sichtbar Materiellen für das unsichtbare Geistige beinhaltet, auch nicht im Sinne effektiver Mitteilung des letzteren durch ersteres. Daß der Sakramentsbegriff spezifischeren Inhalt hat, wird schon am Erfordernis einer besonderen Einsetzung des sakramentalen Zeichens deutlich. Dazu gibt es beim „sacramental universe" keine Entsprechung. Die Einsetzung sondert gerade bestimmte materielle Elemente und Handlungen aus dem Zusammenhang der sonstigen materiellen Wirklichkeit aus für eine besondere Funktion, nämlich als Zeichen für den in Jesus Christus offenbaren göttlichen Heilsratschluß über die Welt und als Mittel der Einbeziehung in ihn. Der darin enthaltene eschatologische Bezug, der auch für das Naturverständnis von Röm 8,19ff. bestimmend ist, geht bei der verallgemeinernden Rede von einer Sakramentalität der Natur meistens verloren. Auch die Betonung dieses Bezuges aber rechtfertigt noch nicht die Bezeichnung „sakramental". Die Gebilde der Naturwelt sind als Geschöpfe Gottes zugleich weniger und mehr: weniger, weil die mit der Einsetzung eines Sakraments verbundene, spezifische Hinordnung auf die Gegenwart der eschatologischen Heilszukunft in Jesus Christus fehlt, mehr, weil die natürlichen Gestalten selber Gegenstand des göttlichen Schöpfungswillens sind und ihren Sinn nicht nur in der Hinordnung auf anderes haben. So muß die Rede von einer sakramentalen Realität der geschöpflichen Wirklichkeit in ihrer Allgemeinheit als zu undifferenziert abgelehnt werden. Positiv zu beurteilen ist dagegen der von Teilhard de Chardin betonte Gesichtspunkt, daß umgekehrt in den Sakramenten des neuen Bundes und vor allem in der Eucharistie mit den Elementen von Brot und Wein die gesamte Schöpfung einbezogen wird in das sakramentale Geschehen der Danksagung an Gott.

Die Bestimmung der Schöpfung zur Gemeinschaft mit Gott im Sinne ihrer Teilnahme an der Gemeinschaft des ewigen Sohnes mit dem Vater durch den Geist ist nicht schon unmittelbar im Dasein jedes einzelnen Geschöpfes realisiert. Das ist bereits dadurch ausgeschlossen, daß es in der Ab-

---

pressing his mind and the instrumental function of being the means whereby he effects his purpose."

[376] S.M. Daecke a.a.O. 131 im Zusammenhang mit der ökumenischen Konsultation über Menschheit, Natur und Gott in Zürich 1977. Siehe auch Daeckes Ausführungen über „Anthrozentrik oder Eigenwert der Natur?", in G. Altner (Hg.): Ökologische Theologie. Perspektiven zur Orientierung, 1989, 277-299.

[377] Einer solchen Auffassung kommt Paul Verghese: The Human Presence. An Orthodox View of Nature, Genf 1978, an manchen Stellen nahe.

folge geschöpflicher Gestalten erst auf der mit dem Menschen erreichten Stufe zur ausdrücklichen Unterscheidung zwischen Gott und aller geschöpflichen Wirklichkeit kommt, und ohne solche Unterscheidung kann es keine geschöpfliche Teilnahme an der Selbstunterscheidung des Sohnes vom Vater geben. Daher heißt es bei Paulus (Röm 8,21f.), die ganze Schöpfung warte auf das Offenbarwerden der Sohnschaft (vgl. Röm 8,15) an den Menschen, durch die sie selber zu „Söhnen" (8,19) werden (vgl. Gal 4,5f.). Doch auch mit der Entstehung der Menschen in der Abfolge der Geschöpfe ist die Teilnahme an der Gemeinschaft des Sohnes mit dem Vater noch nicht erreicht. Nicht schon der „erste Adam", sondern erst der in Jesus Christus erschienene letzte, der eschatologische Mensch, wird durch den Geist in die Gemeinschaft des Sohnes mit dem Vater aufgenommen (vgl. 1.Kor 15,45f.).

Die Spannung zwischen der *Entstehung* des Menschen als letztem Glied in der Folge geschöpflicher Gestalten und der Vollendung seiner *Bestimmung* hängt damit zusammen, daß der Mensch als Geschöpf dazu bestimmt ist, ein selbständiges Wesen zu sein. Das gilt zwar ganz allgemein für jedes Geschöpf. Aber der Mensch bildet gerade darin den Höhepunkt in der Stufenfolge geschöpflicher Gestalten. Damit das Geschöpf als selbständiges Gegenüber zu Gott auf das Verhältnis des Sohnes zum Vater eingehen konnte, bedurfte es einer Vorgeschichte wachsender Selbständigkeit in der Reihe der geschöpflichen Gestalten, als deren letzte der Mensch ins Dasein trat. Seine Selbständigkeit im Dasein bedarf wiederum einer besonderen Durchbildung, wenn darin das Verhältnis des Sohnes zum Vater zur Erscheinung kommen soll. Zwar heißt es bei Jesus, wer das Reich Gottes nicht empfange wie ein Kind, der werde nicht hineinkommen (Mk 10,15). Aber dieses Wort wendet sich an die Jünger, also an Erwachsene. Der Mensch soll gerade als zur Selbständigkeit herangereiftes Geschöpf sich zu Gott verhalten wie das Kind, das vom Vater alles erwartet und empfängt. Das setzt zumindest voraus, daß der Mensch gelernt hat, Gott von allem andern, also vom ganzen Gebiet der geschöpflichen Wirklichkeit, zu unterscheiden. Darin wiederum ist die Ausbildung der Unterscheidungsfähigkeit überhaupt schon vorausgesetzt, die Unterscheidung der Andersheit der Dinge in ihren Verhältnissen untereinander und im Verhältnis zum eigenen Ich. Darauf basiert die Unterscheidung des Endlichen insgesamt, mit Einschluß des eigenen Ich, von dem ewigen Gott.

Schöpfung und Eschatologie gehören zusammen, weil erst in der eschatologischen Vollendung die Bestimmung des Geschöpfes, insbesondere des Menschen, endgültig realisiert sein wird. Doch Schöpfung und Eschatologie sind nicht unmittelbar identisch, jedenfalls nicht vom Standpunkt des Geschöpfes aus. Für das Geschöpf ist sein Ursprung Vergangenheit, in ihr hat es die Wurzeln seines Daseins. Darum neigt es dazu, sich an der Vergangenheit zu orientieren. Das gilt gerade für die Frühzeit der Bewußtseinsgeschichte des Menschen, wie sie sich in der mythischen Bewußtseinsform bekundet. Die Zukunft hingegen ist für das Geschöpf offen und ungewiß. Und doch öffnen sich die zu selbständigem Verhalten erwachten Geschöpfe, die Lebewesen, der Zukunft als der Dimension, aus der allein ihr Dasein Inhalt und Vollendung gewinnen kann. Doch Ursprung und Vollendung fallen für die Erfahrung der Geschöpfe nicht zusammen. Eine Einheit bilden sie zunächst nur in der Perspektive des göttlichen Schöpfungsaktes. Auch im Hinblick auf diesen jedoch bedarf die Struktur der Einheit von Schöpfung und Eschatologie noch genauerer Aufklärung.

Dieses Thema kam schon bei den Erwägungen über die Schöpfung als Akt Gottes in den Blick (s.o. 49 und 53 ff.). Schöpfung, Erhaltung und Regierung der Welt erwiesen sich als zusammengehörige Teilaspekte eines einzigen göttlichen Aktes, durch den die drei Personen der Trinität gemeinsam die von Gott verschiedene Wirklichkeit einer geschöpflichen Welt hervorbringen. Dabei erwies sich der Begriff Schöpfung als bezogen auf die übergreifende Einheit des göttlichen Aktes, während der Gedanke der Erhaltung das Dasein der Geschöpfe auf ihren Anfang zurückbezieht und die göttliche Weltregierung auf die künftige Weltvollendung zielt (75 f.). Im Hinblick auf die göttliche Weltregierung ergab sich, daß die Schöpfung erst mit der eschatologischen Vollendung zu ihrem Abschluß kommt. Aber was besagt das für die Struktur des göttlichen Schöpfungsaktes selbst und für den Hervorgang der geschöpflichen Welt aus ihm?

Die Frage läßt sich erst an dieser Stelle, nach der Erörterung der Welt der Geschöpfe hinsichtlich ihrer allgemeinen Struktur und der Abfolge ihrer Gestalten, einer Klärung zuführen. Denn bei der Erhaltung und Regierung der Welt durch Gott handelt es sich ja schon um Weisen seines Eingehens auf die Daseinsform der Geschöpfe. Erst im Rückblick von der Untersuchung der geschöpflichen Wirklichkeit kann daher das Verhältnis von Schöpfung und Eschatologie, wie es in der Einheit des Schöpfungsaktes selber begründet ist und in der Geschichte der geschaffenen Welt seine Entfaltung findet, genauer bestimmt werden.

Die Einheit des ewigen göttlichen Aktes der Schöpfung geht der Zeit und darum auch der Unterscheidung von Anfang und Ende „voraus" im Sinne eines logischen Vorher. Gerade darum heißt Gott der erste und der letzte (Jes 44,6; 48,12; Apk 1,8; vgl. 21,6; 22,13). Er ist nicht darauf beschränkt, der erste zu sein, aber er ist auch nicht nur der letzte, etwa als Resultat des Weltprozesses. Indem er beides ist, steht er über der Alternative von Anfang und Ende und ist des Endes ebenso mächtig wie des Anfangs. Aber wie ist dabei das Verhältnis von Anfang und Ende in Gottes Handeln und in Beziehung auf den Weltprozeß zu verstehen? Wie umgreift der ewige Gott Anfang und Ende der geschöpflichen Welt, indem er nicht nur die Zeit als Daseinsform der Schöpfung hervorbringt, sondern sich auch in seinem erhaltenden und regierenden Handeln selber auf sie einläßt?

Soweit die theologische Tradition sich solchen Fragen überhaupt gestellt hat, sind sie entweder in dem Sinne beantwortet worden, daß die Zukunft der Schöpfung in ihren Anfängen grundgelegt ist, oder man erörterte sie im Zusammenhang mit der Lehre vom göttlichen Vorherwissen. Schon bei Augustin sind beide Antworten miteinander verbunden. Sie unterscheiden sich dadurch, daß die erste Antwort den Zukunftsbezug in der geschöpflichen Wirklichkeit selber festmacht, die zweite ihn hingegen nur der Vorstellung des göttlichen Wissens als eines Vorauswissens des künftigen Geschehens zuweist.

Der Bezug der Schöpfungsaussage auf die Welt im ganzen, also nicht nur auf ihren Anfang, sondern auch auf ihre zeitliche Erstreckung, hat Augustin in seinen Genesisauslegungen wiederholt beschäftigt. Der Kritik der Manichäer am priesterschriftlichen Schöpfungsbericht, die Annahme eines Anfangs der Welt lasse diese als Ergebnis eines göttlichen Willküraktes erscheinen und negiere damit die Ewigkeit Gottes selbst, war Augustin mit der These entgegengetreten, daß die Zeit selber erst mit den Geschöpfen hervorgebracht worden sei (De gen. contra Manich. I,2,3; MPL 34,174f., vgl. auch oben 53f.). Augustin folgte damit der Auslegung des Sechstagewerks der Weltschöpfung durch Ambrosius (Hexaem. I,6,20; MPL 14,132) und Basilius von Caesarea (Hexaem. I,5; MPG 29,13). Dabei war er darauf aufmerksam geworden, daß im Unterschied zu den sieben Schöpfungstagen des ersten Genesiskapitels im zweiten Kapitel (Gen 2,4 Vulgata) von nur einem einzigen Tage die Rede ist, an dem die Welt erschaffen wurde (a.a.O. II,3,4; MPL 34,197f.). Hatte Augustin damals diese Aussage speziell auf die Erschaffung der Zeit bezogen, so verband er sie, wie zuvor schon Basilius und Ambrosius, in seiner letzten Kommentierung des Buches Genesis mit der Einheit des Schöpfungsaktes in der Ewigkeit Gottes, unter Berufung auf Sirach 18,1: *Qui vivit in aeternum creavit omnia simul* (De gen. ad litt. IV,33-35, MPL 34,317-320, vgl. V,3; a.a.O. 222f.). Dabei dachte er die Abfolge der geschöpflichen Zeiten als dem einen Tag der göttlichen Schöpfung gleichzeitig (IV,35; MPL 34,320, vgl. o. Anm. 89). Diese Aussage bezieht sich jedoch nur auf das Sechstagewerk des ersten Schöpfungsberichts im Verhältnis zur Angabe von Gen 2,4, wonach die Schöpfung an einem einzigen Tage erschaffen wurde, sowie zu Sir 18,1. Im Hinblick auf den Fortgang des Weltprozesses sah sich Augustin gebunden an die biblische Feststellung der Abgeschlossenheit des Schöpfungswerkes mit dem sechsten Tage (Gen 2,1f.). Er erklärte daher, daß seither keine weiteren Gattungen von Geschöpfen entstehen, obwohl Gott fortgesetzt neue Individuen als Exemplare dieser Gattungen hervorbringt (De gen. ad litt. V,20, a.a.O. 325f. vgl. 28 a.a.O. 337f.). Alles auf das Sechstagewerk der Weltschöpfung in der Zeit folgende Geschehen ist einerseits in Gottes Vorherwissen begründet (V,18,334 u. 21ff., 336ff., sowie VI,17,350f.), andererseits in den Samen und Ursachen des Künftigen angelegt, die den Dingen bei ihrer Erschaffung mitgegeben worden sind (VI,8 a.a.O. 344 und 10f. a.a.O. 346)[378].

---

[378] Zu Augustins Lehre von den *rationes seminales* (vgl. De Gen. ad litt. IX, 17,32, MPL 34,406) siehe die Ausführungen von E. Gilson: Introduction à l'étude de Saint Augustin, 1929, 261ff., insbesondere auch seinen Hinweis auf den Gegensatz zur modernen Lehre von einer Evolution der Arten selbst (263): Dieser Gedanke blieb Augustin unzugänglich wegen seiner

Beide Vorstellungen binden den Gedanken der Gleichzeitigkeit des Schöpfungsaktes als eines ewigen Aktes mit dem Prozeß der Zeit zurück an die Auffassung des priesterschriftlichen Schöpfungsberichts von der Abgeschlossenheit des Sechstagewerkes der Weltschöpfung am Beginn der Geschichte der Welt. Damit aber wird alles folgende Geschehen einer unentrinnbaren Notwendigkeit unterstellt, – wenn nicht im Hinblick auf seine natürlichen Ursachen, so doch jedenfalls unter dem Gesichtspunkt des göttlichen Vorherwissens[379]. Wenn alles geschöpfliche Verhalten von der Vergangenheit her festgelegt ist, dann gibt es im Fortgang des Geschehens keine echte Kontingenz und keine geschöpfliche Freiheit. Solche Konsequenzen brauchten nicht einzutreten, wenn das göttliche Wissen, wie es grundsätzlich bei Augustin der Fall war, als in seiner Ewigkeit allen Zeiten gleichzeitig gedacht wird. Sie werden aber unvermeidlich, wenn solches Wissen als alles bestimmendes Vorauswissen mit der Annahme einer im Anfang der Weltzeit abgeschlossenen Schöpfung verbunden wird[380]. Dann nämlich steht von Anbeginn der Zeit fest, was in aller Zukunft geschehen wird. Die Theologie des lateinischen Mittelalters hat sich in immer neuen Anläufen und mit großem Aufwand an Scharfsinn um die Frage bemüht, ob das im Verhältnis zu den vorausgehenden geschöpflichen Ursachen kontingent Zukünftige durch das göttliche Vorauswissen seiner Kontingenz beraubt wird und mit Notwendigkeit eintreten muß[381]. Zur Abwehr dieser Konsequenz reichte weder der Hinweis aus, daß Gott das zukünftig Kontingente *als* kontingent eintretend vorhersehe, noch auch das Argument, daß Gottes Ewigkeit allem Geschöpflichen gleichzeitig sei und daher nicht im dung der Vorstellung des göttlichen Vorauswissens mit der Annahme einer Abgeschlossenheit der Schöpfung seit dem Sechstagewerk der Weltschöpfung mußte deterministische Konsequenzen unausweichlich werden lassen. Wurde aber die Unmittelbarkeit des göttlichen Schöpfungshandelns zu jeder geschöpflichen Gegenwart unter Aufhebung der Differenz von Schöpfung und Erhaltung und unter Ablehnung einer Bindung des göttlichen Handelns an eine einmal beschlossene und verwirklichte Weltordnung be-

---

Überzeugung von der Abgeschlossenheit des Sechstagewerkes. Ähnlich auch A. Mitterer: Die Entwicklungslehre Augustins. Im Vergleich mit dem Weltbild des hl. Thomas von Aquin und dem der Gegenwart, 1956.

[379] Augustin De Gen. ad litt. VI, 17,28: *Hoc enim necessario futurum est quod ille vult, et ea vere futura sunt quae ille praescivit* (MPL 34, 350).

[380] Das dürfte auch der Grund für das von L. Scheffczyk verzeichnete Zurücktreten des Gesichtspunkts der göttlichen Heilsökonomie in Augustins Schöpfungslehre sein (Schöpfung und Vorsehung, HDG II/2a, 1963, 64f.).

[381] Siehe dazu die Dissertation des Vf.: Die Prädestinationslehre des Duns Scotus, 1954, bes. 17ff. und, mit Anwendung auf das Prädestinationsthema, 90ff., 116ff., ferner K. Bannach: Die Lehre von der doppelten Macht Gottes bei Wilhelm von Ockham. Problemgeschichtliche Voraussetzungen und Bedeutung, 1975, 182ff. und 249–275.

tont³⁸², dann mußte sich die Frage nach der Einheit des göttlichen Handelns stellen, sollten dessen einzelne Akte nicht als gänzlich willkürlich erscheinen.

Die Frage nach der im Schöpfungsakt begründeten Einheit der Welt und nach deren damit gegebener Begründungsstruktur ist noch nicht dadurch beantwortet, daß man die Vorstellung einer Schöpfung am Anfang ergänzt durch die einer *creatio continua*. Das gilt auch dann, wenn im Unterschied zum priesterschriftlichen Schöpfungsbericht der Anfang der Welt lediglich als der Beginn eines fortgesetzten Schöpfungshandelns aufgefaßt wird. Die Funktion des priesterschriftlichen Schöpfungsberichts ist es gewesen, mit der Darstellung der Schöpfung am Anfang zugleich eine Begründung für die Einheit der geschöpflichen Welt zu geben. Sie ist in dieser Sicht eben durch die am Anfang begründete Ordnung gegeben. Die Vorstellung stand zwar von vornherein in einer Spannung zu anderen Aspekten des in den Überlieferungen Israels bezeugten Gotteshandelns. Doch ergaben diese für sich genommen kein ähnlich geschlossenes Verständnis der Einheit der Weltwirklichkeit.

Der Ausgangspunkt einer anderen Auffassung von Gottes schöpferischem Handeln lag in den Überlieferungen Israels von Gottes Heilshandeln in seiner Geschichte und in dem prophetischen Gedanken eines fortgesetzten göttlichen Geschichtshandelns. Die für das Leben des Volkes grundlegende Geschichte des göttlichen Heilshandelns und göttlicher Führungen ist zwar durch den Gedanken der Korrespondenz zwischen Väterverheißungen und Volkwerdung Israels in Palästina, die mit dem davidischen Reich ihren Abschluß fand, als Einheit begriffen worden. Aber für die folgende Periode der Königszeit mußte dieses Darstellungsschema bereits ersetzt werden durch den aus der Botschaft der klassischen Prophetie erwachsenen Gerichtsgedanken, um das katastrophale Ende der Königszeit trotz seines Mißverhältnisses zu grundlegenden Verheißungen als Ergebnis einer Kette fortgesetzter Übertretungen des Gottesrechts verständlich zu machen. Außerdem ließ sich das Wissen von einer der Abrahamserwählung vorausgegangenen Urgeschichte nicht ohne weiteres in eine durch die Korrespondenz von Verheißung und Erfüllung begründete Einheit der Geschichte einbeziehen. Erst die apokalyptische Lehre von der Abfolge der Weltreiche (Dan 2,36–45) ermöglichte eine der Universalität der priesterschriftlichen Weltsicht von Ferne vergleichbare Auffassung der Einheit einer auch die Völkerwelt umfassenden Geschichte.

Der priesterschriftliche Schöpfungsbericht war jedoch auch seinerseits im Zusammenhang der Gesamtkonzeption der Priesterschrift auf die in ihr dargestellte Geschichte Israels bezogen. Es handelte sich dabei um eine

---

³⁸² Siehe K. Bannach a.a.O. 255ff. zu Wilhelm Ockham, dazu auch 221ff. Im Hinblick auf den göttlichen Akt als solchen hat Ockham auch die Differenz von Schöpfung und Erhaltung bestritten: 213f.

Sicht dieser Geschichte, die ihren Kulminationspunkt in den Kultsetzungen am Sinai und besonders in dem dort gegebenen Sabbatgebot hatte (Ex 31,15–17)[383].

In vergleichbarer, aber doch anders strukturierter Weise ist in der Dogmatik Karl Barths die als abgeschlossen gedachte Schöpfung auf den Gedanken des Bundes (als Inbegriff des göttlichen Heilswillens hinsichtlich der Schöpfung) bezogen worden: Hier ist der Bund nicht etwa als Abbild der Schöpfungsordnung oder ihres Abschlusses in der Ruhe Gottes am siebenten Tage gedacht, sondern umgekehrt als Zielbestimmung der Schöpfung. Dabei hat Barth das Verhältnis von Schöpfung und Bund als ein Verhältnis wechselseitiger Begründung dargestellt: den Bund als inneren Grund der Schöpfung, die Schöpfung als äußeren Grund des Bundes[384]. Der Bund ist als Zielbestimmung der Schöpfung ihr innerer Grund. In der göttlichen Absicht geht der Erwählungsratschluß Gottes und also auch der Bund der Erschaffung der Welt voraus. In der Ausführung dieser Absicht hingegen ermöglicht die Erschaffung der Welt die Verwirklichung des Bundes. Dabei hat Barth die Zuordnung von Schöpfung und Bund über die Bundesgeschichte Israels hinaus auf den durch Jesus Christus begründeten neuen Bund ausgedehnt: Um der in Jesus Christus realisierten Gemeinschaft Gottes mit dem Menschen willen ist schon die Schöpfung der Welt und des Menschen geschehen, so wie umgekehrt die Schöpfung den Ausgangspunkt für die Bundesgeschichte Gottes auf Jesus Christus hin bildet.

Trotz solcher engen Verklammerung bleiben nun allerdings Schöpfung und Bund für Barth verschieden, weil die Schöpfung bei ihm auf den Anfang der Welt beschränkt bleibt und darum nur den „äußeren Grund" der auf diesen Anfang folgenden Bundesgeschichte bilden kann. Die Abgeschlossenheit der Schöpfung am Anfang der Welt impliziert ähnlich wie bei Augustin, daß die Weltbeziehung Gottes aus der Perspektive des Anfangs oder vielmehr des dem Anfang der Welt noch vorausliegenden göttlichen Vorauswissens gedacht wird: Die Vorstellungen des Vorauswissens und Vorausbestimmens gewinnen damit den buchstäblichen Sinn, daß Gott aus einem dem Anfang der Welt noch vorausliegenden Blickpunkt auf den Ablauf des Weltprozesses und der menschlichen Geschichte vorausblickt. Obwohl der Gebrauch solcher Vorstellungen als Ausdruck für den Ursprung des Heils in der Ewigkeit Gottes „vor" allen Zufällen der Geschichte seinen guten Sinn haben kann (Mt 25,34; Eph 1,4; 1. Ptr 1,20), führt ihre buchstäbliche Anwendung auf den Gottesgedanken zu einer unangemessen anthropomorphen Gottesvorstellung, so als ob Gott von einem Standort „vor" Anfang der Welt auf eine davon verschiedene Zukunft vorausblicken würde – eine Vorstellung, die mit der Ewigkeit und Unendlichkeit Gottes nicht vereinbar ist.

---

[383] Siehe dazu O.H. Steck: Der Schöpfungsbericht der Priesterschrift, 1975, 253. Der Urbildgedanke, der in Ex 31,17 die Einsetzung des Sabbat mit dem siebten Schöpfungstag verbindet, begegnet in P auch im Hinblick auf das Verhältnis der irdischen Kultstätte zu dem nach Ex 25,9 zugrunde gelegten Modell des himmlischen Heiligtums.

[384] K. Barth: Kirchliche Dogmatik III/1, 1945, 103 ff., 258 ff., vgl. schon 82. Barths exegetisch gewaltsame Zuordnung des ersten Schöpfungsberichts zur Schöpfung als äußerem Grund des Bundes, des zweiten zum Bund als innerem Grund der Schöpfung kann hier auf sich beruhen bleiben.

Nicht weniger problematisch ist es, daß die Unterscheidung der Schöpfung vom Bund bei Barth dazu geführt hat, nur den Bund, nicht aber die Schöpfung unmittelbar als Ausdruck der Liebe Gottes aufzufassen (KD III/1,106f.). Wenn in der Botschaft Jesu das Wirken Gottes als Schöpfer und Erhalter, der seine Sonne scheinen läßt über Gute und Böse, als Vorbild und Grund des Liebesgebotes angeführt wird (Mt 5,44ff.), dann muß doch wohl schon die Schöpfung der Welt als Ausdruck der Liebe Gottes gewürdigt werden. Die Liebe, mit der Gott die Welt geliebt hat in der Sendung seines Sohnes (Joh 3,16), ist dann nicht der Art nach verschieden von der Vatergüte des Schöpfers gegenüber seinen Geschöpfen, sondern in der Sendung des Sohnes bekundet sich die radikale Entschiedenheit der Schöpferliebe Gottes zu seinen Geschöpfen. Darum sollte statt einer Abhebung der Bundesgeschichte Gottes von der Schöpfung vielmehr die Sendung des Sohnes, von der Inkarnation bis zu seiner Auferstehung, Erhöhung und glorreichen Wiederkunft, als die Vollendung des Schöpfungshandelns Gottes selber aufgefaßt werden. Das allerdings erfordert einen Begriff von Schöpfung, der nicht auf den Anfang der Welt beschränkt wird.

Eine Ausweitung des Schöpfungsgedankens auf die ganze Geschichte der Welt bahnte sich schon in der jüdischen Auslegung der Siebentagewoche des priesterschriftlichen Schöpfungsberichts an. In der Zehnwochenapokalypse des Buches Henoch (93,1-10 und 91,11-17) wurde die Siebentagewoche der Weltschöpfung zum Schlüssel einer Chronologie der Weltgeschichte mit einer Einteilung ihres Verlaufs in zehn Jahrwochen[385]. Dabei wurde zwar einerseits das Siebentageschema des priesterschriftlichen Schöpfungsberichts zugrunde gelegt, so daß man die Schöpfungswoche als das Urbild der Weltgeschichte betrachten könnte. Andererseits wurde jedoch die ganze Weltzeit des '*ōlam* (oder '*ālam*) als „die aus dem Willen des Schöpfers entsprungene Einheit von Raum und Zeit" betrachtet, „in der sich menschliches Leben abspielt"[386]. Als Prinzip der Darstellung erscheint hier die mit dem Sabbatgebot gegebene Zeiteinteilung, ihre Rolle in der priesterschriftlichen Darstellung der Weltschöpfung bildet nur noch einen speziellen Anwendungsfall.

Einige Formen apokalyptischer Erwartung verbanden die eschatologische Weltvollendung mit der Vorstellung eines achten Schöpfungstages, der als erster Tag einer neuen Woche dem ersten Schöpfungstag in dessen Funktion als Neubeginn entspricht (4. Esra 7,31)[387]. Nach andern wird die Endvollendung im Zeichen des siebenten Tages der Sabbatruhe Gottes stehen.

---

[385] Siehe dazu K. Koch: Sabbatstruktur der Geschichte: Die sogenannte Zehn-Wochen-Apokalypse (1. Hen 93,1-10; 91,11-17) und das Ringen um die alttestamentlichen Chronologien im späten Israelitentum, in: ZAW 95, 1983, 403-430. Vgl. schon Dan 9,24-27.

[386] K. Koch a.a.O. 427.

[387] Siehe dazu die Angaben von E. Lohse in ThWBNT VII, 19f. Solche Vorstellungen dürften auch im Hintergrund der Aussagen der Johannesapokalypse (20,2f. u. 7) über das tausendjährige Reich des Messias stehen, auf das nach Apk 21,1ff. die neue Schöpfung folgt. Vgl. E. Lohse: Die Offenbarung des Johannes (NTD 11), 1960, 96.

Dazu gehört auch die im Hebräerbrief begegnende Beschreibung der Heilsvollendung, auf die sich die christliche Hoffnung richtet, im Bilde eines Eingehens in die Ruhe Gottes (Hebr 4,3-10)[388]. Noch weiter geht ein Wort aus dem Buche Henoch. Hier wird nicht nur die Vollendung der Schöpfung am siebenten Tage auf die eschatologische Weltvollendung bezogen, sondern diese auch als Quelle des „Friedens", also als Ursprung aller Vollendung in der Welt seit ihrem Beginn bezeichnet: Von dem kommenden Äon „geht hervor der Friede seit der Schöpfung der Welt" (Hen 71,15). Zu einem ähnlichen Ergebnis kam Klemens von Alexandrien, indem er den dem ersten Schöpfungstag, dem Tag der Schöpfung des Lichtes, entsprechenden achten Tag, den Tag der Neuschöpfung, mit dem Tag der Ruhe Gottes identifizierte (Strom. VI,16,138f., MPG 9,364f.). Ihn nannte er den „Uranfang alles Entstehens ...", den Tag, der auch in Wahrheit der Schöpfungstag des Lichtes ist, durch das alles geschaut und alles als Erbteil erlangt wird" (138,1). Das kommt dem Versuch nahe, das Eschaton als den schöpferischen Ursprung des Weltprozesses überhaupt zu denken.

Ein solcher Versuch würde auch der Gottesverkündigung Jesu insofern entsprechen, als in ihr das eschatologische Kommen Gottes zum Ausgangspunkt einer Neubewertung alles Gegenwärtigen und Überlieferten geworden ist. Die Eschatologie ist in der Verkündigung Jesu nicht mehr Extrapolation einer auf ein vergangenes Heilsgeschehen begründeten Überlieferung unter Voraussetzung von deren Autorität, sondern ihr Kerngehalt, die kommende Gottesherrschaft und das Verhältnis des Menschen zu ihrer Zukunft, wird zum Kriterium einer kritischen Sichtung und Umformung alles Überlieferten. Auch die Schöpfung steht bei Jesus im Lichte der eschatologischen Zukunft und wird zum Gleichnis der Gottesherrschaft[389]. Zwar hat Jesus nicht direkt schon die Schöpfung als das Werk des kommenden Gottes bezeichnet, aber eine solche Sicht dürfte auf der Linie des für seine Botschaft charakteristischen Gefälles von der Zukunft Gottes zur Vergangenheit und Gegenwart der Welt liegen.

Das Universum und seine Geschichte rücken damit in ein gegenüber dem priesterschriftlichen Schöpfungsbericht neues Licht. Auch dort war es nicht nur um den Anfang, sondern um das Ganze des Weltgeschehens gegangen. Aber das Ganze der Welt wurde als in ihrem Anfang begründet zur Darstellung gebracht. Eine solche Betrachtungsweise ist charakteristisch für eine mythische Weltauffassung, die die gegenwärtig maßgebliche Ordnung der

---

[388] Vgl. auch die Ausführungen von K.-H. Schwarte zur christlichen Deutung der siebzig Jahrwochen von Dan 9,24-27 bei Irenäus und Hippolyt (TRE 3, 1978, 269f.), sowie ders.: Die Vorgeschichte der augustinischen Weltalterlehre, 1966. Zur mittelalterlichen Nachwirkung siehe J. Ratzinger: Die Geschichtstheologie des Heiligen Bonaventura, 1959, 16ff.
[389] Siehe dazu die Bemerkungen von U. Wilckens in W. Pannenberg (Hg.): Offenbarung als Geschichte, 1961, 55f. Anm.35 zum inneren Zusammenhang der „Motivkreise Schöpfung – Vorsehung – Alltag einerseits und Nähe der Gottesherrschaft andererseits bei Jesus" (56).

Welt auf eine gründende Urzeit zurückführt, welche sowohl Anfang als auch Urbild alles Späteren ist[390]. Sicherlich sind die biblischen Schöpfungsberichte keine im strengen Sinne mythischen Texte mehr, aber sie teilen besonders in ihrem Zeitverständnis noch die Weltauffassung des Mythos. Sie stehen mit der dadurch bedingten Abgeschlossenheit der Urgeschichte in einer Spannung zum erwählungsgeschichtlichen Bewußtsein Israels, das von den Taten Gottes in seiner Geschichte auf den Anfang der Welt als auf eine erste Geschichtstat seines Gottes zurückblickte. Für Prophetie und Apokalyptik ist das über den Sinn der Geschichte entscheidende Gotteshandeln in die Zukunft gerückt, in die Zukunft einer endgültigen Offenbarung Gottes und seiner Gerechtigkeit, nicht nur für das Gottesvolk, sondern auch für die Welt. Soll nun die eschatologische Zukunft Gottes im Kommen seines Reiches die Perspektive für die Auffassung der Welt im ganzen bestimmen, dann kann das Verständnis ihres Anfangs davon nicht unberührt bleiben. Der Anfang der Welt verliert dann die Funktion einer unveränderlich gültigen Grundlegung ihrer Einheit im Ganzen ihres Prozesses. Er ist nur noch der Anfang dessen, was sich erst am Ende in seiner Vollgestalt und wahren Eigenart herausstellen wird. Erst im Lichte der eschatologischen Vollendung der Welt wird der Sinn ihres Anfangs verständlich. Das kommt in der urchristlichen Verkündigung, wie Regin Prenter mit Recht betont hat, dadurch zum Ausdruck, daß Jesus Christus als der eschatologische Heilbringer zugleich auch als Mittler der Weltschöpfung geglaubt wird[391]. Alles, was seinem irdischen Erscheinen vorausgegangen ist, wird darum in der Sicht christlicher Typologie zur schattenhaften Vorausdarstellung der mit ihm an den Tag gekommenen Wahrheit. Doch ist eine solche Sicht des Verhältnisses von Eschatologie und Schöpfung auch mit der naturwissenschaftlichen Beschreibung des Universums vereinbar?

2. Anfang und Ende des Universums

Theologische Erörterungen über das Verhältnis von Schöpfung und Eschatologie setzen voraus, daß es überhaupt sinnvoll ist, in irgendeinem Sinne von Anfang und Ende der Welt zu sprechen. Diese Voraussetzung ist alles andere als selbstverständlich. Schon im Zeitalter der Patristik sah sich die christliche Theologie Auffassungen gegenüber, die die Anfangslosigkeit und unbegrenzte Fortdauer der Welt behaupteten.

---

[390] Zur Wirksamkeit einer in diesem Sinne mythischen Auffassung im Zeitverständnis der biblischen Überlieferungen vgl. die bereits oben Anm. 78 zit. Arbeit des Vf.: Christentum und Mythos, 31 ff. und schon 29 f.
[391] R. Prenter: Schöpfung und Erlösung. Dogmatik Band 1: Prolegomena. Die Lehre von der Schöpfung, 1958, 184 ff., bes. 185.

Argumente dafür wurden sowohl von der Weltauffassung als auch vom Gottesgedanken her geltend gemacht. Aristoteles hatte in seiner Physik (VIII,1) Gründe für die Annahme einer Anfangslosigkeit von Zeit und Bewegung, sowie auch für ihre Unvergänglichkeit vorgetragen. Er wußte sich dabei in Übereinstimmung mit den meisten seiner Vorgänger[392], aber in scharfem Gegensatz zu Platon, der als einziger eine Entstehung sogar der Zeit gelehrt habe (Phys. 251 b 17 f., vgl. Tim. 37 d). Entscheidend war für Aristoteles das Argument, daß jedes Jetzt in der Zeitreihe auf ein Früheres und auf Späteres bezogen sei (Phys. 251 b 20 ff.). Weil aber die Zeit Zahl der Bewegung sei, habe die Ewigkeit der Zeit die der Bewegung zur Folge (ib. 251 b 13, vgl. 27 f.).

Zum gleichen Ergebnis gelangten von platonischen Voraussetzungen ausgehende Erwägungen über die Unveränderlichkeit und Ewigkeit Gottes. So hat innerhalb der christlichen Theologie Origenes die Annahme der Anfangslosigkeit der Welt als unerläßliche Bedingung dafür betrachtet, daß Gott ohne Beschränkung auf eine mit dem Anfang der Welt beginnende Zeit allmächtig genannt werden könne (Princ. I,2,10; vgl. 4,5). Plotin lehrte die Ewigkeit der Welt als Konsequenz daraus, daß der Ursprung der Zeit aus der Ewigkeit selber als zeitlos gedacht werden müsse (Enn. III,7,6), während alles Zeitliche ein Vorher in der Zeit hat. In dieser Auffassung, der auch Proklos folgte[393], konvergierten neuplatonische und aristotelische Argumentation.

Die patristische Theologie hat der Auffassung des Origenes mit dem Argument widersprochen, Gott als hinsichtlich seiner Eigenschaften von der Welt abhängig zu denken, hebe den Gottesbegriff selber auf[394]. Im übrigen konnte die Patristik mit ihrer These, daß die Zeit von Gott in einem zeitlosen Akt erschaffen worden sei[395], zwar der aristotelischen Kritik an Platons Behauptung der Geschöpflichkeit der Zeit begegnen, nicht aber einen Anfang der Zeit (und damit der Schöpfung insgesamt) beweisen[396], wie ihn die biblische Schöpfungsgeschichte zu

---

[392] Dazu W. Wieland: Die Ewigkeit der Welt, in: Die Gegenwart der Griechen im neueren Denken (FS H.-G. Gadamer) 1960, 291–316, bes. 297 f.

[393] Siehe W. Beierwaltes: Denken des Einen. Studien zur neuplatonischen Philosophie und ihrer Wirkungsgeschichte, 1985, 169. Zu Plotin heißt es dort: „Wenn Welt mit der Zeit zusammen ‚geworden' ist, der *Anfang* der Zeit als ein *zeitloses* Ereignis ... gefaßt wird, dann kann die Welt keinen zeitlichen Anfang haben". Vgl. auch ders.: Plotin über Ewigkeit und Zeit (Enneade III,7), 1967, 213 f.

[394] Methodius von Olympos: *Liber de creatis*, Fragment II (MPG 18, 336 B). Vgl. auch Fg. V (340 B). Die Behauptung eines Widerspruchs zwischen der Unveränderlichkeit Gottes und einem zeitlichen Anfang der Schöpfung wurde allerdings erst von Johannes Philoponos in seiner Schrift *De aeternitate mundi contra Proclum* 529 argumentativ entkräftet durch den Gesichtspunkt, daß eine Wesenseigenschaft nicht an die Ausübung der damit verbundenen Tätigkeit gebunden sei (vgl. zu dieser Argumentation bei Philoponos E. Behler: Die Ewigkeit der Welt. Problemgeschichtliche Untersuchungen zu den Kontroversen um Weltanfang und Weltunendlichkeit in der arabischen und jüdischen Philosophie des Mittelalters, 1965, 128–137, bes. 134 f.).

[395] So schon Klemens von Alexandria Strom. 6,16, 142,2.4 (MPG 9, 369 C, 372 A) nach dem Vorgang von Philo Leg. all. I,2.

[396] Gegen das Argument, daß die Kreisform der Himmelsbewegungen Ausdruck ihrer Anfangs- und Endlosigkeit sei, wendete Basilios zwar ein, das sei auch bei von uns gezeichneten Kreisen so, und doch seien sie entstanden (Hexaem I,3, MPG 9 A–C; vgl. Ambrosius Hexaem. I,3,10, MPL 14, 127 BC). Doch das konnte ebensowenig als rationale Widerlegung der philoso-

implizieren schien. Die Neuplatoniker hatten aus der Zeitlosigkeit des Ursprungs der Zeit gerade die Anfangslosigkeit der Zeit als solcher gefolgert. Man konnte demgegenüber die biblische Aussage, Gott habe „im Anfang" Himmel und Erde geschaffen (Gen 1,1), christologisch auf den Logos als „Anfang" der Schöpfung (Joh 1,1) deuten und sich so aus der Schwierigkeit herausziehen[397]. In seinem Genesiskommentar hat Augustin in der Tat die Schöpfung der Zeit (im engeren Sinne des Wortes) erst mit dem vierten Schöpfungstage, der Erschaffung der Gestirne, verbunden[398], während nach Basilios und Ambrosius die Schöpfung der Zeit schon mit der Erschaffung von Himmel und Erde (Gen 1,1) geschehen ist[399]. In einem weiteren Sinne, nämlich im Sinne eines Zeitbegriffs, der nicht an die Bewegungen der Himmelskörper als Zeitmaß gebunden ist, hat auch Augustin daran festgehalten, nämlich im Hinblick auf die Schöpfung der Engel, die schon vor Himmel und Erde geschaffen wurden; denn auch bei den geistigen Geschöpfen gibt es nach Augustin Veränderung und Bewegung, wiewohl nicht körperlicher Art[400]. In seinem Werk über den Gottesstaat hat Augustin eingeräumt, daß die Engel „immer" waren. Er bestritt aber mit Recht, daß sie damit im gleichen Sinne ewig seien wie Gott: Obschon die Engel immer waren, sind sie dennoch nicht ewig wie der Schöpfer, weil die Veränderlichkeit der Zeit der unwandelbaren Ewigkeit nicht gleich ist[401]. Alles andere hat nach Augustin jedoch auch einen Anfang in der Zeit. Auch die Zeit selbst ist nicht ohne Anfang (wenn auch nicht im zeitlichen Sinn), weil sie Geschöpf ist[402].

Heftig umstritten war das Thema der Anfangslosigkeit der Welt im Mittelalter, und zwar schon in der arabischen und jüdischen Philosophie und Theologie des 11. und 12. Jahrhunderts[403]. Auch die christliche Scholastik

---

phischen Argumente für die Anfangslosigkeit der Zeit gelten wie der Schluß von der Vergänglichkeit der Teile der Welt auf die des Ganzen (Ambrosius ib. I,3,11, MPL 14, 127 CD, Basilios a.a.O. 11 A).

[397] Augustin De gen. ad litt. I,2,6; vgl. 4,9, sowie 9,15 ff.
[398] A.a.O. II,14,28 f.
[399] Ambrosius Hexaem. I,6,20: *In principio itaque temporis coelum et terram Deus fecit. Tempus enim ab hoc mundo, non ante mundum: dies autem temporis portio est, non principium* (MPL 14,132 A). Vgl. Basilios Hexaem. I,5 (MPG 29,13 C). Diese Auffassung hatte auch Augustin in seinem Kommentar über die Genesis gegen die Manichäer geteilt (I,2,3, MPL 34, 174 f.).
[400] De gen. ad litt. librum imperf. 3,8 (MPL 34, 222 f.).
[401] De civ. Dei XII,16: *Ubi enim nulla creatura est, cuius mutabilibus motibus tempora peragantur, tempora omnino esse non possunt. Ac per hoc et si semper fuerunt, creati sunt; nec si semper fuerunt, ideo Creatori coaeterni sunt. Ille enim semper fuit aeternitate immutabili: isti autem facti sunt; sed ideo semper fuisse dicuntur, quia omni tempore fuerunt, sine quibus tempora nullo modo esse potuerunt: tempus autem, quoniam mutabilitate transcurrit, aeternitati immutabili non potest esse coaeternum* (CC 48,372). Cf. XI,6: ... *tempora non fuissent, nisi creatura fieret, quae aliquid aliqua motione mutaret* (CC 48,326).
[402] De gen. ad litt. lib. imperf. 3,8: ... *illud certe accipiendum est in fide, etiamsi modum nostrae cogitationis excedit, omnem creaturam habere initium; tempusque ipsum creaturam esse, ac per hoc ipsum habere initium, nec coaeternum esse Creatori* (MPL 34,223).
[403] Höhepunkt dieser Auseinandersetzungen waren Al-Gazālis Aufweis von Widersprüchen in der aristotelischen Argumentation, die Verteidigung des Philosophen gegen diese Kritik bei Averroes, sowie der von Moses Maimonides geführte Nachweis der Schranken der aristoteli-

mußte sich mit den aristotelischen und neuplatonischen Argumenten gegen die Annahme eines zeitlichen Anfangs der Welt mit neuer Intensität auseinandersetzen. Während die Mehrheit der Theologen die vom IV. Laterankonzil 1215 für verbindlich erklärte Lehre eines zeitlichen Anfangs der Welt[404] für auch rational beweisbar hielt, beurteilte Thomas von Aquin die dafür aufgebotenen Argumente als unzureichend und begnügte sich mit der Behauptung der *Möglichkeit* des Glaubens an einen zeitlichen Anfang der Welt, nachdem er die Argumente für deren Anfangslosigkeit widerlegt hatte[405].

Die Anfangslosigkeit der Welt folgt nicht notwendig aus der Ewigkeit und Unveränderlichkeit ihres göttlichen Ursprungs, wenn es sich bei diesem um einen Willensakt handelt, dessen Inhalt und Ergebnis kontingent ist[406]. Aus demselben Grunde allerdings hätte Gott, wenn er gewollt hätte, auch eine Welt ohne zeitlichen Anfang schaffen können. So ist zwar die Geschöpflichkeit der Welt, ihre Abhängigkeit von Gott als erster Ursache, rational beweisbar, nicht aber die Tatsache ihres zeitlichen Anfangs[407]. Sie kann ja nur als empirische Tatsache bzw., da niemand beim Anfang dabei war, als Glaubenssache behandelt werden.

Insoweit hat sich die Auffassung des Aquinaten auch in der Folgezeit durchgesetzt[408]. Sie hat erheblich dazu beigetragen, das Bewußtsein für die Abhängigkeit der bestehenden Weltordnung vom schöpferischen Willen Gottes zu schärfen, und damit den spätmittelalterlichen Voluntarismus vorbereitet, der durch die jüngere Franziskanerschule, vor allem durch Duns Scotus und Wilhelm Ockham, weit über die Ansätze des Aquinaten hinaus entwickelt werden sollte[409]. Andererseits sind die mehr empirisch-phänome-

---

schen Lehre und der überlegenen Erklärungskraft der Schöpfungslehre, die die Welt im ganzen als kontingentes Ergebnis des göttlichen Willens auffaßt. Vgl. E. Behler: Die Ewigkeit der Welt, 1965, bes. 149ff., 212ff., 262ff.

[404] DS 800: ... *creator ... qui sua omnipotenti virtute simul ab initio temporis utramque de nihilo condidit creaturam, spiritualem et corporalem, angelicam videlicet et mundanam.* Vgl. DS 3002.

[405] Thomas von Aquin, S.c.G II,31-38. Cf. schon Sent. II d.1 q.1 a5. In De pot. 3,17 beruft sich Thomas für seine Lösung ausdrücklich auf Maimonides.

[406] S. theol. I,46,1: *Non est ergo necessarium Deum velle quod mundus fuerit semper. Sed eatenus mundus est, quatenus Deus vult illum esse, cum esse mundi ex voluntate Dei dependeat, sicut ex sua causa. Non est igitur necessarium mundum semper esse.*

[407] A.a.O. I,46,2. Cf. Quodl. 12,6,1 und vor allem Quodl. 12,2,2 mit der These, daß Gott sehr wohl etwas schaffen kann, was in einer (aber nicht in jeder) Hinsicht unendlich ist. Vgl. De pot. 3,14c.

[408] Dafür ist besonders instruktiv die Behandlung des Themas bei Duns Scotus Ord. II d.1 q.3 (ed. Vat. VII, 1973, 50-91), vor allem die Zurückweisung des Einwandes, die Annahme der Schöpfung einer von Gott verschiedenen, aber zeitlich unbegrenzten Realität impliziere einen Widerspruch (77f. n. 154f.).

[409] Daher verfehlen die in der Nachfolge Friedrich Schlegels von A. Günther und J. Frohschammer gegen Thomas von Aquin erhobenen Vorwürfe, er habe durch den Verzicht auf einen rationalen Beweis für den zeitlichen Anfang der Welt dem christlichen Schöpfungsglauben

nologischen Argumente der aristotelischen Physik für die Anfangslosigkeit der Bewegung und der Zeit von Thomas nicht mit gleicher Stringenz entkräftet worden wie die vom Gottesgedanken ausgehenden Argumente. Das gilt besonders für das Zeitargument (s.o. zu Phys. 251b 20ff.). Gegen das andere Argument, das aus der Kontinuität der Bewegung auf deren Anfangslosigkeit schloß (Phys. 251b 28-252a 5), hat Thomas eingewendet, daß der schöpferische Wille Gottes auch eine Bewegung schaffen könne, der keine andere vorausgeht[410]. Das Zeitargument aber besagt, daß wir gar keine Zeit denken können, deren Jetzt nicht auf ein Vorhergehendes folgte. Die christliche Scholastik hat darin nur ein vom Bewegungsargument abhängiges Hilfsargument erblickt, weil man das Vorher und Nachher der Zeit für abhängig von der Bewegung hielt[411]. Doch in der Physik des Aristoteles wurde die Anfangslosigkeit der Bewegung u.a. eben durch das Zeitargument *begründet*. Von daher ergibt sich dann die Frage, ob die Vorstellung der Erschaffung einer ersten Bewegung nicht schon deshalb einen Widerspruch in sich schließt, weil die Annahme eines in der Zeit Ersten der Natur der Zeit zu widersprechen scheint, in der es zu jedem Jetzt ein Vorher und ein Nachher gibt.

Das aristotelische Zeitargument bildete denn auch den Ausgangspunkt für die Bestreitung der Annahme eines Anfangs der Welt in der Antithesis der ersten kosmologischen Antimonie Kants[412]. Das Argument wendet sich dann aber gegen die so sich ergebende Vorstellung einer leeren Zeit vor dem Anfang der Welt. Auch für Kant ist der Gedanke einer leeren Zeit also bloß imaginär, und zwar darum, weil darin nichts wäre, was das Entstehen des Anfangs ermöglichen würde[413]. Das zeitliche Vorher ist offenbar nicht ablösbar von einem Rückgang in der Reihe der Ursachen[414]. Diese Ver-

---

seine metaphysische Basis entzogen, nicht nur die Intention seiner Lehre, sondern auch deren theologiegeschichtliche Funktion. Vgl. E. Behler a.a.O. 22ff.

[410] S.c.G II,34, vgl. S. theol. 46,1 ad 5.

[411] Thomas von Aquin S. theol. 46,1 ad 7; ähnlich Duns Scotus Ord. II d.1 q.3 ad 2 (ed. Vat. VII, 88 n.174): Das zeitliche Vorher für sich genommen ist nur imaginär.

[412] I. Kant: Kritik der reinen Vernunft B 455: „Da der Anfang ein Dasein ist, wovor eine Zeit vorhergeht, darin das Ding nicht ist, so muß eine Zeit vorhergegangen sein, darin die Welt nicht war, d.i. eine leere Zeit".

[413] „Nun ist aber in einer leeren Zeit kein Entstehen irgend eines Dinges möglich; weil kein Teil einer solchen Zeit vor einem anderen irgend eine unterscheidende Bedingung des Daseins, vor die des Nichtseins, an sich hat ..." (ebd.).

[414] Das hat Hegel zu der Bemerkung veranlaßt, daß die Argumentation der Antithesis in Kants erster Antimonie auf der schon vorausgesetzten Annahme beruhe, „daß es kein unbedingtes Dasein, keine absolute Grenze gebe, sondern das weltliche Dasein immer eine *vorhergehende Bedingung* fordere" (Wissenschaft der Logik I, hg. G. Lasson PhB 56, 1967, 235). Thesis und Antithesis zusammen besagen, „daß eine *Grenze* ist, und daß die Grenze ebensosehr nur eine *aufgehobene* ist, daß die Grenze ein Jenseits hat, mit dem sie aber in *Beziehung* steht" (ebd.). Nach Hegel gehört dieser Widerspruch zum Wesen der Endlichkeit (Encyclopädie der philos. Wissenschaften im Grundrisse, 3.Ausg. 1830, hg. von F. Nicolin u. O. Pöggeler PhB 33,

knüpfung ist auch vorausgesetzt in Kants Bemerkung an späterer Stelle über das Ungenügen einer Weltvorstellung, die einen Anfang der Welt in der Zeit einschließt: Eine solche Vorstellung ist „für euren Verstandesbegriff in dem notwendigen empirischen Regressus *zu klein*. Denn, weil der Anfang noch immer eine Zeit, die vorhergeht, voraussetzt, so ist er noch nicht unbedingt, und das Gesetz des empirischen Gebrauchs des Verstandes legt es euch auf, noch nach einer höheren Zeitbedingung zu fragen" (B 514f.). Die Argumentation Kants konnte allerdings nicht ausschließen, daß dieses „Gesetz" des Verstandes auf seine Subjektivität bzw. auf deren Beschreibung durch die kantische Philosophie zurückfällt. Wenn mit Hegel sowohl die Grenze – Anfang und Ende – als auch ihre Aufhebung zum Wesen des Endlichen gehören (s. Anm. 414), das endlich Daseiende aber insofern zeitlich und vergänglich ist, als ihm seine Aufhebung äußerlich bleibt[415], dann muß sich die Frage noch einmal neu stellen, ob nicht zum Wesen des Endlichen in jedem Falle auch ein zeitlicher Anfang gehört. Ob das auch für die Welt im ganzen zutrifft, hängt dann an der Frage, ob die Welt insgesamt endlich oder unendlich ist. Das ist die eigentliche Sachfrage im Hintergrund des Streites um Anfang oder Anfangslosigkeit der Welt, von den Auseinandersetzungen der Antike bis hin zu den alternativen Modellen der modernen physikalischen Kosmologie.

Der neuzeitliche Glaube an die Unendlichkeit der Welt ist aus der Verbindung der kopernikanischen Revolution des Weltbildes mit der geometrischen Raumauffassung der neuen Naturwissenschaft entstanden[416]. Wenn der in seiner Ausdehnung unbegrenzte euklidische Raum mit Giordano Bruno als der von unabsehbar vielen Sonnensystemen erfüllte Naturraum

---

1959, 209f.: § 258). Er kritisierte Kant dafür, daß er diesen Widerspruch nur der Vernunft aufgebürdet habe, um so die Natur von ihm zu befreien (Logik I a.a.O. 236).

[415] Nach Hegel ist „das Endliche vergänglich und *zeitlich*, weil es nicht, wie der Begriff, an ihm selbst die totale Negativität ist, sondern diese als sein allgemeines Wesen zwar in sich hat, aber ihm nicht gemäß, *einseitig* ist, daher sich zu derselben als zu seiner *Macht* verhält" (Encyclopädie a.a.O. § 258).

[416] Die Geschichte dieses Vorgangs beschrieb A. Koyré: Von der geschlossenen Welt zum unendlichen Universum (1957) dt. 1969. Im Gegensatz zu der seit Descartes häufig geäußerten Annahme, schon Nikolaus von Kues habe die Vorstellung der unendlichen Welt vertreten (vgl. etwa C.F.v. Weizsäcker: Die Unendlichkeit der Welt, in ders.: Zum Weltbild der Physik, 10. Aufl. 1963, 118-157, 129f.), zeigte Koyré, daß der Kusaner diese These bewußt vermied, indem er das Universum nur als unbegrenzt (*interminatum*) kennzeichnete (17f., vgl. 31). Der Schritt zur Vorstellung einer unendlichen Welt wurde erst unter dem Einfluß der kopernikanischen Kosmologie, aber im Gegensatz zu Kepler (a.a.O. 63ff.), vollzogen, und zwar bei Thomas Digges 1576, also noch vor G. Bruno (a.a.O. 42ff.), der aber seinerseits als erster den geometrischen Raum als den Raum des Universums dachte (52f.). Die „Infinitisten" des 14. Jahrhunderts hatten nur die *Möglichkeit* einer unendlichen Welt als Ausdruck der unendlichen Schöpfermacht Gottes behauptet (A. Maier: Die Vorläufer Galileis im 14. Jahrhundert, 1949, 155-215), während Bruno eine notwendige Entsprechung des tatsächlichen Schöpferhandelns Gottes zum Umfang seines Vermögens behauptete (Koyré 48f.).

gedacht wird, dann liegt die Vorstellung einer Unendlichkeit des räumlichen Universums nahe. Die Übertragung dieser Vorstellung auch auf die Zeit war demgegenüber sekundär und erfolgte nur zögernd[417]. Noch der vorkritische Kant rechnete mit einem Anfang, (allerdings nicht mehr mit einem Ende) der Welt[418], obwohl er das Planetensystem als Ergebnis mechanischer Prozesse dachte und es daher nicht wie Newton unmittelbar als durch einen intelligenten Urheber hervorgebracht auffaßte.

Der Siegeszug der Vorstellung einer Unendlichkeit der Welt wurde anfänglich durch die traditionelle Unterscheidung zwischen unbegrenzt fortsetzbaren Reihen räumlicher und zeitlicher Bestimmungen einerseits, der intensiven und vollkommen einfachen, teillosen Unendlichkeit Gottes andererseits aufgehalten. Noch Bruno und Descartes hielten an dieser augustinischen Unterscheidung fest[419]. Diese Differenz zwischen Gott und Welt schmolz erst dahin, als Henry More den unendlichen geometrischen Raum mit der Unermeßlichkeit und Allgegenwart Gottes identifiziert und Isaac Newton die Absolutheit des Raumes und der Zeit zur Grundlage seiner Physik gemacht hatte: Zwar wurde auch von More, sogar von Spinoza noch zwischen der geistigen Ausdehnung Gottes und der des Körperraumes unterschieden[420], aber durch die Ablösung der Vorstellung des absoluten Raumes und der absoluten Zeit vom Gottesgedanken in der Physik des 18. Jahrhunderts, als Folge der Abkehr von Newtons spiritueller Deutung der Kraft und insbesondere der Gravitation[421], ergab sich die Vorstellung eines für sich als zeitlich und räumlich unbegrenzt zu denkenden Universums. Kants Antinomienlehre hat die Vorstellung von der Unendlichkeit der Welt noch einmal auf den Gedanken der unbegrenzten Fortsetzbarkeit in Raum und Zeit zurückgenommen[422] und damit von der Vollkommenheit Gottes unter-

---

[417] Sie wurde nicht schon von Bruno ausgesprochen, jedenfalls nicht an der von H. Blumenberg: Die Legitimität der Neuzeit, 1966, 551f. aus Brunos Schrift De la causa, principio e uno III (Dialoghi italiani ed. G. Gentile 3.ed., 1958, 280f.) zitierten Stelle (dort ist vielmehr von der Entsprechung der Welt zu Gott im Schema von *explicatio - complicatio* die Rede, vgl. 281f.).

[418] I. Kant: Allgemeine Naturgeschichte und Theorie des Himmels (1755), 114: „Die Schöpfung ist niemals vollendet. Sie hat zwar einmal angefangen, aber sie wird niemals aufhören". Die Einschränkung ist um so bemerkenswerter als Kant behauptet, es sei „das Feld der Offenbarung göttlicher Eigenschaften eben so unendlich, als diese selber sind" (106).

[419] A. Koyré 56f. zu G. Bruno: De Immenso et Innumerabilibus (Opera lat. I,I,286f., cf. 291), ferner 101ff. zu R. Descartes: Principia philos. II § 22, vgl. I § 26, sowie 111ff. Zu Augustin vgl. oben Anm. 400f.

[420] A. Koyré 143 und 144.

[421] S.o. 99f. sowie N.J. Buckley: The Newtonian Settlement and the Origins of Atheism, in: R.J. Russell u.a. (Hgg.): Physics, Philosophy, and Theology: A Common Quest for Understanding, 1988, 81-99.

[422] I. Kant: Kritik der reinen Vernunft B 460f. A. Antweiler: Die Anfangslosigkeit der Welt nach Thomas von Aquin und Kant, 1961, 113 bemerkt mit Recht, daß Kant sich damit implizit von einer Auffassung des Unendlichen im Sinne von Anselms *id quo maius cogitari nequit* distanziert habe.

schieden, aber dabei blieb die schon von Henry More an Descartes gerichtete Frage unbeantwortet, ob ein unbegrenzter Fortgang von Bestimmungen in Raum und Zeit nicht schon voraussetzt, daß es im Universum weder einen Anfang, noch eine Grenze des kosmischen Raumes gibt[423]. Das ist allerdings nur dann der Fall, wenn nicht mit Kant auf die Vorstellung von der Welt als ganzer überhaupt zu verzichten ist[424].

In die Geschichte der Durchsetzung des Glaubens an die Unendlichkeit der Welt gehört schließlich auch noch die von Bernhard Bolzano ausgehende Begründung der mathematischen Mengenlehre. Obwohl sie sich nicht direkt auf die Kosmologie bezieht, ist sie doch als Höhepunkt und Abschluß der Übertragung des Begriffs des Unendlichen von Gott auf die Welt zu beurteilen, weil sie es scheinbar erlaubte, den Gedanken des aktual Unendlichen mathematisch zu bestimmen und so auch physikalisch anzuwenden. Bolzano faßte das aktual Unendliche als „Inbegriff" oder „Menge" einer Vielheit auf, die aus unendlich vielen Teilen besteht[425]. Damit konnte es erstmals als möglich erscheinen, entgegen der auf Aristoteles zurückgehenden Tradition das Universum als nicht nur potentiell, sondern aktual unendlich zu denken[426]. Zudem ist das Universum in mengentheoretischer Be-

---

[423] Der Brief von More an Descartes vom 11.12.1648 ist abgedruckt in Descartes' Œuvres ed. Adam-Tannery V, 235 ff. Siehe A. Koyré a.a.O. 109 zu der Briefstelle bei Descartes 242.

[424] So Kant a.a.O. B 550 f., vgl. B 532 f.: „... die Welt ist also kein unbedingtes *Ganzes*, existiert also auch nicht als ein solches, weder mit unendlicher, noch endlicher Größe" (B 533).

[425] B. Bolzano: Paradoxien des Unendlichen (1851), 1964, 15 f. (§ 14). Im Gegensatz zu Descartes (Medit. III,28) war Bolzano der Meinung, der Begriff des Unendlichen sei aus dem des Endlichen abgeleitet und bezeichne eine Menge oder Vielheit endlicher Einheiten (§ 2, vgl. § 10 f.). Der philosophische Begriff des Unendlichen als Bedingung der Möglichkeit zur Erfassung von irgendetwas Endlichem wurde von Bolzano nicht erreicht.

[426] So ist bei Bolzano von Unendlichem „*auch auf dem Gebiete der Wirklichkeit selbst*" die Rede (a.a.O. 36 § 25), zwar in erster Linie im Hinblick auf Gott (ebd.), aber wegen der Unendlichkeit seiner Kraft und seines Willens lasse sich auch bei seinen Geschöpfen „manches Unendliche nachweisen ... Denn schon die *Menge* dieser Wesen muß eine unendliche sein; ingleichen die Menge der *Zustände*, die jedes einzelne dieser Wesen während einer auch noch so kurzen Zeit erfährt, muß ... unendlich groß sein usw." (ebd. 36). Zu Raum und Zeit vgl. 38 (§ 27), sowie auch 77 f. (§ 39). Bei Kant hieß es noch, eine unendliche und unbegrenzte Welt sei „für allen möglichen empirischen Begriff *zu groß*" (Kritik der reinen Vernunft B 515). Doch Georg Cantor, der Bolzanos Gedanken zur mathematischen Mengenlehre weiterbildete, warf der Antinomienlehre Kants einen „*distinktionslosen* Gebrauch des Unendlichkeitsbegriffs" gerade hinsichtlich des aktual Unendlichen vor (Brief an G. Eneström vom 4.11.1885 in G. Cantor: Zur Lehre vom Transfiniten. Gesammelte Abhandlungen aus der Zeitschrift für Philosophie und philosophische Kritik 1, Halle 1890, zit. nach H. Meschkowski: Das Problem des Unendlichen. Mathematische und philosophische Texte von Bolzano, Gutberlet, Cantor, Dedekind, 1974, 116 ff., Zitat 122). Cantor unterschied das potentiell vom aktual Unendlichen, „indem ersteres eine *veränderliche* endliche, über alle endlichen Grenzen hinaus *wachsende* Größe, letzteres ein *in sich festes, konstantes*, jedoch jenseits aller endlichen Größen liegendes Quantum" bezeichne (121). Anstelle des aktual Unendlichen sprach Cantor gewöhnlich vom Transfiniten, konnte dieses aber ausdrücklich mit jenem gleichsetzen (a.a.O. 118 ff.). Dabei galt ihm die Nichtvermehrbarkeit durch Hinzufügung weiterer Elemente als Kennzeichen erst des Absolu-

trachtung keineswegs die einzige unendliche Menge. Die Vorstellung der Unendlichkeit der Welt verlor damit den Charakter des gedanklich Außerordentlichen.

Gegen die Auffassung der unendlichen Menge als aktual unendlich läßt sich jedoch einwenden, daß dabei immer schon die Vorstellung von Elementen, also von endlichen Teilen, aus denen eine solche Menge zusammengesetzt ist, zugrunde gelegt werden muß. Dadurch fällt die vermeintlich aktuale Unendlichkeit der unendlichen Menge doch wieder auf die potentielle Unendlichkeit der Synthesis endlicher Teile oder umgekehrt der unbegrenzt fortschreitenden Teilbarkeit zurück. Das ist die Grundlage der intuitionistischen Kritik an der Behauptung aktualer Unendlichkeit der unendlichen Menge. Die intuitionistische Mathematik behauptete über den Nachweis der Widersprüche und Paradoxien in der Vorstellung unendlicher Mengen[427] hinaus, daß es aktual unendliche Gesamtheiten nicht geben könne; denn solche sind ausgehend von Elementen nicht konstruierbar: „... man kann zwar immer noch mehr konstruieren als man schon konstruiert hat, aber stets nur endlich viel"[428]. Damit ist der Sache nach der Begriff der unendlichen Menge wieder auf den Typus der potentiellen Unendlichkeit im Sinne der unbegrenzten Fortsetzbarkeit endlicher Schritte reduziert.

Die Einsicht in die Paradoxien, die mit dem Gedanken der unendlichen Menge verbunden sind, kann heute wie ein Vorspiel der Abwendung der physikalischen Kosmologie von der Vorstellung eines unendlichen Universums erscheinen. Diese Wendung wurde ausgelöst durch die Relativitätstheorie, die Raum und Zeit als abhängig von Masse und Geschwindigkeit der Körper zu sehen lehrte und es erlaubte, die Welt als räumlich unbegrenzt, aber endlich zu denken[429]. Hinzu kam die Entdeckung der Expansionsbewegung des Universums durch Edwin Hubble und mit ihr der Schluß auf einen Anfangspunkt dieser Bewegung vor endlich langer Zeit, als die gesamte kosmische Materie auf engstem Raum zusammengedrängt gewesen sein muß. Die Vorstellung eines „Urknalls" als Beginn der kosmischen Expansion vor nach ersten Annahmen fünf, nach späteren Berechnun-

---

ten, noch nicht des aktual Unendlichen in seinem Unterschied vom potentiell Unendlichen (121f.).

[427] Dazu kurz H.G. Steiner: Mengenlehre, in: HistWBPhilos 5, 1980, 1044–1059, 1053f.

[428] So faßt C.F.v. Weizsäcker a.a.O. (s.o. Anm.416) 150 die intuitionistische Argumentation zusammen. Vgl. dazu M. Dummett: Elements of Intuitionism, Oxford 1977, 55–65. Der Anspruch auf aktuale Unendlichkeit ist auch in der Typentheorie von A.N. Whitehead und B. Russell (Principia Mathematica 1913, reprint 1961, 37ff.) nicht wiederhergestellt worden. Vgl. auch D. Hilbert: Über das Unendliche (1925), in: Hilbertiana. Fünf Aufsätze, 1964, 79–108, bes. 82f. u. 108.

[429] Zur Ermöglichung dieser Auffassung durch die Anwendung Riemannscher Raumbegriffe auf die Kosmologie siehe W. Stegmüller a.a.O. 501f., sowie auch die knappen Bemerkungen von B. Kanitscheider: Kosmologie. Geschichte und Systematik in philosophischer Perspektive, 1984, 156.

gen etwa 15 Milliarden Jahren bildet seit der Mitte des 20. Jahrhunderts das „Standardmodell" der physikalischen Kosmologie[430]. Diese moderne Kosmologie hat zum ersten Mal das Universum als ganzes in seiner zeitlichen wie räumlichen Ausdehnung zum Gegenstand empirischer Forschung gemacht[431]. Damit ist auch für die philosophische Frage nach der Welt im ganzen eine neue Situation eingetreten. Kant hatte eine solche Vorstellung als empirisch sinnlos abgewiesen, und das war die Grundlage seiner Auflösung der kosmologischen Antinomien gewesen (s. o. Anm. 424). Die Einheit der Welt war ihm nur noch eine Leitidee fortschreitender Verknüpfung der Erfahrungen. Dagegen konnte damals allenfalls geltend gemacht werden, daß das vernünftige Denken auf bestimmtere Vorstellungen von der Welt im ganzen nicht verzichten kann. Erst die moderne physikalische Kosmologie aber hat den Beweis dafür erbracht, daß eine solche Vorstellung von der Welt im ganzen keineswegs die Grenzen des Erfahrungswissens überschreitet und in ein haltloses Blendwerk abgleitet, sondern auch empirisch sowohl unerläßlich als auch möglich ist.

Ist nun mit dem Standardmodell des expandierenden Universums auch die Annahme eines zeitlichen Anfangs der Welt verbunden? Auf den ersten Blick scheint das unzweideutig der Fall zu sein. Wird doch der Welt ein „Alter" von etwa 15 Milliarden Jahren zugeschrieben. Eine aufsehenerregende Erklärung Pius XII. vom 22.11.1951 hat denn auch die neue physikalische Kosmologie als Bestätigung des christlichen Schöpfungsglaubens mit seiner Annahme eines Anfangs des Universums „vor endlicher Zeit" in Anspruch genommen und darüber hinaus sogar auch als Grundlage eines neuen Gottesbeweises[432]. Diese Erklärung ist auf mancherlei Kritik gestoßen[433]. In der

---

[430] Die Geschichte dieses Modells seit seiner ersten Aufstellung durch A. Friedmann 1922 ist mit seinen wichtigsten Varianten von St. W. Hawking anschaulich dargestellt worden: Eine kurze Geschichte der Zeit. Die Suche nach der Urkraft des Universums, 1988, 53–74. Vgl. außerdem J. S. Trefil: Im Augenblick der Schöpfung (1983) dt. 1984, sowie vor allem die als klassisch zu bezeichnende Darstellung von St. Weinberg: The First Three Minutes, 1977.

[431] So W. Stegmüller a.a.O. 505; vgl. auch das bei B. Kanitscheider a.a.O. 148 zit. Urteil von D.W. Sciama (1979), sowie dessen Buch: Modern Cosmology, 1971.

[432] Acta Apostolicae Sedis 44, 1952, 31–43, dt. in Herderkorrespondenz 6, 1951/52 H.4 (Januar 1952) 165–170: Die Gottesbeweise im Lichte der modernen Naturwissenschaft. Siehe bes. den Abschnitt C. Das Universum und seine Entwicklung (168) und die „Schlußfolgerungen" 169: „Die Erschaffung also in der Zeit, und deshalb ein Schöpfer; und folglich ein Gott. Das ist die Kunde, die Wir, wenn auch nicht ausdrücklich und abgeschlossen, von der Wissenschaft verlangten und welche die heutige Menschheit von ihr erwartet". Sehr viel zurückhaltender äußerte sich Johannes Paul II. in seiner Botschaft an den Direktor des Vatikanischen Observatoriums, Rev. Georg V. Coyng vom 1. Juli 1988 zur Dreihundertjahrfeier der Publikation von Newtons Prinzipien (abgedruckt in R. J. Russell u. a. (Hgg.): Physics, Philosophy, and Theology: A Common Quest for Understanding, 1988, M 11 f.), indem er die Erwartung äußerte, daß der Dialog der Theologen mit Naturwissenschaftlern „would prevent them from making uncritical and overhasty use for apologetic purposes of such recent theories as that of the „Big Bang" in cosmology".

Tat ist die Annahme eines zeitlichen Anfangs weniger eindeutig und nicht so unentrinnbar, wie es auf den ersten Blick scheinen konnte. Doch auch dann, wenn das Universum einen zeitlichen Anfang hat, läßt sich darauf nicht ohne weiteres ein Gottesbeweis begründen. Es bleiben auch für eine solche Sachlage unterschiedliche Interpretationen möglich.

Die Schwierigkeiten in der Frage des zeitlichen Anfangs beruhen darauf, daß der Ablauf der Zeit nicht unabhängig von den materiellen Prozessen ist. Wie schon generell nach der Relativitätstheorie die Zeitmaße relativ sind[434], so ergeben sich für die Zeit des frühen Universums mit seinen elementaren Prozessen spezielle Probleme für das Verständnis des Zeitablaufs. Zwar führt nach dem Standardmodell des expansiven Universums die Kurve seiner Ausdehnung, verfolgt man sie im Zeitsinn nach rückwärts, auf einen Punkt von unendlicher Dichte der Materie und unendlicher Krümmung der Raumzeit. Doch führen die Rekonstruktionen der Geschichte des Universums nur bis in die Nähe dieses Punktes zurück, nicht bis zu $t=0$, weil für den Anfangspunkt „überhaupt kein physikalischer Zustand definiert ist"[435]. Es ist denkbar, daß die „subjektive Zeit" in der Nähe des Anfangs entsprechend dem Maße solcher Nähe gedehnt ist, ähnlich wie in der Nähe des „Ereignishorizontes" schwarzer Löcher[436]. Damit wäre die Frage nach ei-

---

[433] Beispiele dafür bei St. Hawking a.a.O. 67ff. Aus einigen dort angeführten Äußerungen ergibt sich geradezu der Eindruck, daß manche Naturwissenschaftler fieberhaft nach Alternativen suchten, weil sie meinten, es könne doch wohl nicht sein, daß die Naturwissenschaft in ihren letzten Ergebnissen mit der Lehre der Kirche konvergiere. Siehe zu solchen Reaktionen S.L. Jaki: Science and Creation. From eternal cycles to an oscillating universe, 1974, 336ff., bes. 346ff.

[434] Bei St. Hawking 51 heißt es etwas ungenau, die Relativitätstheorie räumte „mit der Idee der absoluten Zeit auf". Wie aus den dort vorangehenden Ausführungen hervorgeht, ist es nur das jeweilige Zeitmaß bzw. die Zeitdauer, die wegen der Abhängigkeit von der Lichtgeschwindigkeit relativ sind. Die zeitliche Ereignisfolge als solche bleibt davon unberührt.

[435] B. Kanitscheider a.a.O. 309. Vgl. auch St. Weinberg a.a.O. 133, 149, bes. 148f.

[436] Zur Zeitproblematik in der Nähe schwarzer Löcher vgl. St. Hawking a.a.O. 117ff. Für Quantenprozesse schlägt St. Hawking eine Berechnung der Zeit mit imaginären Zahlen vor (171), die er etwas unscharf auch als „imaginäre Zeit" (ib.) bezeichnet. Eine Rekonstruktion der Kosmologie auf dieser Grundlage könnte das Universum als eine Raumzeit „von endlicher Größe, aber ohne Grenze oder Rand" darstellen (173), also auch ohne Singularitäten an Anfang und Ende (176). Die physikalische und theologische Relevanz dieser Annahme wird erörtert von C.I. Isham: Creation of the Universe as a Quantum Process, in: R.J. Russell u.a. (Hgg.): Physics, Philosophy, and Theology: A Common Quest for Understanding, 1988, 374-408, bes. 397ff. Zu den Problemen der Annahme eines „ersten Ereignisses" vgl. R. Torretti: Kosmologie als ein Zweig der Physik, in: B. Kanitscheider (Hg.): Moderne Naturphilosophie, 1984, 183-200, bes. 197. Zu ähnlichen Problemen im Hinblick auf das Weltende im Modell eines geschlossenen Universums vgl. F.J. Tipler, The Omega Point as *Eschaton*: Answers to Pannenberg's Questions for Scientists, in: Zygon 24, 1989, 217-253, 227: „... closed universes end in a final singularity of infinite density, and the temperature diverges to infinity as this final singularity is approached. This means that an ever increasing amount of energy is required per bit near the final singularity". Durch die Näherung an die Singularität steht so viel freie Ener-

nem absolut ersten Ereignis, wenn nicht sinnlos, so doch jedenfalls unbeantwortbar.

Dennoch gehört zur Endlichkeit jedes Vorgangs in der Zeit ein Anfang. Wenn das Universum im ganzen als ein endlicher Prozeß zu denken ist, dann und insofern ist auch für das Universum als solches ein zeitlicher Anfang anzunehmen, unbeschadet der Relativität der Zeitabläufe und der Zeitmaße. Die Vorstellungen der Neuzeit von einem in Raum und Zeit grenzenlosen (also nicht nur in einer, sondern in jeder Richtung unbegrenzten) Universum haben zwar die Teile der Welt als endliche, aber nicht die Welt im ganzen als einen endlichen Prozeß gedacht. Die moderne physikalische Kosmologie hingegen legt mit dem Standardmodell der Expansion des Universums zumindest für dessen Anfang die Annahme der Endlichkeit nahe. Es gibt auch keinen empirischen Anlaß dazu, das expandierende Universum als Teilprozeß einer pulsierenden Gesamtbewegung aufzufassen, in deren Verlauf Phasen der Expansion und der Kontraktion einander ablösen, so daß auf die Kontraktion schließlich eine neue Expansion folgen würde. Vor allem läßt sich das Kreismodell nicht in der Weise auf den Zeitablauf anwenden, daß bei einem neuen Umlauf die zeitlichen Prozesse identisch wären mit denjenigen eines früheren. Die Endlichkeit des Weltprozesses in der Zeit schließt angesichts der Unumkehrbarkeit seines Zeitablaufs die Unterschiedenheit von Anfang und Ende ein.

Der Anfang mag sich allerdings einer genauen physikalischen Bestimmbarkeit entziehen. Die Behauptung eines Zeitanfangs kann sich daher auch nicht direkt auf physikalische Befunde oder Schlußfolgerungen gründen. Sie ist auch nicht rein begrifflich aus dem Wesen des Endlichen überhaupt ableitbar; denn sie hängt an der Übertragbarkeit eines solchen Begriffs von Endlichkeit auf die Welt im ganzen. Die Behauptung eines Anfangs kann aber auch nicht als eine dem beobachtbaren und rekonstruierbaren Naturgeschehen äußerliche Offenbarungswahrheit gerechtfertigt werden. Sie bedarf einer empirischen Grundlage. Eine solche ist durch die moderne Kosmologie faktisch gegeben. Wenn es (gegen Kant) sinnvoll und notwendig ist, den Gesamtprozeß des Universums als ein Ganzes zu denken, und wenn ferner dieser Gesamtprozeß in seiner raumzeitlichen Gestalt endlich ist, dann wird er auch einen zeitlichen Anfang haben: Nicht einen Anfang „in" der Zeit, so als ob ihm eine leere Zeit vorausginge, sondern einen Anfang der Zeit selbst, der aber seinerseits schon zeitlich bestimmt ist, also den Beginn einer Folge von Zeitmomenten darstellt. Die Annahme liegt nahe, daß in einer solchen Anfangsphase die Zeit selbst als Ereignisfolge und meßba-

---

gie zur Verfügung, daß sie ausreicht „for an infinite amount of information processing between now and the end of time in a closed universe. Thus although a closed universe exists for only a finite proper time, it nevertheless could exist for an infinite subjective time, which is the measure of time that is significant for living beings".

rer Verlauf allererst Gestalt gewinnt. Dabei mag sich die subjektive, „imaginäre" Zeit gerade in der Nähe des Anfangs ins Unbegrenzte dehnen. Objektiv jedoch, d.h. relativ auf den Gesamtprozeß des Universums, ist mit dem Anfang auch eine Grenze gesetzt, mit der aber die Weltzeit nicht an eine ihr vorausgehende Zeit, sondern an die Ewigkeit grenzt[437].

Ähnliche Probleme sind mit der Vorstellung eines Endes der Welt verbunden. Die biblische Überlieferung kennt spätestens seit dem Aufkommen der Apokalyptik die Vorstellung eines Weltendes und hat diese Vorstellung mit der Hoffnung auf die Zukunft des Gottesreiches verknüpft. Für die christliche Theologie hat die durch solche Vorstellungen bestimmte Erwartung, die nun mit dem Glauben an die Wiederkunft Christi verschmolz, grundlegende Bedeutung behalten, ungeachtet großer Differenzen in den Auffassungen von der Zeitspanne, die bis zum Ende noch verstreichen wird. Die genauere Erörterung dieses Themas soll dem Eschatologiekapitel überlassen werden. Es ist hier nur unter einem besonderen Gesichtspunkt zu berücksichtigen, nämlich im Hinblick darauf, daß zur Endlichkeit der Welt, insofern sie als ganze zeitlich strukturiert ist, auch ihr Ende gehört.

Dem neuzeitlichen Denken ist diese Vorstellung als noch erheblich fremdartiger erschienen als der Gedanke eines Anfangs der Welt. Ein Grund dafür dürfte im Zurücktreten finaler Gesichtspunkte in der mechanischen Welterklärung der Naturwissenschaft des 17. Jahrhunderts und besonders im Verständnis der Naturwelt im ganzen liegen. So hat Descartes die Welt zwar als „im Anfang" von Gott geschaffen gedacht, meinte aber wegen der Unveränderlichkeit Gottes, die Erklärung aller weiteren Veränderungen allein auf die geschaffenen Dinge und ihre mechanischen Wechselwirkungen zurückführen zu müssen[438]. Aus der Unveränderlichkeit Gottes folgte für ihn die Vorstellung der ebenfalls unveränderlich gültigen Naturgesetze[439]. Noch Kant hat in seiner Allgemeinen Naturgeschichte 1755 zwar wie selbstverständlich von einem Anfang der Schöpfung gesprochen, aber sogleich hinzugefügt, sie werde nie aufhören (s.o. Anm.418). Erst durch den zweiten Hauptsatz der Thermodynamik ist der Physik die Vorstellung eines Weltendes wieder in den Blick gekommen, aber vorerst nur im Sinne eines Endzustandes thermodynamischen Gleichgewichts, des sog.

---

[437] B. Kanitscheider kritisiert die Argumentation der Antithese in Kants erster Antinomie (s. o. Anm.412f.), weil sie mit der Behauptung, einem Anfang der Welt müsse eine leere Zeit vorausgehen, die augustinische Alternative übergangen habe, „wonach mit dem ersten Ereignis auch die Raumzeit selbst entstanden sein könnte" (a.a.O. 440). Er verweist dafür auf G.J. Whitrow: The Age of the Universe, in: The British Journal for the Philosophy of Science V,19, 1954, 215-225, sowie auf B. Ellis: Has the Universe a Beginning in Time?, in: The Australian Journal of Philosophy 33, 1955, 32-37. Vgl. auch St. Weinberg a.a.O. 149: „... it is at least logically possible that there *was* a beginning, and that time itself has no meaning before that moment".
[438] R. Descartes: Principia philosophiae II § 36f.
[439] A.a.O. § 37.

„Wärmetodes"⁴⁴⁰. Das kosmologische Modell des expandierenden Universums führte dann in einer seiner Varianten zu einer wesentlich radikaleren Vorstellung eines Weltendes, allerdings mit dem Blick auf eine noch viel fernere Zukunft. Es ergab sich nämlich die Frage, ob die Expansionsbewegung sich trotz anscheinender Verlangsamung in alle Zukunft fortsetzen wird, oder ob die Expansion durch die Wirkung der Schwerkraft bis zum gänzlichen Stillstand abgebremst wird und dann in eine Phase der Kontraktion übergeht, die schließlich in einer dem Anfang des Universums entsprechenden Singularität, einem Punkt unbegrenzter Dichte und Raumzeitkrümmung, enden wird. Beispiele für die in einer derartigen Zukunft des Universums sich abspielenden Vorgänge sind seit der Entdeckung und Untersuchung der sog. schwarzen Löcher innerhalb des Universums gegeben⁴⁴¹. Neben der Möglichkeit einer Fortsetzung der kosmischen Expansion in eine grenzenlose Weite der Raumzeit hinein und der Gegenmöglichkeit ihrer Umkehrung in eine Kontraktionsbewegung auf einen die Geschichte des Universums beendenden Zusammensturz seiner Materie hin hat noch eine Zwischenlösung besonderes Interesse gefunden: die Möglichkeit eines „flachen" Auslaufens der Expansionskurve mit Übergang in eine unbegrenzt stabile Phase des Gleichgewichts von expandierenden Kräften und Gravitation⁴⁴². Die Entscheidung zwischen diesen Modellen hängt an der nicht hinreichend geklärten Frage nach der Gesamtmasse bzw. nach der Dichte der Materie im Universum. Neigte die physikalische Kosmologie bisher eher der Annahme eines „flachen" Universums zu, so begünstigen neuere Befunde die Annahme einer größeren Materiedichte als bisher vermutet und damit auch die Schlußfolgerung, daß die Wirkung der Schwerkraft zur Umkehrung der Expansionsbewegung in eine Kontraktion führen könnte.

Haben solche Erwägungen irgendeine Relevanz für die theologische Frage nach einem Ende der Welt? Schon bei den Diskussionen über einen „Wärmetod" des Universums ist mit Recht darauf hingewiesen worden, daß ein solches Ereignis weit jenseits der geschichtlichen Zukunft der Menschheit läge, weil die Bedingungen für organisches Leben viel früher an ein Ende kommen werden. In der biblischen Erwartung hingegen war das Welt-

---

⁴⁴⁰ C.F.v. Weizsäcker: Die Geschichte der Natur (1948) 2.Aufl. 1954, 37f. Vgl. auch K. Heim: Weltschöpfung und Weltende (1952), 2.Aufl. 1958, 114ff., 121ff., der in dieser thermodynamischen Prognose des Weltendes mit Worten von Dubois-Reymond eine „naturwissenschaftliche Eschatologie" formuliert sah.
⁴⁴¹ St. W. Hawking und R. Penrose: The singularities of gravitational collapse and cosmology, in: Proceedings of the Royal Society of London (A) 314, 1969/70, 529-548. Vgl. St.W. Hawking: Eine kurze Geschichte der Zeit, 1988, 111-128.
⁴⁴² Zu den drei Möglichkeiten eines offenen, eines geschlossenen oder eines „flachen" Verlaufs der Kurve der kosmischen Expansion vgl. St.W. Hawking: Eine kurze Geschichte der Zeit, 1988, 62ff. Hawking selbst optiert für ein offenes oder flaches Universum (66), weil nach den bei Abfassung seines Buches verfügbaren Informationen die Materiedichte im Universum für den Übergang zu einer Kontraktionsphase nicht ausreichend zu sein schien.

ende eng mit dem Ende der Menschheitsgeschichte verbunden, und zwar als Gegenstand einer mehr oder weniger intensiven Naherwartung. Sollte unsere Welt dem Modell eines „geschlossenen", nach Durchlaufen einer Kontraktionsphase in einer dem Anfang analogen Endsingularität zusammenstürzenden Universums entsprechen, so würde dieses Ende erst Jahrmilliarden nach dem Zeitpunkt eintreten, an dem die Bedingungen für organisches und damit auch für menschliches Leben weggefallen sind. Allerdings ist im Zusammenhang der Diskussionen über das „anthropische Prinzip" von Barrow und Tipler der Gedanke entwickelt worden, daß das Auftreten intelligenter Wesen, wenn denn das ganze Universum darauf angelegt ist, keine vorübergehende Erscheinung sein kann und sich bis zur geistigen Herrschaft über das Ganze des Universums fortsetzen wird unter Ablösung von der Grundlage eines auf Kohlenstoffverbindungen beruhenden organischen Lebens[443]. Aber wäre das noch eine menschliche Daseinsform? Den Endpunkt vollendeter geistiger Herrschaft über das Universum hat Frank Tipler in einer weiterentwickelten Version seines „anthropischen" Modells denn auch mit dem Gottesgedanken statt mit einer höheren Entwicklung menschlicher Intelligenz verbunden[444]. Tragende Bedeutung für seine Argumentation behält jedoch die Beziehung der mit dem Menschen im Universum aufgetretenen Intelligenz auf eine mögliche Teilhabe an der im Omega des Universums vollendeten Wirklichkeit Gottes. Solche Teilhabe wäre wohl auch ohne die Annahme kontinuierlicher Fortdauer intelligenten Lebens bis zum Ende des Universums denkbar, da ja die göttliche Wirklichkeit (wie auch Tipler annimmt) nicht erst in Omega entsteht, sondern als in Omega vollendete keinen Zeitschranken unterliegt und daher aus ihrer eschatologischen Zukunft bereits jeder Phase des Weltprozesses gegenwärtig und als schöpferischer Ursprung des Universums schon im Anfang seines Weges zu denken ist.

Unerläßlich ist die Annahme einer Fortdauer menschlichen Lebens im Universum jedoch unter einem anderen Gesichtspunkt, nämlich unter der (von Tipler und Barrow angenommenen) Voraussetzung, daß das Auftreten menschlichen (bzw. intelligenten) Lebens im Prozeß der Evolution des Universums nicht nur ephemere, sondern konstitutive Bedeutung für dessen Gesamtprozeß haben soll: Das Leben der Menschen muß dann in der Lage sein, den ganzen Weltprozeß zu umgreifen und zu bestimmen. Diese Bedingung ist auf dem Boden des christlichen Glaubens an die Auferstehung und

---

[443] J.D. Barrow und F.J. Tipler: The Anthropic Cosmological Principle, 1986, 266 ff.

[444] F.J. Tipler: The Omega Point as *Eschaton*: Answer to Pannenberg's Questions for Scientists, in: Zygon 24, 1989, 217–253, bes. 200 ff., 229 f. Eine Zwischenphase in der Entwicklung von Tiplers Gedanken bildet sein Beitrag: The Omega Point Theory: A Model of an Evolving God, in: R.J. Russell u.a. (Hgg.), Physics, Philosophy, and Theology: A Common Quest for Understanding, 1988, 313–331.

Erhöhung Jesu Christi als des neuen Menschen erfüllt[445]. Daher bedarf es dazu nicht mehr der Annahme künftiger Entwicklungsformen der mit dem Menschen im Weltprozeß aufgetretenen Intelligenz auf einer anderen Basis als der auf Kohlenstoff beruhenden Form organischen Lebens.

Die dazugehörigen Einzelerörterungen müssen der Eschatologie vorbehalten bleiben. Doch sollte schon hier deutlich sein, daß nicht nur ein dem zeitlichen Anfang entsprechendes zeitliches Ende des Universums physikalisch denkbar, damit auch die Annahme der Endlichkeit des Universums im ganzen seines Prozesses möglich ist, daß vielmehr die Zukunft und nicht der zeitliche Anfang des Universums sich dabei als der „Ort" herausstellt, von dem her der Gesamtprozeß der Welt von allem Anfang an begründet ist. Der „anthropische" Gesichtspunkt, der das Auftreten intelligenten Lebens als wesentlich für den Gesamtcharakter des Universums betrachten läßt, führt zu einer Auffassung seiner Begründungsstruktur, die der Eschatologie konstitutive Funktion für das Universum im ganzen zuschreibt, weil erst im Omega des kosmischen Prozesses die vollendete Gestalt jener geistigen Herrschaft über die Welt vorstellbar ist, die in anfänglicher Gestalt im Menschen in Erscheinung getreten ist, die aber, wenn ihr Auftreten im Menschen wirklich für das Universum insgesamt bedeutsam sein soll, noch in anderer, das Universum in seiner ganzen Ausdehnung bestimmender Form realisiert sein müßte. Erst im Omega des kosmischen Prozesses ist aber eine geistige Herrschaft über den Gesamtprozeß vorstellbar, die dann auch seinen Anfang begründet, weil sie heraustritt aus den Bedingungen der Zeit. Man mag dagegen einwenden, daß sich auch unmittelbar mit dem Anfang die Vorstellung eines Gottes verbinden läßt, der dem Universum seine Gesetze und sein Dasein gegeben hat. Tatsächlich führt ja auch die Omegapunkt-Theorie Tiplers im Ergebnis zu einer solchen Vorstellung. Doch hat sie den Vorzug, daß sie am Leitfaden des anthropischen Prinzips einen Begründungsgang entwickelt, der schließlich zu diesem Ergebnis führt. Ohne den Weg über die Eschatologie ständen dafür nur die Gedankensprünge und anthropomorphen Analogieschlüsse des teleologischen Gottesbeweises von der Ordnung des Universums auf die Annahme eines intelligenten Urhebers zur Verfügung. Gegenüber dieser traditionellen Denkfigur wird man der von Tipler vorgetragenen Argumentation zubilligen müssen, daß sie sich weder bloßer Analogieschlüsse bedient, noch zu einer anthropomorphen Gottesvorstellung führt. Im übrigen handelt es sich nur um einen möglichen Theoriezusammenhang, alternativ zu andern kosmologischen Modellen, daher nicht um einen Gottesbeweis im traditionellen Sinne.

Für die Theologie kann nicht die Übernahme eines solchen Modells zur Diskussion stehen. Seine Argumentation bewegt sich auf einer anderen Ebene als die der Theologie. Aber eine Konvergenz tragender Grundgedan-

---

[445] Siehe dazu schon meine Bemerkungen in Zygon 27, 1989, 255–271, bes. 267f.

ken mit der hier entwickelten theologischen Argumentation ist unverkennbar. Die Möglichkeit derartiger kosmologischer Erwägungen kann daher von der Theologie zur Erläuterung der These über die Zukunft Gottes als schöpferischer Ursprung des Universums herangezogen werden und ihren Realitätsbezug erläutern. Die Art und Weise wie Gott vom Eschaton des Universums her seinen Geschöpfen im Verlauf des kosmischen Prozesses schöpferisch gegenwärtig ist, bedarf allerdings im Modell Tiplers einer weitergehenden Aufklärung, zu der bisher keine Vorschläge vorliegen. Sie könnte vielleicht in der Richtung der hier unter dem Gesichtspunkt der schöpferischen Wirksamkeit des göttlichen Geistes geäußerten Mutmaßungen zum Feldbegriff gesucht werden (s.o. 120ff.)[446].

3. Schöpfungsglaube und Theodizee

Die Welt, wie sie sich menschlicher Erfahrung und Erkenntnis darbietet, kann mit guten Gründen als Schöpfung des Gottes der Bibel aufgefaßt und in Anspruch genommen werden. Den Nachweis dafür hat die theologische Schöpfungslehre zu erbringen, indem sie die Welt als Schöpfung Gottes darstellt. Sie leistet damit einen nicht zu unterschätzenden Beitrag dazu, daß die Möglichkeit offengehalten wird, intellektuell verantwortlich von Gott zu reden. Wo die Theologie an der Aufgabe der Schöpfungslehre versagt, droht die Gefahr, daß die Vokabel „Gott" ihren ausweisbaren Sinn verliert. Doch auch im Falle ihres Gelingens vermag die theologische Schöpfungs-

---

[446] Eine Reinterpretation des kosmischen Feldes (Tipler 1989, 229) im Sinne der konstitutiven Relevanz von Omega für seine Feldstruktur könnte eine Deutung der quantenphysikalischen Kontingenzproblematik ergeben, die Tiplers Rückgriff (a.a.O. 235f.) auf die „Many Worlds Interpretation" von Hugh Everett (1957) überflüssig machen würde und der temporalen Kontingenz der einzelnen Ereignisse (nicht im Verhältnis zur universalen Wellenfunktion, aber im Verhältnis zu ihren Vorgängern) mehr Gewicht zuerkennen würde als Tipler (a.a.O. 236) ihnen bisher einräumt. Zur Kritik an der Hypothese von H. Everett vgl. Mary B. Hesse: Physics, Philosophy and Myth, in: R.J.Russell u.a. (Hgg.): Physics, Philosophy, and Theology: A Common Quest for Understanding, 1988, 185–202, bes. 192ff. In solche Richtung weisende Erwägungen könnten vielleicht an die Ausführungen von J.A. Wheeler über eine rückwirkende Entscheidung der Identität von Quantenereignissen anknüpfen, wenn solche Entscheidung primär mit Omega zu verbinden wäre und nur sekundär der Mensch in seinem Verhältnis zur Naturwelt an ihr partizipierte, entsprechend der biblischen Vorstellung von der gottebenbildlichen Herrschaft des Menschen in der Schöpfung (vgl. J.A. Wheeler: Die Experimente der verzögerten Entscheidung und der Dialog zwischen Bohr und Einstein, in: B. Kanitscheider (Hg.): Moderne Naturphilosophie, 1984, 203–222, bes. 214ff., sowie ders.: World as System Self-Synthesized by Quantum-Networking, in: IBM Journal Res. Develop. 32, 1988, 4–15, wo Wheeler sich gegen die Vorstellung einer kontinuierlichen Raumzeit wendet (13f.), aber fortfährt, von Ereignissen zu sprechen (13), die doch ohne Zeit nicht vorstellbar sind, so daß seine Kritik des Zeitbegriffs eher als Forderung nach dessen Revision im Sinne einer diskreten Abfolge der Zeitmomente und also nach Berücksichtigung der Kontingenz in unseren Zeitbegriffen aufgefaßt werden könnte).

lehre das Gotteslob aus den Werken der Natur, von dem der 19.Psalm spricht, nicht in dem Sinne als evident zu erweisen, daß es sich nun etwa eindeutig aus dem jeweiligen Stand der Naturerkenntnis ablesen ließe. Obwohl nach Paulus an den Werken der Schöpfung jeder Mensch durch seine Vernunft der ewigen Macht und Gottheit Gottes gewahr wird (Röm 1,20), bleibt die ausdrückliche Inanspruchnahme der Naturwirklichkeit (aber auch der Geschichte der Menschen) als Schöpfung Gottes faktisch strittig. Dafür gibt es vielerlei Gründe. Nach Paulus hindern Undankbarkeit und Ungerechtigkeit der Menschen sie, dem Schöpfer der Welt die Ehre seiner Gottheit zu geben (Röm 1,18 und 21). Schon im Vorfeld derartiger letzter Urteile läßt sich sagen, daß die Gegensätze der Weltinterpretation durch die unterschiedlichen Einstellungen der Interpreten mitbedingt sind. Aber es gibt auch Gründe, die in der Sache selbst liegen und der Erkenntnis des Schöpfers aus den Werken der Schöpfung im Wege stehen. Einige dieser Gründe haben es mit der Selbständigkeit der kreatürlichen Gestalten und Prozesse zu tun, die den Eindruck erwecken, daß es zu ihrem Verständnis keines Rückgangs auf einen göttlichen Schöpfer bedarf. Andererseits steht das scheinbar sinnlose Leiden der Geschöpfe, sowie das Auftreten und der zumindest zeitweilige Erfolg des Bösen in der Schöpfung der Annahme eines sowohl allmächtigen als auch gütigen Schöpfers im Wege. Dadurch wird die für den Schöpfungsglauben unerläßliche Überzeugung von der Güte des Schöpfungswerkes in seiner Entsprechung zum Schöpfungswillen Gottes dem Zweifel ausgesetzt. Es wird sich zeigen, daß dieser zweite Problemkreis in einem Zusammenhang mit dem ersten steht. Dieser Zusammenhang läßt sich aber nur dann aufklären, wenn die Herausforderung des Schöpfungsglaubens durch den Zweifel an der Güte des Schöpfungswerkes zunächst genauer bestimmt wird.

Der Schöpfungsbericht der Priesterschrift stellt nach jedem einzelnen Schöpfungswerk die Übereinstimmung seiner Ausführung mit der göttlichen Absicht fest und fügt eine Billigung des entstandenen Werkes als „gut" hinzu[447]. Am Schluß des Berichts, im Anschluß an die Erschaffung des Menschen, wird anstelle einer speziellen Billigung dieses Werkes eine „Gesamtbilligung" der ganzen Schöpfung als „sehr gut" ausgesprochen (Gen 1,31). Dabei ist der Mensch natürlich miteingeschlossen, und darüber hinaus wird auf diese Weise die besondere Bedeutung der Erschaffung des Menschen für die Vollendung des ganzen Schöpfungswerkes (Gen 2,2) hervorgehoben[448]. Die „Güte" der Schöpfung insgesamt hängt offenbar an der des Menschen, an seiner Entsprechung zur göttlichen Schöpfungsabsicht.

Allerdings ist auch der Priesterschrift nicht verborgen geblieben, daß die

---

[447] Gen 1,4, sowie Verse 10, 12, 18, 21, 25, 31. Siehe dazu W.H. Schmidt: Die Schöpfungsgeschichte der Priesterschrift, 1964, 59ff.
[448] O.H. Steck: Der Schöpfungsbericht der Priesterschrift, 1975, 183, vgl. 131 Anm.521.

Welt, wie die Menschen sie in ihrer Geschichte erfahren und gestalten, nicht unzweideutig jene Güte erkennen läßt, die das Urteil des Schöpfers ihr zuspricht. Zu Beginn der Sintfluterzählung heißt es: „Und Gott sah die Erde, und siehe, sie war verdorben; denn alles Fleisch hatte seinen Wandel auf der Erde verdorben" (Gen 6,12). Es scheint, daß dabei nicht nur an die Menschen gedacht ist, sondern an alles Lebendige[449]. Alles Lebendige ist einbezogen in die Schuld, die das Gottesgericht der Flut nach sich zieht. Es ergibt sich also, daß die Welt zwar von Gott gut geschaffen, aber von den Geschöpfen – und besonders von den Menschen, durch die die Güte der Schöpfung zur Vollendung kommen sollte –, verdorben worden ist. Da der Schöpfung eine anfängliche Vollkommenheit zugeschrieben wurde, konnte die Priesterschrift das in der Welt vorhandene Übel nur als nachträglich eingerissen darstellen. Gegenläufig zu solcher Verderbnis der Welt dürfte die Priesterschrift die Beachtung des Gesetzes Gottes und besonders des Sabbatgebotes (vgl. Ex 20,11) als Bewahrung der ursprünglichen Ordnung der Schöpfung verstanden haben. Die christliche Auffassung geht darüber hinaus, indem sie das Erscheinen des eschatologisch neuen Menschen in Jesus Christus (1.Kor 15,46f.) als Vollendung der Schöpfung selber begreift, die alles in ihr aufgetretene Verderben überwindet. Von daher braucht die christliche Schöpfungstheologie nicht auf die Annahme eines vollkommenen Anfangszustandes festgelegt zu sein. Sie ist aber durch die Autorität der Aussagen des biblischen Schöpfungsberichts über die Güte der Schöpfung in diese Richtung gedrängt worden, trotz der in ganz andere Richtung weisenden paulinischen Worte von 1.Kor 15,45ff.

Es lag dem Glauben Israels und auch des Urchristentums fern, den Schöpfer selbst wegen des in seiner Schöpfung eingerissenen Übels anzuklagen. Das war bemerkenswerterweise nicht nur deshalb ausgeschlossen, weil man die Geschöpfe und besonders den Menschen dafür verantwortlich machte, sondern schon dadurch, daß dem Geschöpf überhaupt das Recht abgesprochen wurde, sich zum Richter über Gottes Schöpfungshandeln aufzuwerfen: „Wehe dem, der mit seinem Schöpfer hadert, er, eine Scherbe unter irdenen Scherben! Spricht auch der Ton zum Töpfer: Was schaffst du da? und das Werk: Du hast keine Hände?" (Jes 45,9; vgl. Jer 18,6; Röm 9,20). „Rafft er dahin, wer will ihm wehren? Wer will zu ihm sagen: Was tust du da?" (Hi 9,12). Auf dem Boden des Glaubens an Gott den Schöpfer kann sich ein Problem der Theodizee, eine Forderung nach Rechtfertigung Gottes für die von ihm geschaffene Welt, im Ernst gar nicht erheben[450]. Das

---

[449] So W.H. Schmidt a.a.O. 63 Anm.1 mit Verweis auf Gen 6,17. Nach Schmidt besteht darin ein Unterschied zum Sprachgebrauch des Jahwisten.

[450] Daher hat K. Barth das Thema der Theodizee in einer Rechtfertigung des Daseins der Geschöpfe durch die Tatsache ihrer Schöpfung umgekehrt (KD III/1, 1945, 418-476). Gott

schließt allerdings nicht aus, daß diese Frage auch dem Glaubenden sich aufdrängen kann, nämlich als Anfechtung seines Glaubens, so wie auch die Tatsache (und also die Möglichkeit) des Unglaubens den Glauben wie ein Schatten begleitet: Es gibt offenbar die offene Verweigerung des Glaubens an Gott den Schöpfer, und solcher Unglaube beruft sich nicht ohne Grund auf die Tatsache des Übels in der Welt, indem er erinnert an das schuldlose und alle Proportionen sprengende Leiden vor allem solcher Geschöpfe, deren Leben sich noch gar nicht entfalten konnte. Das jämmerliche Leiden und Sterben von Kindern bleibt der schlagendste Einwand gegen den Glauben an einen weisen und gütigen Schöpfer der Welt[451].

Es ist das kein Einwand bloß theoretischer Art, der sich durch Argumente und Interpretationen auflösen ließe. Das sinnlose Leiden so vieler Geschöpfe steht auf sehr reale Weise dem Glauben an einen allmächtigen und zugleich gütigen und weisen Schöpfer entgegen. Wenn dieser Widerstreit überhaupt einer Auflösung fähig ist, dann nur durch reale Überwindung der Übel und des Leidens, wie sie die christliche Eschatologie im Glauben an die Auferstehung der Toten erhofft. Jede nur theoretische Theodizee bleibt der Kritik ausgesetzt, die Karl Barth gegen Leibniz und gegen dessen Nachfolger im 18. Jahrhundert gerichtet hat, daß nämlich dabei nur eine *Umdeutung* der Wirklichkeit dieser Welt durch Bagatellisierung ihrer Schattenseite erfolgt[452]. Leiden, Schuld und Tränen schreien nach realer Überwindung des Übels. Daher ermöglicht erst die Einheit von Schöpfung und Erlösung im Horizont der Eschatologie eine haltbare Antwort auf die Frage der Theodizee, die Frage nach der Gerechtigkeit Gottes in seinen Werken[453]. Genauer gesagt, es ist allein Gott selbst, der eine wirklich befreiende Antwort auf diese Frage zu geben vermag, und er gibt sie durch die Geschichte seines Handelns in der Welt und insbesondere durch dessen Vollendung mit der Aufrichtung seines Reiches in der Schöpfung. Solange die Welt isoliert im Blick auf ihre unvollendete und unerlöste Gegenwart einerseits, unter dem Gesichtspunkt ihres anfänglichen Hervorgangs aus den Händen des Schöp-

---

der Schöpfer bedarf auch angesichts der Abwendung seines Geschöpfes von ihm „keiner Rechtfertigung" (304).

[451] Seine klassische Formulierung hat dieser Einwand gegen den Glauben an Gott in dem Gespräch Iwan Karamasows mit Aljoscha in F.M. Dostojewskis Roman „Die Brüder Karamasow" erhalten (5.Buch, Kap.4: Die Empörung). Bei Albert Camus, Die Pest, findet sich nur noch ein Nachklang dieser Empörung (IV,3 und 4), weil der Arzt Rieux den Gottesglauben schon hinter sich gelassen hat, um sich selbst der Hilfe für die leidenden Menschen zuzuwenden (II,6). Schon bei Iwan Karamasow aber bildet der an die Stelle Gottes tretende, für das Glück der Menschen sich einsetzende „Menschgott" das Korrelat zur Ablehnung des Glaubens, wie aus der unmittelbar folgenden Legende vom Großinquisitor ersichtlich ist. Vgl. dazu W. Rehm: Jean Paul-Dostojewski. Eine Studie zur dichterischen Gestaltung der Unglaubens, 1962, 62ff.

[452] K. Barth KD III/1, 1945, 446f.

[453] W. Trillhaas, Dogmatik 3.Aufl. 1972, 172ff.

fers andererseits betrachtet wird, bleibt die Tatsache des Bösen und des Übels in der Schöpfung ein auswegloses Rätsel und Ärgernis. Es ist der schwerste Mangel der traditionellen Behandlung der Theodizeeproblematik, gerade auch in der klassisch gewordenen Gestalt, die Leibniz ihr gegeben hat, daß man den Erweis der Gerechtigkeit Gottes in seinen Werken ausschließlich unter dem Gesichtspunkt des Ursprungs der Welt und ihrer Ordnung aus Gottes Schöpfungshandeln am Anfang meinte führen zu können[454], statt dabei die Geschichte des göttlichen Heilshandelns und seine in Jesus Christus schon angebrochene eschatologische Vollendung mit in den Blick zu nehmen[455].

Allerdings bleibt auch unter dem Gesichtspunkt der Versöhnung und eschatologischen Vollendung die Frage offen, warum der allmächtige Schöpfer nicht von vornherein eine Welt ohne Leid und Schuld geschaffen hat. Insofern bleibt das Theodizeeproblem nach dieser Seite hin doch auch mit dem Weltursprung verknüpft. Daher ist es verständlich, daß es sich der christlichen Theologie zunächst von dieser Seite her gestellt hat.

Schon Klemens von Alexandrien ist auf die Frage eingegangen, wie das Übel und das Böse in eine von Gott gut geschaffene Welt Eingang finden konnten (Strom. I,17,82ff.). Er gab darauf die später oft wiederholte Antwort, die Übel und das Leid dieser Welt seien Folgen der Sünde. Die Verantwortung für das Aufkommen von Sünde und Bosheit unter den Geschöpfen aber treffe nicht den Schöpfer, sondern nur den Täter der bösen Tat, weil die Seelen in ihren Entscheidungen frei sind (83,5). Beide Bestandteile dieser Antwort sind unzureichend: Leiden und Schmerz sind schon in der vormenschlichen Welt des Lebendigen verbreitet und können nicht allgemein als Folgen der Sünde der Menschen dargetan werden[456].

---

[454] Zu beanstanden ist nicht schon der Versuch, überhaupt der Gerechtigkeit Gottes in seinen Werken nachzuspüren. Es ist nicht so, daß damit das Geschöpf die ihm gesetzten Grenzen überschritte. Die Geschöpfe – und unter ihnen besonders die Menschen – sind in der Tat aufgerufen dazu, die Weisheit, Güte und Gerechtigkeit Gottes in seinen Werken zu bezeugen. Sie erforschen zu wollen, kann daher nicht tadelnswert sein. Zu beanstanden ist nur die Einseitigkeit des in den traditionellen Erörterungen der Theodizee befolgten Verfahrens, das den Anschein hervorrufen konnte, als ob Gott durch Vernunftgründe für die Mängel seiner Werke entschuldigt werden sollte, statt daß die Vernunft dem von Gott selbst zur Rechtfertigung seiner Gottheit beschrittenen Wege nachdächte.

[455] Das scheint auch für Karl Barth der letztlich ausschlaggebende Einwand gegen den „in dieser ganzen Literatur" vorgetragenen christlichen Schöpfungsoptimismus gewesen zu sein, den Barth im übrigen bemerkenswert positiv gewürdigt hat (KD III/1, 474ff.).

[456] J. Hick hat in seinem bedeutenden Buch *Evil and the God of Love* (1966) den Versuch gemacht, diese alte christliche Position gegen die besonders von David Hume wirksam vorgetragene Kritik (Dialogues concerning Natural Religion, 1779, ed. H.D. Aiken London 1948, 1977, part XI p.73ff.) zu verteidigen, indem er zwischen der bei allen Lebewesen, jedenfalls den Wirbeltieren verbreiteten Schmerzempfindung (pain) und dem Leiden (suffering) unterschied (328ff., 354ff.) und letzteres im Unterschied zum augenblicksbezogenen und für ein sich in einer Umwelt bewegendes Wesen lebensnotwendigen Schmerz als spezifisch menschlich und zugleich (355) als Folge der Sünde des Menschen auffaßte. Doch diese Argumentation vermag

Man muß schon auf den Fall der Engel und auf ihre Herrschaft über diese Welt (bzw. über den Äon der gefallenen Schöpfung) zurückgreifen, wenn man das Übel in ihr durchweg als Resultat einer aus freier Entscheidung vollzogenen Abwendung der Geschöpfe vom Schöpfer verstehen will[457]. Aber auch die Beschränkung der Verantwortung für die böse Tat auf den Täter ist dann nicht überzeugend, wenn ein anderer den Täter vor einer verhängnisvollen Tat hätte bewahren können. Das gilt in besonderem Maße für den Schöpfer, der seinen Geschöpfen nicht als Unbeteiligter gegenübersteht, sondern sie hervorgebracht hat. Ist die Tat das Ergebnis der freien Entscheidung des Täters, so ist doch diese Freiheit selbst ein Werk des Schöpfers und auch ihr aktueller Gebrauch nicht ohne seine Mitwirkung zu denken. Warum also hat Gott die Welt nicht so eingerichtet, daß seine Geschöpfe vor Sünde und Übel bewahrt bleiben?

Der Hinweis darauf, daß das Böse in der Entscheidungs- und Handlungsfreiheit des Geschöpfes seinen Ursprung hat, vermag den Schöpfer von der Verantwortung für diese seine Schöpfung nicht zu entlasten: Wie immer frei das Geschöpf sein mag, es ist doch gerade in dieser seiner Freiheit Geschöpf Gottes. Das Bemühen um Entlastung des Schöpfers ist ein Irrweg christlicher Theodizee gewesen, der weder gedanklich zum Ziele führen konnte, noch dem neutestamentlichen Zeugnis entspricht, wonach Gott selbst durch den Kreuzestod seines Sohnes die Verantwortung für die von ihm geschaffene Welt übernommen und getragen hat.

Der Hinweis auf die Freiheit des Geschöpfes enthält jedoch in anderer Hinsicht ein wichtiges Wahrheitsmoment, das von dem verfehlten Bemühen um Entlastung des Schöpfers scharf zu unterscheiden ist und erst so seine volle Bedeutung erkennen läßt: Wenn der Schöpfer ihm gegenüber selbständige und freie Geschöpfe wollte, die aus ihrer eigenen Spontaneität heraus ihn in seiner Gottheit anerkennen und so ihrerseits der Gemeinschaft des

---

schwerlich zu überzeugen. Es ist zweifelhaft, ob zwischen Schmerz und Leiden so scharf getrennt werden kann, wie Hick 1966 wollte. Theologische Gründe dafür gibt es jedenfalls nicht. Paulus rechnete mit einem Leiden auch der außermenschlichen Kreatur (Röm 8,22), die auch an der Erlösung des Menschen teilhaben soll (8,21). Andererseits ist nicht alles Leiden der Menschen Ausdruck sündhafter Ichzentriertheit, die die eigene Endlichkeit nicht annehmen will. Hick selbst hat in seinem späteren Buch *Death and Eternal Life* (1976) den Gesichtspunkt einer Kompensation für die Versagungen des gegenwärtigen Lebens als ein Grundmotiv eschatologischer Erwartung betont (152ff., vgl. 390f.). Das entspricht auch einer Grundvorstellung der Botschaft Jesu (z.B. Mt 5,3ff.). Damit ist aber auch der Raum für die Anerkennung eines nicht als Sündenfolge zu deutenden Leidens an der Inauthentizität und mangelnden Integrität des gegenwärtigen Lebens eröffnet. G.Süßmann hat in seinem Beitrag „Materie und Vergänglichkeit. Über das Böse als kosmisch-geistige Realität" in W.Böhme (Hg): Das Übel in der Evolution und die Güte Gottes, 1983, 26-43, mit Recht darauf hingewiesen, daß auch die Behandlung der in Lk 13,1-5 besprochenen Ereignisse durch Jesus oder Jesu Abweisung der Frage nach einer Sünde als Ursprung des Leidens des Blindgeborenen nach Joh 9,1ff. es nicht zulassen, menschliches Leid ohne weiteres auf Schuld zurückzuführen (43 Anm.15).

[457] Bei J. Hick: Evil and the God of Love, 367ff. wird im Unterschied zu C.S. Lewis, L. Hodgson, E.L. Mascall u.a. diese Vorstellung abgewiesen, und wer Hicks Trennung von Schmerz und Leiden akzeptiert, bedarf ihrer in der Tat nicht.

Sohnes mit dem Vater entsprechen können, die in Jesus realisiert ist, dann liegt im Entschluß zur Schöpfung auch das Risiko eines Mißbrauchs solcher geschöpflichen Freiheit[458]. Derartige Argumentationen implizieren eine Betrachtungsweise, die in den Bereich der Vorsehungslehre führt, den Gedanken nämlich, daß der Schöpfer das Risiko von Sünde und Übel in Kauf nimmt als Bedingung für die Realisierung des Zieles freier Gemeinschaft des Geschöpfes mit Gott. Das Böse und die Übel werden nicht als solche von Gott gewollt, d.h. sie können nicht für sich Gegenstand seines Wohlgefallens und also Zweck seines Willens sein. Aber sie werden als faktische Begleiterscheinungen und so als *Bedingungen*[459] geschöpflicher Realisierung der Absicht Gottes mit seiner Schöpfung hingenommen unter dem Gesichtspunkt der göttlichen Weltregierung, die noch aus Bösem Gutes zu schaffen vermag, indem sie auf die Versöhnung und Erlösung der Welt durch Jesus Christus gerichtet ist.

Der Gedanke der göttlichen Weltregierung ist wohl zuerst von Origenes in die christliche Erörterung der Theodizeeproblematik eingeführt worden. In gewissem Sinne war die stoische Vorsehungslehre damit schon vorangegangen[460]. Aber erst auf dem Boden des christlichen Schöpfungsglaubens gewann das Problem seine volle Schärfe. Unter Berufung auf Hi 1,13 erklärte Origenes, daß Gott das Wirken böser und feindlicher Mächte (*malignas et contrarias virtutes*) in seiner Schöpfung nicht nur nicht hindere, sondern sogar erlaube (*non solum non prohibet deus, sed et permittit facere haec*, De princ. III,2,7). Das gehöre zur Prüfung der Menschen durch Gottes Vorsehung (vgl. ib. 2,3) ebenso wie Gottes Geduld mit den Sündern, die sie zur Erkenntnis der eigenen Schwäche und damit auch der Wohltat ihrer Heilung führen kann (III,1,12). Origenes hat den Gedanken der Erlaubnis oder „Zulassung" des Bösen allerdings noch nicht auf die Frage nach seiner Entstehung angewendet. Der Sache nach hat Gregor von Nyssa das getan, indem er den Gesichtspunkt einer Erlaubnis des Bösen durch die göttliche Vorsehung auf die Schöpfung des Menschen trotz göttlicher Voraussicht seines Falles ausdehnte (Große Katechese 8,3, MPG 45, 37 BC), um so der manichäischen Bestreitung einer Schöpfung des Menschen durch den guten Gott entgegenzutreten (vgl. ib. 7,1 MPG 45,29f.). Augustin hat dann auch ausdrücklich von einer Erlaubnis

---

[458] Diese Problematik ist in der britischen Religionsphilosophie während der fünfziger und sechziger Jahre eingehend diskutiert worden von J.L. Mackie, A. Flew, N. Smart u.a. Siehe bes. J.L. Mackie: Evil and Omnipotence, in B. Mitchell (ed.): The Philosophy of Religion, 1971, 92-104, bes. 106ff. und A. Plantinga: The Free Will Defense ebd. 105-120, sowie J. Hick a.a.O. 301ff., bes. 308ff. Siehe auch A. Plantinga: God, Freedom and Evil, 1975, 29ff. sowie 27f., wo Plantinga das begrenzte Argumentationsziel des Free Will Defense vom weitergehenden einer Theodizee unterscheidet.

[459] Die Funktion der *Bedingung* als Kennzeichnung der Zulassung des Bösen und des Übels durch Gott ist besonders von G.W. Leibniz in seiner Theodizee 1710 betont worden, indem er schrieb, daß „das von Gott zugelassene Übel weder als Zweck noch als Mittel, sondern einzig als Bedingung Gegenstand seines Willens war" (n.336, vgl. 119 und 209, sowie Causa Dei 36).

[460] Vgl. die Bemerkungen von R. Schottlaender zu Chrysipp SVF 2, 1177 in HistWBPhilos 5, 1980, 664 (Art. Malum).

des Sündenfalls durch die Vorsehung Gottes gesprochen (De civ. Dei XIV,27). Dabei hat er den Begriff der Erlaubnis oder Zulassung nicht etwa mit der Absicht einer Entlastung Gottes von der Entstehung des Bösen in der Schöpfung verbunden[461]. Vielmehr bezog er den Begriff der Erlaubnis auf die Ziele der göttlichen Vorsehung, konkret auf die Voraussicht des durch Christus zu gewinnenden Sieges über den Teufel[462]. Es ist leider nicht zu bestreiten, daß Augustin an anderen Stellen das uns als schlecht Erscheinende als zur vielfältigen Vollkommenheit des Universums gehörig gerechtfertigt hat (De civ. Dei XII,4) und sogar die Tatsache der Sünde und des Bösen in eine solche „ästhetische" Betrachtungsweise einbeziehen konnte, vergleichbar den dunklen Flecken, die die Farben des Bildes um so strahlender leuchten lassen (ib. XI,23,1). Solche Aussagen gehören einem ganz anderen Vorstellungskreis an als die Argumentation mit den Zielen der göttlichen Vorsehung, die sie das von den Geschöpfen ausgehende Übel in Kauf nehmen läßt. Aber solche auf die Rechtfertigung der Güte der Schöpfung zielenden Erwägungen sollten doch nicht isoliert, abgelöst von der heilsgeschichtlichen Zielbestimmung der Zulassung des Bösen, als charakteristisch für die Vorsehungslehre Augustins hingestellt werden[463]. Bemerkenswerterweise ist Augustin nicht so weit gegangen, die Sünde und die Existenz von Verworfenen als für die Vollkommenheit des Universums geradezu notwendig auszugeben[464]. Erst im mittelalterlichen Augustinismus ist dieser letzte Schritt, der den Gedanken der Schöpferliebe Gottes zu verdunkeln droht, getan worden[465]. Dennoch ist die Verselbständigung des

---

[461] So hat H. Blumenberg die augustinische Auffassung gedeutet, nämlich als Rechtfertigung Gottes „zu Lasten des Menschen" (Die Legitimität der Neuzeit 1966, 85f.). Die dafür zitierten Sätze Augustins aus *De libero arbitrio* und aus den *Confessiones* sprechen zwar von der Verantwortung des Menschen für das, was er inhaltlich bejaht. Doch damit braucht nicht eine Tendenz verbunden zu sein, Gott von der Verantwortung für seine Schöpfung zu entlasten. Die in der folgenden Anm. zitierten Sätze aus *De civ. Dei* zeigen das deutlich.

[462] Augustin De civ. Dei XIV, 27: *Cum igitur huius futuri casus humani Deus non esset ignarus, cur eum non sineret invidi angeli malignitate temptari? Nullo modo quidem quod vinceretur incertus, sed nihilominus praescius quod ab eius semine adiuto sua gratia idem ipse diabolus fuerat sanctorum gloria maiore vincendus.* Cf. auch XXII, 1.

[463] Bei J. Hick a.a.O. 88-95 ist diese Gefahr nicht vermieden worden, weil der Zusammenhang mit der heilsgeschichtlich orientierten Vorsehungslehre zu wenig Berücksichtigung findet. Diese wird in Hicks Darstellung reduziert auf das Spezialthema der Prädestination (70-75), statt als Rahmenthema für alle übrigen Gesichtspunkte zu fungieren. Die Vernachlässigung der heilsgeschichtlichen Struktur der Vorsehungslehre Augustins erleichtert bei Hick die Gegenüberstellung und Entgegensetzung eines augustinischen zu einem irenäischen Typ von Theodizee (217ff.). Dabei gibt Hick selbst zu, daß man bei Irenäus überhaupt noch nicht von einer expliziten und ausgeführten Theodizee sprechen kann (216, 211). Ansätze dazu finden sich, wie oben erwähnt, erst bei Klemens von Alexandrien. Die These eines irenäischen Typs der Argumentation zur Theodizee ist eine Konstruktion Hicks, die mehr von Schleiermacher (225-241) inspiriert ist als von Irenäus. Man kann durchaus mit Hick der irenäischen Auffassung von den unvollkommenen Anfängen der Menschheit den Vorzug vor der augustinischen Urstandslehre geben. Aber damit war bei Irenäus noch kein Beitrag zur Theodizeefrage verbunden.

[464] Das betont auch J. Hick a.a.O. 94.

[465] Als ein Beispiel für viele vgl. Thomas von Aquin S. theol. I, 23,5 ad 3, dazu auch die Ausführungen bei Hick a.a.O. 101-104 zur Rolle des „ästhetischen" Motivs der Einordnung des Übels in die Vollkommenheit des Universums.

Gesichtspunktes der Ordnung des Universums mit seiner ästhetischen Harmonie und die durch Einordnung des Bösen und des Übels in sie sich ergebende Verharmlosung beider schon im Blick auf Augustin mit Recht beanstandet worden. Augustin sah sich zu solchen Erwägungen veranlaßt durch die Feststellung der Güte der Schöpfung im priesterschriftlichen Schöpfungsbericht (De civ. Dei XI,23). Doch christliche Theologie sollte dieses Urteil Gottes über seine Schöpfung als Vorgriff auf ihre eschatologische Vollendung nach ihrer Versöhnung und Erlösung durch den Sohn auffassen. Erst so wird das Urteil über die Güte der Schöpfung trotz ihres gegenwärtigen Zustandes plausibel.

Die theologische Tradition hat das Böse als ontologisch nichtig bezeichnet, weil es kein Werk des göttlichen Willens ist, das von ihm als Gegenstand seines Wohlgefallens intendiert sein könnte. Mögen auch das Böse und das Übel in der Schöpfung mit Gottes Wissen und Zulassung auftreten, so sind sie doch dadurch noch nicht Gegenstand seines Willens im Sinne des schöpferischen Wohlgefallens. Die Tatsache, daß die christliche Theologie im Westen seit Augustin – wie schon zuvor im Osten[466] – diesen Sachverhalt mit den Mitteln neuplatonischer Ontologie beschrieben hat, ist noch kein ausreichender Grund dafür, die These von der ontologischen Nichtigkeit des Bösen zurückzuweisen. Das gilt jedenfalls dann, wenn damit weder der Versuch verbunden wird, Gott von der Verantwortung für das Aufkommen des Bösen in seiner Schöpfung zu entlasten, noch die Realität des Bösen und des Übels für die Geschöpfe dadurch verharmlost wird[467]. Die Verantwortung für das Aufkommen des Bösen in der Schöpfung fällt unvermeidlich auf den vorauswissenden und zulassenden Gott zurück, obwohl geschöpfliches Handeln die unmittelbare Ursache dafür bildet. Gott hat sich dieser Verantwortung auch nicht etwa entzogen, sondern sie auf sich genommen durch die Sendung und Dahingabe seines Sohnes an das Kreuz. So steht Gott zu seiner Verantwortung als Schöpfer für die von ihm geschaffene Welt. Dabei ist das Böse nicht nur für die Geschöpfe, sondern auch für Gott selber sehr real und kostspielig genug: Das zeigt der Kreuzestod seines Sohnes. Die Nichtigkeit des Bösen vor dem schöpferischen Willen Gottes wird erst durch seine Überwindung im Geschehen der Versöhnung und in der eschatologischen Vollendung der Schöpfung besiegelt.

Mit alledem ist aber noch immer nicht die Frage nach dem Grunde der Zulassung des Bösen und des Übels durch Gott beantwortet. Als geklärt darf inzwischen gelten, daß beide, das Böse und das Übel, nicht positiver Gegenstand des göttlichen Schöpfungswillens sein können und daß den-

---

[466] So bei Gregor von Nyssa Oratio Catech. magna 6,2; vgl. 7,2.
[467] Ersteres wurde schon bei Gregor von Nyssa a.a.O. nicht vermieden. Um der Neigung zur Verharmlosung des Bösen unter Berufung auf seine ontologische Nichtigkeit zu begegnen, hat Karl Barth in seinem Lehrstück zu diesem Thema (KD III/3, 1950, 327–425, § 50) das Nichtige zu einer realen, obwohl von Gott verneinten Macht aufgewertet. Zur Kritik daran vgl. J. Hick a.a.O. 132–150, bes. 141ff.

noch Gott durch ihre „vorausschauende" Zulassung Mitverantwortung für ihr Auftreten trägt und dafür durch den Tod des Sohnes am Kreuz einsteht. Doch warum ließ er es zu?

Die theologische Tradition hat zu dieser Frage auf die ontologische Verfassung der geschöpflichen Wirklichkeit verwiesen: Es gehört zum Begriff des Geschöpfes im Unterschied zum Schöpfer, daß es wandelbar ist[468]. Gemessen an der ewigen Selbigkeit Gottes ist die Veränderlichkeit des Geschöpfes Ausdruck einer ontologischen Schwäche, eines Mangels an Seinsmacht. Das gilt insbesondere auch für den menschlichen Willen. Während er von Natur aus[469] nach dem Guten strebt, das den eigentlichen Gegenstand seines Wollens bildet, ist die Möglichkeit, daß er sich faktisch dennoch dem Schlechteren zuwendet, als Indiz seiner ontologischen Defizienz zu betrachten: Was aber vom Guten abweichen kann, das wird es irgendwann einmal auch wirklich tun[470].

Leibniz hat diesem Gedanken eine andere und allgemeinere Form gegeben: Der tiefere Grund für die Möglichkeit der Sünde, also für das Aufkommen des Bösen in der Schöpfung mit allen seinen Folgen, besteht darin, daß es *„eine ursprüngliche Unvollkommenheit im Geschöpf"* gibt, weil das Geschöpf seinem Wesen nach beschränkt ist und auch nicht alles wissen, sich vielmehr täuschen und andere Fehler begehen kann". Leibniz bezeichnete das auch als das metaphysische im Unterschied zum physischen und moralischen Übel[471]. Es handelt sich dabei um eine Beschränktheit, die zum Begriff des Geschöpfes gehört, insofern es von Gott und seiner Vollkommenheit verschieden ist. Diese Beschränktheit ist also mit dem Dasein jedes Geschöpfes notwendig verbunden. „Denn Gott konnte ihm nicht alles verleihen, ohne es selbst zu einem Gott zu machen"[472]. Daraus leitete Leibniz die Beschränktheit des geschöpflichen Seins im allgemeinen und die Verschiedenheit und Vielheit der Geschöpfe als Ausdruck unterschiedlicher Formen der Beschränktheit ab. Leibniz entfernte sich damit von der neuplatonischen Deutung der geschöpflichen Unvollkommenheit als Folge der Erschaffung der Geschöpfe aus dem Nichts. Nicht mehr die Schwäche des Nichtseins, sondern die Endlichkeit als geschöpfliche Daseinsform enthält die Möglichkeit des Bösen und der Übel, wenn sie auch keineswegs identisch mit Sünde und Übel ist.

---

[468] So beispielsweise Augustin De civ. Dei XIV,13. Vgl. zu diesem Motiv J. Hick a.a.O. 44-64, bes. 52 ff.

[469] Zum Willenscharakter der Sünde und zu ihrer Verwurzelung in den Naturbedingungen menschlichen Daseins vgl. vom Vf. Anthropologie in theologischer Perspektive, 1983, 101 ff.

[470] Thomas von Aquin S. theol. I,48,2c: ... *perfectio universi requirit ut sint quaedam quae a bonitate deficere possint; ad quod sequitur ea interdum deficere.*

[471] G.W. Leibniz, Theodizee 20f., vgl. 156 und 288.

[472] Leibniz a.a.O. 31, vgl. Causa Dei 69.

John Hick hat gegen Leibniz den Vorwurf erhoben, daß er durch seine Zurückführung des metaphysischen Übels auf die schon im Möglichkeitswissen des göttlichen Verstandes als unentrinnbar begründeten Schranken alles geschöpflichen Seins faktisch die unendliche Macht Gottes verneint habe[473]. Dieser Einwand wird Leibniz nicht gerecht; denn es heißt bei ihm ausdrücklich, die Macht Gottes erstrecke sich „auf alles, was keinen Widerspruch in sich schließt" (Theodizee 227). Die Bindung der Macht Gottes an das Möglichkeitswissen des göttlichen Verstandes und also daran, was im geschöpflichen Dasein ohne Widerspruch vereinbar ist, bildet bei Leibniz nur den positiven Ausdruck dafür, daß Gott nichts in sich Widerspruchsvolles tut. Das aber erkennt auch Hick selber an (a.a.O. 301f.). Damit fällt seine Kritik an Leibniz dahin. Man mag an der Auffassung von Leibniz beanstanden, daß die Ideen nicht durch einen Akt des göttlichen Willens hervorgebracht sein sollen, da der Verstand dem Willen vorhergehe (Theodizee 335). Diese Behauptung vernachlässigt, daß Verstand und Wille in Gott nicht als real verschieden zu betrachten sind. Doch auch wenn man sich gegen Leibniz mit der zurückhaltenderen Behauptung einer Übereinstimmung von Verstand und Wille bei Gott begnügt, wie sie durch ihre reale Identität mit dem göttlichen Wesen gefordert ist, ergibt sich ebenfalls, daß Gott nichts Widerspruchsvolles tut. Man würde aber in sich Widerspruchsvolles verlangen mit der Forderung, Gott hätte ein Geschöpf ohne kreatürliche Schranken erschaffen sollen.

Übrigens bemerkt Hick sehr treffend, daß die Argumentation von Leibniz kaum als optimistisch zu bezeichnen ist (a.a.O. 172). Nur eine oberflächliche Auffassung der These, daß die gegenwärtige Welt die beste mögliche Welt sei, hat dieses Mißverständnis veranlassen können. Der wahre Sinn der These von Leibniz ist, daß es sich um die unter den einschränkenden Bedingungen geschöpflicher Unvollkommenheit immer noch relativ beste Welt handelt: Eine bessere zu fordern, wäre töricht. Eine solche Auffassung ist kaum optimistisch, sondern eher als Ausdruck eines christlichen Realismus zu würdigen. Angesichts der Unendlichkeit der Möglichkeiten der göttlichen Weisheit mag man allerdings bezweifeln, ob irgendeine unter den möglichen Welten als die schlechthin beste gelten kann. Der Einwand von Leibniz, daß Gott dann überhaupt kein Universum hätte erschaffen können, weil er immer nur das Beste wollen könne (Theodizee 196), verschlägt dagegen nicht. An dieser Stelle tritt vielmehr das Prinzip des theologischen Voluntarismus in sein Recht, wonach der göttliche Wille als Ursprung der Kontingenz alles außergöttlichen Seins auch selber die Regel des Guten für die geschöpfliche Wirklichkeit ist. Angesichts der Unendlichkeit des Möglichen ist der schöpferische Wille Gottes selber Grund der Güte des Daseins der Geschöpfe. Die Welt ist trotz aller ihrer Schatten gut, *weil* sie von Gott geschaffen und bejaht ist. Das hat neuerdings Karl Barth mit Recht betont. Dieses Prinzip hat nur daran seine Grenze, daß dem göttlichen Willen keine abstrakte Freiheit, auch gegen das als besser Erkannte zu handeln oder Widerspruchsvolles hervor-

---

[473] J. Hick a.a.O. 176f. Siehe dagegen die der Argumentation von Leibniz verwandten Ausführungen von A. Plantinga: God, Freedom and Evil, 1975, 34ff. Seltsamerweise schreibt allerdings Plantinga Leibniz die Auffassung zu, daß Gott nach seiner Allmacht jede mögliche Welt hätte erschaffen können (33).

zubringen, zugeschrieben werden darf. Das ist das Wahrheitsmoment in Leibniz' Kritik des radikalen Voluntarismus nominalistischer Provenienz.

Die Zurückführung der Möglichkeit des Übels einschließlich des moralischen Übels der Sünde auf die mit der Geschöpflichkeit verbundenen Bedingungen des Daseins enthält etwas Wahres. Dennoch reicht die Hervorhebung der Beschränktheit des Geschöpfes als Grund der Möglichkeit des Bösen noch nicht zu. Die Schranke der Endlichkeit ist, wie auch Leibniz wußte, noch nicht das Böse, und wenn das Böse aus ihr entstünde, dann müßte sein Wesen als Irrtum statt als Abfall von Gott bestimmt werden. An dieser Stelle ist auch Leibniz noch befangen geblieben in der neuplatonischen Auffassung des Bösen als Mangel. Die Wurzel des Bösen ist eher im Aufstand gegen die Schranke der Endlichkeit zu suchen, in der Weigerung, die eigene Endlichkeit anzunehmen, und in der damit verbundenen Illusion der Gottgleichheit (vgl. Gen 3,5). Daher ist eine Umformung des Gedankens nötig, der im Wesen der Geschöpflichkeit selber die Möglichkeit des Bösen und der Übel begründet sieht: Nicht die Beschränktheit, sondern die Selbständigkeit, zu der das Geschöpf geschaffen wurde, bildet den Grund der Möglichkeit des Bösen. Damit wird der Zusammenhang von Geschöpflichkeit und Übel in ein noch schärferes Licht gerückt, als das bei Leibniz der Fall war. Die Selbständigkeit des Geschöpfes ist einerseits Ausdruck seiner Vollkommenheit als Geschöpf, die fundamental durch den Besitz eigenen Daseins bestimmt ist. Sie ist aber auch mit dem Risiko seiner Abwendung vom Schöpfer verbunden. Die Selbständigkeit des Geschöpfs enthält die Verführung, sich in der Selbstbehauptung des eigenen Daseins für absolut zu nehmen.

Im Übergang von der gottgegebenen Selbständigkeit zur Verselbständigung liegt die Quelle des Leidens der Geschöpfe ebenso wie auch des Bösen, und, daraus folgend, derjenigen Leiden, die sie einander zufügen über das Maß ihrer Endlichkeit hinaus.

Was zunächst das sog. physische Übel und das Leiden an ihm angeht, so ist bereits an früherer Stelle ein Zusammenhang von Entropie und Übel erwähnt worden (s.o. 118f.). Jetzt läßt sich sagen, daß die Geschöpfe durch ihre Verselbständigung dem Schicksal der Entropie anheimfallen. Wer nicht neue Energie in sich aufzunehmen und dadurch sich selber zu überschreiten vermag, verfällt den entdifferenzierenden Wirkungen der Entropie. Sogar bei den Lebewesen, die auf die Ausbeutung des Energiegefälles in den Naturprozessen spezialisiert sind und davon ihr Leben nähren, geht die damit verbundene Selbstbehauptung mit einer Verselbständigung einher, die schließlich in die Erstarrung der lebendigen Systeme durch Alterung und Tod mündet. Je mehr aber in der Stufenfolge der geschöpflichen Gestalten das Beharren im Dasein verinnerlicht ist, desto mehr wird die Vergänglichkeit und die Erfahrung des Vergehens ihnen zum Schmerz, nicht nur im

Sinne momentaner Schmerzempfindung, sondern als Durchfärbung des ganzen Lebensgefühls[474].

Dieser Sachverhalt wird dadurch verschärft, daß die Abhängigkeit der Geschöpfe voneinander zur Endlichkeit geschöpflichen Daseins gehört. Jedes Geschöpf lebt von anderen und für andere, baut auf dem Dasein anderer auf und wird wieder zum Wurzelboden für andere. Im Reich der Organismen kommt hinzu der Kampf der Lebewesen untereinander um Zugang zu den Quellen des Lebens, ein Verdrängungswettbewerb um Nahrung und Lust, wobei das eine Wesen sich auf Kosten anderer behauptet, bis hin zu deren Tötung und Verzehr. Das über allem Lebendigen liegende Leid der Vergänglichkeit, das den Hintergrund sogar der Lebensfreude selber bildet, kulminiert in demjenigen Leid, das durch andere zugefügt wird.

Wie Leiden und Schmerz, so gehört auch die Möglichkeit des Bösen zur Endlichkeit geschöpflichen Daseins, insbesondere zur Endlichkeit der Lebensformen, die sich in ihrer Selbständigkeit zu behaupten suchen und daher zu radikaler Verselbständigung neigen. Darin liegt der Ursprung des Leidens wie auch des Bösen.

Mit der Verselbständigung der Geschöpfe gegeneinander ist ihre Verselbständigung gegen den Schöpfer verbunden. Sie bahnt sich an auf der aufsteigenden Linie der Lebensformen und erreicht einen Höhepunkt in der Sünde des Menschen, und zwar gerade darum, weil für ihn das Gottesverhältnis thematisch wird. Dem sich verselbständigenden Geschöpf wird durch seine Selbständigkeit die Abhängigkeit von Gott verdeckt, ebenso wie für den Betrachter des Naturgeschehens die Autonomie der natürlichen Prozesse und Gestalten ihren Ursprung in Gott verstellt. Andererseits scheinen die Folgen der geschöpflichen Verselbständigung in Gestalt von Leid und Bosheit den Glauben an einen gütigen Schöpfer dieser Welt ebenfalls zu widerlegen. Es handelt sich um zwei Aspekte eines und desselben Sachverhalts.

Wenn der Schöpfer eine Welt endlicher Geschöpfe wollte und wenn er die Selbständigkeit dieser Geschöpfe wollte, dann mußte er die Vergänglichkeit und das Leiden an ihr, aber auch die Möglichkeit des Bösen als Folge ihrer Verselbständigung in Kauf nehmen. Er mußte damit auch die Verborgenheit seiner eigenen Gottheit in seiner Schöpfung, ihre Verdeckung und Infragestellung durch die Selbständigkeit seiner Geschöpfe, auf sich nehmen.

Auf der Stufe des menschlichen Daseins ist mit der Fähigkeit des Men-

---

[474] Das ist J. Hicks Beschränkung des Schmerzes auf die momentane Empfindung entgegenzuhalten (s.o. Anm. 456). Man wird entweder dem Schmerz mit der Beziehung auf die Bestimmtheit des Lebensgefühls ein Moment kontinuierlicher Wirkung zubilligen müssen, oder aber den Begriff des Leidens (suffering) schon darauf beziehen, statt ihn auf das erst dem Menschen zuzuschreibende reflektierte Selbstverhältnis zu beschränken. Vgl. auch die Auseinandersetzung mit C.S. Lewis bei P. Geach: Providence and Evil, 1977, 67ff.

schen, anderes von sich und sich von anderen zu unterscheiden, daher auch der eigenen Endlichkeit im Unterschied zum unendlichen Gott innezuwerden, die Möglichkeit eröffnet, daß der Mensch seine Endlichkeit und mit ihr auch Vergänglichkeit und Leiden annimmt und hinnimmt in Demut vor dem ewigen Gott. Doch Gott dafür zu preisen, daß er diese Welt geschaffen hat, das setzt voraus, daß es bei diesem Zustand nicht sein Bewenden haben wird. Darum heißt es bei Wolfgang Trillhaas mit Recht, es gebe „keine Theodizee ohne Eschatologie"[475]. Ein von der Hoffnung auf eschatologische Überwindung der mit der Endlichkeit verbundenen Realität des Übels und des Bösen losgelöster Schöpfungsglaube müßte vor der Theodizeefrage zuletzt verstummen. Erst angesichts der Zusammengehörigkeit der Schöpfung mit Gottes Werk der Versöhnung und Erlösung der Welt ist eine Antwort möglich. Wenn erst durch Versöhnung und Erlösung der Welt die Schöpfung selber vollendet wird, dann ist der Schöpfer dem Menschen verbündet im Kampf um die Überwindung des Bösen und um Linderung und Heilung des Leides in der Welt. Erst die eschatologische Vollendung der Welt kann die Gerechtigkeit Gottes in seinem Schöpfungshandeln und damit auch seine Gottheit definitiv erweisen.

Das Gotteslob der Schöpfung, von dem die Psalmen sprechen, geschieht immer schon im Vorgriff auf die eschatologische Vollendung. In ihrem Lichte lobt die Schöpfung bereits jetzt Gott durch ihr *Bestehen* als endliche Wirklichkeit, weil die Geschöpfe darin das sind, als was Gott sie gewollt hat. Sie loben Gott darum auch in ihrem Vergehen, weil das zu ihrer Endlichkeit gehört. Indem das Geschöpf das ihm gegebene endliche Dasein bejaht, lebt es sein Dasein als nicht in ihm selber begründetes, sondern zu verdankendes. Indem aber das Geschöpf für sein Dasein Gott dankt, noch im eigenen Vergehen, ist es über seine Endlichkeit hinaus dem ewigen Schöpferwillen Gottes verbunden und hat darin Anteil an Gottes unvergänglicher Herrlichkeit.

---

[475] W. Trillhaas: Dogmatik, 3. Aufl. 1972, 166.

8. Kapitel

Würde und Elend des Menschen

Die Evolution wird vorangetrieben durch die Produktivität des Lebens, die sich im Hervortreten immer neuer Lebensformen äußert. Dieser Sachverhalt legt nicht die Annahme nahe, daß in der Abfolge der Gestalten des Lebens eine derselben den unüberschreitbaren Höhepunkt der ganzen Reihe bilden könnte. Der Mensch ist sicherlich das am höchsten entwickelte Lebewesen. Er hat durch seine intelligente Anpassung an unterschiedliche Daseinsbedingungen seine Herrschaft über die Naturwelt stetig ausgeweitet und damit die Spitze der Evolution organischen Lebens auf dieser Erde behauptet. Es mag daher schwer fallen, ohne eine den Menschen als Art ausrottende Katastrophe, die aber nicht zugleich alles organische Leben auslöschen dürfte, sich einen die Stufe des Menschen prinzipiell überschreitenden Fortschritt der Evolution vorzustellen. Doch erst in der Perspektive des religiösen und speziell des biblisch begründeten Bewußtseins von der Bestimmung des Menschen zur Gemeinschaft mit Gott als dem Urheber des Universums läßt sich die Behauptung begründen, daß die ganze Schöpfung im Menschen kulminiert. Dazu ist nämlich erforderlich *erstens* die Möglichkeit, trotz der Unabgeschlossenheit der Naturgeschichte das Ganze der Welt in den Blick zu nehmen, *zweitens* eine den Menschen vor anderen Geschöpfen auszeichnende Beziehung zum Ursprung des Universums und *drittens* die Annahme, daß im Menschen der Sinn endlichen Daseins überhaupt zusammengefaßt und vollendet werde.

Die erste dieser Bedingungen ist durch die Erkenntnis Gottes als Schöpfer der Welt erfüllt. Die zweite und die dritte Bedingung hängen untereinander eng zusammen, und zwar so, daß die Sonderstellung des Menschen unter den übrigen Geschöpfen ihren Grund in der dritten Bedingung hat, in der definitiven Verwirklichung der den Geschöpfen als solchen angemessenen Beziehung zum Schöpfer im Verhältnis des Menschen zu Gott.

Daß im Menschen das Verhältnis des Geschöpfes zum Schöpfer überhaupt seine höchste und endgültige Realisierung findet, läßt sich allerdings erst angesichts der Inkarnation des ewigen Sohnes in der Gestalt eines Menschen behaupten. Das Verhältnis des Sohnes zum Vater ist durch keine andere Form des Gottesverhältnisses überbietbar. Indem der ewige Sohn in einem Menschen Gestalt annahm und durch ihn allen übrigen Menschen die Aufnahme in die Sohnschaft zugänglich machte, hat das Verhältnis des Geschöpfes zum Schöpfer im Prinzip die höchste überhaupt denkbare Vollendung gefunden.

Vom naturwüchsigen Zustand der Menschen läßt sich solche Auszeichnung nur wegen ihrer gattungsmäßigen Zusammengehörigkeit mit dem einen Menschen behaupten, in welchem der ewige Sohn Gestalt annahm. Andererseits ist dieses Ereignis dem Menschsein des Menschen nicht äußerlich. In ihm ist die Bestimmung des Menschen als Individuum und als Gattung offenbar. Durch seine Bestimmung zur Gemeinschaft mit Gott, die in der Inkarnation des Sohnes definitiv realisiert worden ist, ist schon der Mensch als solcher und also jeder einzelne Mensch über die Naturwelt und in bestimmtem Sinne auch über die Gewaltverhältnisse der sozialen Lebenswelt, in die er gestellt ist, hinausgehoben. Die Bestimmung zur Gemeinschaft mit Gott macht das Leben des Menschen in der Person jedes einzelnen Menschen unantastbar[1]. Sie begründet die Würde, die jeder menschlichen Person unverlierbar eigen ist.

Zwar ist der Gedanke einer Würde (*dignitas*) nicht nur der durch Amt und Autorität herausgehobenen Individuen, sondern des Menschen überhaupt als Vernunftwesen schon vorchristlichen Ursprungs. Cicero De officiis I,30,106 begründete ihn aus dem Vorzug der Vernunftbegabung, die den Menschen zu einer der Vernunft gemäßen Lebensführung verpflichte. Doch damit ist bei Cicero noch nicht, wie im modernen Sprachgebrauch, der Gedanke der Unantastbarkeit des menschlichen Lebens in jedem Individuum verknüpft. Dieser Gedanke ergibt sich erst dadurch, daß der Mensch einer höchsten Instanz zugeordnet ist, die ihn jeder letzten Verfügungsgewalt durch andere Mächte entzieht, insbesondere auch der Verfügung durch andere Menschen und durch die Gesellschaft. Daher hat die christliche Tradition mit Recht in der Erschaffung des Menschen zu Gottes Ebenbild den Grund seiner Personwürde gesucht[2]. Die Bestimmung des Menschen zur Gemeinschaft mit Gott bildet die unerläßliche Voraussetzung auch für die Funktion der Menschenwürde als Inhalt eines obersten Rechtsgrundsatzes und als Basis der einzelnen Menschenrechte in modernen Deklarationen dieser

---

[1] Die in Gen 9,6 gegebene Rechtsbegründung für das Verbot des Mordes bezieht sich auf die Erschaffung des Menschen zu Gottes Ebenbild. Insofern hat sie allgemeineren Charakter als die im obigen Text gegebene christologische Begründung. Doch nach 2. Kor 4,4 ist erst in Jesus Christus das Ebenbild Gottes in menschlicher Gestalt erschienen, und jedenfalls ist erst daran die Bestimmung des Menschen zur Gemeinschaft mit Gott als Sinn seiner Gottebenbildlichkeit ablesbar, die im obigen Text als Begründung für die Unantastbarkeit der Person des Menschen und daher für seine Menschenwürde geltend gemacht wird.

[2] So schon Theophilus von Antiochien ad Autol. II,18, später z.B. Gregor von Nyssa in seiner Schrift über die Erschaffung des Menschen (MPG 44,123-256), sowie Ambrosius in seinem Büchlein *De dignitate conditionis humanae* (MPL 17, 1105-1108). Der Gesichtspunkt der *dignitas* der menschlichen Natur wegen ihrer Gottebenbildlichkeit begegnet später noch bei Leo dem Großen (sermo 24,2; MPL 54,205A; vgl. 27,6 ib. 220 B), sowie bei Gregor dem Großen (Moralia 9,49; MPL 75,900). In der scholastischen Theologie ist er besonders von Bonaventura betont worden (I.Sent. 25,2,1 opp.2, Opera ed. Quaracchi 1,442). Bei Thomas von Aquin erscheint der Gedanke der *dignitas* in Verbindung mit dem Ziel der Bestimmung des Menschen zur Gotteserkenntnis und Gottesliebe (S.c.G. III,111), sowie als Kennzeichen der Person wegen ihrer *natura intellectualis* (De pot. 8,4 und 9,3 u.ö.), spielt aber in der Lehre von der Gottebenbildlichkeit des Menschen sonst keine Rolle.

Rechte³. Eine ausdrückliche Festlegung dieses Sachverhalts ist in modernen Staatsverfassungen wie dem Grundgesetz der Bundesrepublik Deutschland von 1949 vermieden worden. Man konnte mit Recht darauf hinweisen, daß der Gedanke der Menschenwürde auch andere als christliche Wurzeln hat. So ist Ciceros Gedanke einer aus der Vernunft des Menschen sich ergebenden, ihn in seinem Verhalten verpflichtenden Würde insbesondere von Samuel Pufendorf sowie von Immanuel Kant im Sinne seiner Begründung der Ethik auf die Autonomie der Vernunft aufgenommen und weitergebildet worden⁴. Doch Kants Forderung, daß jeder einzelne Mensch stets als Zweck in sich selbst und nie als bloßes Mittel zu behandeln sei⁵, läßt sich schwerlich aus der Vernunftnatur des Menschen ableiten. Sie ist bei Kant in Wahrheit ein Erbteil christlichen Geistes, um dessen rein rationale Begründung Kant sich mit zweifelhaftem Erfolg bemüht hat. Ähnliches gilt für die moderne Auffassung, daß Menschenwürde den obersten Maßstab des Rechts bilde. Die Verbindung dieses Gedankens mit der Vorstellung einer Unantastbarkeit der Person jedes einzelnen Menschen ist von ihrem biblischen Ursprung nicht ablösbar, ohne einer tragfähigen Begründung überhaupt entbehren zu müssen. Sie geht über den naturrechtlichen Gedanken der Gleichheit der Menschen als Vernunftwesen und sogar über die naturrechtliche Forderung der Gegenseitigkeit (in der goldenen Regel) hinaus durch die Absolutheit der die Würde des Menschen konstituierenden Instanz. Der Vernunft wird solche Absolutheit vergeblich vindiziert. Die Selbstgesetzgebung der Vernunft, auf die Kant die Vorstellung von einer unantastbaren Würde jedes einzelnen Menschen begründen wollte, ist längst zerfallen in die Selbstbestimmung nach individueller Willkür und den daraus sich ergebenden Pluralismus. Doch wirkt noch im Respekt des modernen Rechtsstaates vor den Persönlichkeitsrechten, die jedem Mensch zukommen, etwas von der religiösen Verankerung der menschlichen Freiheitsrechte nach.

Für die Würde, die dem Menschen wegen seiner Bestimmung zur Gemeinschaft mit Gott zukommt, ist es kennzeichnend, daß sie durch keine faktische Erniedrigung ausgelöscht wird, die dem einzelnen widerfahren mag. Das Antlitz der Erniedrigten, Entrechteten und Leidenden kann in besonderer Weise, – weil alles sonstige Ansehen von ihnen abgefallen ist, –

---

³ In der Charta der Vereinten Nationen vom 26. Juni 1945 wird der Glaube an „the dignity and worth of the human person" in unmittelbarem Zusammenhang mit dem Glauben an fundamentale Menschenrechte genannt (F. Hartung: Die Entwicklung der Menschen- und Bürgerrechte von 1776 bis zur Gegenwart, 4. Aufl. 1972, 130). In der Präambel der Menschenrechtsdeklaration vom 10. Dezember 1948 ist die Anerkennung einer „inherent dignity" jedes Gliedes der Menschheit der Behauptung „gleicher und unveräußerlicher Rechte" eines jeden Menschen vorangestellt (ebd. 144, zu späteren Bezugnahmen darauf vgl. 265 und 283). Das deutsche Grundgesetz von 1949 geht darüber insofern noch hinaus, als die in Art. 1,1 behauptete Unantastbarkeit der Würde des Menschen in Art. 1,2 ausdrücklich zum Ausgangspunkt („darum") für die Verbindlichkeit der Menschenrechte gemacht wird.
⁴ Zu Pufendorfs Begründung der Menschenrechte auf den Gedanken der Menschenwürde vgl. H. Welzel: John Wise und Samuel Pufendorf (Rechtsprobleme in Staat und Kirche. Festschrift R. Smend, 1952, 387-411, 392f.). Zu Kant siehe dessen Grundlegung zur Metaphysik der Sitten, 1785, Akademieausgabe 4, 434ff.
⁵ I. Kant a.a.O. 428f.

durch den Abglanz jener Würde geadelt sein, die kein Mensch durch eigenes Verdienst besitzt, noch von anderen Menschen empfangen hat, die daher auch keiner ihnen nehmen kann.

Anders verhält es sich da, wo Menschen der Würde ihrer göttlichen Bestimmung nicht achten, indem sie sich würdelos verhalten. Dadurch wird das Bild des Menschen tiefer entstellt als durch Unterdrückung, Mißhandlung oder Erbärmlichkeit äußerer Lebensumstände. Zwar können auch die äußeren Lebensumstände unwürdig, ungerecht und erniedrigend für den Menschen sein. Auch solches Elend steht im Gegensatz zur göttlichen Bestimmung des Menschen. Aber die Menschen sind dadurch ihrer Bestimmung nicht entfremdet. Das geschieht erst da, wo Menschen ihr Leben im Widerspruch zu ihrer Bestimmung führen. Zwar können sie auch dadurch ihre Würde nicht einfach von sich werfen. Aber die Würde ihrer Bestimmung wird dann zum Gericht über ihr würdeloses Verhalten. Darin erst besteht das tiefste Elend in der Situation des Menschen. Nicht Mangel und Bedrückung, nicht die Hinfälligkeit und Vergänglichkeit des Lebens, sondern der Widerspruch im Verhalten des Menschen zu seiner Bestimmung läßt den Apostel Paulus ausrufen: „Oh ich elender Mensch, wer erlöst mich von diesem Todesleib?" (Röm 7,24). Die Todverfallenheit kennzeichnet das Elend, dem alles menschliche Leben, unabhängig von den Unterschieden der Lebenssituation, unterworfen ist. Aber die Wurzel dieses Elends liegt im Widerstreit gegen die Bestimmung unseres Lebens zur Gemeinschaft mit Gott[6].

> Nach Augustin ist derjenige elend zu nennen, der entbehren muß, was er wünscht und liebt (Enn. in Ps 26,II,7: *miser quisque dicitur quando illi subtrahitur quod amat*, CC 38,157). Viele aber sind schon deshalb elend zu nennen, weil sich ihr Streben auf etwas richtet, das nicht wahrhaft liebenswert ist. Daher sind sie sogar im Besitz der von ihnen begehrten Güter noch unglücklicher und erbärmlicher als andere; denn sie entbehren des wahrhaft Guten so sehr, daß sie sich solcher Entbehrung nicht einmal bewußt sind (ib und De civ. Dei XII,8: *qui perverse amat cuiuslibet naturae bonum, etiamsi adipiscatur, ipse fit in bono malus, et miser meliore privatus*). Daher ist Augustins Anschauung verständlich, daß die Menschen unvermeidlich elend sind, solange ihr Leben vom Tod bedroht ist (De civ. Dei IX,15,1); denn sie entbehren, ob sie nun darum wissen oder nicht, das Leben, das durch keinen Tod endet. Der Grund dieses Elends aber ist die Sünde der Abwendung von Gott (De civ. Dei XXII,24,3); denn wer Gott nicht dient, der ist schon darum elend, daß er durch sein Verhalten der Gemeinschaft mit Gott beraubt ist (De civ. Dei X,3,2: *Si ergo non colit Deum, misera est, quia Deo privatur*).

Elend also ist der Mensch, der der Gemeinschaft mit Gott beraubt ist, zu der das menschliche Leben bestimmt ist. Diese Bestimmung wird durch die

---

[6] Vgl. noch 2 Klem 11,1. Neben dem Unglück, dem die verfallen sind, die Gott nicht dienen, kennt dieser Brief aber auch das Elend im allgemeineren Sinne, dem der Fromme ebenso wie der Gottlose unterworfen ist (9,4).

Entfremdung des Menschen von ihr nicht aufgehoben. Gerade ihr Fortbestehen begründet das Elend der Menschen; denn in der Gottesferne sind sie auch ihrer eigenen Identität beraubt. Darum sind die Menschen nach Augustins scharfsinniger Analyse gerade dann am elendesten, wenn sie von ihrem Elend gar nichts wissen, also nicht im Unglück, in Krankheit und Todesnot, sondern da, wo sie über den Gütern dieser Welt Gott vergessen und darum inmitten von Wohlstand und Überfluß unglücklich sind, weil sie ihr Leben als leer und sinnlos erfahren.

Die Rede vom *Elend* des Menschen beschreibt umfassender als die klassische theologische Lehre von der *Sünde* die Situation der Verlorenheit des Menschen in der Gottesferne. Im Begriff des Elends ist die Absonderung und Verselbständigung des Menschen von Gott mit den daraus hervorgehenden Folgen zusammengefaßt. Dadurch wird der innere Zusammenhang von Sünde und Sündenfolgen deutlicher als das beim Begriff der Sünde selber der Fall ist. Eine ähnliche Bedeutungsbreite wie der Begriff des Elends hat hingegen der der Entfremdung[7]. Bei letzerem ist sogar die Zweiseitigkeit eines aktiven und eines zuständlichen Zuges erkennbar: Man kann sich von jemandem entfremden, aber man findet sich auch im Zustand der Entfremdung vor. Das deutsche Wort Elend steht der Vorstellung der Entfremdung schon durch seine Etymologie nahe, durch die Nähe zur Vorstellung des Auslands als Fremde mit dem darin implizierten Gedanken der Trennung von der Heimat. Der Gott entfremdete Mensch lebt im Elend der Trennung von Gott, fern von der Heimat der eigenen Identität.

Entfremdung bezeichnet im Neuen Testament die Situation der Heiden, sofern sie „als Fremde ausgeschlossen sind vom Leben Gottes" (ἀπηλλοτριωμένοι τῆς ζωῆς τοῦ θεοῦ), weil ihnen die wahre Gotteserkenntnis fehlt und ihr Herz verstockt ist (Eph 4,18; vgl. 2,12 und Kol 1,21). Ähnlich ist der Begriff der Entfremdung in der christlichen Patristik auf das Gottesverhältnis bezogen worden. Paul Tillich hätte sich daher nicht auf Hegel als Urheber des Begriffs beziehen müssen, als er den Gedanken der Entfremdung zur Erläuterung der Sündenlehre in die Theologie einführte[8]. Allerdings ist das im Entfremdungsbegriff seit der mittelalterlichen Mystik implizierte Selbstverhältnis von Hegel (und später von Marx) in spezifischer Weise thematisiert worden[9]. Dabei haben sowohl Hegel als auch Marx im Begriff der „Selbstentfremdung" die menschliche Tätigkeit als Ursprung des Zustandes der Entfremdung herausgestellt. Die darin liegende Analogie zur theologischen Sündenlehre ist aber begrenzt durch die Verbindung von Selbstentfremdung und Entäußerung. Hier kommt eine andere antike Wurzel des Entfremdungsgedankens ins Spiel, der Gesichtspunkt der Veräußerung, der den ur-

---

[7] Siehe dazu den Abschnitt „Entfremdung und Sünde" in meinem Buch: Anthropologie in theologischer Perspektive, 1983, 258–278.
[8] P. Tillich: Systematische Theologie II, 1957, dt. 1958, 53.
[9] Belege in: Anthropologie in theologischer Perspektive, 1983, 261.

sprünglichen Besitz des Veräußerten voraussetzt. Dementsprechend wird bei Hegel und Marx eine ursprüngliche Selbstidentität des Menschen vorausgesetzt, derer er sich durch Selbstentäußerung und Selbstentfremdung begeben habe. Darin wirkt vielleicht auch die christliche Vorstellung von Urstand und Sündenfall nach. Aber in christlicher Sicht war der Mensch nie unmittelbar für sich selbst im Besitz seiner Identität, ist ihrer vielmehr stets nur durch die Beziehung zu Gott als dem anderen seiner selbst und alles Endlichen teilhaftig.

Erfahrungen des Elends und der Selbstentfremdung kennzeichnen auch für das moderne Bewußtsein die Situation des Menschen in der Welt. Besonders in der modernen Literatur und Kunst ist die Daseinsverfassung, die sich in solchen Erfahrungen äußert, eindringlich dargestellt worden. Die Theologie handelt in der Lehre über die Sünde vom Ursprung dieser Situation des Menschen in seinem Verhältnis zu Gott. Dabei ist die Vorstellung von einer Bestimmung des Menschen zur Gemeinschaft mit Gott immer schon vorausgesetzt, wie sie von der christlichen Theologie im Anschluß an die biblische Aussage über die Erschaffung des Menschen nach dem Bilde Gottes (Gen 1,26f.) entwickelt worden ist.

Zusammengenommen beschreiben die beiden anthropologischen Grundaussagen der christlichen Theologie von der Erschaffung des Menschen zum Ebenbild Gottes und von seiner Sünde die Voraussetzungen für die Botschaft von Gottes Erlösung des Menschen durch Jesus Christus. Denn der Erlösung bedürftig ist der Mensch wegen der Sünde, die die Wurzel seines Elends und seiner Entfremdung von Gott und von seinem eigenen Selbst bildet. Andererseits kann von Erlösung nur im Hinblick auf ein Geschehen gesprochen werden, das den Erlösten Freiheit verschafft. Die durch Jesus Christus vermittelte Gemeinschaft mit Gott kann nur unter der Bedingung Erlösung heißen, daß der Mensch dadurch frei wird. Das ist der Fall, wenn ihm die Gemeinschaft mit Gott zur Identität mit ihm selber verhilft, und das setzt voraus, daß der Mensch seiner Natur nach zur Gemeinschaft mit Gott bestimmt ist.

Die Bestimmung des Menschen zur Gemeinschaft mit Gott ist Thema der Lehre von seiner Erschaffung zum Ebenbild Gottes. Die Darstellung dieser Lehre bedarf aber noch einer allgemeineren anthropologischen Begründung, die zugleich den Zusammenhang der theologischen Anthropologie mit der Schöpfungslehre einerseits, mit der Christologie andererseits gewährleistet. Diese Funktion ist in der theologischen Tradition seit der Patristik durch die Lehre von der nicht nur leiblich-seelischen, sondern auch geisthaften Natur des Menschen erfüllt worden: Sie bildet den Rahmen für die Interpretation der biblischen Aussagen über die Gottebenbildlichkeit des Menschen. Daher wird die Darstellung an diesem Punkt einsetzen, und das konkrete Verhältnis des menschlichen Lebens zum Lebensgeist Gottes wird dann noch einmal am Schluß des Kapitels zur Sprache kommen, um den Übergang zur Christologie vorzubereiten.

Dieses Kapitel der Darstellung der christlichen Lehre hat also nicht die Aufgabe, eine vollständige Anthropologie zu entwickeln. Dazu würde mehr gehören als nur die Beschreibung der Bestimmung des Menschen und der Situation seiner Entfremdung von dieser seiner Bestimmung. Eine vollständige theologische Anthropologie müßte auch die Verwirklichung der menschlichen Bestimmung mit umfassen, die den Gegenstand des göttlichen Erlösungshandelns, seiner Zueignung und Aneignung für den Menschen bildet und erst mit seiner eschatologischen Vollendung zum Ziele kommt[10]. Andererseits müßte eine vollständige Anthropologie außer den biologischen Grundlagen der menschlichen Lebensform, ihrer Eigenart und ihrer Stellung in der Welt, auch die Sozialbeziehungen behandeln, in denen menschliches Leben sich vollzieht und die im Prozeß der Sozialisation des Individuums seine Identität mitbedingen[11]. Im Rahmen der hier gegebenen systematischen Darstellung wird dieser Aspekt immer wieder berührt werden. Im Zusammenhang mit dem Begriff der Kirche soll er auch thematisch werden[12]. Aber die gesellschaftliche Natur des Menschen wird nicht für sich Gegenstand der Erörterung sein. Ebenso werden das Thema der Geschichtlichkeit des Menschen und Beziehungen auf die Geschichte der Menschheit als Medium der konkreten Verwirklichung menschlichen Lebens alle noch ausstehenden Kapitel der Darstellung der christlichen Lehre durchziehen, obwohl dieses Thema kein selbständiger Gegenstand der Erörterung wird.

1. Der Mensch als personale Einheit von Leib und Seele

Jede Interpretation der Wirklichkeit des Menschen muß der Tatsache Rechnung tragen, daß der Mensch sein Leben bewußt vollzieht und führt. Man mag, wie der radikale Behaviorismus[13], alles bewußte Erleben auf äu-

---

[10] Insofern hat O.H. Pesch mit Recht die Themen von Sünde und Gnade in den Mittelpunkt seiner Darstellung einer theologischen Anthropologie gerückt (Frei sein aus Gnade. Theologische Anthropologie, 1983). Allerdings müßten dann eigentlich auch Christologie und Eschatologie mit in den Themenkreis der Anthropologie einbezogen werden, – erstere als Begründung des Seins in der Gnade und letztere als seine Vollendung. Auch die Ekklesiologie als Beschreibung des Gemeinschaftslebens, in dessen Rahmen sich konkret das Sein in der Gnade vollzieht, dürfte nicht fehlen.

[11] Siehe dazu in meinem Buch: Anthropologie in theologischer Perspektive, 1983, den dritten Teil: Die gemeinsame Welt (305–517), insbesondere das siebte und das achte Kapitel über die Grundlagen der Kultur und über die institutionelle Ordnung der gemeinsamen Welt.

[12] Er gehört nicht etwa unter den Gesichtspunkt einer Lehre von Schöpfungs- oder Erhaltungsordnungen: Die gesellschaftliche und staatliche Ordnung des menschlichen Zusammenlebens steht wie die Kirche theologisch unter dem Kriterium des Gottesreiches und muß im Zusammenhang damit erörtert werden. Entsprechend hat das Zueinander und Miteinander der Geschlechter seinen theologischen Ort in der Lehre von der Ehe. Abgesehen davon gehört es als Schöpfungsgegebenheit zu den bereits vormenschlichen Prinzipien der Produktivität des Lebens (s. o. Kap. 7, 155f.).

[13] Als philosophische Position ist der radikale Behaviorismus auf sprachanalytischer Grund-

ßerlich beobachtbares Verhalten zu reduzieren suchen, man mag es als Begleiterscheinung (Epiphänomen) von Hirnfunktionen erklären wollen oder aber als Ausdruck der Betätigung einer vom Leibe prinzipiell verschiedenen Seele[14]: Jedenfalls gehört die Tatsache des Bewußtseins zu den Grundgegebenheiten menschlichen Lebens, um deren angemessene Deutung sich in der einen oder anderen Weise jede Anthropologie bemühen muß. Andererseits ist ebenso unwidersprechlich, daß bewußtes und seiner selbst bewußtes Leben uns nur als leibliches Leben bekannt ist. Darüber hinaus ist nach heutigem Wissen alles seelische Erleben durch leibliche Funktionen bedingt. Das gilt auch für das Selbstbewußtsein. Allerdings ist dieser Sachverhalt der Menschheit nicht immer evident gewesen. Viele vormoderne Kulturen haben der ihrer selbst bewußten Seele des Menschen ein höheres Maß an Selbständigkeit gegenüber dem Leib zugeschrieben, als das die modernen wissenschaftlichen Erkenntnisse von den engen, wechselseitigen Verflechtungen leiblichen und seelischen Geschehens erlauben. Die fortschreitend differenzierte Erkenntnis dieser Zusammenhänge hat in der Geschichte des modernen Denkens die traditionellen Vorstellungen von der Seele als einer vom Leibe fundamental verschiedenen und im Tode von der Verbindung mit ihm ablösbaren Substanz[15] unglaubwürdig werden lassen: Wie soll das in allen Einzelheiten durch leibliche Vorgänge und Organe bedingte Leben der Seele vom Leibe ablösbar sein und ohne ihn weiterbestehen? Seele und Leib gelten den maßgeblichen Richtungen moderner Anthropologie als konstitutive und zusammengehörige, nicht aufeinander reduzierbare Aspekte der Einheit menschlichen Lebens. Seele und Bewußtsein sind tief in der Leiblichkeit des Menschen verwurzelt, so wie umgekehrt schon der menschliche Leib kein toter Körper, sondern in allen seinen Lebensäußerungen beseelt ist[16].

---

lage von G. Ryle vertreten worden (The Concept of Mind, 1949), mit polemischer Wendung gegen den cartesischen Dualismus, der den Menschen als „Geist in der Maschine" vorgestellt habe. Zum psychologisch begründeten Behaviorismus von J. B. Watson bis B. F. Skinner und zur Kritik an den ihm zugrundeliegenden Annahmen vgl. vom Vf.: Anthropologie in theologischer Perspektive, 1983, 26–29.
[14] So J. Seifert: Das Leib-Seele-Problem in der gegenwärtigen philosophischen Diskussion. Eine kritische Analyse, 1979, 79 ff.
[15] J. Seifert a. a. O. 126 f. nennt für die Auffassung von Körper und Seele als zweier verschiedener Substanzen neben Platon, Plotin, Descartes mit Recht auch Augustin, aber auch Thomas von Aquin, trotz dessen Lehre von der Seele als Wesensform des Leibes.
[16] Bahnbrechend für diese Betrachtungsweise wurde H. Bergson: Matière et Mémoire. Essay sur la Relation du Corps à l'Esprit, 1896. Ihr steht in vieler Hinsicht die Psychologie von W. James nahe (1890) mit ihrer These, daß der Leib den Kern („nucleus") des Selbst bildet, dessen wir uns bewußt sind (The Principles of Psychology, Neudruck 1981, 400 ff. vgl. 341). Zum Verhältnis zwischen James und Bergson vgl. H. Ey: La conscience (1963), dt. Das Bewußtsein, 1967, 37. Das Werk von Ey gehört seinerseits der von Bergson ausgegangenen Richtung an. In anderer Weise gilt das auch für M. Merleau-Ponty: Phänomenologie der Wahrnehmung (1945) dt. 1965, sowie in Deutschland für die von M. Scheler begründete Richtung philosophischer

Man kann diese moderne Auffassung durchaus in der Fluchtlinie der Intentionen sehen, die die Anfänge frühchristlicher Anthropologie bestimmt haben. Die frühe Patristik hat nämlich gegenüber dem seit der Mitte des 2. Jahrhunderts zur herrschenden Philosophie der Spätantike aufsteigenden Platonismus die leib-seelische Einheit des Menschen als Grundsatz christlicher Anthropologie verteidigt. Sie hat sich dabei allerdings auf die Auffassung der Seele als einer selbständigen Entität eingelassen und sie nur insofern korrigiert, als sie die Seele ebenso wie den Leib als Teilprinzip der menschlichen Wirklichkeit betrachtete: Erst beide zusammen konstituieren den einen Menschen. Trotz der Betonung der leibseelischen Einheit des Menschen hat damit auch der Dualismus von Leib und Seele in das christliche Menschenbild Eingang gefunden. Doch hat man darin einen Ausdruck der Teilhabe des frühchristlichen Denkens an den Selbstverständlichkeiten der hellenistischen Bildung des Zeitalters zu erkennen und nicht eine Auffassung, die zum Wesensgehalt des christlichen Menschenbildes gehört.

Bereits Tertullian hat von Leib und Seele als zwei verschiedenen, wenngleich miteinander verbundenen „Substanzen" gesprochen (De an. 27,1f.; CCL 2, 1954, 822f.). Dabei stellte er sich ihr Verhältnis ähnlich wie vor ihm Tatian[17] nach stoischer Weise vor: Die Seele ist der Atem oder Hauch des Lebens, das im Leib seine Erscheinungsform hat (vgl. Gen 2,7). Allerdings hat Tertullian ähnlich wie Irenäus (adv. haer. II,34) die Seele schon als solche für unsterblich gehalten (De an. 22,2; CCL 2,814) im Gegensatz zu Tatians These ihrer Sterblichkeit (Tatian ad Gr. 13,1). Irenäus berief sich für diese Auffassung auf die Erzählung vom armen Mann und dem reichen Lazarus (Lk 16,19–31), deren postmortale Geschicke seiner Ansicht nach die Unsterblichkeit ihrer Seelen voraussetzen.

Die Zusammengehörigkeit von Leib und Seele in der Lebenseinheit des Menschen ist bei den frühchristlichen Theologen besonders im Zusammenhang der apologetischen Argumentation für die christliche Auferstehungshoffnung betont worden. Nach Athenagoras gilt die Bestimmung des Menschen zum ewigen Leben in der Absicht des Schöpfers dem ganzen Menschen. Darum sei eine Auferstehung auch des Leibes nötig; denn die Seele für sich allein ist nicht der ganze Mensch (de res. 15).

Durch ihre Auffassung von der leibseelischen Einheit des Menschen mußte die christliche Theologie in einer Reihe von Punkten dem Platonismus entgegentreten, dem sie in der Lehre von Gott so nahestand[18]: *Erstens* konnte die christliche Theologie – abgesehen von gnostischen Richtungen – nicht der von Platon übernommenen orphischen Lehre folgen, derzufolge der Leib als Kerker oder Grab der Seele zu betrachten wäre (Gorg. 493a, Crat. 400bf.) und der Tod geradezu als Befreiung der Seele aus ihrem Kerker zu gelten hätte (Phaid. 64e, Gorg. 524b). Die christliche Lehre behauptete dagegen, daß der Leib ebenso wie die

---

Anthropologie (Wesen und Formen der Sympathie, 1913; Die Stellung des Menschen im Kosmos, 1928).

[17] Zur Anthropologie Tatians siehe M. Elze: Tatian und seine Theologie, 1960, 88ff.
[18] Vgl. dazu vom Vf.: Christentum und Platonismus, in ZKG 96, 1985, 147–161, bes. 150ff.

Seele des Menschen Gottes gute Schöpfung, die Verbindung beider daher Ausdruck seines Schöpferwillens sei.

Dabei gilt *zweitens* die Seele nicht wie bei Platon (Staat 611 e) als etwas Göttliches, sondern ist wie der Leib Bestandteil der geschöpflichen Natur des Menschen. Schon in Justins Dialog mit Tryphon betonte der Alte am Strand von Ephesos, daß die Seele geschaffen und daher vergänglich sei wie alles außer Gott (Dial. 5). Sie ist zwar Lebensprinzip des Körpers, aber lebt nicht durch sich selbst, bewegt auch nicht sich selber (Dial. 6), ganz im Gegensatz zur Auffassung Platons (Phaidr. 245 e). Spätere christliche Theologen übernahmen zwar die Vorstellung einer Unsterblichkeit der Seele, machten sie aber vom Willen des Schöpfers abhängig und grenzten sich dadurch gegen die Annahme ihrer Göttlichkeit ab. Es bedarf der gnadenhaften Erleuchtung und Erhebung durch den göttlichen Geist, damit die Seele zur Ähnlichkeit mit Gott und damit zur Teilnahme an seinem unsterblichen Leben gelangt[19].

Ein *dritter* Kontroverspunkt zwischen christlicher und platonischer Anthropologie hängt eng mit den beiden genannten zusammen: die Ablehnung der Vorstellung einer Präexistenz der Seelen und der damit bei Platon zusammenhängenden Lehre von einer Seelenwanderung oder Wiederverkörperung (cf. Phaid. 76 e-77 d, sowie 80 c ff.). Schon Irenäus hat sich in dieser Frage ausdrücklich gegen Platon gewendet und mit der Erinnerung an ein vorgeburtliches Leben der Seele auch die Annahme ihrer Präexistenz bestritten (adv. haer. II,33,2 und 5). Origenes hingegen übernahm die Präexistenzvorstellung und faßte die Bindung der Seelen an Körper im Sinne Platons (Phaidr. 248 c f.) als Folge vorgeburtlicher Verfehlungen auf (De princ. II,9,6 f. und I,7,4 f.)[20]. Er ist damit alsbald auf Widerspruch gestoßen und wurde noch im 6. Jahrhundert wegen dieser Auffassung kirchlich verurteilt[21]. Die kirchliche Lehre behauptete dagegen, daß die Seele des Menschen zusammen mit dem Leibe erschaffen ist. Diese Lehre war wiederum unterschiedlicher theologischer Deutung zugänglich, je nachdem ob die Seele des einzelnen Menschen als zusammen mit dem Leib durch Vermittlung des Zeugungszusammenhangs entstanden vorgestellt wurde (so Tertullians „Traduzianismus") oder als jeweils unmittelbar von Gott geschaffen. Die letztere Lösung (der sog. Kreatianismus) bahnte sich bei Klemens von Alexandrien und entschiedener bei Laktanz an[22], während Augustin in dieser Frage bis zuletzt unentschieden blieb[23].

---

[19] Belege dazu in dem in Anm. 18 zit. Artikel 151 f.

[20] Zur Interpretation siehe P. Kübel: Schuld und Schicksal bei Origenes, Gnostikern und Platonikern, 1973, 88 ff. 95 f.

[21] Auf der Synode zu Konstantinopel 543 (DS 403 und 410). Vgl. dazu F. P. Fiorenza und J. B. Metz: Der Mensch als Einheit von Leib und Seele, in: Mysterium Salutis II, 1967, 584–636, hier 615.

[22] H. Karpp: Probleme altchristlicher Anthropologie. Biblische Anthropologie und philosophische Psychologie bei den Kirchenvätern des dritten Jahrhunderts, 1950, 92–171, bes. 96 f. (zu Klemens) und 135 f., 143 ff. zu Laktanz. Zu Tertullian vgl. dort 49 ff., zu seinem Traduzianismus 59 f. (zu De an. 27).

[23] H. Karpp a.a.O. 243 ff. Der eigentliche Grund für Augustins Zögern noch 418 in seinem Brief an Optatus (ep. 190), sich der creatianischen Auffassung anzuschließen, ist in seiner Erbsündenlehre zu suchen (a.a.O. 246). Eine Hinneigung zum Traduzianismus findet sich, in der

Die biblische Sicht der leibseelischen Einheit des Menschen wurde von den patristischen Aussagen zur Anthropologie trotz aller Korrekturen am hellenistischen und besonders am platonischen Menschenbild nicht voll erreicht wegen der mit dem Modell einer Verbindung zweier Substanzen gegebenen Schranken. Von den philosophischen Ausgangspunkten der Antike her konnte nur der aristotelische Ansatz an dieser Stelle weiterführen. Das ist im christlichen Aristotelismus der Hochscholastik durch Thomas von Aquins Auffassung der Seele als Wesensform des Leibes und damit auch des Menschen überhaupt geschehen[24], die durch das Konzil von Vienne 1312 als kirchliche Lehre bestätigt wurde (DS 902). Danach ist die Seele nicht nur ein Teilprinzip des Menschen, sondern das, was den Menschen in seiner leibhaften Wirklichkeit zum Menschen macht. Umgekehrt ist der Leib die konkrete Gestalt, in der das Menschsein des Menschen, seine Seele, den ihr gemäßen Ausdruck findet[25].

Bei aller Nähe zur biblischen Sicht der leibhaften Wirklichkeit des Menschen liegt bei Thomas doch eine „Akzentverschiebung" vor. Sie besteht aber weniger darin, daß das Ganze dieser Wirklichkeit durch den Begriff der Seele erfaßt wird[26]. Bereits die jahwistische Schöpfungsgeschichte konnte die Gesamtwirklichkeit des Menschen als „lebendige Seele" (*nephesh ḥajja*) bezeichnen (Gen 2,7). Ein Unterschied gegenüber dieser Auffassung des Menschen ist bei Thomas eher durch sein Verständnis der Seele und insbesondere ihrer Geistigkeit (als *anima intellectiva*) gegeben. Zwar ist auch die biblische Vorstellung der Seele auf die des Geistes bezogen, aber in einem ganz anderen Sinne.

Nach Gen 2,7 ist die Seele nicht nur Lebensprinzip des Leibes, sondern sie ist der beseelte Leib selbst, das Lebewesen als ganzes. Dabei besitzt sie nicht die Eigenständigkeit, die der aristotelisch-thomistische Substanzbegriff zum Ausdruck bringt. Die Bezeichnung des Menschen als *nephesh ḥajja* kennzeichnet ihn als bedürftiges und darum begehrliches Wesen. Sein Leben selbst hat die Form der Bedürftigkeit und Begierde. Der anschauliche Grundsinn des Wortes *nephesh* als Gurgel, Kehle oder Schlund hat die ausgetrocknete Kehle, den hungrigen Schlund vor Augen: „Kühles Wasser für eine durstige *nephesh* ist (wie) eine gute Botschaft aus fernem Land" (Prov

---

Nachfolge Augustins und aus ähnlichen Gründen, später noch bei Luther (G. Ebeling: Lutherstudien II, Disputatio De Homine 2, 1982, 46–59).

[24] Thomas von Aquin S. theol. I,76,1 behauptet, daß die Geistseele (*anima intellectiva*) Wesensform des menschlichen Leibes ist (*humani corporis forma*). Der 4. Artikel derselben Quaestio fügt hinzu, daß die Seele die einzige Wesensform des Menschen sei. Vgl. dazu die Ausführungen von F. P. Fiorenza und J. B. Metz in: Mysterium Salutis II, 610 ff., sowie K. Rahner: Geist in Welt. Zur Metaphysik der endlichen Erkenntnis bei Thomas von Aquin, 2. Aufl. 1957, 325 ff., bes. 329.

[25] Siehe dazu die an Thomas von Aquin anschließenden Ausführungen K. Rahners: Zur Theologie des Symbols (Schriften zur Theologie IV, 1960, 275–311, bes. 304 ff.).

[26] So F. P. Fiorenza und J. B. Metz a. a. O. 613.

25,25). „Eine satte *nephesh* tritt Honig mit Füßen, aber einer hungrigen ist alles Bittere süß" (Prov 27,7). Der Mensch als *nephesh* ist ein Wesen der Begierde, angewiesen und auf der Suche nach allem, was seine Begierde stillt. Darum ist beseeltes Leben nicht durch sich selbst lebendig, sondern durch den Geist Gottes, der es durch seinen Hauch belebt.

Die Deutung des Lebens als Bedürftigkeit und Begierde läßt sich in mancher Hinsicht mit der teleologischen Beschreibung des Lebendigen in der aristotelischen Philosophie vergleichen. Allerdings darf man dabei nicht die Vorstellung einer organischen Entwicklung des Lebewesens im Sinne des aristotelischen Entelechiebegriffs assoziieren. Ein Berührungspunkt mit dem christlichen Aristotelismus Thomas von Aquins liegt insofern vor, als Gott es ist, der allein die Begierde nach Leben, die das Leben der Seele ausmacht, stillen kann (Ps 107,9; vgl. Ps 42,2f.). Gottes bedürftig zu sein, ist jedoch in biblischer Perspektive die Natur des geschöpflichen Lebens selbst, so sehr die göttliche Wirklichkeit dem Lebewesen transzendent und unerreichbar bleibt, es sei denn, daß sie ihm von sich aus mit ihrer Schöpferkraft zugewandt ist.

Geist im biblischen Sinne bedeutet nicht Intellekt, sondern schöpferische Lebenskraft, und ihre Natur ist die des Windes[27]. Von daher hat die Aussage von Gen 2,7 ihre anschauliche Evidenz: Gott bläst dem Menschen Lebensatem ein und belebt so das von ihm geformte Gebilde (Hi 33,4): „Erst die vom Schöpfer bewirkte Atmung macht ihn ... zu einem Lebewesen, einer lebendigen Person, einem lebendigen Individuum"[28]. Des Geistwindes oder Atems Gottes bleibt das Geschöpf auch weiterhin bedürftig. Sein Wehen ist ihm nicht verfügbar, sein Ausbleiben aber hätte den sofortigen Tod des Geschöpfes zur Folge: Wenn Gott „seinen Geist zurückholte und seinen Atem (*ruaḥ*) an sich zöge, dann würde alles Fleisch verscheiden, und zum Staube kehrte der Mensch zurück" (Hi 34,14f.). So geschieht es denn auch tatsächlich, wenn der Mensch stirbt: „... der Staub wird wieder zur Erde, wie er gewesen, der Odem (*ruaḥ*) aber kehrt wieder zu Gott, der ihn gegeben" (Koh 12,7).

Die zuletzt angeführten Aussagen lassen erkennen, daß der Lebensodem (*nishmat ḥajjim*), von dem Gen 2,7 die Rede ist, nicht vom Geist (*ruaḥ*) getrennt werden kann, beide Ausdrücke vielmehr dieselbe Realität bezeichnen (vgl. u.a. Gen 6,17). Die Sterblichkeit des menschlichen Lebens ist die Folge davon, daß Gottes Geist nicht auf immer in ihm wirksam bleibt (Gen 6,3). Denn als „Fleisch" ist der Mensch wie alle anderen Lebewesen vergänglich. Das besagt umgekehrt, daß der Mensch sein Leben, solange es währt, der fortgesetzten Wirksamkeit des von Gottes Geist ausgehenden Lebensatems verdankt.

Durch sein Wirken in den Lebewesen wird der Geist Gottes allerdings

---

[27] Siehe dazu Bd. I, 404f.
[28] H. W. Wolff: Anthropologie des Alten Testaments, 1973, 43.

nicht zum Bestandteil des Geschöpfes. Vielmehr wird dadurch der exzentrische Charakter des geschöpflichen Lebens, seine Angewiesenheit auf die von außen auf die Geschöpfe einwirkende Gotteskraft des Geistes ausgesagt. Sie haben den Lebensatem zwar in sich, aber er ist ihrer Verfügung entzogen. So bleibt Gott Herr des geschöpflichen Lebens.

Die spanische Kirche der Spätantike hat mehrfach die Priscillian zugeschriebene Auffassung zurückgewiesen, wonach die menschliche Seele Teil Gottes oder göttlicher Substanz wäre (*Dei portionem vel Dei esse substantiam*, DS 201, vgl. 190, sowie 455). Das entspricht der bis auf die Anfänge christlicher Theologie zurückgehenden Ablehnung der platonischen Lehre von der Göttlichkeit der Seele, die als unvereinbar mit der Behauptung ihrer Geschöpflichkeit erschien. Nicht abgewiesen ist damit jedoch die Vorstellung einer belebenden Wirksamkeit des göttlichen Geistes als eines dem Menschen transzendenten Prinzips im geschöpflichen Lebensvollzug. Der Geist ist dann allerdings nicht als eine Seelenkraft zu verstehen, sondern als die das Leben der Seele wie des Leibes hervorbringende und erhaltende, daher auch in ihm wirkende Kraft Gottes.

Nun gibt es allerdings eine Gruppe von alttestamentlichen Aussagen, die das besondere Maß göttlicher Geistwirkung in bestimmten Menschen als ein diesen verliehenes Charisma darstellen, dem eine gewisse Selbständigkeit gegenüber der Transzendenz des Gottesgeistes eignet[29]. Solche Selbständigkeit ist besonders augenfällig bei der Vorstellung eines sozusagen negativen Charismas wie bei der dem König Saul von Gott zugeschickten „bösen *ruaḥ*" (1.Sam 16,14; vgl. 1.Kön 22,20ff.; Jes 19,14). Schließlich konnte auch, in noch weitergehender Verallgemeinerung, der auf begrenzte Zeit im Menschen wirkende Lebensgeist dem Menschen selber als „sein" Geist zugeschrieben werden[30]. Es gibt jedoch im Alten Testament keine Aussage, die grundsätzlich von der göttlichen *ruaḥ* eine ihr gegenüber selbständige geschöpfliche *ruaḥ* als Wesensbestandteil der Lebewesen unterschiede. Die Auffassung der Lebensvorgänge als Funktionen der Wesensbestandteile des Menschen und seiner Seele ist erst durch den Hellenismus auch in das jüdische Denken eingedrungen. Es konnte dann entweder das im Menschen wirkende Pneuma als ein zum geschöpflichen Wesensbestand gehöriges Element aufgefaßt werden oder als ein göttlicher Wesensbestandteil der geschöpflichen Seele.

Die erste dieser beiden Auffassungen scheint in den rabbinischen Schriften[31] und auch beim Apostel Paulus vorzuliegen. Paulus kann den Menschen zusammenfassend als Geist, Seele, Leib umschreiben (1.Thess 5,23)

---

[29] H.W.Wolff a.a.O. 62f.
[30] H.W.Wolff a.a.O. 64ff.
[31] Siehe dazu die Ausführungen von E.Sjöberg in ThWBNT 6, 1959, 374ff., bes. auch 376ff. zur damit zusammenhängenden Vorstellung von einer Präexistenz der unmittelbar von Gott geschaffenen Geistseelen.

und den göttlichen Geist dem des Menschen gegenüberstellen (Röm 8,16f.), ja entgegensetzen (1. Kor 2,10f.)[32]. Sieht er in letzterem gleichwohl „das von Gott gegebene πνεῦμα und darum letztlich ein dem Menschen fremdes"[33]? Formuliert er unter der als selbstverständlich betrachteten, wenn auch unausgesprochenen Voraussetzung, daß alles in den Geschöpfen wirkende Pneuma auf den Schöpfergeist Gottes zurückgeht? Dann sollte man erwarten, daß diese Voraussetzung zumindest im Zusammenhang mit der Berufung von 1. Kor 15,45 auf Gen 2,7 auch einmal ausdrücklich ausgesprochen würde. Aber das ist nicht der Fall: Daß die „lebendige Seele" dem ersten Adam durch Gottes Geist eingeblasen wurde, wird nicht erwähnt. Der „lebenschaffende Geist" (πνεῦμα ξῳοποιούν) wird nicht bei der Schöpfung des ersten Menschen, sondern nur als Eigenart des eschatologischen Menschen genannt. Andererseits, wie kommt der dem Typus des ersten Adam angehörige natürliche Mensch dazu, auch seinerseits schon Pneuma zu sein oder zu besitzen (1. Kor 2,11), wenn er doch nur als „lebendige Seele" geschaffen wurde, ohne den Geist, der dem eschatologischen Menschen vorbehalten ist? An dieser Stelle wird die Notwendigkeit einer Interpretation unabweisbar, die über die ausdrücklichen Aussagen des Apostels hinausgeht. Nur so läßt sich deren sachliche Einheit rekonstruieren.

Die sachliche Einheit in der paulinischen Verwendung des Geistbegriffs ist allerdings wohl kaum in der Richtung der oben erwähnten zweiten Interpretationsmöglichkeit des Pneumas als Wesensbestandteil des Menschen bzw. der menschlichen Seele zu suchen. Es ist das die im hellenistischen Judentum entwickelte Deutung von Gen 2,7, die den von Gott eingehauchten Lebensodem als Mitteilung göttlichen Geistes an den Menschen auffaßte[34]. Charakteristisch für diese Interpretation ist die Verbindung der Geistmitteilung mit der Gotteserkenntnis, die sich schon in den Qumrantexten findet[35]. Im Hintergrund mag die Auffassung von der Weisheit als Charisma stehen, das durch den Geist Gottes den Menschen mitgeteilt ist: Nicht die Menge der Jahre lehrt Weisheit, sondern „der Geist erleuchtet die Menschen, und der Hauch des Allmächtigen macht sie verständig" (Hi 32,8; vgl. Dtn 34,9). In der Sapientia Salomonis kann die Weisheit geradezu mit dem Pneuma identifiziert werden[36]. Daher sollte der Mensch, der nach Gen 2,7 den Odem des Lebens empfangen hat, Gott erkennen, statt den Götzen zu die-

---

[32] Weitere Beispiele bei R. Bultmann: Theologie des Neuen Testaments, 1953, 202f.
[33] So im Gegensatz zu Bultmann E. Schweizer in ThWNT 6, 1959, 433.
[34] Zum folgenden, bes. zu Philo, siehe W.-D. Hauschild: Gottes Geist und der Mensch. Studien zur frühchristlichen Pneumatologie, 1972, 256ff.
[35] I QH Frg. 3,14 (J. Maier: Die Texte vom Toten Meer I, 1960, 120). Vgl. Hauschild a.a.O. 257.
[36] Belege dazu in den Ausführungen von W. Bieder in ThWBNT 6, 1959, 369. Siehe auch schon Sir 24,3, wo die Weisheit als der aus dem Munde Gottes hervorgehende Hauch beschrieben wird.

nen (Sap 15,11). Die Verbindung von Geist und Weisheit konnte es nahelegen, in hellenisierender Interpretation die Vernunft des Menschen als jenes bei der Schöpfung ihm eingehauchte göttliche Pneuma aufzufassen. Diese folgenreiche Verknüpfung ist bei Philo von Alexandrien vollzogen worden oder lag ihm schon vor[37].

Mit der Deutung von Gen 2,7 auf die Mitteilung der Vernunft durch den Schöpfer ist eine Gleichsetzung von (menschlichem) Geist und Vernunft begründet worden, die für die Auffassung des höheren Seelenteils, der Geistseele des Menschen, in der christlichen Theologie bestimmend blieb. Von der Annahme der Göttlichkeit dieser Geistseele ist die christliche Theologie allerdings abgerückt. Dabei könnte ausgerechnet die christliche Gnosis eine wichtige Vermittlungsrolle gespielt haben.

Für die Gnostiker konnte das nach Gen 2,7 bei der Schöpfung der Menschen mitgeteilte Pneuma nicht das eigentlich göttliche Pneuma sein, weil sie die Schöpfung nicht dem Erlösergott, sondern dem Demiurgen zuschrieben. Nur nebenher, vom Demiurgen unbemerkt, konnte echtes göttliches Pneuma dabei mit eingeflossen sein[38]. Klemens von Alexandrien hat ebenfalls den Lebensodem von Gen 2,7 von der Mitteilung des göttlichen Geistes getrennt, dabei ersteren wie Philo als Einhauchung des Nus aufgefaßt, aber die Mitteilung des Gottesgeistes der Erlösung vorbehalten[39]. Ähnlich hat Tertullian in seiner Schrift über die Seele zwar einerseits gegen Hermogenes den Ursprung der Seele aus dem Odem Gottes nach Gen 2,7 betont[40], aber andererseits zwischen Geist (*spiritus*) und Odem (*flatus*) unterschieden wie zwischen Ursache und Wirkung, wobei er den Odem mit der Seele identifizierte[41]. Ähnlich äußerte sich späterhin Augustin (De civ. Dei XIII, 24,2 ff.). Bei Origenes hingegen hat Gen 2,7 keine maßgebliche Bedeutung für die Anthropologie mehr gehabt, weil er die Präexistenz der vernünftigen Geistseelen lehrte[42]. Statt dessen begründete er die Geistigkeit des Menschen auf seine Erschaffung zum Ebenbild Gottes nach Gen 1,26 f., und dieser Argumentation ist die spätere Theologie gefolgt, so etwa Gregor von Nyssa, trotz Ablehnung der These von der Präexistenz der Seelen[43].

---

[37] Hauschild a.a.O. 258 ff., Bieder a.a.O. 371 f. mit etwas abweichender Auffassung von Opif. Mundi 135. An einer anderen Stelle (Rer. Div. Her. 55) hat Philo auch nach Bieder den Nus in seiner Funktion als Führungskraft der Seele (*Hegemonikon*) mit dem göttlichen Pneuma identifiziert (372).

[38] Hauschild a.a.O. 263 ff.

[39] Hauschild a.a.O. 268 f. und 18 ff. zu Strom. V,94,3 u.a., sowie 28 ff. zur Rolle des Geistes bei der Erlösung.

[40] Tertullian De an. 1,1 (CCL 2,781).

[41] Tertullian De an. 11,3 (CCL 2,797). Siehe auch 4,1 (786), wo Tertullian gegen Platon die Geschöpflichkeit der Seele betont. Das *Hegemonikon* der Seele nennt Tertullian (De an. 15,1 ff., 801) in Verbindung mit der biblischen Anschauung vom Herzen als Sitz der Gedanken und Strebungen. Zur Abhängigkeit der Psychologie Tertullians von der Stoa vgl. H. Karpp: Probleme altchristlicher Anthropologie, 1950, 71 ff.

[42] Hauschild a.a.O. 269, vgl. 86 ff., bes. 91 ff.

[43] Nach Origenes ist nur der geistige Teil der Seele nach dem Ebenbild Gottes geschaffen

Auch in der lateinischen Scholastik ist unter dem Eindruck der Autorität Augustins die Auffassung von Gen 2,7 im Sinne einer Mitteilung des göttlichen Geistes abgelehnt worden (Thomas v. Aquin S. theol. I,91,4 ad 3), weil der Apostel Paulus das Gen 2,7c als „lebendige Seele" bezeichnete Resultat der Einhauchung durch den Schöpfer dem vom Geist durchdrungenen Leben des neuen Adam (1. Kor 15,45) entgegensetze (vgl. Augustin De civ. Dei XIII, 24,4 n. 6). Es bedurfte des Rückgangs auf den hebräischen Wortlaut der Stelle und der exegetischen Unbefangenheit Luthers, um in der Einhauchung des Lebensgeistes nach Gen 2,7 wieder den Geist Gottes selbst erkennen zu können, dessen Wirksamkeit bei der Schöpfung des Menschen dann allerdings von seiner eschatologischen Wirksamkeit im Leben des neuen Adam unterschieden werden mußte. Doch auch Luther hat nicht gesehen, daß die lebenschaffende Wirksamkeit des göttlichen Geistes bei der Schöpfung sich auf alle Lebewesen erstreckt[44].

Die tiefe Differenz der in der Theologie der Patristik sich herausbildenden Vorstellung von einer menschlichen Geistseele zur biblischen Auffassung des Verhältnisses von Seele und Geist ist daran erkennbar, daß weder die Beschreibung des Menschen als „lebendige Seele" Gen 2,7, noch auch die Auffassung ihrer Lebendigkeit als Wirkung des göttlichen Lebensodems das unterscheidend Besondere des Menschen gegenüber anderen Lebewesen nennt[45]. Auch die Tiere gelten als *nephesh hajja* (Gen 2,19) und haben Lebensgeist in sich (Gen 1,30, vgl. 6,17 und 7,22). Der Mensch teilt in dieser Hinsicht nur, was alle Lebewesen auszeichnet im Unterschied zu den übrigen Geschöpfen. Die den Menschen von den Tieren unterscheidende Besonderheit besteht nach Auffassung der Priesterschrift erst in seiner Gottebenbildlichkeit und in dem damit verbundenen Auftrag zur Herrschaft über die anderen Geschöpfe auf Erden. Eine ähnliche Vorstellung findet sich in Ps 8,7ff. Dem entspricht im älteren Schöpfungsbericht das menschliche Privileg, die übrigen Geschöpfe zu benennen (Gen 2,19)[46]: An dieser Stelle kommen die Fähigkeiten zur Sprache und (damit verbunden) zur Erkenntnis als unterscheidende Besonderheiten des Menschen in den Blick. Auch sonst ist dem Alten Testament die Bedeutung der erkennenden und planenden Vernunft im Leben des Menschen nicht entgangen, wenn man sie

---

(de princ. II,10,7; vgl. III,1,13). Gregor von Nyssa betrachtete die vernünftige Natur des Menschen (*logos* und *dianoia*) als Abbild des göttlichen Nus und Logos (De hominis opificio 5, MPG 44, 137 BC). Zu seiner Ablehnung der Annahme einer Präexistenz der Seelen vgl. a.a.O. 28, MPG 44, 229ff.

[44] Zu Luthers Auslegung von Gen 2,7 in seiner Genesisvorlesung von 1535/45 (bes. WA 42, 63ff.) vgl. G. Ebelings Kommentar zu Luthers Disputatio De homine (Lutherstudien II/2, 1982), 34–46.

[45] H.W. Wolff: Anthropologie des Alten Testaments, 1973, 43f. Die Gemeinsamkeit alles Lebendigen in der Teilhabe am Lebensodem betont auch J. Moltmann: Gott in der Schöpfung. Ökologische Schöpfungslehre, 1975, 195.

[46] Siehe dazu G.v.Rad: Das erste Buch Mose, Genesis, 1950, 66f.

auch im Herzen und nicht im Kopf lokalisierte⁴⁷. Aber wenn es um die Frage ging, was den Vorrang des Menschen vor den übrigen Geschöpfen ausmacht, dann wurde nicht seine intellektuelle Befähigung hervorgehoben, sondern seine Bestimmung zur Gemeinschaft mit Gott sowie die mit der Nähe zu Gott verbundene Herrscherstellung im Verhältnis zu den übrigen Geschöpfen. Diese letztere hängt allerdings der Sache nach für unser Verständnis mit der Betätigung der Vernunft zusammen. In Gen 2,19 kann man zumindest eine Andeutung davon finden. Aber von einer Autonomie der Vernunft kann dabei keine Rede sein. Die Betätigung der Vernunft ist wie alle anderen Lebensäußerungen auf das belebende Wirken des göttlichen Geistes angewiesen. Auch in der Weisheitsliteratur, die die Verständigkeit als eine besonders wertvolle Geistesgabe auffaßte (vgl. neben Hi 32,8 noch 33,4, Prov 2,6 und die Weisheit Salomons), ist diese nicht mit der intellektuellen Fähigkeit des Menschen identifiziert worden, sondern galt als eine dem Menschen nicht angeborene Gabe.

So müssen vom biblischen Befund her Geist und Vernunft unterschieden werden. Für die Ausarbeitung dieser Unterscheidung allerdings sind biblische Anhaltspunkte spärlich. Obwohl die biblischen Aussagen über das Herz des Menschen ein Wissen von seiner Erkenntnis und Urteilsfähigkeit bekunden, war die Klärung dieser Zusammenhänge doch in ungleich viel höherem Maße ein Anliegen griechischen Denkens. Daher hat die patristische Theologie mit Recht griechischen Auffassungen vom Nus und seiner anthropologischen Relevanz einen hohen Rang für ihr Verständnis des Menschen eingeräumt. Dabei wurde die Erkenntnisfähigkeit mit dem Begriff der spezifisch menschlichen Seele verknüpft. Ansatzpunkte dafür konnte man in der Verwendung des Vernunftbegriffs bei Paulus finden (Röm 7,23, vgl. 1,20; 12,2 u.ö.). Andererseits konnte die johanneische Logoslehre es nahelegen, im Sinne griechischer Anschauungen von der Zusammengehörigkeit von Logos und Nus die menschliche Vernunft als Teilhabe am Logos aufzufassen, die dann durch die Inkarnation des Logos in einem Menschen ihre Vollendung gefunden habe. Die Deutung der Gottebenbildlichkeit des Menschen als Ausdruck der Logosteilhabe seines Nus konnte von daher als plausibel erscheinen. Nur eine Identifizierung von Vernunft und Geist hätte vermieden werden müssen. Das belebende Wirken des göttlichen Geistes im Menschen ist nicht identisch mit seiner Vernunft. Diese bedarf vielmehr ebenso wie alle anderen Lebensfunktionen der Aktualisierung durch Gottes Schöpfergeist⁴⁸. Das schließt aber nicht aus, daß die Ver-

---

⁴⁷ H.W. Wolff a.a.O. 68-95, bes. 77ff.
⁴⁸ K.Barth hat mit Recht die Identität des Geistes mit Gott und seine Verschiedenheit von der geschöpflichen Wirklichkeit behauptet. Er hat daher gegen den sog. Trichotomismus bestritten, daß der Geist als Teil des Menschen (neben Seele und Leib) oder auch als Teil der Seele aufzufassen wäre (KD III/2, 426ff.).

nunft ihrer Natur nach auf solche Aktualisierung angelegt ist und daß ihr als der führenden Funktion der menschlichen Seele für das Verhältnis des ganzen Menschen zum Geist eine entscheidende Rolle zukommt.

Der erste dieser beiden Sachverhalte ist der Sache nach, obwohl ohne Verbindung zu Gen 2,7 und ohne Unterscheidung zwischen Geist und Vernunft, in Augustins Lehre von der Angewiesenheit der Vernunft auf Erleuchtung durch das göttliche Wahrheitslicht zum Ausdruck gebracht worden[49]. Augustin hat damit vom Erleuchtungsgedanken Platons her eine der biblischen Auffassung (vgl. auch Joh 1,9) weitgehend analoge Konzeption entwickelt. Sie blieb als theologische Interpretation der menschlichen Vernunft der Erkenntnislehre des christlichen Aristotelismus überlegen, die von der lateinischen Hochscholastik konzipiert worden ist. Dort wurde die Vernunft als eine autonome Größe behandelt, obwohl sie darüber hinaus in einem zweiten Schritt auf Gott als ihr übernatürliches Ziel bezogen wurde. Andererseits haben Albert der Große und Thomas von Aquin, indem sie den aktiven Intellekt, der nach Aristoteles allein unsterblich ist[50], als Teil der menschlichen Seele betrachteten und nicht als eine übermenschliche, „von außen" in die Seele hineinwirkende Kraft, den Grund gelegt für ein in seiner Weise ebenfalls christlich inspiriertes Verständnis der subjektiven Freiheit des Menschen in seinen Erkenntnisakten[51], im Gegensatz zu den antiken Erkenntnislehren, die auf die eine oder andere Weise Erkenntnis als Rezeption einer vorgegebenen Wahrheit der Dinge auffaßten[52]. Die Aktivität der Vernunft im Vorgang des denkenden Erkennens wurde später, bei Nikolaus von Kues, noch erheblich schärfer betont als spontane Produktivität in abbildlicher Entsprechung zur schöpferischen Freiheit des göttlichen Geistes[53]. Das vom Kusaner entwickelte Konzept einer durch Mutmaßungen (Konjekturen) über die Wirklichkeit der geschaffenen Dinge Gottes Schöpfergedanken approximativ nachvollziehenden Freiheit der menschlichen Vernunfterkenntnis[54] hat dem Modell einer bloßen Anwendung vorgegebener apriorischer Denkformen auf das Material der Sinne durch den Verstand voraus, daß es der produktiven Freiheit und Geschichtlichkeit der Vernunfttätigkeit besser Rechnung zu tragen vermag. Damit wird die Phantasie zum eigentlich schöpferischen Prinzip der menschlichen Geistestätigkeit, während der Verstand die Einfälle der Phantasie nur seinen logischen Regeln unterwirft. Die

---

[49] Die Parallelität der Erleuchtungslehre Augustins zu seiner Gnadenlehre hat R. Lorenz herausgearbeitet: Gnade und Erkenntnis bei Augustinus, ZKG 75, 1964, 21-78.

[50] Aristoteles De an. III,5,430a 23.

[51] Albertus Magnus: Metaphysica XI tr 1 c 9 (Opera Omnia XVI/2, 1964, ed. B. Geyer, 472, 69f.). Thomas von Aquin S.c.Gent. II,76 und 78, sowie S. theol. I,79,4. Besonders bei Albert war die Entscheidung dieser Frage eng verknüpft mit dem Thema der individuellen Unsterblichkeit, da nach Aristoteles (s. vorige Anm.) allein der aktive Intellekt unsterblich ist.

[52] Vgl. meinen Aufsatz „Rezeptive Vernunft: Die antike Deutung der Erkenntnis als Hinnahme vorgegebener Wahrheit" in H. Nagl-Docekal (Hg.): Überlieferung und Aufgabe. Festschrift für Erich Heintel zum 70. Geburtstag, 1982, Bd. 1, 265-301.

[53] Nikolaus von Kues: De Beryllo 6, vgl. Idiota de mente 7.

[54] Dazu M. de Gandillac: Nikolaus von Kues. Studien zu seiner Philosophie und philosophischen Weltanschauung, 1953, 153ff., 164, sowie die Schrift des Kusaners De coniecturis.

Tätigkeit der Phantasie aber beruht auf einer höheren Form der Rezeptivität[55], nicht auf der Empfänglichkeit für die durch die Sinne empfangenen Eindrücke, auch nicht auf ihrer Reproduktion durch das Gedächtnis, verbunden mit freier Rekombination seiner Inhalte, sondern auf einer Offenheit, die den unendlichen Grund der Subjektivität auf die endlichen Gegebenheiten des Bewußtseins bezieht[56]. Dieser Sachverhalt läßt sich als den theologischen Intentionen der Erleuchtungslehre Augustins entsprechend auffassen.

Die Unerläßlichkeit des Rezeptivität und Freiheit vereinenden Lebens der Phantasie für die Tätigkeit von Verstand und Vernunft ist geeignet, die Abhängigkeit der Vernunft vom Wirken des Geistes als dem Grund der subjektiven Freiheit des Menschen zu verdeutlichen. Für ein genaueres Verständnis ist es jedoch nötig, sich über das Verhältnis des Geistes zu den Bewußtseinsfunktionen überhaupt ein gewisses Maß an Klarheit zu verschaffen.

Die grundlegende Beziehung des Bewußtseins zum unendlichen Grund des Lebens dürfte im Lebensgefühl gegeben sein, das noch im Erleben des Erwachsenen den Unterschied von Selbst und Welt übergreift, während in der symbiotischen Lebenssphäre des frühen Kindesalters objektive und subjektive Seite des Weltverhältnisses noch gar nicht klar unterschieden sind[57]. Durch die Lust- oder Unlustqualität des Gefühls ist jedoch schon früh ein impliziter Selbstbezug gegeben, ein Ansatzpunkt für die spätere Ausbildung des Selbstbewußtseins im Unterschied zum Weltbewußtsein[58]. Solche im

---

[55] H.Kunz: Die anthropologische Bedeutung der Phantasie I, 1946, dazu vom Vf.: Anthropologie in theologischer Perspektive, 1983, 365f.

[56] J.G.Fichte hat in der ersten Fassung seiner Wissenschaftslehre 1794 die Einbildungskraft charakterisiert als „ein Vermögen, das zwischen Bestimmung und Nicht-Bestimmung, zwischen Endlichem und Unendlichem in der Mitte schwebt" (Werke I hg. I.H.Fichte 1845/46, 216). Er hat dieses Vermögen allerdings der „ins unendliche gehenden Thätigkeit" (ebd.) des Ich zugeschrieben, während das Moment der Rezeptivität in der Phänomenologie der Einbildungskraft (siehe vorige Anm.) eher dafür sprechen sollte, die Einbildungskraft (in Fichtes Terminologie) dem Gefühl (I,289ff.) zuzuordnen (vgl. auch I,314ff., wo Fichte aber ebenfalls das rezeptive Moment im Leben der Phantasie unberücksichtigt läßt). Es ist lehrreich, in diesem Zusammenhang Fichtes spätere Erörterungen des Gefühlsbegriffs heranzuziehen (Wissenschaftslehre 1797/98 hg. P.Baumanns PhB 239,70f., sowie Darstellung der Wissenschaftslehre aus den Jahren 1801/02 hg. R.Lauth, PhB 302,75ff. und 179f.). Vgl. zur Sache selbst auch die Ausführungen des Vf. in: Anthropologie in theologischer Perspektive, 1983, 237ff. (zum Gefühlsbegriff, sowie 365ff. zur Phantasie).

[57] Zu der für das Phänomen des Gefühls charakteristischen Überschreitung der Subjekt-Objekt-Differenz vgl. vom Vf.: Anthropologie in theologischer Perspektive, 1983, 243f., zu der dabei zugrundeliegenden symbiotischen Verbundenheit mit der Umgebung ebd. 219ff. und 254f.

[58] Schleiermacher hat in § 5,4 seiner Glaubenslehre (2.Ausg. 1830) die Differenz von Lust und Unlust als erst durch den Gegenstandsbezug des „sinnlichen Selbstbewußtseins" mit dem Gefühl verbunden gedacht. Er hat andererseits in § 3 schon das Gefühl als solches als „unmittelbares Selbstbewußtsein" aufgefaßt. An beiden Punkten muß im Lichte moderner Beschreibungen des Gefühls Kritik geübt werden: Das Gefühl ist nicht schon Selbstbewußtsein im Gegensatz zum Weltbewußtsein. Selbst und Welt sind im Gefühl gerade noch nicht getrennt; die

Gefühl gegebene implizite Selbstvertrautheit[59] teilt der Mensch mit dem animalischen Leben, vielleicht sogar mit allen Lebewesen überhaupt, weil alle Lebewesen als Autokatalysatoren Prozesse einer Selbstorganisation sind, die als solche durch einen Bezug auf das Ganze des eigenen Dasein charakterisiert ist[60]. Zur Ausbildung eines expliziten Selbstbewußtseins hingegen scheint es erst in Verbindung mit der triebentlasteten Sachlichkeit des Gegenstandsbewußtseins zu kommen, die für den Menschen charakteristisch ist und die sich im Spielverhalten des Kindes ausbildet[61]: Das Sein beim anderen als einem anderen ermöglicht nicht nur die Unterscheidung verschiedener Gegenstände voneinander und ihre Beziehung aufeinander, sondern auch ihre Unterscheidung vom eigenen, bald durch den Eigennamen und später durch den Gebrauch des Indexwortes „ich" identifizierten Leib[62], sowie dessen Verortung in der Welt der Dinge. Das durch das Wahrnehmungsbewußtsein vermittelte Sein beim anderen als einem anderen[63] scheint

im Selbstbewußtsein ausdrücklich werdende Selbstbeziehung aber ist im Gefühl insofern angelegt, als es durch Lust- und Unlustqualitäten bestimmt ist, die schon der vorgegenständlichen Befindlichkeit angehören (vgl. vom Vf.: Anthropologie in theologischer Perspektive, 1983, 240ff.). Schleiermacher zeigt sich in § 5,1 der Glaubenslehre zwar auch daran interessiert, daß wir uns im Gefühl keinem „anderen einzelnen entgegensezen", aber er bezieht das nur auf das Moment der Abhängigkeit, das nach seiner Darstellung schon im unmittelbaren Selbstbewußtsein enthalten sein soll (§ 4), während es tatsächlich, wie die Argumentation von § 4,2 Schleiermacher selbst erkennen läßt („Wechselwirkung" des Subjekts mit anderem), schon das Auseinandertreten von Selbst und Gegenstand im „sinnlichen" Bewußtsein voraussetzt. Die Vorgängigkeit vor der Ich-Gegenstands-Differenz muß radikaler als bei Schleiermacher im Gefühlsbegriff selbst verankert werden, der dann aber nicht schon als Selbstbewußtsein gekennzeichnet werden kann, sondern lediglich, und zwar gerade durch die Gefühlsqualitäten von Lust und Unlust, einen Ansatz zu dessen Ausbildung bietet. Vgl. Anthropologie in theologischer Perspektive 243f. Das Bewußtsein der Abhängigkeit aber, das bei Schleiermacher zum Schlüssel für die Beschreibung des religiösen Bewußtseins geworden ist, bildet gar kein ursprüngliches Moment des Gefühls, sondern setzt immer schon eine Differenzierung zwischen Ich und Gegenstand voraus.

[59] Sie wurde in der stoischen Lehre von der *oikeiosis* als im Selbsterhaltungsstreben schon der Tiere wirksam dargestellt. Vgl. M. Pohlenz: Die Stoa. Geschichte einer geistigen Bewegung, 1959, 57f., 114f. Darauf beruht, was W. James die „Wärme" der Selbstgefühle nannte (The Principles of Psychology (1890) Neudruck 1981, 316f.).

[60] S.o. Kap. 7, 150f., 152f.

[61] Siehe dazu vom Vf.: Anthropologie in theologischer Perspektive, 1983, 59ff., sowie 313ff., 347f.

[62] Näheres dazu a.a.O. 213ff.

[63] A.a.O. 59. Als Fähigkeit des Menschen, „ein Anderes als solches" zu erfassen, identifizierte auch K. Barth KD III/2, 1948, 478ff. die Vernunftnatur des Menschen, die „in dem Ereignis seiner Begegnung mit *Gott* ... vorausgesetzt ist" (482; die finale Ursache für diese vorausgesetzte Vernünftigkeit des Menschen ist umgekehrt, daß der Mensch dazu bestimmt ist, Gott zu vernehmen: 478f.). Allerdings hat Barth im Unterschied zur oben entwickelten Auffassung das Selbstbewußtsein als Basis für den Akt des Vernehmens aufgefaßt, denn dieser wird beschrieben als „ein Anderes als solches in sein Selbstbewußtsein aufzunehmen" (479). Im Unterschied dazu wird hier das Gegenstandsbewußtsein als vorgängig vor dem Selbstbewußtsein gedacht.

so mit der Unterscheidung der Gegenstände voneinander und vom Ich des eigenen Leibes das Bewußtseinsfeld zu erschließen, in welchem für den Menschen das Grundverhältnis von Ich und Welt seine Konturen gewinnt. Das Lebensgefühl als Ausdruck der Geistgegenwart mit der der Subjekt-Objekt-Differenz vorgängigen und sie übergreifenden Präsenz der noch unbestimmten Ganzheit des Lebens liegt also der Ausbildung des Bewußtseinsfeldes schon zugrunde, innerhalb dessen eine Übersicht über seine voneinander unterschiedenen Inhalte möglich wird[64]. Diese Bewußtseinswelt wird in der Erfahrung des Gegenübers zu anderen Menschen dem eigenen Ich zugeschrieben und damit relativiert auf das Ich als *seine* Welt im Unterschied zu der der anderen. Die Ichrelativität der Bewußtseinswelt und damit deren Differenz von der „realen" Welt ist also nicht schon konstitutiv für das Gegenstandsbewußtsein als solches, sondern wird erst von der Erfahrung der mit der Intersubjektivität verbundenen unterschiedlichen Weltansichten her thematisch. Die im Lebensgefühl sich bekundende Präsenz des unendlichen Lebensgrundes, des Geistes, aber übergreift auch die Differenz der Subjekte und zwar nicht nur „für" das eigene Ich, da vielmehr ein Bewußtsein des eigenen Ich selber erst als ein Produkt der Ausdifferenzierung der Einheit des Lebensgefühls im Prozeß der Erfahrung entsteht[65].

Erst im Felde der Intersubjektivität und als Folge des Bewußtseins der Ichrelativität der eigenen Bewußtseinswelt kann sich auch eine Unterscheidung zwischen Leib und Seele ausbilden: Der Seele als der Innenwelt des Bewußtseins steht der eigene Leib gegenüber, der ebenso wie die Dinge der Welt – aber im Unterschied zur Innenwelt meines Bewußtseins – nicht nur für mich, sondern auch für die anderen da ist. Von daher kann es als naheliegend erscheinen, die seelische Innenwelt des Bewußtseins im Unterschied zum Leib als das eigentliche Ich des Menschen aufzufassen. Damit aber wird sowohl der Begriff der Seele als auch der des Ich in unangemessener Weise eingeengt: Indem das Indexwort „ich" auf den jeweiligen Sprecher verweist, bezeichnet es auch immer schon dessen leibliche Individualität[66], und wenn schon der lebendige Leib als beseelt aufzufassen ist, insofern er lebendig ist, dann muß der Begriff der Seele mehr umfassen als nur die Innenwelt des Bewußtseins; zu ihr gehört dann auch das mit der eigenen Leiblichkeit und ihrer Geschichte verbundene „Unbewußte". An dieser Stelle wird es möglich, die an der Erfahrung einer Bewußtseinsinnenwelt orientierte Seelenvorstellung mit dem Begriff der Seele als Lebensprinzip des Leibes zu verbinden. Der Schein aber, als ob die Seele etwas dem Leibe gegen-

---

[64] In ähnliche Richtung gehen die Erwägungen von Th. Nagel: The View from Nowhere, 1986, bes. 13–27.
[65] Siehe dazu vom Vf.: Bewußtsein und Geist, ZThK 80, 1983, 332–351 zu K. R. Poppers Argumentation im Gespräch mit J. C. Eccles (The Self and its Brain. An Argument for Interactionism, 1977).
[66] W. James: The Principles of Psychology (1890), Neudruck 1981, 323, auch 378.

über Selbständiges wäre, könnte auf die Verselbständigung der Bewußtseinsinnenwelt in ihrer Verbundenheit mit dem Ich zurückgehen.

Die Innenwelt des Bewußtseins wird dem Ich als die seinige zugeschrieben. In der Tradition kantischer Transzendentalphilosophie gilt das Ich (in der Tätigkeit des „ich denke") sogar als Grund ihrer Einheit, Grund der Einheit der Erfahrung. Ist es das wirklich? Hat nicht die Welt des Bewußtseins in gewissem Sinne ihre Einheit in sich selber, nämlich in ihren Inhalten und tragenden Gedanken? Ist nicht das Bewußtsein des sie denkenden Ich allenfalls der Boden der bewußten Erfassung dieser Inhalte und daher auch verantwortlich dafür, daß der Modus ihrer Auffassung von der Wahrheit des Gegenstandes abweicht? Tatsächlich ist im Unterscheiden immer auch schon eine Einheit des Unterschiedenen enthalten. Diese ist nicht die äußerliche Zutat einer „synthetischen" Funktion des Bewußtseins. Dieser Einheit gewahr zu werden, ist freilich nicht selbstverständlich. Dazu bedarf es, mit dem frühen Hegel zu reden, der „Anschauung", und zwar jeweils bestimmter Anschauungen[67]. Sie fallen dem Bewußtsein aus der Unendlichkeit des Gefühls zu durch die Phantasie, die sich nach Fichte zwischen jener Unendlichkeit und den durch die Tätigkeit des Bewußtseins unterschiedenen endlichen Gegebenheiten bewegt. Dabei bedürfen die in der Phantasie erzeugten Anschauungen aber, wie Hegel betont hat, der Disziplinierung durch Beziehung auf die unterscheidende Tätigkeit der Reflexion. Erst so sind sie gehaltvoll als Erfassung der Einheit von Unterschiedenem. Da die genaue Bestimmung des Unterschiedenen selber vom Bewußtsein der sie verbindenden Einheit abhängt, müssen auch die Anschauungen der Phantasie sowohl auf die unterschiedenen Glieder in ihrer Besonderheit als auch auf die sie bei aller Unterschiedenheit verbindende Einheit bezogen werden. Die Einheit des Unterschiedenen ist somit noch einmal ein anderes gegenüber dem Unterschied. Insofern ist auch die Erfassung der Einheit im Unterschied noch eine Funktion der Fähigkeit zur Distanznahme im Bewußtsein der Andersheit. Die Einheit des Unterschiedenen ist somit selber dem Bewußtsein ein anderes. Sie verdankt sich nicht der Einheit des Ich. Die Einheit des Ich als Boden aller Erfahrung, der die Einheit ihrer Inhalte im subjektiven Erleben begründet und sie im individuellen Lebensvollzug zur Einheit integriert, bildet sich aus als Korrelat der objektiven Einheit des „Begriffs", der das gegenständlich Unterschiedene in seiner Einheit begreift. Dabei bildet sich auch ein Bewußtsein der Einheit alles dessen heraus, was als ein Besonderes von anderem unterschieden ist, also der „Welt" als Inbegriff alles Endlichen, Begrenzten, demgegenüber das Unendliche nun als das Andere des Endlichen erfaßt werden kann. Ein weiterer Schritt der Reflexion kann dann zu der Einsicht führen, daß das Unendliche nur unter der Bedingung vom

---

[67] G.W.F. Hegel: Differenz des Fichte'schen und Schelling'schen Systems der Philosophie (1801), PhB 62a, 31 ff.

224

Endlichen (also von allem „etwas" im Gegensatz zum anderen) unterschieden sein kann, daß es nicht nur das andere gegenüber dem Endlichen ist (so wäre es selber endlich), sondern zugleich alles Endliche durch sich selber umgreift. In diesem Gedanken des unendlich Einen wird thematisch, was als unbestimmt Unendliches immer schon dem Bewußtsein präsent ist und den geistigen Raum bildet, in welchem das Distanznehmen vom anderen und alle Bestimmung der Andersheit und Bezogenheit sich bewegt und der selber durch diese Bewegung für das Bewußtsein erschlossen wird.

Die Ichinstanz kann schwerlich als Vorbedingung für jede Form des Gegenstandsbewußtseins aufgefaßt werden. Wird sie doch erst im Prozeß der Gegenstandserfahrung und durch Unterscheidung von allem anderen ausgebildet. Auch der soziale Lebenszusammenhang geht in der Erfahrung eines jeden Individuums dem Gebrauch des Indexwortes „ich" schon voraus, obwohl ein impliziter Selbstbezug, wie er im Lebensgefühl gegeben ist, Bedingung dafür sein dürfte, daß der Gebrauch dieses Wortes erlernt werden kann. Mit dem Wort „ich" kann jener Selbstbezug dem Individuum explizit thematisch und somit auch sekundär das Ich zum Boden aller Bewußtseinsinhalte werden. Vorgängig dazu ist jedoch die Mannigfaltigkeit der Welt ebenso wie die im Unterschied davon erfaßte Lebenswirklichkeit des Individuums selber für sein Bewußtsein erschlossen durch die Unendlichkeit des Lebensgefühls, das der Differenz von Subjekt und Objekt im Bewußtsein vorausliegt und sie darum auch in jeder Lebenssituation übersteigt. Im Hinblick darauf läßt sich vielleicht das Verhältnis von Geist und Bewußtsein neu bestimmen, wenn anders das Lebensgefühl Ausdruck der belebenden Gegenwart des Schöpfergeistes in den Lebewesen ist. Nicht das Ich, sondern der göttliche Geist ist der letzte Grund der Zusammengehörigkeit des im Bewußtsein Unterschiedenen, der Zusammengehörigkeit auch des Ich mit den Dingen seiner Welt und insbesondere mit den lebendigen Wesen seinesgleichen.

Das Bewußtsein des Unendlichen als solchen, in seinem Unterschied zu allem Endlichen, ist darin fundiert, daß der Mensch immer schon „ekstatisch" beim anderen seiner selbst ist. Er kann das andere als solches, nicht nur als Korrelat seines eigenen Triebverhaltens wahrnehmen. So lernt er, ein jedes in seiner Besonderheit vom anderen zu unterscheiden und bildet schließlich gegenüber der ganzen Sphäre des Endlichen, das jeweils durch den Gegensatz zu anderem bestimmt und begrenzt ist, den Gedanken des Unendlichen. In der Erfassung des Endlichen ist aber immer schon ein unthematisches Bewußtsein des Unendlichen – als des Anderen des Endlichen – mitenthalten. Dessen werden die Menschen gewahr im religiösen Bewußtsein von einer in den endlichen Erscheinungen wirkenden göttlichen Macht. In aller Erkenntnis der Welt wird immer schon auch Gottes ewige Macht und Gottheit an seinen Werken „vernünftig erschaut" (Röm 1,20). Das bleibt wahr, obwohl die Menschen Gott „nicht als Gott verherrlicht und ihm gedankt" haben, sondern in ihren religiösen Vorstellungen töricht und unvernünftig geworden sind (Röm 1,21). Sie unterscheiden nämlich die unendliche Wirklichkeit Gottes nicht oder nur unzureichend vom Medium der kreatürlichen Bestände, an deren Endlichkeit sie aufscheint, und sie werden ihrer eigenen Endlichkeit nicht gewahr als eines Daseins, das sich mit der ganzen Welt endlicher Erscheinungen gänzlich dem einen, unendlichen Gott verdankt.

Dennoch ist im vernünftigen Unterscheiden jedes Endlichen von seinem anderen und alles Endlichen samt dem eigenen Ich vom Unendlichen der göttliche Logos wirksam, der alles geschöpfliche Dasein in seiner Besonderheit hervorbringt und durchwaltet. Trotz aller infolge der Sünde eingetretenen Perversion, von der noch zu reden sein wird, hat die menschliche Intelligenz in der Wahrnehmung der Andersheit des Anderen teil an der Selbstunterscheidung des ewigen Sohnes vom Vater, durch die er nicht nur mit dem Vater vereint, sondern auch Prinzip alles geschöpflichen Daseins in seiner Besonderheit ist. Die menschliche Vernunft erzeugt freilich nur Gedanken, nicht unmittelbar die Wirklichkeit der endlichen Dinge. Doch diese Gedanken repräsentieren nicht nur die endlichen Gegenstände in ihrer Unterschiedenheit von anderen, sondern können darüber hinaus auch zur Basis für die Gebilde menschlicher Technik werden.

Wie nun der Sohn in seiner Selbstunterscheidung vom Vater durch den Geist mit ihm verbunden ist in der Einheit des göttlichen Lebens und auch im Zuge seiner schöpferischen Tätigkeit durch die Kraft des Geistes das Unterschiedene vereint, so bedarf auch die unterscheidende Tätigkeit der menschlichen Vernunft des Geistes, der sie befähigt, durch Vermittlung der Phantasie jede Gegebenheit in ihrer Besonderheit zu benennen und in den Unterschieden der Einheit gewahr zu werden, die das Unterschiedene zusammenhält. Die menschliche Vernunft ist dabei nicht durch sich selber schon erfüllt vom Geist. In ihrer Geschöpflichkeit bedarf sie wie alle anderen Lebensfunktionen der Belebung durch die Lebenskraft des Geistes, um tätig zu sein, in Verbindung damit aber auch der Begeisterung, die sie über ihre eigene Endlichkeit erhebt und inmitten aller ihrer Beschränktheit der Gegenwart der Wahrheit und des Ganzen im einzelnen gewiß macht.

Die biblische Auffassung vom Geist Gottes als dem schöpferischen Prinzip alles Lebendigen, sofern es „beseelt" ist, Leben in sich selber hat, läßt sich also auch im Hinblick auf die Mannigfaltigkeit des Bewußtseins und auf die Tätigkeit der Vernunft explizieren, also im Hinblick auf diejenige Dimension des Seelischen, der die besondere Aufmerksamkeit der griechischen Philosophie galt und die noch für heutiges Verständnis den Zentralbereich des wachen Seelenlebens bildet. Dabei nötigt die Auffassung der Seele als Lebensprinzip des Leibes zu der Frage nach der Funktion des Bewußtseins für das Leben überhaupt. Dieser Frage nähert man sich wohl am besten, indem man sich der Umweltbezogenheit aller Lebenserscheinungen erinnert. Die umgebende Wirklichkeit wird dem Lebewesen in seinem Wahrnehmungsbewußtsein thematisch. Durch die Wahrnehmung, die das Umfeld verinnerlicht, wird umgekehrt die Ekstatik des Lebens zum Selbstvollzug. Je weiter entwickelt das Bewußtseinsleben, desto mehr ist das Lebewesen in seinem Bewußtsein außer sich und desto mehr ist ihm zugleich sein Weltbezug innerlich, in ihm selber präsent. Entsprechendes gilt für die Sozialbeziehungen der Individuen. Das menschliche Selbstbewußtsein bildet die für unser Wissen höchste Stufe dieses Ineinanders von Ekstatik und Innerlichkeit: Ist doch die Sachlichkeit des Gegenstandsverhältnisses die Bedingung dafür, daß wir von der Welt her uns selbst als Glied dieser Welt zum Gegenstand werden können.

Die Ekstatik des Bewußtseins ist gesteigertes Leben, Verinnerlichung des Lebens, damit auch intensivere Teilhabe am Geist, dem schöpferischen Ursprung allen Lebens. Solche Teilhabe am Geist braucht nicht Entrückung aus der Welt zu bedeuten, wie sie als Grenzfall im Bewußtsein des Gegensatzes des Unendlichen zu allem Endlichen in der Welt stattfinden mag, sondern sie erweitert die Seele durch die Erfahrung der Welt, die der Geist schöpferisch durchwaltet, insbesondere aber durch das Erleben menschlicher Gemeinschaft angesichts des unendlichen Grundes der Welt. Nur im andern Menschen begegnet ein Leben, das in seinem Lebensgefühl so oder so vom Wissen um den unendlichen Grund der Welt durchdrungen ist und von der darin begründeten Verheißung der Ganzheit des Lebens, die je individuell und doch zugleich allen gemeinsam ist. Die Präsenz dieser Dimension zeichnet alle mitmenschliche Begegnung aus, sei es auch in den negativen Modi der Verkümmerung oder Verkehrung ihres spirituellen Potentials. Sie durchdringt alle sozialen Beziehungen, von den Familienverhältnissen angefangen. Sie verleiht nicht zuletzt auch der Begegnung der Geschlechter ihre personale Tiefe.

Ohne das Wirken des göttlichen Geistes im Menschen wäre ihm keine Personalität im tieferen Sinne des Wortes zuzuerkennen. Denn Personalität hat es zu tun mit dem Inerscheinungtreten der Wahrheit und Ganzheit des individuellen Lebens im Augenblick seines Daseins. Der Mensch ist nicht dadurch schon Person, daß er Selbstbewußtsein besitzt und das eigene Ich von allem anderen zu unterscheiden und festzuhalten vermag[68]. Er hört auch nicht auf, Person zu sein, wo solche Identität im Selbstbewußtsein nicht mehr besteht, noch ist er ohne Personalität, wo sie noch nicht vorhanden ist[69]. Personalität ist begründet in der Bestimmung des Menschen, die

---

[68] Gegen I. Kant: Anthropologie in pragmatischer Hinsicht, 1798, § 1.
[69] Siehe vom Vf.: Der Mensch als Person, in H. Heimann und H. J. Gaertner: Das Verhältnis der Psychiatrie zu ihren Nachbardisziplinen, 1986, 3-9, bes. 4f. Vgl. auch meinen Aufsatz: „Die Theologie und die neue Frage nach der Subjektivität", in: Stimmen der Zeit 202 (1984), 805-816, bes. 815f.

seine empirische Realität immer übersteigt. Sie wird primär am anderen, am Du, erfahren als das Geheimnis eines Insichseins, das nicht aufgeht in alledem, was äußerlich vom anderen wahrnehmbar ist, so daß mir dieser andere als ein Wesen begegnet, das nicht nur von sich aus, sondern auch von einem allem äußeren Einblick letztlich entzogenen Grund seines Daseins her tätig ist[70]. Obwohl psychologische Kenntnis vieles am Verhalten des anderen verständlich machen kann, bleibt doch ein letzter Ursprung seiner Freiheit allem psychologischen Zugriff unerreichbar. Was mir so begegnet, berührt mich als personhafte Wirklichkeit[71]. Dazu gehört aber noch, daß mir im anderen eine meiner Verfügung entzogene Ganzheit des Daseins durch eine sinnlich gegenwärtige Außenseite so begegnet, daß ich dadurch zugleich mit meinem eigenen Leben in Anspruch genommen werde. Das ist nur unter der Voraussetzung verständlich, daß mir in der Person des anderen der Grund auch meines eigenen Daseins begegnet[72]. Darum kann die Begegnung mit dem Du den Anstoß dazu geben, der eigenen Personalität inne zu werden, andererseits aber auch Anlaß geben zu kritischer Selbständigkeit gegenüber allen intersubjektiven Abhängigkeiten[73].

Obwohl alles menschliche Leben in seiner individuellen Konkretion persönlich ist, wurde der Begriff der Person erst spät zum Thema grundsätzlicher anthropologischer Reflexion. Das mag in der Geschichte der abendländischen Kultur damit zusammenhängen, daß erst im Wirkungsbereich biblischen Glaubens der einzelne Mensch als solcher – und also jeder einzelne Mensch – als Gegenstand der ewigen Zuwendung Gottes thematisch wurde. Der Sache nach ist das eine Konsequenz der Gottebenbildlichkeit des Menschen. Sie kam schon dadurch zum Ausdruck, daß der Glaube Israels wegen der Gottebenbildlichkeit des Menschen jedes individuelle Menschenleben für unantastbar erklärte (Gen 9,6). Doch war damit noch nicht der Gedanke erreicht, daß jedes einzelne Menschenleben gerade in seiner *Besonderheit* vor Gott unendliches Gewicht hat. Den entscheidenden Durchbruch zu dieser Einsicht vollzog die Botschaft Jesu, daß Gott mit ewiger Liebe jedem

---

[70] Vgl. dazu die Erörterung der Begriffe Insichsein und Wesen bei D. Henrich: Ding an sich. Ein Prolegomenon zur Metaphysik des Endlichen, in J. Rohls u. G. Wenz: Vernunft des Glaubens, Wissenschaftliche Theologie und kirchliche Lehre, 1988, 42–92, bes. 69 und 70ff., sowie 89ff.

[71] Dieser Gesichtspunkt ist vom Vf. in dem Artikel „Person" in RGG V 3. Aufl. 1961, 230–235, bes. 232 im Hinblick auf die Erfahrung der Personalität Gottes betont worden. Zur anthropologischen Anwendung siehe mein Buch: Anthropologie in theologischer Perspektive, 1983, 228, sowie ferner J. Zizioulas: Human Capacity and Incapacity. A Theological Exploration of Personhood, in: Scottish Journal of Theology 28, 1975, 401–447.

[72] Friedrich Gogarten hat 1929 die These entwickelt, daß im Anspruch des Anderen das Du Gottes begegne (Zwischen den Zeiten 7, 1929, 493–511: Das Problem einer theologischen Anthropologie). Siehe auch E. Levinas: Ethik und Unendliches. Gespräche mit Philippo Nemo (1982) dt. 1986, 64ff., sowie schon ders.: Totalité et Infini (1961), dt. 1987.

[73] Vgl. dazu meine Bemerkungen: Anthropologie in theologischer Perspektive, 1983, 234.

einzelnen seiner Geschöpfe nachgeht, wie es pointiert zum Ausdruck kommt in Gottes Liebe zum Verirrten und Verlorenen[74]. Erst im christlichen Denken ist diese Auszeichnung des individuellen Lebens dann mit dem Personbegriff verbunden worden. Den Ausgangspunkt dafür hat geschichtlich die Christologie gebildet mit ihrer Behauptung der personalen Einheit Jesu mit dem göttlichen Logos[75].

Die Untersuchung des vorchristlichen Sprachgebrauchs von *prosopon* im Griechischen und *persona* im Lateinischen hat ergeben, daß der Begriff der Personalität mit der Vorstellung der „Rolle" verbunden war, die der einzelne auf der Bühne oder auch im gesellschaftlichen Leben verkörpert. Als verallgemeinerte Bezeichnung für jeden einzelnen schlechthin in der rhetorischen und juristischen Terminologie der Spätantike wurde der Begriff inhaltsleer, weil dabei von allem unterscheidenden Inhalt der sozialen Rollen abgesehen wurde[76]. Das gilt auch für die berühmte Definition der Person als vernünftiges Individuum bei Boethius[77]: Sie fügte zum allgemeinen Begriff des Menschen als *animal rationale* bzw. zu dem noch allgemeineren der *natura rationalis* überhaupt lediglich die abstrakte Bestimmung der Individualität hinzu. Nach dieser Bestimmung wäre der Personbegriff gegen alle weiteren Unterschiede der Individuen gleichgültig. Durch den christologischen Gebrauch wurde der Personbegriff dagegen zur Bezeichnung der für das menschliche Dasein Jesu konstitutiven Gottesbeziehung, und dieser Sachverhalt ließ sich anthropologisch dahin verallgemeinern, daß jeder Mensch durch sein besonderes Verhältnis zu Gott Person ist: entweder (wie Jesus) in Offenheit für die Gemeinschaft mit Gott, oder aber in Verschlossenheit gegen diese seine Bestimmung[78]. In solcher anthropologischen Ausweitung wirkte sich auch die trinitätstheologische Erörterung des Personbegriffs aus, die das Spezifische jeder einzelnen Person aus ihren Relationen zu den anderen bestimmte[79]: Ist das Personsein Jesu das des ewigen Sohnes im Verhältnis zum Vater, so ist jeder Mensch Person durch die sein Dasein im ganzen begründende Beziehung zu Gott, sei es durch Teilnahme am Sohnesverhältnis Jesu zum Vater oder in der Emanzipation von ihm; denn noch in der Abwendung von Gott bleibt der Mensch seiner Bestimmung zur Gemeinschaft mit Gott verhaftet, wenn auch nun im Modus der Entfremdung und eines seine Bestimmung verfehlenden Lebens.

---

[74] Vgl. dazu vom Vf.: Die Bestimmung des Menschen, 1978, 7 ff.
[75] Zu der durch die Formel von Chalkedon 451 (DS 302) ausgelösten Diskussion siehe St. Otto: Person und Subsistenz. Die philosophische Anthropologie des Leontios von Byzanz. Ein Beitrag zur spätantiken Geistesgeschichte, 1968.
[76] M. Fuhrmann: Persona, ein römischer Rollenbegriff, in O. Marquard und K. Stierle: Identität (Poetik und Hermeneutik VIII), 1979, 83–106, zum rhetorischen und juristischen Sprachgebrauch 94 ff.
[77] Boethius De persona et duabus naturis 3: *Persona est naturae rationalis individua substantia* (MPL 64, 1343 C).
[78] H. Mühlen: Sein und Person nach Johannes Duns Scotus. Beitrag zur Grundlegung einer Metaphysik der Person, 1954, bes. 106 ff.
[79] So Richard von St. Victor: De trin. IV, 12 ff. (MPL 196, 937 f.). Siehe auch Bd. I, 302 f. (zu Athanasios) und zur Sache selbst 348 ff.

Person ist jeder Mensch in seiner leibseelischen Ganzheit, so wie sie im jeweils gegenwärtigen Augenblick seines Daseins zur Erscheinung kommt. Der Ganzheitsbezug ist mit der Personalität verbunden, weil Person im modernen Verständnis des Wortes gerade nicht eine austauschbare Rolle meint, sondern den Menschen selbst. Beim Selbstsein aber geht es um die Identität im ganzen des eigenen Lebens. Das gilt auch von seiner zeitlichen Erstreckung. Darum ist in unserer Lebensgeschichte unser Selbstsein nie schon abschließend zur Erscheinung gekommen. Es ist noch nicht heraus, wer wir eigentlich sind, und doch existieren wir immer schon als Personen[80]. Das ist nur möglich im Vorgriff auf die Wahrheit unseres Daseins, die uns gegenwärtig ist durch den Geist im Medium unseres Lebensgefühls.

Die Ganzheit des eigenen Lebens ungeachtet seiner in jedem Augenblick fragmentarischen Gestalt ist nur in der Beziehung zu seinem Schöpfer zugänglich. Seine Besonderheit aber gewinnt es im Gegenüber zu den anderen Menschen. Beide Arten von Beziehungen sind so oder so konstitutiv für das Personsein des einzelnen. Konkrete Person ist ein jeder in seiner oder ihrer unvertauschbaren Besonderheit als Mann oder Frau, Vater, Mutter, Kind, als Freund oder Gegner, Lernender und Lehrender, befehlend oder gehorchend, in Arbeit, Entbehrung oder Genuß. Und doch übersteigt das Personsein alle Besonderheiten und Veränderungen der Lebensumstände, weil es sich letztlich aus der Beziehung zu Gott als der Quelle seiner Integrität nährt. Darum kann es auch in aller individuellen Konkretion mit dem Menschsein schlechthin zusammenfallen, so daß die Begegnung mit anderen zum Anruf werden kann, in der Annahme der Besonderheit des eigenen Daseins selber Person zu sein: Die besonderen Lebensumstände und Verhältnisse zu anderen sind dann nicht mehr äußerliche und beliebig vertauschbare Rollen, sondern in ihnen prägt sich nun die Endgültigkeit des von Gott her begründeten Selbstseins in seinen Besonderheiten aus.

So vollzieht sich in der Persongegenwart die Integration der eigenen Lebensmomente in die Identität authentischen Selbstseins. Dabei fällt dem vernünftigen Bewußtsein die Führung zu, weil es durch Erinnerung und Erwartung die Momente des eigenen Lebens sich gegenwärtig zu halten und auf ihre Vereinbarkeit hin zu reflektieren vermag. Die darin begründete Rolle des vernünftigen Bewußtseins für die Lebensführung ist in der philosophischen und theologischen Tradition unter dem Gesichtspunkt einer Herrschaft der Seele über den Leib erörtert worden[81]. Sie kann wie alle

---

[80] Dazu ausführlich vom Vf.: Anthropologie in theologischer Perspektive, 1983, 233, sowie zur Begründung schon 228 ff.

[81] Dieser Gesichtspunkt war der patristischen Anthropologie durch die antike Auffassung vom Intellekt als *Hegemonikon* der Seele (vgl. Platon Phaidr. 246 a f.) nahegelegt, so schon bei Tertullian De an. XV,1 (CCL 2,801), vgl. XII,1 (797 f.) und bei Klemens von Alexandrien Strom. VI,134,2; 135,4; 136,4. Nach Augustin, der sich für diese Vorstellung auf Cicero berief, war die Herrschaft der Seele über den Körper im paradiesischen Zustand leicht, während sie im

Herrschaft in Unterdrückung ausarten, in diesem Fall in Unterdrückung des Leibes und seiner Bedürfnisse durch ein tyrannisches Ich[82]. Aber dadurch ist die Notwendigkeit von Herrschaft als Integration sonst auseinanderstrebender Lebensmomente nicht widerlegt. Ohne Selbstbeherrschung keine Einheit und Integrität des Lebens[83].

Personale Einheit des Lebens ist jedoch nicht Produkt der Selbstdisziplin. Vielmehr bedarf es schon der Einheit des Selbstseins, um die Identität eines stehenden und bleibenden Ich überhaupt zu konstituieren, das seinerseits als Handlungssubjekt in Erscheinung treten kann. Alles Handeln setzt Identität des Handelnden schon voraus, zumindest in einem solchen Maße, wie Identität des Handelnden für die Überbrückung der Zeitdifferenz zwischen Absicht und Ausführung einer Handlung erforderlich ist[84]. Je weitgespannter der Handlungsablauf, desto beständiger muß die Identität des Handelnden sein, wenn er zum Ziele kommen soll. Wer ein Versprechen gibt, das erst nach Jahren oder nur durch ein ganzes Leben hin eingelöst werden kann, der muß über Jahre hinweg und durch ein ganzes Leben mit sich identisch bleiben können, um sein Versprechen zu erfüllen. Handlungen verdanken ihre Einheit der zeitüberbrückenden Identität des Handlungssubjekts. Deshalb muß die Identität des Handlungssubjekts schon konstituiert sein, damit Handeln stattfinden kann. Die Identität der Person aber ist erst im Werden auf dem Weg durch ihre Lebensgeschichte. Darum sollte der anthropologi-

---

jetzigen Zustand durch den Widerstand des Körpers zur Beschämung der Seele erschwert ist (De civ. Dei XIV,23,2).

[82] J. Moltmann hat daher die Vorstellung einer Herrschaft der Seele über den Leib abgelehnt (Gott in der Schöpfung. Ökologische Schöpfungslehre, 1985, 248 ff.) und sich dabei besonders mit der Auffassung von K. Barth auseinandergesetzt (255 ff.). Dessen Ausführungen in KD III/2, § 46 (vor allem 502 ff.) charakterisiert er kritisch als „theologische Souveränitätslehre" in Entsprechung zur „innertrinitarischen Ordnung des herrschenden Vaters und des gehorsamen Sohnes" (258). Moltmann kritisiert mit Recht, Barth erwähne „nirgendwo ein Widerstandsrecht des mißbrauchten Körpers, auch kein Mitspracherecht der Gefühle bei den Entscheidungen der vernünftigen Seele und nicht einmal die wünschenswerte Übereinstimmung des Leibes mit seiner regierenden Seele" (257). Doch bleibt seine eigene „Vorstellung von einem partnerschaftlichen Gemeinschaftsverhältnis wechselseitiger Beeinflussung" (261) doch wohl allzu sehr einer Idealvorstellung problemloser Harmonie und Übereinstimmung verpflichtet: Gerade die Herbeiführung solcher Übereinstimmung angesichts einer Ausgangslage, in der sie nicht selbstverständlich ist, bildet das Ziel gerechter Herrschaft. Außerdem wird man auch im Hinblick auf die trinitarischen Beziehungen den Gedanken einer Herrschaft des Vaters, der sich der Sohn gehorsam unterordnet, nicht einfach ablehnen können, ohne damit grundlegende neutestamentliche Aussagen und vor allem auch den Grundbegriff eines Reiches Gottes abzuweisen. Wichtig ist jedoch, daß die Monarchie des Vaters durch den freien Gehorsam des Sohnes vermittelt ist (siehe hier Bd. I, 352 ff.).

[83] Es sei hier an die 1901 in erster Auflage erschienene Ethik Wilhelm Herrmanns erinnert, deren Leitgedanke die aus der Selbstbehauptung des Lebendigen entwickelte Forderung an den Menschen als Vernunftwesen nach „Selbstbeherrschung" war (§ 5, Neudruck der 5. Aufl. 1921, 19 ff.).

[84] Siehe dazu vom Vf.: Anthropologie in theologischer Perspektive, 1983, 355 f.

sche Stellenwert des Handlungsbegriffs nüchtern eingeschätzt werden. Er ist trotz aller Neigung der Menschen, ihr eigenes Leben und das anderer durch Handeln zu beherrschen, kein anthropologischer Grundbegriff[85]. Die Möglichkeiten des Handelns und Vollbringens sind vielseitig beschränkt. Die biblische Spruchweisheit ist voll davon, wie sehr das Gelingen menschlicher Pläne vom Walten der göttlichen Vorsehung abhängt. Das ist auch in der modernen Menschheit nicht grundsätzlich anders geworden, so sehr die moderne Wissenschaft und Technik den Spielraum menschlichen Handelns ausgeweitet haben. Einheit und Integrität des Lebens werden in einer anderen Sphäre konstituiert, die allem Handeln vorausliegt.

2. Die Bestimmung des Menschen

Grundlegend für die Personalität jedes einzelnen Menschen ist seine Bestimmung zur Gemeinschaft mit Gott. Daß dies die Bestimmung jedes Menschen schon als Geschöpf Gottes ist, ergibt sich allerdings mit letzter Klarheit erst aus der Christusbotschaft des Neuen Testaments, indem sie das Erscheinen des Gottessohnes im Fleisch zur Überwindung von Sünde und Tod mit der Frage nach dem Ziel des menschlichen Lebens verbindet. Die alttestamentlichen Schriften sprechen verhaltener von der Nähe zu Gott, die den Menschen als Geschöpf auszeichnet und seine Sonderstellung unter den übrigen Geschöpfen begründet.

a) Der Mensch als Gottes Bild in Adam und Christus

Im achten Psalm heißt es vom Menschen: „Du machtest ihn wenig geringer denn Gott (bzw. göttliche Wesen, Engel); mit Ehre und Hoheit kröntest Du ihn. Du setztest ihn zum Herrscher über das Werk deiner Hände. Alles

---

[85] An verschiedenen Stellen des in der vorigen Anmerkung zitierten Buches (z.B. 356) habe ich mich gegen die herrschende Tendenz zur Überschätzung des Handlungsbegriffs in den zeitgenössischen Humanwissenschaften gewendet, die in der Anthropologie Arnold Gehlens mit der These, der Mensch sei das handelnde Wesen, ihren klassisch zu nennenden Ausdruck gefunden hat (Der Mensch. Seine Natur und seine Stellung in der Welt, 1940, 6.Aufl. 1958, 33f., vgl. schon 19f., sowie 42ff., 65ff., 130, 200f. u.ö.). Es ist ganz verfehlt, mir gerade in diesem Punkt einen unkritischen Anschluß an Gehlen zuzuschreiben, wie das bei Chr. Frey: Arbeitsbuch Anthropologie. Christliche Lehre vom Menschen und humanwissenschaftliche Forschung, 1979, 81 geschehen ist. Der hier bestehende Gegensatz zu Gehlen ist bereits in meinem Aufsatz: Das christologische Fundament christlicher Anthropologie: in Concilium 6, 1973, 425–434, im Vergleich zu Herder nachdrücklich hervorgehoben worden (428).

hast du ihm unter die Füße gelegt" (Ps 8,6f.). Die Herrscherstellung des Menschen unter den übrigen Geschöpfen ist Ausdruck seiner Nähe zu Gott: Es ist ja die Herrschaft Gottes über seine Schöpfung, an der teilzunehmen und die auszuüben der Mensch berufen ist. Das wird allerdings im achten Psalm so ausdrücklich nicht gesagt. Im Schöpfungsbericht der Priesterschrift hingegen wird der Herrschaftsauftrag an den Menschen ausdrücklich darauf zurückgeführt, daß der Mensch Repräsentant der Herrschaft Gottes selbst über seine Schöpfung ist. Das geschieht durch die Aussage, daß der Mensch „zum Bild und Gleichnis Gottes" geschaffen und in dieser Funktion zur Herrschaft über die anderen (irdischen) Geschöpfe berufen ist (Gen 1,26f., ähnlich Sir 17,3f.). Damit wird die Ausübung der Herrschaft durch den Menschen gebunden an die Herrschaft Gottes selbst über seine Geschöpfe: Als „Bild Gottes" soll der Mensch Platzhalter und Wegbereiter der Gottesherrschaft in der Welt sein.

Der Gen 1,26f. gebrauchte Bildbegriff (*zelem*) bezeichnet speziell das Götterbild, die Statue des Gottes (vgl. 2.Kön 11,18; Am 5,26). Der damit verbundene Ausdruck *d'mut* ist ein Abstraktplural und bedeutet „Ähnlichkeit". Die exegetische Forschung neigt hinsichtlich des Verhältnisses zwischen den beiden Begriffen überwiegend der Auffassung zu, daß ein Bedeutungsunterschied zwischen ihnen nicht erkennbar sei[86]. Sollte ein Unterschied bestehen, so eher in dem Sinne, daß *d'mut* die Entsprechung des Bildes zum Abgebildeten, das durch das Bild gegenwärtig ist, auf eine bloße Ähnlichkeit einschränkt[87].

Die Funktion des Bildes ist die Darstellung des Abgebildeten, der durch das Bild repräsentiert wird. Modell dieser Bildfunktion war das in den Herrschaftsgebieten eines Königs aufgestellte Königsbild, aber nach Werner H. Schmidt in Ägypten auch das Königtum des Pharao selber, sofern dieser als „das auf Erden lebende Abbild des Gottes" das Gottkönigtum Amun-Res verkörpert[88]. Die Anwendung dieses Gedankens auf die Stellung des Menschen in der Schöpfung durch die Priesterschrift bedeutet dann: „Was sonst nur dem König zugesprochen wird, ist hier auf alle Menschen übertragen"[89].

Besteht also die Funktion des Gottesbildes in der Repräsentation der Gottesherrschaft in der Schöpfung, so lassen sich Bild und Herrschaftsfunktion doch nicht einfach identifizieren[90]. Wenn der Bildgedanke die Begründung (und zu-

---

[86] Siehe dazu W.H.Schmidt: Die Schöpfungsgeschichte der Priesterschrift, 1964, 127-149, bes. 133 und 143.
[87] So H.W.Wolff: Anthropologie des Alten Testaments, 1973, 236.
[88] W.H.Schmidt a.a.O. 137. So auch O.H.Steck: Der Schöpfungsbericht der Priesterschrift, 1975, 150 gegen K.Westermann: Genesis I, 1974, 214ff. und ders.: Genesis 1-11 (Erträge der Forschung 7), 1972, 24ff.
[89] W.H. Schmidt a.a.O. 139.
[90] So in der modernen Exegese H.W.Wolff a.a.O. 235: „Genau als Herrscher ist er Bild Gottes". Eine ähnliche Auffassung ist in der Schriftauslegung der Sozinianer vertreten worden (vgl. Faustus Sozinus: De statu primi hominis ante lapsum disputatio, Racoviae 1610, 93) und scheint schon in der Reformationszeit eine Rolle gespielt zu haben; denn bereits Calvin sah sich genötigt, sich gegen eine solche Deutung abzugrenzen (Inst. chr. rel. 1559 I,15,4), weil die

gleich auch Begrenzung) des Herrschaftsauftrages an den Menschen enthält, so ist die Herrschaftsfunktion eher als *Folge* der Gottebenbildlichkeit des Menschen zu bestimmen[91]. Worin diese für sich besteht, wird Gen 1,26f. nicht gesagt und braucht dort auch nicht gesagt zu werden, weil die Intention der Aussage auf die Begründung der Herrscherstellung des Menschen zielt. Allenfalls könnte erwogen werden, ob die Hinzufügung des Begriffs „Ähnlichkeit" vielleicht von dieser Intention her zu erklären ist und dann zu verstehen gibt, daß die Herrschaft des Menschen über die Schöpfung der des Schöpfers selber „ähnlich" sein soll.

Angesichts dieses Befundes muß diejenige Kritik am biblischen Menschenbild, die die hemmungslose Ausbeutung der Naturwelt durch die moderne Technik und Industriegesellschaft mit der daraus folgenden ökologischen Krise dem biblischen Auftrag an den Menschen zur Herrschaft über die Schöpfung (Gen 1,28) zur Last legt[92], als unberechtigt zurückgewiesen werden. Die moderne Industriegesellschaft hat ihre Basis in der säkularen Kultur der Neuzeit, die sich nach den Religionskriegen des 16. und 17. Jahrhunderts von ihren geschichtlichen Wurzeln im Christentum abgelöst hat. Die Emanzipation von religiösen Bindungen und Rücksichten und von den darin begründeten Rahmenbedingungen des gesellschaftlichen Lebens ist eine der Voraussetzungen für die eigengesetzliche Entwicklung des Wirtschaftslebens in der Neuzeit gewesen. Der neuzeitliche Säkularismus kann sich nicht gleichzeitig der Emanzipation von religiösen Bindungen rühmen und die Verantwortung für die Folgen seiner Verabsolutierung irdischen Besitzstrebens jenen religiösen Ursprüngen aufbürden, von deren Beschränkungen er sich gelöst hat. Zwar hat der Glaube an den einen, transzendenten Gott der Bibel in der Tat die Naturwelt entgöttert und sie dem Menschen als Herrschaftsbereich zugesprochen[93]. Doch dabei blieb die Natur-

---

Gottebenbildlichkeit etwas im Menschen selbst (*penes ipsum, non extra*) beinhalten müsse. Daß die Begründungsfunktion der Gottebenbildlichkeit für den Herrschaftsauftrag eine Unterschiedenheit beider voraussetzt, ist in der gegenwärtigen theologischen Arbeit u.a. von H.Thielicke verkannt worden (Theologische Ethik I, 1951, 268 u. 781).

[91] So W.H.Schmidt a.a.O. 142f., O.H.Steck a.a.O. 151.

[92] Einer der ersten, der solche Vorwürfe erhob, war Lynn White: The Historical Roots of Our Ecological Crisis, in: The Environmental Handbook, New York 1970. Im deutschsprachigen Raum wurde diese Argumentation vor allem durch Carl Amery: Das Ende der Vorsehung. Die gnadenlosen Folgen des Christentums, 1972, bekannt. Als Beispiel einer besonnenen Auseinandersetzung mit derartiger Kritik siehe G.Altner: Schöpfung am Abgrund, 1974, 58ff., 81f. Vgl. auch vom Vf.: Anthropologie in theologischer Perspektive, 1983, 71–76.

[93] Das war die zentrale These von Friedrich Gogarten: Verhängnis und Hoffnung der Neuzeit. Die Säkularisierung als theologisches Problem, 1953. Es ist manchmal übersehen worden, daß Gogarten das durch Naturwissenschaft und Technik geprägte Weltverständnis des modernen Menschen nicht nur als legitime Folge des biblischen Gottesglaubens rechtfertigte, daß er sich vielmehr andererseits gegen den Umschlag von Säkularisierung in Säkularismus als Folge der Abwendung des neuzeitlichen Menschen von Gott wandte (vgl. bes. 12.Aufl. 1958, 134ff.). Vgl. auch ders.: Der Mensch zwischen Gott und Welt, 1952, 175ff. Für eine von Gogarten ab-

welt Eigentum des Schöpfers, und der Schöpferwille Gottes blieb Maßstab für die dem Menschen als Ebenbild Gottes übertragene Herrschaft. Diese Herrschaft schließt daher nicht das Recht zu beliebiger Verfügung und Ausbeutung ein[94]. Sie ist eher der gärtnerischen Pflege zu vergleichen, die nach dem älteren Schöpfungsbericht den Menschen im Paradiesesgarten zugewiesen wurde (Gen 2,15). Weil aber die Naturwelt unbeschadet der dem Menschen übertragenen Vollmacht zur Herrschaft über sie Gottes Schöpfung bleibt, darum wird der selbstherrliche Mißbrauch des göttlichen Herrschaftsauftrages durch den Menschen auf ihn selbst zurückschlagen und ihn ins Verderben stürzen. In diesem Sinne läßt sich gerade die ökologische Krise am Ende der emanzipatorischen Neuzeit als Erinnerung daran verstehen, daß nach wie vor der Gott der Bibel Herr seiner Schöpfung bleibt und die Beliebigkeit menschlicher Willkür im Umgang mit ihr nicht ohne Schranken ausdehnbar und nicht folgenlos ist.

Wenn also die Gottebenbildlichkeit des Menschen den Maßstab für seine Bestimmung zur Herrschaft in der Schöpfung bildet und damit der letzteren schon vorgegeben ist, worin besteht dann diese Gottebenbildlichkeit selbst? Es ist verständlich, daß die Theologie sich mit dem Schweigen des priesterschriftlichen Schöpfungsberichts an dieser Stelle nicht abfinden wollte und nach Anhaltspunkten suchte, die dennoch eine Beantwortung dieser Frage erlauben könnten. Doch keiner dieser Versuche hat zu einem hinreichend fundierten Ergebnis geführt.

Der neueste derartige Versuch ist von Dietrich Bonhoeffer (Schöpfung und Fall, 3.Aufl. 1955, 39f.) und Karl Barth ausgegangen. Barth hat den Plural der göttlichen Selbstaufforderung von Gen 1,26 („Lasset *uns* Menschen machen ...") mit der in v.27 folgenden Bemerkung über die Erschaffung des Menschen als Mann und Frau verbunden und daraus gefolgert, daß der Mensch gerade in der Pluralität des mitmenschlichen Gegenübers, und zwar in dessen Grundform als Unterscheidung und Beziehung von Mann und Frau, Bild Gottes sei (KD III/1,205-221, bes. 219f., III/2, 390f.). Barth hat damit zwar vereinzelt Zustimmung gefunden[95]. Exegetisch läßt sich seine Auffassung jedoch nicht rechtfertigen[96]. Die Erwähnung der Schöpfung des Menschen als Mann und Frau folgt ad-

---

weichende, aber sein zentrales Anliegen aufnehmende Sicht der Wurzeln von Säkularisierung und Säkularismus vgl. vom Vf.: Christentum in einer säkularisierten Welt, 1988, 9-31.

[94] Siehe dazu auch O.H.Steck: Welt und Umwelt, 1978, 146ff.

[95] So bei Ph.Trible: God and the Rhethoric of Sexuality, 1978, 19, dem J.Moltmann: Gott in der Schöpfung. Ökologische Schöpfungslehre, 1985, 228f. folgt. Siehe dagegen die Kritik von Ph.A.Bird in ihrem Aufsatz: „Male and Female He Created Them": Gen 1,27b in the Context of the Priestly Account of Creation, Harvard Theological Review 74/2, 1981, 129-159, bes. 136ff. und 145ff.

[96] W.H.Schmidt a.a.O. 146 Anm.4 hebt hervor, daß außer in Gen 5,1, wo die Wendung von Gen 1,27 wörtlich wiederaufgenommen wird, Gottebenbildlichkeit und Zweigeschlechtlichkeit des Menschen nicht nebeneinander genannt werden. Gen 1,26, sowie 9,6 und Sir 17,3f. erwähnen die Gottebenbildlichkeit für sich oder (bei Sirach) in Verbindung mit dem Herrschaftsauf-

ditiv der Aussage über ihre Erschaffung zum Bilde Gottes[97]. Aus der Abfolge der beiden Aussagen läßt sich entnehmen, daß Mann und Frau gleichermaßen Ebenbild Gottes sind, aber nicht, daß die Ebenbildlichkeit in der Beziehung der Geschlechter besteht. Wollte man mit Barth die Geschlechtsbeziehung als abbildliche Entsprechung der trinitarischen Beziehung von Vater und Sohn auffassen, so müßte man übrigens auch, wie Barth es tut, in der Unterordnung des Sohnes unter den Vater eine Unterordnung der Frau unter den Mann begründet sehen: Die Aussage der Priesterschrift dagegen impliziert in dieser Hinsicht eher eine prinzipielle Gleichheit von Mann und Frau, indem die Gottebenbildlichkeit auf den Menschen ohne Unterschied der Geschlechtsdifferenzen und also auf beide Geschlechter gleichermaßen bezogen wird.

Die am ehesten klassisch zu nennende Deutung der Gottebenbildlichkeit des Menschen in der christlichen Theologie schränkt ihren Inhalt ein auf die menschliche Geistseele. So wird schon in der Weisheit Salomos (Sap 9,2) die Gabe der Weisheit anstelle der Gottebenbildlichkeit und wohl im Sinne der Äquivalenz mit dieser als göttliche Ausstattung der Menschen zur Herrschaft über die übrigen Geschöpfe genannt (vgl. auch Sap 2,23 mit 8,13 und 8,17, wo die Bestimmung des Menschen zur Unsterblichkeit mit der Gabe der Weisheit verbunden wird). Entsprechend dem Doppelsinn der Weisheitsvorstellung als präexistent (Sap 9,9) und als dem Menschen verliehene Gabe hat Philo von Alexandrien den Gedanken der Gottebenbildlichkeit einerseits auf den präexistenten Logos, andererseits auf den menschlichen Nus als dessen Abbild bezogen[98]. Ihm folgend hat auch die christlich-alexandrinische Theologie die Gottebenbildlichkeit des Menschen auf seine Vernunft eingeschränkt (Klemens Strom. V,94,5; Origenes princ. I,1,7,24). Durch Gregor von Nyssa (De hom. opif. 5, MPG 44,137C) und durch Augustin ist diese Auffassung im Osten wie im Westen maßgeblich geworden[99]. Sie hat durch die patristischen Gedanken über das Abbild des trinitarischen Gottes in der inneren Differenzierung der menschlichen Geistseele[100] eine besonders für den Augusti-

---

trag. Zur Argumentation mit dem Plural göttlicher Selbstaufforderung oder Tatansage (Schmidt 129f.) ist zu sagen, daß gerade in Gen 1,27, wo der Erschaffung des Menschen zum Ebenbild Gottes die Feststellung seiner Zweigeschlechtlichkeit folgt, der Plural fehlt. Ph.A.Bird a.a.O. 150 betont, daß die Aussage über die Schöpfung des Menschen als Mann und Frau eine Hinzufügung zu der vorausgehenden Aussage über die Gottebenbildlichkeit ist.

[97] Darin liegt die Analogie zu der bei der Erschaffung der Tiere hinzugefügten Angabe „nach ihren Arten" (Gen 1,21 und 24). Vgl. W.H.Schmidt a.a.O. 146, sowie O.H.Steck: Der Schöpfungsbericht der Priesterschrift, 1975, 154 und das in der vorigen Anm. zitierte Urteil von Ph.A.Bird. Daß allerdings der Geschlechtsunterschied beim Menschen auch sachlich den Artunterschieden bei den Tieren entspreche, dürfte sich daraus wohl kaum ergeben.

[98] Philo De opif. mundi 69. Zum gedanklichen Kontext dieser Auffassung bei Philo vgl. J. Jervell: Bild Gottes I, in TRE 6, 1980, 491-498, bes. 493f. Vgl. auch die ausführliche Darstellung der einschlägigen Auffassungen Philos durch J. Jervell in seinem Buch: Imago Dei. Gen 1,26f. im Spätjudentum, in der Gnosis und in den paulinischen Briefen, 1960, 52-70.

[99] Augustin De civ. Dei XIII, 24,2: *Sed intelligendum est, secundum quid dicatur homo ad imaginem Dei... Illud enim secundum animam rationalem dicitur...* Cf. XII, 24, sowie In Ioann. tr. 3,4 (MPL 35, 1398).

[100] Ambrosius De dign. hom. 2 (MPL 17, 1105-1108), Augustin De trin. IX, 4ff. und XII,6,6 u.ö. Siehe P.Hadot: L'image de la Trinité dans l'âme chez Victorinus et chez St. Augustin, in: Studia Patristica 6, 1962, 409-442.

nismus der abendländischen Theologie spezifisch gewordene Ausprägung gefunden. Daß der Mensch nur oder doch primär in seiner Geistseele Ebenbild Gottes sei, wurde von der lateinischen Scholastik ausdrücklich betont[101] und noch von der reformatorischen und nachreformatorischen Theologie[102] als selbstverständlich vorausgesetzt. Die reformatorischen Modifikationen der traditionellen Auffassung vom Ebenbild Gottes, auf die noch zurückzukommen ist, bewegen sich im Rahmen dieser Grundauffassung. Sie entspricht jedoch nicht der Aussage der Priesterschrift Gen 1,26 f. Diese bezieht sich auf den Menschen insgesamt, ohne Differenzierung in Leib und Seele und ohne (auch nur primäre) Lokalisierung der Gottebenbildlichkeit in der Seele.

Die Plastizität des Bildgedankens findet eher Berücksichtigung in dem Vorschlag, die Gottebenbildlichkeit des Menschen in dessen aufrechter Gestalt zu erkennen, die seiner Bestimmung zur Herrschaft sichtbaren Ausdruck verleiht[103]. Eberhard Jüngel hat diesen Gedanken neuerdings hervorgehoben, unter Hinweis auf sein Auftreten schon in der Patristik[104]. Sogar Augustin hat die aufrechte Gestalt des Menschen als sichtbaren Ausdruck der seine Seele auszeichnenden Gottebenbildlichkeit gelten lassen (De gen. ad lit. VI,12; CSEL 28/1, 187), allerdings mehr im Sinne des Aufblicks zum Himmel als in bezug auf den Auftrag zur Herrschaft über die irdische Schöpfung. In der Tat bildet der Hinweis auf die aufrechte Gestalt des Menschen eine gute und eindrucksvolle Erläuterung der biblischen Aussage, obwohl keine Sicherheit besteht, daß die Priesterschrift wirklich bei ihrer Aussage über die Gottebenbildlichkeit des Menschen an seine aufrechte Gestalt und Haltung gedacht hat.

---

[101] Exemplarisch dafür stehe hier Thomas von Aquin S. theol. I,93,6. Vgl. auch I,93,3 ad 2.

[102] Gegen Osiander schrieb Calvin Inst. chr. rel. I,15,3: *Quamvis enim in homine externo refulgeat Dei gloria, propriam tamen imaginis sedem in anima esse dubium non est* (CR 30, 136). Obwohl die reformatorische Theologie das eigentliche Wesen der Gottebenbildlichkeit in der aktuellen Gottesgemeinschaft des Menschen erblickte (s. u.), wurde doch auch von den späteren Lutheranern zugestanden, daß die Geistigkeit der menschlichen Seele ihrer Gottebenbildlichkeit im engeren Sinne des Wortes zugrunde liege (D. Hollaz: Examen theol. acroamaticum I, Stargard 1707, pars II,3) bzw. ihren Sitz darstelle (ib. p. 18 q. 13). Vgl. auch J. F. Buddeus: Compendium Institutionum Theologiae Dogmaticae, Leipzig 1724, 365 f.

[103] L. Köhler: Theologie des Alten Testaments, 4. Aufl. 1966, 135. Schon H. Gunkel hatte den Bildgedanken auf die körperliche Gestalt des Menschen bezogen (Genesis übersetzt und erklärt, 3. Aufl. 1910, 112).

[104] E. Jüngel: Der Gott entsprechende Mensch. Bemerkungen zur Gottebenbildlichkeit des Menschen als Grundfigur theologischer Anthropologie, in H. G. Gadamer und P. Vogler (Hgg): Neue Anthropologie 6, 1975, 342-372, 354 ff. Jüngel verweist auf Laktanz: Vom Zorne Gottes 7, 4f. (355). Dort 7,5 heißt es: *Homo autem, recto statu, ore sublimi ad contemplationem mundi exicatus, confert cum deo vultum, et rationem ratio cognoscit* (Sources chrétiennes 289, 1982, 112). Dieser Aspekt der Gottebenbildlichkeit des Menschen hat seit dem 18. Jahrhundert wieder erhöhte Beachtung gefunden. So hat schon S. J. Baumgarten zu den auch nach dem Fall weiterbestehenden Zügen des göttlichen Ebenbildes im Menschen neben der vernünftigen, freien Seele auch „die aufrechte, aufwärts gen Himmel gerichtete Gestalt des Menschen, im Gegensatz der Thiere" gerechnet (Evangelische Glaubenslehre, hg. J. S. Semler II, 1765, 442). Chr. Friedrich Ammon setzte diesen Sachverhalt in seiner Beschreibung der Gottebenbildlichkeit des Menschen an die erste Stelle (Summa Theologiae Christianae, Göttingen 1803, 109). Nicht zu vergessen ist J. G. Herder: Aelteste Urkunde des Menschengeschlechts (1774), Herders Sämtliche Werke, hg. B. Suphan, VI, 249, vgl. 316.

Die leibliche Dimension der Gottebenbildlichkeit ist auch in der Theologie des Irenäus festgehalten worden, indem er die von den Valentinianern einander entgegengesetzten Aspekte des Leiblich-Seelischen einerseits und des Pneumatischen andererseits zusammenzuhalten bemüht war. Dafür griff Irenäus auf die Doppelheit von Bild und Ähnlichkeit in Gen 1,26 zurück. Diese beiden Begriffe waren von den Valentinianern als Bezeichnungen unterschiedlicher Sachaspekte aufgefaßt worden (adv. haer. I,5,5), und zwar offenbar bereits in dem durch die griechische Übersetzung (εἰκῶν und ὁμοίωσις) nahegelegten platonischen Sinn, wonach erst das ethische Streben nach *homoiosis* den im Bildbegriff noch enthaltenen Abstand zum Urbild überwindet (Staat 613a4ff., Theaitet 176a 5). Dabei bezog Irenäus wie die Valentinianer die Ähnlichkeit auf den Geist, aber mit der Wendung, daß der Geist (nach 1.Thess 5,23) mit Seele und Leib zur Vollkommenheit des Menschen als Geschöpf gehört: „Fehlt aber der Seele der Geist, dann ist ein solcher Mensch nur psychisch, und da er fleischlich geblieben ist, wird er unvollkommen sein; er trägt zwar das Bild Gottes in seinem Körper, aber die Ähnlichkeit mit Gott nimmt er nicht an durch den Geist" (adv. haer. V,6,1). Mit der priesterschriftlichen Aussage Gen 1,26 stimmt zweifellos auch diese in der Folgezeit von Klemens von Alexandrien (Strom. II,131,6), sowie von Origenes (princ. III,6,1) übernommene Auffassung nicht überein, und zwar weder in der Deutung der *homoiosis* als über den Bildbezug hinausgehende Nähe zu Gott, noch in der Verknüpfung mit einer trichotomischen Anthropologie. Dennoch hat sie das systematische Verdienst, eine Verbindung hergestellt zu haben von den alttestamentlichen Aussagen über die Schöpfung des Menschen zu denen des Neuen Testaments über Jesus Christus als Bild Gottes und über die Bestimmung des Menschen zur Verwandlung in dieses Bild. Diese Bildtheologie ist die anthropologische Basis der heilsgeschichtlichen Theologie des Irenäus. Allerdings ist dabei unter dem Postulat einer systematischen Lehreinheit aller biblischen Aussagen die Differenz zwischen dem priesterschriftlichen und dem paulinisch-christologischen Bildverständnis durch eine unbiblische Deutung der Homoiosis als Überbietung der Bildbeziehung verdeckt worden, statt mit einer Veränderung und Vertiefung des Bildgedankens selber zu rechnen.

Christliche Theologie muß die priesterschriftliche Aussage über die Gottebenbildlichkeit des Menschen im Lichte der paulinischen und nachpaulinischen Worte des Neuen Testaments lesen, die Jesus Christus das Bild Gottes nennen (2.Kor 4,4; Kol 1,15, vgl. Hebr 1,3) und von der Verwandlung der Glaubenden in dieses Bild sprechen (Röm 8,29; 1.Kor 15,49; 2.Kor 3,18). Diese neutestamentlichen Aussagen thematisieren nicht explizit die Relevanz der Geschichte Jesu Christi für das Verständnis des Menschen als solchen. Die Teilnahme an der von Jesus Christus ausgesagten Gottebenbildlichkeit wird nur den Glaubenden zugesprochen. Andererseits wird sie aber, wie es auch der Verwurzelung des Bildgedankens in der Schöpfungsgeschichte entspricht, mit dem Begriff des Menschen schlechthin verbunden durch die Rede von dem in Jesus Christus erschienenen eschatologischen oder „zweiten" Menschen (1.Kor 15,45ff.)[105]. Insofern impliziert die Vorstellung von Jesus Christus als dem Bilde Gottes, an welchem die Glaubenden durch den Geist (2.Kor 3,18) Anteil erhalten sollen, eine allgemeine anthropologische Tragweite, die aber in den neutestamentlichen Aussagen nicht entfaltet ist. Wird sie thematisiert, dann erhebt sich unvermeidlich die in 1.Kor 15,45f. umgangene Frage nach dem Verhältnis der Jesus Christus auszeichnenden und durch ihn vermittelten Gottebenbildlichkeit zu derjenigen, die nach Gen 1,26f. jeden Menschen schon von der Schöpfung her charakterisiert. Während in den urchristlichen Schriften Erinnerungen daran (1.Kor 11,7; Jak 3,9, wohl auch Röm 1,23) unverbunden neben der christologischen und soteriologischen Vorstellung der Gottebenbildlichkeit stehen, mußte die christliche Theologie hier eine Verbindung herstellen, wenn sie an der Zusammengehörigkeit von Schöpfung und Erlösung des Menschen festhalten wollte.

Die Theologie des Irenäus hat diese Aufgabe in Auseinandersetzung mit der Gnosis dadurch bewältigt, daß sie einerseits im Bildbegriff zwischen Christus als Urbild und Adam als Abbild unterschied[106], andererseits durch ihre Deutung der „Ähnlichkeit" als *homoiosis* das Abbild mit dem Urbild verband. Durch die Beziehung des abbildlichen Adam auf das Urbild wurde der geschöpflichen Gottebenbildlichkeit der Sinn einer auf das Urbild zielenden Bestimmung gegeben, die auf dem Wege der „Angleichung" an das Urbild im Prozeß des Ringens um die sittliche Lebensthematik des Menschen eingelöst werden soll, eine Bestimmung, die bei den ersten Menschen scheiterte und die erst durch die Inkarnation des Urbildes selbst in Jesus Christus zum Ziele geführt worden ist.

Die Unterscheidung von Urbild und Abbild hinsichtlich des göttlichen Ebenbildes im Menschen war schon durch die jüdische Auslegung von Gen 1,26f. vorbereitet worden, indem diese Aussage auf die Weisheit bezogen wurde, und zwar einerseits auf die im Sinne von Prov 8,22ff. als präexistent gedachte Weisheit (Sap Sal 9,9), andererseits auf die Teilhabe des Menschen an ihr durch die Gabe der Weisheit (9,2 u.ö.) bzw. durch den *nous* (s.o.). Spezifisch christlich war erst die These einer Inkarnation des präexistenten göttlichen Ebenbildes in einem Menschen, verbunden mit der Behauptung, daß erst dadurch der Mensch zu der ihn unter allen Geschöpfen auszeichnenden Bestimmung gelange. In diesem Sinne hat Irenäus die paulinischen und deuteropaulinischen Aussagen über Jesus Christus als Ebenbild Gottes auf den menschgewordenen und nicht primär auf den präexistenten Logos bezogen (adv. haer. V,16,2)[107], während Origenes und ihm folgend auch Athanasios sie auf den *logos asarkos,* den ewigen Logos als solchen,

---

[105] Dazu U. Wilckens: Christus, der „letzte Adam", und der Menschensohn, in R. Pesch u.a. (Hgg): Jesus und der Menschensohn. Für Anton Vögtle, 1975, 387–403, bes. 402.
[106] Irenäus adv. haer. V,12,4 im Anschluß an Kol 3,9f., sowie V,15,4 und vor allem V,16,2.
[107] Siehe dazu P. Schwanz: Imago Dei als christologisch-anthropologisches Problem in der Geschichte der Alten Kirche von Paulus bis Clemens von Alexandrien, 1970, 131f.

deuteten[108]. Im letzteren Fall trugen die christologischen Aussagen über Jesus Christus als Bild des ewigen Gottes nichts mehr aus für das Verständnis der Gottebenbildlichkeit des Menschen schlechthin. Christologie und Anthropologie mußten dann zumindest in diesem Punkt verschiedene Wege gehen ungeachtet ihrer anderweitig, nämlich durch den Begriff des Logos (an dem auch der Mensch als Logoswesen teilhat) bestehenden Verbundenheit. Wurde dann auch noch die Gottebenbildlichkeit des Menschen statt auf den Logos auf die göttliche Wesenheit oder auf die Trinität als ganze bezogen, wie das in der späteren Patristik und insbesondere auch bei Augustin der Fall war[109], und rückte schließlich auch das Verständnis der menschlichen Vernunft in größere Distanz zur Vorstellung vom göttlichen Logos, wie es auf dem Boden des christlichen Aristotelismus geschah, dann konnte die Gottebenbildlichkeit des Menschen als ein von der Gottebenbildlichkeit des Logos im Verhältnis zum Vater wesentlich verschiedenes Thema aufgefaßt werden[110]. Die Inkarnation des Logos behielt zwar auch dann noch eine Funktion für die Anthropologie, aber nur die Funktion eines *Mittels* zur Wiederbeschaffung der durch den Fall Adams verlorenen Gnadenbedingung für die Vollendung der *imago*: Durch das Heilswerk Christi wird die verlorene *similitudo*, die Gottesgemeinschaft durch Angleichung an Gott und – damit verbunden – die Unsterblichkeit, als göttliche Gnade zurückgewonnen und dem Menschen durch die Sakramente der Kirche vermittelt. Damit wird dann allerdings nur die durch den Sündenfall zerstörte geschöpfliche Bestimmung des Menschen auf einem Umweg verwirklicht, nicht aber eine darüber hinausgehende Vollendung erreicht.

Dieser Gedanke einer bloßen Wiederherstellung der urständlichen Vollkommenheit Adams hatte sich sogar in der Theologie des Irenäus geltend gemacht, weil Irenäus davon ausgegangen war, daß nach Gen 1,26 f. schon der erste

---

[108] Origenes De princ. I,2,6; Athanasios De inc. XIII,7. Vgl. J.Roldanus: Le Christ et l'homme dans la théologie d'Athanase d'Alexandrie, Leiden 1968, 40 ff.

[109] Augustinus De genesi ad litt. imperf. liber c 16: ... *non ad solius patris aut solius filii vel solius spiritus sancti, sed ad ipsius trinitatis imaginem factus est homo ... non enim ait filio loquens: faciamus hominem ad imaginem tuam, aut ad imaginem meam, sed pluraliter ait: ad imaginem et similitudinem nostram: a qua pluralitate spiritum sanctum separare quis audeat?* (CSEL 28/1, 502; vgl. De gen. ad lit. III,19 a.a.O. 85). Die frühchristliche Theologie hat seit Barn 5,5 und 6,12 den Plural von Gen 1,26 („Lasset uns Menschen machen") als Anrede des Vaters an den Sohn (und den Geist) gedeutet. Vgl. Justin dial. 62, Theophilus ad Autol. II,18; Irenäus adv. haer. IV praef. 4 und IV,20,1; V,1,3. Dabei hat Irenäus die Anrede an den Sohn bei der Schöpfung des Menschen (V,15,4) dahin ausgedeutet, daß der Mensch nach dem Bilde des Sohnes geschaffen worden sei (V,16,1 f.). Ähnlich Tertullian de resurr. carnis 6 (MPL 2,802). Siehe dazu A. Struker: Die Gottebenbildlichkeit des Menschen in der christlichen Literatur der ersten zwei Jahrhunderte, 1913, 81 ff. Die spätere Patristik bezog die Ebenbildlichkeit des Menschen in der Schöpfung eher auf die göttliche Wesenheit und behielt die Teilhabe an der Sohnschaft der Erlösungsordnung vor (vgl. W.J.Burghardt: The Image of God in Man according to Cyril of Alexandria, 1957, 120 ff.).

[110] Dafür sind die Bemerkungen Thomas von Aquins S. theol. I,93,1 ad 2 bezeichnend, zusammen mit der Aufteilung der Behandlung der beiden Themen auf Trinitätslehre einerseits, Anthropologie andererseits. Ähnlich dachte die altprotestantische Dogmatik, vgl. D.Hollaz: Examen theol. acroam. I, Stargard 1707, II c 1 q 9 (p.11-15).

Mensch über die *eikon* hinaus auch die *homoiosis* besessen habe[111]. Rekapitulation im Sinne des Bischofs von Lyon bedeutet allerdings nicht lediglich Wiederherstellung, sondern auch eine über den Urstand Adams mit seiner kindlichen Schwachheit hinausgehende Vollendung[112]. Dennoch brachte die Vorstellung von einer schon zu Beginn der menschlichen Geschichte vorhanden gewesenen und dann verlorenen, anfänglichen Vollkommenheit Adams eine Zweideutigkeit in das anthropologische Entwicklungskonzept von Irenäus[113]. Ihm selbst konnte das verborgen bleiben wegen seines Interesses an der typologischen Entsprechung von Erlösung und Schöpfung des Menschen. Doch die Theologie der Folgezeit fand bei Irenäus keine eindeutige Wegweisung. Sie konnte bei ihm sowohl den Gedanken der Erlösung durch Wiederherstellung als auch ihre Auffassung im Sinne einer Überbietung der Anfänge Adams dargestellt finden. Eine klare Lösung für die Spannung zwischen dem alttestamentlichen und dem neutestamentlich-christologischen Gedanken der Gottebenbildlichkeit war damit nicht gegeben.

b) Bild Gottes und Urstand des Menschen

Die christliche Lehre von der Gottebenbildlichkeit des Menschen muß die paulinischen Aussagen über Christus als Ebenbild Gottes, in das alle anderen Menschen verwandelt werden sollen, als Erläuterung der Bestimmung des Menschen schlechthin zur Gottebenbildlichkeit aufnehmen. Sie darf aber dabei nicht die Unterschiede zwischen der Vollendung der Gottebenbildlichkeit des Menschen in und durch Jesus Christus einerseits und den alttestamentlichen Aussagen über die Gottebenbildlichkeit Adams andererseits verwischen. Sonst wird verkannt, daß erst durch Jesus Christus die Bestimmung des Menschen als Geschöpf ihre Vollendung findet[114].

Die reformatorische Lehre von der Gottebenbildlichkeit des Menschen ist dieser Gefahr nicht entgangen. Sie stimmte mit Irenäus, im Gegensatz zur lateinischen

---

[111] P. Schwanz a.a.O. 124f., 133f. Vgl. bes. Irenäus adv. haer. III,18,1, sowie IV,10,1.
[112] So auch P. Schwanz a.a.O. 134 mit der einleuchtenden Beobachtung, die Homoiosis sei nach Irenäus „eine werdende und am Anfang nicht perfekt gewesen". Solche Prozeßhaftigkeit der Homoiosis ist ganz im Einklang mit dem platonischen Gedanken. Zur Vorstellung eines dem Menschen nötigen Wachstums vgl. bes. die charakteristischen Bemerkungen adv. haer. IV,38,1-4.
[113] Darin sieht P. Schwanz a.a.O. 141 den „Riß in der Gottähnlichkeits-Lehre des Irenäus".
[114] Aus diesem Grunde hat Albrecht Ritschl die Lehre von einer urständlichen Vollkommenheit des ersten Menschen abgelehnt: „Die Theologie aber, welche den sittlichen Zustand, der erst im Christenthum für die Menschen möglich ist, schon an den Anfang der Menschengeschichte verlegt und für den naturgemäßen Bestand des menschlichen Wesens erklärt, zieht den Uebelstand nach sich, daß die Person Christi als eine unregelmäßige Erscheinung in der Menschengeschichte aufgefaßt werden muß. Denn Christus wird auf jener Grundlage nur als der Träger der göttlichen Gegenwirkung gegen die Sünde verstanden" (Die christliche Lehre von der Rechtfertigung und Versöhnung III, 2.Aufl. 1883, 307, sowie schon 4f.).

Scholastik, darin überein, daß sie sich an den paulinischen Aussagen über Christus als Ebenbild Gottes orientierte[115]. Andererseits lehnte die Reformation die Unterscheidung zwischen *imago* und *similitudo* ab, die die Scholastik wohl von Johannes Damaszenus (de fide orth. II, 12) übernommen und mit der Lehre Augustins von einer Urstandsgnade verbunden hatte. Die beiden Ausdrücke „Bild" und „Ähnlichkeit" in Gen 1,26f. wurden von der reformatorischen Exegese als gleichbedeutend beurteilt. Damit folgten die Reformatoren einerseits einer von Irenäus abweichenden patristischen Auslegungstradition[116], kommen andererseits aber auch dem Urteil der modernen Exegese über diese Frage nahe. Die These der Identität von Bild und Ähnlichkeit führte sie jedoch dazu, die Aussage des priesterschriftlichen Schöpfungsberichts Gen 1,26f. insgesamt mit dem zu identifizieren, was der Kolosserbrief über die Erneuerung des Glaubenden in der Gotteserkenntnis „nach dem Bilde seines Schöpfers" (Kol 3,10) sagt und was der Epheserbrief schreibt über den neuen Menschen „wie Gott ihn geschaffen hat: in wahrer Gerechtigkeit und Heiligkeit" (Eph 4,24; vgl. 5,9)[117]. Daraus ergab sich nicht nur, daß die Gottebenbildlichkeit des ersten Menschen die Vorstellung einer Urstandsgerechtigkeit einschließt, sondern auch, daß die Erneuerung des Menschen durch Jesus Christus als Wiederherstellung jenes ursprünglichen Gottesverhältnisses zu verstehen ist. Demgegenüber trat die andere irenäische Gedankenlinie zurück, die das Geschehen der Inkarnation als eine über die Schwachheit der Anfänge Adams hinausgehende Vollendung des Menschen aufgefaßt hatte. Je stärker aber die urständliche Vollkommenheit Adams betont wurde[118], desto tiefer mußte der Fall aus dieser Vollkommenheit durch seine Sünde und als Folge dieser ersten Sünde sein[119]. Mit solchen Vorstellungen bewegte sich die nachreformatorische Theologie auf den Bahnen der Lehre Augustins und der lateinischen Scholastik. Nur mußte wegen der Identifikation von *imago* und *similitudo* ein Verlust nicht allein

---

[115] So Luther in einer Predigt von 1523 (WA 14,110f.).

[116] Die von Irenäus vollzogene Unterscheidung ist zwar von Klemens und Origenes, nicht aber von den späteren alexandrinischen Theologen und den drei Kappadokiern übernommen worden. Vgl. W.J.Burghardt: The Image of God in Man According to Cyril of Alexandria, 1957, 2-11.

[117] Ph.Melanchthon: Apologie zur CA II, 18-22 mit Berufung auf Irenäus und Ambrosius. Vgl. auch M.Luther WA 42,46, sowie Calvin Inst. chr. rel. 1559 I,15,3f. Dementsprechend hat auch die altprotestantische Dogmatik die Gottebenbildlichkeit der ersten Menschen von den deuteropaulinischen Aussagen her, bes. von Eph 4,24 her beschrieben. Joh.Gerhard: Loci Theologici (ed. altera Leipzig 1885) t.II,110 n.23, 112 n.30; A.Calov: Systema locorum theologicorum t.IV (Wittenberg 1659) 569ff., sowie noch D.Hollaz: Examen theol. acroam. I, Stargard 1707 p.II, c.1 q6 (p.5).

[118] Zur idealisierenden Ausmalung dieser Vorstellung in der altprotestantischen Dogmatik vgl. K.G.Bretschneider: Systematische Entwicklung aller in der Dogmatik vorkommenden Begriffe nach den symbolischen Schriften der evangelisch-lutherischen Kirche und den wichtigsten dogmatischen Lehrbüchern ihrer Theologen (1805) 3.Aufl. 1825, 513ff. Charakteristisch ist die ausführliche Behandlung dieses Themas bei D.Hollaz: Examen I p.II c 1 q 15-24 (pp. 19-51).

[119] „Je höher diese Prädikate lauten, um so umfangreicher erscheint der Sündenstand, der mit der Uebertretung des bekannten Verbotes Gottes in ihnen und ihren Nachkommen zu Stande gekommen ist" (A.Ritschl: Die christliche Lehre von der Rechtfertigung und Versöhnung III, 2.Aufl. 1883, 307).

der gnadenhaften Gottähnlichkeit, sondern auch der Gottebenbildlichkeit des Menschen als Folge des Sündenfalls behauptet werden[120]. Da damit keine Veränderung der geschöpflichen Natur des Menschen verbunden, der Mensch vielmehr – gegen Flacius – auch als Sünder Mensch bleiben sollte[121], so mußte die Gottebenbildlichkeit ebenso wie die Sündhaftigkeit von der altprotestantischen Dogmatik zu einer *akzidentellen* Bestimmung der menschlichen Natur erklärt werden[122]. Das war nun allerdings weder mit dem Sinn von Gen 1,26f. zu vereinbaren, noch mit den neutestamentlichen Aussagen über die Erneuerung des Menschen nach dem in Jesus Christus erschienenen Gottesbild. In beiden Fällen geht es doch um das spezifische Wesen des Menschen und um seine Realisierung. Auch Luthers Andeutungen zu diesem Thema hatten in eine ganz andere Richtung gewiesen[123]. Die nachreformatorische lutherische Dogmatik ist in dieser Sache hinter die schon von Irenäus erreichte Stufe theologischer Einsicht zurückgefallen. Erst Schleiermacher hat diese Einsicht wiedergewonnen und mit der treffenden Formel ausgedrückt, daß die Erscheinung Christi „als die nun erst vollendete Schöpfung der menschlichen Natur zu betrachten" sei[124].

Die von den altprotestantischen Dogmatikern besonders hervorgehobenen Vorstellungen von einer paradiesischen Vollkommenheit und Integrität des menschlichen Lebens vor dem Sündenfall infolge der ursprünglichen Gerechtigkeit der ersten Menschen (*iustitia originalis*) entbehren der biblischen Grundlage[125]. Zwar setzen die Lebensminderungen[126], die den Menschen der Paradieses-

---

[120] Formula Concordiae (1580) SD I, 2f. (BSELK 848). So gelegentlich auch schon Augustin, weil er ebenfalls *imago* und *similitudo* nicht unterschied (De genes. ad lit. VI,27; CSEL 28/1, 199). Die altprotestantische Dogmatik betrachtete den Verlust der Gottebenbildlichkeit als in den neutestamentlichen Aussagen über ihre Erneuerung vorausgesetzt: *Imago DEI est renovanda* Eph. IV,24. Col. III,10. *Ergo est amissa. Quod enim amissum non est, ejusdem restitutioni nullus esse potest locus.* D. Hollaz a.a.O. q.25 (p.51).
[121] Vgl. dazu W. Sparn: Begründung und Verwirklichung. Zur anthropologischen Thematik der lutherischen Bekenntnisse, in M. Brecht und R. Schwarz: Bekenntnis und Einheit der Kirche. Studien zum Konkordienbuch, 1980, 129–153, bes. 143f.
[122] A. Calov: Systema locorum theologicorum IV, Wittenberg 1659, 56; D. Hollaz: Examen etc. II c 1 q 4 (p.2). Beweis für die Akzidentalität der Gottebenbildlichkeit des Menschen ist nach Hollaz u. a. ihre Verlierbarkeit, die er in Röm 3,23 bezeugt fand. Schon Johann Gerhard widmete der These, daß die Gottebenbildlichkeit des Menschen nicht zu seiner Substanz gehöre, ein eigenes Kapitel (Loci Theologici, ed. altera 1885, II,126f.).
[123] In der *Disputatio de Homine* 1536 bezeichnete Luther den Menschen dieses gegenwärtigen Lebens als bloße Materie, aus der Gott künftig die Herrlichkeitsgestalt des eschatologischen Menschen hervorbringen wird (WA 39/1, 177, 3-12). Vgl. G. Ebeling: Das Leben – Fragment und Vollendung. Luthers Auffassung vom Menschen im Verhältnis zu Scholastik und Renaissance, ZThK 72, 1975, 310–334, bes. 316f., 326ff., sowie ders.: Lutherstudien II: Disputatio de Homine 3. Teil, 1989, 98–105. Zwar sprach auch Luther davon, daß das Gottesbild im Menschen „wiederhergestellt" werde. Er fügte aber ganz im Geiste des Irenäus hinzu, es werde auch vollendet werden.
[124] D. F. Schleiermacher: Der christliche Glaube, 2. Ausg. 1830, § 89.
[125] Siehe dazu A. Ritschl: Die christliche Lehre von der Rechtfertigung und Versöhnung III, 2. Aufl. 1883, 307f. und zuvor schon J. Müller: Die christliche Lehre von der Sünde (1838) 3. Aufl. II, 483–488.

geschichte als Folgen ihrer Übertretung auferlegt werden (Gen 3,16-19), einen von derartigen Belastungen freien Zustand voraus, aber dieser schließt weder eine vollkommene Erkenntnis und Heiligkeit der ersten Menschen vor dem Sündenfall ein, noch auch ihre Unsterblichkeit. Die Früchte des Lebensbaumes (Gen 2,9) waren den Menschen nicht verboten, waren aber im Sinne des biblischen Erzählers von ihnen offenbar noch nicht entdeckt worden, bevor sie den Sündern entzogen wurden (3,22)[127]. Zwar heißt es im Buche der Weisheit Salomos, Gott habe den Menschen „zur Unsterblichkeit geschaffen", und dieser Sachverhalt wird dort mit der Gottebenbildlichkeit eng verbunden (Sap Sal 2,23), aber die jahwistische Paradiesesgeschichte erlaubt nicht die Annahme eines Besitzes der Unsterblichkeit durch die ersten Menschen, allenfalls die Vorstellung einer Bestimmung des Menschen, sie künftig zu erlangen. Auch aus der Androhung des Todes als Folge des Genusses der verbotenen Frucht darf nicht geschlossen werden, daß die ersten Menschen ohne diesen Fehltritt unsterblich gewesen wären: „... diese Drohung sagt nicht, daß sie *sterblich werden*, sondern daß sie an dem Tag ihres Vergehens *sterben*, also durch einen frühzeitigen Tod gestraft werden würden"[128].

Erst in der späten nachexilischen Weisheit Israels und in apokalyptischen Texten begegnet die Auffassung, daß Adam vor dem Sündenfall bereits Unsterblichkeit besaß. So heißt es Hen 69,11, die Menschen seien ursprünglich „nicht anders als die Engel geschaffen worden", und der Tod hätte sie nicht berührt, wenn sie nicht gesündigt hätten. Nach Sap Sal 1,13 hat Gott den Tod nicht geschaffen. Das oben zitierte Wort von der Erschaffung des Menschen zur Unsterblichkeit (2,23) besagt daher im Sinne dieser hellenistischen Schrift wohl nicht nur, daß der Mensch zur Unsterblichkeit bestimmt ist, sondern auch - im Gegensatz zur Paradiesesgeschichte - daß er sie anfänglich bereits besaß; denn erst „durch den Neid des Teufels kam der Tod in die Welt" (2,24). Demgegenüber ist es bemerkenswert, daß Paulus zwar ebenfalls den Tod als Folge der Sünde auffaßte (Röm 6,23), und zwar angefangen von Adams eigenem Geschick (Röm 5,12)[129], aber nicht von einer ursprünglichen Unsterblichkeit Adams sprach. Vielmehr heißt es vom ersten Menschen mit Gen 2,7, daß er irdisch gewesen sei (1.Kor 15,47), und das schließt im Sinne der paulinischen Argumentation auch die Vergänglichkeit

---

[126] O.H.Steck: Die Paradieserzählung. Eine Auslegung von Gen 2,4b-3,24, 1970, 59f., 118ff.

[127] O.H.Steck a.a.O. 117 bemerkt dazu tiefsinnig, daß Unsterblichkeit „erst dem autonomen, selbstbestimmenden Menschen begehrenswert ist", so daß die Unzugänglichkeit des Lebensbaumes für den Sünder, „die in der ganzen Paradieserzählung neutral vorausgesetzte und im Fluchabschnitt ausdrücklich angesprochene Lebensgrenze wirklich definitiv und unüberschreitbar" macht. Vgl. zum Motiv des Lebensbaumes auch Stecks Ausführungen a.a.O. 47f. und 61ff.

[128] K.G.Bretschneider: Handbuch der Dogmatik der evangelisch-lutherischen Kirche I, 3.Aufl. 1828, 747. Vgl. G.v.Rad: Das erste Buch Mose Kap.1-12/9 (ATD 2) 2.Aufl. 1950, 77: Sinn der Todesdrohung Gen 2,17 „war ja nicht: ‚desselbigen Tages werdet ihr sterblich werden', sondern ‚werdet ihr sterben'". Dabei betont v.Rad, das Anliegen des Erzählers sei darin zu erkennen, „daß Gott seine schreckliche Drohung nicht wahr gemacht, sondern doch Gnade hatte walten lassen"; denn der Tod tritt eben nicht sofort ein. Vgl. auch Steck a.a.O. 110.

[129] Zu Röm 5,12 siehe U.Wilckens: Der Brief an die Römer 1,1978, 316, sowie zur Traditionsgeschichte des Themas 310ff.

ein. Erst dem zweiten, eschatologischen Menschen, der in der Auferstehung Jesu offenbar geworden und dessen Leben vom schöpferischen Lebensgeist durchdrungen ist, schreibt Paulus Unsterblichkeit zu (1.Kor 15,52ff.). Die christliche Patristik ist in diesem Punkt zum größten Teil leider nicht Paulus gefolgt, sondern neigte zur Vorstellung einer ursprünglichen Unsterblichkeit Adams – auch ohne und vor Jesus Christus – zumindest in dem Sinne, daß Adam mit der Teilhabe am Logos die Anlage zur Unsterblichkeit besaß und ihrer teilhaftig geworden wäre, wenn er an der Gotteserkenntnis festgehalten hätte[130].

Auch die Behauptung vollkommener Erkenntnis und Heiligkeit der ersten Menschen läßt sich aus den dafür von den altprotestantischen Dogmatikern angeführten Schriftstellen nicht ableiten. Was die Fähigkeiten zur Erkenntnis betrifft, so hat die biblisch begründete Kritik an der Lehre vom Urstand mit Recht darauf hingewiesen, daß die Paradiesesgeschichte die Aussicht auf Erkenntnis gerade mit dem Genuß der verbotenen Frucht verbindet (Gen 3,5)[131]. Auch von einer ursprünglichen Gerechtigkeit Adams erfährt der Leser dort nichts. Die Erzählung von der Sünde der ersten Menschen stellt die Übertretung als Folge einer mangelhaften affektiven Übereinstimmung mit dem Willen Gottes dar. Die Neigung zur Abweichung von Gottes Willen wird von der Schlange nur ausdrücklich ans Licht gebracht (Gen 3,5f.)[132]. Das Argument, daß man aus der im Neuen Testament bezeugten Erneuerung des Menschen auf den ursprünglichen Zustand zurückschließen könne und daher die Aussagen über die Gotteserkenntnis des erneuerten Menschen (Kol 3,10), sowie über seine Gerechtigkeit und Heiligkeit (Eph 4,24) für die Beschreibung des Urstands Adams in Anspruch nehmen dürfe[133], setzt ohne Beweis voraus, daß die neutestamentlichen Aussagen über das Ebenbild Gottes auf einer Ebene mit denen der biblischen Urgeschichte gesehen werden dürfen. Diese Voraussetzung galt um 1800 sogar einem konservativen Theologen wie Franz Volkmar Reinhard als zweifelhaft, weil es „ungewiß ist, ob in diesen Stellen eine Rücksicht auf die ersten Menschen und ihre Vollkommenheit liege"[134]. Doch heißt es nicht im Alten Testament selbst, nämlich Koh 7,30, Gott

---

[130] So Athanasios De inc. 3; vgl. schon Tatian or. 13,1 und 7,1 (dazu M.Elze: Tatian und seine Theologie, 1960, 90f.), Justin Dial. 5f., Irenäus adv. haer. III, 20,1f. Irenäus behauptete allerdings weder adv. haer. 3,20,2, daß die ersten Menschen von Natur aus Unsterblichkeit besessen hätten (so A.Struker: Die Gottebenbildlichkeit des Menschen in der christlichen Literatur der ersten zwei Jahrhunderte. Ein Beitrag zur Geschichte der Exegese von Gen 1,26, 1913, 121), noch ist eine solche Auffassung in III,23,6 impliziert. Nach Epid. I,15 war den ersten Menschen Unsterblichkeit nur für den Fall ihrer Befolgung des Gebotes zugedacht. Hingegen betrachtete Irenäus die Seele als unsterblich, aber nur durch Teilnahme an dem von Gott stammenden Leben (adv. haer. II,34).

[131] K.G.Bretschneider: Handbuch der Dogmatik der evangelisch-lutherischen Kirche 1 (1814) 3.Aufl. 1828, 747.

[132] Das hat Schleiermacher eindrucksvoll dargetan in seiner Kritik jedes Versuchs, „den Anfang der Sünde in den ersten Menschen ohne schon vorhandene Sündhaftigkeit zu erklären" (Der christliche Glaube 2.Ausg. 1830, § 72,2).

[133] So beispielsweise A.Calov: Syst. Theol. IV,598 sowie D.Hollaz, Examen etc. II, c 1 q 6 (p.5) und q 7 (p.6 und 8).

[134] F.V.Reinhard: Vorlesungen über die Dogmatik hg. G.J.Berger 1801, 261. Ähnlich hat

habe die Menschen „recht geschaffen; sie aber suchen viele Künste"? Gewiß, doch dieses Wort spricht nur in ganz allgemeiner Form den Gegensatz menschlichen Verhaltens zu Gottes Schöpfungshandeln aus. Es äußert sich nicht über einen Zustand der Menschen vor Entstehung dieses fatalen Hanges.

Von den traditionellen dogmatischen Vorstellungen eines vollkommenen Urzustands Adams bleibt also schon im Lichte einer biblisch-theologischen Prüfung wenig übrig. Sie sind daher auch bereits im Zusammenhang der Forderungen nach einer „biblischen Theologie" in der evangelischen Theologie seit dem 18. Jahrhundert[135] aufgelöst worden und nicht erst der Anwendung von Prinzipien historischer Kritik auf den Textbestand der biblischen Urgeschichte zum Opfer gefallen. Die Entwicklung einer Auffassung der biblischen Paradiesesgeschichte als Sage oder Mythos seit Johann Gottfried Eichhorn und Johann Philipp Gabler[136] bildet nur einen zusätzlichen Faktor in diesem Auflösungsprozeß. Das gilt auch für die Kritik an der Vorstellung von einem Verlust der Gottebenbildlichkeit des Menschen durch den Sündenfall.

In den biblischen Schriften ist die Vorstellung von einem Verlust der Gottebenbildlichkeit des Menschen nicht oder (so im Hinblick auf zwei strittige Paulusstellen) jedenfalls nicht eindeutig zu finden. Die priesterschriftliche Chronik der Geschlechterfolge von Adam bis Noah Gen 5,1 ff. impliziert mit der Wiederaufnahme der Aussage von Gen 1,26 über die Erschaffung des Menschen zum Ebenbild Gottes (Gen 5,1), daß diese Auszeichnung des Menschen vor allen übrigen Geschöpfen auch für Adams Nachkommen Geltung hat. Wenn von Adams Sohn Seth gesagt wird, Adam zeugte ihn „ihm gleich und nach seinem Bilde" (Gen 5,3), so schließt zwar die Gleichheit mit Adam nicht ausdrücklich auch dessen Gottebenbildlichkeit ein, aber die Aussage enthält auch keinerlei Einschränkung derart, daß etwa die Gottebenbildlichkeit Adams von der Gleichheit Seths mit ihm ausgenommen wäre. Daher wird der Sinn der ausdrücklichen Erwähnung der Gottebenbildlichkeit Adams zu Beginn der Liste doch wohl darin bestehen, daß sie auch seinen Nachkommen zukommt[137]. Das ergibt sich auch aus der ebenfalls priesterschriftlichen Begründung des Mordverbots Gen 9,6 durch die Gottebenbildlichkeit des Menschen, – nämlich jedes einzelnen Menschen. Auch bei Paulus wird die Gottebenbildlichkeit des Menschen wie selbstverständlich als für die gegenwärtige Menschheit gültige Tatsache erwähnt (1.Kor 11,7), wenn auch mit der für heutiges Empfinden skandalösen und als Exegese von Gen 1,26f. unannehmbaren Einengung auf den Mann. Die Vorstellung, daß die Frau nur

---

sich einige Jahrzehnte später der als biblischer Theologe unverdächtige Julius Müller geäußert (Die christliche Lehre von der Sünde (1838) 3.Aufl. 1849, I, 485 ff.).

[135] Siehe dazu Vf.: Wissenschaftstheorie und Theologie, 1973, 358 ff. sowie G.Ebeling: Was heißt „Biblische Theologie"?, in ders.: Wort und Glaube I, 1960, 69-89.

[136] J.Ph.Gabler: J.G.Eichhorns Urgeschichte, 1790-1793.

[137] G.v.Rad: Das erste Buch Mose Kap. 1-12,9, 2.Aufl. 1950, 56 ist darin gegen die Kritik von K.Barth KD III/1, 223 f. recht zu geben. Vgl. auch W.H.Schmidt: Die Schöpfungsgeschichte der Priesterschrift, 1964, 143 f. Auch Barth hat allerdings in seiner Schöpfungslehre die von ihm früher (KD I/1, 251 f., 254 und I/2, 336) vertretene reformatorische These vom Verlust der Gottebenbildlichkeit durch den Sünder aufgegeben. Vgl. A.Peters in TRE 6, 1980, 512 f. (Bild Gottes IV).

mittelbar über den Mann (1. Kor 11,7b) an der Gottebenbildlichkeit teilhat[138], mag aus einer Kombination von Gen 1,26f. mit dem Bericht von der Erschaffung der Frau aus der Rippe Adams entstanden sein (vgl. 1. Kor 11,8): Sie ist in jedem Falle unhaltbar angesichts der klaren Aussage von Gen 1,27, die die Erschaffung des Menschen als Mann und Frau unmittelbar mit der Aussage über die Gottebenbildlichkeit des Menschen verbindet. Daß Mann und Frau gleichermaßen zum Ebenbild Gottes geschaffen sind, ist schon von Augustin und im Anschluß an ihn auch von der mittelalterlichen und altprotestantischen Theologie betont worden[139]. Gerade wenn die Gottebenbildlichkeit nicht inhaltlich in der Beziehung von Mann und Frau realisiert ist, gilt sie unabhängig von der Geschlechtsdifferenz Mann und Frau gleichermaßen. Trotz der Verbiegung dieser Intention von Gen 1,26f. belegt 1. Kor 11,7 jedoch, daß Paulus die Tatsache der in der Schöpfung begründeten Gottebenbildlichkeit des Menschen als selbstverständlich betrachtete. Seine Aussagen über die Verwandlung der Glaubenden durch den Geist Gottes in das Bild Christi, der das Bild Gottes ist (2. Kor 4,4, vgl. 3,18 u.ö.), müssen daher eine über die mit der Schöpfung begründete Gottebenbildlichkeit des Menschen hinausgehende Nähe zu Gott, nicht nur ihre Wiederherstellung im Blick haben. Das wird durch 1. Kor 15,45 ff. bestätigt. Dagegen spricht weder Röm 1,23, noch auch Röm 3,23[140], – beides Worte, auf die sich schon die altprotestantische Dogmatik für ihre These vom Verlust der Gottebenbildlichkeit Adams berief[141]. Die Verkehrung der Herrlichkeit Gottes durch die Sünde der Menschen und besonders durch ihren Götzendienst ändert nichts daran, daß der Mensch als Geschöpf durch die Bestimmung zum Ebenbild Gottes charakterisiert bleibt.

---

[138] Siehe dazu J. Jervell TRE 6, 1980, 497f. (Bild Gottes I). 4. Esra 6,54 und Sap Sal 10,1 sprachen nur von einer Erschaffung Adams zum Ebenbild Gottes.

[139] So Augustinus de genesi ad lit. III,22 (CSEL 28/1, 89) unter Berufung darauf, daß in Christus kein Unterschied sei zwischen Mann und Weib (Gal 3,28). Unter den altprotestantischen Theologen vgl. etwa A. Calov a.a.O. IV a 2 c.2 q 10 (*An Eva fuerit ad imaginem Dei condita?*), sowie schon J. Gerhard: Loci theologici l.8 c.6 (t. II, 688–691).

[140] Anders J. Jervell: Imago Dei. Gen 1,26f. im Spätjudentum, in der Gnosis und in den paulinischen Briefen, 1960, 320–331. Ihm schließt sich auch U. Wilckens: Der Brief an die Römer 1, 1978, 107f. an. Dagegen hat P. Schwanz a.a.O. (s. Anm. 107) 55 mit Recht angeführt, daß in Röm 1,23 das Wort *doxa* auf Gottes eigne Herrlichkeit gehe und nicht eine dem Menschen mitgeteilte Herrlichkeit bezeichne wie Röm 3,23. Dort aber stelle Paulus nur fest, „daß alle Menschen der (Teilhabe an der) Herrlichkeit Gottes ermangeln, weil sie sündigen", spricht also nicht davon, daß sie sie verloren haben (57, anders U. Wilckens a.a.O. 188, der die paulinische Aussage im Sinne jüdischer Vorstellungen wie Apk. Mos. 20 f. versteht. Auffällig wäre dann aber der Gegensatz zu 1. Kor 15,45ff., wo die Vorstellung einer der Sünde vorausgegangenen, aber verlorenen Gottebenbildlichkeit vermieden ist).

[141] D. Hollaz: Examen etc. II c 1 q 7 prob. 2 (p.6) und q 25 prob. 2 (p.52). Daneben stützte sich der altprotestantische Schriftbeweis für die Annahme eines Verlustes der Gottebenbildlichkeit vor allem auf Gen 5,3 (dazu vgl. oben 246) und auf einen Rückschluß aus der Rede von einer „Erneuerung" des Menschen nach dem Ebenbild Gottes in Kol 3,10 (vgl. Eph 4,24). Diese Argumentation findet sich schon bei Augustin de gen. ad. lit. III,20: *sicut enim post lapsum peccati homo in agnitione dei renovatur secundum imaginem eius, qui creavit eum, ita in ipsa agnitione creatus est* (CSEL 28/1, 87). Bei Augustin findet sich übrigens auch bereits die These vom Verlust der Gottebenbildlichkeit (de gen. ad lit. VI, 27 CSEL 28/1, 199).

Wenn das gesamtbiblische Zeugnis von der besonderen Zuordnung des Menschen zu Gott, die im Gedanken der Gottebenbildlichkeit zum Ausdruck kommt, in seiner Vielschichtigkeit angemessen berücksichtigt werden soll, dann muß die fortdauernde Realität der Erschaffung des Menschen zum Bilde Gottes unverkürzt mit der Interpretation der paulinischen These verbunden werden, daß nicht schon der Mensch als solcher, sondern erst Jesus Christus das Bild Gottes ist und alle andern Menschen der Erneuerung ihrer Beziehung zu Gott nach diesem Bilde bedürfen. Wie ist das eine mit dem andern zu vereinbaren? Als Ansatzpunkt dafür bietet sich, wie schon Irenäus gesehen hat, die Tatsache an, daß in Gen 1,26f. (wie auch Gen 5,1 und 9,6) der Mensch nicht einfach als „Bild Gottes" bezeichnet wird, sondern als „nach" oder „gemäß" (בְּ) dem Bilde Gottes geschaffen. Darin ist eine Differenz zwischen Urbild und Abbild impliziert: Der Mensch ist Abbild Gottes. Was das Urbild angeht, bleibt die Aussage etwas vage, weil wegen des Plurals („nach unserem Bilde") nicht mit letzter Eindeutigkeit entscheidbar ist, ob der Schöpfer in Person gemeint ist oder nur eine allgemeinere Qualität der Göttlichkeit (wie Ps 8,6). Diese Unklarheit läßt den Raum für eine Näherbestimmung des göttlichen Urbilds offen. In der jüdischen Weisheitsliteratur (Sap 7,26), bei Philo und bei Paulus (2.Kor 4,4) ist eine solche Näherbestimmung in unterschiedlicher Weise tatsächlich erfolgt, – dort durch die Vorstellung der präexistenten Weisheit bzw. des Logos, hier durch die Beziehung auf den erhöhten Christus.

Wie aber verhält sich dann das menschliche Abbild zu dem göttlichen Urbild? Bei Erwägung dieser Frage ist zu beachten, daß das Bild das Abgebildete (das Urbild) *darstellen* soll. Das kann nur geschehen, indem es ihm ähnlich ist. Durch die Bildähnlichkeit ist im Abbild das Urbild gegenwärtig. Dabei kann die Ähnlichkeit mehr oder weniger groß sein, und je größer die Ähnlichkeit ist, um so deutlicher das Bild, um so intensiver die Gegenwart des Urbilds in ihm.

Die Theologie des Irenäus hat sich mit Recht auf die Offenheit des Begriffs der Ähnlichkeit für unterschiedliche Grade der Intensität gestützt. Sie hat eine gewisse Ähnlichkeit mit Gott schon dem ersten Adam, ihre Vollendung aber erst Jesus Christus zugesprochen, in welchem das Urbild selber voll zur Erscheinung kam. Problematisch ist die irenäische Konzeption erst dadurch, daß sie nicht nur ein mehr oder weniger an Ähnlichkeit unterschied, sondern auch einen kategorialen Unterschied zwischen Bild und Ähnlichkeit machte, so daß nach der Übertretung Adams die Ähnlichkeit verloren gehen konnte, das Gottesbild als solches aber blieb. Das ist weder exegetisch, noch sachlich haltbar, – exegetisch nicht wegen der Parallelität der Ausdrücke „Bild" und „Ähnlichkeit" in Gen 1,26f., der Sache nach aber deshalb nicht, weil ein Bild aufhört, Bild zu sein, wenn es gar keine Ähnlichkeit mit dem Abgebildeten mehr hat[142]. Es gibt schlechte Bilder, deren Ähnlichkeit mit dem Abgebildeten gering ist. Der gänzliche Verlust jeder Ähnlichkeit aber bedeutet den Untergang des Bildes selber[143]. Umgekehrt wird mit zunehmender Ähnlichkeit das Bild klarer ausgeprägt. Das Abgebildete tritt deutlicher im Bilde in Erscheinung. Das Bild wird in höherem Maße Darstellung des Abgebildeten. Es wird damit in höherem Maße Bild. Denn Darstellung ist das Wesen des Bildes.

In Anwendung auf die Darstellung Gottes durch den Menschen als sein Bild bedeutet das: Der Mensch ist zwar immer Bild Gottes, aber nicht immer in gleichem Maße. Die Ähnlichkeit mag in den Anfängen der Menschheit noch unvollkommen gewesen sein, und durch die Sünde wurden diese Anfänge dann noch in jedem einzelnen Menschen zunehmend entstellt. Erst in der Gestalt Jesu, so sieht es christliche Anthropologie, ist das Gottesbild in voller Klarheit zur Erscheinung gekommen.

In der Geschichte der Menschheit war das Gottesbild also nicht von Anfang an voll realisiert. Seine Ausprägung ist noch im Werden. Das betrifft nicht nur die Ähnlichkeit, sondern damit auch das Bild selber. Da aber Ähnlichkeit für ein Bild unerläßlich ist, so ist die Erschaffung des Menschen zum Bilde Gottes implizit bezogen auf eine Vollgestalt der Bildähnlichkeit. Ihre volle Realisierung ist die *Bestimmung* des Menschen, die mit Jesus Christus geschichtlich angebrochen ist und an der die übrigen Menschen teilnehmen sollen durch Verwandlung in das Bild Christi.

Die Unabgeschlossenheit des Bildes, das der Mensch ist, kam der Sache nach schon bei Irenäus und in der ihm folgenden Geschichte des Verständnisses von Bild und Ähnlichkeit zum Ausdruck. Sie wurde von den Denkern der Renaissance besonders betont. So heißt es bei Pico della Mirandola, der Mensch sei als „ein Wesen von unbestimmter Gestalt" (*indiscretae opus imaginis*) geschaffen worden[144]. Die Pointe dieses Gedankens bestand darin, daß der Mensch dazu geschaffen worden sein soll, seine Natur nach freiem Ermessen selbst zu bestimmen. Die allein geglückte Form solcher Selbstrealisierung besteht allerdings auch nach Pico noch in der Angleichung an Gott, so daß auch er die volle Realisierung der Gottebenbildlichkeit des Menschen als erst in Jesus Christus erfolgt dachte[145]. In

---

[142] Thomas von Aquin hat bei seiner Erörterung dieser Frage zweierlei Ähnlichkeit unterschieden, eine allgemeinere, die nicht nur die Bildrelation betrifft, und eine solche, die zum Bildgedanken noch hinzukommt (*ut subsequens ad imaginem*), sofern das Bild dem Dargestellten mehr oder weniger ähnlich sein kann (S. theol. I,93,9). Bei dieser Alternative ist jedoch nicht berücksichtigt, daß Ähnlichkeit in irgendeinem Grade für das Wesen des Bildes selber konstitutiv ist.
[143] So Augustin de gen. ad lit. lib. imperf. c.16: *omnis imago est similis ei, cuius imago est* (CSEL 28/1, 497f.); *si enim omnino similis non est, procul dubio nec imago est* (503).
[144] G. Pico della Mirandola: De dignitate hominis (1486), lat. u. dt. hg. von E. Garin 1968, 28.
[145] Ch. Trinkaus: In Our Image and Likeness. Humanity and Divinity in Italian Humanist Thought, II, 1970, 505ff., 516ff., 734. E. Cassirer: Individuum und Kosmos in der Philosophie der Renaissance (1927) 3. Aufl. 1963, 40ff. hat diesen christozentrischen Humanismus auf das

anderer Weise hat fast drei Jahrhunderte später Johann Gottfried Herder die Vorstellung vom Menschen als dem nicht festgestellten Wesen erneuert, indem er den Gesichtspunkt der Selbstbestimmung einschränkte durch die Angewiesenheit des Menschen auf das Wirken der göttlichen Vorsehung: „Den Thieren gabest Du Instinct, dem Menschen grubest Du Dein Bild, Religion und Humanität in die Seele: der Umriß der Bildsäule liegt im dunkeln, tiefen Marmor da; nur kann er sich nicht selbst aushauen, ausbilden. Tradition und Lehre, Vernunft und Erfahrung sollten dieses thun, und Du ließest es ihm an Mitteln dazu nicht fehlen"[146]. Herder bezog das Werden des Menschen zum Ebenbild Gottes allerdings nicht auf das Erscheinen Jesu Christi als Vollendung der Bildähnlichkeit. An der Stelle dieses Bezuges steht bei ihm der allgemeinere Gedanke einer Lenkung der Geschichte des Menschen durch die göttliche Vorsehung auf das Ziel der Humanität, aber auch der Unsterblichkeit hin.

c) Gottebenbildlichkeit als Bestimmung des Menschen

Durch den Gesichtspunkt, daß die Gottebenbildlichkeit des Menschen im Prozeß seiner Geschichte noch im Werden ist, wird dieses Thema in spezifischer Weise mit dem Gedanken der Bestimmung des Menschen verbunden[147]. Eine solche Verbindung versteht sich nicht von selbst, wenn der Gedanke der *Bestimmung* des Menschen es mit dessen endgültiger Zukunft, dem Ziel und Zweck seiner Erschaffung zu tun hat, während die *Gottebenbildlichkeit* auf die ursprüngliche Ausstattung des Menschen als Geschöpf bezogen wird. Solange die Gottebenbildlichkeit als bereits im Urstand Adams voll realisiert galt, konnte sie nicht als Zweckbestimmung des Menschen im Prozeß seiner Geschichte gedacht werden.

Denken des Kusaners zurückgeführt. In der Tat hat Nikolaus von Kues ausdrücklich den Begriff des „Erstgeborenen aller Schöpfung" nicht nur auf den göttlichen Logos, sondern wie Irenäus auf den Gottmenschen Christus bezogen, weil in ihm der Zweck der Schöpfung des Menschen und aller Geschöpfe überhaupt realisiert worden sei (vgl. R. Haubst: Die Christologie des Nikolaus von Kues, 1956, 169f.).

[146] J.G. Herder: Ideen zur Philosophie der Geschichte der Menschheit (1784) IX,5 (ed. H. Stolpe 1965, Bd. 1, 377f.). Schon in seiner Schrift „Aelteste Urkunde des Menschengeschlechts" (1774) erkannte Herder den Ratschluß Gottes über den Menschen darin, „daß nicht *Alles in ihm schon entwickelt sei*". Vielmehr finde sich „das Bild Gottes in einem schlechten Leimgepräge. Auch hier hieße es also: Nach diesem Ratschluß Gottes (ist) noch nicht erschienen, was wir einst und ewig seyn werden" (Herders Sämmtliche Werke hg. B. Suphan VI, 1883, 253f.). Vgl. dazu vom Vf.: Gottebenbildlichkeit als Bestimmung des Menschen in der neueren Theologiegeschichte SBAW 1979/8, 3f., sowie Anthropologie in theologischer Perspektive, 1983, 40ff., 49ff.

[147] Der Begriff der „Bestimmung" des Menschengeschlechts begegnet bei Herder im Zusammenhang mit der Gottebenbildlichkeit schon 1769 (Werke VI,28) und 1774 (VI,2153). Vgl. auch Ideen XI,1 (a.a.O. 1,339f.).

Für diesen Sachverhalt ist Thomas von Aquins Behandlung des Themas besonders aufschlußreich, gerade weil Thomas auf seine Weise versucht hat, Gottebenbildlichkeit und Bestimmung des Menschen zu verbinden: Die Lehre von der Gottebenbildlichkeit wurde von ihm als Antwort auf die Frage nach dem Zweck der Erschaffung des Menschen dargestellt[148]. Weil dabei aber die Zuordnung der Gottebenbildlichkeit zum ursprünglichen Zustand Adams vorausgesetzt ist, kommt sie als Bestimmung des Menschen nur in dem Sinne in den Blick, daß die anfängliche Realisierung des Gottesbildes im Menschen der Zweck seiner Erschaffung durch Gott war. Es handelt sich nicht um eine im Prozeß der menschlichen Geschichte allererst angestrebte Zielbestimmung. Das ist um so auffälliger, als eine solche Auffassung Thomas theologisch naheliegen mußte, steht doch der ganze zweite Teil seiner theologischen Summe unter dem Thema des Strebens der Menschen nach Gott. Im Prolog zum zweiten Teil der Summe wird dieses Streben auch tatsächlich mit der Gottebenbildlichkeit des Menschen verbunden, aber so, daß diese den Ausgangspunkt des menschlichen Strebens nach Gott bildet, nicht etwa dessen Ziel. Dabei hatte doch Thomas selber beiläufig die traditionelle Unterscheidung verschiedener Formen des Gottesbildes im Sinne einer heilsgeschichtlichen Stufenfolge gedeutet, die erst im Zustand der künftigen Seligkeit zu ihrer Vollendung kommt[149]. Bei der Darstellung der Lehre von der Gottebenbildlichkeit des Menschen als Geschöpf konnte sich dieser Gesichtspunkt offenbar nicht durchsetzen, weil sie an die Vorstellung vom Urstand gebunden war.

Wenn der Gedanke der Bestimmung des Menschen mit seiner Erschaffung zum Ebenbild Gottes verbunden wird, so wird sich diese Bestimmung nicht nur auf die Herrschaft des Menschen über die übrige Schöpfung beziehen, sondern auch und vor allem auf die Gemeinschaft des Menschen mit Gott. Das geht sicherlich über die Aussage der Priesterschrift Gen 1,26f. hinaus. Für die Priesterschrift wurde eine Gemeinschaft mit Gott erst durch den Abrahambund begründet, und zwar nicht für alle Menschen, sondern nur für die Nachkommen Abrahams (Gen 17,7). Während nämlich der No-

---

[148] Thomas von Aquin S. theol. I,93 (Titel und Einleitung).
[149] S. theol. I,93,4 bezeichnete Thomas die *similitudo gloriae* als über die bloße *aptitudo naturalis* und die *conformitas gratiae* hinausgehende höchste Stufe der Gottbildlichkeit im Anschluß an die Unterscheidung zwischen *imago creationis, imago recreationis* und *imago similitudinis* in der Glossa Ordinaria Anselms von Laon zu Ps 4,7 (MPL 113, 849 D). Dort ist aber die Dreiheit der Bildformen nicht im Sinne einer heilsgeschichtlichen Reihe aufgefaßt: Zwar wird gegenüber der in der *ratio* bestehenden *imago creationis* die *imago recreationis* als Gnade (*gratia*) identifiziert, aber die *imago similitudinis* wird nicht auf die künftige Glorie bezogen, sondern im Sinne Augustins auf das Abbild der Trinität in der menschlichen Seele. Ähnlich Petrus Lombardus: Commentarium in psalmos Davidicos. Er sagt von der *imago similitudinis: ad quam factus est homo, qui factus est ad imaginem et similitudinem non Patris tantum, vel Filii, sed totius Trinitatis* (MPL 191, 88 B). In der nach Alexander von Hales benannten Summe um die Mitte des 13. Jh. wird die *imago similitudinis* sogar auf den ewigen Sohn und nur indirekt auf den Menschen bezogen: *imago similitudinis est ipsa Sapientia quae est ipse Filius Dei, ad quam imaginem homo conditus est* (Alexander Halensis Summa Theologiae t. IV, 1948, n. 632 p. 999). Die Auffassung der drei Bildformen im Sinne einer heilsgeschichtlichen Abfolge war also in der Scholastik alles andere als selbstverständlich.

ahbund nur den dauerhaften Bestand der irdischen Ordnungen garantiert (Gen 9,8ff.), sagt Gott Abraham und seinen Nachkommen zu, „ihr Gott" zu sein. Damit wurde eine besondere Verbundenheit zwischen Gott und den Empfängern seines Bundes begründet, die Grundlage dafür, daß später der Psalmist sprechen kann: „Gott ist ewiglich mein Fels und mein Teil" (Ps 73,26). Erst die jüdische Weisheit hat diese besondere Zugehörigkeit zu Gott auf den Menschen als solchen ausgedehnt, und der Ansatzpunkt dafür war die Erschaffung des Menschen zu Gottes Ebenbild. In der Tat nötigte die Bildvorstellung zu der von der Priesterschrift offengelassenen Frage, worin denn die Ähnlichkeit bestehe, die Urbild und Abbild verbindet. Als Antwort auf diese Frage kann der Hinweis auf die aufrechte Gestalt des Menschen für sich allein nicht genügen. Sie mag den Auftrag zur Herrschaft über die Schöpfung symbolisieren, sowie auch den suchenden Blick über alle geschöpfliche Wirklichkeit hinaus. Die Behauptung einer Ähnlichkeit mit dem unsichtbaren Gott aber kann dadurch allein nicht gerechtfertigt werden. Der Rede vom Menschen als Gottes Bild muß eine Ähnlichkeit mit Gottes ewigem Wesen zugrunde liegen. Nur dann beruht sie auf einer tragfähigen Basis. Es liegt auf dieser Linie, daß die Weisheitsliteratur Israels, jedenfalls in ihrer durch die „Weisheit Salomos" repräsentierten Spätphase, die Gottebenbildlichkeit des Menschen als Teilhabe an Gottes Herrlichkeit[150] und Unvergänglichkeit (Sap 2,23) verstanden hat. Dabei hat die „Weisheit Salomos" die Partizipation an der Unvergänglichkeit wohl in Zusammenhang damit gesehen, daß Gott den Menschen bei der Schöpfung „mit Weisheit ausgerüstet" hat (9,2)[151]. Denn es heißt von der Weisheit: „Um ihretwillen werde ich Unsterblichkeit erlangen" (8,13). Wiederum ist mit der Weisheit auch Gerechtigkeit verbunden, und diese „ist unsterblich" (1,15). Gottebenbildlichkeit bedeutet also Teilhabe an der Weisheit und Gerechtigkeit Gottes, sowie damit auch Gemeinschaft mit seinem unvergänglichen Wesen.

Im Kontext jüdischer Auslegung beziehen sich diese Aussagen auf die Herrlichkeit Adams vor dem Einbruch der Sünde und des Todes in die Welt (vgl. Sap 2,24 und 1,13). Die paulinische Christusbotschaft dagegen hat diese mit dem Gedanken der Gottebenbildlichkeit verbundenen Gehalte auf das Erscheinen des Gottesbildes in Jesus Christus (2.Kor 4,4) bezogen. Den Anlaß dafür dürfte die christliche Osterbotschaft gegeben haben; denn mit der Auferstehung Jesu ist ja das neue, unvergängliche Leben in Erscheinung getreten. Das „Bild" dieses zweiten Adam, das alle tragen sollen

---

[150] Siehe dazu J.Jervell: Imago Dei. Gen 1,26f. im Spätjudentum, in der Gnosis und in den paulinischen Briefen, 1960, 45ff., sowie 100ff. zur rabbinischen Auslegung.
[151] Der Begriff der Weisheit vertritt (und erläutert) in Sap 9,2 die Gottebenbildlichkeit des Menschen nach Gen 1,26, wie aus der Sap 9,2b erwähnten Zweckbeziehung auf die Herrschaft über die übrigen Geschöpfe hervorgeht.

(1.Kor 15,49), ist das Bild des Schöpfers im Sinne von Gen 1,26f., nach welchem der Mensch jetzt „erneuert", neugestaltet werden soll (Kol 3,10). Das schließt dann auch – entsprechend Sap 1,15 – Gerechtigkeit ein (Eph 4,24). Aber die Grundlage dafür ist die Erscheinung des neuen, unvergänglichen Lebens in der Auferstehung Jesu. Die Hoffnung auf Teilhabe an diesem Leben wird für die Glaubenden dadurch verbürgt, daß sie jetzt schon durch die Kraft des Geistes „den neuen Menschen anziehen" (vgl. 1.Kor 15,53f., Gal 3,27), nämlich durch Gerechtigkeit und wahre Reinheit, durch Erbarmen, Güte, Milde und Großmut, sowie durch die von Jesus Christus gelehrte und gelebte Liebe (Kol 3,12f.). Hier ist die von der jüdischen Weisheit als tieferer Sinn der Gottebenbildlichkeit und Gottähnlichkeit des ersten Menschen vor dem Sündenfall herausgestellte Gemeinschaft mit Gott eschatologisch umgedeutet in die an Jesus Christus schon erschienene, endgültige Bestimmung des Menschen, an der die Glaubenden schon gegenwärtig teilhaben durch die Kraft des Geistes, der die eschatologische Wirklichkeit des „neuen Menschen" jetzt schon in ihnen wirksam sein läßt.

Damit kommt der Zusammenhang in den Blick, in den die neutestamentlichen Aussagen gehören, an denen die altkirchliche Deutung der *similitudo* und die reformatorische und nachreformatorische Deutung der Gottebenbildlichkeit des Menschen sich vorwiegend orientiert haben (bes. Kol 3,9ff. und Eph 4,24): Für ihr Verständnis entscheidend ist der eschatologische Begründungszusammenhang, der vom Anbruch des unsterblichen Lebens der eschatologischen Hoffnung in der Auferstehung Jesu Christi ausgeht. Werden die ethischen Aussagen von Kol 3 und Eph 4 aus diesem eschatologisch-christologischen Begründungszusammenhang herausgelöst, dann können sie nicht nur (in Umkehrung der paulinischen Intention bei der Rede vom neuen Menschen) zur Beschreibung der urständlichen Gottebenbildlichkeit Adams herangezogen werden, sondern leisten auch einer rein moralischen Interpretation der Bestimmung des Menschen Vorschub, wie sie sich in der modernen evangelischen Theologie entwickelt hat (s.u.).

Die patristische Theologie hingegen hat mit Recht am Zusammenhang von Gottebenbildlichkeit und Unsterblichkeit festgehalten, leider jedoch nicht so, daß beides auch im Hinblick auf die Schöpfung des Menschen als seine erst in Jesus Christus realisierte – und vorerst nur proleptisch realisierte – eschatologische Bestimmung dargestellt worden wäre. Die bei den Vätern der Alten Kirche immer wieder auftretende Erwägung, daß Adam schon im Urstand (also ohne Jesus Christus, jedenfalls ohne die Inkarnation und das Ostergeschehen) die Unsterblichkeit hätte erlangen können, wenn er nicht Gottes Gebot übertreten hätte, ist trotz eines spekulativ ausgesponnenen Anhalts an der Erwähnung des Lebensbaumes in der Paradiesesgeschichte[152] mit dem christologischen Glauben der Kirche nicht gut vereinbar. Gegenüber platonischen Auffassungen, denen zufolge die Seele schon ihrer Natur nach unsterblich ist, mag es eine in der Tat einschneidende Korrektur gewesen sein, die Unsterblichkeit als eine vom Verhalten der Menschen abhängige Gnadengabe Gottes zu unterscheiden von seiner geschöpfli-

---

[152] Gen 2,9 und 3,22. Vgl. dazu oben Anm. 127.

chen Natur¹⁵³. Auf diese Weise haben die frühchristlichen Theologen auch zum Ausdruck gebracht, daß die (nicht nur der Seele, sondern dem ganzen Menschen zugedachte) Unsterblichkeit und Unvergänglichkeit ein Teilmoment der *Bestimmung* des Menschen zur Gemeinschaft mit dem ewigen Gott ist. Aber sie haben (abgesehen von der oben 238f. erwähnten Gedankenlinie bei Irenäus) diese Bestimmung des Menschen nicht als von vornherein auf die künftige Erscheinung des ewigen Gottessohnes im Fleisch bezogen dargestellt. Der Grund dafür dürfte – einmal mehr – in der überzogenen Ausmalung der Urstandsherrlichkeit Adams zu suchen sein.

Als Folge der Vorstellungen von einer schon am Anfang der Geschichte der Menschheit voll realisierten Gottebenbildlichkeit muß es auch verstanden werden, daß das Thema der Bestimmung des Menschen zur Unvergänglichkeit sich aus dem Zusammenhang mit der Lehre von seiner Erschaffung zum Ebenbild Gottes löste. Das war jedenfalls dann der Fall, wenn mit einem Fortbestand der Gottebenbildlichkeit als uranfänglicher Setzung Gottes auch nach dem Sündenfall gerechnet wurde, während die Unsterblichkeit als Gemeinschaft mit dem ewigen Leben Gottes durch den Sündenfall zu einem unerreichbaren Hoffnungsziel geworden war, das erst durch Christus wieder zugänglich geworden ist. Die Problematik wurde noch weiter kompliziert dadurch, daß sich seit dem dritten Jahrhundert unter dem Einfluß des Platonismus der Gedanke einer der Seele ihrer Natur nach eigenen Unsterblichkeit auch in der Theologie verbreitete und besonders durch Gregor von Nyssa im Osten und Augustin im Westen zu maßgeblichem Ansehen gelangte. Die der Seele von Natur aus eigene Unsterblichkeit sollte allerdings noch nicht Teilhabe am ewigen Leben Gottes und also die Seligkeit verbürgen¹⁵⁴. Die Bestimmung des Menschen zu ewigem Leben und Seligkeit ist also zu unterscheiden von der Annahme einer hinsichtlich der Seligkeit ambivalenten, naturhaften Unsterblichkeit der Seele¹⁵⁵. Andererseits konnte die Bestimmung des

---

[153] Vgl. die Bestreitung einer naturhaften Unsterblichkeit der Seele bei Justin Dial. 5, Tatian or. ad Graecos 13,1, Irenäus adv. haer. III,20,1 (die Unsterblichkeit ist göttliches Gnadengeschenk, kein natürlicher Besitz: III,20,2). Auch nach Klemens von Alexandrien sollte die Seele des Menschen erst durch die Erkenntnis Gottes zur Unsterblichkeit gelangen (Strom. VI,68,3), während Tertullian zu den ersten gehörte, die die Seele für ihrer Natur nach unsterblich hielten: Die Seele galt ihm für unteilbar und daher unsterblich (De an. 51,5). Den Tod betrachtete er als Trennung der Seele vom Leib (51,1 und 52,1), wobei allerdings die Seele in einen geminderten Zustand übergeht (53,3), der kaum noch Leben genannt werden kann (43,4f.). Spätere Theologen wie Origenes und Augustin akzeptierten zwar die platonische Lehre von der Unsterblichkeit der Seele, hielten aber die Abhängigkeit ihres Lebens von Gott als Konsequenz der Behauptung ihrer Geschöpflichkeit fest (De civ. Dei X,31).

[154] Augustin De civ. Dei XIII,24,6.

[155] Die mittelalterliche Kirche des Westens hat 1513 auf dem V. Laterankonzil zwar die Unsterblichkeit der Seele zum Dogma erhoben (DS 1440), wollte damit aber nach dem Urteil heutiger katholischer Dogmatiker nicht eine philosophische Lehre von einer der Seele naturhaft eigenen Unsterblichkeit definieren, sondern an der über den Tod hinaus fortdauernden Bezogenheit des individuellen Menschenlebens auf den ewigen Gott festhalten. Siehe J. Ratzinger: Eschatologie – Tod und ewiges Leben, 1977, 127ff. Ratzinger spricht daher nur von einer schöpfungsmäßigen „Bestimmung" des Menschen zur Unsterblichkeit (129ff.). Vgl. auch J.B. Metz und F.P. Fiorenza in Mysterium Salutis 2, 1967, 615ff., sowie H. Mayr in LThK 10, 1965, 527f.

Menschen zum Ziel der höchsten Seligkeit als Grund für die Unsterblichkeit der menschlichen Seele bezeichnet werden, weil diese dadurch auf das Ziel der Seligkeit hingeordnet wird[156]. Diese Lehre Bonaventuras ist auch von den altprotestantischen Dogmatikern häufig angeführt worden als Argument dafür, daß wie die Unsterblichkeit, so auch die Gottebenbildlichkeit zur Natur des Menschen gehört und nicht als deren übernatürliche Ergänzung aufzufassen ist[157]. Daß die Bestimmung des Menschen, der Zweck seiner Erschaffung, über das irdische Leben hinausweist auf eine künftige Seligkeit durch Teilnahme am ewigen Leben Gottes, war bis zum 18. Jahrhundert noch allgemeine Überzeugung.

Wenn die eschatologische Bestimmung des Menschen zur Teilnahme an Gottes ewigem Leben nicht mehr als konstitutiv für seine Gottebenbildlichkeit aufgefaßt wird, da man diese nur noch in den Tugenden einer gerechten Lebensführung findet, dann kann auch die Frage aufgeworfen werden, ob nicht umgekehrt die so verstandene Gottebenbildlichkeit für das Verständnis der Bestimmung des Menschen die Grundlage bildet. Die Frage lautet dann präzise, ob die Bestimmung des Menschen primär auf ein jenseitiges Leben geht oder in erster Linie als Bestimmung zu einem moralischen Leben in dieser Welt zu verstehen ist. Über diese Frage hat im 18. Jahrhundert eine Auseinandersetzung stattgefunden[158], deren Geschichte noch ungeschrieben ist und in der sich besonders durch den Einfluß Kants und Fichtes die These eines Primats der moralischen Bestimmung des Menschen durchsetzte[159]. Dieser Vorgang ist für das Thema der Gottebenbildlichkeit des

---

[156] Bonaventura Sent. II, d 19 a 1 q 1 (Opera Omnia II, 457 ff., bes. 460): *... certum, quod anima rationalis facta sit ad participandam summam beatitudinem. Hoc enim adeo certum est ex clamore omnis appetitus naturalis, quod nullus de eo dubitat, nisi cuius ratio est omnino subversa.* Während der Finalgrund der Unsterblichkeit der Seele nach Bonaventura in ihrer Bestimmung zur Seligkeit zu erkennen ist, bildet die Gottebenbildlichkeit des Menschen ihren Formalgrund: Auf diese Weise hielt Bonaventura in der Unterscheidung doch an der Beziehung zwischen Gottebenbildlichkeit und Bestimmung des Menschen fest.

[157] So A. Calov: Systema locorum theologicorum IV, Wittenberg 1659, 444, sowie auch D. Hollaz: Examen theol. acroam. I p. II c 1 q 20 (Stargard 1707, 34 n. 3). Vgl. auch die vorausgehenden Ausführungen von Hollaz über die ewige Seligkeit des Menschen als *finis formalis* der Theologie (I p I c 7, 664 ff.) im Sinne der sog. analytischen Methode der Theologie (dazu hier Band 1,13).

[158] Literaturübersicht dazu bei K. G. Bretschneider: Systematische Entwicklung aller in der Dogmatik vorkommenden Begriffe etc., 3. Aufl. 1825, 504 f. Als Übergang zur Vorstellung einer primär moralischen Bestimmung des Menschen ist besonders die einflußreiche Schrift von J. J. Spalding: Die Bestimmung des Menschen (1748), 1769 wichtig. Vgl. vom Vf.: Gottebenbildlichkeit als Bestimmung des Menschen in der neueren Theologiegeschichte, SBAW 1979, Heft 8,16 f.

[159] Die Formel von der moralischen Bestimmung des Menschen begegnet bei Kant ziemlich häufig, z. B. Kritik der praktischen Vernunft, 1788, 168; Kritik der Urteilskraft, 1790, 168, vor allem aber Religion innerhalb der Grenzen der bloßen Vernunft (1793) 2. Aufl. 1794, 59,74,227 u. ö., vgl. Anthropologie in pragmatischer Hinsicht, 1798, 2. Theil E III (VII, 325 f.). Vor allem aber hat Kant der Sache nach den Primat der moralischen Bestimmung des Menschen vor jeder über diese Welt hinausgehenden Bestimmung zur Glückseligkeit begründet, so sehr er an

Menschen deshalb von Interesse, weil in der neueren evangelischen Theologie nun auch die Interpretation dieses Gedankens durch den der Bestimmung des Menschen teilweise im Sinne der These von der moralischen Bestimmung des Menschen erfolgte.

Herder hat die als Bestimmung des Menschen gedeutete Gottebenbildlichkeit inhaltlich vor allem durch die Stichworte „Religion und Humanität" beschrieben[160], obwohl bei ihm darüber hinaus durchaus auch das Ziel des ewigen Lebens im Blick war. Einige Theologen der Folgezeit sprachen von einer irdischen im Unterschied (aber auch in Beziehung) zur himmlischen Bestimmung des Menschen. So sah Karl Gottlieb Bretschneider die „ursprüngliche *Bestimmung* des Menschen" darin, „die ihm gegebenen Kräfte und Anlagen sowohl des Leibes als auch des Geistes nach den Gesetzen des Wahren, Guten und Schönen zu entwickeln und für dasselbe fähig zu werden"[161]. Die Unterscheidung einer vornehmlich ethisch zu verstehenden irdischen von der himmlischen Bestimmung des Menschen findet sich auch bei Carl Immanuel Nitzsch[162]. Der Sache nach hat sogar Johann Tobias Beck die Gottebenbildlichkeit des Menschen der Schöpfung in erster Linie im Zeichen seiner irdischen Bestimmung gesehen. Dabei hat Beck zwar eine Beziehung der gottebenbildlichen „Anlage" des Menschen auf die göttliche „Urbildlichkeit Christi" im Sinne gehabt, meinte aber doch, daß sich das göttliche Ebenbild „zur *persönlichen* Eigenschaft oder *virtus*" entwickeln müsse „in Folge der entsprechenden *Selbstthätigkeit* des Menschen, d.h. auf ethischem Wege"[163]. Auch nach Isaak August Dorner ist der Mensch „potenziell, d.h. nach seiner Bestimmung des ethischen Gottes Ebenbild"[164], was sich in seiner ethischen Selbsttätigkeit ausdrücken muß. Immerhin ist nach Dorner „in diesem Ebenbild als Bestimmung ... die religiöse Beziehung als der Cardinalpunkt enthalten, indem von hier die Kraft der Einigung und Vollendung der einzelnen Seiten des Menschen ausgeht". Dorner konnte daher die gottebenbildliche Bestimmung des Menschen noch einmal in enger Verbindung mit dessen Bestimmung zur Unsterblichkeit sehen[165]. Die Tendenz zu einer isolierten Betrachtung der irdischen bzw. moralischen Bestimmung des Menschen hängt mit einer verbreiteten Auffassung seiner

---

der letzteren als Konsequenz aus jener festhielt. Zu J.G.Fichte vgl. dessen Buch: Die Bestimmung des Menschen, 1800.

[160] Ideen IX,5 (hg. H.Stolpe 1,377f. vgl. 370f.).

[161] K.G.Bretschneider: Handbuch der Dogmatik der evangelisch-lutherischen Kirche 1, 3.Aufl. 1828, 752 vgl. 748. Diese Beschreibung verbindet die „irdische" mit der ewigen Bestimmung des Menschen (vgl. vom gleichen Autor: Systematische Entwicklung aller in der Dogmatik vorkommenden Begriffe, 3.Aufl. 1825, 504), aber so, wie das bei Kant der Fall war, daß nämlich die Erfüllung der ersteren die Würdigkeit für die letztere begründet.

[162] C.I.Nitzsch: System der christlichen Lehre (1829) 3.Aufl. 1837, 182f.

[163] J.T.Beck: Vorlesungen über Christliche Glaubenslehre hg. I.Lindenmeyer Bd.2, 1887, 328f., 331.

[164] I.A.Dorner: System der christlichen Glaubenslehre 1 (1879) 2.Aufl. 1886, 518. Immerhin versicherte Dorner, die freien Akte des Menschen seien „im Verhältnis zu Gott nicht produktiv", aber auch als „Acte des Empfangens" können sie entweder gesetzt oder „unterlassen" werden (517).

[165] A.a.O. 521, 522ff.

Personalität als einer fertigen Gegebenheit zusammen. Wenn in diesem Sinne wie bei Reinhold Seeberg die Gottebenbildlichkeit und Personalität des Menschen identifiziert werden, ist die Beziehung zu Gott als Ziel des Menschen nur noch insofern gegeben, als dessen Geistigkeit „seine religiöse und sittliche Anlage" in sich schließt[166]. Im 20. Jahrhundert meinte noch Paul Althaus, die Gottebenbildlichkeit des Menschen in seiner „Personhaftigkeit" erkennen zu dürfen. Immerhin erblickte er darin „die *Verfassung* des Menschen, in der er *bestimmt* ist zur Gemeinschaft mit Gott", die in Jesus Christus ihre Erfüllung gefunden hat[167]. Das könnte bedeuten, daß die personale Verfassung der menschlichen Wirklichkeit selber nicht als fertige Gegebenheit zu verstehen wäre, sondern als von ihrer zukünftigen Bestimmung her konstituiert. Bei Althaus war sie allerdings wohl eher umgekehrt als Voraussetzung und Grundlage dieser Bestimmung gedacht. Auch Emil Brunner hat die Gottebenbildlichkeit des Menschen als sein „Subjekt- oder Personsein" im Sinne einer fertigen Gegebenheit aufgefaßt, wobei er das Personsein im Sinne Kants als „verantwortliches Sein" beschrieb[168]. Er hat freilich auch betont, daß das Sein des Menschen in Selbsterkenntnis und Selbstbestimmung nicht das erste, sondern ein zweites sei, nämlich der Gottesbeziehung nachgeordnet, aber eben doch nicht in dem Sinne, daß es aus der Bezogenheit des Menschen auf die Zukunft seiner Bestimmung zur Gemeinschaft mit Gott begründet wäre[169].

---

[166] R. Seeberg: Christliche Dogmatik 1, 1924, 483 ff., 499, Zitat 501. Die Identifizierung der Gottebenbildlichkeit des Menschen mit seiner Eigenart als „persönliches Wesen" findet sich schon bei C. I. Nitzsch: System der christlichen Lehre (1829) 3. Aufl. 1837, 180 f., sowie bei J. Müller: Die christliche Lehre von der Sünde 2 (1844) 3. Aufl. 1849, 188 und 489. Die Deutung der Gottebenbildlichkeit als Personalität wurde auch in der katholischen Tübinger Schule von F. A. Staudenmaier übernommen, der aber andererseits die in der evangelischen Theologie entwickelte Interpretation der Gottebenbildlichkeit als Bestimmung des Menschen in seiner Auseinandersetzung mit F. C. Baur zurückwies (siehe A. Burkhardt: Der Mensch – Gottes Ebenbild und Gleichnis. Ein Beitrag zur dogmatischen Anthropologie F. A. Staudenmaiers, 1962, 133 ff., 155 ff.).

[167] P. Althaus: Die christliche Wahrheit. Lehrbuch der Dogmatik (1947) 3. Aufl. 1952, 336 f.

[168] E. Brunner: Natur und Gnade. Zum Gespräch mit Karl Barth, 1934, 40. Ders.: Der Mensch im Widerspruch (1937) 3. Aufl. 1941, 87 und 91, sowie Dogmatik II (Die christliche Lehre von der Schöpfung und Erlösung), 1950, 65 ff.

[169] E. Brunner: Der Mensch im Widerspruch, 93 u. ö. Brunner hat die Gottebenbildlichkeit nicht als Bestimmung des Menschen interpretiert, weil er sich nur allmählich von der Urstandslehre lösen konnte (vgl. a. a. O. 102). Er hat darum die unglückliche Unterscheidung zwischen einer „materialen", beim Sündenfall verlorengegangenen, und einer „formalen" Gottebenbildlichkeit des Menschen entwickelt, die in seiner Personalität bestehe, welche erhalten blieb (a. a. O. 166). Die Vorstellung einer formalen Gottebenbildlichkeit trat an die Stelle der altprotestantischen Rede von einem nach dem Sündenfall verbliebenen „Rest" des Ebenbildes (dazu Natur und Gnade a. a. O. 27 ff.). An der Unterscheidung zwischen formaler und materialer Gottebenbildlichkeit hat Brunner auch nach Preisgabe der Urstandslehre (Dogmatik II, 1950, 55–60, bes. 59 f.) festgehalten (67 f., 70 ff.). Unglücklich ist diese Unterscheidung im Vergleich zu derjenigen zwischen Anlage und Verwirklichung der Bestimmung des Menschen, weil die Kontinuität der Form als den Inhalt bestimmender Größe im Gegensatz zu dem paulinischen Gedanken einer Transformation des alten in den neuen Menschen (Phil 3,21, vgl. 1. Kor 15,51 ff., Röm 8,29) steht. Karl Barth hat daher der Unterscheidung von formal und material im Hinblick auf die Gottebenbildlichkeit des Menschen mit Recht widersprochen (Nein! Antwort an Emil Brunner, 1934, 26 f., vgl. KD III/2, 1948, 153 ff. bes. 155).

Wenn die Bestimmung des Menschen mit seiner Erschaffung zum Ebenbild Gottes gegeben ist, so daß ihre Beschreibung an den Implikationen der Bildbeziehung des Menschen zu Gott orientiert sein muß, dann ist der Mensch von seinem Ursprung her als Geschöpf Gottes zur Gemeinschaft mit Gott, „zum Leben mit Gott bestimmt"[170]. Sinn der Ähnlichkeit mit Gott nämlich ist die Verbundenheit mit ihm. Von dieser zukünftigen Bestimmung her ist dann auch sein gegenwärtiges Dasein, insbesondere seine Personalität zu verstehen. Sie ist die Weise, in der seine zukünftige Bestimmung sich gegenwärtig manifestiert. Alle anderen Gesichtspunkte sind dem untergeordnet. Schon die Verknüpfung des Gedankens der Gottebenbildlichkeit mit der Unsterblichkeit beruht darauf, daß die Bildbeziehung zu Gott ihr inneres Telos in der Gemeinschaft mit Gott hat. Auch die Verpflichtung des Menschen zur Gerechtigkeit, also das, was man seine moralische Bestimmung genannt hat, ist darin begründet, daß es sich dabei um die Bedingungen für das Bleiben in der Hoffnung auf die von Gott gewährte Gemeinschaft mit ihm handelt. Es sind dies Bedingungen, die nicht nur das Verhältnis des Menschen zu Gott betreffen, sondern auch das zu den Mitmenschen, weil nicht nur dieser oder jener einzelne, sondern die Menschheit zur Gemeinschaft mit Gott geschaffen ist. Die Bestimmung des Menschen zur Gemeinschaft mit Gott gilt nicht nur dem isolierten einzelnen, sondern zielt auf die Vergemeinschaftung der Menschen im Reiche Gottes. Dabei ist jedoch die gemeinsame Bestimmung zur Gemeinschaft mit Gott den Beziehungen der Menschen untereinander vorgeordnet und bildet deren Grundlage. Nur in der Gottesbeziehung also und darum von der eschatologischen Zukunft seiner Bestimmung her findet auch die moralische Selbstbestimmung des Menschen, seine sittliche Autonomie, eine feste und tragfähige Basis. Wird dieses Verhältnis umgekehrt, wie das mit weitreichender Wirkung bei Kant geschehen ist, dann verlieren die sittlichen Normen ihre verpflichtende Kraft für die Individuen. Die sittliche Vernunftautonomie wird dann schließlich im Gang der Geschichte durch die Beliebigkeit individueller Selbstbestimmung ersetzt[171]. Die Bestimmung des Menschen zur Gemeinschaft mit Gott bildet die unzerstörbare Basis für ein gegen solche Auflösungstendenzen resistentes Verständnis der Moralität. Voraussetzung dafür ist freilich, *erstens*, daß die religiöse Thematik für ein angemessenes Verständnis der Wirklichkeit des Menschen nicht entbehrlich, kein Relikt vergangener Zeitalter, sondern für das Menschsein konstitutiv ist[172], sowie

---

[170] Karl Barth KD III/2, 242 (Leitsatz).
[171] Das läßt sich anhand der Wandlungen des Autonomiebegriffs seit Kant studieren. Ihr Ergebnis hat eine philosophisch reflektierte Gestalt im Existenzialismus von J.-P. Sartre gefunden. Vgl. den Artikel von Ch. Grawe zum Stichwort Bestimmung des Menschen im HistWBPhilos 1, 1971, 856–859.
[172] Siehe dazu den vom Vf. hg. Band: Sind wir von Natur aus religiös? Schriften der Katholischen Akademie in Bayern 120, 1986, sowie, ebenfalls vom Vf.: Anthropologie in theologischer

zweitens, daß es hinreichend gute Gründe dafür gibt, gerade den Gott der Bibel für die definitive Offenbarungsgestalt der sonst in der Abgründigkeit der Welt und des menschlichen Lebens verborgenen, einigen Gotteswirklichkeit zu halten[173].

Wenn die Erschaffung des Menschen zum Ebenbild Gottes seine Bestimmung zur Gemeinschaft mit dem ewigen Gott impliziert, dann wird die Menschwerdung Gottes in Jesus von Nazareth als Erfüllung dieser Bestimmung gelten dürfen. Die Vereinigung Gottes und der Menschheit im Leben eines Menschen ist offenbar durch keine andere Form der Gemeinschaft von Gott und Menschen überbietbar. Die Berechtigung der kirchlichen Lehre über die Einheit von Gott und Mensch in der Person Jesu Christi kann allerdings an dieser Stelle noch nicht vorausgesetzt werden. Nur so viel läßt sich sagen: Wenn diese Lehre wahr ist, dann ist damit auch über die Erfüllung der gottebenbildlichen Bestimmung des Menschen als solchen entschieden. Von daher läßt sich dann verstehen, daß die paulinischen und deuteropaulinischen Schriften des Neuen Testaments von Jesus Christus als dem einen Ebenbild Gottes sprechen konnten. Sie taten das allerdings nicht schon unter Voraussetzung der späteren Lehre von der Gottheit Jesu, sondern im Zusammenhang der Verkündigung des Evangeliums von der Auferweckung des Gekreuzigten, das den Ausgangspunkt auch für die Lehre von der ewigen Gottessohnschaft Jesu gebildet hat.

Wenn nun aber die Bestimmung des Menschen in seiner Erschaffung zum Ebenbild Gottes ihre Erfüllung – im Hinblick auf die übrigen Glieder des Menschengeschlechts eine proleptische Erfüllung – gefunden hat durch die Gemeinschaft von Gott und Mensch in Jesus Christus, dann muß auch gesagt werden, daß die Erschaffung des Menschen zum Ebenbild Gottes von Anfang an bezogen war auf diejenige Erfüllung, die in der Geschichte Jesu von Nazareth eingetreten bzw. angebrochen ist[174]. Wie aber ist diese Beziehung genauer zu verstehen? Bedeutet sie nur, daß *in der Absicht Gottes* bereits die Erschaffung des Menschen auf die in der Inkarnation des Sohnes realisierte Gemeinschaft Gottes mit dem Menschen bezogen war? Oder be-

---

Perspektive, 1983. Der Aufweis der für die verschiedensten Aspekte menschlicher Wirklichkeit konstitutiven Relevanz der religiösen Thematik, bleibe sie nun implizit oder trete sie explizit hervor, ist der zentrale Gegenstand dieses Buches.

[173] Siehe dazu Bd. 1, Kap. 4 (Die Offenbarung Gottes) im Zusammenhang mit der vorausgehenden Erörterung der einander widerstreitenden Wahrheitsansprüche der Religionen und mit der Explikation des Offenbarungsgedankens durch die Gotteslehre in Kap. 5 und 6 des Bandes. Die Glaubwürdigkeit der auf die Gottheit des biblischen Gottes bezogenen Wahrheitsansprüche der christlichen Lehre ist aber nicht schon hinreichend erhärtet durch die Klärung des Gottesgedankens. Dazu gehört vielmehr auch die Möglichkeit, diesen Gott als Urheber und Vollender der Welt des Menschen verstehen zu können, wie es Gegenstand der christlichen Lehre von der Heilsökonomie Gottes ist, angefangen von der Schöpfung bis hin zur Eschatologie.

[174] Der mit dieser Formulierung vorerst noch vage umschriebene Sachverhalt wird im nächsten Kapitel genauer erörtert werden.

deutet sie, daß die geschöpfliche Wirklichkeit des Menschen selbst von Anfang an durch ein Verwiesensein auf Gott und auf jene Gemeinschaft mit ihm charakterisiert ist, die in Jesus Christus verwirklicht worden ist?

Karl Barth hat die Beziehung des Menschen als Geschöpf auf die durch Gottes Bund mit Israel angebahnte und in Jesus Christus zur Erfüllung gelangte Gemeinschaft des Menschen mit Gott als der geschöpflichen Wesensart des Menschen äußerliche Absicht Gottes mit ihm dargestellt[175]. Er konnte daher die früher (KD I/1,251) von ihm geteilte reformatorische und nachreformatorische Annahme eines Verlustes der Gottebenbildlichkeit Adams durch den Sündenfall aufgeben: „Was der Mensch nicht besitzt, das kann er wie nicht vererben, so auch nicht verlieren. Und so kann andererseits auch Gottes Absicht bei des Menschen Erschaffung und die damit aufgerichtete Verheißung und Zusage doch nicht wohl verloren gegangen, keiner totalen oder partiellen Zerstörung unterworfen worden sein" (III/1,225). Die Auffassung der Gottebenbildlichkeit des Menschen als einer die „physische Geschlechterfolge" nur begleitenden „Verheißung und Zusage" Gottes hat ihren Grund in Barths Ablehnung des exegetisch naheliegenden Verständnisses von Gen 5,1–3, wonach die Gottebenbildlichkeit in der Geschlechterfolge selbst weitergegeben wird (s.o. 246f.). Allerdings wollte Barth seinerseits an einer Entsprechung der „geschöpflichen Art" des Menschen zu seiner „göttlichen Bestimmung" festhalten (III/2,244). Diese Entsprechung erblickte Barth darin, daß Humanität ein „*Sein in der Begegnung mit dem anderen Menschen*" ist (296), wie es gleichnishaft in dem Miteinander von Mann und Frau dargestellt sei (344–391). Dabei ist die Deutung der Gottebenbildlichkeit auf die Beziehung der Geschlechter vorausgesetzt, die bereits oben (235f.) als exegetisch nicht haltbar beurteilt werden mußte. Daß die in der Schöpfung begründete Gemeinschaft von Mann und Frau im Epheserbrief (Eph 5,31f.) auf das Verhältnis zwischen Christus und seiner Kirche bezogen wird (dazu Barth III/2,377ff.), hängt mit der Gottebenbildlichkeit und der in ihr begründeten Bestimmung des Menschen nur indirekt zusammen, nämlich insofern sich diese Grundaussage über den Menschen auf die Menschheit in der Vielzahl ihrer Glieder bezieht (s.o. 246f.). Das wird noch in anderm Zusammenhang zu erörtern sein. Jetzt interessiert vor allem, daß nach Barth der Sachverhalt der Mitmenschlichkeit zwar ein Gleichnis der Bestimmung des Menschen zur Gemeinschaft mit Gott ist, aber nicht von sich aus als solches erkennbar ist, „eine Wirklichkeit, die die Ankündigung seiner Bestimmung zum Sein mit Gott zwar enthält, aber eben nur enthält und also ebensowohl verschweigt wie ausspricht und nur dann ausspricht, wenn sie durch Gottes Gnade und Offenbarung und in der durch sie erweckten Erkenntnis des Glaubens zum Sprechen kommt" (III/2,387f.). Es bleibt also bei der Äußerlichkeit der göttlichen Absicht im Verhältnis zur geschöpflichen Lebenswirklichkeit des Menschen. Diese ist nicht im Sinne der göttlichen Absicht auch von sich aus auf Gott und das Sein mit Gott gerichtet. Die gleichnishafte Darstellung der Bestimmung zur Gemeinschaft mit Gott in der geschöpflichen Wesensart des Menschen findet nach Barth gerade nicht in der religiösen Thematik des menschlichen Lebens statt, sondern in der ihr gegenüber neutralen Sphäre der Mitmenschlichkeit, kon-

---

[175] Ähnlich auch H. Thielicke: Theologische Ethik I, 1951, 276 und 278f.

zentriert in der Beziehung der Geschlechter. Diese tritt damit geradezu an die Stelle der religiösen Bestimmung des Menschen, wie es ja in der Tat auch für das Verhalten der Menschen in einer säkularisierten Kulturwelt weithin zutreffen mag, dort aber doch wohl im Sinne einer Verkehrung der Bestimmung des Menschen zur Gotteserkenntnis, die sich durch Unterscheidung der Wirklichkeit Gottes von allem Kreatürlichen vollziehen sollte. Daß die Menschen Gott nicht unterschieden haben von den Gestalten der kreatürlichen Wirklichkeit und ihn also „nicht als Gott verherrlicht und ihm gedankt haben", das ist nach Paulus (Röm 1,21 ff.) Ausdruck und Kennzeichen ihrer Sünde und Torheit. Dabei ist doch wohl vorausgesetzt, daß die Menschen als Geschöpfe Gottes dazu berufen sind, Gott als Gott – in seiner Verschiedenheit von allem Kreatürlichen – zu ehren und ihm zu danken. Das ist die religiöse Thematik des menschlichen Lebens, die in Barths theologischer Anthropologie so merkwürdig vielsagend umgangen und beschwiegen wird. Noch in ihrer von Paulus wie von der prophetischen Religionskritik vor ihm enthüllten Verkehrung ist diese Thematik als Inhalt der Bestimmung des Menschen als Geschöpf erkennbar.

Wenn der Mensch durch seine Erschaffung zum Ebenbild Gottes darauf verwiesen ist, Gott zu suchen und ihn als Gott, d.h. als den Schöpfer und Herrn aller Dinge, zu ehren, ihm als dem Urheber alles Lebens und jeder guten Gabe zu danken, dann ist eine Anlage dazu im Leben jedes Menschen anzunehmen, so sehr sie auch im Einzelfall verschüttet sein mag. Die Bestimmung des Menschen zur Gemeinschaft mit Gott, die in seiner Erschaffung zu Gottes Ebenbild begründet ist, kann dem realen Lebensvollzug der Menschen nicht äußerlich bleiben. Sie besteht nicht in einer der geschöpflicher Art des Menschen äußerlichen Absicht des Schöpfers mit ihm, die erst durch das Erscheinen Jesu Christi auf der Ebene menschlicher Lebenswirklichkeit erkennbar würde. Wäre das der Fall, dann wäre es dem Schöpfer offenbar nicht gelungen, seine Absicht in seinem Werk Gestalt werden zu lassen oder dieses sein Werk zumindest in Bewegung zu setzen auf das ihm bestimmte Ziel hin. Die Absicht des *Schöpfers* kann seinem Geschöpf nicht so ohnmächtig und äußerlich gegenüberstehen. Der Lebensvollzug des Geschöpfes muß vielmehr als von seiner göttlichen Bestimmung innerlich bewegt gedacht werden, – auch dann, wenn die Realisierung dieser Bestimmung aus noch zu erörternden Gründen nicht schon am Anfang der Geschichte des Menschen abgeschlossen ist, sondern erst als Ziel und Vollendung dieser Geschichte erreicht sein wird. Am Anfang muß zumindest die Anlage auf dieses Ziel hin stehen.

Seit dem Aufkommen der Interpretation der Gottebenbildlichkeit als Bestimmung des Menschen ist in der neueren evangelischen Theologiegeschichte auch von einer Anlage der menschlichen Natur auf dieses Ziel hin gesprochen worden. So heißt es bei Carl Immanuel Nitzsch, die Gottebenbildlichkeit des Menschen sei sowohl als Anlage als auch als Bestimmung zu verstehen[176]. In ähnlichem Sinne betrachtete Isaak August Dorner die Gottebenbildlichkeit des Menschen als Gegenstand seiner Bestimmung, aber auch schon als „ursprüngliche Gabe"[177]. Paul Althaus sprach von der „*Verfassung* des Menschen, „in der er bestimmt ist zur Gemeinschaft mit Gott"[178]. Die Frage ist nur, wie der Weg von der Anlage zu ihrer Entfaltung und Verwirklichung zu denken ist. Die Verbindung des einen mit dem andern haben nicht wenige der neueren Theologen in der Betätigung der dem Menschen gegebenen Anlage durch ihn selber gesucht: „... durch ihre Entfaltung nicht bloss, sondern durch ihre freie Betätigung hindurch wird die Bestimmung erreicht"[179]. Auch Dorner konnte von einer „Vermittelung" sprechen, „durch welche das ethisch Nothwendige und zum Wesen des Menschen Gehörige, in seinem Willen *Wirklichkeit* werden soll"[180]. Sogar bei Martin Kähler liest man von der Gottebenbildlichkeit des Menschen als einer „Anlage ..., welche eine zu erfüllende Aufgabe in sich schließt". Als Persönlichkeit nämlich „besitzt er die Fähigkeit, zu Gott in Verhältnis zu treten"[181]. Natürlich haben diese Theologen dabei die Abhängigkeit des Menschen von seinem Schöpfer vorausgesetzt. Dennoch hat Hans Lassen Martensen derartige Auffassungen von der Realisierung der Gottebenbildlichkeit durch menschliche Selbsttätigkeit nicht ganz zu Unrecht auf die „pelagianische Dogmatik" zurückgeführt. Er selbst wollte daher statt von einer Anlage lieber von einem „lebendigen *Anfang* des wahren Gottesverhältnisses" im Ursprung der Menschheit sprechen[182]. Unabhängig von der terminologischen Entscheidung kommt es jedenfalls auf die Einsicht an, daß die Verwirklichung der Anlage zur Gottebenbildlichkeit nicht einfach als Aufgabe menschlicher Selbsttätigkeit gedacht werden kann, sondern Sache Gottes und seines Handelns mit dem Menschen ist, so wenig dadurch die Beteiligung, auch die tätige Beteiligung des Menschen am Prozeß seiner eigenen Geschichte ausgeschlossen sein darf. Nur Gott kann das Bild seiner selbst im Menschen zum Leuchten bringen. Es liegt darum eine auch in der Theologie zu beherzigende Mahnung in Herders Bemerkung, der Mensch könne das in ihm angelegte Gottesbild nicht selber aushauen und ausbilden (s.o. bei Anm. 146), sondern sei dazu angewiesen auf das Wirken der göttlichen Vorsehung durch Tradition und Lehre, Vernunft und Erfahrung. In dem Augenblick, in welchem der Mensch seine Bestimmung zur Gemeinschaft mit Gott in eigne Regie nimmt, ist er schon Sünder, hat er das Ziel bereits verfehlt.

Die Anlage des Menschen auf seine Bestimmung zur Gemeinschaft mit Gott hin ist nicht ihm selber zur Entfaltung überlassen. Auf dem Wege zu seiner Bestimmung und im Verhältnis zu ihr ist der Mensch nie schon ferti-

---

[176] C.I.Nitzsch: System der christlichen Lehre (1829) 3.Aufl. 1837, 181.
[177] I.A.Dorner: System der christlichen Glaubenslehre 1 (1879) 2.Aufl. 1886, 515.
[178] P.Althaus: Die christliche Wahrheit. Lehrbuch der Dogmatik (1947) 3.Aufl. 1952, 337. Vgl. auch die Ausführungen von E.Schlink über Gottebenbildlichkeit als „Ursprung und Bestimmung": Ökumenische Dogmatik 1983, 117f.
[179] Th.Haering: Der christliche Glaube, 1906, 248.
[180] I.A.Dorner: System der christlichen Glaubenslehre 1 (1879) 2.Aufl. 1886, 515.
[181] M.Kähler: Die Wissenschaft der christlichen Lehre (1883) 2.Aufl. 1893, § 300f. (p.262).
[182] H.L.Martensen: Die christliche Dogmatik (dt. 1856) 1870, 139.

ges Subjekt, sondern Thema einer Geschichte, in der er erst wird, was er doch schon ist[183]. Das Ziel ist ihm primär unbestimmt gegenwärtig, nicht einmal *als* Ziel, sondern in dem unbestimmten Vertrauen, das den Horizont der Welterfahrung und der Intersubjektivität eröffnet[184], sowie andererseits im unruhigen Drang zur Überschreitung jeder endlichen Gegebenheit. Diese Unruhe und das mit ihr verbundene Gefühl des Ungenügens können gewiß auch Ausdruck einer Schwäche des Menschen sein, Ausdruck der Unfähigkeit nämlich, sich zu bescheiden bei der Endlichkeit der eigenen Lebensmöglichkeiten, und der Gefahr, diese darüber zu versäumen[185]. Dennoch bekundet sich darin auch ein Wissen darum, daß der letzte Horizont, in welchem der wahre Sinn aller Gegebenheiten des Lebens aufscheint, den ganzen Umkreis des Endlichen übersteigt. Man hat die Eigenart der menschlichen Lebensform, exzentrisch beim andern der Dinge und Wesen als einem andern zu sein[186] im Wissen um einen ihre Endlichkeit überschreitenden Horizont, daher auch verbunden mit der Fähigkeit zum Aufbruch in immer wieder neue Erfahrungen, als Weltoffenheit bezeichnet[187]. Genauer müßte von einer Offenheit über alles Endliche hinaus die Rede sein, die auch den Horizont der Welt selbst überschreitet, weil nämlich erst im Gewahrsein des Unendlichen der Gedanke der Welt als Inbegriff alles Endlichen gebildet werden kann. Jede Hinwendung eines Menschen zu einem endlichen Wesen oder Gegenstand ist schon vermittelt durch ein unthematisches Bewußtsein eines jeden solchen Gegenstand weit überschreitenden Feldes und kommt im Licht des Unendlichen auf den Gegenstand zurück[188].

---

[183] Das hat tiefsinnig C. I. Nitzsch ausgesprochen, indem er „die wahre Ebenbildlichkeit oder Persönlichkeit" des Menschen „zugleich als Anlage und als Bestimmung" zu denken forderte. „Die menschliche und also geistige Seele soll was sie *ist* auch *werden* ..." (a.a.O. 181 f.). Entscheidend ist allerdings, daß dieses Werden der eigenen Identität sich nicht vollzieht als handelndes Hervorbringen seiner selbst, sondern als Bildungsgeschichte des Subjekts. Vgl. zur Sache vom Vf.: Anthropologie in theologischer Perspektive, 1983, 488–501 und die Ausführungen zur Identitätsbildung dort 185–235.
[184] Siehe vom Vf.: Anthropologie in theologischer Perspektive, 1983, 219–227.
[185] Mit diesem Satz soll eine gewisse Einseitigkeit der Ausführungen des Vf. in seinem Buch: „Was ist der Mensch? Die Anthropologie der Gegenwart im Lichte der Theologie", 1962, 9 ff. über die Weltoffenheit des Menschen als Überschreitung des endlich Gegebenen korrigiert werden.
[186] Anthropologie in theologischer Perspektive, 1983, 58 ff.
[187] Näheres dazu a.a.O. 33 ff. und 60 ff. zu H. Plessners Kritik an einer zu undifferenzierten Verwendung der Bezeichnung Weltoffenheit zur Kennzeichnung menschlichen Verhaltens.
[188] Vgl. dazu die Ausführungen Karl Rahners über den *excessus* der Erkenntnis über den sinnlichen Gegenstand als Bedingung seiner Erfassung: Geist in Welt. Zur Metaphysik der endlichen Erkenntnis bei Thomas von Aquin (1957) 3. Aufl. 1964, 153–172. Vgl. auch ders.: Grundkurs des Glaubens. Einführung in den Begriff des Christentums, 1976, 42 ff. über den Menschen „als das Wesen eines *unendlichen* Horizontes" (42). Rahners Reden vom „Vorgriff" auf diesen Horizont ist insofern mißverständlich als dabei ein vorgreifendes Subjekt schon vorausgesetzt zu sein scheint, während doch auch nach Rahner „das Aufgehen des unendlichen Seinshorizontes von diesem selbst her" (45) menschliche Subjektivität allererst konstituiert.

Nur so, in gesteigertem Bewußtsein dieser Bewegung, wird auch die Schönheit der endlichen Dinge und Wesen wahrnehmbar.

Der konstitutionellen Offenheit des menschlichen Bewußtseinslebens für die Unendlichkeit des Geistes und sein Wirken steht nicht entgegen, daß die Menschen in ihrem eigenen Lebensvollzug nicht nur mancherlei Beschränkungen unterliegen, sondern auch dieser oder jener Form einer sich verhärtenden Beschränktheit bis hin zur Verschlossenheit verfallen können. Das Phänomen menschlicher Beschränktheit läßt sich seinerseits nur auf dem Hintergrund der konstitutionellen Offenheit des Menschen erfassen. Das gilt auch für die darin angelegte, implizite Gottoffenheit[189], die früher als *notitia Dei insita* erörtert wurde[190]. Sie ist nicht von vornherein als ein Bezogensein *auf Gott* dem Bewußtsein gegenwärtig, sondern erst im Rückblick, von geschichtlich konkreter Gotteserfahrung her, als solches identifizierbar. Dabei liegt sie nicht nur den verschiedenen Formen expliziter Religiosität zugrunde, sondern bildet auch noch die Möglichkeitsbedingung des Unglaubens und der existenziellen Verschlossenheit gegen Gott.

Die religiöse Thematisierung des Woraufhin jener konstitutionellen Offenheit des Menschen ist – wie andere menschliche Lebensformen auch – ein tief zweideutiges Phänomen[191]. Sie weiß sich zwar gegründet auf eine Selbstbekundung der göttlichen Wirklichkeit, hat aber immer auch etwas davon an sich, daß die Menschen ihre Bestimmung zur Gemeinschaft mit Gott selber in die Hand nehmen, um Anteil zu erlangen am göttlichen Leben. Das Sein-wie-Gott ist zwar die Bestimmung des Menschen – gerade darum auch verführerisch für ihn (Gen 3,5). Aber wenn die Menschen die Gottgleichheit an sich reißen „wie einen Raub" (Phil 2,6), – sei es auf dem Wege des religiösen Kultus oder auch im Gegenteil durch Emanzipation von aller religiösen Bindung, – dann wird ihre Bestimmung gerade verfehlt. Das ist der Grund, weshalb sie nicht unmittelbar durch menschliches Handeln zu gewinnen ist. Realisiert wird sie nur da, wo der Mensch sich von Gott unterschieden weiß und sich selbst in seiner Endlichkeit Gott gegenüber annimmt als sein Geschöpf. Damit gibt er Gott die Ehre seiner Gottheit, indem er ihn von allem Endlichen unterscheidet.

Das klingt einfach. Aber es ist mit der Selbstbehauptung eines endlichen Wesens nicht leicht zu vereinbaren, obwohl das Annehmen der eigenen Unterschiedenheit von Gott die Selbständigkeit des Geschöpfes, sogar seine tätige Selbständigkeit im Wissen um die eigene Endlichkeit voraussetzt. Gerade der Mensch ist als Geschöpf freigesetzt zu solcher Selbständigkeit. Mit der Fähigkeit zur Selbsttranszendenz und zur Überschreitung jeder endlichen Gegebenheit sind die Menschen zur Selbstbestimmung ihres Verhal-

---

[189] Vgl. dazu vom Vf.: Anthropologie in theologischer Perspektive, 1983, 166f.
[190] Bd. 1 des vorliegenden Werkes 121–132.
[191] Dazu Bd. 1, 188–205.

tens nach eigener Wahl berufen. Aber damit verbindet sich das Überschreiten jeder Grenze im Zuge der eigenen Selbstbehauptung. Darum wird die Selbstunterscheidung von Gott nur da vollziehbar, wo Menschen durch den Geist Gottes schon über sich selber erhoben und so dazu befähigt sind, die eigene Endlichkeit anzunehmen.

Nur unter der Bedingung der Selbstunterscheidung von Gott durch Annahme der eigenen Endlichkeit in ihrer Verschiedenheit von Gott kann das Geschöpf dem Schöpferwillen Gottes entsprechen, der es in seiner Besonderheit und so in seiner Endlichkeit gewollt hat. Nur so gibt das Geschöpf Gott die Ehre, die ihm als seinem Schöpfer gebührt, verbunden mit dem Dank für alles, was das Geschöpf ist und hat. Nur durch die Annahme der eignen Endlichkeit als von Gott gegeben gelangt der Mensch zu der Gemeinschaft mit Gott, die in der Bestimmung des Menschen zur Gottähnlichkeit impliziert ist. Mit andern Worten: Die Menschen müssen dem Bilde des Sohnes gleichgestaltet werden, seiner *Selbstunterscheidung* vom Vater. So werden sie auch an der *Gemeinschaft* des Sohnes mit dem Vater teilnehmen.

Im Sohn ist das Gottesbild im Sinne voller Ähnlichkeit nicht deshalb realisiert, weil er sich Gott gleich oder ähnlich machte, sondern vielmehr dadurch, daß er sich vom Vater und den Vater von sich unterschied, um so den Vater als den einen Gott zu offenbaren. Damit entspricht der Sohn dem Vatersein Gottes so sehr, daß nur in der Beziehung zu ihm der Vater von Ewigkeit her Vater und Gott ist. Nur in dem Maße, in welchem die Selbstunterscheidung des Sohnes vom Vater im Gegenüber des Menschen zu Gott menschliche Gestalt gewinnt, kommt der „Gott entsprechende Mensch"[192] zum Vorschein, der als Ebenbild Gottes zur Gemeinschaft mit ihm bestimmt ist.

Die Bestimmung des Menschen zur Gottebenbildlichkeit ist also seine Bestimmung dazu, daß der Sohn in seinem Leben menschliche Gestalt annehme, wie es definitiv im Ereignis der Inkarnation geschehen ist. Die Inkarnation des Sohnes ist kein in dem Sinne „übernatürliches" Ereignis, daß sie mit der Natur des Geschöpfes und insbesondere des Menschen nichts

---

[192] So der Titel von E. Jüngels „Bemerkungen zur Gottebenbildlichkeit des Menschen als Grundfigur theologischer Anthropologie" in H. G. Gadamer/P. Vogler: Neue Anthropologie Bd. 6, 1975, 342–372, bes. 343 ff. Jüngel schreibt, daß „der Mensch durch die Menschwerdung Gottes als das für Gott offene Wesen definiert ist" (349). Daran ist richtig, daß die Inkarnation als Realisierung dieser Bestimmung des Menschen zu verstehen ist und daß darum erst von ihr her der Sinn dieser Bestimmung eindeutig bezeichnet werden kann. Doch ist der Mensch schon von der Schöpfung her Mensch, und zwar auch im Sinne der Bestimmung zur Gemeinschaft mit Gott. Dementsprechend schließt auch für Jüngel die Offenheit des Menschen für Gott seine Weltoffenheit ein (349). In Jüngels Satz, die Identifizierung Gottes mit dem Menschen Jesus lasse auch den Unterschied zwischen Gott und Mensch „allererst scharf hervortreten" (350), klingt das hier betonte Motiv der Selbstunterscheidung als Bedingung der Einheit an, allerdings nicht ausdrücklich im Hinblick auf die Selbstunterscheidung *des Menschen* von Gott (siehe aber 351).

oder nur äußerlich zu tun hätte. In der Inkarnation des Sohnes kommt vielmehr das geschöpfliche Dasein in seiner Unterschiedenheit von Gott, aber gerade so auch in seiner Bestimmung zur Gemeinschaft mit Gottes eigenem Sein zur Vollendung, – zu einer antizipatorischen Vollendung, wie sich noch zeigen wird.

Damit erhält auch der Auftrag an den Menschen zur Herrschaft über die anderen Geschöpfe noch einmal eine neue Wendung: Die Menschen werden dem Auftrag zur stellvertretenden Wahrnehmung der Herrschaft Gottes in der Schöpfung erst dann in rechter Weise nachkommen, wenn sie durch Annahme ihrer eigenen Endlichkeit die Gemeinschaft mit dem ewigen Leben Gottes erlangen, durch die alle Geschöpfe, die unter dem Schmerz der Vergänglichkeit leiden, mit ihrem Schöpfer versöhnt werden sollen (vgl. Röm 8,19ff.). Annahme der eigenen Endlichkeit muß auch einschließen, daß jedem anderen Geschöpf in den Grenzen seiner Endlichkeit die ihm gebührende Achtung erwiesen wird. Damit kommt die Vielheit der Geschöpfe als eine Ordnung in den Blick, in der jedes von ihnen seinen Platz hat. Nur so kann der Mensch die ganze Schöpfung im Lobe ihres Schöpfers zusammenfassen und dem Schöpfer mit dem Dank für das eigene Dasein zugleich den Dank für alle seine Geschöpfe darbringen.

3. Sünde und Erbsünde

a) Der schwierige Zugang zum Thema der Sündenlehre

Es gibt wohl kaum ein anderes Thema christlicher Lehre vom Menschen, das für das moderne Bewußtsein so tief verschüttet ist wie das Thema Sünde und der Zugang zu ihm. Das liegt nicht nur an den die kirchliche Lehre von der Erbsünde belastenden Problemen, die in der protestantischen Theologie des 18. Jahrhunderts und mit einer Phasenverschiebung auch in der katholischen Theologie des 20. Jahrhunderts zu ihrer Auflösung geführt haben[193]. Mit dem Wegfall der Erbsündenlehre wurde das Gewicht, das reformatorische Theologie und evangelische Frömmigkeit auf die Erkenntnis der Sünde als Bedingung der Erlösungsgewißheit gelegt haben, erst recht problematisch. Es nahm nun zwanghafte Züge an, besonders in der Erweckungsfrömmigkeit, die unter den Bedingungen der modernen Entwicklung noch einmal die Konzentration auf die Sünde als Voraussetzung des christlichen Erlösungsglaubens erneuern wollte, und zwar auf der Basis der Selbsterfahrung des einzelnen[194]: Dieser Frömmigkeitstypus scheint bei un-

---

[193] Zur Entwicklung in der katholischen Theologie siehe H. M. Kösters: Urstand, Fall und Erbsünde in der katholischen Theologie unseres Jahrhunderts, 1983.

[194] Siehe dazu vom Vf.: Protestantische Bußfrömmigkeit, in dem Band: Christliche Spirituali-

gezählten Menschen in eine Leidensgeschichte seelischer Unterdrückung geführt zu haben. Bei einigen von ihnen wurde damit auch seelisches Potential zur Emanzipation von solchen Zwängen aufgebaut. Solche Emanzipation hat dann allerdings in vielen Fällen nicht nur zur Ablehnung der Erweckungsfrömmigkeit als einer Quelle unechter Schuldgefühle, sondern zur Abwendung vom Christentum überhaupt geführt. Geradezu exemplarisch und mit breitester öffentlicher Wirkung geschah das bei dem Pastorensohn Friedrich Nietzsche[195]. In den evangelischen Kirchen selber ist dieses Alarmzeichen erst spät und bis heute nur selten in seiner tiefreichenden Bedeutung verstanden worden, so daß im Protestantismus die mit der Erweckungsfrömmigkeit verbundene Problematik nicht nur die Abwanderung vieler Menschen aus der Kirche und eine Verunsicherung der Verbliebenen verursacht, sondern auch mancherlei Abschwächung erfahren hat, aber nicht in der Tiefe überwunden worden ist. Man muß diese Sachlage vor Augen haben, um die emotional besetzte Tabuisierung des Themas Sünde im öffentlichen Bewußtsein der aus christlich geprägten Kulturen hervorgegangenen säkularen Gesellschaften zu verstehen.

Die Auflösung der traditionellen Lehre von der Sünde, besonders der Vorstellung von einer Erbsünde, ging im Protestantismus dem Aufkommen der Erweckungsfrömmigkeit voraus und gehört zu deren Voraussetzungen. Die Lehre von der Erbsünde ist vereinzelt schon im 16. Jahrhundert, besonders von den Sozinianern, als unbiblisch und für das sittliche Bewußtsein des Menschen anstößig abgelehnt worden[196]: Daß Gott die Sünde Adams dessen Nachkommen als Schuld zugerechnet haben sollte, noch bevor diese ihrerseits irgendeine böse Tat begangen haben, wurde als empörend für das sittliche Empfinden zurückgewiesen. Diese Vorstellung verletzt, wie es schien, den Grundsatz, daß eine jede Person nur für die von ihr selbst oder mit ihrer Zustimmung begangenen Taten verantwortlich sein kann, nicht aber für die Taten eines andern, zumal eines Vorvaters, auf dessen Verhalten die Nachkommen keinerlei Einfluß haben konnten. Die Vorstellung aber, daß Gott selbst diesem Grundsatz entgegen handle, indem er den Kindern Adams die Sünde ihres Ahnherrn zurechnet, erschien als unvereinbar mit dem Glauben an Gottes Gerechtigkeit und an seine vergebende Liebe. Dem Gewicht dieser Argumentation konnte sich im 18. Jahrhundert auch die evangelische Theologie lutherischer und reformierter Prägung nicht mehr entziehen. Das hing damit zusammen, daß die biblische Grundlage je-

---

tät. Theologische Aspekte, 1986, 5-25. Vgl. auch J.Werbick: Schulderfahrung und Bußsakrament, 1985, 7ff.

[195] Die Bedeutung der Moralkritik für den Atheismus Nietzsches hat B.Lauret: Schulderfahrung und Gottesfrage bei Nietzsche und Freud, 1977, herausgearbeitet (bes. 129-190).

[196] Grundlegend dafür ist Faustus Socinus: Praelectiones Theologicae, Racov 1609, c.4 (*An sit et quale sit peccatum originis*) p.10-14, bes. 13f. Nach Sozzini ist Ps 51,7 figurativ zu verstehen (12), während das ἐφ᾽ ᾧ von Röm 5,12 soviel bedeute wie *eo quod* oder *quatenus* (14).

ner Vorstellung, vor allem die Deutung des Pauluswortes Röm 5,12[197], jetzt zweifelhaft wurde, da die evangelische Theologie nun grundsätzlich bereit war, nicht nur die katholische, sondern auch die protestantische Kirchenlehre kritisch am Zeugnis der Schrift zu messen und entsprechend unbefangen den Sinn der Schriftworte zu untersuchen. Je weniger sich aus der Schrift eine hinreichend tragfähige Basis für die Erbsündenlehre erheben ließ, um so schwerer mußte die gegen sie gerichtete Sachkritik ins Gewicht fallen[198]. Übrig blieb der Befund eines Übergewichts der sinnlichen Strebungen im Menschen über seine Vernunft, ein Befund, den man aus der Schrift, besonders aus Röm 7,7ff. und 7,14ff. entnahm und durch Erfahrung bestätigt fand[199]. Auch eine Vererbung dieses noch in Kants praktischer Philosophie angenommenen Mißverhältnisses von Sinnlichkeit und Vernunft blieb vorstellbar[200]. Die Frage war nur, ob dieses Erbe noch als Sünde bezeichnet werden kann, wenn anders es zum Begriff der Sünde als Schuld gehört, daß sie dem Täter nur aufgrund freier Entscheidung seines Willens zugerechnet werden kann[201].

Diese Frage ist in der Theologiegeschichte des 19. Jahrhunderts lange nicht zur Ruhe gekommen. Karl Gottlieb Bretschneider hat sie verneint[202], ebenso später

---

[197] J.G. Töllner hat diesem Wort eine eingehende und wichtige Abhandlung gewidmet: Theologische Untersuchungen 1.Bd. 2.Stück, 1773, 56–105 (Über Römer 5 v.12 bis 19). Töllner übersetzt den Text so wie viele heutige Exegeten, daß nämlich der Tod zu allen Menschen durchdrang, „weil sie alle gesündigt haben" (62).

[198] In dieser Richtung wirkte Töllners Untersuchung „Die Erbsünde" bahnbrechend (a.a.O. 105–159). Vgl. bes. 153f. In der Sache hatte J.F.W. Jerusalem wichtige Punkte der Auffassung Töllners schon vorausgenommen. Siehe seine Betrachtungen über die vornehmsten Wahrheiten der Religion 2.Theil, 2.Bd., 4.Abschnitt: Lehre von der moralischen Regierung Gottes über die Welt oder Geschichte vom Falle, Braunschweig 1779, 465–559, bes. 513ff., 531ff.

[199] J.G. Töllner a.a.O. 116, 122ff.

[200] F.V. Reinhard: Vorlesungen über die Dogmatik hg. J.G.I. Berger 1801 betrachtete das Mißverhältnis von Sinnlichkeit und Vernunft in den Menschen als „eine von unsern Eltern auf uns fortgeerbte moralische Krankheit" (196, vgl. 301ff.), die durch den Genuß der giftigen Früchte des Paradiesesbaumes bei den ersten Menschen verursacht worden sei (287f., vgl. 276). Dabei wendete er sich heftig gegen eine Zurechnung der Sünde Adams als Schuld an seine Nachkommen (288ff., § 81), unter Berufung auf J.D. Michaelis: Gedanken über die Lehre der heiligen Schrift von Sünde und Genugthuung als eine der Vernunft gemäße Lehre, 1799 (2.Ausg.) §§ 40–43 (384ff.). Zu diesem Thema hatte sich auch Töllner schon mit besonderer Schärfe geäußert (a.a.O. 154).

[201] Töllner wollte daher den Gedanken der „Anerbung" lieber auf „ein *Erbübel* oder eine Erbschwachheit oder eine angeerbte Sündlichkeit" bezogen wissen (a.a.O. 125). Andere Theologen wie Reinhard fühlten sich durch den paulinischen Gebrauch des Wortes „Sünde" in Röm 7 „von der Sinnlichkeit, die wir als die Erbsünde beschrieben haben" (a.a.O. 303), veranlaßt, an der Bezeichnung des Sachverhalts als Sünde festzuhalten. Eine Übersicht über die unterschiedlichen Stellungnahmen zu dieser Frage findet sich bei K.G. Bretschneider: Systematische Entwicklung aller in der Dogmatik vorkommenden Begriffe etc., 3.Aufl. 1825, 544f.

[202] K.G. Bretschneider: Handbuch der Dogmatik der evangelisch-lutherischen Kirche 2,

Richard Rothe[203]. Wilhelm M. Leberecht De Wette hingegen meinte, unser Gewissen rechne uns die angeborene Schwäche als eigne Wahl und Schuld zu[204]. Julius Müller beharrte darauf, daß Schuld den Ursprung des Bösen aus einer freien Entscheidung des einzelnen Täters voraussetze, kritisierte von daher auch Schleiermachers Rede von einer „Gesamtschuld" des menschlichen Geschlechts, die noch in Sören Kierkegaards „Begriff Angst" 1844 nachklang, und postulierte statt dessen eine Präexistenz der Seelen als Ort individueller Urentscheidung zum Bösen, um den angeborenen Hang zum Bösen als schuldhaft und somit als Sünde verstehen zu können[205]. Dadurch trat die das ganze Zeitalter kennzeichnende Tendenz zur Reduktion der Erbsünde auf die individuelle Tatsünde eindrucksvoll hervor. Albrecht Ritschl hat sie dann auch ohne die von den meisten Theologen als phantastisch und nutzlos abgelehnte Annahme einer Präexistenz der einzelnen Personen zum Zuge gebracht, indem er sowohl das Entstehen eines selbstsüchtigen Hanges beim einzelnen als auch die Fortpflanzung der Sünde durch die soziale Wechselwirkung als Folgeerscheinungen von Aktsünden begriff[206]. Wegen der sozialen Wechselwirkung kann der einzelne sich nach Ritschl mitschuldig fühlen auch für die Taten anderer, und das Christentum ist, wie er meinte, dazu in großem Maße bereit[207]. Doch eine Notwendigkeit zu solcher Ausdehnung des Schuldbewußtseins konnte Ritschl wegen dessen Bindung an eine persönliche Tatsünde nicht mehr behaupten, so daß sich aus seiner Darstellung der Eindruck einer weit über das gebotene Maß hinausgehenden Produktion von Schuldgefühlen in der christlichen Frömmigkeit ergeben konnte.

Der Verfall der Erbsündenlehre führte zur Verlagerung und letzten Endes zur Reduktion des Begriffs der Sünde auf Tatsünden. Das zeigt sich besonders eindringlich am Scheitern der theologischen Versuche, auf der Basis eines auf das eigene Verhalten beschränkten Begriffs individueller Verantwortlichkeit die Dimension der Allgemeinheit des Sündigens festzuhalten.

---

3. Aufl. 1828, 87 f.: „Es ist aber dieses nicht als eine Zurechnung oder Strafe, sondern bloß als ein Uebel (subjectiv für den Menschen) anzusehen …".

[203] R. Rothe: Theologische Ethik III, 2. Aufl. 1870, 44, sowie 158 ff.

[204] W. M. L. De Wette: Christliche Sittenlehre 1, 1819, 104 ff., 119 ff.

[205] J. Müller: Die christliche Lehre von der Sünde, 3. Aufl. Bd. II, 1849, 485 ff., vgl. 553 ff., sowie zu Schleiermachers Deutung der Erbsünde 432 ff. Vgl. auch F. Schleiermacher: Der christliche Glaube, 2. Ausg. 1830, § 71, sowie S. Kierkegaard: Der Begriff Angst, dt. E. Hirsch (Ges. Werke 11./12. Abt. 1952) 25: der Mensch sei als Individuum „zu gleicher Zeit er selbst und das ganze Geschlecht" (SV IV, 300), vgl. 100 (SV IV, 368). Zur Kritik an der Auffassung Müllers siehe G. Wenz: Vom Unwesen der Sünde. Subjektivitätstheoretische Grundprobleme neuzeitlicher Hamartiologie dargestellt unter besonderer Berücksichtigung der Sündenlehre von Julius Müller, KuD 30, 1984, 298–329, bes. 305 Anm. 13 mit dem Hinweis auf die Reaktion von R. Rothe.

[206] A. Ritschl: Die christliche Lehre von der Rechtfertigung und Versöhnung III 2. Aufl. 1883, 324 f.

[207] A. a. O. 337 vgl. 331. Grundlage dafür bleibt aber die individuelle Tatsünde. Von daher ist auch die Kritik Ritschls an der Erbsündenlehre zu verstehen, die nur eine „*unpersönliche* Verpflichtung zur Strafe" gekannt habe (a. a. O. Bd. I, 407, vgl. 436 f. und die Schleiermacherkritik 502 ff.).

Das Ergebnis war die Erzeugung eines falschen Schuldbewußtseins von vager Allgemeinheit in Verbindung mit Moralismus. Der Moralismus, der aus der Verlagerung des Sündenbegriffs auf die Tatsünden folgte, wurde zum Opfer der Kritik an einem christlichen „Pharisäertum", das über das Fehlverhalten anderer ohne psychologisches und soziales Verständnis für dessen Ursachen urteilt. Zugleich wurde er seiner Grundlagen beraubt durch den zunehmenden Zweifel an der Annahme einer mehr als bloß konventionellen Verbindlichkeit der moralischen Normen selbst. Der christliche Moralismus konnte dann als lebensfeindlicher Starrsinn erscheinen und die ausgedehnten Schuldgefühle als nur noch neurotisch. Dabei wirkte sich besonders die von Friedrich Nietzsche und Sigmund Freud mit unterschiedlicher, aber doch konvergenter Argumentation vorgetragene Moralkritik aus. Die Auflösung des moralischen Normbewußtseins erfaßte vor allem die traditionellen Normvorstellungen im Bereich des Sexualverhaltens. Die Entlarvung des neurotischen Charakters christlichen Sündenbewußtseins erwies für viele das repressive Wesen des christlichen Gottesglaubens überhaupt[208].

Man muß diese Verfallsgeschichte des christlichen Sündenbewußtseins vor Augen haben, um zu verstehen, was es bedeutet, daß das Wort „Sünde" nicht nur in der heutigen Umgangssprache marginal geworden ist, sondern auch, wo es außerhalb der kirchlichen Sprache noch vorkommt, meist mehr oder weniger veräußerlicht und gewichtslos ist (wie bei „Verkehrssünden"), jedenfalls bei individuellen Verstößen, oder geradezu eine Sinnumkehrung erfahren hat, indem es den Reiz zur Durchbrechung grundloser Verbote signalisiert. Ersteres läßt sich als Ergebnis der Moralisierung des Sündenbegriffs in Verbindung mit der Reduktion moralischer Normen auf den Status sozialer Verkehrsregeln verstehen, letzteres als Ausdruck der Befreiung von den mit der traditionellen Moral verbundenen Lustverboten.

Die christliche Theologie sollte den Befund dieses Sprachverfalls auf keinen Fall leicht nehmen, etwa als Bestätigung dafür, daß der Welt die Wahrheiten des Glaubens nun einmal nicht zugänglich sind. Dabei würde übersehen, daß solcher Sprachverfall Resultat einer Erosion der Glaubwürdigkeit des traditionellen christlichen Redens von Sünde ist[209]. Schon darum ist eso-

---

[208] Exemplarisch dafür ist neben und nach Friedrich Nietzsche (dazu die Anm. 195 zit. Arbeit von B. Lauret) das Buch von T. Moser: Gottesvergiftung, 1976.

[209] Das dürfte der Fall sein, wenn jener Sachverhalt als „Hinweis auf die weltliche Nichtnotwendigkeit der Rede von Sünde" in Anspruch genommen wird. So G. Schneider-Flume: Die Identität des Sünders. Eine Auseinandersetzung theologischer Anthropologie mit dem Konzept der psychosozialen Identität Erik H. Eriksons, 1985, 13. Die Vf. sieht allerdings außer in der herrschenden Rede von der Selbstverwirklichung des Menschen (16 ff.) auch in der theologischen Fehlentwicklung eines „moralisch-gesetzlichen Mißverständnisses der Sünde" (18 ff.) eines der Hindernisse für ein angemessenes theologisches Reden von Sünde, und sie verdient in beiden Punkten Zustimmung. Doch auf die Auflösung der Erbsündenlehre in der Moderne, die den moralistisch-gesetzlichen Tendenzen in der Behandlung des Themas Sünde zugrundeliegt, geht sie gar nicht ein.

terische Selbstabschließung der Theologie keine angemessene Reaktion. Sicherlich genügt es auch nicht, über den Sprachverfall und Sinnverlust des Wortes Sünde nur zu klagen. Die Theologie muß vielmehr selbstkritische Konsequenzen daraus ziehen, die sich nicht nur auf die Tradition theologischer Lehre von der Sünde und die Neuformulierung ihres Wesensgehalts zu erstrecken haben, sondern (damit) auch auf die Voraussetzungen kritikbedürftig gewordener Formen christlicher Bußfrömmigkeit und ihrer Auswirkungen im gottesdienstlichen Leben der Kirche.

Für den Kernbestand der traditionellen christlichen Sprache in dieser Sache neue Glaubwürdigkeit zu gewinnen, dürfte schwieriger sein als viele theologische Äußerungen zu diesem Thema bisher wahrhaben wollen. Wer die Tatsache der Sünde zu einer reinen Glaubenserkenntnis erklärt, die des Anhalts an der menschlichen Wirklichkeit, wie sie allgemeiner Erfahrung zugänglich ist, nicht bedarf[210], der verkennt, daß der Christusglaube die Tatsache der Sünde nicht erst schafft, sondern voraussetzt[211], wenngleich ihre Tiefe erst im Lichte der durch Jesus Christus vermittelten Gotteserkenntnis zu Bewußtsein kommen mag. Auch der nicht zum Glauben an Jesus Christus gelangende Mensch ist nicht etwa deswegen auch schon befreit von der Haftung für jene Verkehrung in der Struktur seines Verhaltens, auf die das Wort Sünde hinweist. Bestünde dieser Sachverhalt nicht unabhängig von der Glaubenserkenntnis, so sehr sein Wesen als Unglaube und Mißachtung Gottes erst in der Perspektive der Glaubenserkenntnis ans Licht kommt, dann würde das christliche Reden von der Sünde sich in der Tat von Nietzsche und seinen Nachfolgern die Anklage gefallen lassen müssen, daß damit das Leben verleumdet werde. Die christliche Rede vom Menschen als Sünder ist nur dann realitätsgerecht, wenn sie sich auf einen Sachverhalt bezieht, der das ganze Erscheinungsbild des menschlichen Lebens unabweisbar kennzeichnet und der als solcher auch ohne Voraussetzung der Offenbarung Gottes erkennbar ist, obwohl seine eigentliche Bedeutung erst durch sie aufgedeckt werden mag.

Es ist mit Recht betont worden, der Sinnverlust des Sündenbegriffs im

---

[210] So neuerdings G. Schneider-Flume a.a.O. 27ff. Vgl. auch unten Anm. 258f.
[211] Wo die Theologie meint, diesem Sachverhalt um der Christozentrik des Offenbarungsverständnisses willen aus dem Wege gehen zu sollen, da kommt es zu eigentümlichen Gewaltsamkeiten auch in der Exegese. So meint G. Freund, die paulinischen Ausführungen in Röm 5,12ff. so verstehen zu dürfen, daß „durch den Tod Christi die Wirklichkeit der Sünde als *vergehende* Wirklichkeit festgehalten wird", so daß durch den Tod Christi „die Schuld an ihren Anfang in Adam kommen und sich erben kann" (Sünde im Erbe. Erfahrungsinhalt und Sinn der Erbsündenlehre, 1979, 187). Daß durch Christi Tod oder vielmehr durch die Auferstehung des gekreuzigten und gestorbenen Christus (Röm 5,10: „durch sein Leben") die Sünde von Gott überwunden und zum Vergehen bestimmt worden ist, das ist wohl wahr. Daß aber erst dadurch der Zusammenhang mit Adam hergestellt wird, ist kein paulinischer Gedanke. Vielmehr heißt es: „... die Sünde war schon in der Welt, bevor das Gesetz gegeben worden ist" (Röm 5,13). Vgl. U. Wilckens: Der Brief an die Römer I, 1978, 319f.

Bewußtsein der Moderne bedeute keineswegs, daß der moderne Mensch der Realität des Bösen nicht mehr gewahr wäre[212]. Im Gegenteil: Das Böse, wenngleich oft nur diffus und in Teilaspekten als solches erfaßt, bildet ein Hauptproblem für die moderne Menschheit. Genauer gesagt handelt es sich um die Unfähigkeit der Menschheit, mit der Tatsache des Bösen, die in seinen zerstörerischen Wirkungen manifest ist, fertig zu werden. Dieses Problem ist durch die Abwendung von Gott nur verschärft worden, denn nun kann nicht mehr der Schöpfer, sondern nur noch der Mensch selber verantwortlich gemacht werden für das Übel in der Welt bzw. für seine noch immer nicht gelungene Überwindung[213]. Bei aller Betroffenheit von der Realität des Bösen ist es jedoch charakteristisch, daß das Böse in der Regel anderen, und zwar mehr oder weniger ganz bestimmten anderen zur Last gelegt wird, mit Vorliebe aber auch anonymen Strukturen und Zwängen des Gesellschaftssystems. Letzteres ist bis zu einem gewissen Grade verständlich, weil das System der modernen, säkularen Gesellschaften zwar immer noch den einzelnen in verschiedensten Hinsichten beansprucht, aber solche Inanspruchnahme nicht mehr mit einer Sinngebung für das Leben der Individuen verbindet, bzw. durch Rekurs auf eine sinngebende Instanz begründet und rechtfertigt. Die Anforderungen von seiten der Gesellschaft mag der einzelne daher als fremd und kalt, sogar als Unterdrückung individueller Selbstentfaltung empfinden. Daher können das Gesellschaftssystem und seine Repräsentanten so leicht als böse erscheinen, weil vermeintlich für alle Versagungen im Leben der Individuen verantwortlich: eine Mentalität, die wie alle Lokalisierung des Bösen in anderen Menschen und Gruppen leicht zu gewaltsamen Ausbrüchen führt. Von dieser tief im Menschen begründeten Neigung, das Böse bei anderen zu suchen und dadurch die eigene Person (oder Gruppe) davon zu entlasten, unterscheidet sich die biblische und speziell die christliche Thematisierung des Bösen als Sünde dadurch, daß sie die Wurzel des Bösen im Menschen selbst, und zwar prinzipiell in jedem Menschen, nicht nur in den andern sucht.

Allerdings tritt das Böse nur selten mit der vollen Wucht seiner zerstörerischen Gewalt in Erscheinung[214]. Das kann leicht zu dem Mißverständnis Anlaß geben, als sei das Böse überhaupt nur ein Randphänomen in der menschlichen Lebenswelt. Wäre das der Fall, dann ließe sich das Böse ausscheiden, indem die Täter ausgegrenzt, isoliert gehalten oder vernichtet werden. Doch je radikaler das geschieht, desto leichter tritt das Böse auch auf seiten der vermeintlich Guten in Erscheinung, besonders auf seiten des zur

---

[212] Chr. Gestrich: Die Wiederkehr des Glanzes in der Welt. Die christliche Lehre von der Sünde und ihrer Vergebung in gegenwärtiger Verantwortung, 1989, 40f.
[213] Chr. Gestrich a.a.O. 41.
[214] Chr. Gestrich a.a.O. 190. Der Begriff des absolut Bösen wird von Gestrich bestimmt als „die Vernichtung und Schändung menschlichen Lebens, einschließlich seiner Seele, *ohne erkennbaren Grund*" und dargestellt am Geschehen der Shoa (186).

Repression des Bösen aufgebauten Apparates. Daher ist es wohl realistisch, mit einem viel größeren Umfang latenter Bosheit zu rechnen. Das geschieht in der christlichen Lehre von der Sünde. Ihr Begriff umfaßt weit mehr als die Erscheinungsformen des manifest Bösen. Darum erscheint sie dem oberflächlichen Blick auch so leicht als eine Gestalt des Guten, etwa als zur freien Entfaltung der menschlichen Persönlichkeit gehörig, oder zumindest als wertneutral. Dieser Eindruck verschwindet, wenn die in der Sünde angelegten, obwohl nicht immer zur vollen Auswirkung kommenden Folgen mitbedacht werden. Die aus der klassischen Prophetie Israels hervorgegangene, in einigen Richtungen des vorchristlichen Judentums ausgebildete und bei Paulus kulminierende Auffassung von der allgemeinen Verbreitung der Sünde unter den Menschen läßt es als überraschend erscheinen, daß das Böse so verhältnismäßig selten manifest wird im vollen Ausmaß seines zerstörerischen Unwesens. Die Bibel führt das darauf zurück, daß Gott seine Geschöpfe immer wieder trotz ihrer Sünde vor den äußersten Konsequenzen ihres Tuns bewahrt. So bleibt schon in der Paradiesesgeschichte die Drohung sofortigen Todes als Folge des Genusses der verbotenen Frucht unerfüllt: Der Eintritt des Todes wird aufgeschoben, so daß dem Menschen eine begrenzte Lebensspanne verbleibt. Ähnlich wird nach dem Brudermord Kains der Mörder geschützt, obwohl sein Leben verwirkt ist (Gen 4,15). Die biblische Geschichte bietet eine Kette von Beispielen dafür, daß Gott die zerstörerischen Auswirkungen der Sünden seines Volkes begrenzt. Angesichts der Allgemeinheit der Sünde ist die Seltenheit manifester Ausbrüche des Bösen alles andere als selbstverständlich. Sie ist Folge gnädiger Verschonung und Bewahrung, und der Undank der Menschen dafür – indem sie das Gute, das ihnen widerfährt, für selbstverständlich nehmen – ist schon wieder Ausdruck ihrer Sünde.

Die Allgemeinheit der Sünde verbietet den Moralismus, der jede menschliche Solidarität mit jenen aufkündigt, die zu Werkzeugen der zerstörerischen Gewalt des Bösen wurden. Angesichts der Allgemeinheit der Sünde wird solches moralistische Verhalten als Heuchelei bloßgestellt. Gerade die christliche Lehre von der Allgemeinheit der Sünde hat die Funktion, bei aller Notwendigkeit einer Eindämmung des manifest Bösen und seiner Folgen doch zur Wahrung der Solidarität mit den Tätern beizutragen, in deren Verhalten das in allen latent wirksame Böse offen in Erscheinung trat. Diese antimoralistische Funktion der Lehre von der Allgemeinheit der Sünde ist oft unterschätzt worden. In der Moderne fiel sie der Auflösung der Erbsündenlehre zum Opfer, wenn nicht an deren Stelle eine andere Auffassung von der Allgemeinheit der Sünde vor allem individuellen Handeln rückte. Wurden solche Auffassungen ihrerseits auf den Gedanken der Tatsünde begründet, dann konnte der Moralismus nur teilweise und um den Preis übersteigerter Selbstbeschuldigungen hintan gehalten werden. Das Verblassen der Überzeugung von einer allem individuellen Handeln vorhergehenden

Allgemeinheit der Sünde hat die Bahn freigegeben für den Moralismus, der entweder das Böse nur bei den andern sucht oder, durch nach innen gewendete Aggression, selbstzerstörerische Schuldgefühle produziert.

Worin aber besteht eigentlich die Sünde, die allgemeiner ist als das manifest Böse, jedoch die Wurzel dazu enthält?

b) Erscheinungsformen der Sünde und die Frage nach ihrer Wurzel

Während die griechische Übersetzung des Alten Testaments und auch die neutestamentlichen Schriften alle verschiedenartigen Verfehlungen durch das eine Wort „Sünde" (*hamartia*) zusammenfassen, bietet das Hebräische eine die unterschiedlichen Sachverhalte voneinander sondernde terminologische Vielfalt[215]. Das dem Wortsinn von „*hamartia*" als Verfehlen eines Zieles am nächsten stehende hebräische Wort für Sünde ist *chattat*: Es bedeutet ebenfalls das Verfehlen eines Zieles, und zwar im Unterschied zu ʿ*awon* die fahrlässige Verfehlung. Dagegen bezeichnet ʿ*awon* die wissentliche, daher im spezifischen Sinne schuldhafte Verfehlung. Gemeinsam ist beiden Wörtern jedoch, daß sie sich auf einzelne Handlungen beziehen. Dadurch ist auch ihr Unterschied bestimmt. Immerhin weist der Gedanke der Schuld jedoch hinter die einzelne Tat zurück auf ihre Wurzel in der Gesinnung des Handelnden. Dementsprechend ist das Gewicht der Tat verschieden: Während die unabsichtliche Übertretung vor Gott durch Opfer gesühnt werden kann, bleibt der schuldhaft Handelnde in seiner Schuld festgehalten[216]. In verschärftem Maße ist das der Fall, wenn die Handlung den Charakter einer Auflehnung gegen die Norm selbst hat, bzw. gegen die hinter ihr stehende Autorität. In diesem Fall wird im Hebräischen von *paescha* (Auflehnung) gesprochen. So befindet sich nach Jesaja (1,2) das ganze Gottesvolk im Zustand des Abfalls und der Auflehnung gegen seinen Gott (vgl. auch Jer 2,29, sowie schon Hos 8,1; Am 4,4).

Alle diese unterschiedlichen Vorstellungen haben es mit Übertretungen von Handlungsnormen zu tun. Man kann daher sagen, beim alttestamentlichen Reden von Sünde gehe es in allen seinen Spielarten um den Sachverhalt der Übertretung[217]. Das gilt auch für Aussagen, die die in der Übertre-

---

[215] Als vergleichende Zusammenfassung dieses Befundes sind immer noch lehrreich die Ausführungen von L. Köhler: Theologie des Alten Testaments (1936) 2. Aufl. 1947, 157 ff. Vgl. auch G. v. Rad: Theologie des Alten Testaments I, 1957, 261 f.

[216] Siehe dazu R. Rendtorff: Studien zur Geschichte des Opfers im Alten Israel, 1967, 200 ff., bes. 202 f.

[217] So charakterisierte G. Quell zusammenfassend die Begriffe des Alten Testaments für Sünde als Bezeichnungen „für eine normwidrige Handlung" (Theol. WBNT I, 1933, 278). L. Köhler (a.a.O. 158) erklärte die seltene Verwendung von *paescha* aus der Orientierung an Ein-

tung zum Ausdruck kommende böse Gesinnung als unter den Menschen allgemein verbreitet darstellen (Gen 6,5; 8,21). Sicherlich weist der Gedanke der Bosheit des „Herzens" hinter die Einzeltat zurück und über sie hinaus, wie das ja auch schon im Hinblick auf Schuld und Auflehnung zu sagen war. Darum bittet der Psalmist um ein reines Herz (Ps 51,12), und Jeremia (32,39) sowie Ezechiel (11,19 und 36,26) erwarten für die kommende Heilszeit, daß Gott den Menschen ein anderes, neues Herz geben wird, das nicht mehr seinen Geboten widerstrebt. Der „jüdische Mensch bereut nicht nur seine Taten, sondern die Wurzel seiner Taten"[218]. Und dennoch sind auch die Vorstellungen vom Herzen, das auf Böses sinnt, und vom neuen Herzen, das im Einklang mit Gottes Willen sein wird, immer auf das Verhältnis des Menschen zum Gebot Gottes bezogen, sei es im Modus der Übertretung oder der Befolgung der Norm. Erst bei Paulus scheint Sünde als ein allen Geboten vorausgehender Sachverhalt erfaßt worden zu sein, der durch das Gesetz „auflebt" und aufgedeckt wird, aber schon vor ihm bestand (Röm 7,7–11). Obwohl diese Auffassung durch die alttestamentliche Vorstellung von der Verkehrtheit des Herzens als Wurzel der Übertretungen vorbereitet war, vollzog die Ablösung des Begriffs der Sünde von dem des Gesetzes doch im Prinzip den Schritt zu einer neuartigen Auffassung der Sünde, nämlich als anthropologischer Befindlichkeit. Das Eigentümliche dieser Befindlichkeit wird allerdings erst durch das Gesetz an den Tag gebracht. Die Zusammenfassung aller Verbote des Gesetzes in dem Satz „Du sollst nicht begehren" deckt das Unwesen der Sünde als (falsche) Begierde auf (Röm 7,7). Genauer: die Sünde *äußert sich* in den Begierden, die gegen die Gebote Gottes und damit gegen den gebietenden Gott selbst gerichtet sind[219]. Es heißt nämlich, daß die Sünde, gereizt durch das Gesetz, die Begierden in mir *erregt* (7,8). In den (gegen die Gebote Gottes gerichteten) Begierden wird also die zuvor latente Sünde offenkundig. Daraus kann man natürlich nicht schließen, daß diese Begierden als solche nicht Sünde wären. Im Gegenteil: Sie sind die manifeste Gestalt der Sünde.

Für die christliche Lehre von der Sünde ist dieser paulinische Satz wegweisend geworden. Allerdings betrachteten die meisten Kirchenväter die Begierde (*epitymia* bzw. *cupiditas* oder *concupiscentia*) als eine Folge der Übertretung Adams, also als Strafe, weil durch Adams Fall die Herrschaft des Menschen (unter Leitung der göttlichen Gnade) über seine Affekte beein-

---

zelsünden, obwohl hinter diesen durchaus „die Auflehnung des menschlichen Willens gegen den Willen Gottes" gesehen worden sei.
[218] P. Ricœur: Symbolik des Bösen (1960) dt. 1971, 274.
[219] Zu Röm 7,7 und zur paulinischen Vorstellung von der Begierde vgl. U. Wilckens: Der Brief an die Römer 2, 1980, 81 f. Zur Bezeichnung der Begierde als Sünde siehe ferner Röm 7,17 und 20: Die Sünde, von der es dort heißt, sie wohne in mir, ist zweifellos identisch mit dem in 7,7f. beschriebenen Sachverhalt.

trächtigt oder verlorengegangen sei[220]. Davon steht bei Paulus nichts. Vielmehr ist nach Röm 7,7 die Begehrlichkeit als solche schon Äußerung der Sünde.

Dieses Thema ist im 16. Jahrhundert Gegenstand von Lehrverurteilungen zwischen der Reformation und der römisch-katholischen Kirche geworden. Die reformatorische, an Paulus und Augustin orientierte Auffassung, daß die selbstsüchtige Konkupiszenz bereits als solche Sünde sei, führte zu der Behauptung, daß die Erbsünde auch im Getauften noch vorhanden sei, wiewohl sie nicht mehr zugerechnet werde[221]. Rom sah dadurch den Glauben an die Wirksamkeit der Taufe gefährdet. Deshalb waren entsprechende Aussagen Luthers schon in der Bannbulle von 1520 verurteilt worden (DS 1452 und 1453). Das Konzil von Trient hat die Frage nach dem Verhältnis von Konkupiszenz und Sünde ebenfalls unter dem Gesichtspunkt der Wirksamkeit der Taufgnade behandelt und gelangte so zu der Entscheidung, die im Getauften noch verbleibende Begierde sei trotz der paulinischen Ausdrucksweise, die Begierde als Sünde bezeichnet, nicht im eigentlichen Sinne als Sünde aufzufassen, sondern als „Zunder" (*fomes*) der Sünde, *quia ex peccato est et ad peccatum inclinat* (DS 1515). Die lutherische Reformation jedoch beharrte auf dem nicht nur augustinischen, sondern eben auch schon paulinischen Sprachgebrauch, auf den sich die Apologie zu CA 2 berufen hatte (Apol. 2,40; BSELK 155,11-15). Die Konkordienformel verurteilte darum ihrerseits die gegenteilige Lehre, „daß die bösen Lüsten nicht Sünde seien" (FC Epit. I,11-12, vgl. SD I,17-18, BSELK 772f. und 850, 12-14. 19-22). Die gegenwärtige Urteilsbildung zu diesem Thema sollte berücksichtigen, daß die römisch-katholische Lehrauffassung vom Interesse an der Wirksamkeit der Taufgnade bestimmt ist, die auch die evangelische Seite nicht bestreiten oder entleeren, sondern nur anders beschreiben wollte[222]. Hinsichtlich des Verhältnisses von Konkupiszenz und Sünde kann die evangelische Seite einräumen, daß der Konkupiszenzbegriff keine erschöpfende Beschreibung des Wesens der Sünde leistet. Nach CA 2 ist der Begriff der Sünde

---

[220] Siehe dazu J. Groß: Entstehungsgeschichte des Erbsündendogmas, von der Bibel bis Augustinus (Geschichte des Erbsündendogmas 1) 1960, 110f. (zu Methodius von Olympos), 137 (Didymus der Blinde), 142f. (Basilios), 145 (Gregor von Nazianz). Athanasios hingegen hat die Begehrlichkeit nur im uneigentlichen Sinne als Sünde betrachtet, weil die Begierde als solche noch keine Schuld begründe (132f.). Zu Methodius vgl. auch L. Scheffczyk: Urstand, Fall und Erbsünde. Von der Schrift bis Augustinus (HDG II,3a, 1. Teil) 1981, 85f. Spätere Väter wie Nemesius von Emesa, dessen Ausführungen über die Lüste von Johannes von Damaskus in seine Darlegung des orthodoxen Glaubens übernommen wurden (II,13), unterschieden zwischen natürlichen und nichtnatürlichen, guten und bösen Lüsten oder Begierden.

[221] So Melanchthon Apologie II, 35f. (BSELK 154) mit Berufung auf Augustins Schrift De nuptiis et concup. I, 25 (MPL 44, 430). Zu Luther siehe G. Ebeling: Disputatio de Homine 3. Teil: Die theologische Definition des Menschen (Lutherstudien II, 3. Teil), 1989, 287f., vgl. auch P. Althaus: Die Theologie Martin Luthers, 1962, 138f. Zum Gedanken der Zurechnung der Sünde bei Augustin siehe J. Groß a.a.O. 330f.

[222] Vgl. G. Wenz: Damnamus? Die Verwerfungssätze in den Bekenntnisschriften der evangelisch-lutherischen Kirche als Problem des ökumenischen Dialogs zwischen der evangelisch-lutherischen und der römisch-katholischen Kirche, in K. Lehmann (Hg), Lehrverurteilungen – kirchentrennend? II: Materialien zu den Lehrverurteilungen und zur Theologie der Rechtfertigung, 1989, 68-127, bes. 88ff.

vom Gottesverhältnis her zu bestimmen als Mangel an Gottesfurcht und an Gottvertrauen (*sine metu Dei, sine fiducia erga Deum*). Erst daran anschließend folgt der Hinweis auf die Konkupiszenz (*et cum concupiscentia*). Der Begriff der Konkupiszenz gibt also noch nicht für sich allein eine vollständige Bestimmung des Begriffs der Sünde her. Dennoch ist die selbstsüchtige Konkupiszenz bereits Sünde, nämlich Erscheinungsform der Sünde, wenngleich darin der Kern ihres Wesens oder Unwesens noch verborgen ist. Die Bezeichnung der Konkupiszenz als Erscheinungsform der Sünde trifft den Sachverhalt besser als die hochscholastische Unterscheidung zwischen materialem und formalem Aspekt der Sünde, wobei die Konkupiszenz als das *Materiale*, der Mangel an der Gott geschuldeten Gerechtigkeit als das *Formale* der Sünde bezeichnet wurde[223]. Diese Beschreibung hat die mißliche Konsequenz, daß die Konkupiszenz für sich dann eben noch nicht Sünde wäre, im Gegensatz zu den paulinischen Aussagen vor allem in Röm 7. Denn erst die Form ist das, was eine Sache zu dieser Sache macht. Als Erscheinungsform der Sünde hingegen ist die Konkupiszenz wirklich Sünde, obwohl der Kern und die Wurzel ihres Unwesens darin noch verborgen sind.

Die klassische Bedeutung Augustins für die christliche Lehre von der Sünde besteht darin, daß er den von Paulus angedeuteten Zusammenhang von Sünde und Begierde tiefer erfaßt und analysiert hat als es die christliche Theologie bis dahin vermocht hatte. Man darf sich den Blick für diese außerordentliche Leistung Augustins nicht durch die vielen kritikbedürftigen Aspekte seiner Sündenlehre verstellen lassen, – von der Vorstellung einer Vererbung der Sünde Adams in der Generationenfolge und der dadurch mitbedingten Neigung Augustins, die Sündhaftigkeit der Begierde einseitig durch die Geschlechtslust zu exemplifizieren, bis hin zu einer allzu undifferenzierten Begründung der für den Sündenbegriff unentbehrlichen Vorstellung der Verantwortlichkeit für die Willensentscheidung, die ihn gelegentlich um den Preis der Konsistenz seines Sprachgebrauchs davor zurückweichen ließ, die Begierde und nicht erst die aus ihr hervorgehenden Handlungen als Sünde zu bezeichnen. Die Theologie muß hinter den mit Recht der Kritik verfallenen Aspekten der augustinischen Sündenlehre ihren bleibend bedeutsamen Grundgedanken erfassen und in seiner Selbständigkeit gegenüber jenen andern Aspekten zur Geltung bringen[224]. Das Bemühen darum ist noch heute für eine angemessene Bestimmung des Themas der christlichen Sündenlehre unerläßlich. Viele neuere Beiträge zu diesem Gegenstand

---

[223] Diese Unterscheidung findet sich bei einer Reihe von scholastischen Theologen des 13. Jahrhunderts, z.B. bei Thomas von Aquin S. theol. II/1 q 82 a 3. Die von Thomas gegebene Begründung, daß der Begriff der Sünde von ihrer Ursache, dem Bruch im Gottesverhältnis, her zu bestimmen sei, während die Konkupiszenz Folge dieses Bruches sei, entspricht im übrigen der Aussage des lutherischen Bekenntnisses in CA 2.
[224] Einen Versuch dazu habe ich bereits in Anthropologie in theologischer Perspektive, 1983, 83 ff. unternommen. Im folgenden sollen die Gründe für diese Interpretation der augustinischen Lehre und ihrer Eigenart noch deutlicher herausgearbeitet werden. Vgl. auch H. Häring: Die Macht des Bösen. Das Erbe Augustins, 1979, 153–161.

haben ihr Ziel verfehlt, weil sie sich vorschnell von der Bemühung um Augustins Lehre dispensiert haben.

Augustin hat seit seiner Taufe 387 und der im Anschluß daran entstandenen Schrift über den freien Willen die ungemäßigte (!) Begierde, die er oft mit der Begierde überhaupt (*libido* oder *cupiditas*) gleichsetzte, als Grundform der menschlichen Sünde betrachtet[225]. Seine Aussagen darüber, ob es sich bei der maßlosen Begierde um Sünde oder nur um Ursache oder Folge von Sünde handle, sind jedoch nicht immer ganz einheitlich[226], weil wegen der Bindung des Schuldcharakters der Sünde an die aus freier Entscheidung des Willens geborene Tat die Deutung der Begierde bei Säuglingen, die aller verantwortlichen Willensentscheidung vorhergeht, als Sünde im eigentlichen Sinne Schwierigkeiten bereitete. Dennoch ging die Tendenz Augustins insgesamt auf eine Identifizierung von Konkupiszenz und Sünde[227]. Dagegen darf seine Vorstellung von Konkupiszenz nicht einfach mit der Geschlechtslust identifiziert werden, wie das nicht selten geschehen ist[228]. Obwohl Augustin das Wesen der perversen Konkupiszenz mit Vorliebe durch das Beispiel des sexuellen Begehrens verdeutlicht hat, sind doch einige der selteneren Aussagen über die Konkupiszenz als strukturelle Deformation des Willens als für die Systematik seines Denkens grundlegend zu beurteilen[229].

---

[225] Augustin De lib. arb. I, 3f., III,17-19. In I,4 hebt Augustin ausdrücklich hervor, daß der das Gute Begehrende (z.B. ohne Furcht zu leben) nicht zu schelten sei: ... *ista cupiditas culpanda non est, alioquin omnes culpabimus amatores boni*. In III,17 wird dann die ungemäßigte *cupiditas* als Ausdruck eines verkehrten Willens gekennzeichnet. Allgemeineres zu Augustins Verhältnisbestimmung von Sünde und Konkupiszenz und zur Auseinandersetzung über diese Frage siehe bei J.Groß: Enstehungsgeschichte des Erbsündendogmas, 1960, 322-333. L. Scheffczyk: Urstand, Fall und Erbsünde. Von der Schrift bis Augustinus (HDG II,3a 1. Teil) 1981, 218ff. spricht von „Übertreibungen des malum der Konkupiszenz" (218) bei Augustin. Ihre Auffassung bei Augustin wird aber von Scheffczyk zu sehr im Sinne früherer patristischer Anschauungen und nicht in ihrem inneren Zusammenhang mit der Sünde des Hochmuts dargestellt.

[226] Vgl. J.Groß a.a.O. 325ff.

[227] Das gilt auch für die Stelle aus Augustins später Schrift gegen Julian, in der er die Erbsünde als *concupiscentia* bestimmte, die eine Schuldhaftung (*reatus*) nach sich zieht (c. Julian op. imperf. I,71; CSEL VIII/4, 1974, 84) und die in der neuscholastischen katholischen Dogmatik so gedeutet worden ist, daß erst der Schuldzustand (*reatus*), der bei den Christen durch die Taufe beseitigt ist, die Begierde zur Sünde mache: F.Diekamp: Katholische Dogmatik nach den Grundsätzen des heiligen Thomas II, 6.Aufl. 1930, 156. Thomas selbst verwendete dagegen S. theol. II/1, 82,3 eine ähnliche Formulierung aus Augustins Retractationen I,15 als Autoritätszeugnis für die Auffassung der Konkupiszenz als Erbsünde. Wie hier, so ist auch in der Stelle aus der Schrift gegen Julian der Schuldzustand mit der Begierde nicht nur äußerlich verbunden, sondern in ihrem eigenen Wesen begründet. Das ist auch bei J.Groß a.a.O. 330 verkannt worden, auf dessen Ausführungen zum Thema der Imputation der Sünde im übrigen nochmals verwiesen sei.

[228] So auch bei J.Groß a.a.O. 324ff. Vgl. dagegen den sehr allgemeinen Sinn des Ausdrucks *libido* in De civ. Dei XIV,15,2.

[229] Die Ausführungen des Vf. in Anthropologie in theologischer Perspektive, 1983, 84f. setzen das voraus. J.Groß a.a.O. 324 verzeichnet zwar einige in diese Richtung gehende Aussagen, läßt sich aber wegen ihrer geringen Häufigkeit zu dem Fehlschluß verleiten, sie seien für Augustins Sündenverständnis weniger relevant.

Die Verkehrtheit des sündigen Begehrens ist nach Augustin in einer Verkehrtheit des Willens begründet, die darin besteht, daß der Wille das in der Rangordnung der Güter Höhere (Gott) zugunsten niederer (weltlicher) Güter zurücksetzt[230] und es sogar als Mittel zur Erlangung der letzteren benutzt. Darin besteht das Maßlose des sündigen Willens[231]; denn dadurch wird die Ordnung der Natur verkehrt, die Augustin im Sinne eines Stufenkosmos unterschiedlicher Wertigkeiten verstanden hat, so daß die jeweils niederen auf die höheren hingeordnet sind. Weil die Auffassung der Welt als Stufenkosmos in diesem platonischen Sinne heute ihre Verbindlichkeit verloren hat, könnte auch die augustinische Behauptung einer Verkehrung dieser Ordnung durch das sündige Begehren als obsolet erscheinen. Doch Augustin hat seine Analyse auf einen Gedanken zugespitzt, der von dem Weltbild des platonischen Stufenkosmos unabhängig ist und seinen Verfall zu überdauern vermochte. In der Nichtbeachtung der Ordnung der Naturen bekundet sich nämlich nach Augustin eine Eigenmächtigkeit des Willens, die das eigene Ich in den Mittelpunkt rückt und alle anderen Dinge als bloße Mittel für das eigene Ich benutzt. Das ist der Hochmut, der das eigene Ich zum Prinzip aller Dinge macht und sich damit an die Stelle Gottes setzt[232]. Dieser Hochmut aber bildet nach Augustin den Kern alles verkehrten Begehrens[233], weil alles Begehrte „für" den Begehrenden erstrebt wird und dieser darum implizit als letzter Zweck seines Begehrens fungiert. Diese Selbstbeziehung in der Struktur des Begehrens, die in dem Wort *concupiscentia* zum Ausdruck kommt, obwohl formal geurteilt die Zweckbeziehung des Begehrten auch einen anderen Inhalt haben könnte (nämlich Gott als das höchste Gut), dürfte in Augustins Verwendung des Wortes meistens unausgesprochen mitschwingen. Weil aber die exzessive Selbstbejahung des Hochmuts im Begehren weithin nur implizit gegenwärtig und wirksam ist, erreicht das im Begehren der äußeren Dinge sich betätigende sündhafte Wollen des Menschen nicht anfänglich und überall schon die tiefste Radikalität und äußerste Konsequenz des sündhaften Willens, nämlich den Gotteshaß als Konsequenz des sich an Gottes Stelle setzen wollenden Hochmuts,

---

[230] Augustin De div. quaest. q.35,1; MPL 40,23 z.2f. Vgl. auch De civ. Dei XII,8.
[231] Augustin Conf. II,5.
[232] Augustin De civ. Dei XIV,13.
[233] Augustin De trin. XII,9,14. V. S. Goldstein: The Human Situation. A Feminine View (The Journal of Religion 40, 1960, 100–112) und neuerdings S. N. Dunfee: The Sin of Hiding. A Feminist Critique of Reinhold Niebuhr's Account of the Sin of Pride (Soundings 65, 1982, 316–327, bes. 321ff.) haben die Behauptung aufgestellt, daß die Sünde des Hochmuts eine spezifisch männliche Versuchung sei, der bei Frauen Formen der Unterentwicklung oder Ablehnung des eigenen Selbst gegenüberstehen. Diese Auffassung verkennt, daß es sich bei der *superbia* im Sinne Augustins nicht um eine spezielle Form der Sünde unter andern handelt, sondern um eine allgemeine Struktur, die allen Gestalten der Sünde zugrunde liegt, – auch den von jenen beiden Autorinnen genannten, die man dem Kierkegaardschen „Verzweifelt-nicht-man-Selbst-sein-Wollen" zurechnen mag (s. u. 285).

der in diesem Streben doch unvermeidlich scheitern muß. Darin unterscheidet sich die Situation des Menschen als Sünder nach Augustin von der der gefallenen Engel, die nicht auf dem Umweg der Konkupiszenz, sondern (als rein geistige Wesen) unmittelbar durch ihren Hochmut sündigen[234]. Doch in letzter Konsequenz treibt die Sünde auch den Menschen bis in den Gotteshaß. So reagiert im Reich der Welt die Selbstliebe bis hin zum Gotteshaß, während im Reiche Gottes die Gottesliebe zur Zurückstellung des eigenen Ich führt[235].

Der Gedanke, daß das Wie-Gott-Seinwollen des Menschen, der als seine letzte Konsequenz den Gotteshaß implizierende *amor sui*, das strukturierende Prinzip des perversen Begehrens ist, bildet den Höhepunkt der augustinischen Analyse des paulinischen Begriffs der Sünde als Begierde. Leider ist die Zusammengehörigkeit von *amor sui* (bzw. *superbia*) einerseits und *concupiscentia* andererseits in Augustins Verständnis der menschlichen Sünde nicht immer beachtet worden[236]. Erst die in dieser Zusammengehörigkeit sich manifestierende strukturelle Einheit seines Sündenbegriffs er-

---

[234] Vgl. Augustin De genes. ad lit. XI,14 u. 16 (CSEL 28/1, 1894, 346 und 348f.).

[235] Augustin De civ. Dei XIV,28: *Fecerunt itaque civitates duae amores duo, terrenam scilicet amor sui usque ad contemptum Dei, caelestem vero amor Dei usque ad contemptum sui.* R. Holte: Béatitude et Sagesse. Saint Augustin et le problème de la fin de l'homme dans la philosophie ancienne, 1962, hat auf den stoischen Hintergrund des augustinischen Begriffs *amor sui* hingewiesen: Er hat ursprünglich nur die Bedeutung von „Selbsterhaltung" (239, vgl. 33f.), wird aber in der Perversion des Willens zur *superbia* (248ff.).

[236] Im lateinischen Mittelalter steht im Zusammenhang der Erörterung der Erbsündenlehre als augustinische Position zunächst ihre Bestimmung durch den Konkupiszenzbegriff im Vordergrund. So bei Petrus Lombardus Sent. II d.30 c.8, MPL 192, 722. Vgl. zu dieser Richtung H. Köster: Urstand, Fall und Erbsünde. In der Scholastik (HDG II 3b) 1979, 125ff. Auch Thomas von Aquin hat die Konkupiszenz im Zusammenhang mit der Erbsünde behandelt, wenn auch nur als deren *materiale* (S. theol. II/1,82,3), bestehend in einer *inordinatio virium animae*. Dabei wird der ein *odium dei* implizierende exzessive *amor sui* (im Sinne der *superbia*) nicht erwähnt: Wäre die *superbia* wie bei Augustin als Kern der Konkupiszenz im Blick, so könnte letztere kaum als bloßes Material der Sünde erscheinen, sie müßte dann selber als Sünde gelten. Thomas hat denn auch in anderm Zusammenhang, nämlich bei Erörterung des Begriffs der Sünde als solcher, den *amor sui inordinatus* als das eigentliche Prinzip der Sünde beschrieben, und zwar auch als Prinzip der Konkupiszenz, sofern aus der unangemessenen Selbstliebe das unangemessene Streben nach zeitlichem Gut hervorgeht (S. theol. II/1,77,4c und ad 2). Hier hat er den Zusammenhang von Konkupiszenz und *amor sui* ganz im Sinne Augustins erfaßt, während bei der Erörterung der Erbsünde Konkupiszenz mehr im Sinne der voraugustinischen Väter als Unordnung der Seelenkräfte verstanden ist.
In der modernen Theologie ist ein mangelhaftes Verständnis der inneren Zusammengehörigkeit von Konkupiszenz und *amor sui* in dem Gegensatz zwischen Julius Müllers und Richard Rothes Auffassung vom Wesen der Sünde festzustellen: Während nach Müller die Selbstsucht Prinzip der Sünde ist (Die christliche Lehre von der Sünde I (1839) 3.Aufl. 1849, 177ff.), führte Rothe alle Sünde auf die „sinnliche" Sünde zurück (Theologische Ethik III, 2.Aufl. 1870, 2ff.). Die beiden Teilmomente des augustinischen Begriffs der menschlichen Sünde traten damit auseinander und gegeneinander. Siehe dazu eingehender meine Ausführungen in: Anthropologie in theologischer Perspektive, 1983, 86f.

möglicht es aber, die Leistung der augustinischen Interpretation der von Paulus gegebenen Bestimmung der Sünde als Begierde zu würdigen. Augustins Verständnis der Begierde unterscheidet sich nämlich in einem wichtigen Punkt von dem des Apostels, bringt aber gerade dabei den tieferen Sinn des paulinischen Gedankens zur Geltung, zugleich in größerer Allgemeinheit und psychologischer Allgemeingültigkeit.

Bei Paulus wird die Begierde als Sünde identifiziert durch den Bezug auf das Gesetz Gottes, genauer durch ihr Widerstreben gegen dessen Forderung. Augustins Aussagen über die Konkupiszenz hingegen beziehen sich auf die Begierde ganz allgemein, als anthropologisches Phänomen. Sicherlich ging es auch Paulus in Röm 7,7 ff. um die Situation des Menschen als solchen. Aber ihre Beschreibung erfolgt in der Form einer mythisch klingenden Erzählung mit Reminiszenzen an die biblische Urgeschichte und an die Gesetzesoffenbarung. Augustins Aussagen über den Zusammenhang zwischen Konkupiszenz und übermäßiger Selbstliebe (*amor sui, superbia*) haben dagegen die Form philosophischer Analyse der Struktur eines Phänomens. Dabei ist es Augustin gelungen, auch in der allgemeinen Wesensstruktur der Begierde den Gegensatz zu Gott aufzudecken, der bei Paulus als Widerstreben der Begierden gegen das Gesetz erscheint. Bei Augustin ist daraus zunächst der Gedanke einer Verkehrung der Ordnung der Dinge in Hinordnung auf Gott als das höchste Gut geworden. Als Wurzel dieser Verkehrung aber identifizierte Augustin die Selbstüberschätzung des wollenden Ich. Die in der perversen Konkupiszenz implizit wirksame *superbia* konnte nun sogar unmittelbar, ohne den Umweg über die Stufenordnung der Dinge, als Beanspruchung derjenigen Position begriffen werden, die allein Gott zukommen kann. Aus dem Widerstreben gegen die Gebote des positiven göttlichen Gesetzes ist damit die Auflehnung gegen die Gott als Schöpfer zukommende Stellung im Verhältnis zu seinen Geschöpfen, also auch gegenüber dem Menschen geworden. Auf diese Weise hat Augustin den Kerngehalt der paulinischen Aussagen aus der narrativen Einkleidung von Röm 7,7 ff. in die Form gedanklicher Allgemeinheit übersetzt, in eine Strukturaussage über die allgemeine Form menschlichen Verhaltens im Verhältnis zur Wirklichkeit Gottes. Die allgemeine Verbreitung der Sünde, die Paulus erst angesichts der Allgemeinheit des Todes als ihrer Wirkung behaupten konnte (Röm 5,12), ergab sich für Augustin bereits als Resultat seiner anthropologischen Strukturanalyse der Sünde selber.

Die Tragweite dieses Gedankens ist in der Geschichte der christlichen Theologie verdeckt worden durch die damit bei Augustin verbundene Vorstellung einer Vererbung der Sünde und durch das Ringen um Bewältigung der darin enthaltenen Probleme. Die Allgemeinheit der Sünde in der Menschheit wurde als abhängig von der Annahme ihrer Weitergabe im Generationszusammenhang gedacht. Dabei wurde übersehen, daß die augustinische Aufdeckung des Zusammenhangs zwischen *amor sui* und Konkupiszenz schon für sich genommen als Beschreibung der allen Individuen gemeinsamen Struktur menschlichen Verhaltens zu lesen ist. Dazu bedurfte es der Sache nach keiner zusätzlichen Vererbungstheorie. Denn daß die allgemeine Struktur menschlichen Verhaltens zu der durch den Generationszusammenhang in jedem Individuum reproduzierten Wesensart gehört, versteht sich von selbst. Die mit der Erbsündenlehre verbundene Tendenz, die allgemeine Verbreitung der Sünde aus der Herkunft aller Menschen von Adam abzuleiten, verdeckte aber die Bedeutung ihrer faktischen Allgemeinheit als Ausdruck einer allgemein anzutreffenden Verhaltensstruktur. Erst nach der Auflösung der Erbsündenlehre durch die Kritik der Aufklärung ist daher die strukturelle Allgemeinheit der Sünde wieder als von der Vererbungsvorstellung unabhängiges Thema in den Blick gekommen. Dafür ist besonders Immanuel Kants Lehre vom radikalen Bösen maßgeblich geworden.

Kant hat das radikale Böse, durch welches der Mensch „von Natur böse" ist, als Verkehrung in der Rangordnung der Triebfedern seines Handelns bestimmt, nämlich als Unterordnung des moralischen Gesetzes, das eigentlich dominieren sollte, unter die Bedingung seiner Übereinstimmung mit der Selbstliebe bzw. mit den nach Glückseligkeit verlangenden „Triebfedern der Sinnlichkeit"[237]. Diese Beschreibung ist dem augustinischen Begriff des Bösen strukturell analog: Auch bei Kant besteht das Böse in der Verkehrung einer Rangordnung der Güter durch den bösen Willen, und zwar materiell wie bei der augustinischen Konkupiszenz in einer Dominanz der „sinnlichen", in der Selbstliebe wurzelnden Strebungen. Von Augustin unterscheidet sich die Beschreibung Kants dadurch, daß die Verkehrung der Hierarchie der Triebfedern nur in der Subjektivität des Menschen stattfindet, nicht als Verkehrung einer in der Abstufung der Güter sich manifestierenden Ordnung des Universums, wie bei Augustin. Darin kommt nicht nur zum Ausdruck, daß der platonische Kosmos von Seinsstufen für Kants Kosmologie keine Option mehr war, sondern grundsätzlicher noch die Konzentration des modernen Denkens auf die Subjektivität des Menschen, in der er seiner Welt frei gegenübertritt. Die Theologie sollte diese moderne Thematik samt der damit verbundenen Verlagerung der Gottesfrage auf die Anthropologie nicht von vornherein als Fehlentwicklung beurteilen[238]. Sie sollte darin vielmehr im Prinzip eine Weiterbildung biblischer Motive in der Bestimmung des Verhältnisses des Menschen zur Welt anerkennen. Auch für die Strukturbeschreibung der Sünde liegt ein Fortschritt darin, daß die

---

[237] I. Kant: Die Religion innerhalb der Grenzen der bloßen Vernunft, 2. Aufl. 1794, 26ff., bes. 33f.

[238] Das möchte ich den Ausführungen von Chr. Gestrich gegenüber (Die Wiederkehr des Glanzes in der Welt. Die christliche Lehre von der Sünde und ihrer Vergebung in gegenwärtiger Verantwortung, 1989, 136f.) zu bedenken geben.

Sünde subjektivitätstheoretisch als Selbstverfehlung thematisiert wird. Kants These vom radikalen Bösen hat einen Ansatzpunkt dafür geschaffen. Dem steht allerdings im Vergleich zur augustinischen Beschreibung der Sünde ein schwerer Mangel gegenüber: Konstitutiv für den Begriff der Sünde ist bei Kant nicht mehr die Perversion des dem Menschen als Geschöpf angemessenen Verhältnisses zu Gott, wie Augustin sie im Phänomen der Konkupiszenz ausgedrückt fand. An die Stelle der Beziehung zu Gott ist bei Kant die Beziehung zu der im Menschen sprechenden Stimme des Moralgesetzes getreten. Die Vertauschung der Rangordnung von Religion und Moralität, von Gott und Moralgesetz, – so sehr Kant die Religion auf die Moralität neu begründen wollte, – kann christliche Theologie nicht hinnehmen[239]. Dieser Mangel sollte aber die Theologie nicht davon abhalten, es als Verdienst Kants anzuerkennen, daß er aus dem Zusammenbruch der Erbsündenlehre die Frage nach einer allgemeinen Struktur des Bösen im menschlichen Verhalten, über die einzelnen Verfehlungen der Individuen hinaus, wiederhergestellt hat als Frage nach einer Verkehrung der Subjektivität in sich selber.

Hegel hat den subjektivitätstheoretischen Ansatz zur Beschreibung des Bösen weiterentwickelt und ausgeweitet durch die Reflexion auf die allgemeine Natur des Selbstbewußtseins einerseits, auf das Verhältnis des endlichen Selbstbewußtseins zum Absoluten andererseits[240]. Man kann Hegel nicht mehr wie der Lehre Kants vom radikalen Bösen den Vorwurf machen, daß das Böse oder die Sünde hier unter Absehung vom Verhältnis des Menschen zu Gott bestimmt würde. Dabei geht auch Hegel aus von der Subjektivität des Menschen, allerdings nicht mehr nur von seinem moralischen Bewußtsein, sondern vom Menschen als dem seiner selbst bewußten Wesen überhaupt: Das Selbstbewußtsein bildet nach Hegel den Boden der Einheit aller Inhalte des Gegenstandsbewußtseins. Es ist damit über jeden besonderen Inhalt zugleich auch hinaus. Entsprechendes gilt für die praktische Realisierung des Selbstbewußtseins in der Form der Begierde[241]. Die Begierde

---

[239] Darin stimme ich mit Chr. Gestrich a.a.O. überein. In Anthropologie in theologischer Perspektive, 1983, 83 ff. bin ich auf diesen Mangel, der die Darstellung Kants im Vergleich zum theologischen Sündenbegriff belastet, nicht eingegangen, weil es dort mehr um die in Philosophie und humanwissenschaftlicher Forschung auftretenden strukturellen Parallelen zur theologischen Sündenlehre ging als um ein theologisches Urteil.

[240] Der Sachverhalt ist vielleicht am prägnantesten in Hegels Rechtsphilosophie § 139 formuliert worden. Vgl. auch seine Vorlesungen über die Philosophie der Religion, Hegels Sämtliche Werke 16, 257–277, bes. 267 f., sowie die eindringliche Darstellung der Gedanken Hegels bei J. Ringleben: Hegels Theorie der Sünde. Die subjektivitätslogische Konstruktion eines theologischen Begriffs, 1977, bes. 65–105, sowie zum Verhältnis von Sünde und Gottesbegriff 116–153.

[241] G.W.F. Hegel: Encyclopädie der philosophischen Wissenschaften im Grundrisse, hg. F. Nicolin, PhB 33, §§ 426 ff. Vgl. Phänomenologie des Geistes hg. J. Hoffmeister, PhB 114, 139 f. und zur Kennzeichnung der Begierde als des zu überwindenden natürlichen Willens die Ausführungen der religionsphilosophischen Vorlesungen in Werke 16, 262.

kennzeichnet den Menschen als natürlichen Willen. Darin ist er jedoch noch nicht, was er sein soll. Denn er soll sich über seine und alle Besonderheit zum Gedanken des an und für sich Allgemeinen, des wahrhaft Unendlichen und Absoluten erheben im Unterschied zu allen endlichen Bewußtseinsinhalten, einschließlich des eigenen Ich. Andererseits aber hat das Ich auch die Möglichkeit, das Absolute als einen besonderen Inhalt seines Bewußtseins neben anderen zu behandeln und die alle besonderen Inhalte überschreitende, unendliche Einheit des Ichbewußtseins für das eigentlich Unendliche zu nehmen, damit aber in Wahrheit „die *eigene Besonderheit* über das Allgemeine zum Prinzipe zu machen, und sie durch Handeln zu realisieren – *böse* zu sein"[242].

Hegels Beschreibung der Begierde führt in die Augustins ein Moment zusätzlicher Differenzierung ein, indem der menschlichen Begierde als Äußerungsform des Selbstbewußtseins ein Zug ins Unendliche zugeschrieben wird, der es verständlich macht, wie das Ich sich selber an die Stelle des wahrhaft Unendlichen und Absoluten setzen kann. Dabei ist nicht die Begierde an sich schon böse, sondern erst der Wille, der sich mit ihr identifiziert, statt sich über sie – und damit über die eigene Selbstsucht – zu erheben. Ein Motiv dazu wäre durch den vom theoretischen Bewußtsein entwickelten Gedanken des Absoluten gegeben. Doch bleibt die Erhebung zum Gedanken des Absoluten nicht immer an die endliche Subjektivität als an ihre Basis gebunden?

Das ist der Punkt, an dem Kierkegaard die Hegelsche Beschreibung der Sünde weitergeführt und vertieft hat[243]. Die Eingangssätze seines Buches „Die Krankheit zum Tode", 1849, beschreiben die menschliche Subjektivität als „ein Verhältnis, das sich zu sich selbst verhält": Der Mensch ist ein Verhältnis der Endlichkeit seines Ich zum Unendlichen und Ewigen, und er hat ein Verhältnis zu diesem Verhältnis, das er ist, indem er Selbstbewußtsein hat. Nun kann er aber „durch sich selber nicht zu Gleichgewicht und Ruhe gelangen", weil er die Einheit seiner selbst nicht auf sein Selbstbewußtsein begründen kann; denn das Dasein des Menschen ist vielmehr durch das Ewige als ein Verhältnis zu ihm gesetzt. Versucht aber der Mensch, die Einheit seiner selbst von sich aus zu realisieren, so geschieht das immer auf der Basis der eigenen Endlichkeit. Damit hat auch Kierkegaard (wie schon Hegel) den augustinischen Gedanken der Sünde als Verkehrung der Struktur

---

[242] G.W.F. Hegel: Grundlinien der Philosophie des Rechts hg. J. Hoffmeister, PhB 124a, 124 (§ 139). Vgl. auch die Betonung der Schuldhaftigkeit des bösen Willens, der diese letztere Möglichkeit tatsächlich ergreift, in Hegels Vorlesungen über die Philosophie der Religion III, hg. G. Lasson, PhB 63, 104 (Hegels MS).

[243] Der enge Zusammenhang, der Kierkegaards Begriff der Sünde in der „Krankheit zum Tode" 1849 trotz aller Kritik mit Hegel verbindet, ist von J. Ringleben: Hegels Theorie der Sünde, 1977, 245–260 mit Recht betont worden (bes. 248f., vgl. schon 112ff.). Vgl. zum folgenden auch meine Ausführungen in: Anthropologie in theologischer Perspektive, 1983, 94ff.

des Menschseins als Geschöpf wiederholt, aber nun in der neuen Gestalt, daß die Selbstrealisierung des Menschen auf der Basis seiner Endlichkeit eine Umkehrung des Begründungszusammenhangs darstellt, der vom Unendlichen und Ewigen ausgeht und das Dasein des Menschen als Verhältnis zu ihm konstituiert. Daraus folgt der verzweifelte Charakter aller Bemühungen des Menschen um Selbstverwirklichung auf der Basis seines endlichen Daseins. Alle diese Versuche bewegen sich nämlich im Widerspruch gegen die Konstitution dieses Daseins, die vom Ewigen und von seiner Unendlichkeit ausgeht. In seinen Bemühungen um Selbstverwirklichung verfällt der Mensch entweder darauf, verzweifelt, weil im Widerspruch gegen die Begründung seines Daseins aus dem Ewigen, er selbst sein zu wollen, nämlich auf der Grundlage seiner eigenen Endlichkeit, oder er sucht, indem er die Ewigkeit als seine Bestimmung ergreift gegen die eigene Endlichkeit, verzweifelt nicht er selbst zu sein – nicht er selbst, weil er das nur als endliches Wesen sein kann, und verzweifelt deshalb, weil er dabei weder von der eigenen Endlichkeit loskommt, noch die Ewigkeit zu erlangen vermag. Kierkegaard sah zwar einen Ausweg aus dieser Situation, indem das Selbst „durchsichtig sich gründet in Gott"[244]. Aber ist diese Möglichkeit des Glaubens dem Selbst von sich aus erreichbar als ein „sich" Gründen auf der Basis der eigenen Endlichkeit? Hat nicht Kierkegaard gezeigt, daß die Bindung an die eigene Endlichkeit unentrinnbar ist für die ihre Selbstverwirklichung erstrebende Subjektivität?

Kierkegaards Beschreibung der angesichts der Konstitution des Selbst von Gott her verzweifelten Lage des menschlichen Bemühens um Selbstrealisierung der eigenen Identität hat auf dem Boden der Subjektivitätstheorie die These Luthers über die Gefangenschaft des Menschen in einem *servum arbitrium*[245] erneuert: Obwohl durchaus im Besitz der formalen Fähigkeit zur Wahl, vermag der Mensch dennoch nicht, auf dem Boden seiner endlichen Subjektivität und durch sein eigenes Handeln seiner Situation vor Gott gerecht zu werden oder, mit Kierkegaard gesprochen, seine eigne Identität von sich aus zu realisieren.

Kierkegaards Aufdeckung der Verzweiflung in den verschiedenen Formen menschlichen Selbstseinwollens enthält eine radikale Kritik jedes Glaubens an die Machbarkeit des Selbstseins, lange vor dem Aufkommen der modernen Identitätspsychologie mit ihren Beschreibungen von Identitätsbildungsprozessen und mit deren therapeutischer Auswertung. Allerdings müssen weder Beschreibungen solcher Prozesse, noch darauf begründete therapeutische Hilfen implizieren, daß die Ausbildung der eignen Identität als

---

[244] Die Krankheit zum Tode, dt. von E. Hirsch, Gesammelte Werke 24. Abt., 1954, 81 (SV XI,194), vgl. schon 10 (XI,129).
[245] M. Luther: De servo arbitrio (1525).

eine Leistung der betreffenden Person aufgefaßt wird[246]. Schon die übermäßige Konzentration auf die eigene Identität ist jedoch als eine Deformation der menschlichen Lebensthematik zu betrachten, weil nicht die eigne Identität, sondern die Güter und Aufgaben, denen das Leben gewidmet ist, an der ersten Stelle stehen sollten: Von ihnen her, letztlich von Gott als dem höchsten Gut her, kann das persönliche Leben eine Identität gewinnen, die dem nur von der Sorge um die eigne Identität umgetriebenen Menschen unerreichbar bleibt. Darin wiederholt sich das antike Thema des Vorrangs der Idee des Guten vor dem Streben nach Glückseligkeit oder Lust[247]. Das Streben nach dem Glück um seiner selbst willen ist egozentrisch und führt in die Irre. Nur wer dem Guten um seiner selbst willen strebt, wird dadurch auch das Glück und seine eigene Identität finden[248]. „Denn wer sein Leben retten will, der wird es verlieren. Doch wer sein Leben verliert um meinetwillen, der wird es finden" (Mt 16,28).

Die Verkehrung der Rangordnung von Streben nach dem Guten auf der einen und dem Interesse an der eignen Identität und dem eignen Glück auf der anderen Seite liegt auch dem Phänomen der Angst zugrunde, das Kierkegaard als psychologische Zwischenbestimmung zwischen Unschuld und Sünde beschreiben wollte[249]: Die sich an die eigne Endlichkeit klammernde Sünde geht nicht erst aus der Angst hervor, wie Kierkegaard meinte, sondern macht schon das Wesen der Angst selber aus: der Angst geht es um das eigene Seinkönnen. Sie ist auf das eigene Ich fixiert, ähnlich wie die aus ihr hervorgehende Sorge, die eben darum Gegenstand der Kritik Jesu wurde (Mt 6,25-27; Lk 12,22-26) und der er den Aufruf entgegensetzte: „Suchet zuerst das Reich Gottes und seine Gerechtigkeit, so wird euch solches alles zufallen" (Mt 6,33; Lk 12,31).

Für die subjektivitätstheoretische Beschreibung der strukturellen Verkehrung, die das Wesen der Sünde kennzeichnet, kommt der Angst eine ähnlich fundamentale Bedeutung zu wie der Konkupiszenz in der Darstellung Au-

---

[246] G. Schneider-Flume: Die Identität des Sünders. Eine Auseinandersetzung theologischer Anthropologie mit dem Konzept der psychosozialen Identität Erik H. Eriksons, 1985, geht mit der Identitätspsychologie Eriksons leider nur im Sinne einer Distanznahme um und macht nicht den Versuch einer Integration der darin gegebenen Beschreibungen in eine theologische Anthropologie. Das hat wohl seinen Grund darin, daß Schneider-Flume sich auf eine Deutung der Identitätsfindung als Leistung festlegt (73f., 79f., 110ff.). Die Ablehnung eines solchen Konzepts durch den Theologen ist dann vorprogrammiert.

[247] Vgl. den Dialog zwischen Sokrates und Kallikles in Platons Gorgias 491bff., bes. 506c 7ff., sowie schon 470e9f.: Wer rechtschaffen und gut ist, der ist auch glückselig.

[248] Dem entspricht, um es mit Chr. Gestrich a.a.O. 78 zu sagen, „daß wirklicher Glaube zuerst an *Gott selbst* interessiert ist – und nicht an Reifung, Freiheit, Glück, Identität des glaubenden Menschen".

[249] S. Kierkegaard: Der Begriff Angst, 1844 (dt. von E. Hirsch in Gesammelte Werke 11./12. Abt., 1952). Vgl. dazu ausführlicher vom Vf.: Anthropologie in theologischer Perspektive, 1983, 93f., 98ff.

gustins: Wie diese die Wurzel von konkreten Lastern wie Habsucht, Neid und Haß bildet, so ist Angst die Quelle nicht nur der Verzweiflung und der Sorge, sondern auch der Aggression[250]. Da die subjektivitätstheoretischen Analysen sich als Vertiefung der augustinischen Psychologie der Sünde lesen lassen, wird die Angst (als Ausdruck der übermäßigen Selbstliebe) auch schon als Motiv des Hervorgangs der Konkupiszenz aus ihr zu vermuten sein: Der Mensch ist schon als natürliches Wesen durch Bedürftigkeit und darum auch durch Begierde gekennzeichnet. Aber der Schritt zu jenem Übermaß der Begierde, das sie zur Sünde macht, dürfte in der Angst um das eigne Seinkönnen begründet sein, in der sich der Mensch durch den Besitz des Begehrten des eigenen Selbstseins zu versichern sucht.

Angst und die mit ihr verbundene Fixierung auf das eigne Ich liegen auch der Sucht nach Bestätigung durch andere zugrunde, auf die neuerdings mit Recht nachdrücklich hingewiesen worden ist als auf eine wichtige Form der Manifestation von Sünde[251]. Der Mensch ist wegen der Offenheit seiner Identität im Prozeß einer noch unabgeschlossenen Geschichte angewiesen auf Anerkennung durch andere. Wo sie ihm ungeheuchelt und als Ausdruck liebevollen Geltenlassens widerfährt, ist daran nichts Böses[252]. Wo aber die Anerkennung der anderen um jeden Preis erstrebt wird als Gewährleistung der eignen Identität, da entspringt solches Streben einer Angst um das eigene Selbstsein, die, verbunden mit dem Bemühen um dessen Sicherung, eine Fixierung auf das eigene Ich im Sinne des augustinischen *amor sui* zum Ausdruck bringt. Das Streben nach Sicherstellung des Ich durch Anerkennung von seiten anderer sollte unterschieden werden von dem verwandten Thema des Strebens nach Selbstrechtfertigung[253]. Es ist fundamentaler als das letztere, weil es einer Rechtfertigung erst bedarf gegenüber einer anklagenden und (möglicherweise) verurteilenden Instanz. Dem Streben nach Anerkennung geht es aber in der Tiefe um die Liebe des andern, wenngleich es sich oft mit äußerlichen Zeichen eines gewissen Wohlwollens begnügen muß. Die Sucht nach „Bestätigung der eignen Güte durch die Umwelt" ist auch nicht etwa die Wurzel, aus der alles Böse entspringt[254], obwohl in der

---

[250] Siehe dazu meine Ausführungen in: Anthropologie in theologischer Perspektive, 1983, 139-150.

[251] Chr. Gestrich: Die Wiederkehr des Glanzes in der Welt. Die christliche Lehre von der Sünde und ihrer Vergebung in gegenwärtiger Verantwortung, 1989, 199-203.

[252] So auch Chr. Gestrich a.a.O. 201

[253] Diese Unterscheidung fehlt bei Chr. Gestrich a.a.O. 202, 203ff.

[254] Die Formulierungen von Chr. Gestrich a.a.O. 203 sind in diesem Sinne mißverständlich. Wollte Gestrich tatsächlich behaupten, daß die Sucht nach Anerkennung die schlechthin fundamentale Erscheinungsform der Sünde ist, dann hätte das gegenüber den konkurrierenden Ansprüchen der Tradition für Konkupiszenz, Selbstsucht, Angst einer eingehenden Argumentation bedurft. Daß Selbstsucht und Angst bei der Sucht nach Bestätigung in der Regel beteiligt sind, spricht eher dafür, daß diese Motive für die Struktur von Sünde fundamental sind, während die Geltungssucht eine ihrer Erscheinungsformen neben anderen ist.

Tat in manchen Fällen zerstörerische Bosheit aus enttäuschtem Streben nach Anerkennung hervorgehen mag, wie sie auch aus allen anderen Erscheinungsformen der Sünde entstehen kann. Die Sucht nach Anerkennung ist eine der Formen, in denen sich Sünde manifestiert, vielleicht sogar eine spezielle Form der Konkupiszenz, freilich bezogen auf die Identitätsthematik des Menschen als eines seiner selbst bewußten Wesens. Jedenfalls ist die Angst um das eigne Seinkönnen als Ausdruck und zugleich Motiv übersteigerter Selbstliebe auch hier schon vorausgesetzt.

Die Ichfixierung selber läßt sich nicht auf die Angst zurückführen, weil sie schon in der Angst enthalten ist[255]. Aber in der Situation der Zeitlichkeit wird durch die Angst die Fixierung auf das eigene Ich ständig reproduziert. Die Unsicherheit der Zukunft und die Unabgeschlossenheit der eigenen Identität nähren wiederum die Angst. So wird der Mensch durch seine Angst in der Ichbefangenheit festgehalten[256]. Die Alternative dazu wäre ein Vertrauen auf Zukunft und ein Leben in der Gegenwart aus solchem Vertrauen. Würde das dem Menschen nicht immer wieder neu geschenkt, so wäre er nicht lebensfähig. Dennoch verschließen sich Menschen immer wieder dagegen in der Angst um sich selbst.

Insofern hat die reformatorische Theologie mit Recht den Unglauben als Wurzel der Sünde bezeichnet[257]: In der Angst um sich weigern sich Menschen oder sind unfähig, das eigene Leben als Geschenk anzunehmen und darum dankbar und vertrauensvoll der Zukunft entgegenzugehen. Vertrauen in diesem allgemeinen Sinne ist freilich nicht schon Glaube im Sinne der Hinwendung zum Gott der Bibel. Solche Ausdrücklichkeit des Glaubens ist erst auf dem Grunde geschichtlicher Gottesoffenbarung möglich.

---

[255] Außerdem gibt es neben der angstvollen auch die unbekümmert selbstherrliche Form der Ichfixierung, die schon der Antike als Hybris oder *superbia* vor Augen stand.

[256] Die große Tragweite dieses Sachverhalts für das breite Spektrum neurotischen Verhaltens ist neuerdings besonders von E. Drewermann in seinem dreibändigen Werk: Strukturen des Bösen. Die jahwistische Urgeschichte in exegetischer, psychoanalytischer und philosophischer Sicht, 1977 ff. dargestellt worden. Mit Recht hat Drewermann betont, daß eine in die Wurzel gehende Lösung dieser Problematik der Umkehr zu Gott bedarf. Das anzuerkennen heißt allerdings nicht, der antirationalistischen Einstellung Drewermanns und seiner Vermischung biblischer und mythischer Stoffe auf der Grundlage der Psychologie C.G. Jungs zu folgen. Die fundamentale Bedeutung der Angst als einer Grundform der Sünde ist übrigens auch bei Augustin schon gesehen worden, wenngleich er noch nicht zwischen Furcht (*timor*) und Angst terminologisch unterschied.

[257] Luther fand im Unglauben die Sünde gegen das erste Gebot, wie im Glauben dessen Erfüllung. Belege dazu siehe bei P. Althaus: Die Theologie Martin Luthers, 1962, 131 f. und vor allem bei G. Ebeling: Lutherstudien II: Disputatio De Homine 3. Teil, 1989, 114 ff. und ders.: Der Mensch als Sünder. Die Erbsünde in Luthers Menschenbild, Lutherstudien III, 1985, 74-107. Ähnlich J. Calvin: Inst. chr. rel. II, 1,3. Im Anschluß daran hat K. Barth die Grundaussage über die Sünde als Hochmut (KD IV/1, 1953, 458-531) durch den Begriff des Unglaubens interpretiert (459-462). Der Deutung der Sünde als Unglaube folgt auch O.H. Pesch: Frei sein aus Gnade. Theologische Anthropologie, 1983, 166 ff.

Soll Unglaube als anthropologisch allgemeiner Sachverhalt in die theologische Beschreibung der Sünde als einer bei den Menschen allgemein verbreiteten Tatsache eingehen, dann muß eine primäre Unbestimmtheit des Gegenstandes und Grundes von Vertrauen einerseits, der Vertrauensunfähigkeit andererseits zugestanden werden. Der Gott der Bibel steht nicht jedem Menschen immer schon als konkretes Gegenüber vor Augen. Dennoch verlangt der biblische Schöpfungsglaube, mit einem Bezogensein aller Geschöpfe auf den Gott der Bibel als auf ihren Schöpfer zu rechnen, wiewohl sie nicht wissen können, daß er es ist, von dem ihr Leben herkommt und auf den es zugeht. In entsprechend unausdrücklicher Weise kann von seiten des Geschöpfes Glaube oder Unglaube in dankbarer Annahme des Lebens und vertrauensvoller Aufgeschlossenheit einerseits oder andererseits in der Angst um das eigene Seinkönnen vollzogen werden.

In der theologisch als Sünde zu bezeichnenden Situation allgemeiner Verfehlung der menschlichen Bestimmung ist der Unglaube als ihr Grund also nicht immer schon thematisch. Das ist erst möglich im Gegenüber zum Gott der geschichtlichen Offenbarung[258]. Ebensowenig liegt der konkrete Ausgangspunkt des Sündigens in der nackten Hybris menschlichen Seinwollens-wie-Gott. Diese Hybris ist auf weite Strecken hin nur implizit in der Begierde und in der Angst um das eigene Leben wirksam. Wenn sie einmal offen hervortritt, dann kann das allerdings zerstörerische und auch mörderische Wirkungen haben. In den alltäglichen Erscheinungsformen der Sünde bleibt ihr eigentliches Wesen und die Tiefe ihrer Bosheit zumeist verborgen[259]. Wie könnte sie sonst die Menschen verführen? Zwar erleiden sie die Folgen eines Lebens in Angst, in ungezügelten Begierden und Aggressivität. Aber erst im Gegenüber zum Gott der geschichtlichen Offenbarung wird

---

[258] Vgl. vom Vf. Anthropologie in theologischer Perspektive, 1983, 88 ff. und 132 ff. Siehe auch die Ausführungen von J. Ringleben: Hegels Theorie der Sünde. Die subjektivitätslogische Konstruktion eines theologischen Begriffs, 1977, 252 ff. zum Verhältnis zwischen Kierkegaard und Hegel in diesem Punkt. Bei Kierkegaard vgl. bes.: Die Krankheit zum Tode (dt. von E. Hirsch) 94. K. Barth hat schon der reformatorischen und nachreformatorischen, erst recht der modernen protestantischen Theologie in ihrer ganzen Entwicklung (mit alleiniger Ausnahme M. Kählers) den Vorwurf gemacht, die Erkenntnis der Sünde nicht entschieden und exklusiv genug von Christus her begründet zu haben (KD IV/1, 1953, 395-458). Er hat bei seiner eigenen christologischen Begründung der Sündenerkenntnis (a.a.O. 430 als Grundsatz formuliert) jedoch nicht berücksichtigt, daß die Aufdeckung der Sünde im Lichte der Christusoffenbarung sich auf einen Sachverhalt bezieht, der als solcher sehr viel allgemeinerer Natur ist und der Christusoffenbarung geschichtlich vorhergeht. Wo aber das nicht berücksichtigt ist, wird aus der Tatsache der Sünde ein bloßes Postulat des Christusglaubens. Vgl. auch die Bemerkungen von Chr. Gestrich a.a.O. 85 f.

[259] Diese Erscheinungsformen der Sünde sind auch nach Luther durchaus allgemeiner Wahrnehmung zugänglich, wenngleich die verblendete Vernunft sie leicht übergeht: *Posset tamen peccatum ab effectibus suis cognosci utcunque, Nisi ratio etiam hic esset nimium caecutiens et obiectorum facile obliviceretur* (WA 39/1,85). Vgl. G. Ebeling: Lutherstudien III, 1985, 275 f. und 295-300.

das Unwesen solcher Lebensweise als Sünde an diesem Gott benennbar und damit auch ihre Wurzel als Glaubenslosigkeit identifizierbar.

c) Die Allgemeinheit der Sünde und das Problem der Schuld

Der Nachweis der strukturellen Allgemeinheit der Sünde am Zusammenhang von Begierde und Selbstsucht verschärft das Problem der Verantwortlichkeit für die Sünde, das die christliche Sündenlehre bis in die moderne Diskussion hinein immer wieder beschäftigt hat: Von Sünde zu reden scheint nur dann sinnvoll zu sein, wenn es sich um ein Verhalten handelt, das als Schuld zurechenbar ist. Sonst spräche man richtiger von Krankheit oder von einer elenden Lage. Verantwortlichkeit aber gibt es nach Augustins frühem Werk über den freien Willen nur für die willentlich vollbrachte Tat. Diese Auffassung stimmte mit der älteren patristischen Tradition überein: Nur dem Täter, genauer dem sündigenden Willen, wird gerechterweise die Sünde zugerechnet. Denn wer sündigt mit etwas, das er nicht vermeiden kann[260]? Augustins pelagianische Gegner konnten sich später auf derartige Sätze berufen: Wie soll es angesichts dieses Grundsatzes Schuld geben können für einen Zustand, in dem sich jemand ohne persönliches Zutun vorfindet, und zwar sogar schon seit seiner Geburt? Augustin hat dagegen auf die Schrift verwiesen, die auch fahrlässig begangene Verfehlungen für strafwürdig erkläre, ja sogar solche, die der Mensch vermeiden möchte und doch nicht vermeiden kann (Röm 7,15)[261]. Damit war allerdings noch keine Antwort auf das Sachargument gegeben, das Verantwortung und Schuld an den Willen des Täters bindet. Einen Ausweg bot hier erst die Reflexion auf die Entscheidungsfreiheit Adams vor dem Sündenfall, verbunden mit der vermeintlich paulinischen Vorstellung, daß in Adam alle seine Nachkommen anwesend waren und so an seiner freien Entscheidung zur Sünde teilgenommen, „in ihm" gesündigt haben (Röm 5,12 Vulg.)[262]. Die Frage nach der

---

[260] Augustin De lib. arb. III,18: *Quis enim peccat in eo, quod nullo modo caveri potest?* Zum Verhältnis von Entscheidungsfreiheit und Verantwortlichkeit beim frühen Augustin siehe H. Häring: Die Macht des Bösen. Das Erbe Augustins, 1979, 139–148, 150ff.

[261] Augustin Retract. I,9. Zur Entwicklung der späteren Position Augustins in der Frage von Schuld und Verantwortung vgl. H. Häring a.a.O. 189–218.

[262] Augustin De civ. Dei XIII,14: *Omnes enim fuimus in illo uno, quando omnes fuimus ille unus ... Nondum erat nobis singillatim creata et distributa forma, in qua singuli viveremus; sed iam erat natura seminalis, ex qua propagaremur.* Weitere Belege bei J. Groß: Entstehungsgeschichte des Erbsündendogmas, 1960, 319ff. Groß unterscheidet diesen Gedanken mit Recht von der „zweiten Vorstellungsreihe ...", wonach die Erbsünde nichts anderes ist als die sich von Adam her vererbende Begierlichkeit" (322), beurteilt aber das Verhältnis beider als widersprüchlich (327f.), statt als komplementär, weil er das in der Konkupiszenz steckende Motiv des Hochmuts (s.o.) zu wenig beachtet. Schon die Sünde des ersten Menschen ist eine Sünde des Hochmuts gewesen, mit dem nach Koh 10,15 alle Sünde beginnt (De civ. Dei XIV,13,1). Der Hoch-

Verantwortung für den gegenwärtigen Zustand der Herrschaft der Sünde ist also das stärkste Motiv für den Rekurs auf Adam und damit für die Vorstellung einer Teilhabe der Nachkommen Adams an seiner Sünde gewesen.

Allerdings hat Augustin seine Erbsündenlehre nicht überhaupt erst zu dem Zweck entwickelt, das Problem der individuellen Verantwortlichkeit für den gegenwärtigen Zustand der Menschen zu lösen. Er hat schon seit der Schrift über den freien Willen außer der in der patristischen Theologie allgemein verbreiteten Auffassung vom Ursprung des Todesgeschicks im Fall Adams auch die bereits von Tertullian im Zusammenhang mit seinem Traduzianismus (Herkunft auch der Seele aus dem Generationszusammenhang) aufgebrachte Vorstellung von der Vererbung einer durch die Sünde verdorbenen Natur geteilt[263]. Daß mit dem Erbe der Konkupiszenz auch die Teilhabe an der Schuld Adams unmittelbar verbunden ist, hat Augustin jedoch im pelagianischen Streit mit zunehmender Schärfe verfochten[264]. Insofern hat seine Erbsündenlehre doch erst unter dem Druck der Schuldfrage ihre volle Ausbildung erfahren. Erst an diesem Punkt wurde der Vererbungsgedanke für die Systematik der Lehre Augustins wichtig. Zur Erklärung der allgemeinen Verbreitung der in der Konkupiszenz enthaltenen Willensverkehrung bedurfte es dessen nicht. Die Allgemeinheit der Sünde stand auch ohne den Rekurs auf Adam fest.

Die mittelalterliche Diskussion über den Begriff der Erbsünde zeigte jedoch, daß gerade das Problem der Verantwortlichkeit für die Sünde durch den Verweis auf die Entscheidungsfreiheit Adams vor dem Fall keineswegs gelöst war. Die Vorstellung einer Gegenwart aller Nachkommen Adams in dem Stammvater im Sinne eines freien Mitvollzugs seiner verhängnisvollen Tat hätte eigentlich die Annahme einer Präexistenz der Seelen erfordert. Augustins Gedanke einer samenartigen Gegenwart der Nachkommen in Adam konnte nur unter Voraussetzung der traduzianischen Vorstellung, daß auch die Seelen aus dem Generationszusammenhang hervorgehen, ein gewisses Maß an Plausibilität beanspruchen, obwohl es auch dann noch einigermaßen bizarr bleibt, sich den Seelensamen der Nachkommen als an Adams Entscheidung beteiligt vorzustellen. Unter Voraussetzung des Kreatianismus hingegen mußte eine ganz neue Erklärung dafür gesucht werden, daß die für jedes neue Individuum von Gott neu geschaffene Seele dennoch der Schuld Adams verhaftet bleibe. Anselm von Canterbury meinte, eine solche Erklärung in den Bahnen der augustinischen Theologie zu geben mit

---

mut aber ist *perversae celsitudinis appetitus*, der mehr für das eigene Ich begehrt, als ihm zukommt (ib), und als solcher bildet er auch den Kern der Konkupiszenz.
[263] De lib. arb. III,20, dazu J. Groß a.a.O. 266 ff. Vgl. Tertullian De an. 40,1f. (CCL II, 843). Bei Tertullian erscheint in diesem Zusammenhang auch die paulinische Vorstellung der *caro peccatrix ... concupiscens adversus spiritum* (vgl. schon 38,2f.; 841), während bei Augustin hier noch terminologisch der Begriff der *libido* im Vordergrund steht (III,18), bzw. die darin begründete, mit *ignorantia* verbundene *difficultas* (ebd.) des Gehorsams gegen den Willen Gottes.
[264] Siehe J. Groß a.a.O. 268 f., 273, 301 ff., bes. aber 305 ff. zur Bedeutung der augustinischen Auslegung von Röm 5,12 für dieses Thema.

der These, jede neugeschaffene Seele schulde Gott die der Menschheit als Gattung verliehene Ursprungsgerechtigkeit, die durch Adams Fall verlorenging[265]. Die Theologen der Folgezeit haben sich diese These zunehmend zu eigen gemacht, wobei der Mangel hinsichtlich der von jedem Nachkommen Adams Gott geschuldeten Gerechtigkeit mehr oder weniger eng mit der im Generationszusammenhang vererbten Konkupiszenz verknüpft wurde[266]. Auch die altprotestantische Theologie folgte dieser Linie, betonte dabei nur besonders nachdrücklich die Komplementarität jener beiden Aspekte der Sünde[267]. Daß auch der Gedanke einer erblichen Schuldhaftung für das Fehlen eines Bestandteils der ursprünglichen Ausstattung des Menschen das Problem der individuellen Verantwortlichkeit für die Sünde nicht zu lösen vermochte, das zeigten jedoch die Argumente, die seit der sozinianischen Kritik an der Erbsündenlehre im Raume standen und schließlich zu ihrer Auflösung geführt haben (s.o.). Doch auch damit war das Ringen um die Vereinbarkeit von individueller Verantwortlichkeit und Allgemeinheit der Sünde nicht beendet. Das Problem der individuellen Verantwortlichkeit erhob sich vielmehr auch bei allen neueren Versuchen, nach Auflösung der traditionellen Vererbungs- und Erbschuldvorstellungen eine dem individuellen Handeln vorausliegende, allgemeine Sündhaftigkeit glaubhaft zu machen.

Hier liegt der tiefere Grund dafür, daß die Geschichte der Sündenlehre in der modernen Theologie schließlich darauf hinauslief, den Begriff der Sünde auf die Aktsünde zu reduzieren (s.o. 269). Schon in der augustinischen Darstellung war die Erbsünde letzten Endes auf eine Aktsünde, nämlich diejenige Adams, zurückgeführt worden. Die neuere Theologie hat unter Wegfall des Vererbungsschemas diesen Gedanken auf jeden einzelnen Menschen angewendet: Die Sünde ist Tat jedes einzelnen, die aber zugleich das Ganze seines Lebens bestimmt, „Lebenstat"[268]. Aber ist das Leben im ganzen eine Tat? Ist es nicht eher eine Geschichte, die nicht nur durch eigene Taten, sondern auch durch Widerfahrnisse und Fü-

---

[265] Anselm von Canterbury: De conceptu virginali et de originali peccato 2–6 (Opera Omnia ed. F.S.Schmitt II, 1940, 141ff.), vgl. 27 (II,170).

[266] Siehe dazu H.Köster: Urstand, Fall und Erbsünde. In der Scholastik (HDG II,3b) 1979, 129ff.

[267] So heißt es bei I.A.Quenstedt: Theol. didactico-polemica sive systema theol., Leipzig 1715, 918 (th.34) zur Erbsünde: *Forma est habitualis Iustitiae Originalis privatio ... cum forma contraria, totius nempe naturae profundissima corruptione, coniuncta.* Zu der hier erwähnten *corruptio* wird in der Erläuterung der These auch die Konkupiszenz gerechnet (cf. auch th.35,919). Quenstedt widmete der Frage eine eigene quaestio: *An peccatum Originis consistat in nuda privatione et carentia iustitiae Originalis, an vero simul importat positivam quamdam qualitatem contrariam?* (qu. 11,1029–1035).

[268] K.Barth KD IV/1, 1953, 566ff., vgl. schon 448ff. Der Begriff der Lebenstat tritt an die Stelle der Erbsünde, die auch nach Barth „ein höchst unglücklicher, weil höchst mißverständlicher Begriff ist" (557).

gungen geprägt wird[269]? So bleibt der von Julius Müller versuchte Ausweg immer noch lehrreich, weil Müller nur so an der Allgemeinheit und Totalität der Sünde zusammen mit der Verantwortlichkeit für sie glaubte festhalten zu können, daß er eine vorgeburtliche Entscheidung jedes einzelnen als Ursprung der Sündhaftigkeit im ganzen seines Lebens postulierte (s.o. 269 Anm. 205).

Die einflußreichsten modernen Ersatzbildungen für die Erbsündenlehre beruhen auf der Verbindung der überindividuellen Aspekte der Sündhaftigkeit mit der Situiertheit des einzelnen im sozialen Lebenszusammenhang. An die Stelle der naturhaften Übertragung der Sünde durch die Generationenfolge tritt dabei die Vorstellung ihrer Vermittlung durch die gesellschaftlichen Beziehungen zwischen den Individuen. Der dadurch gebildete gesellschaftliche Lebenszusammenhang kann dann als strukturell deformiert aufgefaßt werden. Das ist insoweit auch unabweisbar[270]. Wie sich individuelles und soziales Leben des Menschen nicht trennen lassen, das erstere vielmehr immer schon mitkonstituiert ist durch die sozialen Bezüge, in denen es sich bildet und entfaltet, so wird sich auch die Sünde auf die sozialen Lebensformen auswirken. Die Frage kann nur sein, ob es sich dabei um Auswirkungen eines Sachverhalts handelt, der seine Wurzel im Leben jedes einzelnen hat, oder ob umgekehrt die Gesellschaft der eigentliche Sitz des Bösen ist. An dieser Stelle erhebt sich auch hier unvermeidlich die Frage nach der individuellen Verantwortlichkeit als Kriterium für die Anwendbarkeit des Sündenbegriffs: Erst mit der Zustimmung des individuellen Willens wird der schlechte Einfluß der Gesellschaft zur Sünde des einzelnen. Kann sich der einzelne grundsätzlich diesem Einfluß entziehen, dann schwindet die Differenz zur pelagianischen Auffassung, die ebenfalls eine Übertragung der Sünde im sozialen Lebenszusammenhang durch die ansteckende Wirkung des schlechten Beispiels kannte und sie der augustinischen Lehre von der Erbsünde entgegenstellte[271]. Doch auch dann, wenn der einzelne sich dem Einfluß der Gesellschaft nicht zu entziehen vermag, kann er sie noch als eine fremde Macht betrachten, von der er sich innerlich distanziert. Er weiß sich dann als nicht in sich selber böse. Das Böse erscheint als „strukturelle Sünde" außerhalb des Individuums. Es bedarf keines umständlichen Beweises, daß damit der biblische Sinn des Redens von Sünde verfehlt wird. So

---

[269] Siehe dazu vom Vf.: Anthropologie in theologischer Perspektive, 1983, 488 ff.
[270] Das betont mit Recht Chr. Gestrich a.a.O. 88 f. unter Bezugnahme auf befreiungstheologische Interpretationen des Sündenbegriffs. Vgl. dazu M. Sievernich: Schuld und Sünde in der Theologie der Gegenwart, 1982, 249 ff., 256 ff. und zur Kritik 265 ff. Als Beispiel einer „politischen" Interpretation der Erbsünde auf der Grundlage ihrer weiter unten (bei Anm. 279 ff.) zu erörternden Auffassung als „Situiertsein" des Menschen im gesellschaftlichen Lebenszusammenhang vgl. W. Eichinger: Erbsündentheologie. Rekonstruktionen neuer Modelle und eine politisch orientierte Skizze, 1980, 187-228.
[271] Dazu G. Greshake: Gnade als konkrete Freiheit. Eine Untersuchung zur Gnadenlehre des Pelagius, 1972, 81 ff.

unterschiedlich die biblischen Vorstellungen im einzelnen sind, es kommt doch immer darauf an, daß sich der Mensch von der Sünde gerade nicht distanzieren kann, sondern das Böse der Sünde als sein eigenes Böses erkennen muß, sei es als seine eigene Tat, sei es als Macht, die in ihm selber „wohnt" (Röm 7,17). Im „Herzen" des einzelnen Menschen hat die Sünde ihren Ursprung: Dieser Sachverhalt wird von der Erklärung der Verbreitung der Sünde durch den sozialen Lebenszusammenhang nicht erreicht, es sei denn, er werde schon als gegeben vorausgesetzt im Sinne eines bei jedem einzelnen Menschen bestehenden Hanges.

So war es der Fall bei Kant, der durch seinen Gedanken einer gesellschaftlichen Realisierung des bösen Prinzips in einem „Reich des Bösen"[272] zum wichtigsten Vorläufer der entsprechenden theologischen Lehrbildungen geworden ist. Der Entstehung und Ausbreitung dieses Reiches, das durch die Begründung eines sittlichen Reiches Gottes, eines ethischen gemeinen Wesens nach Tugendgesetzen, überwunden werden muß, liegt nach Kant immer schon bei jedem einzelnen der „Hang" zur Verkehrung der Ordnung der Triebfedern zugrunde[273]. In ähnlicher Weise bildet nach Schleiermacher die „Hemmung" des Gottesbewußtseins durch das sinnliche Selbstbewußtsein bei jedem einzelnen das Korrelat zur Gemeinschaftlichkeit der Sünde, die aus der Interaktion der Individuen hervorgeht und sich als ein „Gesammtleben" der Sündhaftigkeit darstellt[274], aus dem der einzelne nur befreit werden kann durch Eingliederung in ein anderes Gesamtleben, dessen Entstehung auf den Erlöser zurückgeführt wird. Zwar besteht bei Schleiermacher anders als bei Kant ein Übergewicht des Gemeinschaftsaspektes, so daß er die „vor jeder That eines Einzelnen in ihm vorhandene und jenseit seines eignen Daseins begründete Sündhaftigkeit" (§ 70) als „die Gesammtthat und Gesammtschuld des menschlichen Geschlechtes" auffaßte (§ 71). Doch ist sie eben auch in jedem einzelnen vorhanden[275]. Albrecht Ritschl hat den Gedanken Schleiermachers entschiedener auf die gesellschaftliche Interaktion der Individuen zurückgeführt, „sofern das selbstsüchtige Handeln eines Jeden, das ihn in die unmeßbare Wechselwirkung mit allen Anderen versetzt ... zu Verbindungen der Einzelnen in gemeinsamem Bösen führt"[276]. Die dadurch entstehende „Verflechtung" bezeich-

---

[272] I. Kant: Die Religion innerhalb der Grenzen der bloßen Vernunft (1793) 2. Aufl. 1794, 107 f.

[273] I. Kant a.a.O. 23 ff. Zu Kants Begriff des Reiches Gottes als eines ethischen gemeinen Wesens nach Tugendgesetzen vgl. 137 ff.

[274] F. Schleiermacher: Der christliche Glaube 2. Ausg. 1830, § 71,1 f.; vgl. § 69,3. Zum Begriff „Gesammtleben" siehe § 82,3.

[275] Schleiermacher sah sich allerdings nicht in der Lage, die Teilnahme des einzelnen an der Sündhaftigkeit des Geschlechts als schuldhaft zu bezeichnen (§ 71,2). Nur insofern die Ursünde „nicht ohne seinen Willen in ihm fortfährt und also auch durch ihn würde entstanden sein", kann sie „mit Recht eines Jeden Schuld" heißen (§ 71,1). Die folgenden Angaben im Text beziehen sich ebenfalls auf die Glaubenslehre Schleiermachers.

[276] A. Ritschl: Die christliche Lehre von der Rechtfertigung und Versöhnung III, 2. Aufl. 1883, 311.

nete Ritschl als ein „Reich der Sünde"[277], wobei der Abstand zur Erbsündenlehre deutlicher ist als der Unterschied zur pelagianischen Auffassung von der Ausbreitung der Sünde durch Beispiel und Nachahmung[278].

Die von Kant ausgehende Interpretation der überindividuellen Aspekte des christlichen Gedankens der Sünde durch die soziale Verflochtenheit der Individuen blieb im 19. Jahrhundert auf die evangelische Theologie beschränkt. Sie hat neuerdings ein Gegenstück auch in der katholischen Theologie gefunden, besonders in der vielbeachteten These Piet Schoonenbergs von einer „Sünde der Welt", in die jeder einzelne verstrickt sei durch sein „Situiert-Sein" im sozialen Lebenszusammenhang[279]. Die Ausführungen Schoonenbergs dazu ähneln in frappierender Weise den Gedanken Ritschls, nur daß Ritschl seine Auffassung als Alternative zur Erbsündenlehre, nicht als deren Interpretation vorgetragen hat. Auch wenn man mit Karl Rahner erwägt, daß der dogmatisch verbindliche Wesensgehalt der Definition der Erbsünde durch das Trienter Konzil (DS 1513) auf die Ablehnung der Übertragung der Sünde durch bloße Nachahmung einzuschränken wäre[280], bleibt doch zweifelhaft, ob die Deutung der Ursünde als Situiert-Sein die abgelehnte Auffassung wirklich ausschließt. Die Ablehnung einer Ausbreitung der Sünde durch bloße Nachahmung soll nämlich sichern, daß die Sünde als jedem einzelnen innerlich eigen gedacht wird[281]. Genau an dieser Stelle liegt die Problematik der Deutung der Sünde als Situiert-Sein. Zwar will Schoonenberg „das Situiert-Sein als eine *innere* Bestimmtheit auffassen"[282]; aber ob das gedanklich ausweisbar ist, ohne daß der Selbstvollzug des individuellen Lebens und ein darin wirksamer, dem Situiert-Sein korrespondierender Hang des Individuums ins Spiel kommt, muß bezweifelt werden. Der Wahrheitskern der augustinischen Position in ihrem Gegensatz zum Pelagianismus läßt sich nur festhalten, wenn in der Sünde *ein Grundbestand naturaler Verfaßtheit verkehrten Lebens* beim Individuum anerkannt wird. Erst dadurch wird das Individuum zur Identifizierung mit der Sünde als zu ihm selber gehörig genötigt, weil das eigene leibliche Dasein die Grundform des Selbst ist, als das der einzelne identifiziert wird, die Grundform, auf die alle anderen Aspekte des Selbstseins aufbauen[283]. Damit ist noch keine Antwort gegeben auf die Frage, wie individuelle Verantwortlichkeit für das eigene Sosein möglich ist, wohl aber die unerläßliche Voraussetzung dafür gesichert, daß diese Frage überhaupt sinnvoll gestellt werden kann.

---

[277] A.a.O. 314f.
[278] Das Bemühen Ritschls, sich auch nach dieser Seite hin abzugrenzen (a.a.O. 312), erbringt bestenfalls, daß der Gesichtspunkt der sozialen Interaktion bei ihm weiter ausgeführt worden ist.
[279] P. Schoonenberg: Der Mensch in der Sünde, in: J. Feiner/M. Löhrer (Hgg): Mysterium Salutis II, 1967, 845–941, bes. 886ff., 890f., sowie 928f. Vgl. auch K.-H. Weger: Theologie der Erbsünde, 1970.
[280] K. Rahner: Theologisches zum Monogenismus (1954), in: Schriften zur Theologie I, 1964, 253–322, 270, 295f.
[281] Das Konzil beschreibt die Ursünde (*peccatum originale*) als *Adae peccatum, quod origine unum est et propagatione, non imitatione transfusum omnibus inest unicuique proprium* (DS 1513).
[282] P. Schoonenberg a.a.O. 924, vgl. 891.
[283] Siehe dazu vom Vf.: Anthropologie in theologischer Perspektive, 1983, 198ff.

Offenbar bedarf es einer neuen Bemühung um die Frage, in welchem Sinne der als Sünde bezeichnete Sachverhalt als schuldhaft aufgefaßt werden kann. Das führt auf die weitere Frage, in welchem Sinne Schuld und Verantwortung von der Freiheit des Handelns abhängen oder in ihr begründet sind. Nur im Rahmen einer Erörterung dieser Frage läßt sich beurteilen, ob von Schuld und Verantwortung überhaupt im Hinblick auf anderes als auf Handlungen gesprochen werden kann.

Julius Müller meinte, daß es zur Verantwortlichkeit und Schuldfähigkeit des Handelns der Voraussetzung „formaler" Freiheit bedürfe, die noch jenseits der Alternativen steht, zwischen denen zu wählen ist, so daß ihr das Vermögen eignet, *„sowohl das Böse als das Gute* aus sich selbst hervorzubringen"[284]. Dazu sei zwar nicht erforderlich, daß der Wählende den Möglichkeiten seiner Wahl indifferent gegenübersteht, bevor er gewählt hat. Unerläßlich aber sei, daß er gegenüber jeder dieser Möglichkeiten auch anders kann[285], und dieses Auchanderskönnen enthalte gegenüber der Norm des Guten die Möglichkeit des Bösen[286]. Müller hat sich nicht klargemacht, daß ein Wille, der der Norm des Guten gegenüber auch anders kann, faktisch schon kein guter Wille mehr ist. Er ist auch nicht nur schwach, weil noch ungefestigt im Guten[287]. Insofern er der ihm gegebenen Norm des Guten gegenüber auch anders kann, ist er immer schon sündhaft, weil von der Bindung an das Gute emanzipiert[288]. Man kann die Sünde durchaus als Ausdruck der Schwäche der Menschen im Verhältnis zu ihrer Bestimmung auffassen[289]. Es wurde ja bereits gesagt, daß Sünde nicht mit nackter Bosheit gleichzusetzen ist. Aber man kann nicht jene Schwäche des Willens zum Guten als neutral gegenüber dem Gegensatz des Guten und Bösen hinstellen[290]. Der Wille, der dem Guten gegenüber auch anders kann, ist insoweit immer schon in das Böse verstrickt. Es nutzt darum nichts, zur Erklärung des Ursprungs der Sünde und der Verantwortlichkeit für sie auf einen Akt

---

[284] J. Müller: Die christliche Lehre von der Sünde II, 3.Aufl. 1849, 15, vgl. 17f.
[285] J. Müller a.a.O. 32ff., vgl. 41.
[286] J. Müller a.a.O. 35.
[287] Diese in der Patristik verbreitete Vorstellung findet sich beispielsweise bei Athanasius De inc. 3f. sowie bei Augustin Ench. 28 (105) CCL 46, 106: Der Wille, der gar nicht sündigen kann, gilt Augustin mit Recht als in höherem Maße frei als derjenige, der sowohl sündigen als auch nicht sündigen kann.
[288] So auch die kritische Schlußbemerkung von G.Wenz zu Julius Müllers Begriff der formalen Freiheit in seinem Artikel: Vom Unwesen der Sünde, KuD 30, 1984, 298-329, 307.
[289] So Irenäus adv. haer. IV,38,1f. und 4.
[290] K.Barth, KD III/2, 234f. „Des Menschen Freiheit ist also nie die Freiheit, sich seiner Verantwortung vor Gott zu entschlagen. Sie ist *nicht die Freiheit zu sündigen*" (235). Verwirrend ist allerdings, daß Barth sich dennoch vom Modell einer solchen Wahl als Ursprung der Sünde nicht lösen konnte, wiewohl er sie als Wahl der Menschen *„zwischen seiner einen und einzigen Möglichkeit und seiner eigenen Unmöglichkeit"* beschrieb (ebd.). Leider ist W.Krötke: Sünde und Nichtiges bei Karl Barth (1970) 2.Aufl. 1983, 66ff. auf das an dieser Stelle bestehende Problem der Freiheitsvorstellung Barths nicht eingegangen.

freier Wahl zurückzugreifen[291]. Dabei wird die Verantwortlichkeit für eine im Handeln sich äußernde Gesinnung verwechselt mit der Verantwortung für eine einzelne Tat. Das gilt für Adam ebenso wie für die Menschen der Gegenwart. Die Tragweite dieser Einsicht reicht weit. Sie trifft nicht nur Julius Müller oder Sören Kierkegaard, sondern schon Augustin und vor ihm die Argumentation der antignostischen Väter. Sie schließt es nämlich aus, die Verantwortlichkeit für die Sünde auf eine Entscheidung des Willens zwischen Gut und Böse zurückzuführen.

Damit ist nicht etwa das Vermögen des Willens zur Entscheidung zwischen Alternativen bestritten. Dieses Vermögen und seine Betätigung gehören in der Tat zu den charakteristischen Zügen menschlichen Verhaltens. Sie wurzeln in der Fähigkeit zur Distanznahme gegenüber den Objekten der Wahrnehmung, aber auch gegenüber vorgestellten Gegenständen und vorgestellten eigenen Verhaltensweisen zu solchen Gegenständen. Die Möglichkeit der Wahl ist jedoch daran gebunden, daß etwas überhaupt Gegenstand für das Bewußtsein wird. Erst daraufhin kann sich das Subjekt so oder anders dazu verhalten[292]. Nicht alles aber kann der Mensch so vor sein Bewußtsein bringen, daß es Gegenstand einer Wahl werden kann. Das gilt schon für den Bereich des Verhaltens in Tätigkeit und Unterlassen: Vieles geschieht durch uns oder wird unterlassen, ohne daß eine Wahl im eigentlichen Sinne (durch Entscheidung nach Abwägung der Möglichkeiten) stattfindet. In vielen dieser Fälle wären Überlegung und Wahl grundsätzlich möglich. Sie unterbleiben nur, damit die dazu erforderlichen Energien auf die wirklich wichtigen Fälle konzentriert werden. Anderes entzieht sich seiner Natur nach der vollen Vergegenständlichung und damit auch einer Wahl. Das gilt besonders für die Zustände des wählenden Subjekts. Man kann zwischen Handlungen und ihren Gegenständen wählen, aber kaum zwischen den Stimmungen und Empfindungen, denen man selber unterliegt. Auch unsere Einstellungen zur Welt lassen sich nur schwer und eher indirekt durch Wahlentscheidungen beeinflussen. Entsprechendes gilt für unser Situiertsein in der Welt: Wir können uns verschieden dazu verhalten, wir können unsere Situation in Einzelheiten ändern, aber stets nur in mehr oder weniger begrenztem Maße.

---

[291] Anders als die hier vorgetragene Argumentation hat K. Barth Julius Müller bereits dafür kritisiert, daß er überhaupt eine Antwort auf die Frage nach der Möglichkeit der Sünde zu geben versuchte (Die protestantische Theologie im 19. Jahrhundert. Ihre Vorgeschichte und ihre Geschichte, 2. Aufl. 1952, 541 f.). Doch um eine Auskunft zu dieser Frage kommt der christliche Schöpfungsglaube nicht herum. Schon in der Auseinandersetzung mit der Gnosis hat die christliche Theologie sich denn auch um eine solche Antwort bemüht. Es fragt sich nur, wie tragfähig die damals gegebene Antwort ist, auf deren Boden auch Julius Müller noch stand.
[292] W. James: The Principles of Psychology, Neudruck 1983, 277. Siehe zu diesem Thema jetzt auch vom Vf.: Sünde, Freiheit, Identität. Eine Antwort an Thomas Pröpper, in: Theologische Quartalschrift 170, 1990, 289–298, bes. 294f.

Auch unser Verhältnis zu Gott, sofern er Ursprung der Welt und unseres Lebens ist, wird nicht primär durch eine wählende Stellungnahme unsererseits bestimmt. Als das göttliche Geheimnis, das unser Leben von allen Seiten umgibt und trägt, ist Gott nicht oder nur in diffuser Weise Gegenstand unseres Bewußtseins und also auch möglicher Stellungnahme. Erst insofern die göttliche Wirklichkeit in einer bestimmten Form religiösen Bewußtseins erfaßt ist, kann sie auch Gegenstand wählender Stellungnahme werden. Doch gehört es zum religiösen Bewußtsein, daß die göttliche Wirklichkeit alle Vorstellungen von ihr übersteigt, und so bleibt auch die Möglichkeit der Stellungnahme zu ihr beschränkt, weil die göttliche Wirklichkeit über alle unsere Stellungnahme hinaus unser Leben unfaßbar umgibt und durchdringt. Von der Offenbarungsgestalt der Gottheit, der Bekundung ihres Willens, können Menschen sich abwenden – und haben es schon getan, wenn sie eine derartige Möglichkeit ernsthaft erwägen. Von dem unserem Leben zuinnerst gegenwärtigen göttlichen Geheimnis können wir uns in solcher direkten Weise nicht abwenden. Und dennoch kommt es zu derjenigen Abwendung von Gott, die wir Sünde nennen. Aber sie geschieht indirekt, als Implikation menschlichen Sichselberwollens, indem der Mensch darin durch sein eigenes Ich den Platz besetzt, der eigentlich Gott zukommt.

Auch das Sichselberwollen des Menschen steht nicht in der Weise zur Wahl, daß ein Mensch etwa überhaupt darauf verzichten könnte, sich selber zu wollen. Noch im Ekel an sich selber realisieren Menschen eine Form des Selbstseins, obschon im Modus der Verzweiflung. Noch der Selbstmörder kann nicht umhin, durch seine Tat das eigene Dasein zu qualifizieren. Nur *wie* wir uns selber wollen, können wir wählen, in Grenzen wenigstens und meistens nur indirekt über die Gegenstände und Tätigkeiten, denen wir uns widmen, immer aber durchmischt mit Illusionen, weil wir uns selber stets nur partiell als Gegenstand vor uns haben, – wir sind immer zugleich auch noch derjenige, der in diesen Spiegel blickt.

Ist solches Sichselberwollen des Menschen immer schon Sünde? Ist es nicht vielmehr Ausdruck jener Zentriertheit des Lebens in sich, die in der Evolution animalischen Lebens und vor allem bei den Wirbeltieren auf immer höherer Stufe realisiert wird, beim Menschen schließlich in der Form des Selbstbewußtseins, das immer auch Identifikation mit sich einschließt, also ein Sichselberwollen ist und alles übrige auf das Ich als Zentrum bezieht? Ist der Mensch nicht gerade in dieser Zentriertheit seines Lebens von Gott geschaffen als ein in besonders hohem Grade zur Selbständigkeit und zur Herrschaft über seine Umgebung befähigtes Wesen? So ist es zweifellos, und darum darf die Zentriertheit des Lebens in sich nicht schon als solche für sündhaft erklärt werden[293]. Sie steht auch nicht einfach der exzentri-

---

[293] So mit Recht schon I.A.Dorner: System der christlichen Glaubenslehre II/1, 2.Aufl. 1886, 86. Der Vf. hat seit seiner ersten Publikation zur Anthropologie (Was ist der Mensch?

schen Bestimmung des Menschen zur Erhebung über jedes Endliche mit Einschluß der eigenen Endlichkeit entgegen; denn diese Lebensbewegung ist konstitutiv für das Ich selber[294]. Dennoch liegt dabei die Verkehrung des Verhältnisses der Endlichkeit des Ich zum Unendlichen und Absoluten so nahe, daß außer im Falle ausdrücklicher Selbstunterscheidung des Ich in seiner Endlichkeit von Gott faktisch immer das Ich selber sich zum unendlichen Boden und Bezugspunkt aller seiner Gegenstände wird und damit den Platz Gottes besetzt[295]. Das geschieht im Regelfall gar nicht in der Form ausdrücklicher Empörung gegen den Gott der Religion, sondern in der Angst des Ich um sich selber und in der Maßlosigkeit seiner Begierden. Es ist die darin wirksame implizite Form absoluten Sichselberwollens, die den Menschen von Gott entfremdet, indem er durch sein eigenes Ich den allein Gott zukommenden Platz besetzt, ohne daß dabei das Verhältnis zu Gott überhaupt Gegenstand einer Entscheidung wäre.

Überall da, wo das Sichselberwollen des Menschen sich nicht in existenzieller Selbstunterscheidung von Gott vollzieht, nimmt es faktisch die Form jener unbegrenzten Selbstaffirmation an, sei es auch nur in Gestalt der schrankenlosen Angst und Sorge um das eigene Leben. Insofern ist die Sünde eng verflochten mit den Naturbedingungen menschlichen Daseins[296]. Doch wie kann es dann Verantwortung des Menschen für die Sünde geben?

Beim Reden von Verantwortung und Schuld[297] geht es in erster Linie um Handlungen oder Unterlassungen, insofern auch um eine Beziehung zu Wahl und Entscheidung. Zumindest wird im Blick auf Handlungen oder Unterlassungen eine Wahlmöglichkeit unterstellt. Dabei können z.B. im Strafprozeß auch noch zusätzliche Erwägungen über die Zumutbarkeit von Handlungsalternativen eine Rolle spielen. Aus der Bezogenheit des geläufigen Redens von Verantwortung und Schuld auf Handlungen folgt nun bereits, daß eine direkte Anwendung auf das Thema Sünde nur insoweit möglich ist, als der Sündenbegriff sich auf Handlungen oder Unterlassungen, auf Übertretungen einer Norm bezieht. Diese Voraussetzung ist im alttestamentlichen Sprachgebrauch weithin erfüllt[298], so auch in der Paradiesesge-

---

Die Anthropologie der Gegenwart im Lichte der Theologie, 1962) die Ichbezogenheit menschlichen Verhaltens mit dem Thema der Sünde verknüpft (40-49), aber nicht die Ichhaftigkeit als solche (44) mit der Sünde identifiziert, sondern die „in sich selbst und in ihrem Weltbesitz verschlossene Ichhaftigkeit" (146). Vgl. auch Anthropologie in theologischer Perspektive, 1983, 102 ff.

[294] Siehe dazu vom Vf.: Anthropologie in theologischer Perspektive, 1983, 102 f., sowie 233 ff.

[295] Siehe auch oben 284.

[296] Vgl. meine Ausführungen in: Anthropologie in theologischer Perspektive, 1983, 104 ff., sowie Chr. Gestrich: Die Wiederkehr des Glanzes in der Welt, 1989, 75 ff.

[297] Zum folgenden vgl. den Abschnitt über Schuld und Schuldbewußtsein in: Anthropologie in theologischer Perspektive 278-285, bes. 280 ff.

[298] Dabei sehe ich hier davon ab, daß die alttestamentlichen Texte noch stark vom Gesichts-

schichte. Sie trifft aber nicht ohne weiteres zu für den Zustand des bösen Herzens oder des Aufruhrs gegen Gott als Hintergrund solcher Einzelhandlungen, und auf den paulinischen Begriff der Sünde als den Menschen beherrschender und ihm innewohnender Macht läßt sich eine solche Betrachtungsweise überhaupt nicht mehr anwenden.

Nun unterliegt auch die Verantwortlichkeit für das eigene Handeln gewissen Bedingungen, ohne die sich aus der bloßen Tatsache der Täterschaft noch keine Schuld ergibt. Die Reflexion auf die lebensgeschichtlichen – psychologischen und sozialen – Umstände von Handlungen sind immer geeignet, eine Tat als das Resultat ihres Zusammentreffens erscheinen zu lassen und so den Täter zu entlasten. Verantwortlichkeit und Schuld ergeben sich erst aus der Geltung einer Norm, der der Handelnde folgen soll oder hätte folgen sollen. Im Strafprozeß wird dem Täter im Namen der Gesellschaft und ihres Gesetzes zugemutet, daß er oder sie sich der Norm entsprechend hätte verhalten sollen und können. So wird objektive Schuld zugerechnet. Wird die Norm verinnerlicht im sittlichen Bewußtsein oder Gewissen, dann richtet der Handelnde solche Zumutung an sich selber. Nur dann kommt es auch subjektiv zur Annahme der Schuld. Schuldbewußtsein, Gewissen und Verantwortung haben also etwas zu tun mit der Bindung des Bewußtseins der eigenen Identität als Sollbegriff des Selbst an bestimmte Normen und an die daraus fließenden Forderungen für das eigene Verhalten[299].

Von da aus ergibt sich eine Beziehung auch des als Sünde beschriebenen Sachverhalts zum Themenbereich von Verantwortung und Schuld. Das Wissen um Gott und damit auch um die Bestimmung des Menschen zur Gemeinschaft mit Gott läßt den Zustand des Gegensatzes zu Gott in der Sünde und der Trennung von ihm als einen solchen erscheinen, der nicht sein soll und überwunden werden muß[300]. Daraus kann ein Schuldvorwurf zunächst im Sinne äußerlicher Verurteilung entsprechenden Verhaltens be-

---

punkt der Erfolgshaftung geprägt sind, der den Täter bei den Folgen seiner Tat behaftet unabhängig von seiner Fähigkeit, die Tat zu vermeiden. Das auf diese Fähigkeit begründete Schuldprinzip hat sich erst spät im Sinne einer gerechteren Beurteilung des Täters vom Gedanken der Erfolgshaftung abgelöst. Siehe dazu: Anthropologie in theologischer Perspektive 282 ff. sowie das dort 281 Anm. 125 zit. Beispiel der Geschichte von Achans Diebstahl Jos 7,16 ff. Grundlegend für dieses Thema ist P. Fauconnet: La Responsabilité. Étude de Sociologie, Paris 1920.

[299] Siehe dazu ergänzend Anthropologie in theologischer Perspektive 109 f., sowie die Ausführungen über das Gewissen 286–303. Vgl. auch G. Condrau/F. Böckle: Schuld und Sünde, in: Christlicher Glaube in moderner Gesellschaft 12, 1981, 91–135, bes. 127–130.

[300] Chr. Gestrich a.a.O. 162 f. hat mit Recht auf die Gefahr einer Moralisierung des Bösen hingewiesen, die in der neueren Theologie damit verbunden war, daß das Böse nicht mehr als Abfall von einem guten Urstand, „sondern als *Zurückbleiben* hinter der ... geistigen Berufung und geschichtlichen Zielbestimmung der Menschen" aufgefaßt wurde. Zur Vermeidung dieser Gefahr kommt es darauf an, daß der Gedanke der Bestimmung des Menschen nicht in erster Linie ethisch, sondern eschatologisch und hinsichtlich seiner Realisierung heilsgeschichtlich gedacht wird, was nicht ausschließt, daß daraus dann auch ethische Verbindlichkeiten folgen.

gründet werden, wie es bei Paulus Röm 1,18-32 geschieht. Die Beschreibung dieser Grundsituation kann jedoch auch unter dem Gesichtspunkt subjektiver Bejahung der göttlichen Forderung durch den Menschen erfolgen und nimmt dann die Form der in Röm 7,15ff. gegebenen Darstellung innerer Zerrissenheit des Menschen an, der der göttlichen Norm zustimmt und dennoch in seinem Verhalten dem Weg der Sünde folgt.

Die Sünde besteht nach Röm 7,7ff. nicht nur aus einzelnen Übertretungen. Sie wird auch nicht auf solche Einzeltaten zurückgeführt. Sie geht allen Taten des Menschen voraus als eine Macht, die in ihm wohnt und die so etwas wie eine eigene Subjektivität besitzt, indem sie den Menschen übermächtigt. Es ist ein Zustand der Entfremdung von Gott. Doch solche Entfremdung von Gott widerfährt dem Menschen nicht ohne sein Zutun und nicht ohne eine damit gegebene, wenngleich zwiespältige Zustimmung. Paulus reflektiert nicht darauf, ob der Mensch auch anders gekonnt hätte, sondern ihm ist nur wichtig, daß er trotz seiner Zustimmung zum Gesetz Gottes doch auch selber der Sünde folgt. Warum tut er das? Weil sie ihm das Leben verspricht. Aber damit betrügt sie den Menschen (Röm 7,11); denn in Wahrheit bringt sie ihm den Tod[301].

In diesem Betrug ist es offenbar begründet, daß der Mensch sich auf die Sünde einläßt. Und dieses Faktum des willentlichen Vollzuges genügt, ihn schuldig zu machen. Dazu ist nicht das einmalige, urgeschichtliche Ereignis eines Sündenfalls erforderlich, den Adam einst – noch jenseits aller Verstrickung in Sünde – sich hätte zuschulden kommen lassen. Zwar spricht Paulus im Anschluß an die Paradiesesgeschichte davon, daß es „durch die Übertretung des Einen für alle Menschen zur Verurteilung gekommen" ist (Röm 5,18). Doch das ist eben darum so, weil alle Menschen sündigen, wie Adam gesündigt hat (Röm 5,12). Adam war nur der erste Sünder. Schon bei ihm fängt die Verführung durch die Macht der Sünde an, die sich bis auf den heutigen Tag bei allen Menschen zur Geltung bringt. Alle sündigen, weil sie auf diese Weise das wahre, volle Leben zu gewinnen meinen. In diesem Sinne ist die Geschichte Adams die Geschichte des ganzen Geschlechts: Sie wiederholt sich bei jedem einzelnen. Dabei wird nicht auf einen bei Adam im Unterschied zu allen seinen Nachkommen vorausgegangenen Zustand der Sündlosigkeit reflektiert. Eine solche Annahme würde der in Röm 7,7ff. intendierten Analogie der Lebensgeschichte eines jeden mit der Geschichte Adams im Wege stehen. Adam ist als der Anfänger zugleich das Urbild des Sündigens in einem jeden Menschen.

Das dürfte auch schon den Intentionen der Paradiesesgeschichte der Genesis entsprechen. Soweit sie als ätiologische Erzählung zu lesen ist, geht es ihr nicht um eine Erklärung für den Ursprung der Sünde, sondern für den des Todes, sowie für die Mühsal bei der Arbeit und bei der Entstehung neuen Lebens. Die Sünde

---

[301] Genaueres dazu in dem oben Anm. 292 zit. Aufsatz des Vf. 292f.

fungiert als Erklärungsgrund dafür. Sie ist nicht selbst Gegenstand der Erklärung, obwohl die Erzählung in geradezu exemplarischer Weise schildert, wie es (immer wieder und bei jedem Menschen) zur Sünde kommt... Darum ist mit Recht bestritten worden, daß es sich in der Paradieseserzählung überhaupt um den Bericht vom einmaligen Ereignis eines Sündenfalls der Menschheit handle[302]. Es verdient auch in der Dogmatik Beachtung, daß die Sünde nach der Darstellung der Genesis gar nicht mit einem einzigen Ereignis zur Herrschaft in der Menschheit kommt, sondern in einer Ereignisfolge zunimmt, deren erster Tiefpunkt im Brudermord Kains an Abel erreicht wird (Gen 4,7ff.) und die schließlich im Geschehen der Sintflut kulminiert. Nicht eine isolierte Betrachtung von Gen 3 im Hinblick auf die daraus abzuleitende Vorstellung eines einmaligen Sündenfalls, sondern die Beachtung der Darstellung eines Prozesses der Zunahme der Sünde in der Menschheit und der Gegenwirkung Gottes gegen ihr Überhandnehmen zur Bewahrung der Menschen vor den verderblichen Folgen ihrer Taten ist dem Text der biblischen Urgeschichte angemessen.

In der Geschichte der christlichen Theologie diente die Vorstellung vom Ursprung der Sünde in der Willensfreiheit der Geschöpfe und insbesondere in ihrem Mißbrauch durch Adam auch noch einem anderen Zweck, nämlich der Entlastung des Schöpfers von der Verantwortung für das Böse und dessen Folgen inmitten seiner guten Schöpfung[303]. Der Hinweis auf die Wahlfreiheit Adams vor dem Fall konnte diese Funktion allerdings nie sehr gut erfüllen, weil Gottes Allwissenheit schon vor der Schöpfung des Menschen dessen Fall vorausgesehen haben mußte. Augustin hatte den Mut, diesem Sachverhalt nicht durch Ausflüchte zu begegnen, sondern die Verantwortung des Schöpfers für die Entwicklung der Dinge in seiner Schöpfung sogar zu betonen, indem er hinzufügte, Gottes Allwissenheit habe über den Fall Adams hinaus auch den weiteren Gang der Geschichte vorausgesehen bis dahin, daß ein Nachkomme Adams mit Hilfe der Gnade Gottes den Teufel besiegen werde[304]. Damit begegnete Augustin dem geläufigen Zweifel an Macht und Güte des Schöpfers wegen des Aufkommens der Sünde in weit überzeugenderer Weise als Klemens von Alexandrien, zudem in Einklang mit der paulinischen Theologie des göttlichen Heilsmysteriums, des in Jesus Christus erfüllten göttlichen Geschichtsplanes, in welchem Gott „alle in den Ungehorsam eingeschlossen hat, um sich aller zu erbarmen" (Röm 11,32). Dabei hob Augustin hervor, daß der Mensch von Gott nicht zur Sünde gezwungen wird: Es wäre ja dann nicht mehr des Menschen eigene

---

[302] So nach dem Vorgang von L. Köhler (Theologie des Alten Testaments, 2. Aufl. 1947, 163-166) C. Westermann: Genesis, 2. Aufl. 1976, 376, sowie ders.: Theologie des Alten Testaments in Grundzügen, 1978, 81f. Vgl. ferner H. Haag: Biblische Schöpfungslehre und kirchliche Erbsündenlehre, 1966, 44ff., 55ff., sowie auch die Bemerkungen von H. Häring: Die Macht des Bösen, 1979, 221 zur Diskussion des Themas in der alttestamentlichen Exegese.

[303] Vgl. die schon oben 193 behandelten Ausführungen von Klemens von Alexandrien Strom. I, 82-84.

[304] Augustin De civ. Dei XIV,27, vgl. XIV,11,1.

Sünde, und der Begriff der Sünde selbst würde damit aufgehoben. Aber Augustins Meinung war doch offenbar, daß Gott schon bei der Schöpfung die vorausgesehene Sünde des Menschen in Kauf nahm im Vorblick auf seine künftige Erlösung und Vollendung. In ähnliche Richtung hat im 19. Jahrhundert Schleiermacher zu denken gewagt[305]. Sieht man an dieser Stelle von der Gefahr deterministischer Mißdeutung solcher Gedanken samt den daraus folgenden Absurditäten ab[306], so wird man in ihnen einen würdigeren Ausdruck des Glaubens an einen allmächtigen Schöpfergott erkennen als in einer Auffassung, die das Auftreten der Sünde und des Bösen in der Schöpfung als ein den Schöpfer überraschendes, daher auch aus dem Glauben an Gott nicht zu verstehendes, von Gott her als unmöglich qualifiziertes Ereignis betrachtet, dessen erklärte Nichtigkeit sich der Erfahrung der Geschöpfe dennoch als eine sehr reale Gegenmacht zu der des Schöpfers erweist. Statt einem solchen Dualismus zu huldigen, sollte christliche Theologie in der Zulassung der Sünde den Preis für die Selbständigkeit der Geschöpfe erkennen, auf die das Schöpfungshandeln Gottes abzielt[307]. Der Mensch als das zu voller Selbständigkeit gelangte Geschöpf muß das, was es ist und sein soll, durch sich selber werden und ausbilden. Dabei liegt es nur allzu nahe, daß das in der Form einer Verselbständigung geschieht, in der der Mensch sich selber an die Stelle Gottes und seiner Herrschaft über die Schöpfung setzt. Aber ohne geschöpfliche Selbständigkeit kann auch das Verhältnis des Sohnes zum Vater nicht im Medium geschöpflichen Daseins zur Erscheinung kommen.

4. Sünde, Tod und Leben

Die Macht der Sünde über den Menschen beruht darauf, daß sie ihm das Leben verspricht, ein volleres, reicheres Leben. Das ist, wie schon oben erwähnt wurde, ihr „Betrug" (Röm 7,11)[308]. Nur so erklärt sich, daß die Sünde nach Paulus das Gebot Gottes zum „Vorwand" nehmen kann, um sich des Menschen zu bemächtigen: Das Gebot Gottes ist dem Menschen zum Leben gegeben. Seine Beachtung soll ihm helfen, das von Gott empfangene Leben zu bewahren (Dtn 32,47; Lev 18,5). Die Begierde aber, die sich auf

---

[305] F. Schleiermacher: Der christliche Glaube, 2. Ausg. 1830, § 79 ff.
[306] Diese Gefahr stellt sich durch die anthropomorphe Vorstellung eines vom Anfang der Zeit her den künftigen Verlauf festlegenden Planes ein, vgl. dazu hier Bd. I, 419 f., sowie oben 20 f.
[307] Siehe oben 194 ff.
[308] Siehe dazu die Studie von G. Bornkamm über Sünde, Gesetz und Tod in seinen Paulusstudien Bd. 1: Das Ende des Gesetzes, 1952, 51–69, bes. 54 ff., sowie U. Wilckens: Der Brief an die Römer 2, 1980, 81 ff. Nach Wilckens steht im Hintergrund der paulinischen Ausführungen durchweg die Paradiesesgeschichte, ebenso wie bei den übrigen neutestamentlichen Anspielungen auf den „Betrug" der Sünde (Eph 4,22; 2. Thess 2,10; Hebr 3,13).

das Verbotene richtet, glaubt besser zu wissen, was dem Leben dient. Sie treibt den Menschen, das Gebot einer lebensfeindlichen Tendenz zu verdächtigen, so als ob seine Befolgung einen Verzicht auf etwas einschlösse, was zum Reichtum des Lebens gehört (vgl. schon Gen 3,4ff.). So wird nach Paulus das Gesetz zum Instrument der Herrschaft der Sünde, indem es dem Menschen das Leben vor Augen stellt und dadurch den Anlaß dafür liefert, daß die Begierde sich auf das Leben richtet, nun aber so, daß sie das Gesetz beseiteschiebt, – und zwar nicht nur die traditionelle moralische Ordnung, sondern auch das Gebot der Vernunft (vgl. 4.Esra 7,62–72). Darum gerät der Mensch im Drang seiner Lebensgier nicht nur in Widerspruch zu einem äußerlich seine Selbstentfaltung einengenden Gesetz, sondern auch zu seiner eigenen Vernunft, die, wie Paulus sagt, dem Gesetz Gottes zustimmt (Röm 7,22), aber dem blinden Drang nach Lebenserfüllung hoffnungslos unterliegt.

Diese Beschreibung ist auch nach zwei Jahrtausenden noch so lebenswahr, daß sie kaum eines Kommentars bedarf. Die verschiedenen Formen des Suchtverhaltens liefern die eindringlichsten Beispiele dafür, wie der Drang nach Lebenserfüllung in die Sucht führt, die schließlich das Leben verkümmern läßt, den Spielraum faktischer Entscheidungsfreiheit verengt und nicht selten mit dem Tode endet. Trotz der hier zu beobachtenden Unterschiede, auf deren Bedeutung noch zurückzukommen ist, sind nach Paulus doch letzten Endes alle Menschen in der einen oder anderen Weise der Lebensgier verfallen, und in allen Fällen endet sie mit dem Tode. Der „Sold, den die Sünde auszahlt, ist der Tod" (Röm 6,23; vgl. 7,11).

Die innere Logik des Zusammenhangs von Sünde und Tod, wie Paulus ihn behauptete[309], erschließt sich von der Voraussetzung her, daß alles Leben von Gott kommt: Da die Sünde Abwendung von Gott ist, trennt sich der Sünder nicht nur von dem gebietenden Willen Gottes, sondern damit zugleich von der Quelle seines eignen Lebens. Der Tod ist also keine dem Sünder durch eine fremde Autorität äußerlich zudiktierte Strafe. Er liegt vielmehr in der Natur der Sünde selbst als Konsequenz ihres Wesens[310]. Dabei dachte Paulus zweifellos an den leiblichen Tod des Menschen. Zwar ist der als Folge der Sünde eintretende Tod nicht nur ein Naturvorgang, sondern hat seine Schärfe in der Trennung von Gott. Das entspricht der Auf-

---

[309] Ähnliche Auffassungen finden sich bereits in der jüdischen Weisheit (Sap 2,24; vgl. Sir 25,24), sowie auch in der Apokalyptik (4. Esra 3,7; 7,118ff. und 11ff., aber auch syr. Bar 23,4), an einigen Stellen des Baruchbuches (54,15; 56,6), allerdings nur im Sinne vorzeitigen Todes wie wohl schon Gen 2,17 und 3,3f. Vgl. dazu E.Brandenburger: Adam und Christus, Exegetisch-religionsgeschichtliche Untersuchung zu Röm 5,12–21 (1.Kor 15), 1962, 49ff., sowie 58ff. zur rabbinischen Literatur.

[310] Siehe dazu auch vom Vf.: Tod und Auferstehung in der Sicht christlicher Dogmatik, in ders.: Grundfragen systematischer Theologie 2, 1980, 146–159, 149ff., sowie: Anthropologie in theologischer Perspektive, 1983, 136f.

fassung schon des Alten Testaments, daß der Tod von Gott scheidet (Ps 88,6; vgl. 6,6; 115,17; auch Jes 38,18). Die Deutung des Todes als Folge der Sünde gibt nur den Grund dafür an. Aber sie bezieht sich nicht auf ein anderes Ereignis als den leiblichen Tod. Sie besagt in keiner Weise, daß die „natürliche" Sterblichkeit des Menschen etwa noch nichts mit dem Tode in diesem besonderen Sinne zu tun hätte[311]. Vielmehr handelt es sich bei der Trennung von Gott im Tode um das tiefere Wesen gerade des physischen Todes, das allerdings schon im Wesen der Sünde als Trennung von Gott angelegt ist[312]. Nur unter dieser Voraussetzung konnte Paulus Röm 5,12 die Allgemeinheit des Todesgeschicks als Beweis für die allgemeine Verbreitung der Sünde unter den Menschen anführen.

Die spätere Theologie hingegen hat zwischen leiblichem Tod und geistlichem Tod der Seele einerseits, zwischen zeitlichem Tod des Menschen und ewigem Tod (der Verdammnis im Endgericht) andererseits unterschieden[313]. Die letztere Unterscheidung begegnet schon in der Johannesapokalypse. Die Vorstellung vom „zweiten Tode" (Apk 2,11; vgl. 20,14; 21,8) setzt eine allgemeine Totenauferstehung zum Gericht voraus, der dann für die Verdammten der „zweite" Tod ohne Aussicht auf nochmalige Auferstehung folgt. Die Unterscheidung zwischen leiblichem und seelischem Tode hingegen bahnte sich in der patristischen Theologie als Konsequenz der Vorstellung von der Unsterblichkeit der Seele an. Die Auffassung des leiblichen Todes als Trennung der Seele vom Leibe (vgl. Platon Gorg. 524b 3f., Phaid. 67d 3f., 88b 1f.) findet sich schon bei Tertullian (De an. 51,1, vgl. 52,1) und Klemens von Alexandrien (Strom. VII,71,3), der aber anders als Tertullian diesen leiblichen Tod als „natürlich" bezeichnete (Strom. IV,12,5 vgl. III, 64,2) und ihn dem Tode der Seele entgegensetzte, der in der Sünde (III,64,1) und Unkenntnis des Vaters (V,63,8) bestehe und die Seele von der Wahrheit trenne (II,34,2). Ähnlich dachte Origenes[314]. Eine mittlere Lösung, die für die Folgezeit maßgeblich wurde, findet sich bei Athanasius (De inc. 4). Danach gehört zwar die Sterblichkeit zur Natur des Menschen, nicht aber der tatsächliche Eintritt des Todes. Wegen der Teilhabe des Menschen am Logos nämlich wäre auch sein Leib der Unsterblichkeit teilhaftig geworden, wenn Adam nicht in Sünde gefallen wäre. Der leibliche Tod ist also trotz der Sterblichkeit der menschlichen Natur doch als Faktum erst Folge der Sünde. Dieser Auffassung ist u.a. auch Gregor von Nyssa in seiner Großen Katechese (8,1f.) gefolgt.

In der abendländischen Christenheit ist die Auffassung Augustins wegweisend geworden, die der des Athanasius und Gregors von Nyssa weitgehend entspricht. Augustin unterschied ähnlich wie die griechischen Väter einen Tod der Seele

---

[311] So unterscheidet u.a. R.Bultmann art. *thanatos* in ThWBNT 3, 1938, 14f., obwohl er zugesteht, eine solche Unterscheidung sei von Paulus „nirgends ausgesprochen" worden (15).
[312] Daher kann in übertragenem Sinn gesagt werden, der Sünder sei schon bei Lebzeiten tot (1.Tim 5,6, vgl. 1.Joh 3,14, sowie Lk 9,60/Mt 8,22).
[313] So noch die altprotestantische Dogmatik, beispielsweise D.Hollaz: Examen theol. acroam. III sect. 2 c 9 q 2 (Stargard 1707 p.373).
[314] Origenes, Johanneskommentar in Ges. Werke hg. E.Lommatzsch Bd.13,23,140. Vgl. auch De princ. I,2,4 und dazu H.Karpp: Probleme altchristlicher Anthropologie, 1950, 198f.

durch die Sünde vom leiblichen Tode: Beruht der letztere auf der Trennung der Seele vom Leibe, so der erstere auf der Trennung Gottes von der Seele[315]. Doch ist schon der Tod des Leibes nicht einfach natürlich, sondern tritt als Folge der Sünde ein (De civ. Dei XIII,6). Mit dem Tode der Seele durch die Sünde als gegenwärtigem Zustand ist nicht zu verwechseln der „zweite" Tod, der nach dem künftigen Gericht die Verdammten auf ewig von Gott trennen wird (XIII,2; vgl. XX,9,4 und XIV,1). Schon bei Augustin sind also die in der späteren theologischen Lehrbildung aufgeführten drei Formen des Todes unterschieden.

Die kirchliche Theologie hat bis an die Schwelle der Moderne an der Auffassung festgehalten, daß der leibliche Tod der Menschen Folge der Sünde ist[316]. Seit dem 18. Jahrhundert jedoch ist in der protestantischen Theologie die Meinung aufgekommen, der Tod des Menschen gehöre ebenso wie der aller anderen Lebewesen zur Endlichkeit seiner Natur. Nur dem Sünder werde dieser natürliche Tod zum Ausdruck des göttlichen Gerichts über die Sünde. Nicht mehr das objektive Faktum des Todes, sondern nur noch die subjektive Form seiner Erfahrung wurde nun als Folge der Sünde verstanden.

Die Natürlichkeit des leiblichen Todes wurde 1722 von Christoph Matthäus Pfaff und 1743 von Johannes E. Schubert noch unbefangen mit der These vom Ursprung des Todes als Folge der Sünde Adams verbunden[317]. Ein halbes Jahrhundert später hingegen vertrat ein kirchlicher Theologe wie Karl Gottlieb Bretschneider die zuvor vor allem von Sozinianern und Arminianern aufgestellte Behauptung, daß der leibliche Tod nicht nur im Alten Testament und in den Evangelien, sondern auch bei Paulus als „etwas Natürliches" aufgefaßt worden sei, da der Apostel 1. Kor 15,35-38 für den irdischen Leib die Notwendigkeit des Absterbens lehre, damit wir zur Auferstehung gelangen können. Die Aussagen des Apostels über den Tod als Sündenfolge Röm 5,12 seien deshalb nicht vom leiblichen Tode zu verstehen[318]. Schleiermacher konnte in seiner Glaubenslehre bereits ohne umständliche Auseinandersetzungen feststellen: Die „natürlichen Übel – objectiv betrachtet – entstehen ... nicht aus der Sünde", weil wir „Tod und Schmerz ... auch da finden, wo keine Sünde ist"[319]. Nur wegen der Sünde mit ihrer Dominanz des sinnlichen Lebens empfinde der Mensch diese „unvermeidliche Unvollkommenheit", die sein sinnliches Leben hemmt, überhaupt als Übel, so daß sie sich ihm subjektiv als Strafe für die Sünde darstelle[320]. Albrecht Ritschl hat noch

---

[315] Augustin De civ. Dei XIII,2: *Mors igitur animae fit, cum eam deserit Deus: sicut corporis, cum id deserit anima.* Die Unterscheidung findet sich auch 529 im zweiten Kanon des Konzils von Orange (DS 372).

[316] Vgl. die Entscheidung des Konzils von Trient DS 1511f. sowie Melanchthons Apologie zur CA 2, § 46f. (BSELK 156f.).

[317] Chr. M. Pfaff: Schediasma orthodoxum ... de morte naturali, Tübingen 1722, 36-40; J. E. Schubert: Vernünftige und schriftmäßige Gedanken vom Tode, Jena 1743, 32ff., 36ff.

[318] K. G. Bretschneider: Handbuch der Dogmatik der evangelisch-lutherischen Kirche I (1814) 3. Aufl. 1828, 551, vgl. 747 (zu Gen 3,19).

[319] F. Schleiermacher, Der christliche Glaube (1820) 2. Ausg. 1830, § 76,2.

[320] F. Schleiermacher ebd. sowie auch § 75,3 (dort das Zitat).

energischer betont, daß die Begriffe Sünde und Übel „an sich nicht zusammengehören"[321], ist aber im übrigen der von Schleiermacher gewiesenen Richtung gefolgt. Er hat Schleiermachers These nur dadurch präzisiert, daß erst das Bewußtsein der Schuld für die Sünde die Auffassung der Übel als göttlicher Strafen verständlich mache[322].

Der Preis für solche Psychologisierung der traditionellen Auffassung der natürlichen Übel und besonders des Todes bestand im Verlust des Sinnes dafür, daß es für den Menschen im Verhältnis zu Gott um Leben und Tod geht. Die Gottesbeziehung wurde auf die moralische Lebensthematik konzentriert[323]. Die Auffassung der natürlichen Übel und vor allem des Todes als Sündenfolgen wurde zwar von den Theologen noch als wenigstens psychologisch berechtigt verteidigt. Doch als sachgerechter konnte es nun erscheinen, sie samt dem zugrundeliegenden Schuldgefühl als neurotisch beiseite zu schieben. Wenn ein unabhängig vom Bewußtsein des Glaubenden bestehender Sachzusammenhang zwischen Sünde und Tod in Abrede gestellt wurde, dann mußte es in der Tat naheliegen, sich dieses ganzen Vorstellungskomplexes als eines Produkts mehr oder weniger krankhafter Einbildungen zu entledigen. Darüber hinaus konnte die psychologische Kritik aber auch auf den Geltungsanspruch der moralischen Normen selbst ausgedehnt werden, wie das Beispiel von Friedrich Nietzsches Beschreibung der Genealogie der Moral zeigt.

Ein Seitenstück zur neuprotestantischen Auflösung der traditionellen Auffassung des Todes als Sündenstrafe kann man in den Unterscheidungen von natürlichem Tod und Gerichtstod bei vielen Theologen des 20. Jahrhunderts erblicken. Bei Paul Althaus und Emil Brunner, bei Karl Barth und Eberhard Jüngel erscheint die Auffassung des Todes als Gericht Gottes über den Sünder zwar nicht als bloßer Reflex des menschlichen Schuldbewußtseins, sondern als Ausdruck des Zornes Gottes über den Sünder[324]. Aber des zornigen Gottes wird nur der Glaubende gewahr. Nur dem Glaubensbewußtsein, sofern es ein Bewußtsein der Sünde einschließt, erscheint der Tod als Gericht Gottes über die Sünde. Das ist nicht so weit entfernt von den Positionen Schleiermachers und Albrecht Ritschls, wie es auf den ersten Blick den Anschein hat. Denn auch bei diesen und anderen Theologen gilt der Tod des Menschen als an und für sich zur Endlichkeit des Men-

---

[321] A. Ritschl: Die christliche Lehre von der Rechtfertigung und Versöhnung III, 2. Aufl. 1883, 330.
[322] A. Ritschl a.a.O. 336f., 339f.
[323] Das gilt trotz der Betonung der Eigenart der religiösen Thematik durch Schleiermacher doch auch für seine Darstellung des Christentums in der Glaubenslehre, insofern er das Christentum als eine ethisch geprägte, „der teleologischen Richtung der Frömmigkeit angehörige ... Glaubensweise" bestimmt hat (§ 11). Grundlage dafür war seine ethische Deutung des Reichgottesbegriffs.
[324] P. Althaus: Die letzten Dinge (1922) 4. Aufl. 1933, 81 ff., E. Brunner: Der Mensch im Widerspruch (1937) 3. Aufl. 1941, 493 f.; K. Barth: KD III/2, 1948, 721 f., 728 ff., 763 f.; E. Jüngel: Tod, 1971, 94 ff.

schen als Geschöpf gehörig³²⁵. Erst dem Sünder, als den sich der Mensch aber erst im Glauben weiß, also erst im Bewußtsein des Glaubenden wird er zum Ausdruck des göttlichen Gerichts.

Zum Erweis der biblischen Legitimität der Annahme eines nur psychologischen Zusammenhangs zwischen der Sünde und dem Tod als Sündenfolge hat man auf das Auftreten anderer Wertungen des Todes in den biblischen Schriften verwiesen. Man glaubte, sich dafür nicht nur auf alttestamentliche Worte wie die über das lebenssatte Sterben der Erzväter (Gen 25,8; 35,29; vgl. 46,30) berufen zu können, sondern auch auf das Neue Testament, und zwar gerade auch auf paulinische Worte, die den Tod in positiverem Lichte, nämlich als „Befreiung" von diesem vergänglichen, dem auferstandenen Herrn fernen Leben erscheinen lassen³²⁶. So bezeichnet Paulus es Phil 1,21 als „Gewinn", zu sterben und bei Christus zu sein. Röm 14,8 wird der Gegensatz zwischen irdischem Leben und Sterben relativiert durch die Zugehörigkeit zu Jesus Christus. Nach Albrecht Ritschl ist es schon deshalb nicht erlaubt, „die objective Auffassung des Zusammenhanges von Sünde und Uebel als die Regel festzuhalten", und er fügte hinzu, die „Umkehrung der Uebel in Güter" treffe „nicht blos bei den Wiedergeborenen im christlichen Sinne, sondern schon bei jedem energischen und wahrhaften Charakter ein"³²⁷. Ritschl hat hier gänzlich verkannt, daß die Umwertung des Todes in jenen Paulusworten ihre Grundlage in einem jedenfalls für Paulus „objektiven" Faktum hat, das die Wirklichkeit des Menschen und der Schöpfung insgesamt in ein ganz neues Licht rückt, nämlich in der Tatsache der Auferstehung Jesu. Darum widerspricht die Neuqualifizierung des Todes für den Christen im Lichte des Osterglaubens nicht im geringsten der Auffassung des Todes in seiner Allgemeinheit als Folge der Sünde in Röm 5,12 (bzw. 6,23)³²⁸. Dieses Urteil gilt sogar noch für den irdischen Weg der Christen selbst (Röm 7,1-6). Nur ist dieser Folgezusammenhang durch die

---

³²⁵ P. Althaus: Art. Tod in RGG VI, 3. Aufl. 1962, 918, sowie: Die christliche Wahrheit (1947) 3. Aufl. 1952, 409 ff. E. Brunner: Die christliche Lehre von Schöpfung und Erlösung (Dogmatik 2) 1950, 149 ff. K. Barth: KD III/2, 725 ff., 764 ff., bes. 770. E. Jüngel: Tod, 1971, 93 f., 117, 167 f. Vgl. P. Tillich: Systematische Theologie II (1957) dt. 1958, 77. Zu Tillich vgl. ausführlicher von Vf. Anthropologie in theologischer Perspektive, 1983, 137 ff., zur Sache selbst den Artikel: Tod und Auferstehung in der Sicht christlicher Dogmatik (Grundfragen systematischer Theologie 2, 1980, 146-159, 151 ff.).
³²⁶ A. Ritschl: Die christliche Lehre von der Rechtfertigung und Versöhnung III, 2. Aufl. 1883, 333, vgl. 43. Siehe auch K. Barth: KD III/2, 777 und schon K. G. Bretschneider: Handbuch der Dogmatik der evangelisch-lutherischen Kirche 1 (1814) 3. Aufl. 1828, 751.
³²⁷ A. Ritschl a.a.O. 329 f.
³²⁸ A. Ritschl betrachtete die Ableitung „des allgemeinen Todesschicksals von der Sünde Adams" bei Paulus allerdings als theologisch unverbindlich (a.a.O. 335). Auch R. Niebuhr hat die paulinische „idea that physical death is a consequence of sin" kritisch beurteilt (The Nature and Destiny of Man I (1961) 1964, 176 f.), während E. Brunner meinte, der Tod, der nach Röm 6,23 der Sünde Sold ist, könne nicht der physische Tod sein (Dogmatik 2,150).

Auferstehung Jesu und durch die Verbindung der Christen mit dem Sterben dessen, der in seinem Sterben den Tod besiegt hat (Röm 6,5 ff.), in einen anderen Rahmen gerückt und daher in seiner Bedeutung verändert worden, weil der Tod nun nicht mehr das definitive Ende der menschlichen Person ist (vgl. Röm 7,6).

Gewichtiger ist der Hinweis darauf, daß 1. Kor 15,44–49 zu verstehen gebe, es sei „die adamitische Menschheit von vornherein als dem Tode unterworfen geschaffen worden"[329]. Doch wird man sich dabei daran erinnern müssen, daß Paulus keinen der Sünde Adams vorausgegangenen Urstand kannte. Adam war für ihn der Anfänger der Sünde ebenso wie des Todes.

An der traditionellen Lehre von den Sündenfolgen[330] ist am ehesten die Bezeichnung „Strafe" zu beanstanden, weil dieser Ausdruck eine dem Täter auferlegte Sanktion beinhaltet. Der Begriff der Strafe wird daher der biblischen Anschauung eines in der Natur der Sache selbst liegenden Zusammenhangs von Taten und Tatfolgen[331] nicht gerecht. Auch der Zusammenhang von Sünde und Tod, wie Paulus ihn behauptet hat, ist von solcher Art: Mit der Trennung des Sünders von Gott impliziert die Sünde bereits den Tod, der als ihre Folge eintritt. Der Tod ist die Folge des Abbruchs der Beziehung zu Gott, der Quelle des Lebens, und er ist im Zusammenhang mit den übrigen Sündenfolgen zu sehen, die darin bestehen, daß der Mensch durch seinen Gegensatz zum Schöpfer auch in Gegensatz zu seinen Mitgeschöpfen, zur Erde, zu den Tieren und zu den andern Menschen gerät (vgl. Gen 3,14–19). Es handelt sich dabei nicht um äußerlich auferlegte Strafen, die außer Zusammenhang stünden mit dem Wesen der Sünde. Vielmehr folgt aus der Wesensart der Sünde als Bruch des Gottesverhältnisses der Konflikt des Sünders mit der Schöpfung Gottes und dem Mitmenschen und sogar mit sich selber. Hier überall handelt es sich um eine innere Folgerichtigkeit. So läuft auch die naturgesetzliche Abfolge, die von der Sünde zum Tode führt, ohne ein spezielles Eingreifen Gottes ab. Die Ankündigung der

---

[329] So R. Bultmann in ThWBNT III, 1938, 15.
[330] Sie ist auch in der Theologie des 19. und 20. Jahrhunderts von namhaften Theologen im Kern festgehalten worden, so von J. T. Beck: Vorlesungen über Christliche Glaubenslehre, hg. J. Lindenmeyer 2, 1887, 456 ff., mit tiefsinnigen Erwägungen über das beim Menschen veränderte Verhältnis von Individuum und Gattung bei J. Müller: Die christliche Lehre von der Sünde 2, 3. Aufl. 1849, 388 ff., der in vielem mit O. Krabbe: Die Lehre von der Sünde und vom Tode in ihrer Beziehung zueinander und zu der Auferstehung Christi, Hamburg 1836, übereinstimmt und sich auf ihn beruft (cf. dort bes. 7 ff., 68–82 und 187–327), ferner bei I. A. Dorner mit gegenüber A. Ritschl bemerkenswerter Hervorhebung des Zornes Gottes (System der christlichen Glaubenslehre II/1, 2. Aufl. 1886, 218 ff., 229 ff.), sodann bei M. Kähler: Die Wissenschaft der christlichen Lehre (1883) 2. Aufl. 1893, 280 ff. (§ 326 f.). Kähler hat bereits die später von E. Jüngel (a.a.O. 99 ff.) vorgetragene Beschreibung des Todes als Beziehungslosigkeit entwickelt.
[331] Siehe dazu K. Koch: Gibt es ein Vergeltungsdogma im Alten Testament?, ZThK 52, 1955, 1–42.

Todesfolge in der Paradiesesgeschichte (Gen 2,17) wird als Warnung vor der mit der Übertretung verbundenen Folge zu verstehen sein. Das Eingreifen Gottes in den Gang des Geschehens hat in der Paradiesesgeschichte eher die Funktion einer Einschränkung der Unheilsfolgen, die von der Sünde ausgehen (vgl. Gen 3,19 mit 2,17).

Diese Klärung der Auffassung des Todes als Sündenfolge läßt nun aber den schwerwiegendsten Einwand, der sich gegen sie erhebt, erst in seinem vollen Gewicht zutage treten: Der Tod scheint eine unausweichliche Folge schon der Endlichkeit, nicht erst der Sünde des Menschen zu sein. Alles mehrzellige Leben muß sterben. Dabei ist nicht nur an Alterung und Verschleiß der Organismen zu denken, sondern auch daran, daß ohne den Tod der Individuen kein Raum wäre für neue Generationen. Die Evolution des Lebens ist ohne den Tod der Individuen nicht vorstellbar. Entsprechendes gilt auch für die Geschichte der Menschheit. Der Tod der Individuen ist eine der Bedingungen für die sich immer wieder erneuernde Vielfalt der Lebenserscheinungen.

Der Zusammenhang von Endlichkeit und Tod ist auch bei Karl Barth das entscheidende Argument für die These gewesen, daß der Tod zur Natur des Menschen gehöre. „Endlichkeit heißt *Sterblichkeit*" (KD III/2,761). Barths christologische Begründung dafür, daß der Tod nicht nur Gottes Gericht über den Menschen ist, die Endlichkeit der Menschen vielmehr zu ihrer geschöpflichen Natur gehört (a.a.O. 765–770), ist Gegenstand berechtigter Kritik geworden[332]. Doch hier wie sonst in Barths Anthropologie behält seine Einsicht in den Sachverhalt auch ohne die christologische Begründung ihr Gewicht: Die Endlichkeit des Menschen auch in der Zeit gehört zu seiner geschöpflichen Natur (770).

Gegen die Behauptung der Natürlichkeit des Todes wegen der Endlichkeit menschlichen Lebens gibt es jedoch ein durchschlagendes theologisches Argument: Die christliche Zukunftshoffnung erwartet ein Leben ohne Tod (1.Kor 15,52ff.). Dieses Leben in Gemeinschaft mit Gott wird kein gänzliches Aufgehen kreatürlichen Daseins in Gott bedeuten, sondern seine Er-

---

[332] Bereits H.Vogel hat gegen die Herleitung einer von der Gerichtsverfallenheit des Menschen als Sünder zu unterscheidenden, geschöpflichen Endlichkeit des Menschen aus der stellvertretenden Bedeutung des Kreuzestodes Jesu bei Barth (KD III/2, 765ff.) eingewendet, daß die Stellvertretung doch gerade darin bestehe, daß sich Gott in Jesus Christus die dem Gericht Gottes verfallene Situation des Menschen ganz und vorbehaltslos zu eigen mache, daher keine davon unterschiedene Endlichkeit für sein Menschsein beanspruche (Ecce Homo. Die Anthropologie Karl Barths, in: Verkündigung und Forschung 1949/1950, 102–128, bes. 124). K.Stock (Anthropologie der Verheißung. Karl Barths Lehre vom Menschen als dogmatisches Problem, 1980) hat diese Kritik ohne hinreichende Begründung abgewiesen (228f.), betrachtet jedoch auch seinerseits Barths Herleitung der Endlichkeit des Menschen aus der Christologie als nicht gelungen (233). Sie hätte überzeugender sein können, wenn sie die Selbstunterscheidung des Logos vom Vater als Grund der menschlichen (wie aller geschöpflichen) Endlichkeit geltend gemacht hätte, statt mit der Inkarnation als Bedingung des stellvertretenden Todes Jesu zu argumentieren.

neuerung und definitive Befestigung. Die zum geschöpflichen Leben gehörige Endlichkeit wird durch die Teilhabe am ewigen Leben Gottes nicht beseitigt werden. Daraus folgt aber, daß Endlichkeit nicht immer Sterblichkeit einschließen kann. Die eschatologische Hoffnung der Christen kennt eine Endlichkeit geschöpflichen Daseins ohne Tod. Darum kann der Tod nicht notwendig zur Endlichkeit geschöpflichen Daseins gehören[333]. Nur für das Dasein in der Zeit bleibt bestehen, daß Endlichkeit und Sterblichkeit des Lebens zusammengehören. Wie ist das aber zu verstehen?

Das Dasein ohne Tod, das die christliche Zukunftshoffnung erwartet, ist nicht nur durch Gemeinschaft mit Gott gekennzeichnet, sondern auch durch eine aus der Teilhabe an der göttlichen Ewigkeit fließende Ganzheit: So wie das Leben der Geschöpfe in der Ganzheit seiner zeitlichen Erstreckung vor den Augen des ewigen Gottes steht, so werden die Erlösten auch für sich selber in der Ganzheit ihres Daseins vor Gott stehen und ihn als den Schöpfer ihres Lebens verherrlichen.

Solche Ganzheit des Daseins ist den dem Prozeß der Zeit unterworfenen Geschöpfen nicht erreichbar. Das gilt jedenfalls für den Menschen, weil er seine eigene Gegenwart – und damit auch den jeweils gegenwärtigen Zustand anderen geschöpflichen Daseins – unterschieden weiß von Zukunft und Vergangenheit. Im Wissen von Zukunft und Vergangenheit erhebt sich zwar der Mensch über die Enge und Flüchtigkeit des gegenwärtigen Augenblicks. Andererseits sind wir aber durch solches Wissen auch tiefer als jedes andere Wesen geschieden von dem, was noch nicht oder nicht mehr ist. Die Differenz unserer Gegenwart von der Zukunft nicht nur Gottes, sondern auch unseres eigenen Lebens, sofern es noch in Gottes Zukunft verborgen ist, verwehrt es uns, der Ganzheit unseres endlichen Daseins definitiv inne zu sein. Wir können diese Ganzheit zwar antizipieren, – und nur so sind uns Dauer und Identität unseres Daseins im Prozeß der Zeit überhaupt erreichbar. Aber wir bleiben mit unseren Antizipationen an den Standpunkt einer jeweiligen Gegenwart gebunden, die im Prozeß der Zeit auf eine offene Zukunft hin immer wieder von neuen Augenblicken überholt wird.

Die Zeitlichkeit geschöpflichen Daseins ist eine Bedingung seiner noch zu erlangenden Selbständigkeit (s. o. 116 f.). Erst als Resultat seines Werdens in der Zeit kann endliches Dasein unter der Bedingung seiner Verbundenheit mit dem ewigen Gott auch in seiner Ganzheit, in der Ganzheit seiner zeitlichen Erstreckung, selbständig vor Gott bestehen. Im Durchgang durch die Zeitlichkeit hingegen hat das Geschöpf mit der jeweils noch ausstehenden endlichen Zukunft seines Lebens auch sein Ende außer sich. Das Ende unseres Daseins aber als die ihm äußerlich gesetzte Grenze seiner Dauer ist der Tod. Dabei bleibt der Tod dem Dasein des Menschen nicht äußerlich.

---

[333] Siehe dazu schon meine Bemerkungen in: Grundfragen systematischer Theologie 2, 1980, 153 f.

Das ausstehende Ende wirft seinen Schatten voraus und bestimmt den ganzen Weg unseres Lebens als ein Sein zum Tode in der Weise, daß sein Ende gerade nicht in das Dasein integriert ist, sondern jeden Gegenwartsmoment lebendiger Selbstbejahung mit Nichtigkeit bedroht. Daher führen wir unser zeitliches Leben im Schatten des Todes (Lk 1,79; vgl. Mt. 4,16). Umgekehrt ist die Selbstaffirmation des Lebens in jedem Moment seiner Gegenwart durch den Gegensatz gegen sein Ende im Tode gekennzeichnet. Der Tod ist der letzte Feind alles Lebendigen (1.Kor 15,26). Die Todesfurcht dringt tief in das Leben ein und motiviert den Menschen einerseits zu grenzenloser Selbstbehauptung unter Mißachtung der eigenen Endlichkeit, beraubt ihn andererseits der Kraft, das Leben überhaupt anzunehmen. In beidem zeigt sich der Zusammenhang von Sünde und Tod. Dieser Zusammenhang ist insofern in der Sünde verwurzelt, als erst das Nichtannehmen der eigenen Endlichkeit das unentrinnbare, wenn auch ausständige Ende des endlichen Daseins zur Manifestation der dieses Dasein mit Nichtigkeit bedrohenden Todesmacht werden läßt. Umgekehrt treibt allerdings die Todesfurcht tiefer in die Sünde hinein. Daß aber das Annehmen der eigenen Endlichkeit so schwer ist für ein Wesen, das sich als lebendiges weiß und bejaht, ist verknüpft mit der Struktur der Zeitlichkeit, in der ihm sein Ende (und damit auch seine Ganzheit) ein noch ausstehendes Datum ist. Diese Ausständigkeit von Ende und Ganzheit des endlichen Daseins in der Zeit kennzeichnet die Situation, in der es faktisch zur Sünde kommt, also zu jener schrankenlosen Selbstaffirmation des Menschen, die mit der Abwendung von Gott auch den Tod als Ende seines Daseins impliziert.

Unter den Bemühungen der Theologie dieses Jahrhunderts um ein vertieftes Verständnis des Zusammenhangs von geschöpflichem Leben, Sünde und Tod ragt Karl Rahners „Theologie des Todes" dadurch heraus, daß sie das Thema „Tod" in Verbindung bringt mit der Frage nach der Ganzheit des menschlichen Daseins. Anlaß dazu gab die Daseinsanalytik Martin Heideggers in „Sein und Zeit", die aus dem vorlaufenden Wissen um den eigenen Tod das Ganzseinkönnen des Daseins begründet hat[334]. Rahner hat Heideggers Gedanken dahingehend verändert, daß das Ganzseinkönnen des Daseins auf das Verhältnis zu Gott bezogen wird, und zwar entweder im Modus der Offenheit auf Gott hin oder in dem der Verschlossenheit gegen Gott[335]. Dabei hat Rahner allerdings von Heidegger die Voraussetzung übernommen, daß der Tod das Dasein in seine Ganzheit bringe, und er faßte den Tod zugleich als Tat des Menschen selbst auf, in der sich sein Leben von innen her vollende[336]. Beide Annahmen sind kritikbedürftig: Erstens ist es Gott, nicht der Tod, der das Dasein des Geschöpfes, das er begründet hat, auch in seine Ganzheit zu bringen vermag. Rahner hat mit Recht die Frage nach der

---

[334] M. Heidegger: Sein und Zeit, 1927, 235–252, 258–267.
[335] K. Rahner: Zur Theologie des Todes, 1958, 36 ff., bes. 41.
[336] K. Rahner a.a.O. 36 ff., vgl. schon 29 f., 65, 76 f. Zum folgenden vgl. vom Vf. Grundfragen systematischer Theologie 1, 1967, 145 f. und 2, 1980, 154 f.

Ganzheit des Lebens mit der Beziehung zu Gott verknüpft; denn allein von Gott her kann das menschliche Leben unbeschadet seiner Endlichkeit sein „Heil" empfangen, also seiner Ganzheit teilhaftig werden. Dieses Thema ist insofern mit der Todesproblematik verbunden, als es sich um das Heil des *endlichen* Daseins handelt, aber es verhält sich negativ zum Tode als Abbruch dieses Daseins. Das Heil zu erlangen bedeutet Überwindung des Todes. Zweitens aber kann diese Ganzheit nicht durch eine Tat des Menschen hervorgebracht werden, auch nicht angesichts des Todes, und der Tod selbst ist keine Tat des Menschen, sondern muß erlitten werden[337].

Im Unterschied zur Endlichkeit geschöpflichen Daseins ist der Tod nur in Verbindung mit der Sünde Bestandteil der Schöpfung Gottes. In der Weisheit Salomos heißt es sogar unumwunden: „Gott hat den Tod nicht geschaffen" (1,13). Allerdings hat die Theologie einen dem Tod des Menschen analogen Sachverhalt im ganzen Bereich des Lebendigen anzuerkennen, das unter der Last der Vergänglichkeit stöhnt (Röm 8,20-22). Wie die Sünde des Menschen, so hat auch der Zusammenhang von Sünde und Tod eine Vorgeschichte in der vormenschlichen Evolution des Lebens. Schon hier scheint sich die dämonische Dynamik aufgebaut zu haben, die in der Sünde des Menschen und in der Herrschaft von Sünde und Tod über die Menschheit kulminiert[338]

Um so wichtiger wird an dieser Stelle der schon oben gestreifte Sachverhalt, daß der Tod Wesensfolge der Sünde, nicht aber ein von Gott willkürlich festgesetzter und verhängter Strafakt ist. Gottes Eingreifen in die Geschichte seiner Geschöpfe ist vielmehr dadurch gekennzeichnet, daß er die Folgen der Sünde und des Bösen immer wieder begrenzt, um noch unter den dadurch gegebenen, einschränkenden Bedingungen seinen Geschöpfen ihr Leben zu ermöglichen.

Dabei handelt es sich nicht nur um Auswirkungen der Geduld Gottes mit dem Sünder, sondern weit darüber hinaus um seine fortgesetzt schöpferische Tätigkeit im Zusammenhang seiner Weltregierung, die aus Bösem immer wieder Gutes entstehen läßt. Das ist in der traditionellen christlichen Dogmatik im Hinblick auf die Situation der gefallenen Menschheit viel zu wenig beachtet worden. Das Leben der Menschen unter den Bedingungen des Einbruchs der Sünde und ihrer Auswirkungen wurde oft allzu einseitig negativ gezeichnet. Die Gegenwirkungen Gottes des Schöpfers gegen die in seine Schöpfung eingebrochenen Mächte des Bösen und der Sünde wurden

---

[337] E.Jüngel hat mit Recht den Tod „eine dem Menschen *widerfahrende Beendigung,* also ein anthropologisches Passiv" genannt (Der Tod als Geheimnis des Lebens, in: Entsprechungen: Gott-Wahrheit-Mensch. Theologische Erörterungen, 1980, 327–352, 344; vgl. schon ders.: Tod, 1971, 116f.). Vom *Vorgang* des Sterbens gilt das vielleicht nur mit Einschränkung. Es gibt immerhin die Möglichkeit, das eigene Sterben mit Würde zu bestehen. Doch eine Tat ist das Sterben nur im Falle des Selbstmords.
[338] Siehe Kap.7, 118f., 131, 200ff.

dabei vernachlässigt. Allenfalls wurde noch nach der dem Menschen auch nach dem Fall Adams verbliebenen Fähigkeit zum Guten (bes. seiner Willensfreiheit) gefragt. Es sollte aber an dieser Stelle gar nicht in erster Linie von irgendwelchen Fähigkeiten des Menschen gesprochen werden, sondern von der fortgesetzten Tätigkeit der Schöpfergüte Gottes und seiner Vorsehung. Dabei ist wichtig, daß Gott durch das fortgesetzte schöpferische Wirken seines Geistes die Geschöpfe immer wieder hinaushebt über ihre Verstrickung in Ichbezogenheit durch ihre Ängste und Begierden. Darum gibt es trotz der Sünde und ihrer Auswirkungen immer wieder auch ursprüngliche Lebensfreude, Freude an Reichtum, Weite und Schönheit der Schöpfung und an jedem neuen Tage, Freude an den Erleuchtungen des geistigen Lebens, Kraft zur Tätigkeit in den Ordnungen der gemeinschaftlichen Welt, auch Zuwendung zum Mitmenschen und Teilnahme an seinen Freuden und Leiden. In einer der lutherischen Lehre vom weltlichen Regiment vergleichbaren Weise werden die Menschen nicht nur in der Verantwortung für die gesellschaftliche Ordnung und für ihr Recht, sondern auch im Hinblick auf die vernunftgemäße Gestaltung ihres individuellen Lebens beteiligt an der die Sünde und ihre Auswirkungen eingrenzenden Wirksamkeit der göttlichen Weltregierung. Die Aufforderung, sich nicht von der Sünde beherrschen zu lassen, sondern über sie Herr zu werden, ist in der biblischen Geschichte ausgerechnet an Kain gerichtet worden (Gen 4,7), gilt also durchaus in der noch nicht erlösten Welt, nicht nur unter Christen. Daß Kain dieser Aufforderung nicht nachgekommen ist, ist allerdings ein Beispiel für die ständige Gefahr, daß die Sünde ausbricht in zerstörerische Bosheit. Ihre Wirkungen können sich kumulieren und zumindest zeitweise ganze Völker in ihren Bann ziehen. Sie können aber auch durch Vernunft und Recht niedergehalten werden. Die Menschen haben in ihrer Geschichte trotz aller unterschwelligen und offenen Auswirkungen der Sünde, trotz der immer wieder auftretenden Ausbrüche zerstörerischer Bosheit Erstaunliches geleistet und Zeiten hoher kultureller Blüte erlebt. Das alles ändert freilich nichts daran, daß auch in den besten Zeiten das Leben von jenen dunklen Kräften durchzogen bleibt, die durch Angst und Begierde schließlich Tod und Zerstörung bewirken. Befreiung von diesen dunklen Kräften können die Menschen nicht dadurch erlangen, daß sie die ihnen von außen auferlegten Ketten ihrer Unterdrücker zerbrechen, – obwohl das ihrem Leben immerhin temporäre Erleichterung verschaffen kann. Befreiung von der Herrschaft der Sünde und des Todes erlangen die Menschen nur da, wo durch das Wirken des göttlichen Geistes im Leben der Menschheit das Bild des Sohnes Gestalt annimmt.

9. Kapitel

Anthropologie und Christologie

Das Thema der Christologie ist mit der urchristlichen Interpretation der Person und Geschichte Jesu von Nazareth als des Messias Gottes gegeben[1]. Der Messiastitel impliziert den Gedanken der Gottessohnschaft, und zwar in der christlichen Auffassung der Gestalt Jesu von früh an in dem Sinne, daß in dem Menschen Jesus der präexistente Gottessohn auf Erden erschienen sei. Ein solches Ereignis kann nur von Gott selbst her begründet sein, nämlich als Sendung des Sohnes in die Welt (Gal 4,4; Röm 8,3)[2]. Andererseits ist es nur dadurch als tatsächlich geschehen erkennbar, daß es auf der Ebene der menschlichen, geschöpflichen Wirklichkeit stattfindet.

Damit stellt sich erstens das Methodenproblem der Christologie: Soll ihr Begründungsgang von Gott und seiner Initiative in der Sendung des Sohnes ausgehen oder sich auf der Ebene der menschlichen Wirklichkeit bewegen, auf der die Tatsächlichkeit dieses Ereignisses aufweisbar sein muß, wenn es wirklich stattgefunden hat? Damit stellt sich zweitens die Frage nach der Besonderheit der Menschheit des Gottessohnes in Unterscheidung von aller sonstigen menschlichen Wirklichkeit, aber auch in Beziehung zu ihr. Der Zusammenhang zwischen der methodischen Frage und derjenigen nach der Eigenart der Menschheit des Gottessohnes im Verhältnis zur Natur und Bestimmung des Menschen überhaupt wird in diesem Kapitel als Einleitung in die Christologie entfaltet werden. Das folgende 10. Kapitel wird die menschliche Besonderheit Jesu als Grundlage der Aussagen über die Gottheit Christi behandeln, und das 11. Kapitel wird schließlich die besondere Geschichte Jesu von Nazareth unter dem Gesichtspunkt des darin geschehenen göttlichen Handelns zur Versöhnung der Welt wieder auf den universalen Horizont der Anthropologie und der Schöpfungslehre beziehen.

---

[1] Mit dieser These setzen des Vf.s „Grundzüge der Christologie" 1964 ein (15). Ähnlich wird die Aufgabe der Christologie auch bei W. Kasper: Jesus der Christus, 1974, 43 bestimmt, den I. U. Dalferth in seinem wichtigen Aufsatz über die neuere englische Kritik an der Inkarnationschristologie (Der Mythos vom inkarnierten Gott und das Thema der Christologie, ZThK 84, 1987, 320–344) zustimmend zitiert (329). Der Sache nach ähnlich auch J. Moltmann: Der Weg Jesu Christi. Christologie in messianischen Dimensionen, 1989, 17 ff., 55.
[2] Siehe dazu unten 410 ff.

1. Die Methode der Christologie

Die Verkündigung der Apostel von Jesus von Nazareth als dem Sohne Gottes nahm ihren Anfang vom irdischen Auftreten Jesu, seinem Geschick am Ende seines irdischen Weges und dem Handeln Gottes an ihm durch seine Auferweckung von den Toten. Die Christologie der Kirche aber entwickelte sich seit dem zweiten Jahrhundert vornehmlich aus Diskussionen über das Verhältnis des präexistenten Gottessohnes zu Gott selbst, über seinen Hervorgang aus dem Vater, sein Verhältnis zur Schöpfung und seine Inkarnation. Das hatte seinen guten Grund darin, daß die Vereinbarkeit des christlichen Bekenntnisses zur Gottessohnschaft und Gottheit Jesu Christi mit dem Christen und Juden gemeinsamen Glauben an den einen Gott, der auch für die Heidenmission der Kirche in Auseinandersetzung mit dem polytheistischen Volksglauben grundlegend war (vgl. schon 1. Thess 1,9f.), ein zentrales Problem und Thema des frühchristlichen Denkens bilden mußte[3]. Mit der Durchsetzung der Logoschristologie[4] im dritten Jahrhundert war dann vollends die Entscheidung für die Interpretation des gesamten neutestamentlichen Christuszeugnisses unter dem Gesichtspunkt der Sendung des präexistenten Gottessohnes in die Welt gefallen, also für denjenigen Begründungstyp christologischer Aussagen, den man später als „Christologie von oben" bezeichnet hat. Damit war der Rahmen gegeben, innerhalb dessen sich alle weiteren christologischen Auseinandersetzungen der Alten Kirche und des lateinischen Mittelalters vollzogen haben.

Ein anderer Weg zur Begründung christologischer Aussagen wurde erst erforderlich, nachdem die Antitrinitarier der Reformationszeit und namentlich auch die Sozinianer die trinitätstheologische Deutung des Bekenntnisses zur Gottheit Christi und großenteils auch die Präexistenzvorstellung in Zweifel gezogen hatten[5]. Da die Kritik auf der Basis eines streng gefaßten Schriftprinzips argumentiert hatte, mußte auch die Auseinandersetzung mit ihr auf dem Boden der Schriftauslegung geführt werden. Dabei trat die Messianität Jesu als Kernbestand des neutestamentlichen Zeugnisses und Grundlage der dogmatischen Aussagen über seine Person zunehmend in den Vordergrund.

---

[3] Siehe die Bemerkungen von A. Grillmeier: Jesus der Christus im Glauben der Kirche 1, 1979, 225 ff. über die Bedeutung der apologetischen Logoslehre für die Ausbildung der Christologie (vgl. schon 207 zu Justin).

[4] Der Preis dafür war die Ablösung des Sohnesbegriffs von seiner ursprünglichen Verbindung mit der geschichtlichen Person Jesu Christi: Vgl. die kritischen Anmerkungen dazu von F. Loofs in seinem Artikel zum Stichwort „Christologie, Kirchenlehre" in der Realencyklopädie für prot. Theologie und Kirche 3. Aufl. Bd. 4, 1898, 35 zur „Kombination des Sohnesbegriffs mit dem Logosbegriff". Loofs hat dabei allerdings unterschätzt, daß die Aufnahme des Logosbegriffs in einer Kontinuität mit den im Urchristentum schon früh aufgetretenen Vorstellungen von der Präexistenz des Sohnes steht.

[5] Übersicht und Literatur bei G. A. Benrath: Art. Antitrinitarier, in TRE 3, 1978, 168-174.

Anlaß dazu bot der Gebrauch des Christustitels in den traditionellen Bezeichnungen des Lehrstücks *De Christo* bzw. *De persona Christi*. David Hollaz hat sich noch mit einer einleitenden Erläuterung des Christustitels als Bestandteil des Namens Jesus Christus begnügt[6]. Johann Franz Buddeus, der der Christologie statt der Prädestinationslehre eine Lehre vom Gnadenbund voranschickte, hat Jesus Christus als Mittler dieses Gnadenbundes zum Gegenstand der Christologie erklärt und den titularen Sinn des Wortes Christus als Bezeichnung seines Amtes betont[7]. Dessen Gleichsetzung mit dem Begriff des Mittlers veranlaßte ihn aber, alsbald in die traditionellen Bahnen der Lehre von der Person Christi als Vereinigung der göttlichen und der menschlichen Natur einzubiegen. Johann Salomo Semler hingegen hat 1777 das Lehrstück von der Person Christi ersetzt durch ein Kapitel „von der Historie Christi", welches die Messianität Jesu als den eigentlichen Gegenstand der Lehre über ihn identifiziert[8]. Die Aussagen der Kirchenlehre über Jesus als Gott und Mensch kamen bei Semler als Interpretation dieses grundlegenden Sachverhalts zur Sprache, aber nun bereits in ausgesprochen kritischer Beleuchtung. Andere Theologen des ausgehenden 18. Jahrhunderts wie etwa Franz Volkmar Reinhard, benutzten dasselbe Verfahren, um die Aussagen des christologischen Dogmas als sachgemäße Interpretation der Messianität Jesu darzustellen[9]. Reinhards Schüler Karl Gottlieb Bretschneider urteilte darüber erheblich kritischer und plädierte für eine Beschränkung der dogmatischen Christologie auf die biblischen Aussagen über den Messias Jesus, zu denen aber auch nach Bretschneider das Bekenntnis zu seiner Gottheit und zur Menschwerdung des präexistenten Gottessohns gehören[10]. Im wesentlichen dieselbe Auffassung findet sich 1829 bei Carl Immanuel Nitzsch[11].

Der Sache nach handelte es sich schon hier um das Verfahren zur Begründung christologischer Aussagen, das seit der Auseinandersetzung um die Theologie Albrecht Ritschls als Christologie „von unten nach oben"[12] bezeichnet wird, weil der geschichtliche Jesus Christus dabei Ausgangspunkt

---

[6] D. Hollaz: Examen theologicum acroamaticum, Stargard 1707, p. III, 113 f.
[7] J. F. Buddei Compendium Institutionum Theologiae Dogmaticae, 1724, 521 ff.
[8] J. S. Semler: Versuch einer freiern theologischen Lehrart, 1777, 384–433, bes. 387 ff.; vgl. auch 440 ff. Semler ging damit entschieden über seinen Lehrer S. J. Baumgarten hinaus, dessen von Semler herausgegebene „Evangelische Glaubenslehre" ganz dem traditionellen Aufriß der Christologie folgte, wenn man davon absieht, daß die Lehre von der Person Christi bei Baumgarten mit dem Ereignis der Inkarnation einsetzte (Bd. II, 2. Aufl. 1765, 6–23).
[9] F. V. Reinhards Vorlesungen über die Dogmatik, hg. I. G. I. Berger 1801, 332 ff., 336 ff.
[10] K. G. Bretschneider: Handbuch der Dogmatik der ev.-luth. Kirche 2 (1823) 3. Aufl. 1828, 162–187, bes. 163 ff. und 183 f. Die Art und Weise der Vereinigung der beiden Naturen in Christus wollte Bretschneider dahingestellt sein lassen (186 f.).
[11] C. I. Nitzsch: System der christlichen Lehre (1829) 3. Aufl. 1837, 224 ff.
[12] F. H. R. Frank: Zur Theologie A. Ritschl's (1888) 3. Aufl. 1891, 27 formulierte damit einen Grundsatz, den er gemeinsam mit Ritschl bejahe: „Von unten nach oben geht unsere Erkenntniß Christi gleichwie Gottes", entsprechend dem von Ritschl „gern hervorgehobenen Satz Melanchthon's" (26): *Hoc est Christum cognoscere, beneficia eius cognoscere* (CR 21,85 zit. bei A. Ritschl: Die christliche Lehre von der Rechtfertigung und Versöhnung III, 3. Aufl. 1888, 374).

und Maßstab aller christologischen Aussagen über seine Person ist, während die Sätze der Christologie als Ausdruck der Interpretation seiner geschichtlichen Wirklichkeit gewürdigt werden. „Denn was Christus nach seiner ewigen Bestimmung ist und gemäß seiner Erhöhung zu Gott auf uns wirkt, wäre für uns gar nicht erkennbar, wenn es nicht auch in seinem zeitlich-geschichtlichen Dasein wirksam wäre."[13] Die Christologie des frühen 19. Jahrhunderts glaubte sich dafür einfach auf das Zeugnis der Evangelien von Jesus und vor allem auf die darin, besonders bei Johannes, überlieferten Worte Jesu über sich selbst berufen zu können. Mit fortschreitender Entwicklung der historisch-kritischen Exegese wurde es notwendig, statt dessen auf den Gesamtcharakter des Auftretens Jesu und seiner Geschichte zurückzugehen, um darin die Basis für das Bekenntnis zu seiner Gottheit zu finden.

Bei Albrecht Ritschl hatte dieses Verfahren eine aktuelle polemische Spitze gegen die von Hegel und Schelling ausgegangene spekulative Christologie[14], sowie gegen die Kenosislehren der Erlanger Dogmatiker. Dabei hat Ritschl die Berufung auf die geschichtliche Person Jesu als Bezugspunkt aller christologischen Aussagen über ihn verbunden mit der These, daß die Erkenntnis seiner Gottheit nur dem Glauben an ihn möglich sei[15]. Ritschl konnte deshalb in engste Nachbarschaft zu Schleiermachers Begründung der Christologie gerückt werden[16]. Die tatsächliche Gemeinsamkeit zwischen beiden ist aber gering, abgesehen von dem Gegensatz gegen die klassische Logoschristologie und gegen die neue spekulative Christologie. Schleiermacher hat den Begriff des Erlösers und die ihm beizulegenden Eigenschaften aus dem Erlösungsbewußtsein der Gemeinde als Voraussetzung ihres Daseins konstruiert[17]. Ritschl hat viel stärker die geschichtliche Eigenart Jesu als Ursprung des Glaubens seiner Gemeinde an ihn zur Geltung kommen lassen, und er hat dabei zwischen dem historischen Wirken Jesu im Zusammenhang seiner Verkündigung des Reiches Gottes einerseits und dem von den Glaubenden erlebten Wirken des erhöhten Christus andererseits so unterschieden, daß alle Aussagen über ein gegenwärtig erfahrbares Wirken Christi als Fortsetzung seines geschichtlichen, irdischen Wirkens ausgewiesen und daher durch das Ver-

---

[13] A. Ritschl: Die christliche Lehre von der Rechtfertigung und Versöhnung III, 3. Aufl. 1888, 383, vgl. 407f.

[14] Das hat O. Weber in seinen immer noch lesenswerten Ausführungen zur Problematik des christologischen Begründungsverfahrens „von oben" oder „von unten" hervorgehoben (Grundlagen der Dogmatik II, 1962, 20–36, bes. 25).

[15] A. Ritschl a.a.O. 371f. Vgl. E. Günther: Die Entwicklung der Lehre von der Person Christi im XIX. Jahrhundert, 1911, 296f.

[16] So bes. bei J. Kaftan: Dogmatik (1897) 3. Aufl. 1901, 411ff., sowie ders.: Zur Dogmatik, 1904, 247ff.

[17] F. Schleiermacher: Der christliche Glaube, 2. Ausg. 1830, § 87f. Dementsprechend geht Schleiermacher aus von dem christlichen Bewußtsein der Erlösung und fragt, „wie vermöge dieses Bewußtseins der Erlöser gesezt ist" (§ 91,2). Das führt dann auf den Begriff der Urbildlichkeit des Erlösers im Verhältnis zu dem durch ihn begründeten Gesamtleben (§ 93), eine Urbildlichkeit, die weiterhin als „stetige Kräftigkeit seines Gottesbewußtseins" beschrieben wird, „welche ein eigentliches Sein Gottes in ihm war" (§ 94).

hältnis des einzelnen zur Kirche vermittelt sein müssen, die ihren Ursprung auf Jesus zurückführt[18]. Diese Darstellung hat mehr mit dem christologischen Begründungsverfahren bei Reinhard, Bretschneider und dem jüngeren Nitzsch gemein als mit Schleiermacher. Leider sind die christologischen Ansätze vor und neben Schleiermacher von der Theologiegeschichtsschreibung vernachlässigt worden[19], so daß ein irreführendes Bild von Schleiermacher als Erneuerer der Bindung des Glaubens an Jesus Christus entgegen der rationalistischen Auflösung der alten Christologie entstanden ist. Zur Eigenart der Christologie Schleiermachers gehört gerade die Zurückdrängung der historischen Begründung zugunsten der Konstruktion der Christologie aus dem Glaubensbewußtsein. Darin steht zwar die Christologie Wilhelm Herrmanns, vor allem in seiner späteren Zeit[20], Schleiermacher nahe, nicht aber die Begründung der Christologie durch Ritschl. Die Verwischung der Differenz zwischen dem Verfahren Ritschls und demjenigen Schleiermachers hat es erst ermöglicht, gegen die in der Schule Ritschls entwickelte Form der christologischen Begründung „von unten" den Verdacht anthropozentrischer Projektion zu erheben und ihr die Feststellung entgegenzusetzen, daß die Person Jesu allein „von oben", von Gott her verstanden werden könne, nämlich als die Person des göttlichen Logos[21]. Damit wurde die berechtigte Forderung, daß alle christologischen Aussagen über Jesus Christus am Maßstab seiner geschichtlichen Wirklichkeit zu rechtfertigen und als deren Auslegung zu begründen sind, übersprungen: Diese Forderung gilt ja eben auch für die Behauptung, daß die Person Jesu die des göttlichen Logos ist. Gott selbst ist für uns nicht anders zu erkennen als in dem, was hier „unten", in der menschlichen Geschichte Jesu von Nazareth, geschehen ist[22]. Daher hat, neben anderen Paul Althaus mit Recht festgehalten an der Forderung, die Christologie müsse „zunächst eine solche von unten nach oben sein; sie setzt wie die neutestamentliche ein bei dem Menschen Jesus und seiner Geschichte und besinnt sich darauf, wodurch er uns den Glauben an ihn abfordert und abgewinnt. Nicht trinitarisch-deduktiv kann sie bei der ewigen Gottheit Christi beginnen. Die Erkenntnis der Präexistenz und der Trinität ist der

---

[18] A. Ritschl a.a.O. 393f., 391, 423ff., 437f., vgl. 3f.
[19] So setzt das Anm. 15 genannte einflußreiche Werk von E. Günther mit Schleiermacher ein, ohne die ihm vorangegangenen Bemühungen um eine exegetisch-historische Begründung der Christologie auch nur zu erwähnen. Charakteristisch sind auch die Ausführungen in A.B. Nitzsch/H. Stephan: Lehrbuch der evangelischen Dogmatik, 3. Aufl. 1912, 527ff., die Schleiermacher als den Erneuerer der Christologie gegenüber dem Rationalismus erscheinen lassen.
[20] Zur Entwicklung der Christologie W. Herrmanns siehe W. Greive: Der Grund des Glaubens. Die Christologie Wilhelm Herrmanns, 1976.
[21] K. Barth: Die dogmatische Prinzipienlehre bei Wilhelm Herrmann, in ders.: Die Theologie und die Kirche. Gesammelte Vorträge 2, 1928, 240-284, 275f. kam daher zu dem Schluß: „Außer dem Weg von oben nach unten gibt es hier überhaupt keinen Weg" (276). Daran hat Barth denn auch bis in die Christologie der Kirchlichen Dogmatik festgehalten. W. Herrmann dagegen wollte nicht „von oben anfangen und das zum Grunde der Erlösung machen, was eine Frucht der Erlösung ist" (Der Verkehr des Christen mit Gott, 5. Aufl. 1908, 64).
[22] Das ist auch nach O. Weber a.a.O. 24 von der „klassischen Christologie" zu wenig bedacht worden, vgl. 33: Die klassische Christologie erreicht den Menschen „im Grunde nicht da, wo er ist, nämlich in seinem ganz unverkürzten ‚Unten'". Ob dieser Mangel bei Barth, wie Weber meint (33 Anm. 1), wirklich behoben ist?

religiösen Erkenntnis des Menschen Jesus nicht vorgegeben, sondern ruht auf ihr"[23]. Solche Argumentation setzt allerdings voraus, daß die hier „unten" geschehene Geschichte Jesu nach „oben", d.h. für die Wirklichkeit Gottes „offen" ist, und damit verbindet sich unvermeidlich die Frage, ob das nur für die Geschichte Jesu oder für menschliche Geschichte überhaupt gilt[24]. Wenn letzteres, so erhebt sich die weitere Frage, wieso dann für das Gottesverhältnis der übrigen Menschen die Vermittlung durch Jesus unentbehrlich sein soll. Im andern Fall aber fragt es sich, wie man von der menschlichen Wirklichkeit Jesu zur Erkenntnis der Gegenwart Gottes in ihm gelangen kann. Nach Paul Althaus geschieht das durch das Wagnis des Glaubens, der zwar in Jesu Selbstzeugnis und der Botschaft von seiner Auferstehung begründet ist, dessen Gegenstand aber dadurch nicht bewiesen sein soll[25]. Bildet dann aber nicht letztlich doch der Glaube und nicht die Geschichte Jesu als solche den Ausgangspunkt für das Reden von Gott in Jesus Christus?

Zur Prüfung und Rechtfertigung der christologischen Aussagen über Jesus muß die Christologie hinter die Bekenntnisaussagen und christologischen Titel der urchristlichen Überlieferung „zurückgehen zu dem Grunde, auf den sie zurückweist, der den Glauben an Jesus trägt. Das ist die Geschichte Jesu. Die Christologie hat zu fragen und zu zeigen, inwiefern diese Geschichte den Glauben an Jesus begründet". Das geschieht, indem sie „nach der inneren sachlichen Notwendigkeit der christologischen Entwicklung im Neuen Testamente" fragt[26], aber auch darüber hinaus nach der Fortsetzung dieser Sachlogik in der Geschichte der altkirchlichen Christologie. Damit ist die Aufgabe einer „Theorie der christologischen Tradition" bezeichnet[27], die die innere systematische Konsistenz in der Entwicklung der Christologie zum Bekenntnis der Gottheit Jesu Christi und zur Klärung dieser Aussage, aber auch ihres Verhältnisses zur menschlichen Wirklichkeit Jesu zum Gegenstand haben muß und darin zugleich auch einen Maßstab zur Beurteilung der im Gange der christologischen Entwicklung aufgetretenen Abwege und Verirrungen besitzt. Eine solche Theorie der christologischen Tradition hätte[28] als historische Darstellung zugleich systematischen

---

[23] P.Althaus: Die christliche Wahrheit (1947) 3.Aufl. 1952, 424.

[24] O.Weber a.a.O. 27.

[25] P.Althaus a.a.O. 425, 426ff. Die an dieser Stelle bei Althaus bestehende Unsicherheit, die entgegen seiner Absicht die Begründung des Glaubens aus der Geschichte Jesu verkehrt in eine Abhängigkeit der theologischen Bedeutung der Geschichte vom Akt des Glaubens, ist letztlich bedingt durch Althaus' Urteil, die Auferstehung Jesu sei „keine nachweisbare historische Tatsache" (426). Dieselbe Unsicherheit zeigt sich auch in Althaus' sonst bedeutender Schrift: Das sogenannte Kerygma und der historische Jesus, 1958. Die Auseinandersetzung darüber bildete den Kernpunkt in meiner Antwort auf die von Althaus an mir geübte Kritik (Einsicht und Glaube. Antwort an Paul Althaus, in: Grundfragen systematischer Theologie 1, 1967, 223-236). Vgl. auch meine Grundzüge der Christologie, 1964, 23.

[26] P.Althaus: Die christliche Wahrheit, 3.Aufl. 1952, 424.

[27] W.Pannenberg: Grundzüge der Christologe, 1964, 11.

[28] Eine Darstellung dieser Art existiert bis heute nicht. Das großangelegte Werk von A.Grill-

Charakter. Darstellungen der Christologie „von unten", die nur auf den systematischen Kernbestand des von der Geschichte Jesu ausgehenden Begründungszusammenhangs christologischer Aussagen abzielen und diesen unter rein systematischen Gesichtspunkten darlegen[29], setzen zumindest die Möglichkeit einer solchen Theorie der christologischen Tradition immer schon voraus. Entscheidend für die Durchführbarkeit einer derartigen Theorie ist die Annahme, daß die christologischen Bekenntnisaussagen des Urchristentums sich in ihrem wesentlichen Inhalt als Explikation des dem Auftreten und der Geschichte Jesu implizit eignen Bedeutungsgehalts verstehen lassen[30]. Das Verhältnis von Implikation und Explikation hat die für die Annahme eines inneren Zusammenhangs der apostolischen Christusbotschaft mit Jesus und seiner Verkündigung ehedem für unerläßlich erachtete Annahme einer Korrespondenz des Christusbekenntnisses der Gemeinde zu einem ausdrücklich bekundeten Messiasbewußtsein Jesu selbst zu einer untergeordneten Frage werden lassen. Die Rekonstruktion des Zusammenhangs der apostolischen Christusbotschaft mit Jesu Verkündigung und Geschichte als Explikation der darin implizit enthaltenen Bedeutung ist allerdings nur durchführbar unter Einbeziehung des urchristlichen Zeugnisses von der Auferweckung Jesu als Erhebung Jesu zu einer Form der Gemeinschaft mit Gott, die zugleich Jesu vorösterliches Wirken nachträglich legitimiert[31]: Erst durch seine Auferweckung von den Toten hat der Gekreuzigte die Kyrioswürde erlangt (Phil 2,9-11) und ist zum „Sohn Gottes in Macht" eingesetzt worden (Röm 1,4). Erst im Lichte seiner Auferstehung ist er auch der präexistente Gottessohn, und nur als der Auferstandene bleibt er der lebendige Herr seiner Gemeinde[32]

---

meier: Jesus der Christus im Glauben der Kirche (I, 1979) verbindet zwar insofern mit der historischen Darstellung eine systematische Absicht, als die Geschichte der Christologie bis 451 als Vorgeschichte des Dogmas von Chalkedon beschrieben wird, aber sie arbeitet nicht die der Geschichte Jesu implizit eigenen Bedeutungsgehalte als Maßstab für die Beurteilung und Entwicklung der gesamten christologischen Lehrbildung heraus.

[29] Dazu gehören auch meine Grundzüge der Christologie, 1964, mit ihrem Bekenntnis zur Aufgabe einer Christologie von unten (28 ff.).

[30] Dieser Gesichtspunkt ist wohl zuerst 1929 von R. Bultmann mit der Feststellung formuliert worden, in Jesu Ruf zur Entscheidung für die von ihm verkündete Gottesherrschaft sei „implizit eine ‚Christologie' enthalten" (Glauben und Verstehen 1, 1933, 174). Allerdings hat Bultmann dabei noch nicht an die christologischen Bekenntnisaussagen der nachösterlichen Gemeinde gedacht, die er mit Recht als Ausdruck des Osterglaubens auffaßte.

[31] Die Ausklammerung der als historisch problematisch beurteilten Osterbotschaft aus der im Anschluß an die (in der vorigen Anmerkung zitierten) Bemerkung Bultmanns entwickelten Bemühungen seiner Schüler um den Zusammenhang zwischen Jesu Botschaft und dem Christuskerygma seiner Gemeinde bildete die Schwäche der sog. „neuen Frage nach dem historischen Jesus" in der Schule Bultmanns. Vgl. dazu J. M. Robinson: Kerygma und historischer Jesus, 1960.

[32] R. Slenczka hat nachdrücklich darauf hingewiesen, daß das Personsein Jesu Christi im Sinne des neutestamentlichen Zeugnisses nicht auf seine irdische Geschichte beschränkt wer-

Die Zugehörigkeit der Auferweckung Jesu zur geschichtlichen Basis einer „Christologie von unten" versteht sich nicht von selbst. Sie war schon in den Auseinandersetzungen um die Christologie Albrecht Ritschls und seiner Schule heftig umstritten. Ritschl selbst hatte seine Christologie ausschließlich auf Jesu irdische *Verkündigung* und (wie er meinte) *Begründung* des Gottesreichs unter den Menschen aufgebaut. Aus der darin enthaltenen Willensübereinstimmung Jesu mit Gott schloß er unmittelbar (ohne des Rekurses auf die Auferweckung Jesu zu bedürfen) auf die Gottheit Jesu[33]. Demgegenüber betonte Martin Kähler, die Gewißheit des Bekenntnisses zu Jesus Christus als dem Herrn sei in ihrer Entstehung und Wirkung *„gebunden gewesen an die andre, daß er der Lebendige sei, der Gekreuzigte und Auferstandene"*[34]. Wilhelm Herrmann hat in seinem berühmten Aufsatz über den geschichtlichen Christus als Grund unseres Glaubens die Auffassung Ritschls dadurch verteidigt, daß er das „Bild des inneren Lebens Jesu, das uns das Neue Testament darreicht", als „das persönliche Leben Jesu oder den geschichtlichen Christus" zu verstehen suchte, als Antwort auf die Frage, „wie wir gegenwärtig Jesus Christus als den Grund des Glaubens erfassen, daß es einen Gott giebt, der uns aus aller Noth und Sünde herausführen will"[35]. Dabei hat Herrmann die Auferstehung Jesu ausdrücklich nicht zum Glaubensgrund gerechnet, sondern zu den daraus entwickelten Glaubensgedanken der an Jesus glaubenden Gemeinde[36]. Noch entschiedener und unzweideutiger wurde diese Argumentation von Max

---

den darf: Geschichtlichkeit und Personsein Jesu Christi. Studien zur christologischen Problematik der historischen Jesusfrage, 1967, 294 ff. (zur Kontroverse zwischen M. Kähler und W. Herrmann), sowie 316 ff., 333 f. Ähnlich J. Moltmann: Der Weg Jesu Christi, 1989, 58 f. Mit Recht wendet sich I. U. Dalferth: Der Mythos vom inkarnierten Gott und das Thema der Christologie, ZThK 84, 1987, 339 ff. gegen die Verkürzung der Basis der Christologie in der Geschichte Jesu durch Ausklammerung des Ostergeschehens bei den englischen Kritikern der Inkarnationslehre, insbesondere bei J. Hick: Incarnation and Mythology (God and the Universe of Faiths, 1973, 165–179) und in den Beiträgen zu dem von Hick herausgegebenen Band The Myth of God Incarnate, 1977.

[33] A. Ritschl: Die christliche Lehre von der Rechtfertigung und Versöhnung III, 3. Aufl. 1888, § 48 (417–426), bes. 423 ff. Darum konnte Ritschl behaupten, daß die Würdigung des ethischen „Berufs" Jesu (zur Verkündigung und Begründung des Gottesreiches) zur religiösen Beurteilung seiner Person als des Sohnes Gottes führe (vgl. § 50, 444).

[34] M. Kähler: Der sogenannte historische Jesus und der geschichtliche, biblische Christus (1892), neu hg. von E. Wolf 1953, 40 (= 1892, 20). Allerdings identifizierte Kähler den auferstandenen Herrn sofort mit dem „Christus der apostolischen Predigt, des ganzen Neuen Testamentes" (41), ohne Raum zu lassen für den Prozeß einer Entwicklung der Christologie im Urchristentum und für die Frage nach der inneren Struktur dieses Prozesses: An dieser Stelle blieb die Fragestellung Ritschls und seiner Schule der Argumentation Kählers überlegen.

[35] W. Herrmann: Der geschichtliche Christus der Grund unseres Glaubens, ZThK 2, 1892, 232–273, Zitate 256, 261 (vgl. 263, 272), 233.

[36] Gegen Kählers Auffassung, der auferstandene und erhöhte Christus sei „der letzte Halt und Grund unseres Glaubens", bemerkte Herrmann: „Das ist nicht richtig" (a.a.O. 250); denn Auferstehung und Erhöhung Christi seien zwar „Inhalt des Glaubens, aber nicht sein letzter Grund" (251, zur Unterscheidung von Grund und Inhalt vgl. 247 f., sowie 263). Was in diesem Aufsatz „Inhalt" des Glaubens heißt, bezeichnete Herrmann sonst auch als „Glaubensgedanken" (z. B. Der Verkehr des Christen mit Gott (1886) 5. Aufl. 1908, 31 ff.).

Reischle vorgetragen[37], obwohl Hermann Cremer mit gutem Grund eingewendet hatte, die Apostel haben „nicht das innere Leben Jesu, sondern den Gekreuzigten gepredigt, ‚der gestorben ist für unsere Sünden nach der Schrift und auferstanden ist am dritten Tage nach der Schrift' und der, erhöht durch die Rechte Gottes ausgegossen hat dies, das ihr sehet und höret. Es ist der auferstandene lebendige Christus, der vor uns steht in der Gegenwart Gottes und des heiligen Geistes, ... in dem ‚uns Gott ergreift'"[38]. Gegen die Ausklammerung der Auferstehung Jesu aus dem Begriff des Glaubensgrundes erhob sich nun auch innerhalb der Schule Ritschls Widerspruch: Nach Theodor Häring kann ohne die Auferweckung Jesu nicht von der Offenbarung Gottes in ihm gesprochen werden, so daß dieses Ereignis sehr wohl zum Glaubensgrund zu rechnen ist[39]. Reischle und Häring verständigten sich darauf, daß die einzelnen Momente der Glaubensbegründung ein in sich gestuftes Ganzes bilden, aus dem aber „der Erweis von Jesu Macht über den Tod nicht ausgebrochen werden" könne[40].

Die Frage nach der Zugehörigkeit der Auferstehung Jesu zum Glaubensgrund läßt sich nicht ablösen von der Frage nach der Tatsächlichkeit, also Historizität dieses Ereignisses[41]. Es ist darum verständlich, daß die Frage mit der erwähnten Auseinandersetzung nicht zur Ruhe gekommen ist. Wenn die Auferstehung Jesu kein historisches Ereignis, aber dennoch der entscheidende Ausgangspunkt der urchristlichen Christusverkündigung ist, wie Rudolf Bultmann angenommen hat, dann kann dem historischen Wissen von Jesus überhaupt keine Bedeutung als Basis des Christusbekenntnisses zugestanden werden. Wenn hingegen der Rückgang auf den historischen Jesus unumgänglich ist, um das Kerygma gegen den Verdacht zu schützen, ein bloßer Mythos zu sein[42], dann muß, wenn die Auferstehung Jesu als unhistorisch gilt, nach Übereinstimmungen zwischen dem urchristlichen Kerygma und der Botschaft Jesu unter Ausklammerung der Osterthematik gefragt werden. Doch der Bildungsprozeß der christologischen Tradition bleibt dann als historischer Vorgang unverständlich. Kann hingegen die Faktizität des Ostergeschehens in irgendeinem genauer zu beschreibenden Sinne unterstellt werden, dann ist es möglich, die Geschichte des Christusbekenntnisses bis hin zur Ausbildung des christologischen und trinitarischen Dogmas der Kirche als Expli-

---

[37] M. Reischle: Der Streit über die Begründung des Glaubens auf den „geschichtlichen" Jesus Christus, ZThK 7, 1897, 171-264, bes. 202f.

[38] H. Cremer: Glaube, Schrift und heilige Geschichte, 1898, 44f., dazu M. Reischle a.a.O. 195. Die Behauptung, daß der Eindruck des „inneren Lebens" Jesu den Glauben hervorgebracht habe, bezeichnete Cremer als „eine Hypothese, die der gewaltsamsten kritischen Operationen bedarf, um ihr Christusbild zu gewinnen, von dem sie behauptet, daß es als das wirkliche vor allen Mißverständnissen und Verkehrungen liege" (89).

[39] Th. Häring: Gehört die Auferstehung Jesu zum Glaubensgrund? ZThK 7, 1897, 331-351, bes. 341.

[40] Th. Häring und M. Reischle: Glaubensgrund und Auferstehung, ZThK 8, 1898, 129-133, 132. Zu der ganzen Auseinandersetzung vgl. auch W. Greive: Der Grund des Glaubens. Die Christologie Wilhelm Herrmanns, 1976, 106-111.

[41] Dieses Thema wird im folgenden Kapitel noch ausführlicher zu erörtern sein.

[42] So E. Käsemann: Das Problem des historischen Jesus, ZThK 51, 1954, 125-153, 141.

kation des der Geschichte Jesu im Lichte des Ostergeschehens *eigenen* Bedeutungsgehalts zu beschreiben[43].

Es gibt inzwischen viele verschiedene Formen einer „Christologie von unten", die bei allen Unterschieden soviel gemeinsam haben, daß sie alle im Gegensatz zur klassischen Logoschristologie vom historischen Jesus ausgehen, um in seiner Verkündigung und Geschichte den Grund für das Christusbekenntnis der Gemeinde aufzuweisen[44]. Manche dieser Christologien halten sich ausschließlich an die Verkündigung Jesu und insbesondere an den mit ihr verbundenen Vollmachtsanspruch, übergehen dabei aber die inneren Gründe des Ärgernisses, das sich so häufig als Reaktion auf das Auftreten Jesu einstellte. Andere konzentrieren sich auf Jesu Weg zum Kreuz als Ausdruck der Liebe Gottes, die er verkündigt hat, doch ohne angemessene Würdigung des Umstands, daß eine solche Interpretation der Hinrichtung Jesu ohne das Ostergeschehen absurd bliebe und auch nach den biblischen Zeugnissen erst in deren Licht formuliert wurde. Nicht selten wird die Antwort des Glaubens auf Jesu Verkündigung in der Weise als Ursprung

---

[43] Das ist die meinen „Grundzügen der Christologie" 1964 zugrunde liegende Auffassung. Eine im Prinzip vergleichbare Kontinuitätsthese ist von C.F.O.Moule: The Origin of Christology, 1977, aufgestellt worden (bes. 135-141), während die Beiträge des Bandes The Myth of God Incarnate (ed. J.Hick 1977) nicht einmal die Frage aufgeworfen haben, ob eine solche Kontinuität im Sinne fortschreitender Explikation eines von Anfang an implizit gegebenen Gehalts bestehen könnte statt einer Serie von aus anderen kulturellen Ursprüngen stammender Vorstellungen, die der Person Jesu nur äußerlich angehängt worden wären. Moule hat seine These wiederholt im Gespräch mit den Autoren jenes Bandes (Three Points of Conflict in the Christological Debate, in M.Goulder (ed.): Incarnation and Myth. The Debate Continued, 1979, 131-141, bes. 137f.). Eine Antwort darauf blieb aus, wenn man absieht von den Bemerkungen des Diskussionsleiters Basil Mitchell am Schluß (a.a.O. 236), die die hier offene Frage festhalten (vgl. auch im Vorwort von M.Goulder a.a.O. X).

[44] Siehe dazu schon R.Slenczka: Geschichtlichkeit und Personsein Jesu Christi, 1967, 310ff. Slenczka weist mit Recht auf die Vieldeutigkeit der Bezeichnung „Christologie von unten" hin (309) und benennt wichtige Gemeinsamkeiten der unterschiedlichen ihr zuzurechnenden Positionen (311). Zur „Christologie von unten" in der neueren katholischen Theologie vgl. W.Kasper: Christologie von unten?, in L.Scheffczyk (Hg): Grundfragen der Christologie heute, 1975, 141-170. Faktisch ist die argumentative Basis auch von W.Kaspers Buch: Jesus der Christus, 1974, als die einer Christologie von unten zu bezeichnen, trotz der in der nächsten Anmerkung zu erwähnenden Kritik Kaspers an diesem Konzept. In der Darstellung tritt bei Kasper freilich eine pneumatologisch geprägte Interpretationssprache hinzu. Das ist noch stärker der Fall bei J.Moltmann: Der Weg Jesu Christi, 1989 (bes. 92ff.). Doch auch seine Darstellung ist hinsichtlich ihrer argumentativen Basis eine Christologie „von unten" im Gegensatz zu einer „von oben" ansetzenden Darstellung, trotz der 88f. geäußerten Kritik an solcher methodischen Unterscheidung als „oberflächlich und irreführend" (88). Wenn sich diese methodische Alternative in theologisch *begründender* Rede so leicht vermeiden ließe, wie Moltmann und andere möchten, wäre es erstaunlich, daß ihre Spuren in der Theologiegeschichte so tief eingefahren sind, wie oben dargestellt und auch aus Moltmanns eigenen Ausführungen 67ff., 74ff. ersichtlich. Gerade der Ansatzpunkt bei der Messianität Jesu, den Moltmann entwickelt, ist charakteristisch gewesen für die Wendung zu einer Christologie von unten in der Geschichte der modernen Theologie, etwa bei Bretschneider (vgl. oben Anm.10).

und Grundlage des Christusbekenntnisses aufgefaßt, daß der Osterglaube der Jünger als eine spezielle Ausdrucksform dieser Glaubensantwort erscheint, während die Zeugnisse des Neuen Testaments durchweg das Ostergeschehen als *Grund* des Glaubens der Jünger darstellen. Die Ergänzung der Bezugnahme auf den historischen Jesus durch den Glauben sei es des einzelnen, sei es der Kirche ist die verbreitetste Form einer Christologie „von unten". Erst der Glaube ergänzt, so meint man, das Bild des menschlich-geschichtlichen Auftretens Jesu dadurch, daß der Glaubende in Jesus mehr sieht als einen bloßen Menschen. Mag das auch als Antwort auf einen impliziten Vollmachtsanspruch in Jesu eigenem Auftreten gedacht sein, so bleibt der Hinweis auf die Produktivität des Glaubens doch eine eigenartig defizitäre Begründung der christologischen Bekenntnisaussagen durch eine Christologie „von unten". Es ist eine Begründung, die letzten Endes auf ein Autoritätsprinzip rekurriert und damit an aller Begründung verzweifelt. Außerdem wird dabei unterstellt, daß der Entscheidungsruf Jesu nicht nur seinen damaligen jüdischen Zuhörern galt, sondern jedem Menschen zu jeder Zeit: eine Ausweitung, die erst auf dem Boden der Osterbotschaft berechtigt ist und erst auf dieser Grundlage vollzogen wurde.

Es ist sicherlich verständlich, daß viele Christen als moderne Menschen es schwierig finden, die Argumentation für ihren Glauben an Jesus Christus mit einer weltanschaulich so umstrittenen Annahme wie der Tatsache der Auferstehung eines Gestorbenen zu belasten, aber historisch und sachlich ist der Ursprung des christlichen Bekenntnisses und seiner christologischen Aussagen nun einmal nicht anders zu verstehen[45]. Dies ist der in der Entstehungsgeschichte des Christentums gegebene Begründungszusammenhang[46]

---

[45] Seltsamerweise schreibt W. Kasper (im oben zit. Aufsatz) über meine „Grundzüge der Christologie", ich sei um meiner traditionsgeschichtlichen „Konzeption" willen „gezwungen, die Auferstehung zu einem (unter bestimmten hermeneutischen Voraussetzungen) historisch aufweisbaren Ereignis zu machen" (a.a.O. 150). Gezwungen? Die ganze christliche Tradition hat bis zum 18. Jahrhundert die Auferstehung Jesu als ein in der Geschichte der Menschheit tatsächlich geschehenes (also „historisches") Ereignis aufgefaßt. Daran kommt auch die heutige Rekonstruktion der Entstehungsgeschichte des Christentums und seines Christusbekenntnisses nicht vorbei. Übrigens hat Kasper in diesem Aufsatz die Argumentation der „Grundzüge der Christologie" nicht genau wiedergegeben. Weder ist dort behauptet worden, die Auferstehung Jesu könne „aus dem an sich vieldeutigen Faktum des leeren Grabes erschlossen werden" (als grundlegend gelten vielmehr die Ostererscheinungen), noch wird ihr im Verhältnis zum Vollmachtsanspruch Jesu „eine nur bestätigende Funktion" zugeschrieben (ebd.). In seinem Buch „Jesus der Christus", 1974, 159 ff. hat Kasper sich erheblich nuancierter geäußert.

[46] Es gehört zur Geschichtlichkeit des Christusglaubens, daß sich der Begründungszusammenhang seiner Aussagen von seinem geschichtlichen Ursprung nicht ablösen läßt. Bei dem von diesem Ursprung zum Bekenntnis der Gottheit Christi führenden Prozeß handelt es sich daher nicht nur um den „Entdeckungszusammenhang" dieser Lehre. Ein von dem Begründungszusammenhang zu unterscheidender, subjektiver „Entdeckungszusammenhang" liegt dagegen vor in der Bekehrungs- und Bildungsgeschichte einzelner Theologen. Vgl. zu dieser

der christologischen Aussagen des christlichen Bekenntnisses, der in der dogmatischen Christologie rekonstruiert, nicht aber durch einen andern ersetzt werden kann. Sicherlich ist der Glaube des einzelnen an solche Gründe nicht gebunden. Menschen glauben auch ohne Gründe. Aber das ist jedenfalls noch keine Theologie. In der Theologie zählen nur Argumente, und dabei kann die Theologie bei der Begründung des Glaubens an Jesus Christus nicht vorbeigehen an dem Begründungszusammenhang, der zur Entstehung dieses Glaubens und der Aussagen des christologischen Bekenntnisses geführt hat. Der Theologie geht es um die Wahrheit der christlichen Lehre. Dem dient auch die Aufdeckung und Rekonstruktion des tatsächlichen Begründungszusammenhangs des christologischen Bekenntnisses der Kirche. Dabei macht theologische Argumentation weder hier noch sonst den Glauben oder den Heiligen Geist überflüssig, aber umgekehrt muß auch gelten, daß die Berufung auf Glauben und Geist für sich noch kein Argument ist.

Walter Kasper hat in seiner Auseinandersetzung mit der methodischen Forderung nach einer „Christologie von unten" und insbesondere im Hinblick auf deren von mir, aber auch von Karl Rahner[47], vertretene Version der Verbindung von Botschaft und Geschichte Jesu mit seiner Auferstehung von den Toten von einer „*Gefahr*" gesprochen, „die bleibende Gegenwart Jesu Christi im Geist ... unterzubewerten"[48]. Gegenüber der traditionsgeschichtlichen Rekonstruktion des Begründungszusammenhangs der Christologie betont er, „daß die apostolische Verkündigung ein konstitutives Element am Christusgeschehen selber ist"[49], – konstitutiv offenbar im Sinne eines zur Geschichte Jesu Christi ergänzend hinzutretenden Geistzeugnisses. Dementsprechend hat Kasper eine „pneumatologisch bestimmte Christologie" gefordert, von der er erwartet, daß sie „die Alternative zwischen der Christologie ‚von oben' und der Christologie ‚von unten' überholen" werde[50]. Man wird Kasper darin zustimmen müssen, daß das apostolische Evangelium mit dem Christusgeschehen auf das engste verbunden ist. Dieser Zusammenhang wird im übernächsten Kapitel noch genauer bedacht werden. Die Behauptung jedoch, daß die apostolische Verkündigung *konstitutive* Funktion für das Christus-

---

wissenschaftstheoretischen Unterscheidung W. Pannenberg / G. Sauter / S. M. Daecke / H. N. Janowski: Grundlagen der Theologie – ein Diskurs, 1974, 86–97.

[47] K. Rahner / W. Thüsing: Christologie – systematisch und exegetisch, 1972, 47. Rahner entwickelte seinen Ansatz einer „Aszendenzchristologie" hier „von der Einheit des (historisch greifbaren) Anspruchs Jesu und der Erfahrung seiner Auferstehung her". Darin besteht die sachliche Nähe dieses Neuansatzes in Rahners späteren Schriften zu den „Grundzügen der Christologie" des Vf., trotz der transzendental-anthropologischen Grundlegung Rahners, die in andere Richtung weist, aber (wie weiter unten deutlich werden wird) eine Entsprechung in den hier vorzutragenden Überlegungen findet. Vgl. zu Rahner im übrigen W. Kasper a.a.O. 153ff.

[48] W. Kasper: Christologie von unten? a.a.O. (o. Anm. 44) 151.

[49] W. Kasper: a.a.O. 150.

[50] W. Kasper: a.a.O. 169. Ähnlich auch J. Moltmann: Der Weg Jesu Christi, 1989 (s.o. Anm. 44).

geschehen habe, entspricht dem apostolischen Zeugnis selber nicht: Die Osterbotschaft gehört *konsekutiv* zum Ostergeschehen, konstituiert es aber nicht, sondern ist selber durch dieses Geschehen und durch die Selbstbekundung des Auferstandenen konstituiert worden (Gal 1,16; vgl. Mt 28,19). Vom Zeugnis des Geistes aber heißt es bei Johannes, er werde nicht von sich aus reden, sondern von dem, was Jesu ist, nehmen und verkündigen (Joh 16,13f.).

Dennoch muß zugestanden werden, daß der Begründungszusammenhang christologischer Argumentation mit der traditionsgeschichtlichen Rekonstruktion der Sachgründe christologischer Bekenntnisaussagen und insbesondere des Bekenntnisses zur Gottheit Jesu noch nicht vollständig entfaltet ist. Wenn die „Christologie von unten" nicht zur Entwicklung inhaltlicher Alternativen zum Bekenntnis der Gottheit Christi gelangt, sondern dieses Bekenntnis und folglich auch den Inkarnationsgedanken als sachgerechten Ausdruck der impliziten Bedeutsamkeit des Auftretens und der Geschichte Jesu erweist, dann bedeutet das ja, daß die menschlich-geschichtliche Wirklichkeit Jesu von Nazareth nur im Lichte seiner Herkunft von Gott angemessen verstanden werden kann[51]. Damit stellt sich die Aufgabe, die Geschichte Jesu nun auch als Tat Gottes und folglich in ihrer Begründung von Gott her zu denken. Daher darf sich eine „von unten" ansetzende Christologie nicht als schlechthin ausschließend gegenüber der klassischen Inkarnationschristologie verstehen[52]. Sie rekonstruiert lediglich die offenbarungsgeschichtliche Basis, die die klassische Christologie faktisch immer schon vorausgesetzt hat, ohne sie eigens zu explizieren. Nur unter methodischem Gesichtspunkt kommt der Argumentation „von unten" ein Vorrang zu[53], - vorausgesetzt natürlich, dieses Verfahren führt zu dem Ergebnis, daß der Inkarnationsgedanke nicht eine Verfälschung, sondern eine sachgemäße Entfaltung der schon dem Auftreten und der Geschichte Jesu implizit eigenen Bedeutung ist. Dann gilt: Den sachlichen Primat hat der ewige Sohn, der durch seine Inkarnation in Jesus von Nazareth Mensch geworden ist.

So sind die beiden Argumentationsrichtungen „von oben" und „von unten", richtig verstanden, komplementär im Verhältnis zueinander. Allerdings erlaubt es die systematische Rekonstruktion der christologischen Traditionsgeschichte von ihrem Ursprung her, den Wesensgehalt des christologi-

---

[51] Vgl. die Bemerkungen von G. Sauter: Fragestellungen der Christologie, in: Verkündigung und Forschung 11, 1966, 37-68, 61 zu meinem Buch „Grundzüge der Christologie", sowie das Nachwort zur 5. Aufl. dieses Buches 1976, 421 f.

[52] So schrieb P. Althaus, wenn die Dogmatik die Aufgabe der Besinnung auf den Grund des Glaubens an Jesus Christus „erfüllt hat, darf und soll sie dann bedenken, was der Glaube an Jesus an Erkenntnis seines Wesens einschließt und wird dann den Weg ‚von oben nach unten' gehen können, wie ihn auch die neutestamentliche Christologie in ihren Aussagen von der Menschwerdung des Präexistenten ging" (Die christliche Wahrheit, 3. Aufl. 1952, 425). Vgl. auch K. Rahner: Grundkurs des Glaubens, 1976, 179, 292f.

[53] So auch K. Rahner: Grundkurs des Glaubens, 1976, 179. Vgl. auch die kritischen Bemerkungen 283f. zur klassischen Deszendenzchristologie.

schen Dogmas von sekundären Zügen und von Entstellungen kritisch zu unterscheiden. Sie stellt damit eine Weiterentwicklung der Interpretation des Dogmas im Lichte des Schriftzeugnisses dar, wie sie auch die klassische Christologie durchgeführt hat.

Die Aufgabe der Interpretation von Auftreten und Geschichte Jesu von Gott her, als Tat Gottes, muß bei der Behandlung der Christologie im Rahmen einer Gesamtdarstellung der christlichen Lehre im Vordergrund stehen. Da der übergreifende Zusammenhang, in welchem die Christologie hier zur Sprache kommt, entsprechend den Glaubensbekenntnissen der Kirche eine mehr oder weniger explizit trinitarische Struktur hat, – im Sinne der Ökonomie des göttlichen Handelns in Schöpfung, Versöhnung und Vollendung der Welt, – so ergibt sich für die Christologie, daß sie das Auftreten und die Geschichte Jesu von Nazareth als das Handeln des trinitarischen Gottes zum Heil der Menschheit darstellt. Ist dafür aber nicht ebenso wie bereits für die Trinitätslehre das Ergebnis einer „Christologie von unten" faktisch immer schon vorausgesetzt? So wie umgekehrt in einer monographischen Darstellung der Christologie, für die sich das Verfahren der Begründung der christologischen Aussagen „von unten" als sachgemäß empfiehlt, der Gottesgedanke vorausgesetzt werden muß[54]? Letzteres ist unvermeidlich, weil die Erörterung der Themen der Gotteslehre den Umkreis der speziellen christologischen Aufgabe bei weitem überschreitet. Eine Gesamtdarstellung der christlichen Lehre hingegen muß versuchen, die „Christologie von unten" in den Zusammenhang ihres umfassenderen Themas, also in den Zusammenhang der Lehre von Gott und von der Ökonomie seines Handelns in und mit der Welt zu integrieren. Eine solche Gesamtdarstellung der christlichen Lehre kann den traditionsgeschichtlichen Begründungszusammenhang der christologischen Bekenntnisaussagen nicht im Status einer ihr selber äußerlichen Voraussetzung belassen. Sie muß diese Voraussetzung wenigstens summarisch in den Gang der eigenen Darstellung aufheben, indem sie ihr ihren Ort im Zusammenhang der Ökonomie des göttlichen Handelns einräumt.

Dabei darf die Theologie nicht von einem Gottesgedanken ausgehen, der nicht schon seinerseits durch die Offenbarung Gottes in der menschlichen Geschichte Jesu geprägt wäre. Für den christlichen Glauben ist erst durch Jesus offenbar, wer oder was Gott ist. Es ist immer eine Versuchung der klassischen Christologie „von oben" gewesen, diese Grundregel ausgerechnet bei der Beschreibung des Ereignisses der Inkarnation zu verletzen, indem dabei eine noch nicht christlich geprägte, allgemeine Gottesvorstellung zugrunde gelegt wurde, von der dann die Inkarnation ausgesagt wird. Entsprechendes gilt auch für den Begriff des Menschen. Wer von der Menschwerdung Gottes spricht, muß schon ein Vorverständnis im Gebrauch der

---

[54] Siehe vom Vf. Grundzüge der Christologie, 1964, 29f.

Wörter „Gott" und „Mensch" voraussetzen. Vor dieser Problematik steht auch die „Christologie von unten". Auch sie muß zur Beschreibung der Botschaft und Geschichte Jesu anderweitig gegebene Begriffe von Gott und Mensch voraussetzen. Insbesondere ist sie dabei der Gefahr ausgesetzt, eine allgemeine, noch nicht vom Gott der Christusoffenbarung her konzipierte Anthropologie zur Grundlage ihrer Interpretation des Auftretens (und der besonderen Geschichte) Jesu zu machen[55]. Das wäre ein Verstoß gegen den Glauben an den in Jesus Christus offenbaren Gott als den Schöpfer aller Dinge, auch des Menschen. Die geschichtliche Wirklichkeit Jesu von Nazareth wird auf der Basis einer von der Beziehung zum Schöpfer abstrahierenden Anthropologie (und Geschichtsauffassung) zwangsläufig verzeichnet. „Niemand kennt den Sohn denn allein der Vater, und niemand kennt den Vater denn der Sohn und wem der Sohn es enthüllen will" (Lk 10,22).

Ist dann also das Verhältnis von Theologie und Anthropologie das einer zirkulären Wechselbedingtheit? In der Tat ist die Beachtung der wechselseitigen Bedingtheit zwischen unseren Gottesbegriffen und unseren Auffassungen von Natur und Bestimmung des Menschen eine methodische Voraussetzung der sachgemäßen Durchführung einer systematisch umfassenden Darstellung der Christologie. Der hier bestehende Zirkel (wenn denn der Sachverhalt so benannt werden soll) darf aber nicht mit dem *circulus vitiosus* einer logisch fehlerhaften Argumentation verwechselt werden, die schon voraussetzt, was zu beweisen wäre. Es handelt sich hier vielmehr um ein Verhältnis realer Wechselbedingung von Gottesvorstellung und Selbstverständnis des Menschen[56], ein Wechselverhältnis, das nicht auf die spezielle Problematik der Christologie beschränkt ist und das biblisch durch die Bestimmung des Menschen zur Gottebenbildlichkeit erklärt werden mag. Unter Voraussetzung der Gottheit des Gottes der Bibel bedeutet das, daß nicht nur der Christ, sondern jeder Mensch (auch der Atheist und der Agnostiker samt ihren Weltentwürfen) sich immer schon bewegt in einer Welt, die die Schöpfung des Gottes der Bibel ist und zu der dieser Mensch selber gehört. Die Probe auf diese Behauptung ist zunächst der Nachweis, daß alle nichtreligiösen Auffassungen des Menschen und seiner Welt auf Reduktionen beruhen, die konstitutive Bedingungen und Charakteristika der menschlichen Wirklichkeit verdrängen und die als Reduktionen erweisbar und damit argumentativ auflösbar sind[57]. Dementsprechend ist es möglich, von einer säkularen Sicht der menschlichen Wirklichkeit her durch schrittweise Aufhebung der damit verbundenen Restriktionen, aber ohne zirkuläre Argu-

---

[55] Näheres zu dieser Problematik in dem Aufsatz des Vf. Christologie und Theologie, in: Grundfragen systematischer Theologie 2, 1980, 129–145, bes. 131 ff. und 135 ff.
[56] Vgl. dazu die Bemerkungen des Vf. in: Grundfragen systematischer Theologie 1, 1967,8; 2, 1980,10, sowie Grundzüge der Christologie, 1964, 208 f.
[57] Auf diesen Nachweis zielen die Analysen anthropologischer Beschreibungen und Befunde in meiner „Anthropologie in theologischer Perspektive", 1983.

mentation, zum Bewußtsein jener faktischen Wechselbeziehung von Theologie und Anthropologie zu gelangen, die immer schon die tatsächliche Situation menschlichen Selbstverständnisses kennzeichnet[58]. Erst auf dieser Stufe der Bewußtheit wird die Frage dringend, welches die wahre Gestalt der göttlichen Wirklichkeit ist, eine Frage, die nur durch die erhellende Kraft ihrer eigenen Offenbarung beantwortet werden kann. Zur erhellenden Kraft des christlichen Gottesverständnisses aber gehört, daß die besondere Beziehung zwischen Jesus von Nazareth und dem Vater, den er verkündigte, die ganze Menschheit und ihre Welt umgreift und innerhalb des dadurch eröffneten Horizontes dann noch einmal ein besonderes Thema bildet. Darum stellt sich auch im Gang der Entfaltung der christlichen Lehre die Frage nach der Gottheit Jesu, obwohl sie schon den Ausgangspunkt für die Formulierung des trinitarischen Gottesgedankens bildete, noch einmal in anderer Weise als Thema der Christologie: in anderer Weise, nämlich im Rahmen eines aus dem trinitarischen Gottesgedanken entwickelten Verständnisses der Welt als Schöpfung.

Unter allen übrigen Geschöpfen ist der Mensch dadurch ausgezeichnet, daß sein Dasein in besonderer Weise auf Gott bezogen ist. Darauf beruhen auch seine Berufung und Befähigung zur Herrschaft über die anderen Geschöpfe Gottes. Zwar sind alle Geschöpfe auf Gott als ihren Schöpfer bezogen, indem sie ihm ihr Dasein verdanken und für die Erhaltung und Entfaltung ihres Daseins fortgesetzt auf Gott angewiesen sind. Darum lobt die Welt der Geschöpfe schon durch ihr bloßes Dasein ihren Schöpfer. Aber den Menschen wird diese Beziehung zu Gott zum ausdrücklichen Thema, indem sie Gott von ihrem eigenen Dasein und von allem Endlichen unterscheiden. So wird den Menschen auch der Dank an Gott und das Lob Gottes zum Thema ihres eigenen Lebensvollzugs. Der Mensch ist seiner Wesensnatur nach religiös. Das wird nicht dadurch widerlegt, daß es auch Menschen gibt, die ohne Religion leben. Auch Atheisten sind Menschen. Doch aus der Sicht des christlichen Glaubens muß gesagt werden, daß in ihrem Leben die Wesensnatur des Menschen nicht zur vollen Entfaltung kommt. Was Menschsein heißt, wird ohne Religion den Menschen selber nicht voll durchsichtig.

Die konstitutive Bedeutung der religiösen Thematik für das Menschsein des Menschen hängt eng damit zusammen, daß Menschen Wesen sind, die mit Bewußtsein und Selbstbewußtsein begabt sind. Menschen unterscheiden die Dinge ihrer Welt von sich und voneinander, und sie unterscheiden auch sich selber von den andern Dingen und Wesen, auf die sie sich bezogen wissen. Im Vollzug solchen Unterscheidens erfassen sie die Dinge und Wesen als endliche, durch den Unterschied von anderem bestimmte. Mit dem Gedanken des Endlichen ist aber zumindest implizit immer schon der des Un-

---

[58] Siehe dazu hier Bd. 1, Kap. 2,5 (121 ff.), sowie Kap. 3,2 (151 ff.).

endlichen verbunden. Darum ist menschliches Bewußtsein wesentlich transzendierendes Bewußtsein im Überschritt über die Endlichkeit seiner Gegenstände hinaus. Bei der Erfassung endlicher Gegenstände in ihrer Besonderheit ist immer schon das Unendliche als Bedingung ihrer Erkenntnis und ihres Daseins mitgewußt. Daher ist der Mensch in seiner Daseinsverfassung als bewußtes Wesen auch immer schon als religiöses Wesen bestimmt.

In dieser Verfassung bewußten Lebens ist nun in besonderer Weise der Logos präsent, der als das generative Prinzip der Besonderung das eigentümliche Dasein jedes Geschöpfes begründet und durchwaltet. Dem Menschen als seiner selbst im Verhältnis zu anderem bewußten Wesen wird das Unterschiedensein jedes Dinges und Wesens in seiner Andersheit von allem anderen zum Gegenstand seines Bewußtseins, während es alles sonstige geschöpfliche Dasein nur faktisch bestimmt. Insofern ist der Mensch in seinem bewußten Leben in spezifischer Weise des Logos inne, der die ganze Schöpfung durchwaltet.

Das ist eine These, die nicht etwa nur in der Tradition griechischer Logosphilosophie steht, wie sie vor allem im Denken Heraklits und der Stoa entwickelt wurde. Auch nach Joh 1,4b und 1,9 ist der Logos das „Licht" der Menschen, sind die Menschen also in besonderer Weise des Logos teilhaftig, dem nach Joh 1,3 alle Dinge ihr Dasein (Leben) verdanken. Athanasius hat mit Recht die dem Menschen bei der Schöpfung verliehene Teilhabe am Logos zum Ausgangspunkt seiner Theologie der Menschwerdung des Logos gemacht[59]. Ohne diese Voraussetzung wäre die Menschwerdung des Logos etwas der Natur des Menschen Fremdes. Es könnte dann von der Inkarnation des Logos nicht gesagt werden: „Er kam in sein Eigentum" (Joh 1,11). Zwar heißt es unmittelbar anschließend, die Seinen nahmen ihn nicht auf, doch das Unerhörte dieses Sachverhalts liegt gerade darin, daß die Menschen von der Schöpfung her zum Logos gehören und so „die Seinen" sind. Die Deutung dieser für den Menschen spezifischen Teilhabe am Logos auf die unterscheidende und das Unterschiedene verbindende Tätigkeit des menschlichen Bewußtseins hat zur theologischen Voraussetzung, was schon im Zusammenhang der Darstellung der Trinitätslehre über die für die Sohnschaft Jesu konstitutive Selbstunterscheidung vom Vater gesagt wurde. Bereits in der Schöpfungslehre ist diese Selbstunterscheidung vom Vater als Schlüssel für das Verständnis der kosmologischen Funktion des Logos als Schöpfungsmittler in Anspruch genommen worden. Die Behauptung der grundlegenden Bedeutung dieses Sachverhalts wird in der Christologie überprüft und erhärtet, sowie nach verschiedenen Seiten hin entfaltet werden.

Gerade unter dem Gesichtspunkt der Logoshaftigkeit des Menschen läßt sich das Erscheinen Jesu Christi als Vollendung der Schöpfung des Menschen verstehen. Das hat in der Theologie des 20. Jahrhunderts niemand tie-

---

[59] Vgl. Athanasius De inc. 3 und 7f.

fer erfaßt und eindrucksvoller formuliert als Karl Rahner. Nach Rahner ist die Inkarnation zu verstehen „als die (obzwar freie, ungeschuldete und einmalige) absolut höchste Erfüllung dessen, was ‚Mensch' überhaupt besagt", und Rahner fügte hinzu, damit werde „der falsche Schein des Mirakulös-Mythologischen leichter und verständlicher abgewehrt", der sonst leicht dem Inkarnationsgedanken anhängt[60]. Dieser Gesichtspunkt hat seine Aktualität gegenüber der neuerdings in England vorgetragenen Kritik am Inkarnationsgedanken und im Zusammenhang der daran anschließenden Debatte[61]. Der Begriff des Mythischen ist dabei in einem sehr vagen Sinne, als metaphorische im Gegensatz zu kognitive Relevanz beanspruchender Rede verwendet worden[62]. Doch der Begriff der Inkarnation ist von seiner sprachlichen Struktur her keine Metapher. Dennoch verbindet sich mit ihm der Schein des Mythologischen, wenn er identifiziert wird mit der Vorstellung der wunderbaren Geburt des Gottessohnes in Analogie zu entsprechenden mythopoetischen Vorstellungen griechischer oder orientalischer Herkunft und wenn seine Einführung nicht gedanklich ausgewiesen wird. Der letzteren Forderung wird wenigstens teilweise entsprochen (nämlich in einer allgemeinen, ihrerseits noch der Begründung aus der Eigenart der Person und Geschichte Jesu bedürftigen Form) durch Rahners Satz: „Die Menschwerdung Gottes ist ... der einmalig *höchste* Fall des Wesensvollzuges der menschlichen Wirklichkeit"[63]. Daher ist Anthropologie nach Rahner „defiziente Christologie"[64], insofern Anthropologie als solche eben noch

---

[60] K. Rahner: Art. Jesus Christus III B, LThK 5, 2. Aufl. 1960, 956 (Schreibweise bereinigt).

[61] J. Hick (ed.): The Myth of God Incarnate, 1977. A. Goulder (ed.): Incarnation and Myth: The Debate Continued, 1979. Für weitere Literatur zu dieser Debatte siehe I. U. Dalferth: Der Mythos vom inkarnierten Gott und das Thema der Christologie, ZThK 84, 1977, 320–344, 320 f. Anm. 4.

[62] So bes. bei J. Hick: Incarnation and Mythology (God and the Universe of Faiths, 1973, 165–179). Verwandt, aber noch weniger präzise sind die an D. F. Strauß sich anlehnenden Ausführungen zum Mythosbegriff von M. Wiles (Myth in Theology) in dem Band The Myth of God Incarnate, 1977, 148–166, bes. 150 f. 153 f. 163 f. Vgl. I. U. Dalferth a. a. O. 336 ff. In anderem Sinne (nämlich als welthafte Vorstellung von Nichtweltlichem) nannte R. Bultmann den Begriff der Inkarnation mythologisch (Das Evangelium des Johannes, 12. Aufl. 1952, 38 f.). Für einen dem religionsgeschichtlichen Sachverhalt und dem religionswissenschaftlichen Sprachgebrauch angemessenen, spezifischen Gebrauch des Mythosbegriffs in der Theologie plädiert mein Aufsatz: Die weltgründende Funktion des Mythos und der christlichen Offenbarungsglaube (H. H. Schmid (Hg.): Mythos und Rationalität, 1987, 108–123) auf der Grundlage einer zuerst 1971 erschienenen Untersuchung über Christentum und Mythos (jetzt in: Grundfragen systematischer Theologie 2, 1980, 13–65, bes. 28 ff. Zum Verhältnis von Inkarnationsvorstellung und Mythologie siehe dort 59 ff.).

[63] K. Rahner: Zur Theologie der Menschwerdung, in: Schriften zur Theologie 4, 1960, 142. Die Forsetzung dieses Satzes, – daß nämlich dieser höchste Fall „darin besteht, daß der Mensch – ist, indem er sich weggibt", – wird in der Durchführung der Christologie expliziert werden.

[64] K. Rahner: Probleme der Christologie heute, in: Schriften zur Theologie 1, 1955, 184 Anm. 1. Daraus folgt nicht schon, wie J. Moltmann: Der Weg Jesu Christi, 1989, 70 Anm. 23 vermutet, daß die menschliche Personalität im allgemeinen, abgesehen vom Fall der Inkarna-

nicht die Einheit des Menschen mit Gott in Unterschiedenheit von ihm zum Thema hat.

Rahner hat diese Aussagen über das Verhältnis von Anthropologie und Christologie als Ausdruck einer „transzendentalen" Anthropologie und Christologie vorgetragen[65]. Doch ist der Begriff „transzendental" hier eher irreführend, da mit ihm der Gedanke einer apriorischen Festlegung der Formen der Erfahrung verbunden ist[66]. Rahner intendierte mit dieser Begrifflichkeit ein über geschichtliche Einzelbefunde hinausgehendes, strukturelles Verhältnis von Anthropologie, Theologie und Christologie, dessen Fundierung er in der Anthropologie suchte. Rahner hat in seinen späteren Äußerungen die geschichtliche Vermittlung dieses strukturellen Sachverhalts anerkannt[67]. Nimmt man jedoch diese Konzession in ihrem vollen Gewicht, dann ist die Bezeichnung „transzendental" nicht mehr angemessen.

In anderer Weise als Rahner hat John Cobb die Einheit von Anthropologie und Christologie durch den Logosbegriff auf dem Boden der Prozeßphilosophie Alfred North Whiteheads formuliert. Dabei deutet Cobb den Logos als Gottes an jedes Geschöpf gerichteten Ruf zur Neugestaltung (*creative transformation*) seines Daseins im Sinne der ihm von Gott dargebotenen Möglichkeiten der Selbstverwirklichung[68]. Nach Cobb ist Jesus darin mit dem Logos eins, daß er uneingeschränkt offen ist für die ihm von Gott dargebotene Möglichkeit des Daseins[69], und dadurch ist in ihm menschliche Existenz in ihrer Beziehung zu Gott exemplarisch realisiert. Im Unterschied zu Rahner gelangt John Cobb im Gang dieser Argumentation wegen des nicht-trinitarischen Charakters von Whiteheads Gottesgedanken nicht zur Aussage der Gottheit Jesu Christi, durch die Jesus für die übrigen Menschen mehr sein kann als nur ein beispielhafter Mensch, und daher erreicht er auch nicht den vollen Sinn des Inkarnationsgedankens[70].

Die Nähe zwischen Logoschristologie und Anthropologie ist so groß, daß sich die Frage erheben muß, ob die individuelle Besonderheit Jesu von

---

tion, „als Sünde der Egozentrik bezeichnet werden" müßte (70): Erst der sich in seiner Defizienz verselbständigende und für absolut nehmende Mensch ist der Mensch der Sünde.

[65] Vgl. K.Rahner: Schriften zur Theologie 1, 206ff.; Grundkurs des Glaubens, 1976, 206–211.
[66] Zur Spannung zwischen transzendentaler Struktur und kontingenter Geschichtlichkeit vgl. die kritischen Bemerkungen von W.Kasper: Christologie von unten? (Grundfragen der Christologie heute, hg. L.Scheffczyk 1975, 141–170) 156f., sowie allgemein zur Problematik von Rahners Gebrauch des Begriffs „transzendental" F.Greiner: Die Menschlichkeit der Offenbarung. Die transzendentale Grundlegung der Theologie bei Karl Rahner, 1978 (darin 250ff. zur Christologie). Die Zuordnung Rahners (neben Schleiermacher) zum Typus einer anthropologischen Christologie (J.Moltmann: Der Weg Jesu Christi, 1989, 80ff.) ist dennoch problematisch, weil Rahner immer schon das aus der Wirklichkeit Gottes konstituierte Menschsein meinte, daher auch i.U. zu Schleiermacher nicht nur vom Gottesbewußtsein Jesu, sondern im Sinne der Trinitätslehre von der wahren Gottheit des in Jesus inkarnierten Logos sprechen konnte.
[67] K.Rahner: Grundkurs des Glaubens, 1976, 207f.
[68] J.Cobb: Christ in a Pluralistic Age, 1975, 62–81.
[69] J.Cobb a.a.O. 140f.
[70] Siehe dazu vom Vf.: A Liberal Logos Christology: The Christology of John Cobb, in D. R.Griffin/Th.J.J.Altizer (eds.): John Cobb's Theology in Process, 1977, 133–149, bes. 141ff.

Nazareth wirklich darin aufgeht, den Allgemeinbegriff des Menschen als des Wesens der Logosteilhabe definitiv zu realisieren. Immerhin muß schon nach den Aussagen des Johannesprologs die Sünde der Menschen, ihre Entfremdung vom Logos, durch dessen Inkarnation überwunden werden, und der Widerstand der Finsternis äußert sich sogar noch dem inkarnierten Logos gegenüber dadurch, daß er von den Menschen nicht angenommen wird (Joh 1,11), es sei denn, daß sie durch den Geist Gottes neu geboren werden (Joh 1,13; vgl. 3,5f.).

Das Verhältnis der schöpfungsmäßigen Bestimmung des Menschen zur Inkarnation des göttlichen Logos in Jesus von Nazareth ist also jedenfalls nicht das einer geradlinigen Entsprechung von Anlage und Verwirklichung. Der Weg von der Anlage zu ihrer Verwirklichung ist gebrochen durch die Sünde. Weil die Menschen dem Logos entfremdet sind, lernen sie erst durch Jesus den Logos kennen, der doch immer schon Ursprung ihres Lebens und Licht ihres Bewußtseins ist. Nicht daß die Menschen vor ihrer Begegnung mit Jesus überhaupt keine allgemeinen Begriffe von Natur und Bestimmung des Menschen, von Gott und auch vom Logos als Inbegriff der Weltordnung und ihrem Verhältnis zu Gott hätten. Aber diese allgemeinen Begriffe gewinnen erst durch Jesus ihren wahren Inhalt. Jesus als einzelne Person und seine besondere Geschichte haben darin ihre allgemeine Relevanz. Diese allgemeine Relevanz gehört selber zur Besonderheit der geschichtlichen Person Jesu.

Dieser Sachverhalt konnte auch in der Form ausgedrückt werden, daß dem Begriff des Menschen schlechthin die Besonderheit Jesu Christi als Ursprung eines neuen Bildes vom Menschen entgegengesetzt wurde. So geschah es bei Paulus in den Gegenüberstellungen von Christus und Adam 1. Kor 15,45 ff. und Röm 5,12–19. Auch hier zerbricht die Einheit der menschlichen Wirklichkeit durch die Sünde. Der Sünde wegen wird der Adam der Genesis zum ersten Adam, dem mit Jesus Christus ein anderer, zweiter Adam gegenübertritt, die endgültige Gestalt der menschlichen Wirklichkeit, die Sünde und Tod überwunden hat.

> Im Brief an die Römer hat Paulus den Gegensatz des Christus zum Menschen der Sünde so stark betont, daß die Beziehung der Person und Geschichte Jesu Christi zur Schöpfungsabsicht Gottes mit dem Menschen darüber ganz zurücktritt[71]: Der „eine Mensch Jesus Christus" (Röm 5,15) steht mit seiner Gehorsamstat in schroffem Gegensatz zu Adam, dem ersten Menschen[72]. Von einem positi-

---

[71] Anders bei der Gegenüberstellung von Christus und Adam in 1.Kor 15,45–49, wo es als notwendig behauptet wird, daß der irdische Mensch dem Kommen des pneumatischen Menschen vorangeht (15,46), so wie die Saat der Ernte vorangehen muß (15,42 ff.).

[72] E. Brandenburger: Adam und Christus. Exegetisch-religionsgeschichtliche Untersuchung zu Röm. 5,12–21 (1. Kor. 15), 1962, 158–247, bes. 219 ff., 231.

ven Zusammenhang zwischen Christus und Adam ist keine Rede[73], wenn man einen solchen Zusammenhang nicht in den bei Paulus vorausgegangenen Aussagen über den Tod Christi zur Versöhnung der von Adam her der Sünde und dem Tode verfallenen Menschen mit Gott (Röm 5,8-10) erblicken will: Das aber ist nicht ein in der geschöpflichen Natur und Bestimmung des Menschen, sondern im eschatologischen Geschehen des Todes Christi begründeter Zusammenhang. Die liebevolle Zuwendung Gottes zu den unter der Herrschaft der Sünde Verlorenen begründet diesen Zusammenhang. Allerdings besteht außerdem doch zumindest implizit eine gegenbildliche Beziehung zwischen der Gehorsamstat Christi (Röm 5,19) und der Sünde Adams: Schon der erste Mensch hätte sich durch Gehorsam gegen Gottes Gebot bewähren sollen. Er hat statt dessen durch seine Übertretung die Herrschaft des Todes über die Menschheit inauguriert (Röm 5,17). Die Gehorsamstat des Sohnes leistet also, was schon der erste Mensch hätte leisten sollen, aber verfehlt hat.

Worin besteht nun diese Gehorsamstat des Sohnes? Nach dem Kontext besteht sie darin, daß der Sohn zugunsten der Sünder den Tod auf sich nahm (Röm 5,6ff.). Die inhaltliche Korrespondenz zu der von Adam verweigerten Gehorsamstat ist hier nicht ohne weiteres erkennbar; denn der Gehorsam Adams sollte ja nicht darin bestehen, daß er starb, sondern der Tod wurde ihm im Gegenteil als Folge der Übertretung des göttlichen Gebotes angedroht (Gen 2,17). Es gibt jedoch an anderer Stelle bei Paulus eine Anspielung auf das Verhältnis des Todesgehorsams Christi zur Sünde Adams, nämlich im Christushymnus des Philipperbriefs (Phil 2,6-11). Wenn es dort von Jesus Christus heißt, daß er nicht die Gottgleichheit als Beute an sich riß (2,6), sondern sich im Gehorsam gegen Gott bis zum Tode am Kreuz erniedrigte (2,8), dann dürfte darin eine Anspielung auf die Versuchung Evas durch die Paradiesesschlange liegen, welcher mit Eva auch Adam zum Opfer fiel: Ihr werdet sein wie Gott (Gen 3,5). Der Sohnesgehorsam Jesu Christi (Phil 2,8) steht also dadurch in einer (gegenläufigen) Beziehung zur Tat Adams, daß Jesus Christus gerade nicht wie der erste Mensch der Versuchung verfiel, Gott gleich zu sein – und das, obwohl er in seiner Präexistenz anders als Adam tatsächlich „in göttlicher Gestalt" war (Phil 2,6). Obwohl also der von Jesus Christus erbrachte Gehorsam einen anderen Inhalt hat als der einst von Adam geforderte, steht seine Gehorsamstat doch in antithetischer Entsprechung zur Tat Adams, insofern der Gehorsam aus der Gesinnung Christi kommt, nicht Gott gleich sein zu wollen, sondern die Unterschiedenheit von Gott in Unterordnung unter ihn auf sich zu nehmen. So fällt von Christus her doch auch in Röm 5 ein Licht auf die ursprüngliche Situation Adams, also auf Natur und Bestimmung des Menschen überhaupt im Verhältnis zu Gott.

---

[73] In diesem Sinne hat E. Brandenburger a.a.O. 267-278 der Interpretation von K. Barth: Christus und Adam nach Röm. 5. Ein Beitrag zur Frage nach dem Menschen und der Menschheit, 1952, scharf widersprochen, vor allem Barths Thesen über Adam als „Vorbild und Gleichnis Christi" (Barth 55) und über das Verhältnis von Adam und Christus als Stufenfolge (Barth 31). Nach Brandenburger ist Paulus Röm 5 nicht an der menschlichen Natur als solcher interessiert (273), sondern nur am Gegensatz der Tat Adams und der Gehorsamstat Christi (271, vgl. 269). Die Ausführungen Barths stehen allerdings nicht nur zu Irenäus (Brandenburger 272), sondern auch zu 1. Kor 15,45-49 in größerer Nähe als zu Röm 5,12ff. (s. vorige Anm.).

Die paulinische Gegenüberstellung des neuen Menschen in Jesus Christus zum ersten Adam ist in der patristischen Theologie überaus wirksam geworden als Bezugsrahmen für die Erörterung der Besonderheit Jesu Christi im Verhältnis zur übrigen Menschheit. Es ist wichtig, sich die Eigenart des dabei entwickelten Verfahrens und seine Schranken vor Augen zu führen. Nur so wird man das davon abweichende Vorgehen der neueren Christologie richtig würdigen, die von der geschichtlichen Besonderheit des öffentlichen Wirkens Jesu ausgeht, um darin seine allgemeine Bedeutung für die Menschheit und die Grundlage für das Bekenntnis zu seiner Gottheit aufzuweisen. Beide Bemühungen gelten derselben Aufgabe, nämlich der Kennzeichnung der Eigenart von Person und Geschichte Jesu Christi im Verhältnis zu Natur und Bestimmung des Menschen, und der Aufweis dieser Beziehung dient – wie schon bei Paulus und in der johanneischen Lehre von der Inkarnation des göttlichen Logos in dem Menschen Jesus – dem Nachweis der allgemeinmenschlichen und (im Falle der johanneischen Logoslehre) sogar kosmischen Relevanz der besonderen Geschichte Jesu und seiner Person.

2. Der „neue Mensch" in Person und Geschichte Jesu Christi

a) Der neue Mensch „vom Himmel her"

Die paulinische Beschreibung Jesu Christi als der eschatologischen Gestalt des Menschen, im Gegenzug zur bisherigen, adamitischen Menschheit durch Gehorsam gegen Gott und durch Überwindung der Vergänglichkeit, hatte ähnlich wie die johanneische Auffassung Jesu als Inkarnation des Logos die Funktion, den Anspruch auf eine über den Bereich jüdischen Glaubens hinausreichende, allgemein menschliche Relevanz der Person und Geschichte Jesu zum Ausdruck zu bringen[74]. Das geschah bei Paulus, vor allem im Römerbrief, in der Weise der Entgegensetzung des in Jesus Christus erschienenen eschatologischen Menschen gegen den ersten Adam, wie ihn die Paradiesesgeschichte der Genesis beschreibt. In der Auseinandersetzung mit der dualistischen Gnosis mußte die Kirche des zweiten Jahrhunderts anders als Paulus den Zusammenhang zwischen dem in Jesus Christus erschienenen neuen Menschen „vom Himmel her" (1.Kor 15,47) und dem irdischen Menschen der ersten Schöpfung betonen. Damit war über den situationsbedingten Anlaß hinaus eine Entscheidung von fundamentaler Tragweite für die Entwicklung der Christologie getroffen, im Einklang mit dem biblischen Gesamtzeugnis von der Einheit Gottes und seines Handelns. Wenn der in Jesus Christus offenbare Gott der Erlösung derselbe ist wie der Schöpfer

---

[74] Das hat auch E. Brandenburger a.a.O. 237ff. zu Röm 5,12ff. hervorgehoben.

der Welt und des Menschen, dann muß sein Heilshandeln als Ausdruck seines Festhaltens an seiner Schöpfungstat verstanden werden, und die Sendung des neuen, eschatologischen Menschen muß dann im Zusammenhang mit der Schöpfung des Menschen am Anfang gesehen werden. Dem entspricht das Konzept einer auf die Vollendung des Menschen in Jesus Christus zielenden Heilsgeschichte, wie es Melito von Sardes und Justin dem Märtyrer vorschwebte[75], vielleicht schon Ignatius von Antiochien, als er den Ephesern ankündigte, ihnen den „auf den neuen Menschen, Jesus Christus, zielenden Heilsplan" (*oikonomia*) Gottes darzustellen (Ign. Eph 20,1). Die klassische Durchführung einer solchen Darstellung ist Irenäus von Lyon zu verdanken.

Nach Irenäus ist durch die Inkarnation des Sohnes „die gesamte Heilsordnung (*oikonomia*) hinsichtlich des Menschen erfüllt" worden (adv. haer. III,17,4; vgl 16,6), eine Heilsgeschichte, die mit der Schöpfung des Menschen begann und durch die „Rekapitulation" des gefallenen Menschen in Jesus Christus ihre Vollendung gefunden hat[76]. Irenäus gab auch einen Grund dafür an, warum der Mensch nicht gleich anfänglich zur Vollkommenheit gelangt ist: Als endliches Wesen war er unfähig, die vollkommene Gemeinschaft mit Gott sofort in sich aufzunehmen und von sich aus zu realisieren; er war noch gleichsam ein Kind (IV,18,1f.)[77]. Daher mußte die Zeit des Wachstums abgewartet werden (IV,38,3f.). Wegen der anfänglichen Schwäche des Menschen ist es auch, wie Gott voraussah, zur Sünde und in ihrem Gefolge zum Tode gekommen (ib. 4). Doch der Schöpfer konnte den Menschen nicht dem Tode preisgeben (III,23,1), und so sandte er den Logos, nach dessen Bild der Mensch anfänglich geschaffen worden war (V,16,2; vgl. 12,6 und 15,4), damit er ihn aus der Herrschaft des Todes errette und dadurch vollende, daß er ihn mit seinem Bilde vereinte (V,9,3, vgl. 36,3). So gibt es Stufen auf dem Wege des Menschen zur vollen Gemeinschaft mit Gott (IV,9,3), über das Fleischliche zum Geistigen (IV,14,3): Letzteres ist das Motto, unter dem Irenäus die Bundesgeschichte Gottes mit Israel in seine Konzeption der Menschheitsgeschichte als Heilsgeschichte einbezog, wie es vor ihm nach Anleitung paulinischer Passagen wie 2. Kor 3 schon andere frühchristliche Theologen getan hatten.

Den systematischen Leitgedanken dieser Entwicklungsgeschichte des Menschen bildete die bereits erörterte platonisierende Interpretation der Gottebenbildlichkeit[78]. Durch die Unterscheidung von Urbild und Abbild und durch die Hinordnung des Abbildes auf das Urbild verband Irenäus die alttestamentlichen Angaben über die Erschaffung Adams mit den paulinischen Aussagen über Jesus

---

[75] Zu Melito von Sardes und Justin vgl. A. Grillmeier: Jesus der Christus im Glauben der Kirche 1, 1979, 202ff., 207ff.

[76] Irenäus adv. haer. V,14,2; vgl. III,18,1 zum Grund dieses Geschehens in Gott selbst, sowie III,22,3. Zur Gesamtkonzeption siehe J.T.Nielsen: Adam und Christ in the Theology of Irenaeus of Lyons, 1968.

[77] Vgl. Theophilus von Antiochien ad Autol. 2,25, auch seine Betonung der Notwendigkeit einer Erziehung Adams durch Gott (a.a.O. 2,26). Dazu Nielsen a.a.O. 88f.

[78] Siehe oben Kap. 8, 238ff. Vgl. bei Irenäus bes. V,6,1 und 16,1.

Christus als den letzten und endgültigen Adam. Er konnte sich dafür zwar weniger auf Röm 5,12 ff., wohl aber auf 1. Kor. 15,45–49 (und 15,22) stützen. Denn im ersten Korintherbrief hat Paulus Christus als den zweiten Adam dem ersten Menschen nicht so unvermittelt entgegengesetzt wie im Römerbrief. Vielmehr ist dort von einer Abfolge die Rede:[79] zuerst der beseelte Mensch (im Sinne von Gen 2,7), dann der geistige (1. Kor 15,46). Irenäus hat diesen Gedanken aufgenommen und mit 1. Kor 15,49 und 53 verbunden: „Zuerst aber mußte die Natur erscheinen, dann das Sterbliche von dem Unsterblichen besiegt und verschlungen werden und das Vergängliche von dem Unvergänglichen, und der Mensch nach dem Bild und Gleichnis Gottes werden, nachdem er die Kenntnis des Guten und Bösen erlangt hatte" (IV,38,4; vgl. V,9,3 und 11,2). Im Sinne solcher Abfolge wird 1. Kor 15,22 zitiert: „So sollen wir also in dem geistigen Adam alle das Leben empfangen, wie wir in dem psychischen alle gestorben sind" (V,1,3). Irenäus ging allerdings damit über die paulinischen Aussagen hinaus, daß er die Abfolge beim Erscheinen des ersten und des zweiten Adam im Sinne von Stufen in der Geschichte einer und derselben Menschheit auffaßte, die durch Jesus Christus zur vollkommenen Gemeinschaft mit Gott geführt wird. Die Sünde Adams wird infolgedessen – im Unterschied zu Paulus (Röm 5,18 f.) – zu einem Zwischenfall[80], der, von Gott vorhergesehen und in seinem Plan zur Vollendung des Menschen von vornherein berücksichtigt, die Richtung der Heilsgeschichte nicht zu ändern vermag. In dieser durch seine Interpretation der Gottebenbildlichkeit des Menschen ermöglichten Sicht stellte Irenäus die Natur des Menschen der Sache nach als eine Geschichte dar, deren Eigenart erst von ihrem Resultat her, von Jesus Christus her, bestimmbar ist. Oder ist es vielmehr so, daß faktisch das Ende dieser Geschichte in seiner Darstellung doch durch das bestimmt wird, was schon am Anfang vorgegeben ist, nämlich durch die Wesensverwandtschaft des Menschen mit dem Logos als seinem göttlichen Urbild? Jedenfalls, und das ist der zweite Unterschied der irenäischen Darstellung von den paulinischen Aussagen in 1. Kor 15,45 ff., ereignet sich die Vollendung des Menschen nicht erst durch den Anbruch des eschatologischen Lebens in der Auferstehung Jesu (und auch nicht mit Röm 5 in der Gehorsamstat des Sohnes), sondern ist schon in der Inkarnation des göttlichen Logos begründet

---

[79] Diese Abfolge ist nach dem Urteil der meisten Exegeten als Antithese zu der bei Philo von Alexandrien und in „gnostischen" Texten nachweisbaren und in ähnlicher Form offenbar auch in Korinth bekannten umgekehrten Reihenfolge zu verstehen, nach der die Erschaffung eines himmlischen Menschen im Sinne von Gen 1,26 f. vorausgeht, dem dann die Erschaffung des irdischen und in Sünde verfallenden Adam von Gen 2,7 folgt. Siehe zu 1. Kor 15,46 E. Brandenburger a.a.O. 71 ff., bes. 74 f., zu gnostischen Parallelen 77 ff. und zu Philo 117 ff. Anders R. Scropp: The Last Adam. A Study in Pauline Anthropology, 1966, der eine größere Nähe der paulinischen Gedanken zur rabbinischen Auslegung von Gen 2,7 annimmt und die Gegenüberstellung eines zweiten zum ersten Adam von daher zu erklären sucht.

[80] J.T. Nielsen a.a.O. 75 f. Nielsen hebt auch mit Recht hervor, daß die Solidarität des zweiten mit dem ersten Adam bei Irenäus antignostisch auf die Einbeziehung des Fleisches in den Heilswillen Gottes zielt (76). Aber er sieht darin zu Unrecht einen Gegensatz zu Paulus (Röm 8,10): Irenäus hat aus 1. Kor 15,49 ff. mit Recht entnommen, daß das Vergängliche zwar nicht als solches, wohl aber durch seine Verwandlung hindurch am Heil der Totenauferstehung teilhaben soll.

(V,15,4). Hier verbinden sich bei Irenäus paulinische mit johanneischen Motiven, verknüpft wiederum durch seinen Bildgedanken (vgl. V,16,2).

Die Verbindung von Adamtypologie und Logoschristologie, die bei Irenäus angebahnt ist, wurde im 4. Jahrhundert von Athanasius in seiner Schrift über die Inkarnation des Logos erneuert, und zwar nun mit dem Schwergewicht auf der Seite der inzwischen durch die alexandrinische Schule weit differenzierter entwickelten Logoslehre[81]. Die Funktion der Verknüpfung von Anthropologie und Logoslehre war jetzt nicht mehr durch den Gegensatz gegen die Gnosis, sondern apologetisch bestimmt[82]: Die Menschwerdung Gottes durch seinen Logos ist seiner Gottheit nicht unwürdig, da es in diesem Ereignis um nichts anderes geht als um die Wiederherstellung und Vollendung der ursprünglich mit der Natur des Menschen verbundenen, Unsterblichkeit verbürgenden Teilhabe am Logos, die durch die Sünde Adams und ihre Folgen verlorengegangen waren[83]. Darin kommt einerseits das Motiv der Solidarität des Logos mit der Menschheit zum Ausdruck (vgl. De inc. 8), andererseits aber auch die Differenz des Christus von allen andern Menschen: Jesus Christus ist der neue Mensch „vom Himmel", der den Tod überwunden hat. Er ist das aber darum, weil in ihm der Logos vom Himmel ins Fleisch gekommen ist, der vom Tode nicht überwältigt werden konnte[84]. Was ihn von allen andern Menschen unterscheidet und zum Überwinder des Todes werden ließ, ist also die Einheit mit dem göttlichen Logos.

Wie Apollinaris von Laodicaea[85] hat auch Kyrill von Alexandrien diese Deutung der Besonderheit Jesu Christi als des neuen Adam weitergeführt. Nach Kyrill besteht die Besonderheit Jesu eben darin, daß er kein „bloßer Mensch", sondern der Gottessohn, der Logos ist: Betonte Kyrill das zu-

---

[81] R. A. Norris: God and World in Early Christian Theology. A Study in Justin Martyr, Irenaeus, Tertullian and Origen, 1965, 70ff. hebt die Zurückhaltung von Irenäus gegenüber der Logoslehre wegen seines Gegensatzes gegen die gnostischen Lehren von Hervorgängen aus Gott hervor. Zur Rolle des Logos in der Kosmologie und Anthropologie bei Athanasius in dem apologetischen Doppelwerk Contra Graecos und De incarnatione vgl. J. Roldanus: Le Christ et l'homme dans la théologie d'Athanase d'Alexandrie, 1968, 43–59.

[82] Zur Stellung des Werkes von Athanasius in der Geschichte der christlichen Apologetik siehe J. Roldanus a.a.O. 11–22, bes. 16ff.

[83] Athanasius De inc. 7. Vom Verlust der Teilhabe des Menschen an der Gottebenbildlichkeit des Logos konnte Athanasius sprechen, weil solche Teilhabe nicht zur (vergänglichen, sterblichen) Natur des Menschen gehört, sondern nur als göttliche Gnadengabe mit ihr verknüpft war (De inc. 4). Dennoch hat Athanasius keinen Verlust der Vernunftfähigkeit des Menschen, in der die Logosteilhabe sich äußert, als Folge der Sünde behauptet. Zu diesem komplexen Sachverhalt siehe J. Roldanus a.a.O. 74–98.

[84] Athanasius c. Arianos I,44. Siehe dazu R. L. Wilken: Judaism and the Early Christian Mind. A Study of Cyril of Alexandria's Exegesis and Theology, 1971, 103f.

[85] Näheres dazu bei A. Grillmeier: Jesus der Christus im Glauben der Kirche 1, 1979, 483ff. Vgl. auch E. Mühlenberg: Apollinaris von Laodicaea, 1969, 143f., 146f., 208.

nächst in Auseinandersetzung mit jüdischen Deutungen der Gestalt Jesu, so glaubte er bald Anlaß zum Protest gegen ähnlich „judaisierende" Auffassungen auch bei Anhängern der theologischen Schule Antiochiens, insbesondere bei Nestorius zu haben, vor allem wegen dessen Ablehnung der Bezeichnung der Mutter Jesu als *theotokos*, Gottesgebärerin[86]. Die antiochenische Theologie, die Kyrill entgegentrat in Gestalt des Nestorius, war jedoch in Wirklichkeit von demselben Grundgedanken bestimmt, daß Jesu Verschiedenheit von allen übrigen Menschen auf seiner Einheit mit dem göttlichen Logos beruht. Nur betonte die antiochenische Position, wie sie durch Theodor von Mopsuestia repräsentiert wurde, daß die Einheit mit dem Logos Jesus dazu befähigt habe, in seiner menschlichen Lebensführung Gott gehorsam zu sein bis zum Tode am Kreuz[87], während die Alexandriner auch das Sterben Jesu unmittelbar als eine Tat des in ihm erschienenen Logos auffaßten.

Auch die antiochenische Christologie hat allem Anschein nach nicht eine zunächst rein menschliche Besonderheit Jesu, wie sie in seinem Leidensgehorsam erkennbar wird oder diesem schon zugrunde liegt, herausgearbeitet, um sie dann im Sinne der modernen „Christologie von unten" zur Grundlage der Aussagen über Jesu Gottheit zu machen, schon gar nicht in dem Sinne, daß in der Geschichte Jesu selber über seine Gottheit noch entschieden wird, so daß diese nicht nur als eine schon vorausgesetzte göttliche Natur in seinen Taten bis hin zu seiner Auferstehung und Himmelfahrt in Erscheinung tritt. Vielmehr stand für die antiochenische ebenso wie für die alexandrinische Theologie die Gottheit Jesu schon von seiner Geburt her fest als Voraussetzung seines weiteren menschlichen Weges. Unter solchen Voraussetzungen entfällt die Nötigung, die menschliche Besonderheit Jesu und seiner Geschichte zunächst für sich zu thematisieren, um die Aussagen über seine Gottheit darauf gründen zu können. Eine solche Betrachtungsweise wäre im 5. Jahrhundert vermutlich als der Christologie Pauls von Samosata nahekommend verdächtigt worden, obwohl diese gerade nicht zur Behauptung der vollen Gottheit Jesu führte. Schon der antiochenischen Theologie mit ihren verhältnismäßig bescheidenen Forderungen nach Berücksichtigung der geschichtlichen Menschlichkeit Jesu begegneten solche Verdächtigungen.

---

[86] Siehe dazu R.L.Wilken a.a.O. 106ff., 119-127, sowie zur Bedeutung der Auseinandersetzung mit dem Judentum für Kyrill 138ff., 160f., 173ff., zur Kontroverse mit Nestorius 201-221.

[87] R.A.Norris: Manhood and Christ. A Study in the Christology of Theodore of Mopsuestia, 1963, 191ff., 207f. betont, daß die Wurzel des christologischen „Dualismus" Theodors in seinem Interesse an dem menschlichen Leidensgehorsam Christi liege. Den Rahmen dafür bildet die der Adam-Christus-Typologie entsprechende Lehre von den zwei Zeitaltern, dem gegenwärtigen und dem zukünftig-eschatologischen (160-172). Vgl. auch G.Koch: Die Heilsverwirklichung bei Theodor von Mopsuestia, 1965, 75-89.

Die Ansatzpunkte für eine theologische Würdigung der menschlich-geschichtlichen Besonderheit Jesu von Nazareth als Medium der Offenbarung des göttlichen Logos, wie sie u.a. in der paulinischen Adamtypologie erkennbar sind und von dort aus hätten weiter entwickelt werden können, wurde in der Geschichte der altkirchlichen Christologie abgeblockt durch die Identifizierung der Inkarnation des Logos mit der Geburt Jesu. Eine solche Identifizierung entspricht jedoch nicht dem Ausgangspunkt der Inkarnationslehre in Joh 1,14[88]. Die Inkarnationsaussage ist weder hier, noch 1.Joh 4,2 speziell auf die Geburt Jesu bezogen. Sie geht vielmehr auf das Ganze seines irdischen Daseins und Wirkens, das die „Gnade und Treue" Gottes als des Vaters widerspiegelt (Joh 1,14). So ist auch die Aussage über die Sendung des Sohnes in die Welt bei Johannes (Joh 3,16) auf Leiden und Tod Jesu bezogen (vgl. auch 1.Joh 4,9), aber nicht auf seine menschliche Geburt, die im Johannesevangelium gar nicht Gegenstand einer besonderen Erzählung ist. Entsprechendes gilt für die vorpaulinische, von Paulus mehrfach verwendete Formel von der Sendung des präexistenten Sohnes Gottes in die Welt. Röm 8,3 spricht Paulus von der Sendung des Sohnes in das Fleisch der Sünde[89], damit er uns von der Sünde befreie. Nur in Gal 4,4 wird die Sendungsformel ausdrücklich auf die menschliche Geburt Jesu bezogen, aber auch hier nicht exklusiv auf den Anfang des Weges Jesu. Sie bringt zum Ausdruck, daß der Gottessohn in die Sphäre der irdischen Existenz (mit ihren Bedingungen und Verhältnissen) eingetreten ist. Das gilt für den ganzen irdischen Weg Jesu Christi, und darum steht in Gal 4,4 neben der Erwähnung seiner menschlichen Geburt die Unterstellung seines irdischen

---

[88] In den Kommentaren zum Johannesevangelium wird diese Frage allerdings nur selten erörtert. Sie fehlt bei L. Morris: The Gospel according to John, 1971, 102 ff., sowie bei R. Schnackenburg: Das Johannesevangelium I. Teil (1972) 5. Aufl. 1981, 241–249. Der Sachverhalt ist um so auffallender, als der vorangehende Vers 13 von der Zeugung aus Gott spricht, aber nicht im Hinblick auf Jesus, sondern im Plural hinsichtlich derer, die ihn (den Logos) aufnahmen. Der Plural ist schon in alten Textvarianten durch den Singular ersetzt worden, um die Aussage auf die Zeugung Jesu zu beziehen (dazu siehe Morris 100 ff., Schnackenburg 240 f.). Vielleicht kommt in dieser Änderung des ursprünglichen Textes zum Ausdruck, daß man eine Aussage zur Geburt Jesu in Joh 1,14 vermißte. Um so bemerkenswerter ist es, daß der johanneische Text an der Stelle, wo man die Aussage der wunderbaren Geburt Jesu aus Gott erwarten könnte, statt dessen einen Plural gebraucht, der von der geistlichen, nicht von der irdischen Geburt der Glaubenden aus Gott redet. Zu den wenigen Kommentaren, die auf die Frage eingegangen sind, ob in Joh 1,14 überhaupt von der *Geburt* Jesu die Rede ist, gehört R. Bultmann: Das Evangelium des Johannes, 12. Aufl. 1952, 40 Anm. 2. Bultmann wies „alle Fragen, wie es bei dem ἐγένετο zugegangen sei", als unsachgemäß ab. Der Satz besage nur, daß der Offenbarer in der Sphäre der *sarx* erschienen ist (40).
[89] Siehe dazu U. Wilckens: Der Brief an die Römer 2, 1980, 124 f., besonders auch zur Bedeutung des Ausdrucks *homoioma sarkos hamartias* im Sinne der Gleichheit mit den Daseinsbedingungen der im Machtbereich der Sünde lebenden Menschen, nicht hingegen als „eine bloße Ähnlichkeit mit ihnen" (125).

Weges unter die Mosethora („unter das Gesetz getan")[90]. Angesichts dieses Befundes muß von einer deutlichen Akzentverschiebung in der altkirchlichen Deutung des Inkarnationsgeschehens gesprochen werden, insofern dieses primär, wenn nicht ausschließlich, mit der Geburt Jesu verbunden wurde, während die Erweise göttlicher Herrlichkeit und Macht in seinem irdischen Wirken und in seiner Auferstehung von den Toten als Folgen daraus dargestellt wurden. Eine solche Darstellung wird im Neuen Testament lediglich durch die lukanische Erzählung von Empfängnis und Geburt Jesu gestützt, da der Engel in seiner Botschaft an Maria die Gottessohnschaft Jesu in der Tat auf seine Zeugung aus der Kraft des göttlichen Geistes begründet (Lk 1,35). Die Theologie muß jedoch diese Überlieferung in ihrer Spannung zu den übrigen Inkarnations- und Sendungsaussagen der neutestamentlichen Schriften würdigen, statt ihre Deutung der Inkarnationsaussage allein auf die Geburtsgeschichte zu gründen. Die lukanische Geburtsgeschichte wird als Zeugnis dafür beachtet werden müssen, daß Jesus von Anfang an der Sohn Gottes war, es nicht etwa erst später (sei es durch seine Taufe oder durch seine Auferweckung von den Toten) wurde. Damit ist jedoch nicht gesagt, daß das Ereignis der Inkarnation mit dem isoliert für sich betrachteten Geschehen der Geburt Jesu identifiziert werden dürfte. Vielmehr bleibt die Bedeutung seiner Geburt abhängig von der Geschichte seines irdischen Weges. Erst im Rückblick von dessen Ausgang läßt sich sagen, um wessen Geburt es sich da in Wahrheit gehandelt hat, nämlich um die Geburt des Gottessohnes. Das ist nicht nur eine Frage der erst nachträglichen Erkennbarkeit eines Sachverhaltes, der an und für sich von Anfang an feststeht. Für keinen Menschen steht seine personale Identität von Geburt an fest. Vielmehr zeigt sich und entscheidet sich erst im Gang einer Lebensgeschichte und im Rückblick von ihrem Ende her, wer der ist oder war, an dessen Geburt man sich im nachhinein erinnert. Auch wenn dann gesagt werden kann, daß dieser Mensch von Anfang an diese ganz besondere Person gewesen ist, bleibt die Wahrheit einer solchen Aussage doch an die Ereignisse der späteren Geschichte dieser Person gebunden[91]. So ist auch im Falle Jesu die besondere Identität seiner Person gebunden an den Weg seiner Geschichte und besonders an deren Ausgang in seiner Passion und im Ostergeschehen. Nur im Lichte dieses Ausgangs der Geschichte Jesu läßt sich darum sagen, daß schon das von Maria geborene Kind Jesus der Messias und Gottessohn gewesen ist[92]. Damit ist gesagt, daß die Geschichte sei-

---

[90] Vgl. W. Kramer: Christos Kyrios Gottessohn. Untersuchungen zu Gebrauch und Bedeutung der christologischen Bezeichnungen bei Paulus und den vorpaulinischen Gemeinden, 1963, 108 ff., bes. 110 f.
[91] Vgl. vom Vf.: Anthropologie in theologischer Perspektive, 1983, 495 ff.
[92] Es handelt sich hier um den in „Grundzüge der Christologie" 1964 von mir als rückwirkende Sinnkonstitution oder einfach als Rückwirkung beschriebenen Sachverhalt (134 ff., 140, 332 f. u. ö.). Ich habe dort vielleicht nicht genügend deutlich die Basis der Behauptung einer

nes irdischen Wirkens und seiner Passion, die ihn im Lichte des Ostergeschehens als den Gottessohn erweist, nicht etwas Akzidentelles ist im Verhältnis zu seiner Identität als Person.

Die altkirchliche Christologie sah die Besonderheit Jesu unter den übrigen Menschen mit Recht in seiner Gottessohnschaft. Aber es ist ihr nicht gelungen, deren Verhältnis zu der menschlich-geschichtlichen Eigenart des öffentlichen Auftretens Jesu, wie sie sich aus der Evangelienüberlieferung ergibt, angemessen zu beschreiben, weil sie den ganzen irdischen Weg Jesu von vornherein unter das Vorzeichen der Inkarnation des göttlichen Logos *in seiner Geburt* stellte. Daher konnte auch die Interpretation der paulinischen Adamtypologie nicht der Tatsache Rechnung tragen, daß das Erscheinen des zweiten, eschatologischen Adam in 1.Kor 15,45ff. mit dem neuen Leben des Auferstandenen, in Röm 5,12ff. mit dem Sohnesgehorsam Jesu Christi in seinem Weg ans Kreuz, aber in keiner dieser beiden Stellen mit seiner Geburt verbunden worden ist. Die antiochenische Schriftauslegung hat am ehesten der geschichtlichen Menschlichkeit Jesu Raum zu schaffen versucht. Aber da sie es unter der Voraussetzung tat, daß bereits am Anfang seines Weges, in seiner Geburt, die Inkarnation des Gottessohnes geschehen war, führte das Bemühen um Wahrung der Züge eines geschichtlichen Menschenlebens zu einer Zweigleisigkeit, die als Ausdruck einer „Trennungschristologie" und als Infragestellung der Personeinheit des Inkarnierten erscheinen konnte. Auch die christologische Arbeit des Mittelalters und des Altprotestantismus hat die Frage nach der menschlichen Eigenart Jesu in seinem Wirken und in seinem Geschick nicht unbefangen zu stellen vermocht, weil auch sie noch wie selbstverständlich die Zeugung und Geburt Jesu Christi mit der Inkarnation des Logos identifizierte. Erst die biblisch begründete Kritik der Sozinianer an diesem Bilde und die im vorigen Abschnitt erwähnten Neuansätze in der Christologie des späten 18. und 19. Jahrhunderts haben einen von jener Voraussetzung unbelasteten Zugang

---

rückwirkenden Bedeutungsänderung (und Wesensänderung) in der Hermeneutik geschichtlicher Erfahrung kenntlich gemacht, so daß manche Reaktionen in der behaupteten rückwirkenden Wesenskonstitution ein gedanklich nicht durchsichtiges Postulat vermutet haben. So handelt es sich dabei beispielsweise nach J. Moltmann: Der Weg Jesu Christi, 1989, 95f. um „eine gewaltsame Annahme" (96), die ihm allerdings 1972 noch als ein „hilfreicher Gedanke" erschienen war (Der gekreuzigte Gott, 168f.). Es ging mir jedoch um einen im Sinne von Diltheys Hermeneutik der geschichtlichen Erfahrung durchaus deskriptiv aufweisbaren Sachverhalt, der allerdings ontologische Implikationen hat, weil die erst im Nachhinein erkannte Bedeutung eines Geschehens (bei der es sich immer um dessen *ti en einai* handelt) nicht unabhängig von den Geschehenszusammenhängen besteht, von deren (vorläufigem) Abschluß her auf das Geschehen zurückgeblickt wird. Die Behauptung einer rückwirkenden Bedeutungs- und Wesenskonstitution korrespondiert der (auch von J. Moltmann angenommenen) konstitutiven Bedeutung der Antizipation in der Lebenspraxis. Vgl. dazu und zu Beziehungen dieser Aussagen zur aristotelischen Analyse der Bewegung meine Ausführungen in: Metaphysik und Gottesgedanke, 1988, 75ff.

zur Frage nach der Eigenart Jesu ermöglicht. Dabei hätte schon die paulinische Adamtypologie einen Weg in diese Richtung weisen können.

b) Der Urheber einer erneuerten Menschheit

Die paulinische Auffassung Jesu Christi als des zweiten, eschatologisch letzten Adam enthält einen sozialen, auf die Gemeinschaft der Menschen zielenden Bezug. Es heißt nämlich, daß „wir" alle das Bild des neuen, himmlischen Menschen „tragen" (1.Kor 15,49), in sein Bild hinein „verwandelt" (2.Kor 3,18) werden sollen. Als der *eschatos Adam* ist Jesus Christus also das Urbild einer nach seinem Bilde, nämlich durch Teilnahme an seinem Gehorsam, an seinem Sterben und Auferstehen zu erneuernden Menschheit. Dieser Gedanke bildete bei Paulus das soteriologische Motiv der Adamchristologie, und dieses Motiv blieb auch in der patristischen Theologie wirksam.

Der Gedanke des Bildes oder Urbildes ist – für sich genommen – vieldeutig. Er kann entsprechend dem Gattungsbegriff als für alle darunter fallenden Individuen gleichermaßen und unvermittelt gültig genommen werden. Paulus hingegen legte gerade auf die Vermittlung von dem Einen hin zu den Vielen Gewicht: Bei Adam geschieht sie dadurch, daß jeder einzelne sündigt, wie Adam es getan hat, und daher dem Tode verfallen ist (Röm 5,12). Die Teilhabe der Vielen an dem Bilde des eschatologischen Menschen aber kommt dadurch zustande, daß sie in sein Bild verwandelt werden (so neben 2.Kor 3,18 auch Röm 8,29). Es liegt nahe, dabei an die Kirche zu denken als an den Bereich, in dem und durch dessen missionarische Ausbreitung über die ganze Menschheit die Verwandlung in den Neuen Menschen den Vielen durch Taufe und Glaube widerfährt. Doch Paulus hat diesen Bezug zur Ekklesiologie im Zusammenhang der Adamtypologie nicht ausdrücklich entfaltet, obwohl er in der Aussage über die Bestimmung der Erwählten zur Gleichgestaltung mit dem Bilde des Sohnes (Röm 8,29) anklingt. Noch Irenäus hat die Teilhabe am Bilde des himmlischen Menschen zwar auf die Taufe und auf die sittliche Erneuerung der einzelnen Glaubenden bezogen[93], aber nicht ausdrücklich auf die Kirche als Gemeinschaft. Erst Methodios von Olympos hat die der typologischen Auffassung Jesu Christi als des neuen Adam entsprechende Deutung Marias als der neuen Eva, wie sie Irenäus entwickelt hatte[94], ekklesiologisch ausgeweitet[95], so daß die Kirche als die neue Eva, als Mutter einer erneuerten Menschheit erscheint. In anderer Weise wurde die Adamchristologie bei Athanasius durch den Gedanken der „neuen Schöpfung" des Menschen in Christus (2.Kor

---

[93] Irenäus adv. haer. V,11,2 und 9,3.
[94] Irenäus adv. haer. III,22,4.
[95] Siehe dazu R.L.Wilken: Judaism and the Early Christian Mind. A Study of Cyril of Alexandria's Exegesis and Theology, 1971, 100f.

5,17) mit der Ekklesiologie verknüpft[96], aber Athanasius ist dabei kaum über die schon bei Irenäus begegnende Beziehung auf die Taufe hinausgegangen, und vor allem kam ihm nicht die Frage nach dem Verhältnis der irdischen Geschichte Jesu in ihrer Besonderheit zur Entstehung der Kirche in den Blick. Diese Frage scheint verstellt gewesen zu sein durch die Vorstellung der Urbildfunktion Christi als des neuen Adam.

Die paulinische Argumentation im Römerbrief bietet jedoch an einer Stelle einen weiterführenden Hinweis. Geht nämlich von der Sünde des einen Adam das Gericht über die ganze Menschheit („die Vielen") aus und von dem Gehorsam Christi die Rechtfertigung für alle Menschen (Röm 5,18 f.), so besteht doch der Unterschied, daß die mit dem letzteren verbundene Gnadengabe die Sünde der Vielen schon voraussetzt und sich so auf sie bezieht, daß sie zur Rechtfertigung gelangen (Röm 5,16)[97]. Dadurch ist nicht nur ein geschichtlicher Zusammenhang des Erscheinens Jesu Christi mit den Folgen der Tat Adams gegeben, sondern ein Zweckbezug seiner Geschichte auf die Rettung der Vielen, die unter dem Joch der Sünde und des Todes leben. Dieser Zweckbezug der Geschichte Jesu ist von der altkirchlichen Christologie zwar durchaus hervorgehoben worden, aber vor allem mit Beziehung auf die Inkarnation des Logos und also, da Inkarnation und Geburt Jesu zusammenfielen, im Hinblick auf Jesu Geburt. Bei Paulus hingegen handelt es sich um den Leidensgehorsam Jesu. Dessen Beziehung auf die Vielen und auf ihre Rettung ist nicht nur Gegenstand der Intention des Vaters in der Dahingabe des Sohnes, sondern nach Paulus durchaus auch Wille und Werk des Sohnes (Röm 5,6, vgl. Gal 2,20).

Im Blick auf das Gesamtzeugnis des Neuen Testaments wird die Theologie die auf die Rettung der Vielen gerichtete Intention des Leidensgehorsams Jesu im Rahmen seiner irdischen Botschaft und Wirksamkeit würdigen müssen, die ihn in der Konsequenz seiner Sendung ans Kreuz geführt hat. Damit erhebt sich noch einmal die Frage nach der menschlichen Besonderheit Jesu, die den Bekenntnisaussagen über das Erscheinen des göttlichen Logos oder Sohnes in ihm korrespondiert. Dabei kann es sich nicht um eine Jesus für sich allein charakterisierende Eigentümlichkeit handeln, sondern nur um eine solche, durch die seine irdische Geschichte auf die Menschheit („die Vielen") bezogen ist, und darum ist an dieser Stelle noch einmal eine Absetzung von der in der altkirchlichen Christologie vorherrschenden Diskussionslage erforderlich.

Obwohl die altkirchliche Christologie die unterscheidende Eigentümlich-

---

[96] Zur Verbindung der Adamchristologie mit 2.Kor 5,17 bei Athanasius vgl. J.Roldanus: Le Christ et l'homme dans la théologie d'Athanase d'Alexandrie, 1968, 138 ff., vgl. 210. Zur dadurch gegebenen Verbindung von Christologie und Ekklesiologie siehe L.Malevez: L'église dans le Christ. Étude de théologie historique et théorique, in Recherches de science religieuse 25, 1935, 257–291 und 418–440.

[97] Siehe dazu E.Brandenburger: Adam und Christus, 1962, 226.

keit Jesu als des Menschen „vom Himmel her" primär in seiner Gottheit suchte, hat sie auch eine die menschliche Natur Jesu als solche in ihrer Unterschiedenheit vom Logos vor allen anderen Menschen auszeichnende Eigentümlichkeit gekannt und hervorgehoben: die Sündlosigkeit Jesu. Dadurch unterscheidet sich, wie man vor allem aus Hebr 4,15 entnahm, die menschliche Natur Jesu von der der übrigen Menschen: Er war „versucht gleichwie wir, doch ohne Sünde". Das ist seit Irenäus und Tertullian[98] immer wieder als Besonderheit der Menschlichkeit Jesu verzeichnet und auch 451 in der christologischen Formel des Konzils von Chalkedon betont worden: Der Gottessohn wurde durch seine Menschwerdung in allem uns gleich, doch ohne Sünde (DS 301). Worin aber besteht die sachliche Begründung für die Behauptung der Sündlosigkeit Jesu? Die altkirchliche Theologie hat sie in der sittlichen Vollkommenheit Jesu, in der unwandelbaren Verbundenheit seiner Seele mit Gott, gesucht[99]. Die einzige das Menschsein Jesu in seiner Besonderheit auszeichnende Eigenschaft käme ihm danach in seinem individuellen Fürsichsein zu, und dieser Gedanke hat auch in den Vorstellungen der modernen Theologie von der sündlosen Heiligkeit Jesu noch nachgewirkt[100]. Die Beziehung zu den übrigen Menschen wäre nach dieser Vorstellung nicht konstitutiv für die Besonderheit des Menschseins Jesu, obwohl die Menschwerdung des Logos auf die Erhöhung der Menschheit aus der Macht der Sünde und des Todes zielt.

In der neueren Theologie ist das anders geworden. Hier ist die Person Jesu Christi als des Messias oder Erlösers von vornherein bezogen auf den durch ihn aufzurichtenden Gnadenbund[101] und also auf das neue Bundesvolk der Erlösten, das in der Gemeinschaft der Kirche geschichtlich in Erscheinung tritt. Doch ist hier nun die Person des Erlösers als menschliche Persönlichkeit gefaßt worden, so daß seine Tätigkeit für den Anbruch des Reiches Gottes unter den Menschen als Ausdruck seiner menschlichen Besonderheit dargestellt werden konnte.

---

[98] Irenäus adv. haer. V,14,3; Tertullian De carne Christi 16 (MPL 2,780). Vgl. weitere Schriftaussagen und patristische Angaben in meinem Buch „Grundzüge der Christologie" 1964, 368 ff.

[99] So Origenes De princ. II,6,4 f.

[100] Exemplarisch gilt das für F.Schleiermacher: Der christliche Glaube, 2.Ausg. 1830, § 98. Daneben ist an das einflußreiche Werk von C.Ullmann: Die Sündlosigkeit Jesu. Eine apologetische Betrachtung (1828) 7.Aufl. 1863 zu denken, wo nicht nur die Einzigartigkeit Jesu für in seiner Sündlosigkeit bestehend gilt, sondern auch das Bekenntnis zu seiner Gottheit darauf begründet wird (178 ff.). Vgl. meine Grundzüge der Christologie, 1964, 373 ff., bes. 374 f. zur Abhängigkeit W.Herrmanns von Ullmann.

[101] J.F.Buddeus: Compendium Institutionum theologiae dogmaticae, 1724, 513 f. (IV c 1, 318). Diese Auffassung hat ihre Vorgeschichte in der reformierten Föderaltheologie und schon bei J.Calvin (vgl. Inst. chr. rel. 1559,II,9–11).

Bei Schleiermacher ist der Begriff des Erlösers durch die Beziehung auf die Gemeinschaft der Erlösten bestimmt worden, deren Begründer er ist (Der christliche Glaube § 88,4). Die Eingliederung in ein solches „Gesammtleben" ist für die Erlösung des einzelnen unerläßlich, weil er sich – auf sich allein gestellt – nicht aus der Verstrickung in den sozialen Lebenszusammenhang der Sündhaftigkeit befreien kann (§ 87). Wegen der gesellschaftlichen Abhängigkeit des einzelnen von anderen erfordert seine Befreiung die Begründung einer neuen Gesellschaft: In der Geschichte dieses von Rousseau über Kant bis hin zu Marx entwickelten Konzeptes repräsentierte Schleiermacher zusammen mit Kants Religionsphilosophie und in ihrer Nachfolge die religiös-christliche Variante: Die neue Gesellschaft kann nicht wie bei Rousseau die Form des Staates haben, sondern muß im Unterschied zur äußerlichen Rechtsordnung des Staates eine Gemeinschaft sittlicher Gesinnung (so Kant) bzw. der Frömmigkeit (so Schleiermacher) sein, eine Gemeinschaft, die Schleiermacher wie vor ihm Kant als „Reich Gottes" bezeichnete[102]. Dabei ist das religiöse Gesamtleben der Kirche bei Schleiermacher wie bei Kant über seine historische Partikularität hinaus auf die Idee der Menschheit bezogen[103]. Darum konnte Schleiermacher schreiben, das vom Erlöser begründete neue, durch die Herrschaft des Gottesbewußtseins über alle Beziehungen auf Gegenstände und Gegebenheiten in der Welt gekennzeichnete Gesamtleben sei als eine neue „Entwicklungsstufe" der Menschheit (§ 88,4), ja sogar als „die nun erst vollendete Schöpfung der menschlichen Natur zu betrachten" (§ 89 These). „Wie nämlich alles in dem menschlichen Gebiet durch Christum gesetzte als die neue Schöpfung dargestellt wird: so ist dann Christus selbst der zweite Adam, der Anfänger und Urheber dieses vollkommneren menschlichen Lebens, oder die Vollendung der Schöpfung des Menschen ..." (§ 89,1). Auch Schleiermacher hat also – in bemerkenswerter Analogie zur alexandrinischen Christologie der Alten Kirche[104] die paulinische Beschreibung der Existenz des Glaubenden als einer „neuen Schöpfung" in Christus (2. Kor 5,17) mit der Darstellung Christi als Anfänger einer neuen Menschheit, zweiter Adam, verbunden (§ 89,1). Er hat auch wie Athanasius oder Kyrill die darin implizierte Besonderheit Jesu Christi primär als Beschreibung seines individuellen Fürsichseins dargestellt, weil er die soziale Funktion des Erlösers bei der Begründung der Gemeinschaft der Erlösten im Kausalschema einer Mitteilung der zunächst ihn selber als Individuum kennzeichnenden

---

[102] F. Schleiermacher: Der christliche Glaube, 2. Ausg. 1830, § 87,3; vgl. § 117, Leitsatz. Bei Kant siehe: Die Religion innerhalb der Grenzen der bloßen Vernunft (1793) 2. Aufl. 1794, 3. Stück (127 ff.), zum Unterschied vom Staat 130. Die Idee eines moralischen Volkes Gottes ist schon nach Kant „nicht anders als in der Form einer Kirche auszuführen" (140). Mit dieser Unterscheidung von Kirche und Staat, die bei Kant philosophisch auf die Unterscheidung von Legalität und Moralität begründet ist (137 f.), steht er – und in seinem Gefolge auch Schleiermacher – im Unterschied zu Rousseau und dessen Nachfolgern in der Tradition der lutherischen Zwei-Reiche-Lehre.

[103] So heißt es bei Kant, es sei „der Begriff eines ethischen gemeinen Wesens immer auf das Ideal eines Ganzen aller Menschen bezogen, und darin unterscheidet es sich von dem eines politischen" (a.a.O. 133).

[104] Zu Athanasius siehe J. Roldanus a.a.O. (Anm. 96) 131 ff., bes. 139 ff., zu Kyrill und seinem Verhältnis zu Athanasius siehe R. L. Wilken: Judaism and the Early Christian Mind. A Study of Cyril of Alexandria's Exegesis and Theology, 1971, 104 ff.

"unsündlichen Vollkommenheit" dachte (§ 88 These). Die Vorstellung der Erlösung als Übertragung des Zustands des Erlösers auf die Glaubenden war freilich nur möglich, weil Schleiermacher an die Stelle der Lehre von der Gottheit Christi die These der urbildlichen Vollkommenheit seines Gottesbewußtseins setzte (§ 93,2). Während die altkirchliche Christologie in der Gottheit Jesu die ihn von allen anderen Menschen unterscheidende Besonderheit fand, hat Schleiermacher diesen Unterschied als eine rein menschliche Besonderheit konzipiert, wenn er auch „die stetige Kräftigkeit seines Gottesbewußtseins" als „ein eigentliches Sein Gottes in ihm" aufgefaßt wissen wollte (§ 94 These). Die Vermenschlichung der Vorstellung von der Besonderheit des Erlösers unter den übrigen Menschen geschah also bei Schleiermacher um den Preis einer Herabstufung des altkirchlichen Bekenntnisses zur Gottheit Jesu. Abgesehen von dieser Änderung zeigte seine Auffassung des Erlösers aber frappierende Analogien zur alexandrinischen Christologie, besonders in der Verbindung der an die Stelle der Gottheit getretenen vollkommenen Kräftigkeit des Gottesbewußtseins mit der Sündlosigkeit Christi (§ 98). Zu den Parallelen mit der alexandrinischen Christologie bei Schleiermacher gehört auch die Bedeutungslosigkeit der Einzelheiten der Geschichte Jesu für den Begriff von der Person des Erlösers (§ 99). Hätte Schleiermacher das altkirchliche Bekenntnis zur Gottheit Christi ohne Abschwächung festgehalten, so wäre seine Lehre von der Person des Erlösers ihrer Struktur nach als monophysitisch zu bezeichnen, weil er die Besonderheit des Menschseins Jesu *unmittelbar* in seiner Gottheit sah: Bei Schleiermacher handelt es sich allerdings nur um das „Sein Gottes" im menschlichen Gottesbewußtsein des Erlösers.

Schleiermachers Beschreibung der Tätigkeit des Erlösers zur Begründung einer neuen, von der Herrschaft der Sünde befreiten Gemeinschaft der Menschen im Reiche Gottes ging an den für die geschichtliche Wirklichkeit Jesu charakteristischen Zügen seiner Verkündigung, seines Wirkens und seiner Geschichte vorbei, weil sie mit ihrer Konzentration auf die durch den Begriff des Erlösers ganz allgemein geforderten Merkmale der Vollkommenheit (des Gottesbewußtseins) und der Sündlosigkeit den Unterschied zwischen seinem irdischen Wirken und den nach seiner Kreuzigung und Auferstehung von ihm ausgegangenen Wirkungen vernachlässigte. Der Unterschied zwischen diesen beiden Phasen der Geschichte Jesu ist in der theologischen Tradition im Anschluß an Phil 2,6–11 durch die Begriffe Erniedrigung und Erhöhung bestimmt worden[105]. Dabei wurde der Phase der Erniedrigung sowohl die irdische Verkündigung und Wirksamkeit Jesu als auch sein Leidensgehorsam auf dem Wege ans Kreuz zugerechnet[106]. Daß

---

[105] Das gilt besonders für die altlutherische Lehre von den Ständen Christi: Siehe dazu und zur Erneuerung der Kenosislehre im 19. und 20. Jahrhundert vorläufig vom Vf. Grundzüge der Christologie, 1964, 317–333. Die Rede von der Erniedrigung des Gottessohnes ist aber schon in der patristischen Theologie mit der Inkarnation verbunden worden, ohne damit irgendeinen Verzicht auf göttliche Eigenschaften zu implizieren.

[106] In der Sprache der altprotestantischen Dogmatik handelt es sich hier um die Verknüp-

Schleiermacher mit dieser Unterscheidung nichts anzufangen wußte, ist in seiner Ablehnung der Vorstellung von einer Präexistenz Christi begründet, im Vergleich zu der die irdische Geschichte Jesu als Erniedrigung erschiene[107]. Doch andererseits blieb bei Schleiermacher auch die Differenz zwischen der Niedrigkeit des Leidensweges Jesu und der Erhöhung durch seine Auferstehung unberücksichtigt, daher auch die Eigenart der irdischen Geschichte Jesu überhaupt. Wird nun die Tätigkeit Jesu im Rahmen seiner irdischen Geschichte dargestellt, dann läßt sie sich zwar ebenfalls auf die Hervorbringung einer neuen Gemeinschaft der Menschen im Reiche Gottes beziehen. Doch bedarf es dann einer differenzierteren Bestimmung dieser Gemeinschaft im Hinblick auf die Situation der irdischen Verkündigung Jesu einerseits, der Christusbotschaft der Apostel andererseits.

Albrecht Ritschl hat an Schleiermachers Neufassung der Lehre von der Person Christi beanstandet, daß der Gedanke der von Jesus ausgehenden *Erlösung* und der „ethische" Zweck des Reiches Gottes bei Schleiermacher nicht deutlich unterschieden und einander zugeordnet seien[108]. Ritschl selbst betrachtete die Erlösung von der Sünde durch deren Vergebung lediglich als ein Mittel zum „Endzweck" eines Reiches Gottes unter den Menschen, der der Endzweck Gottes ebenso wie der Tätigkeit Jesu sei. Schleiermacher konnte das nicht so ansehen, weil ihm zufolge die Erlösung nicht nur im Bewußtsein der Sündenvergebung, sondern positiv in der erneuerten Kräftigkeit und Dominanz des Gottesbewußtseins bestand, also wie bei Jesus in einem Sein Gottes in uns, das nicht gut als bloßes Mittel zu irgendetwas anderem vorgestellt werden konnte. Ritschl hat jedoch bei Schleiermacher eine in der Tat vorhandene Spannung festgestellt zwischen dem „neutralen Religionsbegriff", der in der Rede von der Kräftigkeit des Gottesbewußtseins zum Ausdruck kommt, und der von Schleiermacher selbst betonten Auffassung, daß das Christentum als sittliche Religion zu verstehen sei und als solche „teleologisch" auf das Ziel des Gottesreiches ausgerichtet ist[109]. Diesen letzteren Gesichtspunkt, den er in der Durchführung Schleiermachers und besonders in dessen Christologie vernachlässigt sah, hat Ritschl in der Darstellung der Tätigkeit Jesu und seiner durch sie charakterisierten Person in den Vordergrund gerückt. Nach Ritschl hat Jesus das Gottesreich nicht nur als nahe bevorstehend verkündigt, sondern auch als in seiner Person und Tätigkeit schon gegenwärtig, insofern er als der erwartete Messias eine Gemeinde gründete, die ihn als „den Sohn Gottes und Träger der Herrschaft Gottes anerkennt" und in welcher daher die Gottesherrschaft verwirklicht ist[110]. Die Messianität Jesu und die „Stiftung des Gottesreiches" durch Gründung der Gemeinde gehören also für Ritschl auf das engste zu-

---

fung der Unterscheidung der Stände Christi mit der Lehre von seinem dreifachen Amt, das sowohl im Stande der Erniedrigung als auch in dem der Erhöhung ausgeübt wird.

[107] F. Schleiermacher: Der christliche Glaube, 2. Ausg. 1830, § 105 Zusatz.
[108] A. Ritschl: Die christliche Lehre von der Rechtfertigung und Versöhnung III, 2. Aufl. 1883, 9f.
[109] Vgl. F. Schleiermacher: Der christliche Glaube, 2. Ausg. 1830, § 11 und § 9,2.
[110] A. Ritschl: Die christliche Lehre von der Rechtfertigung und Versöhnung II, 2. Aufl. 1882, 31f.

sammen¹¹¹. Dabei kommt in der Gemeinde „durch die Uebung der Gerechtigkeit ... das Reich Gottes zu Stande, in einem zeitlichen Verlaufe, welcher an dem Wachsthum der Pflanze und an der Durchdringung des Mehles mit dem Sauerteig seine Vorbilder hat"¹¹².

Seit dem 1892 von Johannes Weiß geführten Nachweis, daß das von Jesus verkündete Kommen des Reiches Gottes als die allein von Gott herkommende eschatologische Zukunft zu verstehen ist¹¹³ und nicht als Resultat irgendwelchen menschlichen Tuns, daher auch nicht als ethischer Zweck aufgefaßt werden darf, ist es leicht, die Christologie Ritschls von der neutestamentlichen Exegese her zu kritisieren. Dazu gehört auch, daß die Wachstumsgleichnisse Jesu ihre Pointe nicht im allmählichen Wachstum seines Jüngerkreises auf das Reich Gottes hin haben, sondern allein im Kontrast zwischen der unscheinbaren Gegenwart und der überwältigenden Größe der Zukunft Gottes¹¹⁴. Vor allem kann von einer Gründung oder Stiftung des Gottesreiches durch Jesus keine Rede sein, schon gar nicht in Verbindung mit einer Gründung der christlichen Gemeinde durch ihn¹¹⁵. Die Entstehung der christlichen Kirche ist erst das Ergebnis der Erscheinungen des Auferstandenen und der Mitteilung seines Geistes gewesen, obwohl sie eine Wurzel in der Gemeinschaft Jesu mit seinen Jüngern haben mag. Auch Albrecht Ritschl hat also noch zu wenig unterschieden zwischen der irdischen Sendung Jesu und den von seiner Auferstehung ausgegangenen Wirkungen. Indem er die Gründung der Kirche auf das irdische Wirken Jesu zurückführte und sie mit dem von Jesus verkündeten Gottesreich identifizierte, hat Ritschl das Handeln des Auferstandenen und Erhöhten allzu bruchlos als Fortsetzung der irdischen Tätigkeit Jesu zwischen seiner Taufe und seiner Kreuzigung aufgefaßt.

Dennoch hatte Ritschl mit seiner Kritik an Schleiermachers Christologie darin recht, daß er bei Schleiermacher die angemessene Berücksichtigung des zentralen Themas der Verkündigung Jesu und seiner ganzen irdischen Geschichte vermißte, nämlich deren Beziehung auf die als nah angekündigte Gottesherrschaft. Schleiermacher hat dieses Thema allzu schnell auf „stetige Kräftigkeit seines Gottesbewußtseins"¹¹⁶ reduziert und dabei die Differenz zwischen dem Auftreten Jesu und der Zukunft der Gottesherrschaft vernachlässigt. Ritschl hat weiter darin recht gehabt, daß er gegen Schleiermacher den Zusammenhang der Botschaft Jesu mit der im Alten Testament begründeten Erwartung der Herrschaft Gottes hervorhob¹¹⁷. Von daher ist auch der von Ritschl mit Recht betonte Gemeinschaftsbezug der Sendung Jesu zu verstehen. In der alttestamentlichen Bundesgeschichte und in der Botschaft der Propheten ist die Zugehörigkeit zu Gott und die Hoffnung auf sein Königtum verknüpft mit der Verwirklichung des Gottesrechts im

---

[111] A. Ritschl a.a.O. 35 ff., 39 f. Die Wendung „Stiftung des Gottesreiches" findet sich 36 u. ö.
[112] A. Ritschl a.a.O. 40.
[113] J. Weiß: Die Predigt Jesu vom Reiche Gottes, 1892, 2. Aufl. 1900, neu hg. von F. Hahn 1964, 74 ff., vgl. 105 f.
[114] J. Weiß a.a.O. 82 ff.
[115] J. Weiß a.a.O. 105, vgl. 1. Aufl. 24 f.
[116] F. Schleiermacher: Der christliche Glaube, 2. Ausg. 1830, § 94 (Leitsatz).
[117] A. Ritschl: Die christliche Lehre von der Rechtfertigung und Versöhnung III, 2. Aufl. 1883, 9 f. spricht von Schleiermachers „Unterschätzung der Religion des Alten Testaments". Vgl. F. Schleiermacher: Der christliche Glaube, 2. Ausg. 1830, § 132.

Leben des Bundesvolkes. So war auch die eschatologische Botschaft Jesu von der Nähe des Reiches Gottes verknüpft mit einer in deren Licht vollzogenen, neuen Auslegung des Gottesrechts. Doch im geschichtlichen Wirken Jesu ging es dabei nicht um die Begründung der Kirche als einer vom Volke Israel verschiedenen Gemeinschaft. Er wußte sich vielmehr gesandt zu „den verlorenen Schafen des Hauses Israel" (Mt 15,24, vgl. 10,6). Im Unterschied zu anderen jüdischen Bewegungen seiner Zeit hat Jesus keine Restgemeinde der wahrhaft Gerechten gesammelt, sondern hielt sich und seinen Jüngerkreis offen für das Volk, an das sich seine Botschaft richtete. Diesen Sachverhalt haben weder Schleiermacher noch Ritschl richtig erfaßt, weil beide sich von der Vorstellung leiten ließen, daß, wie Schleiermacher es formulierte, „im Glauben an Christum wesentlich eine Beziehung desselben auf das ganze Geschlecht gesezt wird"[118], die sich in der Entstehung der christlichen Gemeinde konkretisiert habe. Nur wollte Ritschl diese Beziehung auch als Gegenstand der irdischen Sendung Jesu thematisieren, um darin die Basis für das Bekenntnis zur Gottheit Jesu aufzuweisen[119]. Tatsächlich jedoch war nicht nur der Messiastitel, dessen Verbindung mit der Person Jesu noch zu erörtern sein wird, Ausdruck der Hoffnung auf Wiederherstellung des jüdischen Volkes, sondern auch Jesu Botschaft von der Nähe der Gottesherrschaft war aus der Glaubenstradition Israels erwachsen und an dieses Volk gerichtet, mochte sie auch darüber hinausgehende, universale Bezüge implizieren. Rudolf Bultmann hat das Auftreten Jesu mit Recht in den Zusammenhang der jüdischen Religion eingeordnet: „Jesus war kein ‚Christ', sondern ein Jude, und seine Predigt bewegt sich im Anschauungskreis und in der Begriffswelt des Judentums, auch wo sie im Gegensatz gegen die traditionelle jüdische Religion steht"[120]. Erst die nachösterliche Gemeinde hat ihre Botschaft vom auferstandenen Herrn über die Grenzen des jüdischen Volkes hinausgetragen, und zwar nach tiefgehenden inneren Auseinandersetzungen.

Jesus ist mit seiner Verkündigung der Nähe der Gottesherrschaft und mit der Proklamation ihres Anbrechens in seinem eigenen Wirken in Israel aufgetreten, um das Volk des Bundes zur Umkehr zu seinem Gott zu bewegen[121]. Aus diesem Grunde verbindet sich mit der Botschaft Jesu und seiner

---

[118] F. Schleiermacher a.a.O. § 94,2.
[119] A. Ritschl bezeichnete die Begründung des Gottesreiches durch Jesus als seinen sittlichen Beruf (a.a.O. III, § 48, 410ff., bes. 413ff.) und knüpfte daran die These, daß „die ethische Beurtheilung Jesu nach dem ihm eigenthümlichen Beruf der Gründung des Gottesreiches ... in die religiöse Selbstbeurtheilung ausläuft" (418). Vgl. 384ff. (§ 45).
[120] R. Bultmann: Das Urchristentum im Rahmen der antiken Religionen, 1949, 78. Bultmann hat aus dieser Einsicht die Konsequenz gezogen, die Verkündigung Jesu zu den Voraussetzungen der neutestamentlichen Theologie zu rechnen, aber nicht als einen Teil derselben zu behandeln (Theologie des Neuen Testaments, 1953, 1f.). Dieses Urteil legitimiert die Bemühungen um eine „Heimholung" Jesu in die Tradition jüdischen Glaubensbewußtseins. Erfolgreich werden solche Bemühungen allerdings nur dann sein können, wenn sie sich auch den Herausforderungen stellen, die Jesu Botschaft, Verhalten und Geschichte für das jüdische Volk seiner Zeit enthielt (s. u.).
[121] Das prophetische Thema der Umkehr stand in der Botschaft Jesu im Unterschied zu der des Täufers (Mk 1,4 parr) nicht im Vordergrund, trotz seiner Hervorhebung in der markini-

Person eine bis auf den heutigen Tag offene Frage an das jüdische Selbstverständnis. Jesus und seine Botschaft samt der damit verbundenen Herausforderung sind nicht zuerst eine Sache der Christen. Sie gehen in erster Linie das jüdische Volk an. Die durch Jesus und seine Botschaft aufgeworfene Frage an das jüdische Selbstverständnis geht dahin, wie radikal jüdischer Glaube den Anspruch des ersten Gebotes nimmt im Verhältnis zu allen anderen Anliegen, auch zur religiösen Überlieferung des eigenen Volkes. Wieso dies beides überhaupt unterschieden werden kann, davon wird noch zu reden sein. Die Frage aber ist durch die Botschaft Jesu gestellt, und sie ist bis heute offen, weil Jesus damals mit seiner Botschaft in seinem Volk auf Ablehnung stieß, mit Ausnahme der kleinen Gruppe seiner Anhänger.

Die Gründe dieser Ablehnung und die Zusammenhänge zwischen ihr und dem Prozeß, der mit Jesu Hinrichtung am Kreuz endete, bedürfen angesichts einer kontroversen Diskussion dieses Themas noch sorgfältiger Erörterung. Hier soll nur hervorgehoben werden, daß Jesus erst infolge der Ablehnung seiner Sendung durch sein eigenes Volk und durch sein Leiden und Kreuz hindurch zum Heiland der Völker wurde. Erst als der Gekreuzigte und Auferstandene ist er der neue, der eschatologisch endgültige Mensch. Darin ist er das vornehmste Beispiel der Weltregierung Gottes, die aus Bösem Gutes hervorgehen läßt (Gen 50,20). Gerade durch die Geschichte seines Leidens wuchs seine Gestalt über die nationale und religiöse Differenz zwischen Juden und Nichtjuden hinaus (Eph 2,14). Infolge der Ablehnung durch sein eigenes Volk „ist das Heil den Heiden zuteil geworden" (Röm 11,11). Paulus fand darin einen Hinweis auf den Geschichtsplan Gottes (*mysterion*: Röm 11,25), der wegen der Treue Gottes zu seiner Erwählung zuletzt auch Israel des Heils der Gottesherrschaft teilhaftig machen wird, dann nämlich, wenn Israel in dem Gekreuzigten den ihm verheißenen Messias erkennen wird.

Der Messiastitel ist mit der Gestalt Jesu erst durch seine Verurteilung als Messiasprätendent definitiv verbunden worden. Zuvor hatte sich Jesus gegenüber der an ihn herangetragenen Erwartung, daß er der Messias sei, eher abweisend verhalten. Doch den Römern muß er als Messiasprätendent übergeben worden sein. Daß dies der Grund seiner Verurteilung durch die Römer war, geht vor allem aus der Kreuzesinschrift (Mk 15,26 parr) hervor. Im Lichte seiner Auferweckung von den Toten ist Jesus dann als von Gott zum kommenden Messias bestimmt und als schon jetzt in diese Würde ein-

---

schen Zusammenfassung Mk 1,15 (vgl. dazu E.P.Sanders: Jesus and Judaism, 1985, 108ff.). Dennoch implizieren Worte wie der Anruf, alle anderen Anliegen dem Trachten nach der Gottesherrschaft unterzuordnen (Mt 6,33), natürlich ganz entschieden die Umkehr zu Gott. Daß das Thema bei Jesus so wenig selbständig hervortritt, mag damit zusammenhängen, daß die Umkehr bei ihm nicht wie beim Täufer als Vorbedingung künftiger Teilhabe am Reiche Gottes verkündigt wurde, weil die Nähe und sogar Gegenwart des Heils der Gottesherrschaft für den Glaubenden im Mittelpunkt seiner Botschaft stand.

gesetzt (Röm 1,3f.) geglaubt worden[122], so daß das Bekenntnis zu seiner Messianität bald mit dem Namen Jesu verschmolz, zum Bestandteil dieses Namens wurde und dann auch die Darstellung seiner irdischen Geschichte geprägt hat. Jesus selbst hat, wie gesagt, in seinem vorösterlichen Wirken die Bezeichnung als Messias samt den damit verbundenen Erwartungen offenbar zurückgewiesen (Mk 8,29-31)[123]. Der Sinn dieses Titels mußte erst durch die Verbindung mit dem Gekreuzigten umgeformt werden[124] aus der Erwartung eines politischen Befreiers, eines Messiaskönigs, in das Bild des leidenden Messias, um zur Kennzeichnung Jesu tauglich und dann allerdings dauerhaft mit seinem Namen verbunden zu werden.

Jürgen Moltmann hat neuerdings im Anschluß an Otto Betz, aber im Gegensatz gegen die in der neutestamentlichen Exegese vorherrschende Auffassung, die These vorgetragen, daß Jesus sich durch seinen nach Sach 9,9 stilisierten Einzug in Jerusalem (Mk 11,1-11) und durch die Zeichenhandlung der „Tempelreinigung" (Mk 11,15-17) als Messias zu erkennen gegeben und daß er sich in der Verhandlung vor Kaiphas (Mk 14,61f.) und vor Pilatus (Mk 15,2) als solchen bekannt habe[125]. Das ist sicherlich die Meinung des Evangelisten gewesen, aber daß sie dem historischen Sachverhalt entspricht, muß bezweifelt werden[126]. Der Einzug in Jerusalem wird als prophetische Zeichenhandlung zu verstehen sein, die das Kommen der Gottesherrschaft nach Sacharja 9,9 darstellt, nämlich im Gegensatz zu politisch-kriegerischer Machtentfaltung. Wäre sie als Proklamation der Messianität Jesu aufgefaßt worden, so wäre es rätselhaft, daß Jesus nicht sofort von den Römern als Aufrührer verhaftet wurde[127]. Das Umwerfen von Tischen der Geldwechsler im Vorhof des Tempels dürfte ebenfalls als eine prophetische

---

[122] Zu Röm 1,3f. siehe M.Hengel: Der Sohn Gottes. Die Entstehung der Christologie und die jüdisch-hellenistische Religionsgeschichte, 1975, 93-104.

[123] F.Hahn: Christologische Hoheitstitel. Ihre Geschichte im frühen Christentum, 1963, 174f., 226-230.

[124] So der Sache nach auch J.Moltmann: Der Weg Jesu Christi. Christologie in messianischen Dimensionen, 1989, 160. Daher ist auch verständlich, daß Moltmann Jesus als „messianische Person im Werden" bezeichnet hat (157ff.), obwohl dieser Ausdruck der Tatsache nicht voll gerecht wird, daß die Evangelien rückblickend Jesus von Anfang an als Messias gesehen haben.

[125] J.Moltmann a.a.O. 182ff. Die These scheint nicht ohne weiteres vereinbar mit der in der vorigen Anmerkung zit. Aussage, daß der christliche Sinn des Messiastitels und seiner Verbindung mit dem Namen Jesu von seinem Kreuz her bestimmt sei. Jedenfalls müßte dann mit der Umformung auch einer vorhergehenden Verwendung des Titels bei Jesus selbst gerechnet werden oder aber mit einer Neuinterpretation des Titels durch Jesus schon vor seinem Einzug in Jerusalem.

[126] Siehe F.Hahn a.a.O. 170ff. sowie E.P.Sanders: Jesus and Judaism, 1985, 296-308, bes. 297ff. zu den Schwierigkeiten im Hinblick auf die synoptischen Berichte von der Verhandlung vor Kaiphas.

[127] F.Hahn a.a.O. 173, E.P.Sanders a.a.O. 306. Sanders nimmt jedoch an, daß Jesus durch den Einzug nach Sach 9,9 sich selbst als König darstellte, wenn auch nicht im politischen Sinne (307). Das scheint zweifelhaft. Von der Botschaft Jesu her liegt es näher, daß Sach 9,9 als ein Gleichnis für das Kommen des Königtums *Gottes* in Szene gesetzt wurde.

Zeichenhandlung zu verstehen sein, und zwar wohl eher als symbolische Darstellung der von Jesus angekündigten Zerstörung des Tempels (Mk 13,2), nicht als dessen Reinigung[128]. Zu einer solchen Handlung war keine messianische Vollmacht erforderlich. Sie steht vielmehr in prophetischer Tradition (vgl. Jer 7,11 ff.). Die Mk 14,62 berichtete Antwort Jesu auf die Frage des Hohenpriesters und mehr noch ihre Fassung bei Mt 26,64 und Lk 22,67 ff. ist insofern zweideutig, als sie auf die Frage nach der Messianität Jesu mit einem Wort über das Kommen des Menschensohnes antwortet[129]. Auch wenn das als Bejahung der Frage aufgefaßt worden wäre, bliebe doch unverständlich, warum Kaiphas darin eine Gotteslästerung gefunden haben sollte. Denn die Geschichte anderer Messiasprätendenten zeigt, daß das Auftreten als Messias keineswegs als gotteslästerlich galt[130]. Auch Moltmann meint, daß der messianische Anspruch Jesu dem Hohenpriester nur darum als gotteslästerlich erschienen sei, weil er ihn für falsch gehalten habe und ihn daher als Ausdruck blasphemischer Anmaßung betrachtete[131]. Doch wie sollte Kaiphas dazu gekommen sein[132]? Sicher ist nur, daß Jesus den Römern als Messiasprätendent zur Aburteilung übergeben wurde, also als Aufrührer. Doch ebenso deutlich ist, daß es sich dabei um einen Vorwand gehandelt haben muß, hinter dem sich andere, aus der Überlieferung des Prozesses Jesu für sich allein nicht mehr klar ersichtliche Gründe verborgen haben müssen, die ihn der jüdischen Behörde als untragbar erscheinen ließen[133].

Das Bekenntnis der frühen Christenheit zu Jesus als Messias entspricht gerade darin dem vorösterlichen Wirken Jesu, daß es in Jesu Sendung in er-

---

[128] So E. P. Sanders a.a.O. 61–76. Ob allerdings das Wort Jesu gegen den Tempel und die ihm entsprechende Symbolhandlung im Vorhof der entscheidende Grund für die Auslieferung Jesu an die Römer unter der Anklage des Aufruhrs (als angeblicher Messiasprätendent) sein kann, wie Sanders 301 ff. vermutet, bleibt zweifelhaft, weil diese Vermutung im Gegensatz zu der von Markus und Matthäus betonten Angabe steht, daß zwar Jesu Wort gegen den Tempel bei der Verhandlung vor Kaiphas eine Rolle spielte und vielleicht deren Anlaß, aber nicht den Grund für das Verdikt bildete (Mk 14,55–60). So auch Sanders selbst 297. Obwohl begründete Zweifel an der Historizität des von den Evangelien dargestellten Hergangs dieser Verhandlung bestehen, läßt sich nicht ausschließen, daß die Evangelisten über die Rolle der Beschuldigung gegen Jesus wegen seiner Drohung gegen den Tempel richtig informiert waren. Oder sollten sie die Bedeutung dieses Punktes bewußt heruntergespielt oder verdrängt haben? Doch welchen Grund sollte es in den Evangelien dafür gegeben haben, zumal nach dem Jahre 70?

[129] E. P. Sanders 297 mit D. R. Catchpole: The Answer of Jesus to Caiaphas (Matt. xxvi 64), New Testament Studies 17, 1971, 213–226.

[130] E. P. Sanders a.a.O. 298 und 55.

[131] J. Moltmann a.a.O. 183f. Darin läge allerdings keine „messianische Gleichsetzung mit dem allmächtigen Gott selbst" (183), weil die Messianität keine derartige Gleichsetzung beinhaltet. Nach Joh 10,33 wurde zwar ein derartiger Vorwurf, sich Gott gleich zu machen, gegen Jesus erhoben, aber nicht im Zusammenhang mit der Messiasfrage. Für Moltmanns Kombination dieser Stelle mit Mk 14,61 f. gibt es also keinen Grund.

[132] Diese Frage ist auch nach J. Moltmann a.a.O. 183 (mit O. Betz) „schwer zu beantworten".

[133] So hat auch J. Moltmann früher argumentiert. Nach seinen Ausführungen in seinem Buch: Der gekreuzigte Gott. Das Kreuz Christi als Grund und Kritik christlicher Theologie, 1972, 121 ff. wäre der eigentliche Grund für das Verhalten der jüdischen Behörde in der Gesetzeskritik Jesu und dem darin implizierten Vollmachtsanspruch zu suchen (vgl. bes. 125).

ster Linie um das Gottesvolk des alten Bundes ging. Die Eigenart seiner Sendung läßt sich nicht ablösen von der Beziehung auf das Volk Israel, dem er die Botschaft von der Nähe der Gottesherrschaft und ihrer Gerechtigkeit brachte. Messianischen Charakter hatte diese Sendung allerdings nur als Erneuerung und Vertiefung der Verbundenheit Israels mit seinem Gott, nicht als Neubegründung politischer Selbständigkeit und schon gar nicht als Durchsetzung einer Vorherrschaft in der Völkerwelt. Darum beruht die Übergabe Jesu an die Römer als Messiasprätendent auf Verleumdung. Weil aber infolge seiner Verurteilung als Messiasprätendent der Messiastitel an ihm hängen blieb und weil nach der Bestätigung seiner irdischen Sendung durch Gott selbst in seiner Auferweckung von den Toten für keinen anderen Messias neben ihm mehr Raum sein konnte, verschmolz im Bewußtsein der Jünger Jesu die Messiashoffnung Israels mit dem Bilde des leidenden und gekreuzigten Gottessohnes[134]. Das besagt, daß Israel keinen anderen Messias als ihn erhalten wird. Nicht im Zeichen politischer Macht und messianischer Herrschaft über die Völker, sondern durch den Glauben an den Gekreuzigten sind die Völker – so weit das Evangelium von Jesus Christus verkündigt und angenommen wurde – zur Anbetung des Gottes Israels als des wahren und einzigen Gottes gekommen.

Warum vermochte Israel, das im Verlaufe seiner Geschichte immer wieder in die Rolle des leidenden Gottesknechts von Jes 53 gedrängt wurde, um so den Glauben an seinen Gott unter den Völkern zu bezeugen, sich nicht wiederzuerkennen im Bild seines gekreuzigten Messias? Eine Antwort auf diese Frage läßt sich vielleicht aus dem Inhalt jüdischer Messiaserwartung gewinnen. Die Messiashoffnung richtete sich gerade auf die Überwindung der Leiderfahrung. Sie assoziierte sich eher mit Zeiten politischer Erneuerung und Selbständigkeit, wie sie zur Zeit Jesu von den Zeloten erstrebt wurde. Andererseits haben es die Christen, indem sie in einer langen Geschichte von Pogromen dazu beitrugen, die Leiden der Juden zu vermehren, dem jüdischen Volk nicht gerade leicht gemacht, in dem von den Christen verehrten gekreuzigten Jesus seinen Messias zu erkennen. So hat in beiden Teilen des einen Gottesvolkes die Versuchung zum Triumphalismus der Versöhnung im Zeichen des Gekreuzigten im Wege gestanden.

Der Apostel Paulus hat die im Lichte des Ostergeschehens über das Volk Israel hinausreichende, menschheitliche Bedeutsamkeit der Person und Geschichte Jesu durch seine Darstellung als neuer, eschatologischer Adam, also als endgültige Gestalt des Menschen, ausgedrückt und nicht durch den Messiasgedanken. Die Messiasgestalt dürfte von der jüdischen Tradition her zu eng mit den besonderen, partikularen Hoffnungen des jüdischen Volkes und insbesondere mit dessen politischen Erwartungen verbunden ge-

---

[134] Die schon vorpaulinische, aber auch den paulinischen Sprachgebrauch prägende Zuordnung des Christustitels zu Jesu Kreuzigung und Auferstehung ist von W. Kramer: Christos Kyrios Gottessohn, 1963, 15–60 eingehend untersucht worden.

wesen sein. Von daher eignete sie sich nicht ohne weiteres als Symbol einer die ganze Menschheit angehenden, die Völker vereinenden Hoffnung, wie Paulus sie in Kreuz und Auferstehung Jesu begründet wußte. Doch Paulus hat die Verbindung des Namens Jesu mit dem Christustitel festgehalten (Röm 5,17, vgl. 15). Die Bindung an den Gekreuzigten und Auferstandenen hat die Bedeutung des Titels selbst verändert, und erst dadurch hat er die ihm von Schleiermacher zugeschriebene „Beziehung ... auf das ganze Geschlecht" gewonnen[135]. Als der nicht durch politische Gewalt, sondern durch sein stellvertretendes Leiden für die Sünden der Menschen seine Herrschaft ausübende Messias hat Jesus nicht nur die jüdische Hoffnung im Bewußtsein seiner Jünger verwandelt, sondern sie zugleich auf die Versöhnung der Völkerwelt mit Israel und seinem Gott hin geöffnet.

c) Das Erscheinen des Sohnes und die menschliche Gemeinschaft

Jesus von Nazareth, der Gekreuzigte und Auferstandene, erwies sich seinen Jüngern als der Christus Gottes, der die Heilshoffnung Israels erfüllte, indem er sie durch sein Geschick vertiefend veränderte und entschränkte. Darum ist er als der Messias Israels zugleich der eschatologische neue Mensch, die endgültige, dem Willen Gottes entsprechende Gestalt der Wirklichkeit des Menschen, wie sie von ihrer Schöpfung her durch Gott auf das Verhältnis zu ihm angelegt ist. Nach 1.Kor 15,22.45 ff. ist Jesus Christus als der von den Toten Auferstandene dieser endgültige Mensch, der durch den Geist vom unvergänglichen Leben Gottes erfüllt und verklärt ist. Nach Röm 5,12 ff. ist er der neue Mensch als der in seinem Leiden und Sterben Gott Gehorsame (5,19). Beides gehört zusammen, und die Einheit dieses Sachverhalts hat Paulus durch die Bezeichnung Jesu als Sohn ausgedrückt: Als Sohn Gottes ist Jesus erwiesen und öffentlich eingesetzt durch seine Auferweckung von den Toten (Röm 1,4), aber er war es schon in seinem Dahingegebensein an den Tod zur Versöhnung der Menschen mit Gott (Röm 5,10; 8,32), also auf dem Wege seines irdischen Gehorsams (Röm 5,19) gegen den Vater. Das sagt noch deutlicher der Hebräerbrief: „Wiewohl er der Sohn war, hat er durch sein Leiden den Gehorsam gelernt, und er ist als (darin) vollendet allen, die ihm im Gehorsam verbunden sind, zur Ursache des Heils geworden" (Hebr 5,8 f.). Der Beginn dieses Satzes sollte nicht als Hinweis auf einen Gegensatz zwischen sohnhafter Nähe zum Vater und Gehorsam gegen ihn aufgefaßt werden, sondern der Satz drückt eher eine Spannung zwischen dem Erlernen des Gehorsams in der Zeit und der Vorzeitlichkeit des Sohnseins aus. Jedenfalls gehören die Stellung des Sohnes und der Gehorsam gegen den Vater zusammen. Die gehorsame Unterord-

---

[135] F. Schleiermacher: Der christliche Glaube, 2. Ausg. 1830, § 94,2.

nung unter den Vater kennzeichnet Jesus als den Sohn. Er läßt sich, wie Paulus schreibt, durch den Geist Gottes führen (Röm 8,14): Darum ist sein Gehorsam nicht der fremdbestimmte Gehorsam des Sklaven, sondern Ausdruck der freien Übereinstimmung mit dem Vater, und durch diesen Geist hat er das ewige Leben in sich, das ihn in seiner Auferstehung von den Toten als den unvergänglich Lebendigen erweist.

Es wurde bereits hervorgehoben (oben 341 f.), daß sich die Worte über die Sendung des Sohnes bei Paulus wie auch bei Johannes jeweils auf das Ganze der Geschichte Jesu beziehen, nicht nur auf das Ereignis seiner Geburt. Gerade weil das Ganze der Geschichte Jesu Ausdruck der Sendung des Sohnes ist, darum kann auch seine Geburt in diese Aussage mit einbezogen werden (Gal 4,4f. im Vergleich zu Röm 8,3). Wie ist dann aber das Ereignis der Sendung des Sohnes, das Ereignis seiner Inkarnation, in diesem umfassenden Sinne näher zu beschreiben?

Wie noch genauer zu erörtern sein wird (Kap. 10,2), setzt die Vorstellung der Sendung des Sohnes seine Präexistenz voraus, sein Sein in der Ewigkeit Gottes in Korrespondenz zur Ewigkeit des Vaters. Dieses ewige Sein des Sohnes, so läßt sich nun sagen, kommt in der Geschichte Jesu Christi so zur Erscheinung[136], daß das ewige Verhältnis des Sohnes zum Vater in dieser Geschichte menschliche Gestalt gewonnen hat: Sie ist nicht nur ein Fall dieses Grundverhältnisses unter vielen anderen, sondern erst in ihr ist dieses Grundverhältnis so realisiert, daß es daraufhin auch in anderen Beispielen menschlichen Lebensvollzuges wahrnehmbar wird, wenn auch in mancherlei Hinsicht gebrochen und entstellt. Würde es sich nicht so verhalten, so könnte das Sohnesverhältnis Jesu zum Vater nicht die Grundform menschlicher Bestimmung zur Gemeinschaft mit Gott darstellen. Wird aber in der Person und Geschichte Jesu die Bestimmung des Menschen als solchen zur Gemeinschaft mit Gott offenbar, dann kann Jesus Christus, gerade weil er der Sohn ist, auch der neue, eschatologische Mensch genannt werden.

Als Vorausschattung der Inkarnation des Sohnes Gottes in Jesus Christus kündigt sich das Grundverhältnis der Sohnschaft in der Geschichte Israels an durch die Bezeichnung des judäischen Königs als Sohn Gottes in der Nathanverheißung an David (2.Sam 7,14; vgl. Ps 89,27f.) und in der Legitimations- oder Inthronisationsformel von Ps 2,7, vor allem aber in der Ausweitung dieser Bezeichnung auf das ganze Bundesvolk, besonders im Vorstellungszusammenhang der Exodustradition (Hos 11,1; Jer 31,9 und 20, vgl. 3,19, auch Ex 4,22). Alle Glieder des Volkes konnten daher Gottes Kinder, Söhne oder Töchter genannt werden (Dtn 14,1; Jes 43,6; 45,11), sogar noch als Abtrünnige (Dtn 32,5 und 19f.). Der paulinische Gebrauch dieser

---

[136] Zur genaueren Fassung des Begriffs der Erscheinung, wie er hier verwendet wird, siehe vom Vf.: Erscheinung als Ankunft des Zukünftigen (Theologie und Reich Gottes, 1971, 79-91, bes. 83ff.).

Bezeichnung für die Christen (Röm 8,16; Gal 4,5f.) ist also nichts völlig Neues im Verhältnis zur Glaubensüberlieferung Israels[137]. Neu ist nur die Einbeziehung von Nichtjuden in die Gotteskindschaft sowie andererseits deren Bindung an die Gabe des Geistes (Röm 8,14) und an die Gemeinschaft mit Jesus Christus, dem Sohne Gottes schlechthin, durch den die an ihn Glaubenden den Geist der Sohnschaft empfangen (Röm 8,15; Gal 4,6). Erst in Jesus Christus ist das Grundverhältnis der Sohnschaft, zu der die Menschen bestimmt sind, voll und endgültig in Erscheinung getreten: In ihm ist der ewige Gottessohn Fleisch geworden.

Nach den biblischen Zeugnissen ist das Gestaltwerden des ewigen Sohnes in der Person Jesu stets vermittelt durch den Geist, wie auch die Glaubenden die Teilhabe an der Sohnschaft Jesu Christi durch den Geist oder in Verbindung mit der Mitteilung des Geistes (so Gal 4,6) empfangen: Durch den Geist ist Jesus Christus mit seiner Auferweckung von den Toten in die Machtstellung des Sohnes eingesetzt worden (Röm 1,4). Mit dem Empfang des Geistes bei seiner Taufe durch Johannes war seine Erklärung zum Sohne Gottes verbunden (Mk 1,10f. parr). Aus der Kraft des Geistes ist er schon von Geburt an der Sohn Gottes.

Das vor allem will die lukanische Erzählung von der Geistgeburt Jesu Christi[138] sagen (Lk 1,32 u. 35f.). Nur um dieser christologischen Pointe willen wendet sich die Erzählung der Gestalt Marias, der Mutter Jesu, zu. Weil Jesus Christus in Person und darum schon von Geburt an der Gottessohn ist, darum wird Maria mit Recht als „Gottesmutter" geehrt. Darum hat auch das Konzil von Ephesos 431 mit Recht in diesem Sinne entschieden (DS 251). In dieser einzigen ökumenisch verbindlich gewordenen Lehraussage der Kirche über Maria galt das Interesse (im Unterschied zu den römisch-katholischen Mariendogmen von 1854 und 1950) nicht der Person Marias für sich, sondern der Sicherung des Glaubens an die Inkarnation des Gottessohnes. Die Würde Marias als *theotokos* wird nicht berührt durch die historischen Untersuchungen zur Kindheitsgeschichte Jesu und ihre Resultate, insbesondere auch nicht durch die Feststellung des legendären Charakters der Geburtsgeschichte bei Lukas und Matthäus[139]. Besonders in der wohl älteren

---

[137] Vgl. auch die Ausführungen von M. Hengel: Der Sohn Gottes, 1975, 68 ff. zum Gebrauch der Sohnesvorstellung im nachexilischen Judentum.

[138] Zur Ergänzung des Folgenden, besonders zur altkirchlichen und modernen theologischen Erörterung des Themas Jungfrauengeburt sind die Ausführungen des Vf. in Grundzüge der Christologie, 1964, 140-150 zu vergleichen, sowie auch die ausgezeichneten Darlegungen von J. Moltmann: Der Weg Jesu Christi, 1989, 97-107 über „die Geistgeburt Christi".

[139] Grundlegend wurde M. Dibelius: Jungfrauensohn und Krippenkind, Untersuchungen zur Geburtsgeschichte Jesu im Lukasevangelium, 1932, sowie neuerdings R. E. Brown: The Birth of the Messiah. A commentary on the infancy narratives in Matthew and Luke, 1977, bes. 298-309, sowie 517-533. Brown folgt im Prinzip der literarischen Deutung, die besonders von Dibelius entwickelt worden ist (307-309), fordert aber: „One must explain why the christology of divine sonship, when it was associated with Jesus' birth, found expression in terms of a virginal conception" (308 n. 36), und er bietet als Erklärung an, daß man allgemein von einer frühzeitigen Geburt Jesu gewußt habe, was auf seiten jüdischer Gegner der christlichen Gemeinde

Fassung der Überlieferung, wie sie bei Lukas vorliegt, ist der Anlaß der legendären Bildung der Erzählung daran erkennbar, daß nach dem Engelwort Lk 1,35 der Maria angekündigte Sohn wegen seiner Zeugung aus der Kraft des göttlichen Geistes (ohne männliche Beteiligung) Gottes Sohn heißen werde: Der Titel „Sohn Gottes" und seine Verknüpfung mit der Person Jesu sind hier bereits vorausgesetzt, und die Erzählung von seiner Empfängnis und Geburt soll eine Erklärung dafür geben, warum Jesus der Sohn Gottes heißt. Auch wenn als Anlaß für die Ausbildung dieser Legende ein von seiten der Gegner der Christen geschürtes Gerede über seltsame Umstände der Herkunft und Geburt Jesu eine Rolle gespielt haben sollte[140], erlauben die Befunde zur Beschaffenheit dieser Überlieferung nicht die Behauptung historischer Tatsächlichkeit der Jungfräulichkeit Marias nach Empfängnis und Geburt Jesu, jedenfalls nicht im Sinne eines medizinischen Befundes. Wenn man das zum eigentlichen Gegenstand der Geschichte von der Geburt Jesu durch Maria die Jungfrau (vgl. Jes 7,14 LXX) erklären wollte, so wäre das Sinnziel der Erzählung verfälscht. Denn dort handelt es sich „nicht um eine Frage der Gynäkologie, sondern um ein Thema christlicher Pneumatologie"[141]. Da die Erzählung im ganzen legendär ist, so müssen ihre Einzelaussagen von dem christologischen Sinnziel her gedeutet und dürfen nicht aus ihrem Kontext isoliert als Tatsache behauptet werden, jedenfalls nicht im Rahmen der Interpretation dieser Erzählung als solcher. Der Fall läge ganz anders, wenn es sich um eine ihrer Intention nach auf (historische) Faktizität zielende Aussage handelte wie bei den Aussagen von 1.Kor 15,3ff. über die Auferstehung Jesu. Grund des kritischen Urteils über die historische Faktizität einer jungfräulichen Geburt Jesu ist also nicht die weltanschauliche Schwierigkeit, ein derartiges Ereignis überhaupt als möglich anzunehmen, sondern der nachweislich legendäre Charakter der Erzählung. Die Erzählung wird dadurch nicht bedeutungslos. Sie muß aber unter anderen Gesichtspunkten gewürdigt werden. Im Hintergrund steht die typologische Beziehung zu der in der griechischen Übersetzung ungenau wiedergegebenen Jesajastelle (7,14). Daher könnte das Stichwort „Jungfrau" stammen, während das Jesajawort allgemeiner von einer „jungen Frau" spricht. In der Erzählung selbst ist die Jungfräulichkeit Marias in ihrer Begegnung mit dem Engel als poetisches Mittel bei der Darstellung der dem Menschen angemessenen Haltung demütigen Empfangens im Hinblick auf den Eintritt der Wirklichkeit Gottes in sein Leben und als Ausdruck der Ausschließlichkeit der Hinwendung zu dem einen Gott zu verstehen. In diesem Sinne ist die Maria der lukanischen Verkündigungsgeschichte in ungezählten ergreifenden Bildern dargestellt worden und von Luther als Vorbild des Glaubens gerühmt worden[142]. Sie nimmt damit den Gehor-

---

zu der Anklage führte, daß Jesus ein illegitimes Kind war. Auf solche Verdächtigungen habe die christliche Erzählung antworten wollen (526f.).
[140] R.E.Brown a.a.O. 534-543, vgl. 530.
[141] J.Moltmann a.a.O. 97. Ähnlich urteilt auch H.Stirnimann: Marjam. Marienrede an einer Wende, 1989, 210-260, bes. 211ff. Nach Stirnimann hat gerade die sog. Hebammengeschichte im Protevangelium des Jakobus 18-20 die Funktion, das Interesse an physischen Beweisen für die Jungfräulichkeit der Mutter Jesu abzuwehren (231ff.).
[142] M.Luther WA 7, 544-604 (Das Magnificat Vorteutschet und außgelegt, 1521). Nach H. Räisänen: Die Mutter Jesu im Neuen Testament, 1969, 154 ist Maria schon bei Lukas „eine Art *Prototyp des Christen*" (vgl. 93 und 149ff.).

sam ihres Sohnes gegenüber seinem himmlischen Vater vorweg, und in diesem Sinne darf gesagt werden, daß in der Reaktion Marias auf die Botschaft des Engels der Sohn (nämlich in seinem Verhältnis zu seinem himmlischen Vater) menschliche Gestalt annimmt. Dieser geistliche Sachverhalt ist freilich in seinem Wesen nicht davon abhängig, ob die Empfängnis des Jesusknaben mit oder ohne Beteiligung eines Mannes zustande gekommen ist. Er allein genügt aber dafür, daß alle Christen der Mutter Jesu, der *theotokos*, ein liebevolles und ehrendes Andenken bewahren. Soll doch im Leben eines jeden Christen wie in dem ihren Jesus Christus Gestalt gewinnen (Gal 4,19).

Inkarnation des Sohnes in der Gestalt Jesu bedeutet, daß dieser Mensch in Person der Sohn Gottes ist und daß er es in der ganzen Erstreckung seines Weges gewesen ist. So wie ganz generell Person und Lebensgeschichte von Menschen nicht getrennt werden können, weil sich erst in der Geschichte eines jeden Lebens die personale Identität ausbildet, die aber dann die Besonderheit der Person, von der diese Lebensgeschichte erzählt werden kann, für die ganze Dauer ihres Daseins kennzeichnet[143], so verhält es sich mit der Person Jesu als des Sohnes Gottes: Daß die Identität Jesu als Person darin besteht, daß er der Sohn Gottes ist, wurde definitiv entschieden durch das Ostergeschehen, aber in dessen Licht war er der Gottessohn schon von Beginn seines irdischen Weges an, ja sogar schon von Ewigkeit her (s.o. 342f.).

Von der Seite des ewigen Sohnes her hat die Identität mit der Person Jesu die Form der Menschwerdung. Dabei darf die Menschwerdung nicht als ein dem ewigen Wesen des Sohnes äußerliches, akzidentelles Ereignis vorgestellt werden. Vielmehr liegt die Menschwerdung des Sohnes in der Konsequenz seiner trinitarischen Selbstunterscheidung vom Vater. Schon seine ewige Gemeinschaft mit dem Vater ist durch diese freie Selbstunterscheidung vermittelt. Wie die freie Selbstunterscheidung des Sohnes vom Vater den Möglichkeitsgrund aller von Gott unterschiedenen geschöpflichen Wirklichkeit bildet, so ist sie auch Ursprung seiner Menschwerdung in Jesus von Nazareth. In diesem Sinne ist die Wendung von der Selbstentäußerung und Selbsterniedrigung des ewigen Gottessohnes im Geschehen seiner Menschwerdung (Phil 2,7f.) zu verstehen: Wollte man darin einen teilweisen oder gänzlichen Verzicht des Gottessohnes auf sein göttliches Wesen ausgedrückt finden, dann würde diese Vorstellung nicht nur die ewige Selbstidentität Gottes auflösen, sondern auch den Inkarnationsgedanken zerstören, der doch besagt, daß der ewige Gott selbst in die Lebensform eines vergänglichen Menschen eingegangen ist[144]. Die im Vergleich zur ewi-

---

[143] Die „rückwirkende" Konstitution der Bedeutung des Früheren im Lichte des späteren Geschehens betrifft gerade auch die Identität der Person. J. Moltmann hat diese Pointe in meinen Ausführungen über die Bedeutung des Ostergeschehens für die Identität Jesu als Person zu Unrecht vermißt (Der gekreuzigte Gott, 1972, 169).

[144] Vgl. die immer noch lehrreiche Kritik I. A. Dorners an den Kenosislehren in der lutheri-

gen Gottheit des Sohnes mit seiner Menschwerdung verbundene Entäußerung und Erniedrigung darf nicht als Einschränkung, sie muß als Betätigung der ewigen Gottheit des Sohnes aufgefaßt werden. Das ist nur dann möglich, wenn sie im Zusammenhang mit der ewigen Selbstunterscheidung des Sohnes als dem Grunde der Möglichkeit und Wirklichkeit geschöpflichen Daseins überhaupt verstanden wird. Schon die ewige Selbstunterscheidung vom Vater enthält das Moment der Selbstentäußerung, und gerade dadurch ist der Sohn Ursprung der Andersheit eines von Gott verschiedenen, geschöpflichen Daseins geworden. In der bloßen Andersheit der Geschöpfe Gott gegenüber kommt jedoch die Selbstunterscheidung des Sohnes vom Vater nur in einseitiger Form zum Ausdruck, nur im Sinne der Differenz, nicht auch als Medium der Gemeinschaft mit Gott. Nur in einem Geschöpf, das wie der Mensch sich in seiner Andersheit auf Gott bezogen weiß, kann die mit der Selbstunterscheidung des Sohnes vom Vater verbundene Selbstentäußerung voll zum Ausdruck kommen, so daß die Selbstunterscheidung des Sohnes vom Vater in der Form geschöpflichen Daseins realisiert wird. In diesem Sinne läßt sich die mit der Menschwerdung verbundene Entäußerung und Erniedrigung des ewigen Sohnes als ein Moment am freien Selbstvollzug seines ewigen Seins in der Selbstunterscheidung vom Vater verstehen. Dabei wird durch solchen Selbstvollzug des Sohnseins zugleich die Bestimmung des Geschöpfes zur wahren Selbständigkeit in Gemeinschaft mit Gott vollendet und der Mensch erlöst aus der Verirrung seiner Verselbständigung gegen Gott und von der daraus folgenden Unterwerfung unter die Macht der Vergänglichkeit und des Todes befreit.

So geht es bei der Sendung des Sohnes zur Inkarnation in dem einen Menschen Jesus immer auch schon um die übrigen Menschen: Gott hat seinen Sohn in die Welt gesandt, um sie zu retten (Joh 3,17; vgl. 6,38f.). Die Sendung des Sohnes hat also in den anderen Menschen ihre Zielbestimmung. Nach Johannes vollzieht sie sich in der Verkündigung Jesu, nach Paulus (Röm 8,3 und Gal 4,4f.) bezieht sie sich besonders auf den Tod Jesu, durch den die Glaubenden von der Herrschaft der Sünde, des Gesetzes und des Todes befreit werden. So zielt das Erscheinen des Sohnes auf die Versöhnung der Welt, nämlich der Menschen und durch sie der ganzen Schöpfung mit Gott. Die Behauptung der christlichen Verkündigung, daß in der Geschichte Jesu dies beides geschehen ist, bedarf allerdings zu ihrer Erhär-

---

schen Theologie des 19. Jahrhunderts (Über die richtige Fassung des dogmatischen Begriffs der Unveränderlichkeit Gottes, in: Gesammelte Schriften aus dem Gebiet der systematischen Theologie, Exegese und Geschichte, 1883, 188-377, bes. 208-241). Dorner charakterisierte die diesen Lehrbildungen zugrunde liegende Auffassung als „Depotenzierungslehre" (213, vgl. 233ff.). Zum Ursprung dieser Kritik in Dorners Briefwechsel mit H.L.Martensen über die Konstitution der Person Christi 1842/45 vgl. jetzt Chr.Axt-Piscalar: Der Grund des Glaubens. Eine theologiegeschichtliche Untersuchung zum Verhältnis von Glaube und Trinität in der Theologie Isaak August Dorners, 1990, 224 Anm.78 und 225ff.

tung genauerer Ausführung und Begründung. Das wird die Aufgabe der beiden folgenden Kapitel sein. Hier soll nur vorläufig auf den Zusammenhang zwischen der Sendung des Sohnes zur Rettung der Menschen und der Funktion des Messias für die Gemeinschaft und Erneuerung des Gottesvolkes aufmerksam gemacht werden, die beide ihr Gegenstück in der Heilswirkung des Gehorsams des zweiten Adam für die Vielen nach Röm 5,12 ff. haben. Dieser Zusammenhang weist nicht nur auf die Identität des Christus mit dem Sohne Gottes und dem neuen Adam hin, sondern läßt zugleich erkennen, inwiefern durch Jesus Christus die Erwählungsgeschichte Israels und die jüdische Glaubenstradition allgemeinmenschliche Relevanz gewonnen haben.

Es wurde schon gesagt, daß der Gedanke der Gottessohnschaft Jesu bei Paulus das urchristliche Bekenntnis zu Jesu Messianität mit den Aussagen über ihn als eschatologische Gestalt des Menschen verbindet, die über den Umkreis jüdischer Glaubenstradition hinaus einen Anspruch auf allgemeinmenschliche Tragweite der Geschichte Jesu formulieren. Entscheidend dafür war die Umprägung der jüdischen Messiaserwartung durch die Verbindung der Messiasvorstellung mit der Person des Gekreuzigten. Dadurch wurde die partikular-nationale Beschränkung der jüdischen Hoffnung auf den Messias als den die Herrschaft Gottes auf Erden ausübenden „Sohn" Gottes (im Sinne von Ps 2,7) durchbrochen und die Messiaserwartung entschränkt.

In Verbindung damit ist auch die allgemeinmenschliche Relevanz der jüdischen Überlieferung des Gottesrechts freigesetzt worden von den Bindungen an geschichtlich zufällige, nur dem jüdischen Volk als Bestandteil seiner geschichtlichen Identität geltende Züge des Mosegesetzes. Denn nicht nur Paulus, sondern – nach anfänglichem Zögern der Jerusalemer Gemeinde – das Urchristentum insgesamt hat das Kreuz Jesu Christi als das Ende des Mosegesetzes zumindest in seiner Juden und Heiden voneinander trennenden Funktion verstanden, ohne damit die Verbindlichkeit des im Gesetz bezeugten Rechtswillens Gottes preiszugeben. Dieser Vorgang ist eng verbunden mit der Entschränkung der Messiasvorstellung. Denn von ihrem Ursprung her gehört die Messiaserwartung mit dem Gottesrecht zusammen, und zwar im Hinblick auf die Funktion des Messiaskönigs für die Rechtsgemeinschaft. So ist besonders in der Jesajatradition das Verständnis des Königtums mit seiner Funktion für die Aufrichtung des Gottesrechts verbunden worden. In Jes 11,2 ff. richtete sich die messianische Hoffnung auf einen dieser Aufgabe wirklich gerecht werdenden König der Zukunft, der Recht und Frieden verwirklichen und dadurch im Sinne von Jes 2,2–4 den Zion zum Mittelpunkt der Völkerwelt machen wird (vgl. auch Sach 9,9 f.).

In der Verknüpfung von Messiaserwartung und Gottesrecht ist das letztere das für den Glauben Israels zentrale Thema. Die Messiashoffnung steht im Dienst der Verwirklichung des Gottesrechts. Das Gottesrecht selber aber und seine Verwirklichung sind auf das engste mit der Erwählung Israels verbunden, und zwar sowohl in dem Sinne, daß die Erwählung Israels der Grund seiner Verpflichtung auf das Recht Gottes ist, wie es das Deuteronomium einschärfte (Dtn 4,37-40; vgl. 7,11), als auch im Sinne der großartigen Auffassung Deuterojesajas, wonach es der Zweck der Erwählung Israels ist, den Rechtswillen Gottes in der Völkerwelt zu bezeugen (Jes 42,1f.; vgl. 42,6). Die Erwählung Israels ist im Sinne Deuterojesajas also nicht Selbstzweck, sondern sie dient dem Willen Gottes für die ganze Menschheit. Man kann auch sagen, sie dient dem Reich Gottes in der Welt; denn die Gottesherrschaft, auf die der Glaube Israels wartet, ist eine Herrschaft des Rechts und der Gerechtigkeit, wie sie Jesaja und Micha vorschwebte in dem visionären Bild von einer künftigen Wallfahrt der Völker zum Zion, damit der Gott Israels ihre Streitigkeiten schlichtet, indem er ihnen Recht spricht (Mi 4,2f.; Jes 2,3f.).

Um so bedrückender ist es, daß gerade das Gottesrecht, so wie es in der Rechtsüberlieferung Israels bewahrt und in der jüdischen Lebenspraxis befolgt worden ist, zum Zeichen der Trennung und Absonderung Israels von der Völkerwelt wurde. Wie dieser Vorgang im einzelnen zu verstehen ist, wird in einem späteren Zusammenhang noch eingehend zu erörtern sein. Jedenfalls steht sein Ergebnis im Gegensatz zu der von Deuterojesaja verkündeten Berufung Israels zum Zeugen für den Rechtswillen Gottes in der Völkerwelt. Wäre zu solchem Zeugnis nicht erforderlich, daß der Inhalt des göttlichen Rechtswillens als allgemeinmenschlich verbindlich und nicht nur als eine durch die Autorität der Überlieferung geheiligte jüdische Besonderheit erkennbar ist? Muß unter solchen Umständen die Aufrichtung des Gottesrechts durch den Messias nicht damit beginnen, seinen Inhalt von traditionalistischen Verengungen zu befreien und seinen für alle Menschen gültigen Kern freizulegen? Das nächste Kapitel wird zeigen, daß genau dies in der Gesetzesauslegung Jesu geschehen ist.

Jesus ist mit seiner Auslegung des überlieferten Gottesrechts nicht in Widerspruch zur Verbindlichkeit des Rechtswillens Gottes im Glauben Israels getreten, weil er das überlieferte Gottesrecht im Lichte der Zukunft des Gottes auslegte, der der Schöpfer aller Menschen ist. In der Bezogenheit der Menschen auf den einen Gott haben alle zwischenmenschlichen Rechtsbeziehungen die Grundlage ihrer Verbindlichkeit. Darum gehören die Bestimmung jedes einzelnen Menschen zur Gemeinschaft mit dem einen Gott und die Wahrung und Förderung der Gemeinschaft der Menschen untereinander, wie sie in Rechtsbeziehungen dauerhafte Gestalt gewinnen, zusammen: Weder kann die Bestimmung des Menschen zur Gemeinschaft mit Gott in der Isolierung eines bloß individuellen Gottesverhältnisses verwirklicht werden, noch kann die Bestimmung der Menschen zu einem Leben in Gemeinschaft und Frieden miteinander ohne Gott verwirklicht werden; so oft der Versuch dazu gemacht worden ist, hat am Ende noch immer die Verkehrung der Gemeinschaft durch Formen der Herrschaft von Menschen über Menschen gestanden. Die Zusammengehörigkeit von Gemeinschaft mit Gott und Gemeinschaft der Menschen untereinander bildet den zentralen Inhalt des Zeugnisses Israels inmitten der Völkerwelt und begründet die alle Menschen angehende Relevanz seiner Glaubenstradition. Dieser für alle Menschen gültige Inhalt der jüdischen Glaubensüberlieferungen liegt aber verborgen unter Verkrustungen, die ihnen von ihrer Entstehungs- und Auslegungsgeschichte her anhaften. Die Gesetzesauslegung Jesu hat diese Verkrustungen aufgelöst. Das macht ihren messianischen Charakter aus, obwohl das Auftreten Jesu im übrigen nicht den messianischen Hoffnungen und Vorstellungen des Volkes entsprach, insbesondere nicht den damit verbundenen politischen Erwartungen.

Jesus ist mit seiner traditionskritischen Einstellung und weil er sich nicht als der erhoffte politische Befreier erwies, auf mancherlei Widerstände gestoßen, die zuletzt zu seiner Verhaftung und Hinrichtung führten, wie das nächste Kapitel es genauer darstellen wird. Das irdische Ende des Weges Jesu hat aber nun gerade jene Entschränkung auch der Messiashoffnung Israels vollendet, die im Hinblick auf die Gesetzesauslegung für Jesu irdisches Wirken charakteristisch gewesen ist. Das wird sich im übernächsten Kapitel als der Inhalt der Versöhnung der Welt durch seinen Tod zeigen. Wegen der Entschränkung nicht nur der Auslegung des Gottesrechts, sondern auch der jüdischen Messiashoffnung durch die Verbindung der Messiasvorstellung mit Jesu Kreuz konnte der Auferstandene als der Messias nicht mehr nur der Juden, sondern der ganzen Menschheit hervortreten, als der Sohn Gottes, der alle Menschen mit sich und durch sich mit Gott vereinen will nach dem Bilde des neuen, eschatologischen Menschen, das in ihm erschienen ist.

10. Kapitel

Die Gottheit Jesu Christi

Bei der Frage nach der Gottheit Jesu Christi geht es um die Gottheit des *Menschen* Jesus. Sie hat es also nicht mit einer isoliert für sich zu betrachtenden „göttlichen Natur" zu tun. Es handelt sich vielmehr darum, in der menschlichen Wirklichkeit Jesu die Konturen seiner göttlichen Sohnschaft zu entdecken, die dann auch als ewige Sohnschaft seinem geschichtlich-irdischen Dasein vorausgeht und sogar als schöpferischer Grund dieses seines menschlichen Daseins zu denken ist. Wenn die menschliche Geschichte Jesu die Offenbarung seiner ewigen Sohnschaft ist, dann muß die letztere in seiner menschlichen Lebenswirklichkeit wahrnehmbar sein. Seine Gottheit ist dann nicht etwas Zusätzliches zu dieser menschlichen Lebenswirklichkeit, sondern der Reflex, der von der menschlichen Beziehung Jesu zu Gott dem Vater auf sein eigenes Dasein fällt, wie allerdings auch auf das ewige Sein Gottes. Umgekehrt ist die Annahme menschlichen Daseins durch den ewigen Sohn nicht als Hinzunahme einer seiner Gottheit wesensfremden Natur vorzustellen, sondern als das von ihm selber geschaffene Medium seiner äußersten Selbstrealisierung in Konsequenz seiner freien Selbstunterscheidung vom Vater, also als Vollzugsform seines ewigen Sohnseins, gerade weil er in ihr aus der Sphäre der Gottheit herausgetreten ist, um im Medium geschöpflichen Daseins durch seine Selbstunterscheidung vom Vater als dem einen Gott mit diesem verbunden zu sein und damit zugleich die Bestimmung des Menschen als Geschöpf zu vollenden und ihn so aus der Verirrung seiner Sünde zu erlösen.

1. Die Grundlagen für die Behauptung der Einheit Jesu mit Gott

Die Frage nach der Gottheit Jesu, also nach der Verbundenheit seiner menschlichen Lebenswirklichkeit mit dem ewigen Gott, wird falsch gestellt, wenn diese Verbundenheit ausschließlich oder auch nur primär als Gemeinschaft seiner menschlichen Natur mit dem ewigen Sohn aufgefaßt wird. Für den Menschen Jesus war Gott nur in der Person seines himmlischen Vaters da, auf den er sich in seinem ganzen Dasein bezogen wußte und durch dessen Geist er sich führen ließ. Nur auf dem Wege über das Verhältnis Jesu zum Vater kann die Frage entschieden werden, ob und in welchem Sinne auch er selbst als der Gottheit teilhaftig, nämlich als Sohn dieses Vaters zu verstehen ist.

a) Die Verbundenheit Jesu mit dem Vater in seinem öffentlichen Wirken

Die Besonderheit Jesu unter den übrigen Menschen ist in einer ersten Annäherung darin gegeben, daß und wie das Verhältnis des Menschen zu Gott – oder besser die Herrschaft Gottes im Leben der Menschen – das beherrschende Thema seines Lebens war. Das gilt zunächst von seiner öffentlichen Verkündigung, die er erst nach der Verhaftung Johannes des Täufers aufgenommen zu haben scheint[1]. Der zentrale Gedanke dieser Verkündigung war die Nähe der Gottesherrschaft.

Jesus teilte die Erwartung der Gottesherrschaft mit der Überlieferung seines Volkes. Seit der Zeit des Hellenismus hatte die Hoffnung auf eine universale Aufrichtung der Königsherrschaft Gottes über die Völker (Ps 96,10ff.; vgl. Jes 52,7) eschatologische Züge angenommen (Ps 97,1ff.)[2]. Das Kommen Gottes selbst zur Herrschaft über die Welt war im Danielbuch (Dan 2,44f.) als Beendigung der Abfolge menschlicher Weltreiche vorausgesagt worden, und in der apokalyptischen Schrift über die Himmelfahrt Moses wurde die Königsherrschaft Gottes in Verbindung mit dem Endgericht über die ganze Schöpfung gebracht (Ass. Mosis 10,1ff.). Im übrigen jedoch ist in der apokalyptischen Literatur der Gedanke der Gottesherrschaft verhältnismäßig selten. Im Vordergrund stehen die Vorstellungen vom Kommen eines neuen Äon, vom Weltgericht und vom Kommen des Menschensohnes zum Gericht. Jesus hingegen hat die in jüdischen Gebeten wie dem Achtzehnbittengebet (11. Bitte) und dem Qaddischgebet ausgedrückte Hoffnung auf die Königsherrschaft Gottes als Bezeichnung des nahe bevorstehenden eschatologischen Geschehens bevorzugt[3].

Darin liegt die Differenz auch zur Gerichtsbotschaft des Täufers, von der Jesus ausgegangen ist und der er in der Überzeugung vom Bruch der Zukunft Gottes mit dem Vertrauen auf vergangene Heilssetzungen verbunden blieb. Das Wirken des Täufers war wie dasjenige Jesu ganz auf die Zukunft Gottes konzentriert, aber er fand deren Inhalt in der Nähe des Gerichts. Bei Jesus hingegen hat die Zukunft Gottes das Kommen seiner Herrschaft zum Inhalt[4]. Daher ist seine Botschaft im Unterschied zu der des Täufers und

---

[1] Zu Mk 1,14 vgl. J. Becker: Johannes der Täufer und Jesus von Nazareth, 1972, 14f.

[2] J. Jeremias: Das Königtum Gottes in den Psalmen, 1987, 136ff., vgl. 121ff. zu Ps 96. Zum folgenden Belege bei H. Merklein: Jesu Botschaft von der Gottesherrschaft. Eine Skizze, 1983, 24f., sowie 39ff.

[3] H. Leroy: Jesus. Überlieferung und Deutung, 1978, 71. Zum Unterschied der Rede Jesu vom „Kommen" der Gottesherrschaft gegenüber der herkömmlichen Vorstellung ihrer „Aufrichtung" durch Gott vgl. N. Perrin: Was lehrte Jesus wirklich? Rekonstruktion und Deutung (1967) dt. 1972, 52ff.

[4] J. Becker a.a.O. 74f. Bei Matthäus (3,2) wird allerdings schon dem Täufer die Ankündigung der Nähe der Gottesherrschaft in den Mund gelegt als Begründung für seinen Bußruf. Man wird jedoch dem Urteil zustimmen müssen, daß mit dieser singulären Behauptung „ein wesentlicher Differenzpunkt zwischen Jesus und dem Täufer nivelliert wird" (13). Zum „Bruch

trotz des Bruches mit der Vergangenheit Israels wesentlich Heilsbotschaft. Das fand seinen zeichenhaften Ausdruck darin, daß Jesus aus der Wüste am Unterlauf des Jordan, wo Johannes gelehrt hatte, in die fruchtbaren Siedlungen Galiläas zurückkehrte.

Die Hoffnung Israels auf die Königsherrschaft seines Gottes war in ihrer ganzen Geschichte durch die Erwartung motiviert worden, daß ihre Aufrichtung für das Bundesvolk Erlösung von aller Fremdherrschaft und also Heil und Frieden bedeuten werde (vgl. nur Jes 52,7). Folgte man allerdings dem zur Zeit Jesu nicht nur von Johannes dem Täufer, sondern auch vom Lehrer der Qumrangemeinde verkündeten prophetischen Urteil, daß das Volk dem Gericht verfallen sei, so daß alle früheren Heilssetzungen Gottes in Israel ihre Kraft verloren haben, dann verstand es sich nicht mehr von selbst, daß das Kommen der Gottesherrschaft für Israel im Gegensatz zu den Völkern Heil bedeutet[5]. Jesus hat denn auch das Kommen der Gottesherrschaft nicht als das Heil für das Bundesvolk im ganzen (auf der Grundlage seines Bundesverhältnisses zu Gott) verkündigt, sondern nur für diejenigen, die ihre Hoffnung ganz auf die Nähe der Zukunft Gottes setzen, sei es als Antwort auf den Aufruf seiner Botschaft oder – wie bei den von Jesus selig Gepriesenen – aus anderem Anlaß. Für sie ist das Heil der Gottesherrschaft sogar schon gegenwärtig gewiß und wirksam. Das genauere Verständnis dieses komplexen Sachverhalts führt in das Zentrum der Botschaft Jesu.

Man verfehlt das Verständnis der Botschaft Jesu, wenn man sich an dieser Stelle, wie das so oft geschehen ist, mit der Versicherung begnügt, die Eröffnung gegenwärtiger Teilhabe am künftigen Heil der Gottesherrschaft durch Jesus sei eben Ausdruck des besonderen Vollmachtsbewußtseins, das ihn erfüllt habe. Die Tatsache eines solchen Vollmachtsbewußtseins ist zwar nicht zu bestreiten, und die damit verbundene Problematik wird noch Anlaß geben, darauf eingehend zurückzukommen. Es ist aber von weitreichender Bedeutung für das Verständnis Jesu und für die ganze Christologie, daß dieses Vollmachtsbewußtsein nicht den Inhalt seiner Verkündigung begründet hat, sondern umgekehrt dessen Folge oder Begleiterscheinung gewesen ist. Warum das der Fall ist, wird weiter unten noch deutlich werden. Vorerst soll zumindest der Versuch gemacht werden, die Zusage und das Ereignis gegenwärtiger Heilsteilhabe im Zusammenhang mit der Verkündigung und dem Wirken Jesu vom Inhalt seiner Botschaft her zu verstehen, also aus dem Sinn seiner Ankündigung der Gottesherrschaft. Der Zugang zu solchem Verständnis ist verbunden mit der Lösung der heftig umstrittenen

---

mit der Vergangenheit" beim Täufer ebd. 16ff., bei Jesus 71f. Vgl. auch die Gegenüberstellung Jesu zum Täufer bei J. Jeremias: Die Verkündigung Jesu (Neutestamentliche Theologie I), 2. Aufl. 1973, 56.

[5] Vgl. H. Merklein: Jesu Botschaft von der Gottesherrschaft, 1983, 43f.

Frage nach dem Verhältnis von Zukunft und Gegenwart der Gottesherrschaft in der Verkündigung Jesu.

Ohne Zweifel hat Jesus von der Gottesherrschaft als kommender, also als zukünftiger gesprochen: Das belegt vor allem die zweite Bitte des Vaterunser (Lk 11,2; Mt 6,10), in Analogie zu den jüdischen Tagesgebeten. Auch die häufige Wendung vom Erlangen der Gottesherrschaft oder Hineinkommen in sie (Mt 5,20; 7,21; Mk 9,33 parr; 10,23 f. parr) hat futurische Bedeutung im Sinne der Teilhabe an der künftigen Heilsgemeinschaft, wie schon Johannes Weiß betont hat[6]. Der Bezug auf die künftige Tischgemeinschaft im Reiche Gottes (Mt 8,11; Lk 13,29 f.) dürfte auch bei den Mahlfeiern Jesu implizit als Bestimmungsgrund wirksam gewesen sein, sofern sie die (künftige) Gemeinschaft des Gottesreichs darstellten und im voraus der Teilhabe an ihrem Heil versichern sollten. In Mk 14,25 wird der Bezug zum künftigen Mahl in der Gottesherrschaft noch einmal ausdrücklich hergestellt. An vielen anderen Stellen, wo nicht ausdrücklich von der Zukunft der Gottesherrschaft die Rede ist, lassen sich Zukunftsbezüge erheben, die der Sache nach ihren Ort in der Zukunft der Gottesherrschaft haben, wie etwa bei den Worten über die Zukunft des Menschensohnes, der Mt 25,34 auch als „König" bezeichnet werden konnte. So gilt noch heute unverändert die Feststellung von Johannes Weiß, daß „quantitativ wie sachlich die futurischen Worte ganz und gar im Vordergrund" stehen[7]. Problematisch ist nur, wie die selteneren Worte, die die Gegenwart der Basileia behaupten, sich dazu verhalten. Ausdrücklich begegnet die Behauptung, daß die Gottesherrschaft schon gegenwärtig sei, nur Lk 11,20 par und Lk 17,20. Allerdings besagt Lk 10,23 f. der Sache nach dasselbe wie 17,20. Entsprechendes gilt auch für die Antwort Jesu auf die Frage, die der Täufer ihm aus dem Gefängnis gestellt haben soll (Lk 7,22 par) und wohl auch für Mk 2,19. Alle diese Worte scheinen zu besagen, was Rudolf Bultmann zurückhaltend so beschrieben hat: „Das alles bedeutet nicht, daß die Gottesherrschaft schon Gegenwart ist; es besagt aber, daß sie im Anbruch ist"[8]. Ernst Käsemann ist darüber hinausgegangen, weil er meinte, aus Mt 11,12 f. entnehmen zu müssen, daß bereits mit Johannes dem Täufer die Äonenwende eingetreten, „die Gottesherrschaft angebrochen, aber noch gehindert ist"[9]. Käsemann hat mit dieser Auffassung viel Zustimmung erfahren[10]. Doch bleibt es mißlich, auf ein einziges und dazu noch notorisch dunkles und rätselhaftes Wort eine These zu begründen, die zur Folge hat, daß die eindeutigen Aussagen über die Zukunft der Gottesherrschaft bagatellisiert werden müssen[11]. Die einseitige Betonung der Gegenwart der Basileia, so

---

[6] J.Weiß: Die Predigt Jesu vom Reiche Gottes (1892), Neuausg. der 2.Aufl. hg. F.Hahn 1964, 72f.

[7] J.Weiß a.a.O. 71. Vgl. die analoge Feststellung von E.P.Sanders: Jesus und Judaism, 1985, 152.

[8] R.Bultmann: Theologie des Neuen Testaments, 1953, 6.

[9] E.Käsemann: Das Problem des historischen Jesus, ZThK 51, 1954, 125–153, 149.

[10] So u.a. bei N.Perrin: Was lehrte Jesus wirklich? Rekonstruktion und Deutung (1967) dt. 1972, 78ff., bes. 80, sowie auch bei J.Jeremias: Die Verkündigung Jesu (Neutestamentliche Theologie I) 1971, 54f.

[11] Lehrreich sind dafür N.Perrins Ausführungen zur zweiten Vaterunserbitte a.a.O. 168f.,

als ob die entscheidende Wende bereits eingetreten sei, ist daher Gegenstand berechtigter Kritik geworden[12]. Die Aussagen über die Gegenwart der Gottesherrschaft sollten nicht als Alternative zur Vorstellung ihres Kommens aufgefaßt werden. Vielmehr handelt es sich dabei um den Anbruch der Zukunft Gottes, wobei aber diese Zukunft selbst als der dynamische Grund ihres Gegenwärtigwerdens zu verstehen ist[13].

Ausgangspunkt für das Verständnis des Hereinbrechens der Zukunft Gottes in die Gegenwart muß diese Zukunft selber sein. Gibt es einen Anhaltspunkt dafür, wie im Wirken Jesu der Eintritt der Zukunft Gottes in die Gegenwart seiner Hörer zu verstehen ist? Lk 11,20 könnte als Hinweis darauf genommen werden, daß dafür speziell die exorzistische Tätigkeit Jesu entscheidend gewesen wäre. Doch dagegen spricht, daß nicht nur Jesus als Exorzist gewirkt hat[14]. Außerdem beziehen sich die übrigen einschlägigen Aussagen wie Lk 17,20 auf das Auftreten und Wirken Jesu ganz allgemein. Nun war aber Jesu Wirken in allen seinen Aspekten durch den Aufruf bestimmt, sich ganz und gar auf die als nah angekündigte Gottesherrschaft einzulassen: „Trachtet zuerst nach dem Reiche Gottes und seiner Gerechtigkeit, so wird euch solches alles hinzugetan werden" (Mt 16,33; vgl. Lk 12,31). In vielen Worten Jesu wird die absolute Priorität der nahen Gottesherrschaft vor allen andern Pflichten und eignen Anliegen der Menschen betont (vgl. etwa Lk 9,62). Sie bildet die Pointe der beiden kurzen Gleichnisse vom Kaufmann und der Perle und vom Schatzfund im Acker (Mt 13,44–46). Worauf beruht diese Priorität?

Sie dürfte eng mit dem ersten Gebot (Ex 20,3) und der darin bekundeten

---

wo die Bitte um das „Kommen" der Gottesherrschaft zu einer Bitte um „die Fortdauer von etwas" wird, das die Jünger „jetzt schon erlebt haben". Vgl. auch 159f.

[12] So bei E.P.Sanders a.a.O. 129–156, bes. 150ff. Sanders neigt allerdings in seinen Ausführungen zu Lk 11,20 dazu, den Gegenwartsaspekt allzu sehr zu problematisieren (133ff.), so daß er schließlich nur noch als „möglich" und ein Ausdruck dieses Gedankens in Lk 11,20 schwächer noch als lediglich „vorstellbar" bezeichnet wird (140). Auf die von Sanders betonte Schwierigkeit, einen deutlichen Unterschied zwischen dem Wort *ephtasen* und dem sonst für das „Nahekommen" der Gottesherrschaft gebrauchten *engiken* zu sichern, hatte schon J.Weiß hingewiesen (a.a.O. 70), aber nur als Beleg für seine These, daß man zukünftiges Kommen und gegenwärtiges Anbrechen der Gottesherrschaft nicht als Gegensatz behandeln dürfe (69f.). Zum Gegenwartsaspekt des Anbruchs der Gottesherrschaft und ihrer Beziehung zu analogen, aber mehr kultisch bestimmten Vorstellungen der Qumrangemeinde vgl. H.-W.Kuhn: Enderwartung und gegenwärtiges Heil. Untersuchungen zu den Gemeindeliedern von Qumran mit einem Anhang über Eschatologie und Gegenwart in der Verkündigung Jesu, 1966, 189–204.

[13] Die damit verbundene Umkehrung der üblichen Auffassung der Zukunft als Auswirkung gegenwärtiger Gegebenheiten macht die Schwierigkeiten einer genauen Bezeichnung des Sachverhalts verständlich, die u.a. auch bei H.Merklein a.a.O. 65 (vgl. 68 u.ö.) zu beobachten sind. Der Ausdruck „Geschehensereignis" ist nur eine etwas hilflose Anzeige des Problems; denn das Wort „Geschehen" sagt nicht mehr (eher weniger) als „Ereignis", und die Kombination beider Wörter bringt keinen zusätzlichen Aufschluß.

[14] So mit Recht E.P.Sanders a.a.O. 135.

Einzigkeit Jahwes zusammenhängen. Möglicherweise muß schon die Entwicklung des Gedankens der Königsherrschaft Jahwes im alten Israel als motiviert durch das erste Gebot und den damit verbundenen Gedanken der Eiferheiligkeit des Gottes Israels[15] gewürdigt werden[16]. In besonderem Maße gilt das für die eschatologische Wendung des Gedankens, wie sie schon von Sacharja formuliert worden ist: „Jahwe wird König werden über die ganze Erde; an jenem Tage wird Jahwe einzig sein und sein Name einzig" (Sach 14,9). Die Einzigkeit Gottes aber fordert die ungeteilte Hinwendung des Menschen zu ihm, wie es das Deuteronomium gebietet: „Höre Israel, der Herr unser Gott ist ein einziger Herr. Und du sollst den Herrn, deinen Gott, lieben von ganzem Herzen, von ganzer Seele und mit aller deiner Kraft" (Dtn 6,4f.). Es ist vielleicht nicht ohne tiefere Bedeutung, daß Jesus auf die Frage eines Schriftgelehrten nach dem ersten und größten Gebot nicht Ex 20,3, sondern Dtn 6,4f. genannt hat[17]: Das Deuteronomium erwähnt an dieser Stelle nicht die Herausführung des Volkes aus Ägypten als grundlegende Heilstat und als Begründung der Forderung Gottes an das Volk, sondern allein die Einzigkeit Jahwes, und es verbindet damit die ausdrückliche Forderung nach ungeteilter Zuwendung der Menschen zu diesem Gott. Das war auch die Grundforderung Jesu: „Trachtet am ersten nach der Gottesherrschaft" (Mt 6,33). Sie ergibt sich unmittelbar daraus, daß die Einzigkeit des zu seiner Herrschaft kommenden Gottes alle konkurrierenden Rücksichten ausschließt. Daraus aber folgt nun weiterhin, daß bei denjenigen, die sich diesem Anruf öffnen, Gott bereits gegenwärtig zur Herrschaft kommt[18]. Daher ist die eigentümliche Dynamik, die der Basileiaverkündigung Jesu eignet, so daß die Gottesherrschaft als unmittelbar bevorstehende zugleich aus ihrer Zukünftigkeit heraus schon gegenwärtig anbricht, in der Einzigkeit Gottes als dem Inhalt dieser Zukunft begründet und als Wirkung des von ihr ausgehenden Anspruchs auf das gegenwärtige Leben des Geschöpfes zu verstehen.

Die Tragweite dieses Sachverhaltes für das Verständnis der Botschaft

---

[15] Zu Ex 20,5; 34,14; Dtn 6,14f. siehe G.v.Rad: Theologie des Alten Testaments I, 1957, 203ff.

[16] Dafür plädiert W.H.Schmidt: Die Frage nach der Einheit des Alten Testaments – im Spannungsfeld von Religionsgeschichte und Theologie, Jahrb. f. Bibl. Theologie 2, 1987, 33–57, bes. 52. Der Übersetzung Schmidts folgt auch die Wiedergabe der im Text zit. Sacharjastelle.

[17] Mk 12,29f., Mt 22,37f. (nach Lk 10,26 wird die Antwort vom Schriftgelehrten gegeben). Die Einsicht in die Bedeutung der Differenz zwischen der Berufung auf das *sch'má* und einer solchen auf Ex 20,3 verdanke ich einem gemeinsamen Seminar mit Heinz-Wolfgang Kuhn im Sommer 1989.

[18] Vgl. H.Merklein: Die Einzigkeit Gottes als die sachliche Grundlage der Botschaft Jesu, Jahrb. f. bibl. Theologie 2, 1987, 13–32, bes. 24. Merklein nennt es mit Recht auffällig, „daß kaum einmal die *Frage nach der theologischen Möglichkeit* der eschatologischen Gegenwartsaussagen Jesu gestellt wird" (ebd.). Diese Frage wird verstellt durch die Selbstverständlichkeit, mit der man sich an dieser Stelle auf das Vollmachtsbewußtsein Jesu zu beziehen pflegt.

Jesu läßt sich kaum überschätzen. Nicht nur wird damit das Rätselraten über die vermeintlichen Widersprüche zwischen Gegenwarts- und Zukunftsaussagen der Basileiaverkündigung Jesu schlicht gegenstandslos, sondern es zeigt sich darüberhinaus, daß es zum Verständnis der Inanspruchnahme schon der Gegenwart für die Zukunft Gottes nicht des Rekurses auf ein vermeintlich unableitbares Vollmachtsbewußtsein Jesu bedarf. Der Übergang von der Zukunft in die Gegenwart ergibt sich aus der Sache selbst, aus dem Inhalt der Verkündigung Jesu, nämlich aus dem von der Einzigkeit Gottes ausgehenden Anspruch auf die Gegenwart der Hörer.

Aus der Gegenwart der Gottesherrschaft bei dem Glaubenden, der sich im Sinne von Dtn 6,4f. ihrem Kommen öffnet und sich ihrem Anspruch jetzt schon unterordnet, folgt *zweitens*, daß der Glaubende mit ihr auch des eschatologischen Heils schon teilhaftig ist. Denn an der Gottesherrschaft teilzuhaben, in ihr Reich „einzugehen", ist Inbegriff des eschatologischen Heils. So sehr nach dem Urteil Jesu wie Johannes des Täufers das Volk Israel zu einem „Unheilskollektiv" geworden war[19], das der Teilhabe am Heil der Gottesherrschaft nicht mehr gewiß sein konnte (Mt 8,11f.), sondern unter der Drohung des Gerichts stand, so sehr ist andererseits denjenigen, die schon jetzt im Lichte der Gottesherrschaft leben, weil sie sich dem Anruf ihrer Nähe öffnen, mit ihr auch das eschatologische Heil schon gegenwärtig. Weil diese Nähe durch die Botschaft Jesu vermittelt ist, darum ist die Zeit seiner Gegenwart bei seinen Jüngern eschatologische Freudenzeit (Mk 2,19 parr). Die Gemeinschaft des Mahles wird durch seine Teilnahme zur Vorwegnahme des eschatologischen Freudenmahles im Reiche Gottes[20].

Jesus selbst hat *drittens* darin, daß inmitten der unter der Drohung des göttlichen Gerichts stehenden Welt einzelnen Menschen durch die Botschaft von der Nähe der Gottesherrschaft die Teilhabe am eschatologischen Heil eröffnet wird, den Erweis der das Verlorene suchenden Liebe Gottes erblickt, die der Güte des Schöpfers entspricht, der seine Sonne scheinen läßt über Gute und Böse (Mt 5,45). Zur *rettenden* Liebe wird diese Schöpfergüte in der Sendung Jesu zur *Ankündigung* der nahen Gottesherrschaft. Das zeigt das Gleichnis von der Suche des Hirten nach dem verlorenen Schaf (Lk 18,4-7)[21]. Die Pointe dieses Gleichnisses liegt ebenso wie bei den Gleichnissen vom verlorenen Groschen (Lk 15,8f.) und vom verlorenen Sohn (Lk 15,11-32) in der Freude Gottes („im Himmel" Lk 15,7) über die

---

[19] H. Merklein: Jesu Botschaft von der Gottesherrschaft, 1983, 35f., vgl. 30.
[20] Siehe dazu beispielsweise die zusammenfassenden Ausführungen bei N. Perrin: Was lehrte Jesus wirklich? Rekonstruktion und Deutung (1967) dt. 1972, 112-119, bes. 118f.
[21] Zur Beziehung der Gestalt des Hirten einerseits auf Gott selbst, andererseits auf Jesus siehe H. Weder: Die Gleichnisse Jesu als Metapher. Traditions- und redaktionsgeschichtliche Analysen und Interpretationen (1978) 3.Aufl. 1984, 168ff., bes. 174f. Noch entschiedener bezog N. Perrin a.a.O. 111f. die Gestalt des Hirten auf Jesus, indem er nämlich ihre Beziehung auf Gott selbst ausschloß.

Rettung des Verlorenen[22]. In dieser Freude findet die an ihr Ziel gelangte, vergebende Liebe ihren Ausdruck.

Nach der Einleitung von Lk 15,1–3 erläutern diese drei Gleichnisse Jesu Zuwendung zu den religiös (und darum auch gesellschaftlich) Geächteten, den „Zöllnern und Sündern", und ihre Einbeziehung in seine die Teilhabe am eschatologischen Heil verbürgende Mahlgemeinschaft (Mk 2,15 parr, vgl. Mt 11,19). Durch die Hinwendung zu den „Zöllnern und Sündern" kam in der Tat das Wesen der durch Jesu Botschaft von der Nähe der Gottesherrschaft bei denen, die sie annahmen, bewirkten Heilsteilhabe zum Ausdruck: Sie geht auf Gott selbst zurück und bedeutet in jedem Falle Rettung des Verlorenen. Wer auf die Ankündigung der Gottesherrschaft eingeht, der ist kein Ausgeschlossener mehr, sondern hat an ihrem Heil Anteil. Mit der Annahme Jesu und seiner Botschaft versinkt alles von Gott Trennende. Umgekehrt ist mit der Beseitigung der von Gott trennenden Schranke die Gegenwart des Heils verbunden. Darum kann dem Gelähmten, der sein Vertrauen auf Jesus setzt, Sündenvergebung und mit ihr das Heil zugesprochen werden (Mk 2,5ff.). Ob die vereinzelten Angaben in den Evangelien über Jesu Zuspruch der Sündenvergebung an einzelne Menschen (vgl. noch Lk 7,47) sich auf Jesu historisches Wirken zurückführen lassen, ist in der Forschung bestritten worden[23]. Daß aber die Gegenwart der Gottesherrschaft und die Teilhabe an ihrem Heil ganz allgemein Vergebung der Sünden, Überwindung alles den Menschen von Gott Trennenden einschließt, kann nicht zweifelhaft sein[24]. An der Hinwendung Jesu zu den „Zöllnern und Sündern" ist das unübersehbar deutlich: „Der in der Tischgemeinschaft vollzogene Einschluß der Sünder in die Heilsgemeinde ist der sinnenfälligste Ausdruck der Botschaft von der rettenden Liebe Gottes"[25].

Die im Nahekommen der Gottesherrschaft als Heilsgegenwart – und also gerade in deren Vermittlung durch das Wirken Jesu – sich bekundende Liebe Gottes erschließt *viertens* das Verständnis für Jesu Interpretation des überlieferten Gottesrechts, genauer für dessen Neubegründung auf der Basis seiner eschatologischen Botschaft. Ihr Grundgedanke ist: Wer sich dem Ruf in die Gottesherrschaft öffnet, sich ganz auf ihre Nähe einstellt und darin die Gegenwart des Heils empfängt, der muß sich auch selber hineinzie-

---

[22] In der Anwendung der Gleichnisse wird die Rettung als *Umkehr* gekennzeichnet (Lk 15,7 und 10). Eine Teilhabe am Heil ohne Umkehr hat Jesus nicht gelehrt. Aber seine Botschaft begann nicht mit der Umkehrforderung, sondern mit der Nähe der Gottesherrschaft, in deren Annahme das Heil gegenwärtig ist, das die Umkehr einschließt.

[23] Siehe dazu H.Leroy in EWNT 1, 1980, 436–441. R.Bultmanns Bestreitung der Authentizität von Mk 2,5 und Lk 7,48 (Geschichte der synoptischen Tradition 4.Aufl. 1958, 12–14) hat weithin Zustimmung gefunden. Zu einem negativen Urteil im Hinblick auf Mk 2,5 kommt auch P.Fiedler: Jesus und die Sünder, 1976, 110f.

[24] So mit Recht J.Jeremias: Die Verkündigung Jesu (Neutestamentliche Theologie I) 1971, 115ff.

[25] J.Jeremias a.a.O. 117.

hen lassen in die Bewegung der Liebe Gottes, die über den einzelnen Empfänger hinaus auf die Welt gerichtet ist. Man kann mit Gott und seiner Herrschaft nur so Gemeinschaft haben, daß man an der Bewegung seiner Liebe teilnimmt.

Jesus hat diesen Zusammenhang wiederum in einem Gleichnis ausgedrückt, wie denn überhaupt seine Gleichnisse unterschiedliche Aspekte der Botschaft vom Nahen der Gottesherrschaft erläutern[26]. In diesem Fall handelt es sich um das Gleichnis vom Schalksknecht (Mt 18,22-35): Die empfangene Sündenvergebung ist gebunden an die Bereitschaft des Empfängers, auch seinerseits andern zu vergeben. Denselben Gedanken spricht auch die fünfte Bitte des Vaterunser aus (Lk 11,4; vgl. Mt 6,14). In allgemeinerer Gestalt begegnet er in der Begründung der Feindesliebe aus der Vatergüte des Schöpfers (Mt 6,45f., vgl. Lk 5,35f.). Weil also Gemeinschaft mit Gott im Sinne der Dtn 6,4f. gebotenen Gottesliebe nur möglich ist in Verbindung mit persönlicher Teilnahme an der Bewegung der Liebe Gottes zur Welt, darum konnte Jesus das Gebot der Nächstenliebe (Lev 19,18) unmittelbar mit dem der Gottesliebe als dem höchsten Gebot verknüpfen (Mk 12,31 parr).

Die Zusammenfassung des jüdischen Gottesrechts in diesen beiden Geboten begegnet auch in rabbinischen Zeugnissen und andern jüdischen Texten aus der Zeit Jesu[27]. Jesu Auslegung des Gotteswillens ist nicht im Inhalt davon verschieden. Das belegt der kurze Dialog mit dem Schriftgelehrten Mk 12,32ff. Sie unterscheidet sich aber in der Begründung, weil die Forderung der Liebe zum Mitmenschen bei Jesus nicht aus der Autorität der Tradition, sondern aus der Güte des Schöpfers und der im Kommen der Basileia offenbaren Liebe Gottes begründet wird, an der Menschen nur teilhaben können, wenn sie bereit sind, ihr zu entsprechen und sie weiterzugeben. Das Doppelgebot der Liebe ist nun nicht mehr bloß zusammenfassende

---

[26] So N. Perrin a.a.O. 87f. gegenüber der von E. Jüngel: Paulus und Jesus, 3. Aufl. 1967, 135-174 vorgetragenen Auffassung, daß die Gleichnisse geradezu die Form des Einbruchs der kommenden Gottesherrschaft in die Gegenwart der Hörer seien. Die Auffassung Jüngels ist inzwischen vor allem durch H. Weder: Die Gleichnisse Jesu als Metaphern. Traditions- und redaktionsgeschichtliche Analysen und Interpretationen, 1978, weitergeführt worden. Wenn Weder gegen A. Jülicher und J. Jeremias sagt, die in den Gleichnissen „zur Sprache kommende Wahrheit *kann nicht anders als bildlich gesagt werden*" (3. Aufl. 1984, 64), dann steht dem entgegen, daß Jesus offenbar auch anders als in der Form des Gleichnisses vom Kommen der Gottesherrschaft geredet hat, die Gleichnisse aber diese andere Form der Ankündigung der Gottesherrschaft schon voraussetzen. Wenn auch nicht alle Gleichnisse Jesu ihren Ursprung in der Verteidigung der Botschaft von der Nähe der Gottesherrschaft gegen ihre Kritiker haben, so können sie doch in anderer Weise bestimmte Aspekte dieser Botschaft erläutert haben, so die mit ihrer Nähe verbundene Freude (N. Perrin a.a.O. 88 zu Mt 13,44-46), die Notwendigkeit der Entscheidung (Lk 14,15-24; 16,1-13), des Gottvertrauens (Lk 11,5ff.; 18,1ff.), des geduldigen Wartens auf Gottes Zukunft (Mt 13), die richtige Antwort auf ihren Ruf (Lk 10,30-37; Mt 18,23ff.; Lk 14,28f. und 31f.).

[27] Belege bei E. Lohmeyer: Das Evangelium des Markus, 11. Aufl. 1951, 259ff.

Kennzeichnung des Hauptinhalts des überlieferten Gottesrechts, eine Zusammenfassung, die die Autorität der Tradition im ganzen und in all ihren Einzelgeboten immer schon voraussetzt, sondern es tritt der Tradition selbständig gegenüber als kritisches Prinzip. Daher konnte Jesus dem Schriftgelehrten, der eigentlich nur – aber immerhin – eine Abstufung innerhalb des Überlieferten, nämlich gegenüber dem Opferwesen, vornimmt (Mk 12,33), wie sie schon in prophetischer Tradition begründet war (1.Sam 15,22; Hos 6,6), sagen: „Du bist nicht fern von der Gottesherrschaft" (Mk 12,34). Darum konnte Jesus andererseits dem Wortlaut des Mosegesetzes sein „ich aber sage euch" entgegenstellen (Mt 5,22.28.32.34.39.44). Dabei ist es von untergeordneter Bedeutung, inwieweit die Antithesen inhaltlich dem Gesetz selbst und inwieweit sie nur einer Auslegungstradition widersprechen. Entscheidend ist, daß als Kriterium nicht mehr die Autorität der Tradition fungiert, weil Jesus in seiner eschatologischen Botschaft mit der Offenbarung der Liebe Gottes im Anbruch seiner Herrschaft eine neue Basis für die Interpretation des Gottesrechts gefunden hat.

Damit nahm Jesus faktisch für seine eigene Person eine unerhörte Vollmacht in Anspruch, auch wenn sein Verhalten, wie hier zu zeigen versucht wird, aus dem Inhalt seiner eschatologischen Botschaft verstanden werden kann. Indem er behauptete, daß in seinem Wirken die kommende Gottesherrschaft schon Gegenwart wird zum Heil derer, die seine Botschaft annehmen, wußte er sich nicht nur in Übereinstimmung mit Gott, sondern geradezu als Mittler des Anbruchs der Herrschaft Gottes und seiner vergebenden Liebe. Er scheute sich nicht, in diesem Bewußtsein der durch die Gottesoffenbarung an Mose geheiligten Tradition frei gegenüberzutreten, im Vertrauen, daß er darin in Übereinstimmung mit dem Willen Gottes handle. Es ist nicht erstaunlich, daß Jesus damit unter frommen Juden Ärgernis erregt hat und mit seiner Person zum Gegenstand heftiger Kontroversen zwischen Anhängern und Gegnern wurde.

b) Die Einheit Jesu mit dem Vater als Streitfrage seiner Geschichte

So wenig das Auftreten Jesu und seine Ankündigung der Gottesherrschaft einen besonderen Vollmachtsanspruch für seine eigene Person voraussetzten, so sehr implizierten sie doch einen solchen Anspruch wegen des Lichtes, das vom Inhalt seiner Botschaft her auf ihn selber fiel. Jesus brauchte dazu gar nicht von sich selber zu sprechen und seine eigene Person mit den Vorstellungen der jüdischen eschatologischen Erwartung in Verbindung zu bringen. Seine Anhänger werden das getan haben, während er selbst derartigen Identifizierungen eher zurückhaltend begegnet sein dürfte. Für solche Zurückhaltung gab es, wie sich zeigen wird, gute Gründe.

Mit der Gestalt des Messias dürfte Jesus sich schon wegen der damit verbundenen politischen Konnotationen, die ein Mißverständnis seiner Sendung und Botschaft einschließen mußten, kaum identifiziert haben[28]. Den Menschensohn scheint er, ähnlich wie schon der Täufer es getan hatte, als künftigen himmlischen Richter von seinem eigenen Auftreten unterschieden zu haben, obwohl Lk 12,8 par eine Korrespondenz des künftigen Gerichts durch den Menschensohn zur gegenwärtigen Stellungnahme der Menschen gegenüber Jesu Person und Botschaft behauptet[29]. Wenig wahrscheinlich ist auch, daß Jesus sich als den Gottesknecht im Sinne Deuterojesajas verstanden hätte[30]. Doch seine Botschaft von der Nähe der Gottesherrschaft brachte, ob Jesus das nun wollte oder nicht, zwangsläufig seine eigene Person ins Spiel. Das ergab sich vor allem aus der Behauptung, daß das eschatologische Heil der Gottesherrschaft für den, der Jesu Botschaft annahm, schon gegenwärtig anbreche. Stellte er sich doch dadurch als den Mittler des Heils der Gottesherrschaft dar. Dadurch geriet die Gestalt Jesu unvermeidlich in ein bedenkliches Zwielicht: Durfte denn ein Mensch sich selber als den Ort der Gegenwart Gottes ausgeben? Ließ das nicht jede dem Gott Israels geduldete Demut vermissen? Jesu Auftreten mußte in den Verdacht geraten, daß er sich selbst die Autorität und Vollmacht anmaße, die doch in Wahrheit nur als Widerschein seiner Gottesverkündigung auf ihn fiel.

Es zeigt sich jetzt, wieviel davon abhängt, daß man beim Verständnis der Verkündigung Jesu nicht von einem angeblichen „Vollmachtsanspruch", sondern vom Inhalt seiner Botschaft ausgeht. Wer das Vollmachtsbewußtsein Jesu für die eigentliche Wurzel seiner Botschaft und seines Auftretens hält, der teilt damit im Grunde die Auffassung, die zur Ablehnung Jesu durch seine Gegner geführt hat. In der Kontroverse über die Gestalt Jesu ist es von ausschlaggebender Bedeutung, daß er eben nicht seine Person in den

---

[28] So schon O. Cullmann: Die Christologie des Neuen Testaments, 1957, 122 ff. zu Mk 8,27 ff. Schärfer noch hat E. Dinkler die Zurückweisung der Identifikation mit dem Messias durch Jesus beschrieben (Petrusbekenntnis und Satanswort, in ders.: Signum Crucis. Aufsätze zum Neuen Testament und zur Christlichen Archäologie, 1967, 283–312, bes. 286 ff.). Auch J. Jeremias (Die Verkündigung Jesu. Neutestamentliche Theologie I, 2. Aufl. 1973, 261 f.) betont die Ablehnung der politischen Messiaserwartung durch Jesus und bezieht darauf sogar die Überlieferung von einer Versuchung Jesu in der Wüste (76 f.). Die im Text ausgesprochene Auffassung steht dem Urteil von H. Merklein: Jesu Botschaft von der Gottesherrschaft. Eine Skizze, 1983, 146 f. nahe.

[29] Siehe dazu vom Vf. Grundzüge der Christologie, 1964, 53 ff., sowie H. Merklein a.a.O. 152 ff., 158 ff. Zur Beziehung der Ankündigung des eschatologischen Richters durch Johannes den Täufer (Lk 3,16 f.) auf die Gestalt des Menschensohnes vgl. J. Becker: Johannes der Täufer und Jesus von Nazareth, 1972, 35 ff.

[30] So J. Jeremias: Die Verkündigung Jesu, 2. Aufl. 1973, 62 und 272 ff. Jeremias hat nicht behauptet, daß Jesus sich mit dem Gottesknecht Deuterojesajas als Titel identifiziert habe. Vielmehr nahm er an, daß Jesus trotz seines Redens vom Menschensohn in dritter Person (253 ff.) sich selbst als den künftigen Menschensohn gewußt habe, weil sein „Erfüllungsanspruch" es ausgeschlossen habe, „daß außer ihm noch einer kommt" (263). Ähnlich im Ergebnis auch schon O. Cullmann a.a.O. 162 ff.

Mittelpunkt gestellt hat, sondern Gott, die Nähe seiner Herrschaft und seine väterliche Liebe. Es war vom Inhalt der Botschaft Jesu her unvermeidlich, daß seine eigene Person als Heilbringer erschien und zum Anlaß eschatologischer Entscheidung wurde. Jesus hat das in Kauf genommen. Doch es gibt Anzeichen dafür, daß ihm selber die Zweideutigkeit bewußt war, die damit verbunden war, so als maße er seiner eigenen Person eine Stellung an, die jüdischer Glaube als gotteslästerlich empfinden konnte. Jesus scheint versucht zu haben, dieser Zweideutigkeit entgegenzuwirken, indem er sich der Identifizierung mit den Gestalten der eschatologischen Hoffnung Israels, besonders mit der des Messias, entzog. Vermeiden konnte er jedoch die Zweideutigkeit nicht, ohne seine Botschaft von der Nähe der Gottesherrschaft, die bei den sie Annehmenden schon gegenwärtig anbricht, aufzugeben.

Die das Auftreten Jesu umgebende Zweideutigkeit macht die Ablehnung verständlich, auf die er stieß, das „Ärgernis" an seiner Person. Nach der Darstellung des Markusevangeliums entzündete es sich besonders an Jesu Tischgemeinschaft mit „Zöllnern und Sündern" (Mk 2,16) und am Zuspruch der Sündenvergebung (Mk 2,5ff.) als Ausdruck der Gegenwart des Heils der Gottesherrschaft. In beiden Fällen ist impliziert, daß mit ihm und durch ihn die Zukunft der Gottesherrschaft schon Gegenwart ist, und erst das macht den Vorwurf der Gotteslästerung (Mk 2,7) wegen angemaßter Gottgleichheit voll verständlich. Wegen dieser sein Wirken begleitenden Zweideutigkeit konnte Jesus nach der Spruchquelle diejenigen selig preisen, die sich nicht an ihm ärgerten (Mt 11,6 = Lk 7,23): Das Ärgernis lag nur allzu nahe. Damit dürfte auch zusammenhängen, daß Jesus nach dem Markusevangelium die Verbreitung der Kunde von seinen Taten und die Verherrlichung seiner Person untersagte (Mk 1,43f.; 3,11f.; 5,43; 7,36; 8,27ff.). Seit William Wrede hat man diese Angaben der Darstellung des Evangelisten zugerechnet und als Ausdruck einer Theorie des Messiasgeheimnisses beurteilt, die das nachösterliche Wissen der Gemeinde von der Hoheit Jesu in die noch nicht messianisch geprägten Überlieferungen von seinem irdischen Auftreten zurückgetragen habe[31]. Doch Markus berichtet gerade von dem Aufsehen, das Jesu Wirken erregte und in dem sich das nachösterliche Wissen von der Gottessohnschaft Jesu durchaus wiedererkennen konnte. Vielleicht enthalten die Angaben des Evangelisten doch Spuren überlieferten Wissens davon, daß Jesus sich der Zweideutigkeit, in die er durch seine Botschaft geriet, bewußt war und ihr entgegenzuwirken suchte.

Vor allem im Johannesevangelium spielt dieses Thema eine bedeutsame Rolle. Immer wieder hat Jesus sich nach der Darstellung des Evangelisten gegen den Vorwurf wehren müssen, er mache sich selbst Gott gleich. Nach Joh 5,17f. kam dieser Vorwurf auf angesichts der Intimität, mit der Jesus

---

[31] W. Wrede: Das Messiasgeheimnis in den Evangelien (1901), 3. Aufl. 1963, 62ff., 224ff.

von Gott als seinem Vater sprach. Joh 8,52f. spiegelt die Empörung darüber, daß Jesus sich mit seiner eschatologischen Botschaft über die Autorität der Väter Israels erhob: „Was machst du aus dir selbst?" (Joh 8,53), war die Frage, die ihm entgegentönte, und dahinter stand der Verdacht, er könnte ein „Volksverführer" sein (Joh 7,12). Nach der Darstellung des Evangelisten hat Jesus dem entgegnet, daß er seine Lehre nicht von sich selber habe (7,16) und nicht die eigne Größe, sondern die Gottes suche (7,18). Das entspricht ganz dem aus der synoptischen Überlieferung sich ergebenden Sachverhalt. Daß nach Joh 8,13 dennoch der Vorwurf gegen Jesus erhoben wurde, daß er von sich selber zeuge und daher sein Zeugnis nicht wahr sei, entspricht wiederum der in den synoptischen Evangelien erkennbaren Situation der Verkündigung Jesu von der Nähe der Gottesherrschaft, weil ihr gegenwärtiges Anbrechen in Verbindung mit seinem Auftreten ihn zum Mittler ihrer Heilsgegenwart machte. Jesus konnte daher auch nach der Darstellung des Johannesevangeliums diesen Vorwurf nicht einfach zurückweisen. Er konnte sich nur darauf berufen, daß er nicht allein stehe mit seinem Zeugnis und noch ein anderer, der Vater, für ihn zeugen werde (Joh 8,16ff. vgl. 8,50, sowie 5,32; 14,24).

Jesu Auftreten implizierte also einen Anspruch, der angesichts der dadurch ausgelösten Kontroverse einer göttlichen Bestätigung bedurfte. Schon das Grundthema der Botschaft Jesu, die Ankündigung des nahen Anbruchs der Gottesherrschaft, war auf eine Bestätigung durch das Eintreffen des angekündigten Ereignisses angewiesen. Jesu Botschaft befand sich insoweit in derselben Lage wie alle im Namen Gottes auftretende Prophetenrede (Dtn 8,21f.; vgl. Jer 28,9). Durch die Behauptung, daß mit der Annahme seiner Botschaft die künftige Gottesherrschaft für die Glaubenden schon gegenwärtig anbreche, wurde die Notwendigkeit einer göttlichen Bestätigung noch dringender. Das kommt schon in der Berufung Jesu auf das kommende Gericht des Menschensohnes zum Ausdruck, das die sich zu ihm Bekennenden rechtfertigen und so seine Botschaft bestätigen werde (Lk 12,8f. parr)[32]. Ähnlich hat Jesus sich in Jerusalem vor seinen jüdischen Richtern auf den kommenden Menschensohn und dessen Gericht berufen (Lk 22,69)[33]. Auf den Vorwurf der Anmaßung einer nur Gott selbst zustehenden

---

[32] Zur Authentizität der vom kommenden Gericht des Menschensohnes in dritter Person sprechenden Worte Jesu siehe vom Vf. Grundzüge der Christologie, 1964, 53ff.

[33] Nach Lukas wich Jesus damit der Frage des Hohenpriesters, ob er der Messias sei, aus. Nur in der Markusfassung (Mk 14,62) wird diese Frage ausdrücklich mit einem Bekenntnis („ich bin es") beantwortet, und auch der anschließende Verweis auf das Gericht des Menschensohnes mag im Sinne dieses Evangelisten als Identifizierung Jesu mit dem Menschensohn zu verstehen sein. Die Fassung bei Lukas hingegen bezieht sich eher im Sinne von Lk 12,8f. auf das Gericht des Menschensohnes als die das Auftreten Jesu bestätigende, aber gerade darum von ihm verschiedene Instanz. Seltsamerweise wird in der exegetischen Literatur dieser Hinweis auf das Gericht des Menschensohnes oft ohne weiteres im Sinne einer Identifizierung Jesu

Vollmacht konnte Jesus letzten Endes nur noch an das Kommen des Menschensohnes oder, wie das Johannesevangelium es darstellt, an das Zeugnis des Vaters für ihn appellieren. Die vom Ostergeschehen herkommende Gemeinde hat denn auch die Auferweckung Jesu als die göttliche Bestätigung der Sendung des Gekreuzigten aufgefaßt. Auf dem Wege der irdischen Sendung Jesu hingegen blieb solche Bestätigung aus. Sie hätte wohl nur im Eintreten der angekündigten Endereignisse bestehen können. Der Verweis Jesu auf die seine Botschaft begleitenden Machttaten (Mt 11,5f., Lk 11,20) konnte solche Bestätigung nicht unzweideutig erbringen: daher die Seligpreisung derer, die sich nicht an ihm ärgern (Mt 11,6)[34]. Die Versicherung der Einheit mit dem Vater, wie sie explizit im Johannesevangelium begegnet und implizit bereits in der Behauptung des schon gegenwärtigen Anbruchs der Gottesherrschaft bei den seiner Botschaft Glaubenden enthalten ist, wurde nach dem Zeugnis des Johannesevangelisten ebenso wie nach Mk 2,7 mit dem Vorwurf der Gotteslästerung beantwortet (Joh 10,3; vgl. 19,7).

Die Annahme einer Bestätigungsbedürftigkeit des in der Botschaft Jesu implizierten Vollmachtsanspruches stieß 1964, als sie der damals vorherrschenden Behauptung einer keine Rückfrage nach Legitimation zulassenden Selbstauthentifikation des Anspruchs Jesu entgegentrat[35], auf mancherlei Mißverständnisse. Besonders grotesk war der Verdacht, daß dadurch die zentrale Bedeutung der Kreuzigung Jesu für das christliche Verständnis seiner Person und Geschichte abgewertet werde, weil die Auferweckung und nicht die Kreuzigung Jesu als die göttliche Bestätigung seines Vollmachtsanspruchs angesehen werde[36]: Erstens setzt die Auferweckung Jesu seinen Tod bereits voraus. Es handelt sich um die Auferweckung des Gekreuzigten. Zweitens aber und vor allem führte der mit der Botschaft Jesu verbundene, aus ihrem Inhalt folgende Vollmachtsanspruch für seine Person zu-

---

mit dem Menschensohn verstanden (so z.B. A.Strobel: Die Stunde der Wahrheit, 1980, 75f.; anders aber schon O.Cullmann: Die Christologie des Neuen Testaments, 1956, 118ff.; vgl. auch E.P.Sanders: Jesus and Judaism, 1985, 297). Die Reaktion des Hohenpriesters nach Mk 14,63f. könnte ein solches Verständnis des Wortes Jesu nahelegen. Sie könnte aber auch darauf beruhen, daß Jesu prophetisches Drohwort mit der Ankündigung des himmlischen Gerichts über seine irdischen Richter als Mißachtung des jüdischen Gerichtshofs im Sinne von Dtn 17,12 wirkte: Jedenfalls braucht aus dieser Reaktion, falls das Wort vom Menschensohn authentisch ist, nicht auf die Intention Jesu zurückgeschlossen zu werden.

[34] Siehe dazu eingehender vom Vf.: Grundzüge der Christologie, 1964, 58ff., auch zur Zeichenforderung der Gegner Jesu Mk 8,12 parr (59f.). Zu der Abweisung der Zeichenforderung als Ablenkung von der mit der Ankündigung der Nähe der Gottesherrschaft verbundenen Entscheidungsforderung vgl. hier Bd.I, 218f.

[35] Grundzüge der Christologie, 1964, 47–61.

[36] B.Klappert: Die Auferweckung des Gekreuzigten. Der Ansatz der Christologie Karl Barths im Zusammenhang der Christologie der Gegenwart, 1971, 54ff., bes. 56f. Ähnlich damals auch J.Moltmann: Der gekreuzigte Gott, 1972, 163. Ich habe mich mit dieser Kritik im Nachwort zur 5.Aufl. der Grundzüge der Christologie (1976) 419f. eingehender auseinandergesetzt.

nächst eben nicht zu dessen Bestätigung, sondern zur Ablehnung Jesu als Volksverführer und damit in letzter Konsequenz zu seiner Kreuzigung[37]. Die Offenheit der Frage nach einer Bewährung des unerhörten Anspruchs für seine eigne Person, den das Auftreten und Wirken Jesu implizierte, ist für die Christologie wichtig, weil die damit verbundene Zweideutigkeit die ihm begegnende Ablehnung und damit seinen Leidensweg bis hin zum Kreuz als ein mit seiner Sendung wesentlich und nicht nur zufällig verbundenes Geschick erweist. Dadurch wird die Kreuzestheologie mit der irdischen Sendung Jesu zur Verkündigung der nahen Gottesherrschaft verknüpft. Es gehört zu den Verdiensten Albrecht Ritschls, die Einsicht in diesen Sachverhalt durch seine Deutung der Passion Jesu als Ausdruck seiner „Berufstreue" angebahnt zu haben[38]. Danach nahm Jesus sein Leiden auf sich um seiner Sendung zur Verkündigung des Gottesreiches willen. Damit wurde für die *theologia crucis* eine breitere historisch-exegetische Basis gewonnen, im Gegensatz zu der besonders unter dem Einfluß der Satisfaktionslehre vorherrschenden, isolierten Betrachtung des Kreuzestodes Jesu. Ritschl hat jedoch noch nicht den inneren Zusammenhang des an Jesu Auftreten entstandenen Ärgernisses mit der Zweideutigkeit des Vollmachtsanspruchs für seine eigne Person herausgearbeitet. Erst durch diesen inneren Zusammenhang aber verliert der Leidensweg Jesu den Schein der Zufälligkeit und wird als Wesensbestandteil seiner göttlichen Sendung erkennbar[39]. Das ist der Ansatzpunkt für die im nächsten Kapitel zu behandelnde Frage nach der Heilsbedeutung des Todes Jesu.

Wer Jesu Erklärung eines schon gegenwärtigen Anbruchs der Heilszukunft der Gottesherrschaft nicht als Konsequenz ihrer angekündigten Nähe und der Antwort des Glaubens auf sie begriff, sondern auf den einen solchen Anspruch erhebenden Menschen blickte, der konnte offenbar sehr leicht den Eindruck einer unerhörten Anmaßung gewinnen. Das erklärt nicht nur die Ablehnung Jesu durch Teile seiner Zuhörerschaft, sondern bildet wohl auch den Hintergrund für seine Verhaftung durch die Jerusalemer jüdische Behörde und für seine Auslieferung an die Römer zur Aburteilung als politischer Aufrührer. Man wird zwischen diesem Hintergrund der Jerusalemer Ereignisse und dem unmittelbaren Anlaß des Vorgehens gegen ihn unterscheiden müssen. Was den letzteren betrifft, so spricht vieles dafür, ein vielleicht an Jer 7,11–14 und 26,6 anknüpfendes, prophetisches Drohwort Jesu gegen den Tempel mit der Ankündigung seiner Zerstörung (Mk 13,2 vgl. 14,58 und Joh 2,19) in Verbindung mit einer entsprechenden Zeichen-

---

[37] Vgl. Grundzüge der Christologie, 1964, 257 ff.
[38] A. Ritschl: Rechtfertigung und Versöhnung III, 3. Aufl. 1889, 417–426 (§ 48), bes. 422 ff. Erste in diese Richtung weisende Ansätze finden sich schon bei F. Schleiermacher: Der christliche Glaube, 2. Ausg. 1830, § 101,4. Zu Ritschl vgl. G. Wenz: Geschichte der Versöhnungslehre in der evangelischen Theologie der Neuzeit 2, 1986, 101 ff.
[39] Siehe dazu vom Vf. A Theology of the Cross, in: Word and World. Theology for Christian Ministry 8, 1988, 162–172.

handlung im Tempel[40] als den unmittelbaren Anlaß der Verhaftung Jesu durch die jüdische Behörde anzunehmen[41].

Die Darstellung der Evangelien, wonach nicht nur die Römer, sondern auch jüdische Instanzen an den Ereignissen, die zur Hinrichtung Jesu führten, beteiligt waren, sollte nicht grundsätzlich bezweifelt und als unhistorische Konstruktion der Evangelisten abgewiesen werden, obwohl ihre Berichte über das Verfahren gegen Jesus vor dem Synedrion und über die vorangegangenen Verhöre nicht einheitlich sind. Hans Lietzmann hat 1931 in einem vielbeachteten Akademievortrag, der sich auf Mk 14 als „einzige primäre Quelle" des Geschehens konzentrierte[42], Zweifel an der Darstellung des Markusevangeliums von einer Nachtsitzung des Synedrions (Mk 14,55-65) geäußert. Seine Beobachtungen führten ihn zu dem Schluß, es habe lediglich die Mk 15,1 erwähnte kurze Beratung des Synedrions am frühen Morgen nach der Verhaftung Jesu stattgefunden, aber kein förmliches Gerichtsverfahren, und im Anschluß an diese Zusammenkunft sei Jesus dem Prokurator übergeben worden[43]. Der Kritik Lietzmanns am Bericht des Markus, vor allem im Hinblick auf die darin festzustellenden Abweichungen von der jüdischen Prozeßordnung, aber auch hinsichtlich der Unglaubwürdigkeit einer formellen Verurteilung Jesu wegen einer Beanspruchung der Messiaswürde (Mk 14,61f.), sind viele spätere Untersuchungen zum Prozeß Jesu gefolgt, darunter auch das einflußreiche Buch von Paul Winter: On the Trial of Jesus, 1961. Schon Winter ging jedoch über Lietzmanns Kritik mit der Vermutung hinaus, Jesus sei überhaupt nicht wegen seiner Lehre, sondern wegen der durch ihn erregten Unruhe unter dem Volk den Römern übergeben worden (a.a.O. 135, vgl. 146), da die jüdische Führung Repressalien der Besatzungsmacht gegen das ganze Volk befürchtete (a.a.O. 41, vgl. Joh 11,50). Noch viel weiter geht die auf Joh 18,3 und 12 gestützte Vermutung, daß schon die Initiative zur Verhaftung Jesu von den Römern und nicht von den Juden ausgegangen sein könnte[44]. Die Annahme einer Veranlassung des Vorgehens gegen Jesus durch den Prokurator selbst wäre allerdings kaum mit der Darstellung des Johannesevangeliums vom Verfahren gegen Jesus vor Pilatus vereinbar[45]. Die Erwähnung römischer Beteiligung an der Verhaftung Jesu hat durchaus Gewicht für die historische Urteilsbildung. Wäre aber die Verhaftung Jesu auf Initiative der Römer erfolgt, so wäre die zusätzliche Einschaltung der jüdischen Tempelpolizei kaum verständlich. Daher ist der umgekehrte Fall wahrscheinlicher, daß die Tempelpolizei sich zur Vorbeugung gegen möglichen Widerstand von vornherein römischer Unterstützung versicherte.

---

[40] Joh 2,13-22 könnte hier den ursprünglichen Zusammenhang besser bewahrt haben als die synoptischen Evangelien, die die sog. Tempelreinigung (Mk 11,15-18 parr) von der Weissagung über die Zerstörung des Tempels (Mk 13,2 parr) getrennt haben.

[41] So mit ausführlicher Begründung E.P.Sanders: Jesus and Judaism, 1985, 61-90 und 301-305, 334f. Sanders deutet das Umstoßen der Tische der Wechsler im Vorhof des Tempels als eine dessen Zerstörung ankündigende Zeichenhandlung (bes. 69ff.). Vgl. auch W.H.Kelber: The Passion in Mark, 1976, 168ff.

[42] H.Lietzmann: Der Prozeß Jesu, in ders.: Kleine Schriften II. Studien zum Neuen Testament hg K.Aland 1958, 251-263, Zitat 251.

[43] H.Lietzmann a.a.O. 260, vgl. 254ff.

[44] So mit Berufung auf H.Conzelmann P.Lapide: Wer war schuld an Jesu Tod?, 1987, 53f.

[45] R.E.Brown: The Gospel According to John XIII-XXI, 1970, 815f.

Die hinsichtlich ihrer Glaubwürdigkeit kaum angezweifelte Überlieferung von der Verleugnung des Petrus sichert die Nachricht von einer nächtlichen Vernehmung Jesu im Palast des Hohenpriesters[46]. Die markinische Behauptung einer förmlichen Verhandlung des Synedrions schon während der Nacht im Palast des Hohenpriesters (Mk 14,55) läßt sich dagegen nicht als historisch zutreffend aufrechterhalten[47]. Anders steht es mit der Nachricht einer Verhandlung des Synedrions am folgenden Morgen. Sie ist nicht nur durch Mk 15,1, sondern auch durch Lk 22,66 bezeugt[48]. Ob es dabei zu einer förmlichen Verurteilung Jesu gekommen ist, wie Mk 14,64 behauptet, oder ob Jesus nach der Bedrohung seiner Richter mit dem unmittelbar bevorstehenden Gericht des Menschensohnes (Lk 22,69 parr), die als Identifizierung Jesu mit diesem aufgefaßt worden sein mag[49], der römischen Behörde ohne förmliche Verurteilung, aber als hinreichend verdächtig überstellt wurde, wie es der lukanische Bericht nahelegt (Lk 22,71), läßt sich wohl nicht mehr entscheiden[50]. Für die Annahme eines Verfahrensabbruchs

---

[46] Siehe dazu A. Strobel: Die Stunde der Wahrheit. Untersuchungen zum Strafverfahren gegen Jesus, 1980, 7 ff.

[47] Dagegen schon H. Lietzmann a.a.O. 254 ff., dem in diesem Punkt auch A. Strobel zustimmt (a.a.O. 16 f., sowie schon 12). Vgl. auch D. Catchpole: The Trial of Jesus. A Study in the Gospels and Jewish Historiography from 1770 to the Present Day, 1971, 186-192 zu Lk 22,66. Anders z.B. R. Pesch: Das Markusevangelium 2, 2. Aufl. 1980, 416 ff.

[48] Obwohl Johannes nur ein von ihm allein berichtetes Verhör durch Hannas schildert (Joh 18,19-24) und eine Sitzung des Synedriums nicht ausdrücklich erwähnt, vermerkt er doch kurz eine Weiterleitung Jesu an Kaiphas (Joh 18,24) vor der Übergabe durch diesen an Pilatus (18,28). Diese Angaben schließen die von den Synoptikern übereinstimmend berichtete Morgensitzung des Synedriums keineswegs aus. Sie nur aufgrund des Schweigens von Johannes abzulehnen, wäre schwerlich berechtigt. Unrichtig ist hier auch die Darstellung von P. Lapide, derzufolge sowohl Johannes als auch Lukas (die „beiden") nur von einem „Vorverhör" wissen, aber „nichts von einem jüdischen Prozeß" (a.a.O. 61 f.). Dem steht Lk 22,66 entgegen.

[49] Gegen die Annahme, daß Jesus selbst sich in diesem Sinne geäußert habe, siehe oben 377 f. Auch Lk 22,70 stellt nur fest, daß die andern sagen, Jesus sei der Sohn Gottes.

[50] Anders A. Strobel a.a.O. 76 ff., der den Markusbericht – abgesehen von der Angabe einer schon in der Nacht stattgehabten ersten Sitzung des Synedrions – als historisch vertrauenswürdig verteidigt und die dagegen vorgebrachten Behauptungen einer (im Falle der Verurteilung Jesu maßgeblichen) Blutgerichtsbarkeit des Synedrions (18 ff.), sowie einer Unvereinbarkeit der markinischen Darstellung mit dem jüdischen Prozeßrecht (46 ff.) durch ausführliche Argumentation entkräftet. Man wird Strobels Argumenten weitgehend folgen dürfen, auch gegen die Annahme von J. Blinzler: Der Prozeß Jesu, 4. Aufl. 1969, wonach dem Prozeß gegen Jesus ein spezifisch sadduzäisches Straf- und Prozeßrecht zugrunde gelegen habe (a.a.O. 48 ff.). Nach Strobel sind solche Unterschiede im Verfahren wegen eines religiösen „Spezialvergehens" unerheblich, wie es bei einem „Volksverführer" im Sinne von Dtn 13,5 f. (a.a.O. 55 ff., 61,81 ff.) gegeben war. Daß man Jesus verdächtigt hat, ein solcher „Volksverführer" zu sein, der das Volk von der überlieferten Gottesoffenbarung abbringt, halte auch ich schon im Blick auf Joh 7,12 für plausibel. Dennoch vermag ich der These eines formellen Schuldspruchs durch das Synedrion im Sinne des Markusberichts (vgl. Strobel 71 ff.) nicht zu folgen, weil die Darstellung des Lukas (22,71) die Annahme eines Abbruchs der Verhandlung ohne Urteil nahelegt. Vgl. auch H.-W. Kuhn: Art. Kreuz II, TRE 19, 1990, 713-725, bes. 719.

spricht, daß das messianische Selbstbekenntnis, das man aus den Worten Jesu herausgehört haben mochte, seine Auslieferung an Pilatus unter dem Verdacht politischer Unruhestiftung auch ohne förmliches jüdisches Urteil ermöglichte, während die in der Drohung mit dem Gericht des Menschensohnes (Lk 22,69) auch ohne Identifizierung Jesu mit diesem enthaltene Beleidigung des Gerichtshofs zwar für ein jüdisches Todesurteil nach Dtn 17,12 ausgereicht haben dürfte[51], aber wohl kaum den Römern als todeswürdiges Verbrechen darstellbar war.

Jedenfalls scheint die Drohung mit der Zerstörung des Tempels, die zusammen mit der sie symbolisierenden Zeichenhandlung im Tempel die Verhaftung Jesu veranlaßt haben dürfte, nicht auch den Grund zu seiner Verurteilung gebildet zu haben (vgl. Mk 14,55–61). Ein prophetisches Drohwort ist schließlich noch kein tätliches Vorgehen gegen den Tempel, wie es nach dem Bericht des Markusevangeliums „falsche Zeugen" Jesus als Absicht zur Last legten (Mk 14,58; vgl. 15,28). Auch eine römische Verurteilung Jesu war damit kaum zu erreichen. Dazu bedurfte es einer im Sinne messianischer Ambitionen auslegbaren Erklärung Jesu, wie man sie anscheinend aus dem Drohwort über das nahe Gericht des Menschensohnes (Mk 14,62 parr) herausgehört hat. So wäre denn dieses Wort in doppeltem Sinne entscheidend für den Ausgang des Prozesses Jesu geworden: gegenüber seinen jüdischen Richtern als Ausdruck der unerträglichen Anmaßung, in deren Ruf Jesus ohnehin stand und die sich nun in der Bedrohung des höchsten Gerichts seines Volkes mit dem himmlischen Gericht des Menschensohnes äußerte, zugleich aber dadurch, daß es den Vorwand für Jesu Übergabe an Pilatus lieferte mit einer Beschuldigung, auf die zwar nicht nach jüdischem, aber nach römischem Recht der Tod stand.

Das theologische Interesse an diesen Zusammenhängen ist unabhängig von der Frage, ob und inwieweit den damaligen offiziellen Repräsentanten des jüdischen Volkes ein persönliches Verschulden am Tode Jesu zur Last gelegt werden muß. Ein persönliches Verschulden läge nur dann vor, wenn sie aus Mißgunst gegen Jesus an einem Justizmord mitgewirkt hätten. Es ist aber durchaus möglich, daß sie in gutem Glauben gehandelt haben, indem sie Jesus als einen „Volksverführer" (Joh 7,12), einen Verführer zum Abfall vom Gott Israels im Sinne von Dtn 13,5f., betrachteten[52]. Noch viel weniger

---

[51] Vgl. R. Pesch: Das Markusevangelium 2, 1977, 437f. Bei Strobel a.a.O. 92f. wird zwischen der Beleidigung des Gerichts durch die Drohung mit dem Menschensohn und der Frage einer Identifizierung Jesu mit diesem nicht unterschieden. Dtn 17,12 wäre nach J. Bowker: Jesus and the Pharisees, 1973, 46ff. die Grundlage für die Verurteilung Jesu gewesen (während J. Blinzler das Verbot der Gotteslästerung Ex 22,28 als maßgebliche Rechtsnorm angenommen hatte, so noch in LThK 4, 1960, 1118). Der Auffassung von Bowker folgt auch E. Schillebeeckx: Jesus. Die Geschichte von einem Lebenden, 1975, 277ff. Schillebeeckx nimmt jedoch an, daß die Verhandlung gegen Jesus ohne förmliche Verurteilung abschloß (279ff.).

[52] Darauf zielt die Argumentation von A. Strobel a.a.O. 81–92. Die von ihm vorgetragenen

kann von einer Schuld des jüdischen Volkes insgesamt am Tode Jesu die Rede sein, trotz Mt 27,25. Selbst wenn aus der Volksmenge im Zusammenhang mit der Auseinandersetzung um die Freigabe eines Verurteilten diese furchtbare Selbstverfluchung laut geworden wäre: Sollte Gott die Menge und darüberhinaus das ganze Volk dabei behaftet haben? Zwar hat Jesus offenbar die Zerstörung des Tempels und nach Lk 19,41-44, falls es sich hier um ein authentisches Jesuswort handelt, auch die Belagerung und Zerstörung Jerusalems als Gericht Gottes über sein Volk angekündigt (vgl. Lk 13,34f.). Die frühe Christenheit hat diese Weissagung in der Katastrophe des Jahres siebzig, also in der Belagerung und Zerstörung Jerusalems durch Titus, erfüllt gefunden. Doch der Grund dieser Gerichtsdrohung lag in der Verweigerung der Umkehr Israels zu seinem Gott, zu der Jesus aufgerufen hatte, nicht in dem ihm persönlich bevorstehenden Todesgeschick, so sehr dieses im Zusammenhang mit der Abweisung seiner Botschaft gesehen werden muß. Wenn es im Johannesevangelium heißt, daß „die Juden" Jesus zu töten suchten (Joh 8,40), weil sein Wort bei ihnen keinen Raum fand (8,37), so handelt es sich dabei um einen Sachverhalt, der in noch viel höherem Maße auf die Völkerwelt und besonders auf die säkularisierte Menschheit der Moderne zutrifft mit Einschluß einer säkularisierten Christenheit; denn der Abweisung der Botschaft Jesu von Gottes Anspruch auf den Menschen liegt nach Joh 8,34ff. der Stolz der Menschen auf ihre natürliche Freiheit zugrunde, der den modernen Menschen im Zeichen eines naturrechtlichen Freiheitsverständnisses viel tiefer von Gott entfremdet hat als die Juden der Zeit Jesu in ihrem Bewußtsein, freigeborene Nachfahren Abrahams zu sein. Die Kirche hat nach dem Jahre 70, angesichts des Gerichtshandelns Gottes über Israel, nicht mit Jesus über Jerusalem geweint. Sie hat es versäumt, sich mit dem jüdischen Volk unter das auch sie selber bedrohende Gericht Gottes zu beugen, und hat statt dessen in falscher Selbstgerechtigkeit nur das jüdische Volk als wegen des Todes Jesu dem Gericht Gottes verfallen beurteilt. Dabei konnte vergessen werden, daß Jesus selbst durch das Gericht hindurch auf eine eschatologische Wiederherstellung Israels hoffte[53] und daß auch nach Paulus der Gott Israels trotz der Ablehnung Jesu durch sein Volk an dessen Erwählung festhält (Röm 11,1, vgl. 11), allerdings in der Erwartung, daß ganz Israel schließlich zur Erkenntnis des Handelns Gottes an ihm in der Sendung Jesu gelangen wird (vgl. Röm 4,26). Die Auferweckung Jesu durch den Gott Israels macht nicht nur die Beschuldigung Jesu als Volksverführer hinfällig; sie ist auch Ausdruck des Festhaltens Gottes an

---

Gründe behalten auch dann ihr Gewicht, wenn dieser Vorwurf nicht Grundlage einer förmlichen Verurteilung Jesu durch das Synedrion geworden ist. Ein Wissen um diese entscheidende, gegen Jesus erhobene Beschuldigung ist noch von Justin dial. 69,7 und 108,1 bewahrt worden.

[53] In den Zusammenhang dieser Erwartung ordnet E.P. Sanders: Jesus and Judaism, 1985, das Wort und die Symbolhandlung Jesu gegen den Tempel ein (61-119, 335ff.).

der Erwählung seines Volkes. So ist das Kreuz Jesu nach Paulus zwar das Ende des Gesetzes (Röm 10,4; vgl. Gal 3,13), nicht aber das Ende der Erwählung Israels[54]. Eine auf Aussagen wie Mt 27,28 gestützte christliche Beschuldigung des Gottesmordes gegen das jüdische Volk als Siegel seiner endgültigen Verwerfung durch Gott hätte es nie geben dürfen, und die christlichen Kirchen haben sich davon heute mit Recht distanziert[55], leider sehr spät, aber mit dem Ausdruck der Beschämung über die lange und leidvolle Geschichte von durch diesen Vorwurf vergifteten Beziehungen der Christen zum jüdischen Volk.

Das theologische Interesse an den Zusammenhängen zwischen den durch das Auftreten Jesu bei vielen Gliedern seines Volkes erregten Ärgernisses und den zu seiner Verurteilung und Kreuzigung führenden Ereignissen liegt auf einer anderen Ebene: Es geht dabei nicht um die Feststellung jüdischer Schuld am Tode Jesu, sondern um das Handeln Gottes im Leidensweg Jesu. Dafür ist wesentlich, daß das Ärgernis an Jesu Botschaft und Verhalten nicht zufällig entstand, sondern aus der Zweideutigkeit, in die die Person Jesu durch diese seine Botschaft geriet. Der Zusammenhang des Kreuzestodes Jesu mit den Folgen jenes Ärgernisses bildet die Grundlage für die christlichen Glaubensaussagen über die Heilsbedeutung des Kreuzes. Wäre der Kreuzestod Jesu ein ihn äußerlich und ohne Zusammenhang mit seiner Botschaft und seinem Wirken treffendes Ereignis gewesen, so wäre er theologisch bedeutungslos, Folge eines bedauerlichen Mißverständnisses auf seiten der Römer, die Jesus für einen politischen Aufrührer hielten. Besteht aber ein in der Botschaft Jesu begründeter Zusammenhang zwischen der Zweideutigkeit hinsichtlich seiner eigenen Person und der daraus motivierten Ablehnung, Verhaftung und Übergabe an Pilatus zur Aburteilung als Aufrührer, dann gehen alle diese Folgen auf die göttliche Sendung Jesu und damit letztlich auf Gott selbst zurück. Wenn Ärgernis und Kreuz die (vorläufigen) Konsequenzen des Anspruchs waren, den die Botschaft Jesu hinsichtlich seiner eigenen Person implizierte, dann hat gerade die Gegenwart

---

[54] Diese Unterscheidung wurde maßgeblich für die Korrektur meines eigenen, an der paulinischen Lehre von Jesus Christus als dem Ende des Gesetzes orientierten Urteils aus dem Jahre 1964, daß das Kreuz Jesu für den Christen auch das Ende des Judentums als Religion bedeute (Grundzüge der Christologie, 1964, 261; vgl. dazu das Nachwort zur 5.Aufl. dort 420, sowie schon: Das Glaubensbekenntnis – ausgelegt und verantwortet vor den Fragen der Gegenwart, 1972, 92). Ich habe 1964 noch allzu undifferenziert den Begriff jüdischer Religion als Religion des Gesetzes, das nach Paulus im Kreuze Jesu an sein Ende gekommen ist, aufgefaßt, statt das Wesen jüdischen Glaubens im Sinne der Verkündigung Jesu selbst vom Glauben an den Gott Israels her – und notfalls auch im Gegensatz gegen seine Gesetzestradition – zu verstehen.

[55] An erster Stelle muß hier die Erklärung des II. Vatikanischen Konzils Nostra Aetate 4 von 1965 genannt werden. Siehe im übrigen den Sammelband: Die Kirchen und das Judentum. Dokumente von 1945–1985, hg. R.Rendtorff und H.Henrix, 1988. Vgl. auch den Bericht von R. Rendtorff: Hat denn Gott sein Volk verstoßen? Die evangelische Kirche und das Judentum seit 1945. Ein Kommentar, 1989.

Gottes in ihm (als einem bloßen Menschen) ihn ans Kreuz gebracht und in die Situation der Gottverlassenheit geführt. Das gilt gerade auch dann, wenn Jesu Wissen um die Gegenwart Gottes in seinem Wirken keine bloße Täuschung war. Die damit verbundene Zweideutigkeit konnte erst durch die Auferweckung des Gekreuzigten beseitigt werden.

c) Die Rechtfertigung Jesu durch den Vater in seiner Auferweckung von den Toten

Die Auferweckung Jesu von den Toten, die seinen Jüngern, aber auch ihrem Verfolger Saulus, durch die Erscheinungen des Auferstandenen zur Gewißheit wurde, bildet den Ursprung der apostolischen Christusverkündigung und ist damit auch zum Ausgangspunkt der Geschichte der urchristlichen Christologie geworden. Ohne die Auferweckung Jesu hätte es weder die Missionsbotschaft der Apostel, noch auch eine auf die Person Jesu bezogene Christologie gegeben. Ohne dieses Ereignis wäre, wie Paulus an die Korinther schrieb, der Glaube der Christen nichtig (1.Kor 15,17). Das heißt nicht, daß dieser Glaube lediglich auf der Nachricht von Jesu Auferweckung beruht. Es geht bei diesem Ereignis nicht nur um das Inerscheinungtreten eines neuen, ewigen Lebens. Es ist für den christlichen Glauben nicht gleichgültig, wer der war, der hier von den Toten auferweckt wurde, nämlich der Gekreuzigte (Mk 16,6; vgl. Acta 4,10 und 2,36, sowie 1.Kor 1,13). Es handelt sich auch nicht um irgendeinen Gekreuzigten, sondern um den gekreuzigten Jesus von Nazareth. Damit bleibt der christliche Osterglaube für alle Zeiten gebunden an die irdische Geschichte Jesu von Nazareth, der seinem Volk die Nähe der Gottesherrschaft verkündet hat und von seinen Gegnern als Volksverführer verworfen und den Römern zur Hinrichtung übergeben, von Gott aber auferweckt und damit zugleich als Messias eingesetzt wurde (Acta 2,23f. und 36, vgl. Röm 1,4). Die Auferweckung Jesu ist der Grund des christlichen Glaubens, aber nicht als isoliertes Ereignis, sondern in ihrem Rückbezug auf die irdische Sendung Jesu und seinen Kreuzestod[56].

Dieser Rückbezug ist nun nicht etwas, was zu dem Ereignis der Auferweckung Jesu noch hinzukäme. Er ist untrennbar von diesem Ereignis als solchem, da die Auferweckung ja eben dem gekreuzigten Jesus widerfahren ist. Kann ferner dieses Ereignis (unter Voraussetzung des Glaubens an den Gott Israels) nicht anders als von Gott her geschehen verstanden werden, so bedeutet es ebenso unmittelbar die Aufhebung der Verwerfung Jesu und sei-

---

[56] Vgl. dazu auch das Nachwort zur 5.Aufl. meiner Grundzüge der Christologie, 1976, 417f. Die angemessene Berücksichtigung der konstitutiven Bedeutung der Auferstehung Jesu für den Christusglauben war 1964 in der dogmatischen Christologie anscheinend noch so ungewohnt, daß ihre Betonung manchen Lesern schon als *Alternative* gegenüber der Begründung dieses Glaubens auf das irdische Wirken Jesu erschien.

ner Botschaft durch die Repräsentanten seines Volkes, die Widerlegung der Anklage und der Verdächtigungen, die zu seiner Auslieferung an die Römer mit der Folge des Kreuzestodes geführt hatten. Das Faktum der Auferstehung Jesu und dieser sein Bedeutungsgehalt lassen sich nicht voneinander trennen[57]. Das Ostergeschehen bedeutet unmittelbar, daß der verurteilte und hingerichtete Jesus nun von Gott selbst gerechtfertigt ist, nämlich durch den Geist, durch dessen Kraft er von den Toten auferweckt wurde (1.Tim 3,16; vgl. Röm 1,4 und 4,25).

Der Anspruch, der in Jesu Wirken implizit enthalten war, aber auch ausdrücklich erhoben wurde, daß nämlich die von ihm als nah angekündigte Gottesherrschaft in seinem Wirken und für die, die sich auf diese Botschaft einlassen, schon anbricht, ist damit durch Gott selbst bestätigt worden: So haben es die ersten Christen verstanden[58], und anders konnte dieses Ereignis in dem jüdischen Kontext, in welchem die Kunde davon entstand, auch gar nicht aufgefaßt werden. Daher war die Annahme oder Ablehnung der Nachricht von der Auferweckung Jesu ursprünglich identisch mit der Entscheidung zum Glauben oder Unglauben an seine Person[59].

Bestätigung besagt mehr als lediglich die Enthüllung einer Bedeutung, die der Person und Geschichte Jesu auf dem Wege zu seinem Kreuzestod schon vorher eigen war, so daß sie Jesus auch ohne das Ostergeschehen zukäme, nur verborgen bliebe. Zwar erscheinen der Tod Jesu und sein irdisches Wirken, daher auch seine Person, vom Ostergeschehen her in der Tat in einem neuen Licht. Doch das heißt nicht, daß sie das, was sie in diesem Lichte sind, auch ohne das Ereignis der Auferstehung Jesu wären. Das Ostergeschehen wird verflüchtigt, wenn es nur als Enthüllung oder Offen-

---

[57] Es handelt sich dabei zunächst um einen Fall der allgemeinen Regel, daß im konkret geschichtlichen Ereignis- und Erfahrungszusammenhang Ereignis und Bedeutung zusammengehören, letztere also dem Ereignis nicht äußerlich und beliebig beigelegt wird. Es handelt sich jedoch um einen speziellen Fall dieses allgemeinen Sachverhalts: Nicht immer ist die Bedeutung von Ereignissen so eindeutig mit ihnen verbunden. Auch im Umkreis der christlichen Osterüberlieferung ist beispielsweise das leere Grab Jesu für sich genommen eine vieldeutige Tatsache gewesen (vgl. Joh 20,13ff. und Mt 28,13). Auch den Jüngern zuteil gewordenen Erscheinungen mögen wenigstens teilweise als mehrdeutig empfunden worden sein (Lk 24,39). Erst mit der Identifikation des in ihnen sich bekundenden Sachverhalts als Auferstehung Jesu ist die im Text behauptete Eindeutigkeit gegeben.

[58] J.Jeremias stellt summarisch fest: „Die Auferweckung Jesu galt der Urkirche als die göttliche Bestätigung seiner Sendung" (Die Verkündigung Jesu. Neutestamentliche Theologie I, 1971, 285). Vgl. U.Wilckens: Auferstehung. Das biblische Auferstehungszeugnis historisch untersucht und erklärt, 1970, 160ff.

[59] Das ist der Grund dafür, weshalb das Ereignis der Auferstehung Jesu nur von Glaubenden überliefert worden ist: Zwar war der Glaube nicht etwa schon vorausgesetzt für die Begegnung mit dem Auferstandenen, – das Beispiel des Paulus allein spricht hinreichend deutlich für das Gegenteil. Aber die Bedeutung dieses Ereignisses war im jüdischen Erfahrungszusammenhang offenbar so eindeutig, daß niemand, dem eine Erscheinung des Auferstandenen widerfahren ist, ungläubig bleiben konnte bei gleichzeitiger Anerkennung dieses Ereignisses.

barung des Sinnes aufgefaßt wird, den Jesu Kreuzestod und seine irdische Geschichte für sich schon hätten[60]. Vielmehr wurde erst durch das Ostergeschehen über die Bedeutung der vorösterlichen Geschichte Jesu und über seine Person in ihrem Verhältnis zu Gott definitiv entschieden. Dazu muß das Ostergeschehen zunächst einmal ein Ereignis von eigenem Gewicht und Inhalt sein, eben Auferstehung Jesu von den Toten zu einem neuen Leben mit Gott. Dadurch wird die bis dahin über Jesu Person und Geschichte liegende Zweideutigkeit aufgelöst und beseitigt, nicht nur ein verborgener, aber auch unabhängig von dem Ereignis der Auferweckung Jesu vorhandener Sinn enthüllt.

Nachdem so der fundamentale Sachverhalt, den die christliche Osterbotschaft zum Inhalt hat, vorläufig umschrieben ist, können die damit verbundenen und genauerer Klärung bedürftigen Probleme zur Sprache kommen: Da geht es zunächst um die Sprachform der Rede von Jesu „Auferweckung" oder „Auferstehung" von den Toten, sowie um den damit verbundenen Vorstellungsgehalt. Dann erst läßt sich die Frage nach der Tatsächlichkeit dieses Ereignisses sinnvoll stellen. Hätte es nicht tatsächlich stattgefunden, so blieben freilich alle Erwägungen über seine Bedeutung müßig. Andererseits muß man jedoch schon wissen, um was für ein Ereignis es sich überhaupt handelt, wenn die Frage seiner Faktizität geklärt werden soll[61].

1. Die Sprachform der Rede von der Auferstehung Jesu ist die der Metapher, weil das Wort „auferwecken" das Bild des Erwachens vom Schlafe nahelegt. Dem entspricht auch das Auferstehen: Wie man aus dem Schlaf geweckt wird und aufsteht, so soll es sich auch bei den Toten ereignen. Dem metaphorischen Gebrauch der beiden Wörter liegt daher bereits eine andere Me-

---

[60] Das war der Sinn von R.Bultmanns berühmt gewordener These, die Auferstehung Jesu sei *„der Ausdruck der Bedeutsamkeit des Kreuzes"* (Neues Testament und Mythologie, in H.W. Bartsch (Hg): Kerygma und Mythos. Ein theologisches Gespräch, 1948, 15-53, zitiert 47f.). Ähnlich hatte K.Barth in der 2. Ausgabe seiner Auslegung des Römerbriefs 1922 geschrieben, daß „die Erweckung Jesu kein Ereignis von historischer Ausdehnung *neben* den andern Ereignissen seines Lebens und Sterbens ist, sondern die unhistorische Beziehung seines *ganzen* historischen Lebens auf seinen Ursprung in Gott" (175, vgl. dazu vom Vf. den Artikel Dialektische Theologie in RGG 2, 1958, 168-174, bes. 170f.). In seiner Kirchlichen Dogmatik hat Barth dann allerdings darauf insistiert - gegen Bultmann - daß die Auferstehung Jesu nun doch ein eigenes, besonderes Ereignis nach seiner Kreuzigung und seinem Tode sei (KD III/2, 531ff. bes. 537, vgl. IV/1, 335ff.), doch auch hier galt als Inhalt dieses Geschehens „die Offenbarung des Geheimnisses der vorangehenden Zeit des *Lebens* und *Sterbens* des Menschen Jesu" (III/2, 546; vgl. IV/2, 131ff., bes. 148ff.). Das zuvor Geschehene in seiner Einmaligkeit wird nach Barth durch das Ereignis der Auferweckung Jesu „zum ein *für allemal* Geschehenen" (IV/1, 345).

[61] Die folgenden Ausführungen sind trotz der Komplexität des Themas um möglichst knappe Formulierung der Sachverhalte bemüht. Der Leser sei auf die ausführlichere Darstellung in Grundzüge der Christologie, 1964, 61-112 verwiesen. Es soll jedoch der Versuch gemacht werden, gewissen Mißverständnissen der dort vorgetragenen Argumentation zu begegnen.

tapher zugrunde, nämlich die im jüdischen wie im griechischen Denken verbreitete Auffassung des Todes als Schlaf[62]. Sie begegnet im jüdischen Bereich vor allem in apokalyptischen Schriften (so Dan 12,2; äth. Henoch 49,3; 100,5 u.ö.; Syr Bar 11,4; 21,24 u.ö.), aber vereinzelt auch schon bei Jeremia (51,39) und in den Psalmen (13,4), sowie im Buche Hiob (3,13; 14,12). Hier schließt sich die Vorstellung des Aufstehens vom Todesschlaf an (Hen 91,10; 92,3; Syr Bar 30,1). Damit ist trotz der metaphorischen Ausdrucksweise durchaus ein reales Ereignis gemeint, ebenso wie dann im Falle der Auferstehung Jesu. Nur begegnet es nicht in der Alltagserfahrung und wird daher metaphorisch nach einem alltäglich vertrauten Vorgang benannt. Dabei sollte die transitive Bezeichnung „auferwecken" nicht als Ausdruck einer alternativen Vorstellung gegenüber dem intransitiven „auferstehen" aufgefaßt werden. Beides gehört vielmehr zusammen: Wer aufgeweckt wird, steht auf. Das gilt auch im Hinblick auf Auferweckung und Auferstehung Jesu: Der Ausdruck Auferstehung besagt nicht, daß der zuvor Tote aus eigener Kraft den Tod überwinde, einer Erweckung also gar nicht bedürftig wäre. Die Erweckung durch den Vater und seinen Geist ist überall vorausgesetzt, wo von der „Auferstehung" Jesu die Rede ist (z.B. 1.Thess 4,14)[63].

Zur Sprachform der Rede von einer Auferweckung oder Auferstehung vom Tode gehört schließlich auch das Ziel des damit bezeichneten Vorgangs: ein neues Leben, sei es im Sinne der Rückkehr in das irdische Leben (Lk 8,54; Mk 5,41; Joh 11,11) oder im Sinne des Übergangs in ein anderes Leben. Dabei ist bemerkenswert, daß der Begriff Leben weder im einen noch im anderen Fall als Metapher zu verstehen ist. Nur für den Übergang vom Tode zum Leben gilt, daß er als ein alltäglicher Erfahrung sich entziehender Vorgang metaphorisch benannt werden muß. Das neue, eschatologische Leben (2.Kor 4,10; 5,4; Röm 5,10), das „ewige" Leben (Gal 6,8; Röm 2,7; 5,21; 6,22f.) ist das Leben im vollen Sinne (vgl. Joh 1,4; 5,26; 14,6 u.ö. mit 3,15.36; 4,14 u.ö.; 6,53f.), im Vergleich zu dem das irdische Leben nur mit Einschränkungen als „Leben" zu bezeichnen ist. Weil der biblische Begriff des Lebens vom göttlichen Geist als dem Ursprung allen Lebens her gedacht ist, darum ist Leben im vollen Sinne dasjenige, welches seinem göttlichen Ursprung verbunden, vom Geist durchdrungen und daher unsterblich

---

[62] Vgl. dazu H.Balz in ThWBNT 8, 1969, 545–556, bes. 547f., 550f., sowie C.F.Evans: Resurrection and the New Testament, 1970, 22ff.

[63] Vgl. die treffenden Bemerkungen von W.Kasper: Jesus der Christus, 1974, 168ff. Mit einer sachlichen Differenz zwischen den beiden Ausdrücken „Auferweckung" und „Auferstehung" rechnet J.Moltmann a.a.O. 247 im Anschluß an H.Schelkle: Auferstehung Jesu. Geschichte und Deutung, in: Kirche und Bibel (FS E.Schick), 1979, 389–408, 391. Vgl. jedoch A.Vögtle in seinem zusammen mit R.Pesch publizierten Buch: Wie kam es zum Osterglauben?, 1975, 15ff. Auch da, wo die Auferstehung Jesu als die eigene Tat des Gottessohnes dargestellt wird (wie Joh 2,19 oder 10,17f.), geschieht sie immer im Gehorsam gegen den Vater, nicht als selbständige Machtäußerung (vgl. C.F.Evans a.a.O. 21f.).

ist (1.Kor 15,44: σῶμα πνευματικόν): das „neue" Leben (Röm 6,4) der eschatologischen Hoffnung. Dieses neue, unvergängliche Leben ist mit der Auferweckung Jesu an ihm schon erschienen.

2. *Die Vorstellung der Auferstehung vom Tode zu einem neuen, ewigen Leben wurzelt in der jüdischen eschatologischen Hoffnung.* Ihre Ursprünge dürften in Zusammenhang stehen mit der Individualisierung des Verhältnisses zu Gott in der Zeit des babylonischen Exils: Die Individuen wurden nicht mehr ausschließlich als Glieder im Lebenszusammenhang des Volkes betrachtet, in welchem die Verdienste und Vergehen der Väter sich auswirken. Vielmehr soll in jedem individuellen Leben der Zusammenhang von Guttat und Lohn, sowie von Übertretung und Verderben zur Vollendung kommen (Ez 18,2 ff. und 20, vgl. Jer 31,29). Diese Entsprechung ging jedoch in der Lebenserfahrung der Menschen nicht auf. Es ist der Lauf der Welt, daß die Gerechten leiden und es den Gottlosen wohl ergeht. Der Glaube Israels an die Gerechtigkeit seines Gottes konnte sich damit nicht abfinden. So kam es zur Vorstellung eines jenseitigen Ausgleichs für diejenigen guten oder bösen Taten der Menschen, die in diesem irdischen Leben nicht die ihnen gemäßen Früchte erbracht haben. Dazu aber war eine Wiederbelebung der Toten erforderlich, wie es im Alten Testament nur im Danielbuch ausdrücklich ausgesprochen ist: „und viele von denen, die da schlafen im Erdenstaube, werden erwachen, die einen zu ewigem Leben, die andern zu Schmach, zu ewigem Abscheu" (Dan 12,2). Die jüdische Vorstellung der Auferstehung der Toten ist also hervorgegangen aus der Frage der Theodizee, der Frage nach der Gerechtigkeit Gottes und ihrem Erweis im Leben des einzelnen[64].

Hinsichtlich der Frage nach dem Verhältnis von Auferstehung der Toten und ewigem Leben bietet sich jedoch in den jüdischen Texten ein vielfältiges Bild. Einerseits gibt es, wie im Danielbuch, die Vorstellung einer Auferweckung sowohl der Ungerechten als auch der Gerechten: Hier ist die Auferstehung nur die Voraussetzung für das Gericht. Andererseits gibt es die Vorstellung einer Auferstehung der Gerechten bzw. der Märtyrer, die als solche schon Übergang in das ewige Leben bedeutet. Sie findet sich zuerst Jes 26,19, wo es sich aber vielleicht wie Ez 37,1-14 nur um ein Bild für die Wiedergeburt des Volkes und noch nicht um die Vorstellung einer Auf-

---

[64] Siehe dazu ausführlicher meinen Aufsatz: Tod und Auferstehung in der Sicht christlicher Dogmatik, in Grundfragen systematischer Theologie 2, 1980, 146-159, bes. 147 ff. Vgl. auch U.Wilckens: Auferstehung. Das biblische Auferstehungszeugnis historisch untersucht und erklärt, 1970, 115. Der Zusammenhang mit dem Thema der Gerechtigkeit Gottes und der Theodizeefrage ist mit Recht betont worden von J. Moltmann: Der Weg Jesu Christi. Christologie in messianischen Dimensionen, 1989, 246, sowie auch schon in dessen Aufsatz: Gott und Auferstehung. Auferstehungsglaube im Forum der Theodizeefrage, in: Perspektiven der Theologie. Gesammelte Aufsätze, 1968, 36-56.

erstehung von Individuen handelt[65]. Hen 92,3 ist von einer Auferstehung nur der Gerechten zum Leben die Rede[66], 2.Makk 7,14 von der Auferstehung des Märtyrers zum Leben. Ähnlich bedeutet in Jesu Streitgespräch mit Sadduzäern Mk 12,18-27 die Auferstehung als solche schon Teilhabe am Leben, wie das Beispiel der Erzväter zeigt (12,26f.). In diesem Sinne hat das Urchristentum auch von der Auferstehung Jesu gesprochen, und Entsprechendes haben nach Paulus die Glaubenden zu erwarten (1.Kor 15,42ff.)[67]. Die Auferstehung Jesu war also keine Rückkehr in dieses irdische Leben, sondern Übergang in das neue, eschatologische Leben: Er ist der „Erstling der Entschlafenen" (1.Kor 15,20), der „Erstgeborene unter vielen Brüdern" (Röm 8,29), der „Erstgeborene von den Toten" (Kol 1,18; Apk 1,5), der Anfänger des Lebens (Act 3,15).

3. Die eschatologische Erwartung einer Auferstehung zum Leben lieferte den sprachlichen Ausdruck und den Vorstellungsrahmen für die christliche Osterbotschaft[68]. Sie ermöglichte es den Jüngern Jesu, die ihnen zuteil gewordenen Erscheinungen ihres gekreuzigten Herrn zu identifizieren: Was ihnen begegnete, war kein Totengeist (Lk 22,37), aber auch kein in diese irdische Lebenswirklichkeit Zurückgekehrter (Joh 20,17), sondern ihr in das neue, eschatologische Leben auferstandener Herr. Der Erfahrungszusammen-

---

[65] So u.a. U.Wilckens a.a.O. 116f. Anders O.Plöger: Theokratie und Eschatologie, 1959, 85.

[66] Für U.Wilckens a.a.O. 122ff. ist das bei den meisten Aussagen über eine endzeitliche Totenauferstehung der Fall, so wohl auch Hen 51,1 (vgl. 46,6) im Unterschied zu 4. Esra 7,32ff. und Syr Bar 50f. Siehe auch G.Stemberger: Der Leib der Auferstehung, Studien zur Anthropologie und Eschatologie des palästinischen Judentums im neutestamentlichen Zeitalter, 1972, sowie bes. J.Kremer in seinem gemeinsam mit G.Greshake publizierten Buch: Resurrectio Mortuorum. Zum theologischen Verständnis der leiblichen Auferstehung, 1986.

[67] Daß die Erwartung einer Auferstehung der Christen bei Paulus 1.Thess 4,13ff. von Paulus überhaupt erst aus der christlichen Osterbotschaft entwickelt worden sei, wie u.a. P.Hoffmann TRE 4, 1979, 452f. annimmt, erscheint als unglaubhaft, weil die Erwartung einer Auferstehung der Gerechten zum Leben vielmehr schon zu den Voraussetzungen der Osterbotschaft gehört. Paulus wendet diese Erwartung 1.Thess 4,13ff. nur an auf die Situation der Christen: Für sie bedeutet die Hoffnung auf die Auferstehung zum Leben Fortdauer und Erneuerung der Gemeinschaft mit dem auferstandenen und wiederkommenden Herrn (3,17), und seine Auferstehung verbürgt ihnen die Teilhabe an der Auferstehung zum Leben (3,14). Insofern ist die jüdische Erwartung der Auferstehung der Gerechten hier in ganz bestimmter Weise christlich modifiziert und konkretisiert worden.

[68] Vgl. meine Ausführungen in Grundzüge der Christologie, 1964, 77f. Anders allerdings K. Berger: Die Auferstehung des Propheten und die Erhöhung des Menschensohnes. Traditionsgeschichtliche Untersuchungen zur Deutung des Geschickes Jesu in frühchristlichen Texten, 1976, 15f., dessen Argumentation gegen F.Hahn und U.Wilckens (248ff.) jedoch nicht überzeugt. Berger sucht vergeblich den durch 1.Kor 15,20 („Erstling der Entschlafenen") gegebenen Zusammenhang zwischen der Auferstehung Jesu und der allgemeinen Totenauferstehung zu entkräften (250f.). Wenn aber die Auferstehung Jesu als Ausdruck der eschatologischen Totenauferstehung zu verstehen ist, entfällt die Vergleichsbasis für ihre Kombination mit den jüdischen und frühchristlichen Vorstellungen von der Wiederkehr von Propheten wie Elia oder Henoch vor Anbruch des Endes.

hang, der es den Jüngern ermöglichte, in den Erscheinungen den ihnen vertrauten Jesus wiederzuerkennen, war zweifellos durch die Teilnahme an seinem Leben und Wirken bis in die Tage seines Auftretens in Jerusalem und seiner Gefangennahme gegeben[69]. Nach den Berichten der Evangelien räumten die Wundmale des Gekreuzigten die letzten Zweifel an der Identität der Erscheinungen mit Jesus aus (Lk 24,40; Joh 20,20 und 25 ff.). Aber daß es sich dabei um die neue Lebenswirklichkeit der Totenauferstehung handelte, in der Jesus sich den Seinen bekundete, das wäre ohne die Sprache der eschatologischen Hoffnung Israels nicht benennbar gewesen[70].

4. *Der Bezugsrahmen der jüdischen Vorstellung eschatologischer Auferstehung zum Leben wurde jedoch durch die Verknüpfung dieser Vorstellung mit der in den Ostererscheinungen begegnenden Wirklichkeit Jesu tiefgreifend verändert.*

a) Auferstehung zum ewigen Leben bedeutete in der Beziehung auf den gekreuzigten Jesus unmittelbar zugleich die Rechtfertigung und Bestätigung seiner irdischen Sendung und seiner Person durch Gott (s. o.). Diese Bestätigung bezieht sich insbesondere auch auf die in Jesu Botschaft und Wirken implizierte Vollmacht seiner Person. Darin ist bereits der Gedanke einer „Erhöhung"[71] zur Teilnahme an Gottes Herrschaft über die Welt angelegt,

---

[69] Nach J. Moltmann: Der Weg Jesu Christi, 1989, 243 ist dies „der unmittelbare, persönliche Deutungshorizont" für die Jünger gewesen. Dem kann nicht gut widersprochen werden. Nur ist damit noch nicht erklärt, wie die den Jüngern zuteil gewordenen Erscheinungen Jesu als Indiz seiner „Auferstehung" identifizierbar wurden. Dafür war die eschatologische Erwartung einer „Auferstehung zum Leben" unerläßlich. Insofern ist es irreführend, wenn Moltmann von einem zusätzlichen „Deutungshorizont der prophetischen und apokalyptischen Überlieferung des Judentums jener Zeit" spricht, in welchem die Jünger „auch" lebten und dachten, so als ob ihnen die Eigenart der ihnen in den Erscheinungen widerfahrenen Wirklichkeit schon unabhängig von solchem Deutungshorizont zugänglich gewesen wäre.

[70] A. Vögtle hat mit Recht bezweifelt, daß schon die Erwartung einer *allgemeinen* Totenauferstehung (der Ungerechten wie der Gerechten) als „ausreichender Deutehorizont" der Ostererscheinungen anzusehen wäre (a. a. O. 107 ff., 110). Das gilt erst für die Erwartung einer Auferweckung der Gerechten zum Leben (112 ff.).

[71] Einzelangaben zur engen Verbindung von Auferstehungs- und Erhöhungsaussagen im Urchristentum sind bei W. Kasper: Jesus der Christus, 1974, 170 ff., bes. 172 f. in knapper Übersicht zusammengestellt. Siehe auch A. Vögtle a. a. O. 24 ff., 58, 62 ff., 90. Die Erhöhungsvorstellung sollte nicht als ein alternatives „Schema" zur Deutung der Ostererscheinungen neben dem der Totenauferweckung und seiner Entrückung zu Gott aufgefaßt werden (so J. Moltmann: Der Weg Jesu Christi, 1989, 242 f.). Als Alternativen zur Vorstellung der Auferweckung können nur die Erscheinung eines Totengeistes oder die Rückkehr in das irdische Leben gelten (s. o.). Der Erhöhungsgedanke war zwar in der jüdischen Überlieferung eine selbständige Vorstellung, erscheint aber in der christlichen Osterüberlieferung nur als Implikat der Auferstehung Jesu, setzt die Auferstehung immer schon voraus. Dasselbe gilt auch für den Gedanken der Entrückung des Auferstandenen zu Gott, von dem er einst als Messias zurückkehren wird (Apg 3,20 f.). Auch Moltmann bestreitet nicht, daß Auferweckung und Auferstehung die „ursprünglichen Deutungskategorien für die Erscheinung Christi" waren (243), aber seine Formulierungen erwecken den Anschein, als ob statt dessen auch jene anderen Vorstellungen hätten gewählt werden können, während sie nach Lage der Dinge nur als Implikate der Auferstehungsbotschaft in Betracht kamen.

der im Urchristentum durch die Verbindung der Gestalt Jesu mit den Gestalten der eschatologischen Erwartung ausgedrückt worden ist: als Erhöhung zur Würde des Messias (entsprechend der Kreuzesinschrift) und des Menschensohnes, dessen von Jesus angekündigte Zukunft ebenso wie das Erscheinen des Messias nun als Wiederkunft des auferstandenen Jesus erwartet wurde. Jüdische Tradition kannte zwar vergleichbare Vorstellungen der Erhöhung eines Menschen zur Gemeinschaft mit Gott, so in bezug auf Elia und auf die sagenhafte Gestalt Henochs, nicht aber in Verbindung mit der Auferstehung eines Toten[72].

b) Die jüdische Erwartung eschatologischer Auferstehung – sei es zum Gericht oder zum ewigen Leben – rechnete nicht mit der Auferstehung eines einzelnen noch vor dem Ende dieses Äons. Die Urchristenheit scheint denn auch (in enger Verbindung mit der Identifizierung der Erscheinungen Jesu als eschatologische Totenauferstehung) dieses Geschehen als den Beginn der Endereignisse aufgefaßt zu haben. Erst mit dem Ausbleiben der anfänglich als unmittelbar bevorstehend erwarteten Parusie Jesu als Messias und Menschensohn gewöhnte sich die Christenheit an den Gedanken der eschatologischen Auferstehung eines einzelnen inmitten der noch nicht beendeten Geschichte dieser Welt.

c) Dennoch bleibt der Glaube an das schon eingetretene Ereignis der Auferstehung Jesu bezogen auf die Erwartung der Auferstehung der Gerechten (Lk 14,14) bzw. der mit Jesus durch den Glauben Verbundenen (1.Thess 4,14f.; vgl. Röm 6,5 u.ö.). Es konnte auch im christlichen Bereich die allgemeinere Vorstellung von einer Auferstehung aller Toten als Voraussetzung für den Empfang des Gerichts bei der Wiederkunft Christi erneuert werden (Act 24,15; Joh 5,29; vgl. Apk 20,12ff.). Die Einzelaspekte dieser christlichen Enderwartung können erst an späterer Stelle, im Zusammenhang des Eschatologiekapitels, eingehender erörtert werden. Hier ist zunächst nur wichtig, daß der gedankliche Gehalt der Behauptung der Auferstehung Jesu nicht ablösbar ist von der allgemeineren Erwartung einer endzeitlichen Totenauferstehung. Das ist darum so, weil sich nur im Zusammenhang dieser Erwartung der Wirklichkeitsmodus der in den Ostererscheinungen sich bekundenden Lebenswirklichkeit Jesu im Unterschied zu bloßen Halluzinationen oder zur Vorstellung von Totengeistern o.ä. angeben läßt. Daraus folgt aber:

d) Die christliche Botschaft von der Auferstehung Jesu bedarf zu ihrer endgültigen Bewahrheitung des Ereignisses der eschatologischen Totenauferstehung. Das Eintreten dieses Ereignisses ist eine der Wahrheitsbedingungen, wenn auch keineswegs die einzige, für die Behauptung der Auferstehung Jesu. Diese Behauptung impliziert ein Wirklichkeitsverständnis, das auf der Vorwegnahme einer noch nicht eingetretenen Vollendung des

---

[72] Näheres dazu bei U. Wilckens a.a.O. 134ff.

menschlichen Lebens und des Weltgeschehens beruht. Schon aus diesem Grunde wird die christliche Osterbotschaft so lange umstritten bleiben, wie die allgemeine Auferstehung der Toten in Verbindung mit der Wiederkunft Jesu noch nicht eingetreten ist. Andererseits kann die Einsicht in die proleptische Struktur der christlichen Osterbotschaft das Bewußtsein ihrer Sachgemäßheit stärken: Sie entspricht darin dem Ereignis der Auferstehung Jesu selbst als der Vorwegereignung des eschatologischen Heils, wie diese ihrerseits in einer bedeutsamen Analogie zur Vorwegereignung der kommenden Gottesherrschaft in Jesu Verkündigung und irdischem Wirken steht. Dem proleptischen Grundzug der Geschichte Jesu entspricht die christliche Osterbotschaft, indem sie als Verkündigung eines besonderen Geschehens in geschichtlicher Vergangenheit doch immer schon die Allgemeinheit einer noch in der Zukunft liegenden Veränderung und Vollendung der Wirklichkeit des Menschen und seiner Welt voraussetzt[73].

5. Die Verkündigung der Auferstehung Jesu als Heilshoffnung für die Menschheit, über die Grenzen des jüdischen Traditionsbereichs hinaus, setzt voraus, daß die jüdische Erwartung einer eschatologischen Totenauferstehung wenigstens in ihren Grundzügen mit hinreichender Plausibilität als allgemeingültig behauptet werden kann. Zwar scheint die frühe christliche Missionsgeschichte auf den ersten Blick diese These nicht zu stützen. Die Botschaft von der Auferstehung Jesu wurde in den ersten beiden Jahrhunderten bereitwilliger aufgenommen als die Lehre von der endzeitlichen Auferstehung der Toten[74]. Ein gewisses Maß an Plausibilität für die Botschaft von der Auferstehung Jesu war in der Spätantike durch die mythischen Vorstellungen von sterbenden und auferstehenden Gottheiten in den Mysterienkulten gegeben. Die jüdische Erwartung einer leiblichen Auferstehung der Toten, einer Auferstehung „des Fleisches" zumal, bereitete größere Schwierigkeiten. Doch das eine läßt sich von dem andern nicht trennen. Das frühe Christentum konnte die Auferstehung Jesu als Grund für die Erwartung der künftigen Auferstehung der Toten geltend machen (1.Klem 24,1; Barn 5,6). Aber dabei wurde die Tatsache der Auferstehung Jesu schon vorausgesetzt. Schon Paulus hatte hervorgehoben, daß der Zusammenhang zwischen Auferstehung Jesu und Auferstehung der Toten auch in umgekehrter Richtung wirksam ist: „Wenn es keine Auferstehung der Toten gibt, dann ist auch Christus nicht auferweckt worden" (1.Kor 15,13). Es ist daher eine Argumentation allgemeiner Art für die Plausibilität der Erwartung einer künftigen Auferstehung der Toten erforderlich.

---

[73] Insofern heißt es bei J.Moltmann mit Recht, daß für die Osterzeugen Ostern „kein fix und fertiges Vergangenheitsgeschehen" war, „sondern ein Zukunftsgeschehen, das im Zweideutig-Historischen schon eine universale, weltverändernde Hoffnung begründet" (Gott und Auferstehung, in: Perspektiven der Theologie. Gesammelte Aufsätze, 1968, 36–56, Zitat 44).

[74] So R.Staats in seinem Artikel: Auferstehung Jesu Christi II/2 in TRE 4, 1979, 513–529, bes. 523.

Wie die Auseinandersetzung des Apostels Paulus mit den Korinthern über die Erwartung einer künftigen Auferstehung der Toten, so zeigt auch der Bericht der Apostelgeschichte über die Reaktion der Athener auf die paulinische Verkündigung der Auferstehung Jesu (17,32), wie prekär dieser Themenkreis in den Anfängen der christlichen Heidenmission gewesen ist. Der erste Klemensbrief hat sich denn auch eingehend um Argumente für die christliche Zukunftserwartung bemüht und sich dabei keineswegs auf den Hinweis beschränkt, daß im Falle Jesu der Anfang der künftigen Totenauferstehung schon stattgefunden habe. Jeder neue Tag ist nach Klemens eine Art Auferstehung (1.Klem 24,3), ebenso die Entstehung der Pflanze aus dem unscheinbaren Samenkorn (ib. 24,4f.; vgl. 1.Kor 15,35-38). Sogar der Mythos des Vogels Phönix wird als Zeuge der Auferstehungserwartung aufgeboten (25,1ff.). Im zweiten Jahrhundert wurde die Verteidigung der leiblichen Auferstehung der Christen gegenüber ihrer spiritualisierenden Umdeutung durch die Gnosis zu einem Hauptthema christlicher Theologie. Ihm wurden eine Reihe von Schriften gewidmet, unter denen der Traktat des ersten Leiters der Alexandriner Katechetenschule, Athenagoras, über die Auferstehung der Toten herausragt. Athenagoras sah bereits die Notwendigkeit, über die Berufung auf die Allmacht Gottes (vgl. 2.Klem 27,5) und über den Gesichtspunkt einer Totenauferstehung als Voraussetzung des Endgerichts[75] hinausgehend eine breitangelegte anthropologische Argumentation zu entwickeln, die von der leibseelischen Einheit des Menschen her zu zeigen versuchte, daß die Erlösung und Vollendung des Menschen außer der Seele auch den Leib umfassen muß, was nur durch eine leibliche Auferstehung gewährleistet ist[76].

In der modernen Situation, in der die Glaubwürdigkeit mythischer Rede von sterbenden und auferstehenden Gottheiten längst dahin ist und in der andererseits die Behauptung der leiblichen Auferstehung Jesu ebenso wie die christliche Zukunftshoffnung auf die Auferstehung der Toten sich in einem Klima grundsätzlicher weltanschaulicher Skepsis zu bewähren haben, hat die anthropologische Argumentation für eine Hoffnung über den Tod hinaus und für die Angemessenheit der Einbeziehung der Leiblichkeit des Menschen in diese Hoffnung an Bedeutung gewonnen auch für die christliche Osterbotschaft[77]. Die genaue Erörterung dieses Themas gehört in den Rahmen der Gesamtproblematik der Eschatologie und kann darum erst an späterer Stelle erfolgen. Die Möglichkeit einer solchen Argumentation muß hier vorläufig vorausgesetzt werden[78].

---

[75] Siehe dazu G.Kretschmar: Auferstehung des Fleisches. Zur Frühgeschichte einer theologischen Lehrformel, in: Leben angesichts des Todes. Beiträge zum theologischen Problem des Todes. H.Thielicke zum 60. Geburtstag, 1968, 101-137, bes. 101f.
[76] L.W.Barnard: Athenagoras. A Study in second century Christian apologetic, 1972, 122ff., 126ff. Vgl. ders.: Art. Apologetik I in TRE 3, 1978, 371ff., bes. 386-389.
[77] Neben des Ausführungen des Vf. dazu in Grundzüge der Christologie, 1964, 79-85 vgl. die bei W.Kasper: Jesus der Christus, 1979, 161f. aufgeführte Literatur.
[78] Siehe jedoch vom Vf.: Constructive and Critical Functions of Christian Eschatology, in: Harvard Theological Review 77, 1984, 119-139.

6. Entscheidend für das Zutrauen zur Faktizität der von der christlichen Botschaft behaupteten Auferstehung Jesu bleiben die urchristlichen Zeugnisse von den Erscheinungen des Auferstandenen vor seinen Jüngern in Verbindung mit der Entdeckung des leeren Grabes Jesu in Jerusalem. Diese Zeugnisse können allerdings nicht unbesehen auf bloße Autorität hin angenommen werden, sondern müssen sich einer Prüfung, wie sie auch bei anderen überlieferten Tatsachenbehauptungen üblich und bewährt ist, als stichhaltig erweisen[79].

Die christliche Osterüberlieferung verbindet zwei sehr verschiedenartige Sachverhalte, die anscheinend auch zunächst selbständig überliefert und erst sekundär miteinander verknüpft wurden: Die *Erscheinungen des Auferstandenen* vor seinen Jüngern und die *Auffindung des leeren Grabes Jesu.* Dabei bilden die Berichte über Erscheinungen des Auferstandenen die Grundlage des christlichen Osterzeugnisses, während das Faktum des leeren Grabes für sich genommen mancherlei Deutungen zuläßt (Joh 20,13f., vgl. Mt 28,13), so daß es erst in Verbindung mit den Erscheinungen des Auferstandenen sein Gewicht für die Gesamtthematik gewinnt[80].

Die Erscheinungstradition liegt in ihrer älteren Gestalt bei Paulus 1.Kor 15,3-7 vor. Das hohe Alter der dort gegebenen Aufzählung der Erscheinungen[81] und der Umstand, daß diese Angaben unmittelbar von einem Manne stammen, der die von ihm genannten Zeugen oder jedenfalls die meisten von ihnen persönlich kannte und eine ihm selbst zuteil gewordene Erscheinung als letztes Glied der Reihe anfügen konnte (1.Kor 15,8), lassen sich auch dann nicht bezweifeln, wenn die verschiedenen Angaben erst von Paulus selbst zu dieser Liste zusammengestellt worden sein sollten[82], und zwar im Dienste der in seinem Briefe vorgetragenen Argumentation.

Schwieriger ist die Frage nach der Eigenart der Erscheinungen zu beantworten und im Zusammenhang damit die weitere Frage nach dem Verhältnis der Paulus selbst widerfahrenen Erscheinung zu den auch untereinander

---

[79] Vgl. zum folgenden meine Ausführungen in Grundzüge der Christologie, 1964, 85-103, sowie den vorzüglichen Überblick bei R.E.Brown: The Virginal Conception and Bodily Resurrection of Jesus, 1973, 69-129.

[80] Diese Auffassung ist von mir bereits 1964 vertreten worden (Grundzüge der Christologie 97). Ich habe damals sogar die Frage der Historizität der Auferstehung Jesu aufgrund der Erscheinungen des Auferstandenen erörtert (95), noch bevor ich auf die Frage des leeren Grabes überhaupt eingegangen bin. Es ist darum nicht ersichtlich, inwiefern das Buch „dem Faktum des leeren Grabes vielleicht doch eine Bedeutung gibt, die ihm innerhalb der neutestamentlichen Zeugnisse nicht zukommen kann" (W.Kasper: Jesus der Christus, 1974, 160).

[81] Zum Verständnis von ὤφθη (1.Kor 15,5ff., Lk 24,34 u.ö.) in Analogie zu den alttestamentlichen Gotteserscheinungen vor den Vätern (Gen 12,7; 26,24, vgl. 17,1; 18,1 u.ö.) und vor Mose (Ex 3,2) vgl. A.Vögtle a.a.O. 26-43.

[82] Siehe dazu im einzelnen C.F.Evans: Resurrection and the New Testament, 1970, 44ff., R.E.Brown a.a.O. 92ff., sowie auch die Ausführungen des Vf. Grundzüge der Christologie 86f. Die dort 87 zit. Analyse von 1.Kor 15,3ff. ist von U.Wilckens in der 3.Aufl. seines Buches: Die Missionsreden der Apostelgeschichte, 1974, 228 aufgegeben worden.

verschiedenartigen Erscheinungen, von denen die Evangelien berichten[83]. Bei den letzteren wird man mit einem erheblich späteren Stadium der Traditionsbildung und mit legendärer und teilweise tendenziöser (Lk 24,39ff.) Ausgestaltung von Einzelzügen zu rechnen haben, obwohl auch den Berichten der Evangelien ein alter Kernbestand zugrunde liegen kann[84]. Weit verbreitet ist die Annahme, daß es sich bei allen Erscheinungen der Form nach um visionäre Erlebnisse gehandelt habe. Damit ist jedoch noch nichts gegen ihren Realitätsgehalt entschieden, es sei denn, im Einzelfall wären Zusammenhänge nachweisbar mit Umständen, unter denen nach allgemeiner Erfahrung Halluzinationen auftreten (wie Drogengenuß oder bestimmte Erkrankungen des Visionärs). Die Unterstellung, daß visionäre Erlebnisse in jedem Falle als psychische Projektion ohne gegenständlichen Bezug beurteilt werden müßten, kann als nicht hinreichend begründetes weltanschauliches Postulat abgewiesen werden.

Wenn man von den biblischen Anhaltspunkten für die dem Verfolger Saulus widerfahrene Erscheinung des auferstandenen Herrn ausgeht, kann man zu konkreteren Vermutungen über die Eigenart der Ostererscheinungen gelangen. Nach dem Bericht der Apostelgeschichte könnte es sich dabei um eine (mit einer Audition verbundene?) Lichterscheinung gehandelt haben (Apg 9,3), also um eine Offenbarung des erhöhten Christus vom Himmel her (vgl. auch Gal 1,16)[85] im Unterschied zu den späteren Erscheinungs-

---

[83] Die Untersuchungen von J.E.Alsup: The Post-Resurrection Appearances of the Gospel Tradition, 1975, haben mich veranlaßt, in der Frage nach Alter und historischem Wert der verschiedenen Erscheinungsberichte der Evangelien differenzierter zu urteilen, als das in Grundzüge der Christologie 88f. geschehen ist. Ich vermag jedoch nicht mit W.L.Craig: On Doubts About the Resurrection, Modern Theology 6, 1989, 53–75, bes. 61ff. die Erscheinungsberichte der Evangelien pauschal als „fundamentally reliable historically" (61) zu betrachten. Craigs entscheidendes Argument für seine These, daß der zeitliche Abstand der Evangelienberichte von den Ereignissen für die Entwicklung einer Legendenbildung nicht ausgereicht habe (62), beruht auf einer Frühdatierung der synoptischen Evangelien (vor 70), mit der Craig (74 Anm. 21) besonders J.A.T.Robinson: Redating the New Testament, 1976, folgt.

[84] Siehe dazu J.E.Alsup a.a.O. 269f., bes. 272ff., vgl. 211ff.

[85] Vgl. R.H.Fuller: The Formation of the Resurrection Narratives, 1971, 47f. Gal 1,16 muß als Anspielung auf die Bekehrung des Apostels verstanden werden (so u.a. H.Schlier: Der Brief an die Galater, 11.Aufl. 1951, 26f., vgl. G.Bornkamm: Paulus, 1969, 40f.). Die von C.F.Evans (Resurrection and the New Testament, 1970) erwogene Paraphrase des Verses „to reveal his Son through me to the Gentiles" (46) ist nicht möglich, da 16b die Heidenmission als Zweck und Folge der Paulus zuteil gewordenen Offenbarung bezeichnet und insofern von ihr unterscheidet. Die Auffassung dieser Erscheinung als Lichterscheinung im Sinne der Angaben der Apostelgeschichte (vor allem 9,3) steht zu den Aussagen des Apostels über die Leiblichkeit der Auferstandenen als *soma pneumatikon* (1.Kor 15,44) jedenfalls nicht in Widerspruch (vgl. das „Strahlen" der himmlischen „Leiber" v.40). Siehe auch Evans 66. Vielleicht darf man einen Reflex dieses Widerfahrnisses bei Paulus auch in 2.Kor 4,6 finden (R.H.Fuller a.a.O. 47). Die Nähe des Actaberichts zu Paulus dürfte also größer sein als Evans 55f. und 66 zugestehen möchte (vgl. auch 182). Dann aber legt sich die auch von ihm gesehene Schlußfolgerung nahe, daß Paulus die den andern Aposteln zuteil gewordenen Erscheinungen als gleichartig verstan-

berichten der Evangelien, die an einen (noch) auf Erden wandelnden (allerdings auch durch verschlossene Türen gehenden) Christus denken lassen. Es gibt zwei Gründe, die dafür sprechen, die nach Apg 9 zu rekonstruierende Erlebnisform der Paulus widerfahrenen Erscheinung als Hinweis auf die Urgestalt auch der übrigen Erscheinungsberichte zu nehmen[86]: Das ist *erstens* die Tatsache, daß für die ältesten Zeugnisse im Neuen Testament Auferstehung und Entrückung Jesu in den Himmel ein einziges Geschehen bildeten[87], wie sich aus Phil 2,9; Apg 2,36; 5,30f. ergibt, so daß die Selbstbekundung des Auferstandenen sich aus der Verborgenheit des Himmels heraus ereignet haben müßte. Hinzu kommt *zweitens* der Umstand, daß die Jerusalemer Jünger Jesu die apostolische Beauftragung des Paulus durch den erhöhten Herrn selbst, auf die Paulus sich so entschieden berief (Gal 1,1 und 12) und die eine Erscheinung des Auferstandenen voraussetzte, anerkannt zu haben scheinen (Gal 2,9): Das dürfte bedeuten, daß die Paulus widerfahrene Erscheinung des Herrn für in hinreichendem Maße den Begegnungen der Urapostel mit dem Auferstandenen gleichartig befunden wurde[88]. Dem steht allerdings entgegen, daß gerade Lukas der Paulus widerfahrenen Erscheinung nicht denselben Rang zugebilligt zu haben scheint wie den vor der Himmelfahrt Jesu stattgehabten Begegnungen seiner Jünger mit dem Auferstandenen. Doch die scharfe Unterscheidung zwischen dem Zeitabschnitt *vor* und der Zeit *nach* der Himmelfahrt Jesu bei Lukas stellt eine nur ihm eigentümliche Abweichung von der offenbar ursprünglicheren Auffassung dar, wonach Auferstehung und Erhöhung zusammenfallen.

Unter Bezugnahme auf Apg 9 hat Edward Schillebeeckx[89] die Ostererscheinungen als *Bekehrungsvisionen* aufgefaßt, wie er sie auch sonst in jüdischen Überlieferungen belegt findet[90]. Dennoch will auch Schillebeeckx die Ostererscheinungen nicht lediglich als *Ausdruck* der Bekehrungserfahrungen der Jünger verstanden wissen[91]. In der Tat gilt dem Neuen Testament die Auferweckung Jesu durchweg nicht als Ausdruck, sondern als Ausgangspunkt und Grund der Bekehrung der Jünger[92]. Schillebeeckx nimmt nun aber an, daß dieser Ausgangspunkt nicht bei

---

den haben dürfte. Die Differenz des Vf. der Apostelgeschichte von Paulus besteht dann vor allem darin, daß Lukas die den Jüngern widerfahrenen Erscheinungen in stärkerer Analogie zum irdisch-menschlichen Erscheinungsbild Jesu sah.

[86] Siehe dazu E. Schillebeeckx: Die Auferstehung Jesu als Grund der Erlösung, 1979, 90; auch meine Ausführungen in Grundzüge der Christologie, 1964, 89.

[87] Siehe auch C.F. Evans a.a.O. 136ff. Nach Evans ist die Erhöhungsvorstellung ursprünglich, aber so, daß die der Auferweckung in ihr enthalten ist (136).

[88] Daß das jedenfalls der Anspruch des Paulus war, betont auch A. Vögtle a.a.O. 60.

[89] E. Schillebeeckx: Jesus. Die Geschichte von einem Lebenden, 1975, 326; vgl. 622 Anm. 93.

[90] E. Schillebeeckx.: Die Auferstehung Jesu als Grund der Erlösung, 1979, 92f.

[91] E. Schillebeeckx a.a.O. 93f., vgl. sein Jesusbuch 346ff. und 572.

[92] "Die Erscheinungen sind nicht aus dem Glauben der Jünger, sondern ihr Glaube ist aus den Erscheinungen zu erklären" (J. Moltmann: Der Weg Jesu Christi, 1989, 239 mit K.H. Schelkle a.a.O. 395).

den *Erscheinungen* des Auferstandenen liege. Vielmehr sei Jesus nach seinem Tode zunächst mit dem eschatologischen Propheten, dessen Wiederkunft für die Endzeit erwartet wurde, identifiziert worden[93]. Ein „Parusiekerygma" dieses Inhalts sei noch in der Theologie von Q erkennbar[94]. Die damit verbundene Überzeugung, daß Jesus lebt, habe dann erst sekundär in den Ostererscheinungen ihren Ausdruck gefunden. Obwohl Schillebeeckx den engen Zusammenhang betont, der nichtsdestoweniger zwischen Auferstehung und Ostererscheinungen bestehe[95], wird seine Rekonstruktion doch nicht der grundlegenden Bedeutung der Erscheinungen des Auferstandenen sowohl bei Paulus als auch in der Darstellung der Evangelien gerecht. Seine These fußt anscheinend auf der aus Lukas und Matthäus zu rekonstruierenden Spruchquelle und auf dem Schluß aus dem Fehlen von Ostererscheinungen in ihr auf die Unkenntnis ihrer Tradenten von derartigen Erscheinungen. Dieses *argumentum e silentio* bildet eine viel zu unsichere Basis für eine sowohl der Evangelienliteratur als auch Paulus so fundamental widersprechende Darstellung von der Entstehung des Osterglaubens. Man wird daher auch weiterhin davon ausgehen müssen, daß die Ostererscheinungen den Ausgangspunkt des Kerygmas von der Auferstehung des Gekreuzigten gebildet haben.

Der in seiner ursprünglicheren Gestalt bei Markus (16,1-8) erhaltene Bericht von der *Auffindung des Grabes Jesu* ist in der älteren Forschung häufig als eine späte hellenistische Legende beurteilt worden[96]. Gegen diese Auffassung haben sich jedoch begründete Zweifel erhoben[97], so daß zunehmend mit einem hohen Alter der Grabesgeschichte gerechnet wird, die man dann als Jerusalemer Lokaltradition und als ursprünglichen Bestandteil der Passionsgeschichte betrachtet[98]. Andererseits gibt der Text der Grabesgeschichte Anlaß zu Zweifeln daran, ob ihre Aussagen im Sinne eines einfachen Geschichtsberichts aufzufassen sind[99]. Dennoch könnte die heute vor-

---

[93] E. Schillebeeckx: Die Auferstehung Jesu als Grund der Erlösung, 1979, 85.
[94] E. Schillebeeckx a.a.O. 50ff., bes. 52.
[95] E. Schillebeeckx a.a.O. 88f.
[96] So bei R. Bultmann: Geschichte der synoptischen Tradition, 4. Aufl. 1958, 308f., vgl. auch H. Graß: Ostergeschehen und Osterberichte, 1956, 20ff., 173-186.
[97] Grundlegend dafür ist immer noch H.v. Campenhausen: Der Ablauf der Osterereignisse und das leere Grab (1952) 2. Aufl. 1958. Vgl. auch R.E. Brown a.a.O. 117ff., sowie R.H. Fuller a.a.O. 69f.
[98] Siehe dazu R. Pesch: Das Markusevangelium 2 (1977) 2. Aufl. 1980, 519f. Vgl. schon 18 und 20ff.
[99] Dazu ist schon die verspätete Salbungsabsicht der Frauen (Mk 16,1) zu rechnen, deren Erklärung bei Lukas (23,56) durch die Sabbatruhe am Vortag immerhin diskutabel bleibt (vgl. H. v. Campenhausen a.a.O. 24 Anm. 84). Völlig unglaublich ist aber, „daß die Frauen erst unterwegs auf den Gedanken kommen, sie hätten eigentlich Hilfe nötig, um den Stein abzuwälzen und ins Grab zu gelangen" (ebd. 24). Das Engelwort (16,7) mag ebenso wie 16,8b eine nachträgliche Ergänzung zwecks Harmonisierung mit einem frühen Stadium der Erscheinungstradition sein (vgl. Grundzüge der Christologie, 1964, 99f.). Insgesamt hat die Erzählung auch nach H.v. Campenhausen „bis zu einem gewissen Grade zweifellos legendarischen Charakter" (a.a.O. 40). E. Schillebeeckx hat sie 1975 mit F. Mussner (Die Auferstehung Jesu, 1969) als

liegende Gestalt der Erzählung einzelne historisch relevante Erinnerungen bewahren, so besonders die Rolle von Frauen bei der Auffindung des Grabes, aber auch die Erinnerung daran, daß die ersten Erscheinungen des Auferstandenen nicht am Grabe, sondern in Galiläa stattfanden.

Unter den neueren Kritikern an der Historizität des leeren Grabes Jesu ist Rudolf Pesch hervorzuheben, dessen Skepsis angesichts seines Urteils über das Alter der Grabestradition besondere Beachtung verdient[100]. Nach Pesch setzt die Erzählung den Glauben an Jesu Auferweckung „am dritten Tage" schon voraus, was „die Vorstellung, sein Leichnam sei noch im Grab zu finden, ausschloß"[101]. Es handle sich daher um eine „konstruierte Erzählung", die das „Inszenieren"[102] einer vorgegebenen Wahrheit bezwecke. Gegen ähnliche Deutungen der Grabesgeschichte in der englischen Literatur hat der bekannte Oxforder Logiker Michael Dummett in einem aufsehenerregenden Artikel protestiert[103]. Er wendet sich gegen die Auffassungen von Hubert Richards und Fergus Kerr, wonach die Osterbotschaft der Apostel gar nicht beinhaltet habe, daß das Grab leer war. Dieser Sachverhalt sei in der Diskussion zwischen Christen und Juden allgemein anerkannt gewesen. „Der Streitpunkt war nicht, *ob* es leer war, sondern *warum* – entweder weil, wie die Apostel behaupteten, Jesus von den Toten auferstanden war oder weil sie, wie sie beschuldigt wurden, den Körper gestohlen hatten, um einen Betrug zu begehen"[104]. Die Meinung der neutestamentlichen Texte sei in dieser Frage hinreichend klar, und es überzeuge nicht, ihnen eine literarische Konvention zuzuschreiben, derzufolge sie nicht wirklich sagen wollten, was sie zu sagen scheinen[105].

Die historische Urteilsbildung muß neben der Analyse von Mk 16,1–8 auch die Situation der urchristlichen Osterverkündigung in Jerusalem, am Ort der Hinrichtung und Bestattung Jesu, berücksichtigen. Wenn es richtig ist, daß nach damaligem jüdischen Verständnis die Nachricht von der Auferweckung eines Toten implizierte, daß sein Grab leer wurde[106], dann ist es

---

Kultlegende einer jährlichen Feier am Grabe Jesu aufgefaßt (Jesus. Die Geschichte von einem Lebenden, 1975, 298 zu Mt 28,15). Siehe auch schon L. Schenke: Auferstehungsverkündigung und leeres Grab, 1968. Schillebeeckx hat sich 1979 wieder von dieser These distanziert (Die Auferstehung Jesu als Grund der Erlösung, 103 ff.), hält aber weiter an der Historizität des leeren Grabes fest (104 f.).

[100] R. Pesch: Das Markusevangelium 2, 1977, 2. Aufl. 1980, 522–540, sowie ders.: Das „leere Grab" und der Glaube an Jesu Auferstehung, in: Internationale katholische Zeitschrift Communio 11, 1982, 6–20, bes. 19.

[101] R. Pesch: Das „leere Grab" etc. 17.

[102] R. Pesch a.a.O. 14. Vgl. Das Markusevangelium 2, 2. Aufl. 1980, 521.

[103] M. Dummett: Biblische Exegese und Auferstehung, in: Internationale katholische Zeitschrift Communio 13, 1984, 271–283.

[104] M. Dummett a.a.O. 278, vgl. die Ausführungen des Vf. in Grundzüge der Christologie, 1964, 98 f.

[105] M. Dummett a.a.O. 281. Dummett wendet sich damit gegen einen Mißbrauch der formgeschichtlichen Methode (vgl. schon 271).

[106] So u.a. A. Vögtle a.a.O. 97, 109, 130. Das ist die Voraussetzung auch der Konstruktion

kaum vorstellbar, daß die christliche Botschaft von der Auferstehung Jesu sich ausgerechnet in Jerusalem ausbreiten konnte, wenn nicht jene Voraussetzung im Hinblick auf das Grab Jesu feststand[107]. Eine Bestätigung dafür, daß diese Tatsache allgemein bekannt und von Freunden wie Gegnern der christlichen Osterbotschaft vorausgesetzt wurde, ergibt sich sodann aus den Hinweisen auf die Auseinandersetzung zwischen den Christen und ihren jüdischen Gegnern zu diesem Thema, wie sie aus den Evangelien zu entnehmen sind (Mt 28,13-15; Joh 20,12ff. und 2)[108]. Es findet sich keinerlei Spur

---

von R. Pesch, wonach die Geschichte vom leeren Grab geradezu das Produkt des Auferstehungsglaubens war.

[107] So schon P. Althaus: Die Wahrheit des kirchlichen Osterglaubens, 1940, 25, zit. in Grundzüge der Christologie, 1964, 97f. Ähnlich jetzt auch J. Moltmann: Der Weg Jesu Christi, 1989, 244: „Die Auferstehungsbotschaft der nach Jerusalem zurückkehrenden Jünger hätte sich in der Stadt kaum eine Stunde halten können, wenn man den Leichnam Jesu im Grabe hätte nachweisen können". Vgl. auch W. L. Craig: On Doubts about the Resurrection, Modern Theology 6, 1989, 53-75, bes. 59f. R. Pesch hingegen bezeichnete dieses Argument in seinem Kommentar sehr summarisch als „ein unbeweisbares und widerlegbares Postulat" (Das Markusevangelium 2, 2. Aufl. 1980, 538). Ausführlicher hat er sein Urteil begründet in dem Aufsatz: Zur Entstehung des Glaubens an die Auferstehung Jesu. Ein Vorschlag zur Diskussion, ThQ 153, 1973, 201-228, bes. 206-208. Seine dort vorgebrachten Zweifel zur Grabestradition vertragen sich jedoch nicht recht mit deren im Kommentar zugestandenem Alter, insbesondere nicht mit der von dieser Tradition den Frauen als Entdeckerinnen des Grabes zugeschriebenen Rolle. Auf den ersten Blick eindrucksvoll ist die Behauptung, die Mk 6,14.16 begegnende Auffassung des Herodes, in Jesus sei der enthauptete Täufer wiedererstanden, belege die Vorstellung einer Auferstehung ohne leeres Grab (208, vgl. auch K. Berger: Die Auferstehung des Propheten und die Erhöhung des Menschensohnes, 1976, 15ff.). Allein, die Vorstellung von der Wiederverkörperung eines Toten *in einem andern Menschen* ist doch ganz verschieden von der Vorstellung eschatologischer Totenauferstehung und einer Verwandlung in ein dieser irdischen Daseinsform gegenüber ganz anderes Leben. Auch A. Vögtle hat diese These abgelehnt (a. a. O. 80ff.). Siehe auch W. Kasper: Der Glaube an die Auferstehung Jesu vor dem Forum historischer Kritik, ThQ 153, 1973, 229-241, bes. 236: „Offensichtlich ist doch dies, daß das Neue Testament nach dem Bruch des Kreuzes die Auferstehung nicht als Rückkehr ins alte Leben, sondern als qualitativen Anbruch des neuen Lebens im neuen Äon und als eine qualitativ neue Weise der Gegenwart Jesu ‚im Geist' verstand. Die Auferweckung Jesu wurde also gerade nicht nach der Art der Wiederkunft des Elias, der nach alttestamentlich-jüdischer Vorstellung ja gar nicht gestorben ist, noch nach der Art verstanden, wie man damals volkstümlicherweise im irdischen Jesus den wiedergekommenen Johannes sah".

[108] Siehe dazu H. v. Campenhausen: Der Ablauf der Osterereignisse und das leere Grab, 2. Aufl. 1959, 31ff. Die Frage von A. Vögtle, warum „in der alten Überlieferung", also vor Mt 28,13-15, keine Auseinandersetzung mit jüdischen Erklärungsversuchen des leeren Grabes Jesu erkennbar ist (a. a. O. 87ff.), würde nur dann einen Einwand gegen die Annahme eines frühen Wissens davon, daß das Grab Jesu leer war, begründen, wenn die Darstellungen von Mk und Lk bereits solche Auseinandersetzungen hätten erwähnen müssen, falls es sie gegeben hätte. Das ist jedoch im Hinblick auf Charakter und mutmaßliche Adressaten ihrer Darstellung keineswegs plausibel. Vögtles weiterer Einwand, wenn das Grab geöffnet und leer gefunden worden wäre, müßte von einer Prüfung und Bestätigung durch die Jünger berichtet worden sein (92ff.), ist noch weniger plausibel, weil nach vorherrschender Annahme (auch nach Vögtle 115) die Jünger in Galiläa waren zu der Zeit, als nach Mk 16,1-8 das Grab geöffnet und leer gefunden wurde. Vögtles Gründe gegen die Annahme eines frühen Wissens davon, daß das Grab

davon, daß den Christen vorgehalten worden wäre, der Leichnam Jesu liege ja noch in seinem Grabe. Das Gewicht dieser Tatsache ist in der Diskussion um die Überlieferung von der Auffindung des leeren Grabes Jesu oft unterschätzt worden, ebenso wie die Tragweite des Zusammenhangs der Auferstehung mit der Leiblichkeit des Toten, besonders in Beziehung auf einen erst kürzlich Verstorbenen und im Hinblick auf den Umstand, daß die Auferstehung Jesu gerade in Jerusalem verkündet und geglaubt wurde.

Wer das Faktum des leeren Grabes Jesu bestreiten will, muß den Nachweis führen, daß es unter den zeitgenössischen jüdischen Zeugnissen für den Auferstehungsglauben Auffassungen gegeben hat, wonach die Auferstehung des Toten mit dem im Grabe liegenden Leichnam nichts zu tun zu haben braucht[109]: Ferner müßte angenommen werden, daß solche (bisher nicht nachgewiesenen) Auffassungen in Palästina hinreichend populär waren, da sonst die erfolgreiche urchristliche Verkündigung der Auferstehung Jesu in Jerusalem nicht möglich gewesen wäre unter Voraussetzung einer intakten Begräbnisstätte Jesu. Es bliebe dann immer noch zu erklären, weshalb nach den Angaben der Evangelien die Christen und ihre Gegner über den Verbleib des Leichnams Jesu gestritten haben. Solange aber der erwähnte Nachweis nicht erbracht ist, wird man annehmen müssen, daß das Grab Jesu tatsächlich leer war.

Die Erwähnung des Begräbnisses Jesu bei Paulus (1.Kor 15,4) läßt sich zwar nicht als Argument für die Kenntnis des Apostels von der Auffindung des leeren Grabes Jesu auswerten. Aus der Tatsache, daß Paulus das leere Grab nicht ausdrücklich erwähnt hat[110], wird man aber auch nicht schließen dürfen, daß es ihm unbekannt, sondern allenfalls nur, daß die Hervorhe-

---

Jesu leer war, sind daher nicht überzeugend (gegen Vögtle a.a.O. 97f.). Seine Annahme, daß die christliche Osterverkündigung zwar mit dem Leersein des Grabes gerechnet, sich aber in Jerusalem gar nicht für das Grab Jesu interessiert habe und auch durch ihre jüdischen Gegner nicht dazu veranlaßt wurde, ist innerlich unglaubwürdig.

[109] Sicherlich waren die Vorstellungen von der Leiblichkeit der Auferweckten sehr unterschiedlich (dazu J.Kremer in G.Greshake/J.Kremer: Resurrectio Mortuorum. Zum theologischen Verständnis der leiblichen Auferstehung, 1986, 68ff.), und sogar der Gegensatz zur griechischen Vorstellung der Unsterblichkeit der Seele war nicht immer klar (71ff.). Da die Erwartung der Auferstehung mit der eschatologischen Zukunft verbunden war, ist es nicht verwunderlich, daß die Frage nach dem Verhältnis zum Leichnam im Grabe wenig geklärt war (G.Stemberger: Der Leib der Auferstehung, 1972, 115f.). Doch die Grundvorstellung war, daß sich das Dasein des Menschen nur leiblich, und zwar „immer nur in derselben Leiblichkeit konkretisieren kann" (116).

[110] Nach W.L.Craig (s.o. Anm.83) impliziert zwar nicht die Hervorhebung des Begräbnisses Jesu als solche, wohl aber die Abfolge der Aussagen „gestorben ... begraben ... auferweckt" in 1.Kor 15,3ff., daß das Grab leer wurde (Modern Theology 6, 1989, 57). Ich halte das für ein gewichtiges Argument. Daß Paulus außer dem Tod auch das Begrabensein Jesu erwähnt, kann nicht nur als sprachliche Floskel zur Bekräftigung des Gestorbenseins, sondern muß als Tatsachenbehauptung aufgefaßt werden (gegen J.Broer: Die Urgemeinde und das Grab Jesu. Eine Analyse der Grablegungsgeschichte im Neuen Testament, 1972, 273ff.).

bung dieses Datums ihm im Argumentationszusammenhang seiner brieflichen Äußerungen nicht theologisch wichtig war. Das ist nicht erstaunlich, wenn es sich dabei um eine auch für Paulus selbstverständliche Implikation der Rede von der Auferstehung Jesu handelte. Beweis für dieses Ereignis sind bei Paulus die Erscheinungen des Auferstandenen, nicht das leere Grab. Das ist angesichts der unterschiedlichen Deutbarkeit der Tatsache des leeren Grabes verständlich. Diese Tatsache mußte in Jerusalem als selbständiges Faktum wichtig sein, aber nicht in gleichem Maße in Ephesos oder Korinth. Außerdem kommt der Tatsache des leeren Grabes genau dann keine eigene Bedeutung zu, wenn schon in der Behauptung der Auferweckung oder Auferstehung das Leerwerden des Grabes impliziert ist, es andererseits aber nicht für sich allein eine solche Behauptung zu tragen vermag.

Obwohl die urchristliche Überzeugung von der Tatsache der Auferstehung Jesu nicht auf der Entdeckung seines leeren Grabes beruht, sondern auf den Erscheinungen des Auferstandenen, ist die Grabestradition für das Gesamtzeugnis vom Ostergeschehen doch nicht bedeutungslos. Sie erschwert die Vermutung, bei den Erscheinungen des Auferstandenen könne es sich doch wohl nur um bloße Halluzinationen gehandelt haben. Andererseits verwehrt sie eine spiritualistische Verflüchtigung der Osterbotschaft, so sehr sie dem Gedanken einer Verwandlung der irdischen Leiblichkeit Jesu in die eschatologische Wirklichkeit eines neuen Lebens Raum läßt. Da die Auffindung des leeren Grabes Jesu auch nicht als ein Produkt des Osterglaubens erklärt werden kann, sondern sich unabhängig von den Erscheinungen ereignet haben dürfte, wenn auch die Überlieferung davon dann im Licht des Osterglaubens stattgefunden hat, so muß dieser Nachricht auch die Funktion einer Bestätigung der Identifikation der in den Erscheinungen begegnenden Wirklichkeit Jesu als Auferstehung von den Toten zuerkannt werden.

7. Die Behauptung, daß Jesus „auferstanden" ist, daß also der tote Jesus von Nazareth zu einem neuen Leben gekommen ist, impliziert bereits den Anspruch auf Historizität. Das gilt hier wie bei jeder Behauptung über in Zeit und Raum geschehene Ereignisse, sofern solche Behauptungen in der Zuversicht gemacht werden, daß sie kritischer Nachprüfung standhalten, der behauptete Sachverhalt sich solcher Prüfung also nicht als nichtig erweisen wird. Wenn die christliche Behauptung der Auferstehung Jesu freilich einen der menschlichen Geschichte in Raum und Zeit gänzlich transzendenten Sachverhalt behaupten würde, dann verhielte es sich anders. Das ist aber nicht der Fall. Die Auferstehung Jesu wird von der christlichen Osterbotschaft zwar als ein Ereignis des Übergangs von dieser irdischen Welt in ein neues und unvergängliches Leben bei Gott behauptet, aber doch so, daß dieses Ereignis selbst sich in dieser Welt vollzogen hat, nämlich im Grabe Jesu bei Jerusalem vor dem Besuch der Frauen am Sonntagmorgen nach seinem Tode.

Die Zeitangabe „am dritten Tage" (1. Kor 15,4) wurde bei Paulus (im Unterschied zu Mk 8,31; 9,31; 10,34 parr) ausdrücklich als Erfüllung „der Schriften" bezeichnet (vgl. auch Lk 24,27). Ob dabei an Hos 6,2 zu denken ist[111], muß offen bleiben. Die Zeitangabe von Mk 16,2 („frühmorgens am ersten Tag der Woche") läßt sich kaum davon herleiten, sondern muß ihrerseits als Ursprung der dem damit gegebenen Zeitabstand vom Tode Jesu nur mühsam entsprechenden Dreitageformel betrachtet werden[112].

Jede Behauptung, die ein Ereignis als in der Vergangenheit tatsächlich geschehen behauptet, impliziert einen historischen Anspruch und setzt sich daher auch historischer Prüfung aus. Darum gilt Entsprechendes notwendig auch für die christliche Behauptung, daß Jesus von Nazareth „am dritten Tage" nach seinem Tode „auferstanden" sei. Zum richtigen Verständnis dieser These ist jedoch zu berücksichtigen:

a) „Historizität" muß nicht bedeuten, daß das als historisch tatsächlich Behauptete analog oder gleichartig mit sonst bekanntem Geschehen sei[113]. Der *Anspruch* auf Historizität, der von der Behauptung der Tatsächlichkeit eines geschehenen Ereignisses untrennbar ist, beinhaltet nicht mehr als dessen Tatsächlichkeit (die Tatsächlichkeit eines zu bestimmter Zeit geschehenen Ereignisses). Die Frage seiner Gleichartigkeit mit anderem Geschehen mag für das kritische Urteil über das Recht solcher Behauptungen eine Rolle spielen, ist aber nicht Bedingung des mit der Behauptung verbundenen Wahrheitsanspruchs selber.

b) Daher kann der Hinweis auf die *Andersartigkeit* der eschatologischen Wirklichkeit des Auferstehungslebens gegenüber der Wirklichkeit dieser vergehenden Welt den Anspruch auf Historizität nicht berühren, der mit der Behauptung der Tatsächlichkeit eines zu bestimmter Zeit geschehenen Ereignisses gegeben ist[114]. Das theologische Interesse bei der Behauptung

---

[111] Vgl. dazu G. Delling in ThWBNT II, 1935, 951 ff., sowie C. F. Evans a. a. O. 47 ff., und K. Lehmann: Auferweckt am dritten Tag nach der Schrift, 1968, 221-230.

[112] So E. L. Bode: The First Easter Morning, 1970, 161, auf den sich W. L. Craig a. a. O. 58 beruft. Craig verweist auch auf die Vermutung von R. E. Brown: The Gospel according to John II, 1970, 980, daß der in allen Evangelien übereinstimmende Sprachgebrauch bei der Zeitangabe der Auffindung des leeren Grabes als Hinweis darauf zu nehmen sei, daß „the basic time indication of the finding of the tomb was fixed in Christian memory before the possible symbolism in the three-day reckoning had yet been perceived". Das spricht gegen C. F. Evans a. a. O. 75 f. Über jüdische Wurzeln der Vorstellung von der Auferweckung Jesu „am dritten Tage" siehe auch bes. K. Lehmann: Auferweckt am dritten Tag nach der Schrift, 1968, 262-290.

[113] Siehe dazu meine Auseinandersetzung mit E. Troeltsch in: Heilsgeschehen und Geschichte (KuD 1959), jetzt in Grundfragen systematischer Theologie 1, 1967, 46 ff., bes. 49 ff. Ähnlich jetzt auch J. Moltmann: Der Weg Jesu Christi, 1989, 266 ff., trotz seiner in der nächsten Anmerkung zu erwähnenden Ablehnung der Bezeichnung der Auferstehung Jesu als historisch. Vgl. ferner D. P. Fuller: The Resurrection of Jesus and the Historical Method, The Journal of Bible and Religion 34, 1966, 18-24.

[114] Das wird u. a. auch von J. Moltmann: Der Weg Jesu Christi, 1989, 236 verkannt, wenn er schreibt: „Wer die Auferstehung Christi wie seinen Kreuzestod „historisch" nennt, übersieht

der Historizität der Auferstehung Jesu hängt denn auch analog zur Inkarnationsaussage daran, daß die Überwindung des Todes durch das neue, eschatologische Leben in dieser unserer Welt und Geschichte tatsächlich stattgefunden hat.

c) Die Behauptung der Historizität eines Ereignisses schließt nicht schon ein, daß das Behauptete derart gesichert wäre, daß man über seine Tatsächlichkeit gar nicht mehr streiten könnte[115]. Viele historische Tatsachenbehauptungen bleiben faktisch strittig, und im Prinzip kann jede solche Behauptung in Zweifel gezogen werden. Im Falle der Auferstehung Jesu sollte jeder Christ wissen, daß die Faktizität dieses Ereignisses bis zur eschatologischen Vollendung der Welt umstritten sein wird, weil seine Eigenart das nur an dieser vergehenden Welt orientierte Verständnis von Wirklichkeit herausfordert, während die in der Auferstehung Jesu angebrochene neue Wirklichkeit in ihrer Allgemeinheit noch nicht definitiv erschienen ist[116]. Dennoch behauptet der christliche Glaube, daß das eschatologische Leben der Totenauferstehung an dem gekreuzigten Jesus schon Ereignis geworden ist,

---

die neue Schöpfung, die mit ihr beginnt, und verfehlt die eschatologische Hoffnung". Der Unterschied zur Kreuzigung liegt in der Qualität des Ereignisses, aber nicht im Ereignischarakter als solchem.

[115] Diese verbreitete, aber dennoch unzutreffende Auffassung dürfte mit in erster Linie für die Skepsis gegenüber der Bezeichnung „historisch" für die christliche Behauptung der Auferstehung Jesu verantwortlich sein. So schreibt auch W. Kasper, ich lade „der historischen Forschung eine gewaltige Beweislast auf", indem ich darauf insistiere, daß es keinen Rechtsgrund gibt, „die Auferstehung Jesu als ein wirkliches Geschehen zu behaupten, wenn sie nicht historisch als solches zu behaupten ist" (Jesus der Christus, 1974, 160). Kasper übersieht, daß es bei der von ihm zutreffend wiedergegebenen These primär um einen *logischen* Zusammenhang hinsichtlich der Behauptung der Tatsächlichkeit eines vergangenen Geschehens geht und der Grad der Entscheidbarkeit des Anspruchs solcher Behauptungen eine davon zu unterscheidende Frage ist. Daher meint er auch, bei mir werde „faktisch die historische Methode doch überfordert" (ebd.). Aber „historisch" heißt nicht „historisch beweisbar" (so J. Moltmann: Der Weg Jesu Christi, 1987, 237), sondern besagt „tatsächlich stattgefunden". Was ist schon historisch derart beweisbar, daß es über allen Zweifel erhaben wäre? Der Anspruch einer Tatsachenbehauptung auf Historizität impliziert lediglich die Erwartung, daß der Inhalt dieser Behauptung historischer Prüfung standzuhalten vermag, unbeschadet unterschiedlicher und kontroverser Urteilsbildung.

[116] In diesem Sinne kann ich dem Tenor der Beschreibung von J. Moltmann: Der Weg Jesu Christi, 1987, 245 und 263ff. zustimmen. Wenn Moltmann vom christlichen Auferstehungsglauben schreibt, bis zu seiner „Verifikation durch die eschatologische Auferweckung aller Toten bleibt er Hoffnung", und seine Sprache sei „die Sprache der Verheißung und der begründeten Hoffnung, aber sie ist noch nicht die Sprache der vollendeten Tatsachen" (245), so wird allerdings das von Paulus betonte *perfectum* der Auferstehung Jesu (1. Kor 15,12ff.) doch verflüchtigt. Richtiger sollte es heißen, die in der Auferstehung Jesu angebrochene Wirklichkeit des neuen Lebens ist noch nicht vollendet, daher auch dieses Ereignis noch strittig, das aber dennoch als bereits geschehen behauptet wird und als bereits eingetreten die christliche Hoffnung zur „begründeten Hoffnung" macht. Auch Moltmann sagt von Jesus immerhin, „daß er allen anderen Toten voran auferweckt wurde" (245), und er sagt damit mehr als seine anschließende Erläuterung expliziert.

und als Tatsachenbehauptung über ein vergangenes Geschehen impliziert solche Rede unvermeidlich einen historischen Anspruch. Es kann nur Verwirrung stiften, wenn dieser Anspruch verleugnet, an der Tatsachenbehauptung aber festgehalten wird.

d) Zu welchem Urteil jemand im Hinblick auf die Historizität der Auferstehung Jesu kommt, hängt über die Prüfung der Einzelbefunde hinaus (und mit der damit verknüpften Aufgabe der Rekonstruktion des Geschehensverlaufs eng verbunden) davon ab, von welchem Wirklichkeitsverständnis der Urteilende sich leiten läßt und was er dementsprechend für grundsätzlich möglich oder aber schon vor aller Erwägung der Einzelbefunde für ausgeschlossen hält. Hier gilt mit Paulus, daß derjenige, der davon ausgeht, daß Tote unter gar keinen Umständen auferstehen, auch die Auferstehung Jesu nicht als Tatsache anerkennen kann (1.Kor 15,13), wie groß auch immer das Gewicht der dafür sprechenden Indizien sein mag[117]. Man sollte aber zugeben, daß ein derartiges Urteil auf dogmatischer Vorentscheidung beruht und nicht kritisch (im Sinne unvoreingenommener historischer Prüfung überlieferter Dokumente) genannt zu werden verdient. Sicherlich orientiert sich historische Rekonstruktion gemeinhin an einem common-sense-Verständnis von Wirklichkeit, einem Wirklichkeitsverständnis, das durchaus im Flusse ist und beispielsweise neue wissenschaftliche Perspektiven in sich aufnehmen kann, sobald sie in hinreichender Breite rezipiert worden sind[118]. Im Mittelalter hat auch die biblische Sicht der Wirklichkeit zu den Elementen eines solchen allgemeinen Wirklichkeitsverständnisses gehört. In den Anfängen der christlichen Überlieferung aber und in der säkularisierten Kultur der Neuzeit bildete und bildet die biblische Sicht der Wirklichkeit als Feld göttlichen Handelns mit Einschluß seiner eschatologischen Vollendung eine Herausforderung. Ihr zu entsprechen mag für den säkularen Historiker schwierig sein. Er sollte aber, wenn er die christliche Osterbotschaft kritisch beurteilt, unterscheiden, inwieweit ein solches Urteil durch Einzelbefunde und durch die größere Kohärenz alternativer Beschreibungen[119] erzwungen und inwieweit es das Ergebnis einer grundsätzlichen Voreingenommenheit ist. Soweit letzteres der Fall ist, hat die christliche Theologie jedenfalls keinen Anlaß, vor der Herausforderung zurückzuschrecken, die mit der Behauptung der Historizität der Auferstehung Jesu im Verhältnis zur säkularen Historie gegeben ist.

---

[117] Das klassische Beispiel dafür bilden die Ausführungen von David Hume in dem berühmten Kapitel *Of Miracles* (ch. X) in seinem Werk An Inquiry Concerning Human Understanding (1758), ed. Ch.W.Hendel 1955, 117–141, bes. 137f.

[118] Siehe dazu die durch Klarheit und Ausgewogenheit ausgezeichneten Ausführungen von H.Burhenn: Pannenberg's Argument for the Historicity of the Resurrection, Journal of the American Academy of Religion 40, 1972, 368–379.

[119] Zur Bedeutung des letzteren Gesichtspunktes siehe A.Dunkel: Christlicher Glaube und historische Vernunft. Eine interdisziplinäre Untersuchung über die Notwendigkeit eines theologischen Geschichtsverständnisses, 1989, 288f.

2. Die christologische Entfaltung der Einheit Jesu mit Gott

a) Die Gottessohnschaft Jesu und ihr Ursprung in der Ewigkeit Gottes

Das Ostergeschehen ist der geschichtliche Ausgangspunkt der apostolischen Verkündigung und der Christologie der Kirche geworden. Beides beruht auf der diesem Geschehen eigenen Bedeutung in seinem Rückbezug auf die vorösterliche Geschichte Jesu, – auf sein Wirken als Bote der nahen Gottesherrschaft und auf die Verknüpfung des Messiastitels mit seiner Person durch die Anklage, die zu seiner Verurteilung und Hinrichtung durch die Römer geführt hatte. Dieser Rückbezug hat inhaltlich den Charakter göttlicher Bestätigung und Rechtfertigung (1. Tim 3,16) des vorösterlichen Wirkens Jesu und seiner Person angesichts der ihm widerfahrenen Ablehnung und Verurteilung durch Juden und Römer. Die Implikationen dieses Bestätigungs- und Rechtfertigungsgeschehens sind nun genauer zu erörtern.

Wenn das Ereignis der Auferweckung Jesu als die ihm widerfahrene göttliche Bestätigung und Rechtfertigung entgegen seiner Verurteilung durch seine menschlichen Richter zu verstehen ist, dann muß es in erster Linie als Zurückweisung der gegen ihn vorgebrachten Anklage betrachtet werden: Jesus hat also nicht sich selbst Gott gleich gemacht, auch nicht in dem Sinne, daß er sich selbst zu Gottes Sohn erklärt hätte (Mk 14,61). Er hat vielmehr sich von Gott unterschieden, indem er sich dem Vater unterordnete, um durch all sein eigenes Tun und Wirken der Herrschaft des Vaters zu dienen. Er hat damit dem Vater die Ehre erwiesen, die jedes Geschöpf ihm als dem einen Gott schuldet. Nur in solcher Selbstunterscheidung vom Vater durch Unterordnung unter seine Königsherrschaft und im Dienst an ihr ist er der Sohn. Das erklärt die Ambivalenz in der Antwort Jesu auf die Frage des Hohenpriesters, die dieser nach der Überlieferung der synoptischen Evangelien auf dem Höhepunkt des jüdischen Verfahrens gegen Jesus an ihn gerichtet hat: „Bist du der Messias, der Sohn des Hochgelobten?" (Mk 14,61). Die Ambivalenz der Antwort Jesu spiegelt sich in der unterschiedlichen Wiedergabe durch die Evangelisten: Einerseits das Ja bei Markus (14,62), andererseits die zwar nicht ablehnende, aber doch deutlich zurückhaltende Reaktion, von der Lukas (22,64) und Matthäus (26,67f.) berichten: Das Bekenntnis zur Gottessohnschaft würde, so gibt Lukas zu verstehen, im Sinne menschlicher Anmaßung, die die eigene Person Gott gleichstellt, aufgefaßt und darum nicht geglaubt werden. Es würde gerade nicht im Sinne der Unterordnung unter den Vater als den einen Gott verstanden werden. Das wird durch den Fortgang des Berichts bestätigt, da Jesu Drohung mit dem Gericht des Menschensohnes als Ausdruck der vermuteten Selbstanmaßung aufgefaßt worden zu sein scheint (Mt 26,65; vgl. Lk 22,70f.). Doch Jesus ist gerade dadurch der „Sohn" des Vaters, daß er sich gänzlich seiner Königsherrschaft unterwarf und ihr diente. Die göttliche Rechtfertigung Jesu entgegen dem Urteil seiner menschlichen Richter besagt also zunächst: Gerade dadurch, daß er nicht sich selbst Gott gleich gemacht hat, ist er vor Gott gerecht als „Sohn" des Vaters, wie es seine Auferweckung an den Tag bringt: Die „Einsetzung" in die Sohnschaft durch die Auferweckung (Röm 1,4) ist, obwohl das an dieser Stelle nicht ausdrücklich so gesagt wird (vgl. aber Phil 2,8 f.), als Ausdruck der Bestätigung der Autorisierung von Jesu Sendung durch Gott selbst zu verstehen.

Die Bezeichnung Jesu als „der Sohn" hat einen Anhaltspunkt in der Weise, wie Jesus in seinem vorösterlichen Wirken von Gott als „dem Vater" gesprochen hat, wenn auch die Selbstbezeichnung als „der Sohn" im Munde Jesu (Mt 11,27; Lk 6,22) wohl nicht als im historischen Sinne authentisch zu betrachten ist. Die Frage der Historizität solcher Selbstzuschreibung ist jedenfalls von untergeordneter Bedeutung, weil die für Jesus spezifische Weise, sich auf den Gott seiner Botschaft als „den Vater" zu beziehen, den Sachverhalt der Sohnschaft im Verhältnis zu diesem Vater implizierte. Von daher mußte es im Lichte des Ostergeschehens naheliegen, den durch seine Auferweckung von den Toten durch Gott selbst Gerechtfertigten als „den Sohn" zu bezeichnen, zumal dann, wenn der Titel „Sohn Gottes" in anderer Beziehung, nämlich in Verbindung mit der Messiasfrage, eine Rolle im Prozeß Jesu gespielt hatte. Dem königlichen Messias gebührt der Titel „Sohn Gottes", weil nach Ps 2,7 und 2.Sam 7,14 der König in der Nachfolge Davids Gottes Sohn heißt[120]. Die Bezeichnung „Sohn" verknüpft also den von Jesus nicht beanspruchten, aber als Grund seiner Verurteilung und Hinrichtung mit seiner Person verbundenen Messiastitel mit dem für Jesus charakteristischen Verhältnis zu Gott als Vater.

Die göttliche Rechtfertigung des Gekreuzigten durch seine Auferweckung von den Toten ist auch in Beziehung auf seine Verurteilung und Hinrichtung durch die Römer als Messiasprätendent zu verstehen. Gegenüber dem römischen Urteil über Jesus besagt die göttliche Rechtfertigung durch seine Auferweckung von den Toten: Er ist nicht Messias im Sinne politischer Herrschaft und also auch nicht im Sinne der Anklage des Aufruhrs gegen die Herrschaft Roms. Dennoch wird der Messiastitel wegen seiner Verbindung mit dem Sohnestitel nun festgehalten. Er wird sogar zum Bestandteil des Namens Jesu, dabei aber umgeprägt im Sinne des Leidensgehorsams des Gekreuzigten: Jesus wird als der bevollmächtigte Repräsentant der Königsherrschaft Gottes, die er verkündigte, bestätigt. Das ist der Sinn seiner Erhöhung zur messianischen Würde durch Einsetzung in die macht-

---

[120] Die Davidsohnschaft erscheint daher in Röm 1,3 f. als Vorstufe der Einsetzung in die Sohneswürde, die auch in Ps 2,7 mit dem tatsächlichen Antritt der Königsherrschaft verbunden ist. Zur davidischen Abstammung Jesu vgl. F. Hahn: Christologische Hoheitstitel. Ihre Geschichte im frühen Christentum, 1963, 242–279, bes. 244, sowie O. Cullmann: Die Christologie des Neuen Testaments (1957) 2. Aufl. 1958, 128 ff. Chr. Burger: Jesus als Davidssohn, 1970.

volle Ausübung der Gottessohnschaft (Röm 1,4) in der Kraft des Geistes Gottes, der ihn von den Toten auferweckt hat. Weil aber die Erhöhung Ausdruck der Rechtfertigung Jesu durch seine Auferweckung von den Toten ist, also auf die gegen ihn erhobene Anklage, auf seine Verurteilung und seinen Kreuzestod bezogen bleibt, darum handelt es sich bei der messianischen Herrschaft des Erhöhten nicht einfach um eine der Leidensgeschichte Jesu folgende, sie ablösende und hinter sich zurücklassende Phase seines Weges, sondern um die Messianität des Gekreuzigten als solchen, so daß das Johannesevangelium, den Sachverhalt paradoxal zusammenziehend, das Kreuzesgeschick selber schon als Erhöhung deuten konnte (Joh 3,14; 8,28; 12,32f.). Dabei ist es auch im Sinne des Johannesevangeliums natürlich nur im Lichte von Jesu Auferstehung und Rückkehr zum Vater möglich, so von seinem Kreuzestod zu reden.

Die Bestätigung Jesu durch Gott im Ostergeschehen erstreckt sich drittens auch auf sein irdisches Wirken und auf die dieses Wirken begründende Verkündigung der Gottesherrschaft und ihres Anbruchs in seinem eigenen Auftreten. Der darin beschlossene Anspruch für Jesu eigene Person, daß in ihm und durch ihn die Zukunft Gottes schon gegenwärtig ist, erscheint im Lichte des Ostergeschehens nun nicht mehr als menschliche Anmaßung, sondern durch die Auferweckung Jesu ist jetzt bestätigt, daß er schon in seinem irdischen Wirken in der Autorität des Vaters handelte, so daß des Vaters Königsherrschaft in ihm gegenwärtig wurde: Schon in seinem irdischen Auftreten war er der Sohn des Vaters, wenngleich er erst durch seine Auferweckung in die Machtstellung des Sohnes eingesetzt wurde (Röm 1,4). Die Einsetzung in die Sohnschaft durch seine Auferweckung von den Toten kann nicht bedeuten, daß Jesus erst von da an der Sohn des Vaters ist[121]. Eine solche Auffassung würde den Bestätigungssinn der Auferweckung Jesu verkennen: Als Bestätigungsgeschehen hat dieses Ereignis rückwirkende Kraft[122]. Daher konnte im Lichte des Ostergeschehens die Gottessohnschaft Jesu schon mit seiner Taufe durch Johannes, dem Ausgangspunkt seines öffentlichen Wirkens verbunden werden (Mk 1,11 parr)[123]. Weil aber die Auferweckung Jesu nicht nur seine Botschaft und sein Wirken bestätigte, so als ob deren Inhalt von seiner Person ablösbar wäre, sondern ihn selber, seine infolge dieser Botschaft ins Zwielicht geratene Person, darum konnte die Begründung seines Sohnesverhältnisses zum Vater mit Recht auf den Anfang seines irdischen Daseins überhaupt, auf seine Zeugung und Geburt, zu-

---

[121] Das ist schon die paulinische Interpretation der Röm 1,3f. zitierten Formel gewesen. Vgl. U. Wilckens: Der Brief an die Römer 1, 1978, 59.
[122] Siehe oben 342f. Anm. 92.
[123] Ausführlicher dazu vom Vf. Grundzüge der Christologie, 1964, 136ff. Nach J. Jeremias: Die Verkündigung Jesu (Neutestamentliche Theologie I), 1971, 2. Aufl. 1973, 56ff. wäre allerdings die Taufe Jesu durch Johannes schon historisch Ausgangspunkt eines Sohnesbewußtseins Jesu gewesen (61ff.).

rückdatiert werden (Lk 1,32.35)[124]. Zum angemessenen Verständnis dieses Sachverhalts ist jedoch zu beachten, daß sowohl die Verbindung der Gottessohnschaft Jesu mit seiner Taufe als auch die Darstellung des Ursprungs seines irdischen Daseins als Geburt des Gottessohnes nur im Lichte des Ostergeschehens und als Ausdruck seiner Bestätigungsfunktion sachlich legitimiert sind. Nur wenn sie in dieser Perspektive gewürdigt werden, geraten die Vorstellungen der Begründung der Gottessohnschaft Jesu auf seine Taufe einerseits, auf seine Geburt andererseits nicht in Widerspruch gegeneinander und zu der alten Aussage über seine Einsetzung in die Sohneswürde durch seine Auferweckung von den Toten. Isoliert für sich betrachtet stellen diese Vorstellungen sich dar als drei miteinander konkurrierende und einander gegenseitig dementierende Angaben über den Ursprung der Gottessohnschaft Jesu[125].

Das Ostergeschehen ist auch noch in anderer Hinsicht als Bestätigung der Botschaft Jesu zu verstehen, insofern es sich nämlich als zumindest partielle Erfüllung von Jesu Ankündigung des unmittelbar bevorstehenden Anbruchs der Zukunft der Gottesherrschaft auffassen läßt. Der Eintritt des Endes vor dem Ableben der damaligen Generation (Mk 9,11; 13,30; vgl. Mt 10,23) ist ausgeblieben. Doch an Jesus selbst ist das Endheil der Gottesherrschaft durch seine Auferweckung von den Toten schon Wirklichkeit geworden. Darum brauchte die „Parusieverzögerung" für die Urchristenheit nicht zu einer die Grundlagen ihres Glaubens erschütternden Enttäuschung zu werden, obwohl die erste Generation der Christen, auch Paulus (1.Thess 4,15-17), noch an der Naherwartung festhielt (vgl. 1.Kor 15,51; Röm 13,11): Durch den auferstandenen Herrn und seinen Geist ist den Glaubenden das eschatologische Heil bereits gegenwärtig gewiß, so daß die Länge der bis zur Endvollendung noch verbleibenden Zeitspanne demgegenüber sekundär wird. Das ändert zwar nichts daran, daß die Zukunft der Endvollendung konstitutiv bleibt für den Glauben an Jesus Christus. Aber der Akzent bei der Begründung der Heilsteilhabe hat sich als Konsequenz des Ostergeschehens und des mit dem Glauben an die Auferstehung Jesu verbundenen Geistempfangs

---

[124] Die Legende von der jungfräulichen Empfängnis Jesu, wie sie bei Lukas (1,26-38) vorliegt, setzt den Titel „Sohn Gottes" für das verheißene Kind (1,32) schon voraus. Besonders 1,35b gibt zu erkennen, daß die Erzählung den Charakter einer Ätiologie der Gottessohnschaft Jesu hat: Sie liefert die Begründung für den schon anderweitig bekannten Sachverhalt, daß Jesus der Sohn Gottes ist. Vgl. die oben 358f. Anm.139 genannte Untersuchung der Geburtsgeschichte von R.E.Brown, bes. 313 und 517-531.

[125] Die Behauptung, daß der „differenzierte Gebrauch des Sohnesbegriffs im Neuen Testament ... der dogmatischen Besinnung Freiheit" gebe, ihrem eigenen Weg zu folgen, nämlich ohne die damit verbundenen „Gehalte" zu übernehmen, wie H.Graß meinte (Christliche Glaubenslehre I, 1973, 112 und 117), läßt ein eigenartiges Verständnis von der Bindung christlicher Lehre an das biblische Zeugnis erkennen. Dessen Vielgestaltigkeit entläßt nicht etwa aus dieser Bindung, sondern sollte die Dogmatik veranlassen, nach der jener Vielfalt vorausliegenden Einheit der Sache und nach den darin begründeten Motiven für die Entstehung so vielfältiger Formen des Zeugnisses zu fragen. Die Einsicht in diese Aufgabe liegt schon dem Verfahren meiner Grundzüge der Christologie, 1964, 131-151 zugrunde.

verlagert von der Orientierung an der eschatologischen Zukunft auf die Gemeinschaft mit dem durch seinen Geist gegenwärtigen Herrn. Während in der Situation der Botschaft Jesu die unmittelbare Nähe der eschatologischen Zukunft Gottes das Motiv bildete für die Dringlichkeit des Aufrufs, sich ihr zuzuwenden, so ist an die Stelle dieses Motivs nach Ostern die Botschaft von der in Tod und Auferstehung Jesu geschehenen Versöhnung und Erlösung getreten. In der Folgezeit konnte die Heilsbegründung noch weiter zurückverlegt und mit der Inkarnation des Erlösers verbunden werden. Diese Entwicklung muß in der Fluchtlinie der schon für die Botschaft und das Wirken Jesu charakteristischen, antizipatorischen Gegenwart der Heilszukunft gewürdigt werden. Sie stellt sich dann nicht als Verfälschung, sondern als sachgemäße Entfaltung des bei Jesus selbst begründeten Ansatzpunktes dar. Die Auferweckung Jesu hat diesen Zug seines irdischen Wirkens nicht nur dadurch bestätigt, daß sie Jesu göttliche Vollmacht bekräftigte, sondern auch dadurch, daß sich in ihr die Form antizipatorischen Anbruchs der Heilszukunft wiederholte, insofern das Heil der Gottesherrschaft, das neue und unvergängliche Leben in der Gemeinschaft mit Gott, zwar an Jesus, aber noch nicht allgemein für alle Glaubenden eingetreten ist. Beide Motive kommen auch im Gedanken der Inkarnation zusammen: die proleptische Offenbarung des Heils inmitten der noch nicht vollendeten Geschichte der Welt als Ausdruck der im Lichte des Ostergeschehens wahrnehmbaren Erscheinung des ewigen Sohnes Gottes in der irdischen Geschichte Jesu.

Die im Gedanken der Gottessohnschaft ausgedrückte Zugehörigkeit Jesu zu dem ewigen Gott, wie sie Inhalt der mit seiner Auferweckung erfolgten Bestätigung seiner Person und Sendung ist, läßt sich nicht beschränken auf die Zeitspanne seines irdischen Daseins. Die Bestätigung der Botschaft Jesu durch den ihn zum Leben erweckenden Gott besagt nämlich nicht nur, daß Jesus in göttlicher Vollmacht handelte, sondern auch, daß Gott von Ewigkeit her der ist, als den Jesus ihn verkündigt hat. Jesu Botschaft und Geschichte enthalten die eschatologisch letztgültige Offenbarung des Vaters und seiner liebenden Zuwendung zu seiner Schöpfung. „Niemand kennt den Vater, denn allein der Sohn und wem der Sohn es offenbaren will" (Mt 11,27 par). Ist aber der Vater in Ewigkeit der, als der er im Verhältnis zu Jesus, seinem Sohn, und durch ihn geschichtlich offenbar ist, dann gehört auch umgekehrt der Sohn in Ewigkeit zum Vater, kann der Vater nicht ohne den Sohn gedacht werden. Das bedeutet einerseits, daß der Auferstandene zur ewigen Gemeinschaft mit dem Vater erhöht ist. Die Zugehörigkeit Jesu als Sohn zu dem ewigen Gott bedeutet aber andererseits auch, daß der Sohn schon vor dem Beginn des irdischen Daseins Jesu mit dem Vater verbunden war, Jesu eigene Zugehörigkeit zum Vater also auch in die Zeit vor seiner irdischen Geburt zurückreicht[126]. Ist die Beziehung auf die geschicht-

---

[126] K.-J. Kuschel (Geboren vor aller Zeit? Der Streit um Christi Ursprung, 1990) stimmt zwar meiner Behauptung zu, „daß wir die Gottheit Gottes nicht mehr abgesehen von Jesus sachgemäß denken können" (528, Zitat aus meinem Buch: Das Glaubensbekenntnis, ausgelegt und

liche Person Jesu von Nazareth in Ewigkeit kennzeichnend für die Identität Gottes als des Vaters, dann muß auch von einer Präexistenz des Sohnes, der in Jesus von Nazareth geschichtlich offenbar werden sollte, vor seiner irdischen Geburt gesprochen werden. Dementsprechend muß das geschichtliche Dasein Jesu dann als das Ereignis der Inkarnation des präexistenten Sohnes gedacht werden. Der präexistente Sohn darf sicherlich nicht in Isolierung von dem geschichtlichen Sohnesverhältnis Jesu zum Vater gedacht werden, wenn die Aussage seiner Präexistenz doch allein darauf begründet ist. Das ewige Verhältnis des Vaters zum Sohne ist also theologisch nicht ablösbar von dessen Inkarnation im geschichtlichen Dasein und Wirken Jesu[127]. Dennoch ist es nur so als zur ewigen Identität des Vaters gehörig zu verstehen, daß es auch vor dem Zeitpunkt der irdischen Geburt Jesu schon bestand, so daß von einem Zustand der Präexistenz des in der Geschichte Jesu offenbaren Gottessohnes vor der irdischen Geburt Jesu zu sprechen ist, ebenso und aus demselben Grunde wie von der bleibenden Verbundenheit des Gekreuzigten und Auferstandenen mit dem Vater als Folge seiner Erhöhung zur Gemeinschaft mit ihm und zur Teilhabe an seiner Herrschaft.

Die Frage nach der religionsgeschichtlichen Herkunft der Präexistenzvorstellung, die eher in der jüdischen Weisheitsspekulation (Prov 8,22f., Sir 24,3ff.) zu vermu-

---

verantwortet vor den Fragen der Gegenwart, 1972,75). Es sei „auch neutestamentlich unbedingt festzuhalten", daß, wie es dort weiter heißt, Jesus für die Glaubenden „zur Gottheit des ewigen Gottes untrennbar hinzu" gehört. Aber er fragt, ob man daraus folgern müsse, daß solche „Wesenseinheit Jesu mit Gott" auch einschließe, daß – wie es bei mir an der zitierten Stelle heißt – Jesus „nach der Seite seiner Einheit mit Gott, als Sohn, schon gewesen" ist, „bevor er als Mensch wurde, vor seiner menschlichen Geburt", also die „Teilhabe dieses Menschen auch an der Ewigkeit Gottes, obwohl er doch als Mensch nicht ewig, sondern wie wir alle in der Zeit geboren ist" (ebd.). Fragen kann man ja. Doch Kuschel bietet kein Argument dafür auf, wie man solcher Folgerung entgehen kann, wenn es denn ernst sein soll mit der auch von ihm bejahten, untrennbaren Zugehörigkeit Jesu als Person zu Gott in seiner Ewigkeit.

[127] Diese Bindung des Präexistenzgedankens an die geschichtliche Offenbarung Gottes in Jesus Christus hat Karl Barth schon in KD I/1, 1932, 448 ausgesprochen. Die Verknüpfung der ewigen Gottheit des Sohnes mit dem geschichtlichen Dasein des Menschen Jesus wird bei Barth durch die Prädestinationslehre geleistet: Das erste „Objekt" der Prädestination ist „der Sohn Gottes ... in seiner Bestimmung zum Menschensohn, der präexistierende Gottmensch Jesus Christus, der als solcher der ewige Grund aller göttlichen Erwählung ist" (KD II/2, 1942, 118; vgl. III/1, 1946, 54). Barth hat damit den Gedanken der Präexistenz jedoch eigenartig verdoppelt: Bezog er sich in KD I/1, 448 auf die Gottheit Jesu Christi, den ewigen Sohn, so seit KD II/2, 118 außerdem auch auf die menschliche Wirklichkeit Jesu. Durch die Verdoppelung der Präexistenzvorstellung und die Verknüpfung ihrer beiden Seiten durch den Gedanken der Erwählung hat Barth aber nicht erreicht, den Zusammenhang der Präexistenz des ewigen Sohnes als solcher mit dem geschichtlichen Sohnesverhältnis Jesu zum Vater gedanklich zu bestimmen; denn der Akt der Erwählung gehört zur Freiheit des Weltverhältnisses Gottes, und sein Inhalt kann darum nicht konstitutiv für die ewige Identität seines göttlichen Wesens sein. Andernfalls würde die Welt selber zum Korrelat des göttlichen Wesens. Der Zusammenhang mit der Inkarnation muß daher aus der ewigen Beziehung des Sohnes zum Vater und nicht erst auf dem Umweg über die Prädestinationslehre begründet werden.

ten ist als in nichtjüdischen, hellenistischen Vorstellungen[128], darf nicht die fundamentalere Frage nach den in der Jesustradition selbst zu suchenden Gründen für ihre Verbindung mit der Gestalt Jesu[129] verstellen. Präexistenzaussagen ergaben sich ebenso wie das Bekenntnis zur Erhöhung Jesu aus der Bestätigung der göttlichen Vollmacht Jesu durch seine Auferweckung von den Toten. Dabei kommt die geschichtliche Priorität, sowie das vorrangige Interesse für die Glaubenden sicherlich der Erhöhungsaussage zu, aber die Präexistenz des Sohnes ist eng mit ihr verknüpft[130] und beruht wie jene unmittelbar auf der Zugehörigkeit des Auferstandenen zu dem ewigen Gott. Das erklärt das frühe Auftreten von Präexistenzaussagen in den urchristlichen Texten. Bei Paulus findet sich eine solche Aussage nicht nur Phil 2,6ff. als Zitat aus einem vorpaulinischen Hymnus[131], sondern der Präexistenzgedanke begegnet auch in der Behauptung der Schöpfungsmittlerschaft Jesu Christi, „durch den alles ist" (1.Kor 8,6), sowie in der Behauptung einer Wirksamkeit des Christos in der Heilsgeschichte Israels (1.Kor 10,4)[132]. Auch die Aussagen über die „Sendung" des Sohnes in die Welt setzen bei Paulus (Gal 4,4; Röm 8,3) doch wohl den Zustand der Präexistenz als Ausgangspunkt der Sendung voraus[133], wie das unbestritten im Johannesevangelium der Fall ist (Joh 3,18;

---

[128] Siehe dazu G. Schimanowski: Weisheit und Messias. Die jüdischen Voraussetzungen der urchristlichen Präexistenzchristologie, 1985, 13-308, sowie jetzt H.v.Lips: Weisheitliche Traditionen im Neuen Testament, 1990, 150ff.

[129] Diese Verbindung ist trotz ihres Auftretens in Logien der Spruchquelle wie Lk 13,34f. par wohl erst nachjesuanisch, vgl. G. Schimanowski a.a.O. 313f., sowie zusammenfassend H. v.Lips a.a.O. 254ff.

[130] J. Habermann: Präexistenzaussagen im Neuen Testament, 1990, 421f., 429f. bezeichnet die Erhöhung Christi als Ausgangspunkt der Aussagen über seine Präexistenz.

[131] Siehe dazu ausführlich J. Habermann a.a.O. 91-157.

[132] J. Habermann a.a.O. 178ff. sowie 215ff., 221ff.; vgl. G. Schimanowski a.a.O. 317ff. und 320-327.

[133] So W. Kramer: Christos Kyrios Gottessohn. Untersuchungen zum Gebrauch und Bedeutung der christologischen Bezeichnungen bei Paulus und den vorpaulinischen Gemeinden, 1963, 110ff., sowie F. Hahn: Christologische Hoheitstitel. Ihre Geschichte im frühen Christentum, 1963, 315f. Hahn wies bereits darauf hin, daß die Sendungsaussage als solche auch im Sinne prophetischer Sendung (wie Mk 12,1-9) verstanden werden könnte, ohne Präexistenzvoraussetzung also. Anders verhält es sich aber, wo die Sendung wie in Gal 4,4 „auf die Geburt, auf die irdische Existenz" bezogen wird, bzw. auf „den Eintritt in die irdischen Gegebenheiten und Verhältnisse" (Kramer 110, vgl. Hahn 316): Dann ist beim Gedanken der Sendung die Vorstellung der Präexistenz vorausgesetzt. Dieses Argument ist von Kritikern einer Beziehung der Sendungsaussagen von Gal 4,4 und Röm 8,3 auf die Voraussetzung eines präexistenten Status des Sohnes nicht entkräftet worden. J. Blank (Paulus und Jesus, 1968, 267) und G. Schneider (Präexistenz Christi, in: J. Gnilka (Hg): Neues Testament und Kirche (Festschrift R. Schnackenburg) 1974, 399-412, 408 Anm.43) haben eine Analogie zur Sendung der Propheten im Sinne von Mk 12,4-6 angenommen, ohne auf die Kritik von F. Hahn an der Anwendbarkeit dieser Analogie einzugehen. Ähnlich hat sich auch J.D.G.Dunn: Christology in the Making. A New Testament Inquiry into the Origins of the Doctrine of the Incarnation, 1980, 38-46 auf Mk 12,6 als vermeintlich nächste Parallele zu Gal 4,4 berufen (40). Dunn bemerkt zwar mit Recht, daß die Wendung „geboren vom Weibe" nicht notwendigerweise auf das Ereignis der Geburt als solcher verweisen muß, geht aber nicht ein auf den davon zu unterscheidenden Sachverhalt, daß der paulinische Satz als ganzer mit der Geburt vom Weibe und der Unterordnung unter das Gesetz die Bedingungen irdischer Existenz (als Jude) nennt und damit den Zu-

vgl. 1.Joh 4,10). Jedenfalls wird es dem Befund in der urchristlichen Überlieferung nicht gerecht, die Vorstellung von der Präexistenz des in Jesus erschienenen Gottessohnes als eine bloße Randerscheinung hinzustellen, die „einzig" in den hymnischen Aussagen von Kol 1,15-17 und Hebr 1,2, sowie im Johannesevangelium begegne[134]. Sie ist vielmehr sachlich eng mit der apostolischen Verkündigung des auferweckten und zu Gott erhöhten Herrn verknüpft, und diese Verknüpfung kommt auch in den neutestamentlichen Texten hinreichend deutlich zum Ausdruck, wenn man sich darüber klar ist, daß man in diesen Texten keine systematische und lehrhafte Reflexion auf das Thema erwarten darf. Eine solche Reflexion fehlt bekanntlich auch bei anderen Themen, etwa im Hinblick auf die Erhöhungsvorstellung.

Die Annahme einer Präexistenz des Gottessohnes, der in Jesu Verhältnis zum Vater geschichtlich in Erscheinung trat, ist unausweichlich, wenn nicht nur die Gemeinschaft Jesu mit dem ewigen Gott behauptet, sondern auch an der Bindung der ewigen Identität des von Jesus verkündeten Vatergottes an die Beziehung zu Jesus als seinem Sohn festgehalten werden soll. Ansonsten mögen Menschen nach Gottes Erwählung Gemeinschaft mit dem ewigen

---

stand umschreibt, in den hinein der Sohn gesandt ist. Entsprechendes gilt in anderer Weise auch für Röm 8,3.

[134] So K.-J. Kuschel: Geboren vor aller Zeit? Der Streit um Christi Ursprung, 1990, 526f. Kuschel vergißt hier, daß er selbst für den Philipperhymnus eine weisheitliche Präexistenzvorstellung eingeräumt (329) und von einer personalen Präexistenzaussage als „Funktion der Erniedrigungs- und Erhöhungsaussage" gesprochen hatte (336). Daß für Paulus die letztere im Mittelpunkt steht, hebt nicht auf, daß eben doch auch die Präexistenzaussage in dieser Funktion wichtig war. Sicherlich handelt es sich dabei nicht um eine „selbständige" Präexistenzaussage (335): Aber das zu verneinen bedeutet nicht, Paulus diese Vorstellung überhaupt abzusprechen. Die bei Kuschel zu beobachtende Tendenz, durch Insistieren auf von den Präexistenzaussagen unterschiedenen theologischen Schwerpunkten des jeweiligen Kontextes die Bedeutung jener Aussagen zu relativieren, sie dann zu bagatellisieren und schließlich ganz zum Verschwinden zu bringen (vgl. auch 362ff. zu 1.Kor 10,4 und 365ff zu 1.Kor 8,6, bes. 317ff.), erweckt nicht den Eindruck vorurteilsloser Erhebung des exegetischen Sachverhalts. Wenn Kuschel gegen die Frage nach sachlichen Zusammenhängen späterer dogmatischer Aussagen der Kirche mit den Implikationen neutestamentlicher Texte wie den oben genannten den Vorwurf erhebt, daß dabei in einer „hermeneutisch inkonsequenten Methode" (528) die Geschichte Jesu als „Absprungbrett" zur Erreichung einer immer schon vorausgesetzten „metaphysischen" Verbindung von Vater und Sohn mißbraucht werde (528, vgl. 526f.), dann kann man aus solchen polemischen Entgleisungen nur entnehmen, daß die doch wohl nicht von vornherein unsinnige Frage nach derartigen Zusammenhängen dem Autor offenbar nicht sympathisch ist. Warum wird das Verfahren systematischer Reflexion auf die Implikationen neutestamentlicher Aussagen für die Sachzusammenhänge der Christusbotschaft und damit auch für die christliche Lehre derart karikiert? Geschieht das vielleicht nur deshalb, weil Kuschel selbst eine Reinigung des Jesusbildes von allen zur Trinitätslehre hinführenden Ansatzpunkten anstrebt (vgl. 505ff.,666ff.)? Sicherlich hängt der Begründungszusammenhang der Trinitätslehre nicht allein am Auftreten einer Präexistenzvorstellung schon bei Paulus. Entscheidend ist vielmehr, daß Jesu Zugehörigkeit zum ewigen Vater als dessen Sohn die Annahme seiner ewigen Sohnschaft impliziert (s.o. 411f. Anm. 126). Wenn das aber so ist, dann steht zu vermuten, daß sich dieser Sachverhalt auch im traditionsgeschichtlichen Prozeß der Ausbildung christologischer Vorstellungen im Urchristentum bemerkbar gemacht hat.

Gott empfangen, ohne daß ihnen deshalb Präexistenz zugeschrieben werden müßte. Wenn aber die Beziehung zu einem Menschen konstitutiv sein soll für die ewige Identität Gottes selbst, dann muß das Korrelat dieser Beziehung selber ewig sein, und daraus ergibt sich die Präexistenz des Sohnes. Andererseits braucht die Präexistenzvorstellung nicht immer und überall Ausdruck solcher Verbundenheit mit dem ewigen Wesen Gottes zu sein. Es kann sich um eine bloß „ideelle Präexistenz"[135] göttlicher Schöpfungsgedanken vor ihrer geschichtlichen Realisierung handeln. Solche Präexistenz in den Absichten Gottes stünde wie alle kreatürliche Wirklichkeit unter der Bedingung der schöpferischen Freiheit Gottes und wäre nicht konstitutiv für die ewige Identität seines Wesens[136]. Weil also der Präexistenzgedanke als solcher noch nicht die Zugehörigkeit zum göttlichen Wesen ausdrückt, bedurfte es in der christlichen Theologie trotz des frühen Auftretens der Präexistenzvorstellung in Verbindung mit Jesus Christus einer langen Zeit theologischer Diskussion bis zur endgültigen Klärung der vollen Gottheit des präexistenten Sohnes im vierten Jahrhundert. Lange hat einer solchen Klärung der Umstand im Wege gestanden, daß der Hervorgang des Sohnes aus dem Vater im Zusammenhang mit dem Übergang des ewigen Gottes zu seinem Handeln in Schöpfung und Heilsökonomie erörtert wurde. Der Hervorgang des Sohnes erschien dann als Anfang des Schöpferhandelns und konnte folglich nicht mit der ewigen Gottheit des Vaters auf gleicher Stufe stehen. Noch Origenes, der mit seiner These einer ewigen Zeugung des Sohnes durch den Vater[137] einen Ausweg aus den Zwängen dieser Betrachtungsweise gebahnt hat, blieb ihr andererseits doch verhaftet. Erst das durch Origenes vorbereitete Argument des Athanasius, daß der Vater nicht Vater wäre ohne den Sohn und daher nie ohne den Sohn war[138], ermöglichte die Klärung des christlichen Bekenntnisses zur Präexistenz des in Jesus Christus erschienenen Gottessohnes im Sinne von dessen voller Gottheit.

Der Ursprung der Gottessohnschaft Jesu kann also nur in der Ewigkeit Gottes selbst liegen. Das ist der eigentliche, wenn auch in den meisten Fällen erst vage erfaßte Sinn der neutestamentlichen Präexistenzaussagen. Die Zurückführung der Gottessohnschaft Jesu in anderen Aussagen auf das Ereignis der Auferstehung, auf die Taufe oder auf seine Geburt braucht dem nicht zu widersprechen, wenn beim Verständnis dieser Aussagen auf ihren besonderen Begründungszusammenhang und die jeweilige Pointe der Aussage geachtet wird und wenn man sie nicht als definitive Antwort auf die

---

[135] Den Unterschied zwischen ideeller und realer Präexistenz hat R.G. Hamerton-Kelly: Pre-existence, Wisdom and the Son of Man, 1973, betont.
[136] S.o. Anm.127 zu Karl Barths Lehre von der Präexistenz Jesu Christi im Ratschluß Gottes (bes. zu KD III/1,54).
[137] Zu Origenes De princ. I,2,4 siehe Bd. I,299.
[138] Athanasius c. Arian. I,29 u.ö., vgl. Origenes De princ. I,2,10 und die Ausführungen in Bd. I,297 ff.

Frage nach dem letzten Ursprung der Gottessohnschaft Jesu liest. Auf eine solche definitive Antwort führte erst die Präexistenzaussage hin, und auch ihr Inhalt blieb noch für lange Zeit klärungsbedürftig. Andererseits gehören die Präexistenzaussagen mit den Aussagen über die Gottessohnschaft Jesu im Zusammenhang seiner Auferweckung von den Toten, seiner Taufe und seiner Geburt dadurch zusammen, daß alle derartigen Aussagen erst im Lichte der Auferweckung Jesu von den Toten und der darin Ereignis gewordenen Bestätigung seines irdischen Wirkens möglich geworden sind. Wie aber steht es mit der inneren Begründung der Zugehörigkeit Jesu als Sohn zum ewigen Wesen des Vaters? Ohne solche innere Begründung in der geschichtlichen Beziehung Jesu zum Vater blieben auch die im Lichte des Ostergeschehens formulierten Aussagen des apostolischen Kerygmas über seine Sohneswürde der geschichtlichen Wirklichkeit Jesu selbst äußerlich. Mag auch die Eigenart der Sohnesbeziehung Jesu zum Vater erst im Lichte seiner Auferweckung von den Toten explizit thematisierbar sein, so muß sie doch am Verhältnis des irdischen Jesus zum Vater aufweisbar sein, wenn die theologischen Aussagen über die ewige Sohnschaft Jesu darin ihren eigentlichen Gegenstand haben sollen.

b) Die Selbstunterscheidung Jesu vom Vater als innerer Grund seiner Gottessohnschaft

Im Mittelpunkt der Botschaft Jesu stehen der Vater und sein kommendes Reich, nicht eine für Jesu eigene Person beanspruchte Würdestellung, mit der er sich „Gott gleich gemacht" hätte (Joh 5,18). Jesus hat sich selbst als einen bloßen Menschen vom Vater als dem einen Gott unterschieden und sich dem Anspruch der kommenden Gottesherrschaft so untergeordnet, wie er das von seinen Hörern verlangte. So konnte er die ehrerbietige Anrede als „guter Meister" zurückweisen (Mk 10,18 parr) mit dem Hinweis auf Gott als den allein Guten. Wenn dennoch schon bei Jesus selbst von einem Sohnesbewußtsein im Verhältnis zu Gott gesprochen werden kann[139], so handelt es sich dabei um einen Reflex seiner Rede von Gott als Vater. Der Sohn ist der, der in seinem Verhältnis zum Vater dessen Vatersein entspricht. „Der Sohn vermag nichts von sich aus zu tun, sondern tut nur, was er den Vater tun sieht" (Joh 5,19). Dieser johanneische Satz charakterisiert treffend den Sinn des Sohnesverhältnisses, wie es auch in synoptischen Texten erscheint, soweit nicht zusätzlich die Sonderstellung Jesu, die ihn von andern abhebt, mit intendiert ist. So hat Jesus nach einem Wort der Spruchquelle seine Hörer ganz allgemein dazu auffordern können, sich als Söhne ihres (!) himmlischen Vaters zu erweisen dadurch, daß sie sogar ihre Feinde

---

[139] J.D.G. Dunn: Christology in the Making. A New Testament Inquiry into the Origins of the Doctrine of the Incarnation, 1980, 22-33 (Jesus' Sense of Sonship), bes. 26 ff.

lieben, so wie er seine Sonne über Gute und Böse scheinen läßt (Lk 6,35; Mt 5,45). Auch das ebenfalls zur Spruchquelle gehörige Wort Mt 11,25 (Lk 10,22) braucht ursprünglich keinen exklusiven Anspruch für die Person Jesu enthalten zu haben, sondern kann als ein Gleichniswort genommen werden, das die Unterordnung unter den Vater im Bilde des Sohnesverhältnisses zur Bedingung wahrer Gotteserkenntnis erklärt. Im jetzigen Zusammenhang bezeichnet das Wort allerdings die besondere Würdestellung Jesu. Auch im Gleichnis von den bösen Weingärtnern ist die Figur des Sohnes (Mk 12,6 parr) deutlich von den Knechten abgehoben. Falls das Gleichnis auf Jesus selbst zurückgeht, mag er in der Figur des Sohnes den Unterschied seiner Sendung von der der Propheten dargestellt haben. Dem Wort „Sohn" als Bezeichnung des angemessenen Verhältnisses zum Vater ist also eine Ambivalenz eigen, die zwischen einer allgemeinen Kennzeichnung und der Bezeichnung eines nur Jesus zukommenden, einzigartigen Verhältnisses zum Vater schillert. Es ist die Ambivalenz, die auch im Prozeß Jesu bei der Frage nach seiner Gottessohnschaft und in Jesu Antwort darauf (Lk 22,70) im Hintergrund gestanden haben dürfte, wenn die Angaben der Evangelien darüber auf einer historischen Nachricht beruhen.

Erst in der Auffassung der Jünger dürfte bei der Bezeichnung Jesu als „der Sohn" die Einzigartigkeit des Verhältnisses Jesu zum Vater und damit auch sein Abstand von allen übrigen Menschen in den Vordergrund gerückt sein. Aus ihrer Perspektive und erst recht im Lichte des Ostergeschehens mußte sich der Sachverhalt wohl auch so darstellen. Doch darüber wird nur allzu leicht vergessen, daß diese Einzigartigkeit Jesu gerade auf der bedingungslosen Unterordnung seiner Person unter die Herrschaft des Vaters, die er verkündigte, beruhte. Hätte Jesus von sich aus eine ihn von allen anderen unterscheidende Sohneswürde im Verhältnis zu Gott beansprucht, dann wäre die Mk 14,64 berichtete Verurteilung der in solcher Gleichstellung mit Gott liegenden Gotteslästerung berechtigt gewesen.

Es hängt also für den christlichen Glauben sehr viel daran, daß Jesus solche Gleichstellung mit Gott vermieden und sich vielmehr als Gottes Geschöpf der von ihm verkündeten Nähe der Gottesherrschaft mit derselben Vorbehaltlosigkeit untergeordnet hat, die seine Botschaft anderen zumutete. Einzig in solcher Unterordnung unter die Herrschaft des einen Gottes und nur durch sie ist er der Sohn. Indem er sein menschliches Leben hingab zum Dienst an der Herrschaft Gottes über seine Geschöpfe, um der Anerkennung der Gottesherrschaft den Weg zu bahnen, ist er als dieser Mensch der Sohn des ewigen Vaters. Der Verzicht auf jede über das Maß des Geschöpflichen hinausgehende Würdestellung vor Gott erweist sich als Bedingung seiner Sohnschaft: Sie ist vermittelt durch Selbsterniedrigung (Phil 2,8). Das macht die Indirektheit der Identität Jesu mit dem Sohne Gottes aus[140].

---

[140] Siehe dazu ausführlicher vom Vf. Grundzüge der Christologie, 1964, 345 ff. Im Nach-

In der Situation des irdischen Wirkens Jesu war dieser Sachverhalt nicht unzweideutig erkennbar, weil Jesus sehr wohl in seiner Verkündigung der nahen Gottesherrschaft Autorität beanspruchte, und zwar keine geringere als die Autorität Gottes selbst. Er beanspruchte sie nicht für seine eigene Person, sondern für die Zukunft Gottes, die er ankündigte. Aber das änderte nichts daran, daß es eben doch die *von ihm* verkündigte Botschaft war, mit der ein solcher Anspruch verbunden wurde. Mit der Erklärung, daß durch sein Wirken die Gottesherrschaft bei den Glaubenden schon gegenwärtig anbreche, spitzte sich die Zweideutigkeit jenes Anspruchs aufs äußerste zu. Jesus hätte den Folgen ausweichen können, aber nicht schon durch die bloße Versicherung, er mache nicht sich selbst zu Gott. Glaubhaft hätte eine solche Versicherung für den Argwohn seiner Gegner erst dann sein können, wenn er seine Botschaft und sein Wirken eingestellt hätte. Umgekehrt bedeutete das Festhalten an seiner Sendung, die voraussehbaren Folgen jener Zweideutigkeit auf sich zu nehmen.

Die Folgen bestanden darin, daß Jesus wegen der angeblichen Anmaßung, sich Gott gleichzustellen, dem Tode überliefert wurde. Indem man ihn tötete, wurde er seiner Endlichkeit überführt entgegen seiner vermeintlichen Gottgleichheit (Mt 27,40–43 parr). So ist der Tod die Strafe des Sünders und seines Wahnes, wie Gott zu sein. Der Tod wirft den Sünder auf seine Endlichkeit zurück. Jesus aber hatte, wie sich im Lichte seiner Auferweckung zeigte, diesen Tod des Sünders nicht verschuldet, und das bedeutet, daß er ihn in Wahrheit an unserer, der Sünder Stelle erlitten hat. Im Lichte des Ostergeschehens stehen nun diejenigen als Frevler da, die Jesu Botschaft und sein Wirken abgelehnt und zu seinem Tode beigetragen haben. Erschien er seinen Richtern als Gotteslästerer, so sind nun sie als schuldig erwiesen, nicht nur in seinem Boten Gott selbst gelästert, sondern sich auch an seinem Leben vergriffen zu haben. Indem Jesus den Tod des Sünders starb, erlitt er das Geschick, das nicht er sich zugezogen, sondern das sie verschuldet haben und mit ihnen alle, die sich dem von Jesus verkündeten Anspruch Gottes auf ihr Leben versagen[141].

Das in diesem Sinne stellvertretende Sterben Jesu ist allerdings nicht ohne weiteres schon als heilsam für diejenigen zu verstehen, an deren Stelle er den Tod erlitten hat. Der Tod Jesu ist vielmehr in erster Linie das Zeichen von Gottes Gericht

---

wort zur 5. Aufl. dieses Buches (1976) wird darauf hingewiesen (423 f.), daß die Lehre von der Gottheit Jesu Christi erst mit diesen Aussagen über die Vermitteltheit der Gottheit Jesu als Sohn durch sein Verhältnis als Mensch zu seinem himmlischen Vater zum Abschluß kommt, noch nicht im ersten, der „Erkenntnis der Gottheit Jesu" gewidmeten Teil des Buches. Das bedeutet, daß auch der dazwischenliegende zweite Teil (195–288: Jesus, der Mensch vor Gott) als Bestandteil der Lehre von der Gottheit Jesu Christi zu verstehen ist, weil gerade das Menschsein Jesu in seiner Differenz vom Vater wie in seiner Beziehung zu ihm die Offenbarung seiner Gottheit ist.

[141] Vgl. Grundzüge der Christologie, 1964, 265 ff.

über die Sünde. Heilswirksam ist der Tod Jesu nur für diejenigen, die ihm und seinem Geschick verbunden sind durch den Glauben an seine Verheißung, daß nichts sie von ihm trennen kann. Wer durch den Glauben an Jesus Christus noch in seinem Tode mit dem Sterben Jesu Gemeinschaft hat, der stirbt in der Hoffnung des Lebens, des neuen Lebens, das an Jesus schon erschienen ist durch seine Auferweckung von den Toten. Für die ihm im Glauben Verbundenen hat Jesus durch sein Sterben die von Gott und seinem ewigen Leben trennende Macht des Todes besiegt[142].

Die Bestätigung der Sendung Jesu durch seine Auferweckung besagt in Umkehrung der gegen ihn erhobenen Vorwürfe, daß Jesus sich gerade dann Gott gegenüber verselbständigt und also sich Gott gleich gemacht hätte, wenn er sein Leben bewahrt hätte auf Kosten seiner Sendung zur Verkündigung der Gottesherrschaft. „Wer sein Leben bewahren will, der wird es verlieren" (Mk 8,35 parr): Das galt auch für Jesus selbst. Er konnte nicht der Sohn Gottes sein in unbegrenztem Fortbestand seines endlichen Daseins. Kein endliches Wesen kann in seinem Bestand mit der unendlichen Wirklichkeit Gottes eins sein. Nur indem er sein endliches Dasein verzehren ließ vom Dienst an seiner Sendung, konnte Jesus als Geschöpf mit Gott eins sein. Indem er nicht sein Leben festhielt, sondern lieber die aus seiner Sendung für seine Person resultierende Zweideutigkeit mit allen ihren Folgen auf sich nahm, hat er sich – im Lichte des Ostergeschehens geurteilt – als der seiner Sendung Gehorsame erwiesen (Röm 5,19; Hebr 5,8). Dieser Gehorsam führte ihn in die Situation der äußersten Trennung von Gott und seiner Unsterblichkeit, in die Gottverlassenheit des Gekreuzigten: Die Gottesferne des Kreuzes Jesu war die äußerste Zuspitzung seiner Selbstunterscheidung vom Vater. Insofern ist der Kreuzestod Jesu mit Recht als das „Integral seiner irdischen Existenz" bezeichnet worden[143].

Die Selbstunterscheidung Jesu vom Vater, die die Bedingung war für das Inerscheinungtreten des ewigen Sohnes in Jesu menschlichem Gehorsam gegen die vom Vater empfangene Sendung zur Verkündigung der Gottesherrschaft, kann im Anschluß an den urchristlichen Hymnus Phil 2,6-11 als Selbstentäußerung und Selbsterniedrigung beschrieben werden. Es sind das Wesenszüge, die Jesus als den „Neuen Menschen" kennzeichnen, den Menschen des Gehorsams gegen Gott im Gegensatz zur Sünde Adams, der wie Gott sein wollte und dadurch die Gemeinschaft mit Gott, zu der er bestimmt war, verspielte.

---

[142] Siehe dazu vom Vf. Tod und Auferstehung in der Sicht christlicher Dogmatik (1974), jetzt in Grundfragen systematischer Theologie 2, 1980, 146-159, sowie hier Kap. 11.
[143] E. Jüngel: Das Sein Jesu Christi als Ereignis der Versöhnung Gottes mit einer gottlosen Welt: Die Hingabe des Gekreuzigten, in ders.: Entsprechungen: Gott-Wahrheit-Mensch. Theologische Erörterungen, 1980, 283.

Besingt der Hymnus Phil 2,6-11 den geschichtlichen Jesus Christus oder den Weg eines präexistenten Wesens in die irdische Daseinsform? Oder ist das eine falsche Alternative? Wie verhält sich die Aussage über die Selbsterniedrigung Jesu in seinem Leidensgehorsam (2,8) zu der vorangehenden Aussage über die Selbstentäußerung (2,7)? Diese Fragen beschäftigten schon die nachreformatorischen Kontroversen und sind bis auf den heutigen Tag exegetisch umstritten: Während die Selbsterniedrigung sich offenbar auf den irdischen Weg des „Gehorsams" Jesu Christi bezieht, der ihn ans Kreuz führte, scheint die Selbstentäußerung ihren Ausgangspunkt in der Gottgleichheit des präexistenten Gottessohnes zu haben, auf die dieser verzichtete, um in das „Sklavendasein" der menschlichen Daseinsbedingungen einzutreten. Dennoch dürften die beiden Verse mit ihren Vorstellungen der Selbstentäußerung und der Selbsterniedrigung ein und dasselbe Geschehen beschreiben, nämlich den Weg Jesu Christi in sein Leiden und zu seinem Tode am Kreuz. Dafür spricht, daß schon die Vorstellung der Selbstentäußerung (2,7) eine Anspielung auf Jes 53,12 zu enthalten scheint und dann die Dahingabe des gottgleichen Lebens in den Tod bezeichnet[144], also wenigstens teilweise mit dem Ergebnis der Selbsterniedrigung im Leidensgehorsam Jesu (2,8) koinzidiert[145]. Man hat die Aussagen des Hymnus sogar auf den Weg des irdischen Gehorsams Jesu einschränken wollen und jeden Bezug auf seinen Ausgangspunkt in der Präexistenz (2,7) bestritten. Maßgeblich dafür wurde die Beobachtung, daß die Aussagen des Hymnus durchgängig in antithetischer Entsprechung zum Sündenfall Adams nach Gen 3 stehen[146]. Jesus Christus als der neue Adam hätte dann im Unterschied zum ersten Adam seine Gottebenbildlichkeit nicht „wie einen Raub" an sich gerissen, indem er Gottgleichheit für sich beanspruchte (cf. Gen 3,5), sondern sich im Gehorsam gegen Gott (vgl. Röm 5,19, auch Hebr 5,8) selbst erniedrigte bis zum Tode am Kreuz. Der Grundgedanke des Hymnus entspricht damit der paulinischen Gegenüberstellung des durch seinen Gehorsam gegen Gott ausgezeichneten zweiten Adam zum Ungehorsam des ersten (Röm 5,12ff.). Doch ist damit der Präexistenzgedanke als für die Aussage des Hymnus störend oder überflüssig erwiesen? Keineswegs. Der Blick auf den Gehorsamsweg des neuen Menschen ist im Vergleich zu den Ausführungen in Röm 5 nur erweitert, so daß er den Ausgangspunkt in der Präexistenz mit einschließt (vgl. Röm 8,3). Der neue Mensch ist eben nicht bloßer Mensch, weil in seinem Wege der ewige Gottessohn in Erscheinung tritt. Dadurch ist die Analogie zu Gen 3 durchbrochen. Der Text des Hymnus zwingt zu dieser Annahme; denn bei der Aussage von 2,7b: „er wurde

---

[144] Siehe dazu R.P.Martin: Carmen Christi: Philippians II,5-11 in Recent Interpretation and in the Setting of Early Christian Worship, 1967, 182-185.

[145] Nach O.Hofius: Der Christushymnus Philipper 2,6-11, 1976 wird in 2,7c-8c „das zuvor Gesagte näher erläutert und dargelegt, inwiefern der Präexistente – auf seinen Reichtum verzichtend – freiwillig arm wurde und ein Dasein in Machtlosigkeit und Entehrung wählte" (63).

[146] So im Anschluß an O.Cullmann (Die Christologie des Neuen Testaments, 2.Aufl. 1958, 178ff.) neuerdings vor allem J.D.G.Dunn: Christology in the Making. A New Testament Inquiry into the Origins of the Doctrine of the Incarnation, 1980, 114-121. Im Unterschied zu Cullmann a.a.O. 182f. schließt Dunn jedoch aus der Parallele zur Geschichte Adams, daß kein Präexistenzgedanke impliziert zu sein brauche (119f.), da die Erwähnung der „göttlichen Wesensform", derer Jesus Christus sich entäußert hat, der Gottebenbildlichkeit korrespondiere, in der Adam geschaffen war (116).

den Menschen gleich, an Gestalt wie ein Mensch" kann es sich nur um den Eintritt in die menschliche Daseinsweise handeln wie Gal 4,4[147]. Man wird daher mit Oscar Cullmann urteilen müssen, daß derselbe Sachverhalt, der Weg Jesu ans Kreuz, in Phil 2,7 f. unter zwei Aspekten dargestellt ist, als Gehorsamstat des Menschen Jesus, zugleich aber als Tat des in ihm erschienenen Präexistenten. Das Ineinander dieser beiden Aspekte wird in Phil 2,7 f. nicht weiter erklärt. Es wird narrativ als ein Nacheinander vorgeführt, so als ob die Selbsterniedrigung zum Leidensgehorsam eine auf die Selbstentäußerung des Präexistenten folgende Phase wäre. Das Ineinander der beiden Aspekte erschließt sich aber der Sache nach vom Ende des Hymnus her: Wegen seines Gehorsams empfängt der Gekreuzigte mit seiner Erhöhung durch Gott (2,9) den Kyriosnamen (vgl. 2,11), und dadurch ist er auch als der Präexistente erwiesen, der von Ewigkeit her beim Vater ist. Sonst müßte der Zustand der Präexistenz trotz seiner Göttlichkeit von minderer Würde gewesen sein als die Stellung des Kyrios, zu der der Gekreuzigte erhöht worden ist. Das aber wäre eine Auffassung, die in den Worten des Hymnus keinen Anhaltspunkt findet, da der Zustand der Präexistenz vielmehr ohne jede Einschränkung als göttlich geschildert wird. So bleibt nur, daß durch die Erhöhung des Gekreuzigten zugleich offenbar ist: Schon sein irdischer Weg war der Weg des von jeher mit Gott Verbundenen, und gerade auf diesem Wege war er der Gott Gehorsame. Der Ausgangspunkt des Weges Jesu Christi in der Präexistenz hat die Funktion, ein adoptianisches Verständnis der Erhöhung zum Kyrios auszuschließen. So besingt der Hymnus als ganzer den irdischen Weg Jesu als den Weg des präexistenten Gottessohnes.

In der Lebensform Jesu, im Wege seines Gehorsams gegen Gott, ist der ewige Sohn in menschlicher Gestalt erschienen. Das Verhältnis des Sohnes zum Vater ist in Ewigkeit durch jene Unterordnung unter den Vater, also durch Selbstunterscheidung des Sohnes von der Majestät des Vaters gekennzeichnet, die in Jesu menschlichem Verhältnis zu Gott geschichtlich in Erscheinung getreten ist. Diese Selbstunterscheidung des ewigen Sohnes vom Vater läßt sich als Grund alles geschöpflichen Daseins in seiner Andersheit gegenüber Gott und so auch als Grund der menschlichen Existenz Jesu verstehen, die in ihrer eigenen Lebensbewegung die Selbstentäußerung des Sohnes im Dienst an der Herrschaft des Vaters adäquat verkörpert. Wie die Menschwerdung des Logos das Resultat der Selbstentäußerung des ewigen Sohnes in seiner Selbstunterscheidung vom Vater ist, so ist umgekehrt die Selbsterniedrigung Jesu im Gehorsam gegen seine Sendung durch den Vater das Medium für das Inerscheinungtreten des Sohnes im Wege seiner irdischen Lebensgeschichte.

---

[147] So auch O. Cullmann a.a.O. 182. Wenn J.D.G. Dunn a.a.O. 311 Anm. 76 meint, in dem Wort *genomenos* sei „a reference to birth not necessarily implied", so mag das für das Verbum als solches zutreffen, kaum aber für den konkreten Kontext, in welchem es Phil 2,7 erscheint; denn die Zielbestimmung des dadurch bezeichneten Vorgangs ist der Eintritt in die Daseinsbedingungen menschlichen Lebens. In diesem Punkt hat der Hymnus in der Paradiesesgeschichte der Genesis keine Entsprechung.

Dabei ist vorausgesetzt, daß die Selbstentäußerung des Präexistenten nicht als Verzicht auf sein göttliches Wesen zu verstehen ist, sondern lediglich als Verzicht darauf, sich dem Vater gleichzustellen. Zwar tritt der Sohn, indem er den Vater *als den einen Gott* von sich unterscheidet, aus der Einheit der Gottheit heraus und wird Mensch. Aber dadurch betätigt er gerade sein göttliches Wesen als Sohn. Die Selbstentäußerung des Präexistenten ist nicht Preisgabe oder Verleugnung, sondern Betätigung seiner Gottheit als Sohn[148]. Darum steht am Ende seines irdischen Weges im Gehorsam gegen den Vater die Offenbarung seiner Gottheit.

Die altprotestantische Christologie hat in ihrer lutherischen Version die Selbstentäußerung des göttlichen Logos bei der Inkarnation als teilweisen und zeitweiligen Verzicht auf den Gebrauch oder zumindest auf die öffentliche Bekundung der göttlichen Majestätseigenschaften verstanden, die nach lutherischer Auffassung dem inkarnierten Logos wegen der Idiomenkommunikation an sich auch nach seiner menschlichen Natur zukamen[149]. Die Kenotiker des 19. Jahrhunderts haben den Gedanken einer Selbstbeschränkung des Gottessohnes bei der Inkarnation dann sogar als Verzicht auf den Besitz der das Weltverhältnis der Gottheit kennzeichnenden, „relativen" Eigenschaften der Allmacht, Allgegenwart, Allwissenheit beschrieben, während Kritiker dieser Vorstellung, unter ihnen vor allem Isaak August Dorner, darin mit Recht einen Verzicht auf die Gottheit selbst erblickten[150]. Damit aber wäre der Inkarnationsgedanke als solcher hinfällig: „Ist Gott nicht wahrhaftig und ganz in Christus, was hat es dann für einen Sinn, von der in ihm geschehenen Versöhnung der Welt mit Gott zu reden?"[151] Dennoch begegnen auch in der neueren dogmatischen Christologie immer wieder kenotische Wendungen, meist unter betonter Abgrenzung gegen jeden Gedanken an einen Verzicht auf göttliche Wesenseigenschaften bei der Inkarnation oder auch nur auf ihren Gebrauch[152]. Wenn aber im Zusammenhang mit der Inkarnation von einer Kenose des Gottessohnes gesprochen wird, muß geklärt werden, wie solche Selbstentäußerung ohne Verzicht auf Besitz oder Gebrauch göttlicher Eigenschaften gedacht werden soll, da dabei doch jedenfalls ein Übergang aus der göttlichen Sphäre in die Beschränktheit geschöpflicher Daseinsform gemeint ist. Dieser Sachverhalt ist auch in Barths Darstellung undeutlich geblieben, die den „Weg des Sohnes Gottes in die Fremde" (KD IV/1, § 59,1,171–231) in der Perspektive der Erwählungslehre beschrieben hat (186 ff.), derzufolge der Sohn Gottes nicht nur der eine Erwählte, sondern auch der eine von Gott Verworfene ist (vgl. KD II/2, 176 ff.), der darum an die Stelle des vergehenden Menschen tritt (IV/1,191). Barth hat zwar erklärt, es gehöre zu Gottes Gottheit, in seiner Trans-

---

[148] Vgl. K. Barth KD IV/1, 1953, 146 f., 196 f., 199 ff.
[149] Siehe dazu vom Vf. Grundzüge der Christologie, 1964, 318 ff. Zur altkirchlichen Behandlung des Themas vgl. vor allem den Artikel Kenosis von F. Loofs in PRE 3. Aufl. 10, 1901, 246–263.
[150] Dazu ausführlicher: Grundzüge der Christologie, 1964, 320 ff.
[151] K. Barth, KD IV/1, 1953, 200.
[152] Zu Beispielen siehe Grundzüge der Christologie, 1964, 322 ff.

zendenz und Hoheit „ebenso in hoher wie in niedriger Gestalt Gott sein und als Gott handeln" zu können (204). Aber in seinen Geschöpfen, auch in ihrer Niedrigkeit, handelnd gegenwärtig zu sein, ist doch nicht dasselbe wie für sich selber die Grenzen geschöpflichen Daseins so auf sich zu nehmen, daß sie dann auch tatsächlich die Grenzen seines eigenen Seins wären: Wie sollte das zugehen, ohne daß Gott aufhörte, Gott zu sein? Daß Gott es in seinem Erwählungsratschluß so beschlossen habe und der Sohn im Gehorsam gegen den Vater diesen Weg geht, ist trotz der schönen Ausführungen Barths über den Gehorsam des Sohnes (210–229) und über dessen Verwurzelung im trinitarischen Leben Gottes (222) noch keine Antwort auf diese Frage[153]. Eine solche Antwort wird erst dann möglich, wenn der Gehorsam des Sohnes als Ausdruck der freien Selbstunterscheidung des Sohnes vom Vater verstanden wird, durch die er den Vater den einen Gott sein läßt und durch die er zum Ursprung von allem Gott gegenüber anderen geworden ist, so daß er *darum* auch selber in der Form geschöpflicher Andersheit, – in der endlichen, von Gott unterschiedenen Gestalt geschöpflichen Daseins, – als Sohn des Vaters offenbar werden konnte[154].

Die Selbstentäußerung und Selbsterniedrigung des Sohnes, die in der Geschichte Jesu Christi ihren vollkommenen Ausdruck gefunden hat, sollte nicht in erster Linie als selbstlose Hinwendung zu den Menschen aufgefaßt werden, obwohl sie auch das ist. In erster Linie ist sie Ausdruck der Hingabe des Sohnes an den Vater, in einem „Gehorsam", der nichts für sich begehrt, sondern ganz der Verherrlichung Gottes und dem Kommen seiner Herrschaft dient. Gerade dadurch ist der Weg des Sohnes auch Ausdruck der Liebe Gottes zu den Menschen. Denn durch die Selbstunterscheidung des Sohnes vom Vater kommt Gott den Menschen nahe. Die Kenose des Sohnes dient dem Nahekommen des Vaters und ist darum Ausdruck der göttlichen Liebe, weil in der Nähe Gottes und in der Teilhabe an seinem Leben die Menschen zu ihrem Heil gelangen.

---

[153] Eine Klärung dieser Frage bleibt auch in den Ausführungen Barths über das „Ereignis der Inkarnation" KD IV/2, 42–79 aus. Vgl. dazu Grundzüge der Christologie, 1964, 324 f.

[154] In den Grundzügen der Christologie, 1964, habe ich selber diese Möglichkeit einer systematischen Verknüpfung des Gedankens der Kenosis mit der ewigen Eigenart des Sohnes als solchen in seinem Verhältnis zum Vater noch nicht gesehen, obwohl der Ansatzpunkt dazu in den Ausführungen des dritten Teils über die indirekte Identität Jesu mit dem Sohne Gottes gegeben gewesen wäre (345–349). Die Interpretation der Inkarnation durch den Phil 2,7 f. entnommenen Gedanken der Kenose ist daher damals von mir nur kritisch gewürdigt worden in der Annahme, daß jede ontologische Auffassung dieses Gedankens unvermeidlich auf die Vorstellung einer Einschränkung der Gottheit des Logos oder zumindest der Teilhabe des angenommenen Menschen an der Gottheit hinauslaufe.

c) Zwei Naturen in einer Person?

Die Implikationen des Auftretens und Wirkens Jesu für seine eigene Person nahmen im Lichte der göttlichen Bestätigung und Rechtfertigung durch seine Auferweckung von den Toten festere Umrisse an und wurden benennbar in christologischen Titeln, wie sie in Bekenntnisaussagen und Hymnen auftraten. Dadurch ist es möglich, die Entwicklung der urchristlichen Christologie zu rekonstruieren als Entfaltung der im Lichte des Ostergeschehens erkennbar gewordenen Bedeutung der Person und Geschichte Jesu. Die für die Entstehungsgeschichte der Christologie im Urchristentum maßgeblichen Sachverhalte sind durch die traditionsgeschichtliche Forschung, besonders zu den christologischen Titeln, weitgehend aufgehellt worden. Der systematische Kerngehalt dieser Zusammenhänge ist gemäß der in Kap. 9,1 aufgestellten methodischen Forderung in den Ausführungen des vorliegenden Kapitels herausgearbeitet worden mit Konzentration auf das Thema der Gottessohnschaft Jesu. Es sollte nun deutlich sein, daß die Entstehungsgeschichte der Christologie im Urchristentum nicht aus einer zusammenhanglosen Abfolge heterogener Vorstellungen besteht, die der Person Jesu nachträglich angehängt worden wären und der Sache nach mit seiner historischen Gestalt gar nichts zu tun hätten, sondern nur Ausdruck des gläubigen Enthusiasmus seiner Anhänger wären, die sich, wie man leicht annimmt, nicht genug tun konnten, das Bild ihres Meisters immer mehr ins Überirdische zu steigern. Verhielte es sich so, dann wären die Aussagen des Christusbekenntnisses und der christologischen Lehrbildung nur Produkte des gläubigen Bewußtseins der Urkirche. Sie besäßen nur die Wahrheit der dichtenden Phantasie, ohne Grundlage in der geschichtlichen Wirklichkeit Jesu selbst. Die Lehre der Kirche von einem in Person und Geschichte Jesu vorgängig zum Glauben an ihn und als Grund dieses Glaubens von Gott her Ereignis gewordenen Heilsgeschehen wäre dann ihrer Substanz beraubt. Angesichts der Tatsache aber, daß ein aufweisbarer Sachzusammenhang besteht zwischen den Implikationen des Wirkens und der Geschichte Jesu einerseits, den christologischen Titeln und Aussagen über seine Person andererseits, wie sie die Urkirche in der nachösterlichen Situation ausgebildet hat, gibt es gute Gründe dafür, diese Titel und Aussagen als explizite Benennung der Person Jesu in der ihrer Geschichte eigenen, eschatologischen Bedeutung zu betrachten.

Läßt sich Entsprechendes auch für die weitere Entwicklung der Christologie in der Geschichte der kirchlichen Lehre behaupten? Handelt es sich auch dabei um einen Prozeß fortgesetzter Explikation und Klärung der der geschichtlichen Gestalt Jesu von seinem irdischen Wirken, seiner Kreuzigung und Auferstehung her eigentümlichen Bedeutsamkeit?

Dazu muß zunächst beachtet werden, daß die christologische Lehrbildung sich seit dem zweiten Jahrhundert auf das Thema der Gottessohnschaft Jesu konzentriert hat, im Unterschied zur Vielfalt der im Urchristentum begegnenden Titel wie Menschensohn, Messias (Christos), Kyrios, Soter, Knecht Gottes, Prophet, Sohn Gottes. Die Vielfalt dieser urchristlichen Titel erklärt sich überwiegend[155] als Ergebnis der Deutung der Gestalt Jesu im Lichte der auf die alttestamentlichen Schriften begründeten eschatologischen Erwartungen des Judentums, in deren Kontext das irdische Wirken Jesu selbst sich vollzogen hat und deren Inhalte nach seiner Auferweckung von den Toten auf ihn bezogen wurden, sowie ferner, damit zusammenhängend, aus der urchristlichen Deutung des Alten Testaments als Weissagung auf die in Jesus angebrochene Erfüllung[156]. Wegen ihrer Beziehung auf eine und dieselbe Person lag eine Verschmelzung und Vereinheitlichung der unterschiedlichen Gestalten der jüdischen Erwartung nahe. Das führte dazu, daß einige ursprünglich titular gebrauchte Bezeichnungen zum Bestandteil des Namens Jesu wurden. Das gilt in erster Linie für den Christustitel, in gewissem Maße aber auch für den Kyriostitel, der den Namen Jesu vertreten konnte, obwohl die Bezeichnung Kyrios immer die Bedeutung der Würdestellung des Auferstandenen als des zum Herrn über alle Mächte und Gewalten Erhöhten oder zumindest als des Herrn seiner Gemeinde („unser Herr") behielt. Andere Bezeichnungen wurden in der einen oder anderen Weise der Gottessohnschaft Jesu zugeordnet. Ein besonders instruktives Beispiel dafür bildet die Umdeutung des Menschensohntitels, der schon bei Ignatius (Eph 20,2) zum Korrelat des Gottessohntitels wurde, indem er als Bezeichnung der Menschheit des inkarnierten Gottessohnes aufgefaßt wurde[157]. Für die Folgezeit wichtig wurde vor allem die durch den Präexistenzgedanken vermittelte Identifikation des Gottessohnes mit dem präexistenten Logos bzw. der schon an der Weltschöpfung beteiligten Weisheit Gottes. Diese Identifikation war im Johannesevangelium ausdrücklich ausgesprochen worden, mag aber schon bei den paulinischen und nachpaulinischen Präexistenzaussagen im Hintergrund gestanden haben. Jedenfalls ist die Gottessohnschaft Jesu und die Diskussion um ihr genaueres Verständnis seit dem zweiten Jahrhundert zum zentralen Thema der christologischen Lehrbildung geworden[158]. Das Ergebnis dieser Entwicklung kommt darin zum Ausdruck, daß die Taufbekenntnisse der Kirche in ihrem zweiten Artikel nun zunehmend mit dem Bekenntnis zu Jesus Christus als Gottes (einzi-

---

[155] Eine Ausnahme bildet die auch im hellenistischen Denken verwurzelte Bezeichnung Jesu als Heiland (*soter*). Im AT vgl. bes. Jes 45,15.21 und Sach 9,9.
[156] Dabei bestehen, wie hier nicht nochmals darzulegen ist, unterschiedliche Beziehungen des irdischen Auftretens Jesu zu den verschiedenen Titeln jüdischer Erwartung.
[157] Vgl. auch Justin dial. 100,3 f. Zu Irenäus, Hippolyt, Tertullian u. a. siehe A. Grillmeier: Jesus der Christus im Glauben der Kirche I, 1979, 49 ff.
[158] A. Grillmeier a. a. O. 72 f.

gem, „einziggeborenem") Sohn einsetzen und ihm den Kyriostitel[159], sowie alle weiteren christologischen Aussagen zuordnen.

Ist solche Konzentration auf die Gottessohnschaft Jesu im Lichte der neutestamentlichen Zeugnisse als sachgemäß anzuerkennen? Man wird diese Frage bejahen dürfen, und zwar nicht nur wegen der zentralen Funktion des Titels „Sohn Gottes" seit den Anfängen urchristlicher Christologie (vgl. z.B. Röm 1,4) und wegen seines Zusammenhangs mit Jesu Verkündigung Gottes als des Vaters seiner Geschöpfe, sondern vor allem deshalb, weil der Gegenstand des Streites um die Person Jesu, nämlich um sein Verhältnis zu Gott, darum auch der Gegenstand seiner göttlichen Rechtfertigung und Bestätigung in diesem Titel seinen klarsten Ausdruck gefunden hat.

Wenn ferner die Präexistenzaussagen des Urchristentums als sachgemäße Entfaltung der durch den Sohnestitel bezeichneten Gemeinschaft nicht nur Jesu mit dem Vater, sondern auch umgekehrt des Vaters, also des ewigen Gottes, mit Jesus als seinem Sohn zu bewerten sind, dann ist damit auch schon die Notwendigkeit einer weitergehenden Klärung des Verhältnisses zwischen dem Göttlichen und dem Menschlichen in der Gestalt Jesu Christi als des inkarnierten Gottessohnes bejaht.

Einen Ansatzpunkt dazu bot das urchristliche Schema einer doppelten Beurteilung Jesu „nach dem Fleisch" und „nach dem Geist", das vielleicht schon der vorpaulinischen Formel Röm 1,3f. zugrunde lag[160] und daneben in 1.Tim 3,16 und 1.Petr 3,18 begegnet[161]. Es findet sich bei den apostolischen Vätern neben dem Hirten des Hermas[162] besonders bei Ignatius von Antiochien (Eph 7,2; vgl. 18,2, auch 20,2), aber auch im zweiten Klemens-

---

[159] Siehe dazu die bei Denzinger (DS 3ff.) zusammengestellten Texte frühchristlicher Bekenntnisse. Der Kyriostitel wurde entweder durch Voranstellung zum Namen Jesus Christus gezogen oder, oft in Verbindung mit dem Titel Erlöser (*soter*), dem Bekenntnis zur Gottessohnschaft Jesu angefügt.

[160] U. Wilckens: Der Brief an die Römer 1, 1979, 57f. Doch ist im Hinblick auf die sonstige Verwendung von *kata sarka* bei Paulus und bes. auf Gal 4,21ff. auch mit der Möglichkeit paulinischer Formulierung zu rechnen (58). R. Schnackenburg hat allerdings mit Recht darauf hingewiesen, daß die Gegenüberstellung Röm 1,3f. wie auch 1.Tim 3,16 und 1.Petr 3,18 komplementären und nicht wie sonst bei Paulus antithetischen Sinn hat (Christologie des Neuen Testamentes, in J. Feiner/M. Löhrer (Hgg): Mysterium Salutis III/1, 1970, 227–388, 264ff. bes. 266).

[161] Nach Fr. Loofs ist diese „doppelte Beurteilung oder Betrachtung des geschichtlichen Jesus ... *das älteste christologische Schema*, das wir kennen, das Grunddatum aller späteren christologischen Entwicklung" (Leitfaden zum Studium der Dogmengeschichte, 1889, 5.Aufl. hg. K. Aland 1950, 70). Diesem Urteil hat sich J.N.D. Kelly: Early Christian Doctrines, 1958, 138 mit Nachdruck angeschlossen. Seltsamerweise ist A. Grillmeier in seinem Anm. 157 genannten Werk auf dieses Phänomen gar nicht eingegangen. Siehe jedoch ders.: Die theologische und sprachliche Vorbereitung der christologischen Formel von Chalkedon, in A. Grillmeier/H. Bacht (Hgg): Das Konzil von Chalkedon, Geschichte und Gegenwart I, 1951, 5-202, bes. 31.

[162] Fr. Loofs a.a.O. 70f.

brief (2. Klem 9,5). Man kann im Hinblick darauf von einer frühen Geistchristologie sprechen, die Göttliches und Menschliches in Jesus noch ohne weitere Differenzierung nebeneinanderstellte und in verschiedenen Versionen auftreten konnte[163]. Späte Zeugen dieser doppelten Betrachtungsweise waren Melito von Sardes und Tertullian. Melito ist als der erste bezeichnet worden, der von zwei Wesenheiten (*ousias*) des einen Christus gesprochen hat. Doch wurde damit der Sache nach nur die schon traditionell gewordene, doppelte Betrachtungsweise zum Ausdruck gebracht[164]. Dieselbe Ausdrucksweise findet sich bei Tertullian, der von Geist und Fleisch als den beiden „Substanzen" sprechen konnte, die in der Person Jesu vereinigt sind[165]. Damit war die spätere Zweinaturenlehre der kirchlichen Christologie angebahnt, und diese ist also aus dem Schema der „doppelten Beurteilung" Jesu „nach dem Fleisch" und „nach dem Geist" hervorgegangen[166]. Wegen des möglichen Mißverständnisses einer Bezeichnung der in Jesus gegenwärtig gewordenen Gottheit als Geist in einem nur dynamistischen Sinne[167] ist allerdings seit dem Ende des zweiten Jahrhunderts der Logosbegriff als Bezeichnung des Göttlichen in Jesus gebräuchlich geworden und hat in diesem Zusammenhang zunehmend die Stelle der Rede vom Geist eingenommen. Er steht schon bei Irenäus im Hintergrund der sonst ganz dem Schema der doppelten Beurteilung folgenden Bezeichnung des einen Christus als „wahrer Mensch und wahrer Gott"[168]. Damit stimmen die Aussagen von Melito und Tertullian über die Verbindung zweier Substanzen in der einen Person strukturell überein. Dabei ist nicht ohne Bedeutung, daß Melito und Tertullian in diesem Zusammenhang noch nicht den Ausdruck „Natur" benutzten, sondern von „Substanz" sprachen[169]. Auch der Mensch ist ja nach Tertullian zusammengesetzt aus zwei „Substanzen", nämlich Leib und Seele, so daß die Verbindung von Göttlichem und Menschlichem zu einer Person in solcher Terminologie nicht als völlig paradox erscheinen und nicht die Pro-

---

[163] J.N.D. Kelly a.a.O. 142ff. Vgl. auch vom Vf. Grundzüge der Christologie, 1964, 114–219.

[164] Melito von Sardes fg.6 (aus einer Schrift über die Fleischwerdung Christi), Text bei E.J. Goodspeed: Die ältesten Apologeten, 1914, 310. Fr. Loofs hat gegen A.v.Harnack (Lehrbuch der Dogmengeschichte I, 5. Aufl. 1931, 600 Anm. 1) mit Recht gesagt, daß diese Formel „nur formal Neues" biete (Leitfaden zum Studium der Dogmengeschichte 5. Aufl. I, 115 Anm. 7).

[165] Tertullian adv. Praxean 27. Interessant ist dort die Anwendung von Joh 3,6 auf das christologische Thema. Siehe auch De carne Christi 18 sowie die Ausführungen von J.N.D.Kelly a.a.O. 150ff.

[166] Vgl. W. Kasper: Jesus der Christus, 1974, 42; vgl. 172ff.

[167] W. Kasper a.a.O. 273.

[168] Irenäus adv. haer. IV,6,7; vgl. III,16,5. Beide Texte beziehen sich allerdings unmittelbar auf den „Sohn", ohne Verwendung des Logosbegriffs.

[169] Daher hat A.v. Harnack, der Substanzbegriff und Naturbegriff für gleichbedeutend hielt, sich ungenau ausgedrückt, indem er Melito den ersten Kirchenlehrer nannte, „der von zwei Naturen gesprochen hat" (an der Anm. 164 zit. Stelle).

bleme aufwerfen mußte, die später mit der durch Origenes eingeführten Rede von „zwei Naturen" unvermeidlich werden sollten[170].

Auf dem Wege zur Zweinaturenlehre hat nun aber das Schema der doppelten Beurteilung der Person Jesu Christi „nach dem Fleisch" und „nach dem Geist" eine tiefgreifende Umbildung erfahren. Ursprünglich nämlich bezog sich diese doppelte Beurteilung auf die Abfolge zweier „Stadien" der Geschichte Jesu, seines irdischen Weges bis zum Kreuz einerseits, der darauf folgenden Erhöhung durch seine Auferweckung von den Toten andererseits[171]. Schon bei Ignatius ist aus diesem Nacheinander ein Nebeneinander geworden, das dann folgerichtig als Verbindung des Gottessohnes mit dem von Maria geborenen Menschen in ein und derselben Person dargestellt wurde. Diese Veränderung ist dem in den neutestamentlichen Zeugnissen ausgedrückten Sachverhalt nicht einfach entgegengesetzt, sondern folgt sogar einer darin begründeten Tendenz, insofern der Bestätigungssinn der Auferweckung Jesu schon im Urchristentum dazu führte, die Gottessohnschaft Jesu auf seinen ganzen irdischen Weg zurückzubeziehen. Das Ergebnis ist dann tatsächlich, daß Jesus immer schon, vom Beginn seiner irdischen Geschichte an, nicht nur Mensch, sondern auch Gottessohn war. Konstitutiv dafür bleibt jedoch das Ostergeschehen und die darin begründete Perspektive. Darum tritt eine folgenschwere Veränderung, zumindest eine Verschiebung des Schwerpunktes ein, wenn nicht mehr das Ostergeschehen, sondern – wie schon bei Ignatius Eph 18,2 – die Geburt Jesu als das für die Verbindung von Gottheit und Menschheit in ihm konstitutive Ereignis aufgefaßt wird. Sicherlich muß in der Perspektive des Ostergeschehens schon die Erzeugung und Geburt Jesu als der Eintritt des ewigen Gottessohnes in die Verbindung mit diesem Menschenleben gedacht werden (Gal 4,4). Aber das ist darum nicht schon ein mit der Geburt Jesu auch bereits abgeschlossenes Ereignis, sondern die Vereinigung des Logos mit diesem Menschenleben setzt sich in der ganzen irdischen Geschichte Jesu fort, indem durch das Verhältnis Jesu zum Vater der ewige Gottessohn in ihm Gestalt gewinnt. Das ist nicht so zu verstehen, als ob Göttliches und Menschliches erst allmählich im Gang der Geschichte Jesu zusammengewachsen wären. Aber mit der Entwicklung seines menschlichen Lebens bildete sich auch sein Verhältnis zum Vater und damit die Gottessohnschaft Jesu aus, und zwar in zunehmend vertiefter Weise. Letzteres ist zu behaupten, weil das Sohnesverhältnis Jesu zum Vater erst im Gehorsam seines Leidensweges bis hin zum Kreuz seine Vollendung gefunden hat. So ist es von Ostern her offenbar:

---

[170] Zu Origenes in Ioann.10,6,24; 32,12,192 und c.Cels.3,28 und 2,23; vgl. J.N.D.Kelly a.a.O. 155f.

[171] Daß es sich bei den neutestamentlichen Belegstellen durchweg um „zwei aufeinander folgende Seinsweisen Jesu Christi" handelt, „die doch in Beziehung zueinander gesetzt sind", ist von R.Schnackenburg in seinem Beitrag zu Mysterium Salutis (s.o. Anm.160) mit Recht als Unterschied zur späteren Zweinaturenlehre hervorgehoben worden (265).

Jesu war immer schon der Sohn des Vaters, aber erst durch sein Leiden wurde er in seiner Sohnschaft vollendet (Hebr 5,9; vgl. 2,10). Nur im Ganzen seines Weges ist er der Sohn. Darum darf die Aussage der Inkarnation nicht beschränkt werden auf den Anfang dieses Weges in Jesu Zeugung und Geburt: Wäre er später in seiner menschlichen Entwicklung einen anderen Weg gegangen, nicht von Johannes getauft, nicht der Verkünder der Gottesherrschaft geworden, hätte er nicht die Konsequenzen seiner Sendung auf sich genommen durch Annahme seines Leidensweges, so wäre er nicht der Sohn Gottes. Und er ist es nur im Lichte des Ostermorgens, weil erst in diesem Lichte sein Weg eindeutig als ein Weg des Gehorsams und nicht menschlicher Anmaßung bestimmt ist.

Wird das Verständnis der Inkarnation eingeengt auf Zeugung und Geburt Jesu, dann kann die Verbindung des ewigen Sohnes mit diesem Menschenleben nicht als vermittelt durch das Verhältnis Jesu zum Vater gedacht werden. Es wird dann, wie es in den klassischen christologischen Auseinandersetzungen auf allen Seiten geschehen ist, unvermittelt als ein Akt der Annahme menschlicher Natur durch den Logos vorgestellt werden. Aus dieser Vorstellung aber ergibt sich das Dilemma, das sich in der Geschichte der Christologie, angefangen von den christologischen Streitigkeiten des fünften Jahrhunderts, immer wieder als unlösbar erwiesen hat: „Entweder hat der Logos bei der Inkarnation einen vollständigen Menschen angenommen; dann ist dieses vollständige Menschsein schon als ein Selbständiges vorausgesetzt. So dachten die Antiochener." Oder aber der Logos hat „bei der Inkarnation nur die allgemeine menschliche Natur vorgefunden", so daß diese „erst durch die Inkarnation selbst zu einem individuellen Menschen gestaltet worden" ist. „Aber dann hat Jesus keine spezifisch menschliche Individualität besessen", keine Selbständigkeit und keine kreatürliche Freiheit. Das war die Problematik des alexandrinischen Ansatzes[172]. Dieses Dilemma ist unüberwindlich, solange man das Ereignis der Inkarnation als mit der Geburt Jesu abgeschlossen denkt[173]. Aber die Aussage über die Inkarnation

---

[172] Grundzüge der Christologie, 1964, 299f.
[173] Weil ich 1964 noch selber die Inkarnation ausschließlich auf den Anfang des irdischen Weges Jesu als Grundlegung seiner individuellen Lebensgeschichte bezog, habe ich daraus die Folgerung gezogen, daß die Christologie nicht mit dem Inkarnationsgedanken beginnen dürfe, sondern „umgekehrt in der Inkarnationsaussage als ihrem abschließenden Satz gipfeln" müsse (Grundzüge der Christologie, 1964, 300). Das entspricht zwar dem traditionsgeschichtlichen Sachverhalt, daß Präexistenz- und Inkarnationsgedanke durch das Kerygma von der Auferweckung des Gekreuzigten vermittelt und in ihm begründet sind. Doch wie immer die Inkarnationsaussage gewonnen wurde, ihre eigene Logik erfordert doch, den ewigen Sohn als den Grund des irdischen Daseins Jesu zu denken. Dieser Aufgabe haben sich die „Grundzüge der Christologie" nicht gestellt. Statt dessen begründeten sie die Identität Jesu mit dem ewigen Logos aus seinem Gehorsamsverhältnis zum Vater (345ff.), wie das auch in der vorliegenden Darstellung geschehen ist. Doch das Inerscheinungtreten des ewigen Sohnes in der Geschichte Jesu muß selber als Ausdruck der Inkarnation des Sohnes verstanden werden, wenn die Inkar-

des ewigen Sohnes in Jesus von Nazareth bezieht sich auf das Ganze seiner irdischen Geschichte, nicht nur auf ihren Beginn[174]. Kann in dieser Perspektive das Dilemma von Einigungschristologie und Trennungschristologie überwunden werden?

Voraussetzung dafür ist, daß Göttliches und Menschliches in Jesus Christus nicht als zwei „Naturen" gedacht werden, die ontologisch auf der gleichen Ebene stünden und außer ihrer Verbindung in der Person des Gottmenschen nichts miteinander zu tun hätten. Eine solche Auffassung der Zweinaturenlehre verfiele der von Schleiermacher mit so großer Wirkung vorgetragenen Kritik[175], und ihr steht das volle Gewicht des schon im 4. Jahrhundert diskutierten und von Apollinaris von Laodicaea übernommenen Arguments entgegen: Zwei in sich vollkommene (und daher selbständig existierende) Wesenheiten können keine Einheit bilden[176]. Doch so ist das Verhältnis der menschlichen „Natur" zu Gott auf dem Boden des biblischen Schöpfungsglaubens auch gar nicht vorstellbar. Als Geschöpf ist der Mensch seiner „Natur" nach von Gott als dem Schöpfer abhängig. Das gilt gerade auch für das Verhältnis zum göttlichen Logos. Der ewige Sohn oder Logos ist darum der menschlichen Natur nichts Fremdes. Sie ist vielmehr „sein Eigentum" (Joh 1,11). Weil alle Geschöpfe der schöpferischen Tätigkeit des Sohnes infolge seiner Selbstunterscheidung vom Vater ihr selbständiges Dasein verdanken, weil der Logos als generatives Prinzip der Andersheit der Grund ihrer geschöpflichen Selbständigkeit ist, darum kommt in allen Geschöpfen die „Natur" des Logos in irgendeinem Grade zum Ausdruck. Beim Menschen ist das in höherem Maße der Fall als in der übrigen Schöpfung, weil der Mensch fähig und dazu bestimmt ist, Gott von sich und sich von Gott zu unterscheiden, so daß die Selbstunterscheidung des Sohnes vom Vater in ihm Gestalt gewinnen kann. Die menschliche Natur als solche ist zur Inkarnation des ewigen Sohnes in ihr bestimmt[177]. Darum

---

nation als konstitutiv für das menschliche Dasein Jesu gedacht werden soll. Das kann aber nur dann ohne Beeinträchtigung der kreatürlichen Selbständigkeit Jesu in seiner irdischen Geschichte geschehen, wenn diese Geschichte nicht von einem an ihrem Anfang stehenden Inkarnationsgeschehen vorweg determiniert ist. Gerade die kreatürliche Selbständigkeit der menschlichen Geschichte Jesu muß als Medium der Inkarnation gedacht werden, aber so, daß die Konstitution der Person Jesu sich im ganzen Prozeß dieser Geschichte vollzieht: Sonst wäre Jesus ja zuerst bloßer Mensch und würde erst später zum Sohne Gottes durch Vereinigung seiner menschlichen Person mit ihm.

[174] Siehe oben Kap. 9,2a und c (336 ff. und 356 ff.).
[175] F. Schleiermacher: Der christliche Glaube (1821) 2. Ausg. 1830, § 96,1. Siehe dazu ausführlicher die Ausführungen des Vf. in Grundzüge der Christologie, 1964, 293. Damit stimmt im wesentlichen auch W. Kasper: Jesus der Christus, 1974, 279 überein.
[176] Zitiert bei Ps.-Athanasius: Contra Apollinarem I,2 (PG 26,1096 B). Dazu A. Grillmeier: Jesus der Christus im Glauben der Kirche 1, 1974, 484 ff.
[177] Vgl. dazu die oben 332 bei Anm. 63 zit. Formulierung von Karl Rahner sowie die Ausführungen von W. Kasper: Jesus der Christus, 1974, 251 ff., der es mit Recht als den „Grundfeh-

ist das Ereignis der Inkarnation ihr nichts Fremdes, so sehr es den von Gott entfremdeten Sünder als fremdartig berühren mag und obgleich es die den Menschen unendlich übersteigende Gottheit ist, die sich in diesem Ereignis dem Menschen verbindet. Sicherlich kann solche Vollendung der Bestimmung des Menschen nicht aus seinem eigenen endlichen Vermögen vollbracht werden. Nur durch Gottes Geist, der den Menschen über seine Endlichkeit erhebt, kann er diese seine Endlichkeit annehmen und kann das Verhältnis des Sohnes zum Vater in ihm Gestalt gewinnen. Daß aber dadurch die geschöpfliche Selbständigkeit nicht beeinträchtigt oder gar beseitigt wird, beruht darauf, daß die Verschiedenheit des Geschöpfes von Gott ja gerade das Produkt des ewigen Sohnes in seiner Selbstunterscheidung vom Vater ist. Wie der Sohn nur durch solche Selbstunterscheidung mit dem Vater verbunden ist, so kann auch das Geschöpf nur in seiner Unterschiedenheit von Gott und in demütiger und gehorsamer Annahme dieses Unterschiedenseins mit Gott Gemeinschaft haben. Das aber geschieht dadurch, daß in solcher Annahme der eigenen Geschöpflichkeit vor Gott der ewige Sohn im Menschen Gestalt annimmt. Das ist in der Geschichte Jesu geschehen, und zwar in der ganzen Geschichte seines Weges von seiner Geburt bis hin zu seiner Auferweckung und Erhöhung.

Das besondere Verhältnis der menschlichen Natur zum Logos als ihrem schöpferischen Ursprung ist also die Bedingung der Möglichkeit der Inkarnation als Vereinigung des Sohnes mit einem individuellen Menschenleben, einer Vereinigung, die durch das Verhältnis des Menschen zu Gott dem Vater vermittelt ist und so die Form einer Lebensgeschichte hat, in der dieses Verhältnis zur Entfaltung kommt. Der Prozeß dieser Geschichte ist die konkrete Form der menschlichen Wirklichkeit Jesu. Nur in ihr hat er die Identität seines Personseins[178]. In ihrem Vollzug ist er der Sohn des Vaters, so daß von dem einen und selben Jesus Christus beides zu sagen ist: er war und ist (nun als der vom Kreuzestode Auferstandene und Erhöhte) wahrhaft Mensch und wahrhaft Gott. In diesem und nur in diesem Sinne hat auch die sonst mißverständliche und irreführende Rede von zwei Naturen dieser einen Person ihre Wahrheit.

Die Konsequenzen der christologischen Lehre von der Vereinigung zweier Naturen in einer Person sind vor allem in den Diskussionen über die Idiomenkommunikation, die Mitteilung der Eigenschaften zwischen den beiden Naturen und der

---

ler des Apollinaris" bezeichnet, „daß er die Natur des Menschen als eine in sich geschlossene Größe verstand" (251).

[178] Siehe dazu die Ausführungen des Vf. über Geschichte als Bildungsprozeß der Identität in: Anthropologie in theologischer Perspektive, 1983, 495 ff., sowie über Identität und Personalität dort 217–235 und als Grundlage dafür den Abschnitt über das Verhältnis von Ich und Selbst (194–217).

Person Christi, erörtert worden[179]. Dabei war man sich schon im fünften Jahrhundert darüber einig, daß jedenfalls von der Person Christi die Eigenschaften beider Naturen auszusagen sind. Diese Form der Idiomenkommunikation ist in der nachreformatorischen Theologie als deren *genus idiomaticum* bezeichnet worden. Die antiochenische Theologenschule des fünften Jahrhunderts wollte den Eigenschaftstausch auf dieses Verhältnis der beiden in Jesus Christus verbundenen Naturen zur Einheit der Person beschränkt wissen. Ihr folgte in der Reformationszeit die reformierte Theologie unter Einbeziehung der jeder der beiden Naturen eigentümlichen Tätigkeiten, die ebenfalls auf die Person als Handlungssubjekt bezogen wurden (*genus apotelesmaticum*)[180]. Strittig blieb hingegen die aus der schon bei Gregor von Nazianz gelehrten gegenseitigen Einwohnung (*Perichorese*) der beiden Naturen in der Einheit der Person von der altlutherischen Dogmatik gefolgerte Teilhabe der menschlichen Natur Christi an den Majestätseigenschaften der göttlichen Natur wie Allmacht, Allgegenwart und Allwissenheit, also das sog. *genus maiestaticum* der Idiomenkommunikation[181]. Dazu ist zunächst zu sagen, daß ohne eine Einwohnung des Sohnes Gottes in der menschlichen Wirklichkeit Jesu, sowie umgekehrt ohne Teilhabe Jesu als Mensch an den göttlichen Eigenschaften des Gottessohnes keine personale Einheit beider denkbar ist. Andererseits ist auch hier zu betonen, daß die gegenseitige Einwohnung der „Naturen" als vermittelt durch das Verhältnis Jesu zum Vater und also durch seine Selbstunterscheidung vom Vater gedacht werden muß, die die Bedingung für das Inerscheinungtreten des Sohnes in ihm ist. Daraus folgt *erstens*, daß nur in Unterscheidung von der Gottheit des Vaters von einer Teilhabe an ihr gesprochen werden kann. *Zweitens* zieht die Vermittlung der Teilhabe der Menschheit Jesu an der Gottheit des Logos durch Jesu Verhältnis zum Vater die Konsequenz nach sich, daß die gegenseitige Einwohnung des Sohnes in dem menschlichen Lebensvollzug Jesu und andererseits seiner Menschlichkeit und Niedrigkeit in der Gottheit des Sohnes sich im Prozeß der Geschichte Jesu vollzieht, also nicht, wie die altlutherische Theologie annahm, als schon am Anfang des Weges Jesu, bei seiner Geburt, vollständig realisiert zu denken ist. Der Erhöhte, der zur Rechten des Vaters sitzt, hat in anderer Weise an der Königsherrschaft Gottes teil als der irdische Jesus, der als der menschliche Verkünder der Gottesherrschaft zum Ort ihrer Gegenwart wurde. Wenn die Identität mit dem ewigen Sohn, also auch die Teilhabe an der Gottheit und ihren Eigenschaften, durch die Selbstunterscheidung Jesu vom Vater auf dem Wege seiner irdischen Geschichte vermittelt ist, so entfällt der Anlaß zur

---

[179] Siehe dazu ausführlicher: Grundzüge der Christologie, 1964, 305-317. Für die nachpatristische Behandlung des Themas ist Johannes Damaszenus De fide orth.III,3 und 4 grundlegend geworden (MPG 94,993-1000). Als Beispiel für die Erörterung des Themas in der Hochscholastik siehe Thomas von Aquin S. theol. III,16,1-12. Zur weiteren Entwicklung vgl. den in Anm. 181 genannten Artikel von R. Schwarz.

[180] J. Calvin, Inst. chr. rel. 1559,II,14,3: *neque de divina natura, neque de humana simpliciter dici quae ad mediatoris officium spectant* (CR 30,355).

[181] Grundlegend dazu sind die Ausführungen der Konkordienformel 1580, SD VIII,48-96 (BSELK 1032-1053). Vgl. auch Th. Mahlmann: Das neue Dogma der lutherischen Christologie, 1969. Zu Luthers eigener Auffassung von der Gemeinschaft der Naturen und der Einheit der Person Christi siehe R. Schwarz: Gott ist Mensch. Zur Lehre von der Person Christi bei den Ockhamisten und bei Luther, in ZThK 63, 1966, 289-351.

Annahme eines Verzichts auf den Gebrauch dieser Eigenschaften für die Zeit des irdischen Wirkens Jesu; denn solche Annahmen setzen einen unbeschränkten Besitz dieser Eigenschaften schon für den Anfang seiner irdischen Geschichte voraus, unter Abstraktion von der Ausbildung der Selbstunterscheidung Jesu vom Vater im Prozeß dieser Geschichte. Auch für den Erhöhten aber bleibt die Selbstunterscheidung Jesu vom Vater und seiner Gottheit in dem doppelten Sinne der Selbstunterscheidung als Geschöpf und als Sohn des Vaters Bedingung der Gottessohnschaft Jesu, so daß keine Rede von einer identischen Übertragung der göttlichen Eigenschaften auf die menschliche Natur des Erhöhten sein kann[182]. Eine solche ist auch für die Gegenwart Christi im Abendmahl nicht erforderlich, wie in späterem Zusammenhang noch zu erörtern sein wird. Schon das Luthertum hat an dieser Stelle im Anschluß an Melanchthon von einer *praesentia voluntaria* gesprochen, statt mit Luther von einer Ubiquität zu reden[183]. Die menschliche Natur Jesu Christi hat also teil an der Gottheit des Logos, aber nur durch Vermittlung der Selbstunterscheidung von Gott. Andererseits nimmt im Gang der Geschichte Jesu auch der ewige Gottessohn teil an den mit seiner menschlichen Daseinsform verbundenen kreatürlichen Beschränkungen, Bedürfnissen und Leiden. Das ergibt sich zwangslos als Konsequenz aus der Selbstunterscheidung des ewigen Sohnes vom Vater als dem einen Gott, einer Bewegung, die in der Menschwerdung des Sohnes und im Leidensgehorsam Jesu ihre äußerste Tiefe erreichte. Die theologische Tradition ist vor den Konsequenzen solcher Gegenseitigkeit der Perichorese von Gottheit und Menschheit in der Inkarnation des Sohnes zurückgeschreckt[184]. Erst Luthers Kreuzestheologie hat sich dieser Konsequenz gestellt, und sie hat in Hegels These vom Tode Gottes selbst am Kreuz Jesu Nachfolge gefunden[185]. Doch auch nach dieser Seite hin gilt, daß keine identische Übertragbarkeit der Aussagen über eine „Natur" auf die andere stattfinden kann, also auch keine identische Übertragung menschlicher Niedrigkeitsprädikate auf die Gottheit des Sohnes: Zwar ist am Kreuz der Sohn Gottes selbst gestorben, nicht nur die von ihm angenommene Menschheit. Dennoch hat der Sohn den Tod erlitten in seiner menschlichen Wirklichkeit und gerade nicht hinsichtlich seiner Gottheit[186]. Diese erreichte vielmehr im Tode Jesu den äußersten Punkt ihrer

---

[182] Das räumt auch die Konkordienformel ein: SD VIII,72 (BSELK 1041, vgl. Negativa II,3,1048), obwohl daraus nicht die erforderlichen Konsequenzen im Hinblick auf die Teilhabe Jesu als Mensch an der göttlichen Allmacht und Allwissenheit (cf. Mk 13,32 par) gezogen wurden (VIII,72; 1042).

[183] Zum Ursprung dieses Gedankens bei Melanchthon siehe Th. Mahlmann a.a.O. 25, zu seiner Bedeutung für M. Chemnitz 218 ff. Der Ausdruck Multivolipräsenz für diesen Sachverhalt ist nach Mahlmann 222f. Anm. 71 reformierter Herkunft. Vgl. auch SD VIII, Negativa IV (BSELK 1048).

[184] Das gilt sogar für die Konkordienformel: Wegen der Unveränderlichkeit Gottes soll seiner Gottheit durch die Menschwerdung „nichts ab oder zugangen" sein (SD VIII,49, BSELK 1032).

[185] Siehe zu Luther die Ausführungen von R. Schwarz in dem Anm. 181 zit. Aufsatz 305 und 311ff. Zu Hegel und seinem Verhältnis zu Luther vgl. E. Jüngel: Gott als Geheimnis der Welt, 1977, 83-132, bes. 102ff.

[186] So zitiert die Konkordienformel SD VIII,41f. (BSELK 1029f.) aus Luthers Schrift Vom Abendmahl Christi, Bekenntnis (1528): „... weil Gottheit und Menschheit in Christo eine Per-

Selbstunterscheidung vom Vater, durch die der ewige Sohn zugleich mit dem Vater verbunden ist, so daß auch seine Menschheit nicht im Tode bleiben konnte.

Die Person Jesu Christi ist identisch mit dem ewigen Sohn. Dabei entbehrt Jesus in seiner menschlichen Wirklichkeit nicht etwa der Personalität. Vielmehr hat er gerade in seiner menschlichen Geschichte seine personale Identität allein darin, der Sohn seines himmlischen Vaters zu sein. Darin sind alle Einzelzüge seines irdischen Daseins zur Einheit integriert. Der Mensch Jesus hat keine andere Identität als diese, obwohl sie ihm nicht von Anfang an als solche bewußt gewesen sein muß[187]. Es genügt, daß sein menschliches Leben ganz auf Gott als seinen himmlischen Vater hin und von ihm her gelebt wurde. Jesu Geschichte hat ihn immer tiefer in diese Identität seiner Person als Sohn des Vater hineingeführt. So hatte sein menschliches Dasein seine personale Identität nie in ihm selber, sondern immer nur in der Relation zum Vater und also darin, der Sohn dieses Vaters zu sein[188]. Gerade darin ist er zugleich wahrhaft Mensch und wahrer Gott.

3. Die Menschwerdung des Sohnes als Selbstverwirklichung Gottes in der Welt

Die Menschwerdung des Sohnes ist für die Gottheit des trinitarischen Gottes nicht belanglos. Der Welt ist er dadurch offenbar geworden. Aber auch für die ewige Gemeinschaft des Vaters mit dem Sohne durch den Heiligen Geist ist die Menschwerdung des Sohnes bedeutsam. Sie bezieht die Schöpfung ein in die trinitarische Gemeinschaft. Zwar beruht die Schöpfung der Welt nicht auf einer inneren Notwendigkeit des göttlichen Wesens, die Gott zur Hervorbringung seiner Schöpfung nötigte. Die Schöpfung ist ein freier Akt Gottes, von der Seite des Vaters her ebenso wie von der des

---

son ist, so gibt die Schrift umb solcher persönlicher Einigkeit willen auch der Gottheit alles, was der Menschheit widerfähret und wiederumb; und ist auch also in der Wahrheit, denn das must du ja sagen: die Person (zeige Christum) leidet; nun ist die Person wahrhaftiger Gott, darumb ists recht geredet: Gottes son leidet. Denn obwohl das eine Stück (daß ich so rede) als der Gottheit nicht leidet, so leidet dennoch die Person, wölche Gott ist, am andern Stück als an der Menschheit" (WA 26,321). Hegel hat diese von Luther beachtete Regel der *communicatio idiomatum* vernachlässigt, als er schrieb: „Es ist nicht dieser Mensch, der stirbet, sondern das *Göttliche*; eben dadurch wird es Mensch" (Jenaer Realphilosophie 1805/06, PhB 67, 268 Anm. 3, vgl. dazu E.Jüngel a.a.O. 102f.). Ich habe im Hinblick auf derartige Formulierungen von einem umgekehrten Monophysitismus in Hegels Lehre vom Tode Gottes gesprochen (Bd.I,341).

[187] Zu neueren katholischen Versuchen, das menschliche Selbstbewußtsein Jesu im Sinne der Zweinaturenlehre zu beschreiben vgl. Grundzüge der Christologie, 1964, 336-345, sowie W. Kasper: Jesus der Christus, 1974, 288 ff.

[188] In diesem Sinne ist schon in Grundzüge der Christologie, 1964, 349-357 der auf Leontios von Byzanz zurückgehende Gedanke der „Enhypostasie" der menschlichen Natur Jesu im Logos aufgenommen und modifiziert worden.

Sohnes. Aber die Schöpfung der Welt zieht die Menschwerdung des Sohnes nach sich. Denn sie ist das Mittel, um die Königsherrschaft des Vaters in der Welt zu realisieren. Ohne Herrschaft über seine Schöpfung wäre Gott nicht Gott. Der Akt der Schöpfung geht zwar aus der Freiheit Gottes hervor. Doch nachdem die Welt der Schöpfung nun einmal ins Dasein getreten ist, ist die Herrschaft Gottes über sie Bedingung und Erweis seiner Gottheit. Wäre der Schöpfer nur Urheber des Daseins der Welt gewesen, die Herrschaft über seine Schöpfung ihm aber entglitten, dann wäre er auch nicht wahrhaft Gott und im Vollsinn des Wortes Schöpfer der Welt zu nennen.

Das Königtum des Vaters ist schon in der ewigen Gemeinschaft der Trinität realisiert. Es bedarf dazu nicht des Daseins einer Welt. Der Sohn gibt durch den Geist in Ewigkeit dem Vater die Ehre seiner Königsherrschaft[189]. Darin hat sie ihren ewigen Bestand, allerdings nicht ohne Sohn und Geist, sondern durch sie. Das gilt nun auch von der Schöpfung. Auch in der Schöpfung wird die Königsherrschaft des Vaters durch Sohn und Geist aufgerichtet und zur Anerkennung gebracht.

Die geschöpfliche Wirklichkeit ist schon in ihrem Dasein und Wesen Ausdruck der Schöpferkraft Gottes und bezeugt dadurch sein Königtum. Dennoch wird andererseits durch die Selbständigkeit der Geschöpfe für sie selber und für den Betrachter der Welt der Geschöpfe die Erkenntnis der Herrschaft Gottes verstellt. Die Selbständigkeit der Geschöpfe entspricht durchaus dem Willen des Schöpfers. Sie bildet das innere Ziel des Schöpfungsaktes. Dennoch kann der Anschein entstehen, daß die natürlichen Wirkungszusammenhänge der geschöpflichen Welt so autonom sind in ihren Abläufen, daß der Gedanke an Gott für das Verständnis der Naturwelt überflüssig ist[190]. Das gilt besonders im Blick auf den Menschen, der in höchstem Grade die Selbständigkeit geschöpflichen Daseins verkörpert. Mit seiner gänzlichen Verselbständigung allerdings ist er als endliches Wesen auch unentrinnbar dem Tode verfallen.

Durch die Menschwerdung des Sohnes wird der dem Todesgeschick unterworfene Sünder gerettet und versöhnt, einbezogen in die trinitarische Gemeinschaft Gottes und so des ewigen Lebens teilhaftig. Das wird im nächsten Kapitel genauer zu erörtern sein. Hier geht es zunächst darum, daß durch das Ereignis der Menschwerdung des Sohnes die Königsherrschaft des Vaters in der Schöpfung realisiert worden oder jedenfalls angebrochen ist, indem sie in einem Menschen gegenwärtige Wirklichkeit wurde. Durch diesen einen Menschen, in welchem der Sohn menschliche Gestalt annahm, ist die Königsherrschaft Gottes auch andern Menschen gegenwärtig und zur ihr Leben bestimmenden und mit neuem, ewigen Inhalt erfüllenden Kraft geworden. Die Realisierung der Königsherrschaft Gottes in der Welt

---

[189] Siehe dazu Bd. I, 352 ff.
[190] Vgl. dazu oben Kap. 7, 65 ff.

durch die Menschwerdung des Sohnes und die Versöhnung der Welt durch ihn sind die beiden Seiten eines und desselben Sachverhalts. Ohne die Annahme der Königsherrschaft Gottes kommt es nicht zur Versöhnung mit Gott. Doch gilt auch umgekehrt, daß mit der Versöhnung der Welt das Reich Gottes in seiner Schöpfung aufgerichtet wird.

Das ist der Auftrag des Sohnes und der Gegenstand seiner Sendung. Durch ihn ist die Zukunft Gottes in der Welt schon gegenwärtig. Dadurch eröffnet er den Menschen den Zugang zu ihrem Heil, nämlich zur Teilnahme an Gottes Zukunft. Indem der Vater den Sohn gesandt hat, ist ihm die Sache des Königtums Gottes in der Welt anvertraut, damit auch Gottes eigene Macht übertragen worden, insbesondere die Vollmacht zum Gericht und zur Auferweckung der Toten (Joh 5,22; vgl. 5,19ff.). Das Johannesevangelium hat die nach Mt 28,18 dem Erhöhten übertragene Macht also bereits dem irdischen Jesus zugesprochen (vgl. aber auch Mt 11,27). Weil die Königsherrschaft des Vaters in und durch Jesus Gegenwart geworden ist, weil also der ewige Sohn in ihm Gestalt angenommen hat, ist ihm auch die Macht des Vaters zuteil geworden.

Mit der Übertragung seiner Macht auf den in Jesus erschienenen Sohn hat der Vater seine eigene Gottheit vom Gelingen der Sendung des Sohnes abhängig gemacht. Nicht zuletzt darum leidet der Vater mit im Leiden des Sohnes[191]. Die Ablehnung, die dem Sohn widerfährt, stellt auch das Königtum des Vaters in Frage. Die Basileia wird durch den Sohn verwirklicht, indem er den Vater verherrlicht (Joh 17,4), nämlich seine Gottheit auf Erden offenbar macht.

Indem der Vater den Sohn sendet, bestimmt er sich selbst als den in der Welt Abwesenden, der nur durch den Sohn in der Welt gegenwärtig ist. In gewissem Sinne ist Entsprechendes schon vom Akt der Schöpfung zu sagen, durch den der Schöpfer das Geschöpf in ein eigenes Dasein entläßt: Zwar bekundet sich im Dasein des Geschöpfes die Liebe des Schöpfers, der ihm das Dasein gegeben hat, in seiner Erhaltung Gottes väterliche Fürsorge. Aber dennoch wird Gott, der himmlische Vater, für das zu seiner Selbständigkeit erwachsende Geschöpf zum Abwesenden. Das gehört nicht zufällig zum Lebensgefühl der säkularen Kultur[192]. Das der eigenen Selbständigkeit gewisse und auf sie vertrauende Geschöpf erfährt Gottes Macht nur noch als Grenze, in der Unverfügbarkeit seines Ursprungs und seiner letzten Zukunft. Die Abwesenheit, Verborgenheit Gottes kündigt in Wahrheit das Gericht an, dem das Geschöpf unausweichlich anheimfällt, wenn es sich von Gott emanzipiert und sich ganz auf sein eigenes, endliches Vermögen ver-

---

[191] Die Bemerkungen dazu in Bd. I,341f. vgl. 357 brauchen hier nicht wiederholt zu werden. Siehe bes. auch die dort zit. Ausführungen von E. Jüngel und J. Moltmann.

[192] Siehe dazu den vom Vf. herausgegebenen Band: Die Erfahrung der Abwesenheit Gottes in der modernen Kultur, 1984.

läßt. Durch das Gericht bleibt Gott Herr des sich von ihm abwendenden Geschöpfes. Aber das Gericht, dem der Sünder nicht entrinnt, ist zugleich Ausdruck der Ohnmacht des Schöpfers. Gott will als Schöpfer nicht den Tod des Sünders (Ez 18,23), sondern Dasein und Leben seines Geschöpfes: In diesem Sinne hängt die Gottheit des Vaters an der Sendung des Sohnes, der zusammen mit dem Geist schon von der Schöpfung her allen Geschöpfen gegenwärtig ist, nun aber selber geschöpfliche Gestalt annimmt, um durch seine Botschaft die Zukunft Gottes der Welt gegenwärtig werden zu lassen zu ihrem Heil und nicht zum Gericht. Dadurch verherrlicht er den Vater in der Welt und vollendet so das Werk der Schöpfung.

Die Abwesenheit Gottes in der Welt erreichte ihre äußerste Intensität in der Gottverlassenheit des Sohnes am Kreuz. Dabei erlitt der Sohn das Schicksal des Sünders. Die Abwesenheit Gottes (als des Retters) bedeutet ja, daß die Geschöpfe ausgeliefert sind an die Folgen ihres Verhaltens. Die Sünder sind dem Tode ausgeliefert als der Frucht ihrer Abwendung von Gott. So starb auch Jesus am Kreuz den Tod des Sünders als Folge der seinem geschichtlichen Auftreten eigenen Zweideutigkeit. Dabei erlitt er als der Sohn die Gottverlassenheit vermutlich viel tiefer als jeder andere. Doch das Gericht Gottes im Kreuzestod Jesu erwies sich im Licht des Ostergeschehens als das Zeichen des Gerichtes Gottes über die Welt, die in seinem Sohn den Vater selbst verworfen hat. Aber das Gericht im Kreuz des Sohnes ist für die Welt zugleich der Zugang zum Heil geworden: Wie jeder Mensch im Tode Jesu den eigenen Tod als den Preis für die Verselbständigung seines endlichen Lebens gegen Gott erkennen kann, so kann er auch im Glauben an Jesu Verheißung durch die Gemeinschaft mit ihm in seinem Tode die Hoffnung auf das neue Leben gewinnen, das mit seiner Auferweckung von den Toten an den Tag gekommen ist. Darum ist die Abwesenheit des Vaters in der Gottverlassenheit seines Sohnes am Kreuz – und nur hier – selbst zu einem Moment seines Gegenwärtigwerdens für die Welt durch den Sohn geworden. Der Vater hat ihn dahingegeben (Röm 8,32; vgl. 4,25) so wie er die Sünder dahingibt an die Folgen ihres Tuns, sie dem Verderben überläßt, das in ihrem Verhalten angelegt ist (Röm 1,24.26.28). Doch im Falle des Sohnes hat die Dahingabe an den Tod der Welt den Weg zum Heil eröffnet.

Indem durch Sendung und Tod des Sohnes Gott der Welt zu ihrem Heil gegenwärtig und so als väterliche Liebe offenbar geworden ist, hat der Sohn die Gottheit des Vaters in der Welt verwirklicht, seinen Namen und seine Königsherrschaft in der Welt verherrlicht. Zwar setzt ihre Verherrlichung in der Welt ihr Bestehen in Gottes Ewigkeit schon voraus, aber in der Welt wird die Königsherrschaft des Vaters erst durch den Sohn und den Geist verwirklicht, indem der Menschgewordene durch den Gehorsam gegen seine Sendung den Namen des Vaters bei den Menschen verherrlichte und der Geist ihn darin als den seiner Sendung gehorsamen Sohn erkennen lehrt. Da die Gottheit Gottes von seiner Königsherrschaft nicht getrennt werden kann, so folgt, daß der Anbruch der Zukunft der Gottesherrschaft im Wirken des Sohnes die Wirklichkeit Gottes schlechthin in der Welt und für die Welt zum Inhalt hat. Weil aber die Sendung des Sohnes und des Geistes vom Vater ausgehen, darum darf im Blick auf den Vollzug dieser Sendung durch den Gehorsam des Sohnes und das Werk des Geistes von einer Selbstverwirklichung des trinitarischen Gottes in der Welt gesprochen werden.

Natürlich kann die Rede von einer Selbstverwirklichung Gottes im Geschehen seiner Offenbarung nicht besagen, daß der trinitarische Gott zuvor keine Wirklichkeit in sich selber besessen hätte. Buchstäblich genommen besagt der Ausdruck vielmehr in seiner Doppelsinnigkeit das Gegenteil, weil er das Selbst sowohl als Subjekt als auch als Objekt seiner eigenen Verwirklichung nennt. Darin liegt schon, daß das Selbst hier dem Vollzug seiner eigenen Verwirklichung vorausgeht. Das macht die Paradoxie der Vorstellung einer Selbstwirklichung aus: Das Selbst, das verwirklicht werden soll, also Resultat der Selbstverwirklichung sein wird, ist zugleich als Subjekt dieses Aktes zu denken und muß darum als schon an seinem Anfang wirklich gedacht werden. Diese Paradoxie ist dem geläufigen Gebrauch dieses Wortes freilich nicht vertraut. Gerade durch diese Paradoxie aber eignet sich die Vorstellung der Selbstverwirklichung für den theologischen Gebrauch, während sie als Bezeichnung menschlichen Verhaltens dadurch untauglich wird: Eine Identität von Handlungssubjekt und Resultat seines Handelns, wie sie für den Gedanken der Selbstverwirklichung erforderlich ist, findet beim Menschen niemals statt, weil der Mensch immer noch im Werden, also auf dem Wege zu sich selbst ist und gerade durch sein Handeln auf diesem Wege fortschreiten möchte. Die Vorstellung seiner Selbstverwirklichung übersteigt daher das Maß des Menschen wie jedes endlichen Wesens. Ihr geschichtlicher Ursprung liegt nicht zufällig in der philosophischen Theologie, in der Vorstellung von Gott als *causa sui*[193]. Doch auch als Gottesbezeichnung eignet sich der Begriff der Selbstverwirklichung nicht im Hinblick auf Gottes ewiges Wesen in der Einheit seines trinitarischen Lebens[194]. Dagegen läßt sich das Verhältnis der immanenten zur ökonomischen Trinität, das Verhältnis seines innertrinitarischen Lebens zu seinem heilsökonomischen Handeln, sofern es der Gottheit Gottes nicht äußerlich ist, sondern seine Gegenwart in der Welt ausdrückt, treffend als Selbstverwirklichung Gottes bezeichnen: hier ist jene Gleichheit von Subjekt und Resultat gegeben, die der Begriff zu denken fordert. Er eignet sich besser als der von Karl Barth für diesen Sachverhalt verwendete Ausdruck „Wiederholung Gottes"[195], weil die bei letzterem naheliegende Assoziation eines Abbildungsverhältnisses vermieden wird und statt dessen die *Einheit* von immanenter und ökonomischer Trinität zu prägnantem Ausdruck kommt: Es ist ein und dieselbe göttliche

---

[193] Siehe dazu Bd.I,422f.
[194] Vgl. Bd.I, 423f. Karl Barth hat die dort zitierte Anwendung des Gedankens einer *causa sui* durch H.Schell auf die innertrinitarischen Relationen positiv beurteilt (KD II/1,343f.).
[195] K.Barth KD I/1,315. Vgl. dazu E.Jüngel: Gottes Sein ist im Werden. Verantwortliche Rede vom Sein Gottes bei Karl Barth. Eine Paraphrase (1965) 3.Aufl. 1976, 28ff., auch 117ff.

Wirklichkeit, die in der ewigen Gemeinschaft der Trinität und durch ihr ökonomisches Handeln in der Welt realisiert ist. Dabei wird der Gedanke der Selbstverwirklichung allerdings dadurch modifiziert, daß nicht ein einfaches Subjekt, sondern die dreifache Subjektivität von Vater, Sohn und Geist sowohl als Ursprung wie als Resultat dieses Geschehens zu denken ist. Der eine Gott handelt nur durch die trinitarischen Personen, und gerade dadurch löst sich die Paradoxie im Gedanken der Selbstverwirklichung: Zwar gilt für jede der trinitarischen Personen insonderheit, daß sie einerseits schon sind „vor" dem offenbarungsgeschichtlichen Prozeß der Selbstverwirklichung Gottes in der Welt seiner Schöpfung, andererseits ihre Gottheit aber auch Resultat dieses Prozesses ist. Doch das Handeln der trinitarischen Personen richtet sich nicht unmittelbar auf sie selber, sondern auf die anderen Personen. Entsprechendes gilt heilsökonomisch für die Sendung des Sohnes durch den Vater, für dessen Gehorsam gegen den Vater, für die Verherrlichung von Vater und Sohn durch den Geist. Daher vollzieht sich die Selbstverwirklichung des einen Gottes durch die Gegenseitigkeit im Verhältnis der Personen zueinander, als Resultat ihrer gegenseitigen Hingabe aneinander.

Schon nach dem Zeugnis der Psalmen Israels besteht das Königtum Gottes zwar einerseits von Ewigkeit her („von uran" Ps 93,2), wird andererseits aber, wie die späteren Königspsalmen zunehmend betont haben, im Prozeß der Geschichte inmitten der Völkerwelt realisiert[196]. Israels Erwählung und die Verleihung des Landes an das Volk (Ps 47,5) wurden als Antritt der Königsherrschaft seines Gottes über die Völkerwelt besungen (Ps 47,6ff.)[197], der Aufstieg des Perserreiches unter Kyros mit der Rückkehr der Exulanten aus Babylon als ihre Erneuerung[198]. Doch der endgültige Antritt der Königsherrschaft seines Gottes auf Erden rückte für die geschichtliche Erfahrung Israels immer wieder in die Zukunft, um schließlich Gegenstand eschatologischer Hoffnung zu werden[199]. In der Botschaft Jesu ist diese eschatologische Zukunft der Königsherrschaft Gottes als Anspruch auf das Verhalten jedes einzelnen Menschen in der Gegenwart seines Lebens ausgelegt worden, so daß diese Zukunft bei denen, die sich vertrauensvoll auf sie einließen, schon gegenwärtig anbrach. Sie ist seiner Gemeinde bleibend gegenwärtig im Sohnesgehorsam, den Jesus selbst auf dem Wege in seinen Tod am Kreuz bewährte. Die Herrschaft Gottes in der Schöpfung ist nicht dadurch angebrochen, daß sein Erwählter eine politische Herrschaft über die Völker aufgerichtet hätte, beginnend mit der politischen Befreiung des eigenen Volkes. Die Herrschaft Gottes relativiert die Gegensätze zwischen politischer Herrschaft und dem Aufbegehren der durch sie Unterdrückten, statt

---

[196] J.Jeremias: Das Königtum Gottes in den Psalmen. Israels Begegnung mit dem kanaanäischen Mythos in den Jahwe-König-Psalmen, 1987, 20ff., 27.
[197] J.Jeremias a.a.O. 50ff. „Das hier besungene Königtum Jahwes ist also 1) ein von Urzeit her gesetztes und universales Königtum, das sich aber 2) in der Geschichte verwirklicht und 3) im gegenwärtigen Kult neu als Realität erfahren wird" (53).
[198] Zu Jes 52,7 sowie Ps 96 und 98 vgl. J.Jeremias a.a.O. 121–136.
[199] Sach 9,9f. Zu Ps 97,6 vgl. J.Jeremias a.a.O. 136ff., bes. 141f.

dieses Aufbegehren zum Ausgangspunkt neuer Herrschaft und Unterdrückung zu machen. Die Sendung des Sohnes in die Welt und ihre Vollendung durch seinen Tod ist die Weise, wie Gottes Herrschaft in der Welt Wirklichkeit wird ohne Unterdrückung, unter Respektierung der Selbständigkeit der Geschöpfe sogar durch Gott selbst.

Zur Ausbreitung der Herrschaft Gottes unter den Menschen durch den Sohn bedarf es des Geistes, der den Sohn verherrlicht (Joh 16,14). Der „Geist der Wahrheit", der vom Vater ausgeht, wird von Jesus Zeugnis ablegen (Joh 15,26). Er wird die Jünger alles lehren und sie an alles erinnern, was Jesus gesagt hat (14,26). So wird er sie in alle Wahrheit führen (16,13), nämlich in die Wahrheit Gottes, die am Sohne offenbar ist[200]. Dadurch wird er in Jesus den Sohn verherrlichen, so wie Jesus den Vater „auf Erden verherrlicht" hat (17,4). Wenn der johanneische Christus bittet, der Vater möge ihn, den Sohn, verherrlichen (17,1 u. 5), so ist damit die Verherrlichung durch den Geist gemeint, von der 16,14 die Rede war. Denn vom Vater wird ja der Geist ausgehen (15,26). Wenn es heißt, der Geist werde von dem nehmen, was dem Sohn gehört, um es zu verkündigen, so ist nicht nur an die Geschichte Jesu und seine Worte gedacht: Die ganze Schöpfung soll zur Verherrlichung des Sohnes aufgeboten werden; denn „alles was der Vater hat gehört auch mir" (16,15). Dabei dient die Verherrlichung des Sohnes durch den Geist letztlich wiederum der Herrlichkeit des Vaters: Der Vater wird in seinem Sohn verherrlicht. Darum handelt der johanneische Christus mit der Bitte um Verherrlichung durch den Vater, der den Geist senden wird, in Vollendung seiner eigenen Sendung, „damit der Sohn dich verherrliche" (17,2). Alles im Verhalten des Sohnes und im Werk des Geistes dient letztlich der Verherrlichung des Vaters, dem Anbruch seines Königreiches in der Welt.

Grundlegend für die Verherrlichung des Sohnes durch den Geist ist das Ostergeschehen. Denn der Geist wirkt nicht nur die Erkenntnis, daß Jesus der Messias Israels und der Sohn des ewigen Vaters ist, sondern die durch ihn vermittelte Erkenntnis beruht darauf, daß er Leben schafft. Das gilt für Johannes (6,63) nicht weniger als für Paulus (Röm 8,2). Die lebenschaffende Tätigkeit des Geistes bezieht sich in diesem Zusammenhang in erster Linie auf Jesus selbst; denn durch den Geist wurde er von den Toten auferweckt (Röm 8,11; vgl. 1,4, sowie 1.Petr 3,18), und darum kann derselbe Geist auch den Glaubenden die Hoffnung des neuen Lebens verbürgen (Röm 8,11). Als Schöpfer des neuen Lebens aus der Auferstehung der Toten führt der Geist zur Erkenntnis der Sohnschaft Jesu Christi im Lichte der göttlichen Bestätigung und Rechtfertigung seines vorösterlichen Wirkens (1.Tim 3,16). Das ist, johanneisch gesprochen, die Verherrlichung Jesu bei den Glaubenden. Diese Verherrlichung Jesu durch den Geist wird vermittelt durch die

---

[200] Vgl. 1.Kor 2,10: Das Pneuma „erforscht alles, auch die Tiefen der Gottheit".

apostolische Botschaft, die selber (wegen ihres Inhaltes) in der Kraft des Heiligen Geistes ergeht (1.Thess 1,5, vgl. 1.Petr 1,12) und durch die auch die ihr Glauben Schenkenden die Gabe des Pneuma empfangen (Gal 3,2), das in ihnen die Hoffnung auf das todüberwindende, neue Leben in Gemeinschaft mit dem Gekreuzigten und von Gott Auferweckten begründet. Dabei schafft der Geist in den Glaubenden wiederum nicht nur die Erkenntnis der göttlichen Würde des Sohnes, sondern mit der Erkenntnis auch die Anfänge eines neuen Lebens im Geiste der Sohnschaft, in einer Gemeinschaft, die auf das Sohnesverhältnis Jesu Christi zum Vater eingeht. Die Verherrlichung des Vaters und des Sohnes in den Glaubenden, die das Werk des Geistes ist, zielt also auf die Versöhnung der Welt mit Gott, die mit der Überwindung ihrer Todverfallenheit verbunden ist und ihre Vollendung finden wird durch Teilnahme an dem ewigen Leben, das den Sohn durch den Geist mit dem Vater verbindet und in seiner Auferweckung von den Toten als Zukunft der Schöpfung schon angebrochen ist.

11. Kapitel

Die Versöhnung der Welt durch Jesus Christus

uk11. Heil und Versöhnung

Die Sendung des Sohnes durch den Vater und seine Inkarnation zielen auf das Heil der Welt (Joh 3,17). Dem entspricht die menschliche Eigenart Jesu in seinem irdischen Wirken und seiner Geschichte. Denn indem Jesus der Gottesherrschaft unter den Menschen Raum schaffte, war sein Wirken zugleich auf die Erneuerung der Gemeinschaft der Menschen gerichtet. Der messianische Charakter seines Wirkens, wie er sich im Lichte seiner Kreuzigung und Auferweckung darstellt, bedeutete zugleich die Entschränkung der Messiashoffnung Israels durch Ausweitung auf die ganze Menschheit. Paulus und Johannes haben diese Entschränkung durch den Sohnestitel zum Ausdruck gebracht: Der Sohn des himmlischen Vaters, der der Schöpfer und Vater aller Menschen ist, ist in der Person Jesu zur Rettung der Welt erschienen. Die Universalität dieses Geschehens ist bei Paulus durch die Darstellung Jesu als des eschatologischen Menschen schlechthin, eines zweiten Adam, hervorgehoben worden.

Die Frage nach der Besonderheit Jesu unter den übrigen Menschen läßt sich nicht trennen von der soteriologischen Funktion seines Wirkens und seiner Geschichte, damit auch seiner Person. Das gilt schon für seine irdische Verkündigung und Wirksamkeit und wurde manifest in der Heilungstätigkeit Jesu, von der die Evangelien berichten. Derselbe Zusammenhang von messianischer Würde und soteriologischer Funktion kennzeichnet die apostolische Christusbotschaft. Daß zur Eigenart der Gestalt Jesu immer schon ihre soteriologische Funktion gehört, berechtigt allerdings nicht dazu, die sehr verschiedenartigen Heilsinteressen und Heilserwartungen der Menschen ungebrochen auf seine Person zu projizieren, so daß Jesus als bloßer Exponent und Träger solcher Erwartungen erschiene. Zwar ist es richtig, daß Jesus, wenn er als der Sohn Gottes die Erfüllung aller menschlichen Heilshoffnung ist, alle noch so unterschiedlichen Heilshoffnungen auf sich zieht. Doch diese müssen, wie schon die jüdische Messiaserwartung, umgeprägt und neu qualifiziert werden, wenn sie mit der Person Jesu als dem Vollender aller menschlichen Heilshoffnung verknüpft werden: Erst an Jesu Wirken und Geschichte ist offenbar, was den Menschen wirklich zum Heile dient und in welchem Sinne er der universale Heilbringer, der Erlöser der Menschen ist. In diesem Sinne ist die Soteriologie als Funktion der Christologie und nicht umgekehrt diese als abhängig von anderweitig vorgegebenen und geschichtlich wechselnden Heilshoffnungen zu behandeln[1].

Das durch Jesus vermittelte Heil besteht seiner Botschaft zufolge in der Gemeinschaft mit Gott und dem darin begründeten Leben, das auch die Erneuerung der Gemeinschaft der Menschen untereinander umfaßt. Der Gottesherrschaft teilhaftig zu werden (Mt 5,3 par. u. 10; 19,14; Lk 6,20), Eingang in sie zu finden (Mk 9,47; 10,14f. und 23ff., vgl. Mt 25,10; Joh 3,3), ist daher der Inbegriff des Heils. Dem entspricht auch das Heilsverständnis der apostolischen Botschaft. In ihr rückte die Gemeinschaft mit Jesus Christus in den Mittelpunkt, die aber schon im Zusammenhang des historischen Auftretens Jesu selbst die Teilhabe an der kommenden Gottesherrschaft verbürgte (Lk 12,8 parr), wie es besonders in der von Jesus gepflegten Mahlgemeinschaft sinnfällig zum Ausdruck kam. Nach der apostolischen Botschaft begründet die Gemeinschaft mit dem Gekreuzigten die Hoffnung auf Teilhabe an dem in seiner Auferstehung erschienenen neuen Leben. Auch für Jesus dürfte die Auferstehung der Toten bereits Bestandteil des Heils der kommenden Gottesherrschaft gewesen sein (Mk 12,27). Nach Ostern wurde die Überwindung des Todes durch das neue Leben der Totenauferstehung zum Inbegriff der Heilszukunft, wie es in der Botschaft Jesu die Teilhabe an der Gottesherrschaft war. Der Sache nach besteht darin kein Gegensatz, denn das neue Leben aus der Auferstehung der Toten ist das Leben in der Gemeinschaft mit Gott durch seinen Geist. Insbesondere ist beiden Inhaltsbestimmungen des Heils der Charakter eschatologischer Zukunft gemeinsam, einer Zukunft aber, die beim Glaubenden schon gegenwärtig anbricht. Dieser eschatologische Bezug kennzeichnet auch den neutestamentlichen Begriff von Heil als *soteria* und liegt den übrigen soteriologisch geprägten Vorstellungen des Neuen Testaments zugrunde, also bei Paulus den Aussagen über die durch Christus geschehene Rechtfertigung,

---

[1] Siehe dazu die Ausführungen des Vf. über „Christologie und Soteriologie" in: Grundzüge der Christologie, 1964, 32–44. Wenn dagegen K.-H. Ohlig (Fundamentalchristologie. Im Spannungsfeld von Christentum und Kultur, 1986) erklärt, Christologie sei „*eine Funktion der Soteriologie*" (27), so ist er sich anscheinend nicht dessen bewußt, daß diese Formel die Inhalte der Christologie zu Projektionen der unterschiedlichen und wechselnden Heilserwartungen der Menschen werden läßt. Faktisch kommt auch bei Ohlig die kritische Funktion der geschichtlichen Person Jesu für das Verständnis des menschlichen Heils durchaus zum Zuge, so schon darin, daß Heil überhaupt als „durch Geschichte vermittelt" (ebd.) gesehen wird, weiter darin, daß das Heil christologisch, also als durch einen Messias vermittelt gedacht wird, und zwar speziell durch Jesus als den Christus (28f.). Damit wird doch Jesus Christus zum Kriterium für die Inhaltsbestimmung des Heilsverständnisses erklärt, und das eben ist der Sinn der von ihm kritisierten (28 Anm. 6) Vorordnung der Christologie vor die Soteriologie. In Anwendung auf die hier vorgetragene Christologie besagt das: Das Sohnesverhältnis Jesu zum Vater ist nicht Ausdruck der Projektion einer anderweitig begründeten menschlichen Heilshoffnung auf ihn, sondern gründet im Anspruch des ersten Gebotes. Darauf gründet dann weiterhin auch die allgemeine soteriologische Relevanz der Sohnschaft Jesu.

Erlösung, Versöhnung und Befreiung des Menschen, die den Glaubenden zuteil wird.

Wie das Wort „Heil" im Deutschen die Unversehrtheit des Lebens, seine Integrität auch im Sinne des Gelingens und Ganzwerdens auf dem Wege seiner Geschichte zum Inhalt hat, so ist auch das griechische Wort *soteria* auf die Ganzheit und Integrität des Lebens bezogen (vgl. nur Mk 8,35 parr). Der Begriff *soteria* bezeichnet nicht nur den Vorgang der Rettung, sondern auch sein Ergebnis, das gerettete und neu gewonnene Leben. In dieser letzteren Hinsicht steht er dem umfassenden Sinn der alttestamentlichen Vorstellung vom Frieden (*shalôm*) nahe[2]. Die Ganzheit des Lebens, die das Wort „Heil" bezeichnet, ist aber im Prozeß der Zeit noch nicht vollendet und wird wohl gar als abwesend erfahren, zumindest aber ist sie im Gang der Geschichte immer gefährdet und noch nicht endgültig gesichert. Daher hängt das Heil des menschlichen Lebens im ganzen von der Zukunft ab. Die eschatologische Heilsbotschaft Jesu hat diesen Sachverhalt als Thema der Gottesbeziehung des Menschen artikuliert: Das Verhältnis zur Zukunft Gottes und seiner Herrschaft entscheidet über das endgültige Heil oder Unheil des menschlichen Lebens. Daher gilt in paradoxer Zuspitzung, daß diejenigen, die ihr Leben in dieser Welt ohne Rücksicht auf die Zukunft Gottes zu bewahren streben, es verlieren werden, während die Menschen, die ihr Leben für die Zukunft der Gottesherrschaft einsetzen und um ihretwillen hier auf Erden verlieren, es dennoch letztlich gewinnen werden (Mk 8,35 parr). Die Konzentration der Heilsthematik auf die eschatologische Zukunft Gottes ist aller nur innerweltlichen Realisierung menschlichen Lebens kritisch entgegengesetzt[3], weil umgekehrt die Menschen in ihrem Streben

---

[2] Im Anschluß an W.Caspari (Vorstellung und Wort „Friede" im Alten Testament, 1910) und an J.Pedersen (Israel, Its Life and Culture 2, 1926, 311-335) hat u.a. auch G.v.Rad *shalôm* als Unversehrtheit und Ganzheit des Lebens in der Gemeinschaft aufgefaßt (Theologie des Alten Testaments I, 1957, 136). In seinem Beitrag zum Begriff des Friedens im ThWBNT 2, 1935, 400-405 hatte v.Rad daher mit Recht das Wort *shalôm* mit „Heil" übersetzt (so bes. 402 zu Ps 85). Ähnlich L.Rost in der Festschrift für A.Jepsen, 1971, 41-44. In seinen Ausführungen von 1935 hat v.Rad darauf hingewiesen, daß das Wort *shalôm* auch das individuelle Wohlsein bezeichnet (400), also nicht auf die Gemeinschaftsbeziehungen beschränkt ist. Daß v.Rad die Bedeutung „Heil" in seiner Theologie des Alten Testaments nicht ausdrücklich betont hat, ist um so auffallender, als Begriffe wie Heil, Heilsgut, Heilshandeln, Heilsgeschichte in diesem Werk eine zentrale Rolle spielen. Vgl. zur Sache auch J.I.Durham: *salôm* and the Presence of God (Proclamation and Presence, Festschrift für G.H.Davies, 1970, 272-293).

[3] Darin ist die Spannung der christlichen *soteria* zur römischen *salus* begründet, die bes. C.Andresen in seinem Art. Erlösung in RAC 6, 1966, 54-219, bes. 163ff. herausgearbeitet hat. Vgl. auch N.Brox: Σωτηρία und Salus. Heilsvorstellungen in der Alten Kirche, EvTheol 33, 1973, 273-279. Zur aktuellen Relevanz des eschatologisch akzentuierten Begriffs vom Heil gegenüber rein innerweltlich orientierten Heilserwartungen vgl. G.Ebeling: Das Verständnis von Heil in säkularisierter Zeit (1967), in ders.: Wort und Glaube III, 1975, 349-361, sowie B.Welte: Heilsverständnis. Philosophische Untersuchungen einiger Voraussetzungen zum Verständnis des Christentums, 1966.

nach Selbstverwirklichung in dieser Welt sich Gott und seiner Zukunft verschließen. Das ist der Grund, warum Heil dem Menschen nur als Rettung aus der Verlorenheit seines Lebens an die Mächte der Sünde und des Todes zuteil werden kann.

Gehört das Heil mit dem Verhältnis der Menschen zur Zukunft Gottes zusammen und ist es als Rettung aus der gegenwärtigen Verfassung des Daseins zu verstehen, so mußte es in der Perspektive jüdischer Zukunftserwartung naheliegen, das Heil als Rettung im bevorstehenden Weltgericht aufzufassen, mit dem die Zukunft Gottes dieser Weltzeit ein Ende setzen wird. So bezeichnet in der Tat bei Paulus *soteria* überwiegend die Rettung im künftigen Gericht (Röm 5,9; vgl. 1.Thess 1,10; 5,9f. u.ö.). Andererseits ist das künftige Heil dem Glaubenden durch Jesus Christus schon gegenwärtig gewiß. Die paulinische Theologie entspricht damit dem Verhältnis von Zukunft und Gegenwart der Gottesherrschaft in der Botschaft Jesu: In und durch Jesus ist das künftige Heil dem Glaubenden eröffnet und schon gegenwärtig zugänglich[4]. Allerdings ist bei Paulus die Heilsgegenwart nicht als Wirkung der Zukunft Gottes verstanden. Diese erscheint auch nicht an und für sich schon als das Heil des Menschen, sondern das Heil ist gebunden an den Freispruch im künftigen Gericht, und der ist vermittelt durch das in der Vergangenheit Ereignis gewordene Heilsgeschehen des Todes und der Auferstehung Jesu Christi. Die Heilsgegenwart wird im Allgemeinen auch nicht als *soteria* bezeichnet, sondern als Zustand der *Rechtfertigung* (Röm 5,9; vgl. 8,3f. u.ö.) oder als Frieden mit Gott. Die Herrlichkeit des neuen Lebens, das den Inhalt der *soteria* bildet, ist für Paulus noch Sache der Hoffnung. Diese gründet für Paulus darin, daß der Freispruch im kommenden Gericht den an den gekreuzigten und auferstandenen Christus Glaubenden jetzt schon zugesprochen ist. Dieser Zustand des Friedens mit Gott, der zur Hoffnung auf die Rettung im kommenden Gericht berechtigt, gründet seinerseits im Ereignis der Versöhnung mit Gott durch den Tod seines Sohnes (Röm 5,10; vgl. 5,18). Dabei bilden Versöhnung, Rechtfertigung und Rettung im kommenden Gericht für den Apostel ein unauflösliches Ganzes[5], so daß die Unterscheidungen gelegentlich verfließen, die Gerechtigkeit nicht nur als Ergebnis des Gehorsams Christi (Röm 5,18), sondern auch als Hoffnungsgut im Sinne des erhofften Freispruchs im kommenden Gericht erscheinen (Gal 5,5) und umgekehrt der Glaubende als schon jetzt gerettet bezeichnet werden kann (Röm 8,24), wenn auch auf Hoffnung hin: Das geschieht durch

---

[4] Im Gedanken eschatologischer Heilsgegenwart hat E.Jüngel: Paulus und Jesus. Eine Untersuchung zur Präzisierung der Frage nach dem Ursprung der Christologie (1962), 3.Aufl. 1967, 266f. mit Recht die positive Gemeinsamkeit gesehen, die die paulinische Rechtfertigungslehre über alle Unterschiede hinweg mit der Verkündigung Jesu verbindet.

[5] Siehe dazu u.a. W.G.Kümmel: Die Theologie des Neuen Testaments nach seinen Hauptzeugen (NTD Erg.3), 1969, 165–183, sowie C.Breytenbach: Versöhnung. Eine Studie zur paulinischen Soteriologie, 1989, 170ff. zu Röm 5,9f.

die Kraft des Evangeliums (1.Kor 15,2; vgl. 2.Kor 6,2), das auch als das Wort von der Versöhnung bezeichnet werden kann (2.Kor 5,19).

Man darf sich die tiefgehenden Differenzen zwischen der Redeweise des Apostels und der Jesu selbst von der Gegenwart des Heils für den Glaubenden nicht verbergen. Diese Differenzen lassen sich aber als dadurch bedingt verstehen, daß das öffentliche Wirken des Apostels von dem irdischen Auftreten Jesu, durch dessen Botschaft das Heil der Gottesherrschaft für den Glaubenden schon Gegenwart wurde, durch die Ereignisse der Kreuzigung und Auferstehung Jesu getrennt war. Diese Ereignisse standen Paulus vor Augen als das Geschehen der Versöhnung, in welchem die christliche Hoffnung auf Freispruch und Rettung im kommenden Gericht gründet.

Die Theologie wird die paulinische Betrachtungsweise mit dem Anbruch des Heils der Gottesherrschaft schon in der Botschaft und im Wirken Jesu selbst nur unter der Bedingung verknüpfen können, daß der Begriff des Heils nicht ausschließlich futurisch gefaßt wird, wie das im paulinischen Sprachgebrauch wegen der Verbindung mit der Erwartung des bevorstehenden Gerichts in der Regel der Fall ist. Vor allem aber hat die Verknüpfung des paulinischen, auf den Tod Jesu begründeten Heilsverständnisses mit dem der Botschaft Jesu selbst zur Voraussetzung, daß ein Zusammenhang zwischen beiden besteht. Das ist insofern der Fall, als der Tod Jesu die Folge seiner Botschaft und seines irdischen Wirkens gewesen ist: Es hat sich bereits gezeigt, daß gerade der Anbruch der Gottesherrschaft im Ereignis der Verkündigung und des Wirkens Jesu die Zweideutigkeit seines Auftretens mit sich brachte, die zu seinem Tode führte. Die Ausführungen über die Veränderung und Entschränkung der Messiasvorstellung durch ihre Anwendung auf den Gekreuzigten (s.o. 352ff., 362) und über den Leidensgehorsam Jesu als äußerste Konsequenz der in seiner Selbstunterscheidung vom Vater offenbaren Sohnschaft (s.o. 418) könnten Ansatzpunkte bilden für eine Rekonstruktion des Begründungszusammenhangs der paulinischen Deutung des Kreuzestodes Jesu als Ausdruck der Liebe Gottes (Röm 5,8; vgl. 8,32) auf der Grundlage der Offenbarung der Liebe des Vaters, wie sie schon im vorösterlichen Wirken Jesu selbst stattgefunden hat, indem die Zukunft seines Reiches zur Heilsgegenwart für die wurde, die sich auf Jesu Botschaft einließen. Es wird sich noch zeigen müssen, inwieweit sich eine solche Verknüpfung argumentativ ausweisen läßt.

Daß trotz der Bindung der *soteria* an das Ereignis der Rettung im bevorstehenden Gericht dieses Heil den Glaubenden doch auch bereits gegenwärtig durch das Evangelium zuteil geworden ist, hat schon Paulus selbst gelegentlich sagen können (s.o.). Im Epheserbrief tritt dieser Akzent stärker hervor (Eph 2,5 und 8), und im Titusbrief kann es heißen, daß die Glaubenden die Rettung schon durch die Taufe empfangen haben (Tit 3,4f.). Die hier im Sprachgebrauch erkennbare Verschiebung der Vorstellung von der Teilhabe am eschatologischen Heil auf die Gegenwart hin, die allerdings bezogen bleibt auf ihre künftige Vollendung, hat theologisch ihren guten Sinn, weil sie dem Gesichtspunkt der Gegenwart der eschatologischen Heilszukunft der Gottesherrschaft in der Botschaft Jesu selbst näher steht als der paulinische Sprachgebrauch. Da die Gegenwart des künftigen Heils durch Jesus vermittelt ist, gilt Entsprechendes auch für die Ausdehnung des Begriffs *soteria* auf das Wirken Jesu, wie sie Joh 3,17 und wohl auch Joh 4,22 zum Ausdruck kommt[6], vor allem aber in der Aussage des Hebräerbriefs, daß die *soteria* in der Verkündigung Jesu selbst ihren Anfang genommen habe (Hebr 2,3). Diese Aussage kommt den Einsichten heutiger Exegese zum Thema proleptischer Gegenwart des Heils der Gottesherrschaft in Jesu Botschaft und Wirken überraschend nahe. Auch die Bezeichnung Jesu Christi als „Anfänger des Heils" (Hebr 2,10) wird in diesem Sinne zu verstehen sein.

Zwar blieb der Bezug auf die künftige Vollendung des Heils durchgängig erhalten. Doch brachte die Verlagerung des Akzents auf den Ursprung des Heils in der Geschichte Jesu und auf seine Mitteilung durch Evangelium und Taufe doch auch eine Veränderung im Inhalt des Heilsverständnisses (jedenfalls des Terminus *soteria*) gegenüber Paulus mit sich: Es geht nun nicht mehr in erster Linie um die Rettung der Glaubenden im künftigen Gericht, sondern um die bereits geschichtliches Ereignis gewordene Errettung aus dem Leben der Sünde zu einem neuen Leben aus dem Geist (Tit 3,4ff.). Die schon bei Paulus mit der Vorstellung der Rettung im kommenden Gericht verbundene Inhaltsbestimmung der *soteria*[7] durch die Teilhabe an der Herrlichkeit des an Christus schon erschienenen neuen Lebens (Phil 3,20f.; vgl. Röm 5,10 und 8,30) wurde nun abgelöst von der Bindung an den künftigen Zeitpunkt des Gerichts. Damit dürfte auch das Zurücktreten der paulinischen Rechtfertigungsterminologie in den nachpaulinischen Aussagen über die gegenwärtige Heilsteilhabe der Glaubenden zusammenhängen: Die Teilhabe an dem neuen Leben in Jesus Christus ist nicht mehr primär bestimmt durch die Beziehung zur Rettung im künftigen Gericht, so daß auch die Heilsgegenwart nicht mehr primär durch die Vorwegnahme des Freispruchs im künftigen Gericht im Unterschied zu dem dann zu erlangenden Leben gekennzeichnet ist, sondern als anfängliche Wirklichkeit des neuen Lebens selber, das durch Jesus Christus in diese Welt eingetreten ist.

Obwohl sich zeigte, daß die scharfen paulinischen Unterscheidungen zwischen Versöhnung, Rechtfertigung und künftigem Heil als Rettung im Gericht nicht ohne weiteres als repräsentativ für das Gesamtzeugnis des Neuen

---

[6] Nach R.Bultmann: Das Evangelium des Johannes, 12.Aufl. 1952, 139 Anm.6 wäre der Satz: „Denn das Heil kommt von den Juden" allerdings als eine redaktionelle Glosse zu betrachten. Siehe dagegen die Bemerkungen von R.E.Brown: The Gospel according to John I, 1966, 172, sowie R.Schnackenburg: Das Johannesevangelium I, 5.Aufl. 1981, 470f.

[7] Vgl. dazu W.Foerster im ThWBNT 7, 1964, 981–1012, bes. 993.

Testaments gelten können und sogar bei Paulus selbst in einzelnen Fällen undeutlich werden, muß die theologische Urteilsbildung doch jedenfalls zweierlei festhalten: zum einen die Bindung des Heils an die Zukunft Gottes, die in Jesus Christus schon Gegenwart in dieser Welt geworden ist, deren Vollendung aber noch aussteht, zum andern die Vermittlung der Heilsteilhabe durch die Geschichte Jesu und besonders durch seinen Kreuzestod: Dieser letztere Aspekt, die grundlegende Bedeutung des Todes Jesu Christi für die gegenwärtige Heilszuversicht der Christen, ist von Paulus speziell mit dem Begriff der Versöhnung verbunden worden. Auf der Versöhnung mit Gott durch den Kreuzestod Christi gründet die Gegenwartsgestalt christlicher Heilsteilhabe, die Paulus als Rechtfertigung und Frieden mit Gott beschrieben hat[8]. Um diesen Begründungszusammenhang auszudrücken, haben der Begriff der Versöhnung und seine Beziehung auf den Tod Jesu auch in der Geschichte der christlichen Lehre mit Recht eine maßgebliche Rolle gespielt. Doch hat sich dabei der Sinn des Begriffs „Versöhnung" verschoben. Sein Umfang wurde verengt, und seine Zuordnung zum Tode Jesu nahm eine andere Bedeutung an. Gerade in seiner ursprünglich paulinischen Anlage und Weite aber hat dieser Begriff das Potential eines Schlüsselbegriffs für eine dem Sachverhalt angemessene systematische Interpretation der Bedeutung des Todes Jesu und darüber hinaus des ganzen Prozesses der Heilsvermittlung.

2. Der Begriff der Versöhnung und die Versöhnungslehre

Die paulinische Verbindung des Stichworts „Versöhnung" mit dem Tode Christi (Röm 5,10) macht verständlich, daß in der christlichen Theologie sowohl der Tod Jesu von der Vorstellung der Versöhnung her als auch umgekehrt diese Vorstellung im Lichte anderweitig begründeter Auffassungen des Todes Jesu Christi gedeutet wurden. Dabei kam es im Gegensatz zum paulinischen Sprachgebrauch, demzufolge Gott das Subjekt des Versöhnungsgeschehens ist (2.Kor 5,19), zu der Vorstellung, daß Gott durch den Gehorsam des Sohnes bzw. durch das Opfer seines Lebens am Kreuz mit der Menschheit versöhnt werden mußte, nachdem er zuvor durch die Sünde Adams beleidigt worden war.

---

[8] Obwohl die Versöhnungsaussage ähnlich wie der Rechtfertigungsgedanke bei Paulus auf den gegenwärtigen Zustand des Lebens im Glauben, den Zustand des Friedens mit Gott (Röm 5,1) zielt, hat sie durch ihre Beziehung auf den Tod Jesu doch begründende Funktion für die Rechtfertigung (2.Kor 5,21). Nur so wird verständlich, daß, wie C. Breytenbach hervorhebt, die Versöhnung als Ausdruck der Liebe Gottes dem Glauben vorhergeht, während die Rechtfertigung immer mit dem Glauben verbunden ist (Versöhnung. Eine Studie zur paulinischen Soteriologie, 1989, 223).

Die Anfänge dieser Deutung des Versöhnungsbegriffs scheinen auf die irenäische Rekapitulationstheorie zurückzugehen. Irenäus hat die „Rekapitulation" Adams durch Christus, also die wiederholende Wiederherstellung und Rettung dessen, „was in Adam anfänglich verlorengegangen war" (adv. haer. V,14,1), auch als Versöhnung des Gott entfremdeten Menschen durch Jesus Christus, und zwar durch seinen in den Tod gegebenen Leib, beschreiben können, im Anschluß an Kol 1,21f. (adv. haer. V,14,2f.). Der Ungehorsam des ersten Menschen „am Holze" des verbotenen Paradiesesbaumes wurde durch den Gehorsam des zweiten Adam am Holze des Kreuzes geheilt: So wurden wir mit dem Gott, den wir im ersten Adam beleidigt hatten, durch den zweiten Adam wieder versöhnt (V,16,3). „Für uns versöhnte er seinen Vater, gegen den wir gesündigt hatten, und machte unsern Ungehorsam durch seinen Gehorsam wieder gut" (V,17,1). Irenäus steht hier dem Gedanken von Röm 5,19 noch nahe: Die Versöhnung geschieht durch den Gehorsam Christi. Es ist noch keine Rede von einer Besänftigung des erzürnten Vaters durch das ihm dargebrachte Sühneopfer des Todes Christi. Von Paulus weicht Irenäus nur dadurch ab, daß der Vater als Objekt des versöhnenden Gehorsams Christi erscheint, nicht als Subjekt des Versöhnungsgeschehens im Sinne von 2. Kor 5,19. Der Gehorsam des zweiten Adam bewirkt nach Irenäus, den wegen Adams Sünde beleidigten Gott wieder zu versöhnen, und davon liest man bei Paulus nichts. Die Tendenz zu einer solchen Deutung des Versöhnungsgedankens ist bei Irenäus in der Ausgestaltung der durch Paulus vorgegebenen, antithetischen Parallele des zweiten zum ersten Adam begründet, indem nun beim ersten ebenso wie beim letzteren das Gegenüber des Menschen zu Gott betont wurde. Damit wurden die Grenzen der Parallelität zwischen Adam und Christus, wie sie die schwierige paulinische Textpassage Röm 5,12–21 darlegt[9], vernachlässigt. Die bei Irenäus erkennbare Tendenz ist bald verstärkt worden durch die Deutung des Todes Jesu als eines von ihm dem Vater dargebrachten Sühnopfers für die Menschheit[10]. Diese Vorstellung gewann besonderes Gewicht in der lateinischen Kirche seit Cyprian[11]. So konnte Augustin schreiben, daß die Menschen, die wegen der Erbsünde unter dem Zorn Gottes leben, eines Mittlers und Versöhners bedurften, der diesen Zorn durch die Darbringung seines einzigartigen Opfers beschwichtigte[12]. Augustin hat damit den Grundgedanken ausgesprochen, den in an-

---

[9] Siehe dazu G. Bornkamm: Paulinische Anakoluthe im Römerbrief, in ders.: Das Ende des Gesetzes. Paulusstudien, 1952, 76–92, bes. 80ff., 88ff.

[10] Vorbereitet wurde diese Deutung schon von Tertullian. Vgl. H. Kessler: Die theologische Bedeutung des Todes Jesu. Eine traditionsgeschichtliche Untersuchung, 1970, 72ff. In ausdrücklicher Formulierung liegt dieser Gedanke bei Origenes vor (Kessler 77ff.), neben der von diesem entwickelten Auffassung von Jesu Tod als Lösegeld zum Loskauf der Menschheit aus der Macht des Teufels (Kessler 75f., vgl. auch A. v. Harnack: Lehrbuch der Dogmengeschichte I, 5. Aufl. 1931, 682f. Anm. 3).

[11] Siehe dazu A. v. Harnack: Lehrbuch der Dogmengeschichte II, 5. Aufl. 1931, 180ff.

[12] Augustins Enchiridion ad Laur. X,33: *in hac ira cum essent homines per originale peccatum, ... necessarius erat mediator, hoc est reconciliator, qui hanc iram sacrificii singularis ... oblatione placaret* (CCL 46,68). Augustin berief sich für diese Aussage auf Röm 5,10, wo aber weder der Begriff des Mittlers, noch der des Opfers vorkommt. Im Licht der zit. Aussage überrascht die Behauptung von O. Scheel, nach Augustin finde „eine Versöhnung Gottes nicht statt. Von einer ira Dei

derer Terminologie Anselm von Canterbury am Beginn der lateinischen Scholastik in seiner Satisfaktionstheorie vorgetragen hat[13].

Zur systematischen Verfestigung der Umdeutung des paulinischen Versöhnungsgedankens im Sinne einer Besänftigung des göttlichen Zorns über die Sünde Adams durch das im Tode Jesu Gott dargebrachte Sühnopfer hat die Verbindung des Versöhnungsgedankens mit der Funktion Christi als Mittler zwischen Gott und der Menschheit beigetragen. Die westliche Christologie hat nämlich in der Vorstellung Christi als Mittler die Rolle seiner menschlichen Natur betont, durch die Jesus Christus in seinem Leidensgehorsam die Menschheit vor Gott vertreten habe. Diese Auffassung wurde von Augustin begründet und ist für die lateinische Scholastik maßgeblich geworden[14].

Die Verknüpfung der Vorstellung von einer Versöhnung des durch die Sünde Adams beleidigten Vaters mit dem Mittleramt Christi findet sich schon bei Irenäus, der unter Berufung auf 1.Tim 2,5 das Werk des Mittlers in der Versöhnung des Vaters erblickte (adv. haer. V,17,1). Diesen Gedanken samt der Beziehung auf 1.Tim 2,5 hat Augustin schon früh aufgenommen (MPL 34,1070 und 35,2122; vgl. 34,1245). In den Confessiones hat er den Mittlergedanken genauer erörtert mit dem Ergebnis, daß Christus, weil er als Logos dem Vater gleich ist, nicht nach seiner Gottheit, sondern nur nach seiner Menschheit Mittler sein könne: *In quantum enim homo, intantum mediator* (Conf.X,68). Entsprechend heißt es in Augustins Werk über den Gottesstaat: *Nec tamen ob hoc mediator est, quia Verbum ..., sed mediator, per quod homo* (De civ. Dei IX,15,2)[15]. Dieser Gedanke Augustins hat die lateinische Scholastik tief beeinflußt. Er ist der Sache nach schon in der Satisfaktionstheorie Anselms von Canterbury vorausgesetzt, obwohl Anselm dabei

---

will Augustin nichts wissen" (Die Anschauung Augustins über Christi Person und Werk, 1901, 332).

[13] Zu Anselms *Cur Deus Homo* vgl. H.Kessler a.a.O. 83-165. O.Scheel hat mit seinem Urteil, daß „anselmische Gedankengänge Augustin fern liegen" (a.a.O. 336) und daß bei Anselm überhaupt „keine Stellvertretungstheorie" vorliege, wie das bei Augustin der Fall ist (337), den Abstand Anselms von Augustin übertrieben. Übereinstimmung besteht zwischen beiden insbesondere in der Konzentration des Mittleramtes auf die menschliche Natur Christi, wie unten gezeigt wird. Darin hat man sicherlich eine Form des Stellvertretungsgedankens zu erkennen. Angesichts der systematischen Tragweite dieser Auffassung des Mittlertums Christi handelt es sich hier doch wohl auch um mehr als nur um ein augustinisches „Einsprengsel", so sehr man behaupten mag, daß Anselm „die ganze Dynamik und Tiefe ... augustinischer Theologie" nicht erreicht hat (Kessler 128).

[14] Zu den Diskussionen der Frühscholastik über diese Frage vgl. A.M.Landgraf: Dogmengeschichte der Frühscholastik II/2, 1954, 288-328 (Die Mittlerschaft Christi).

[15] Weitere Belege bei O.Scheel a.a.O. 319f., 124f. Scheel hat mit Recht darauf hingewiesen, daß Augustin durchaus die Gottmenschheit Christi als konstitutiv für den Begriff des Mittlers zwischen Gott und der Menschheit behauptet hat (325f.). Es handelt sich hier nicht einfach um eine Unausgeglichenheit im Denken Augustins. Denn unter Voraussetzung der Gottmenschheit ist nach Augustin doch die menschliche Natur Christi für den Vollzug seines Mittlerseins entscheidend. Das Übergewicht dieses Gesichtspunkts unter den Aussagen Augustins zu diesem Thema hat auch Scheel bestätigt (327).

nicht mit dem Mittlerbegriff argumentiert hat[16]. Im 12.Jahrhundert ist die Frage ausdrücklich und kontrovers diskutiert worden. Man las ja auch damals bei Paulus, daß *Gott* in Christus war und die Welt mit sich versöhnt hat (2.Kor 5,19). Daher heißt es bei Petrus Lombardus, daß der Vater oder vielmehr die ganze Trinität Subjekt der Versöhnung sei[17]. Dennoch führte die Auffassung der Versöhnung als Beschwichtigung des göttlichen Zornes – in Verbindung mit dem Mittlerbegriff[18], den der Lombarde unter dem Eindruck der Autorität Augustins auf die menschliche Natur Christi bezog, – zu der Aussage, daß zwar der Kraft nach die ganze Trinität versöhne, der Sohn allein aber durch seinen Gehorsam (*impletione oboedientiae*) nach seiner menschlichen Natur Mittler sei[19]. Die Ineinssetzung der versöhnenden mit der vermittelnden Tätigkeit Christi hat auch die führenden Theologen des 13.Jahrhunderts dazu veranlaßt, beide der menschlichen Natur Christi zuzuordnen. So Bonaventura[20] und auch Thomas von Aquin: Als der einzige und wahre Mittler versöhnt uns Christus durch sein Opfer mit Gott, und er vollbringt das vermöge seiner menschlichen Natur[21].

Die reformatorische Theologie ist der Zuordnung des Mittleramtes Christi zu seiner menschlichen Natur nicht gefolgt, weil sie die gottmenschliche Person als Träger dieses Amtes dachte[22]. Dennoch haben auch die Reformatoren die mit der scholastischen Auffassung des Mittleramtes Christi verbundene Deutung seines Versöhnungstodes als eines den Zorn Gottes über

---

[16] Anselm von Canterbury: Cur Deus Homo II,18 (*deus, cui secundum hominem se obtulit*), vgl. Anselms Meditatio XI: De redemptione humana (MPL 158, 762–769).

[17] Petrus Lombardus: Sententiae t.II (lib.III et IV), Rom 1981, 123 (III d 19 c 6 De mediatore). Zum Schwanken des Lombarden in der Deutung des Zusammenhangs von Mittlerschaft Christi und Versöhnung vgl. A.M.Landgraf a.a.O. 300ff.

[18] Petrus Lombardus ib.: *Christus ergo dicitur mediator eo quod medius inter Deum et homines, ipsos reconciliat Deo. Reconciliat autem dum offendicula hominum tollit ab oculis Dei ...*

[19] Petrus Lombardus a.a.O. c.7 (p.123): *Unde et mediator dicitur secundum humanitatem, non secundum divinitatem.* Dafür berief sich der Lombarde auch auf Gal 3,20 und auf Augustinus. Zuvor hatte er (c.6, p.123) den im Text deutsch wiedergegebenen Gedanken zu 2.Kor 5,19 vorgetragen.

[20] Bonaventura Sent.III,19,2 q 2 (Opera Omnia III, 1887, 410).

[21] Thomas von Aquin S.theol.III,26,2: *... verissime dicitur mediator secundum quod homo,* sowie III,48,3: *... idem ipse unus verusque mediator per sacrificium pacis reconcilians nos Deo.* Vgl. III,49,4.

[22] Konkordienformel SD VIII, 46f. (BSELK 1031). Der Sache nach ähnlich hatte sich Melanchthon schon in seiner Apologie zu CA 21 ausgesprochen (BSELK 320, 7ff.). Hier ist allerdings nur im deutschen Text von „Mittler oder Versühner" die Rede (der lat. Text hat *propitiator*), und es wird nicht die Terminologie der Zweinaturenlehre benutzt. Mit besonderer Klarheit hat Calvin den Sachverhalt formuliert: *neque de natura divina, neque de humana simpliciter dici, quae ad mediatoris officium spectant* (Inst. chr. rel. 1559 II,14,3, CR 30, 355). Träger des Mittleramtes ist die Person Christi, nicht die eine oder andere Natur (ib. n.4). Zur kontroverstheologischen Bedeutung dieser Frage siehe auch J.Baur: Lutherische Christologie im Streit um die neue Bestimmung von Gott und Mensch, Ev. Theol. 41, 1981, 423–439, bes. 433ff. Es handelt sich bei der Zuordnung des Mittleramtes zur gottmenschlichen Person Christi jedoch nicht um eine reformatorische Neuerung, sondern um eine in der Frühscholastik mehrfach vertretene, noch bei Robert von Melun begegnende Auffassung (vgl. A.M.Landgraf a.a.O. 296f.).

den Sünder versöhnenden Sühnopfers beibehalten. Bei Luther allerdings wurde diese Vorstellung im Sinne seiner Anschauung vom stellvertretenden Strafleiden Christi umgedeutet[23]. Melanchthon hingegen konnte ganz im Sinne der Satisfaktionstheorie Anselms den Kreuzestod Christi als ein Gott dargebrachtes Opfer zur Versöhnung seines Zornes über die Sünder charakterisieren[24]. Auch Calvin konnte sich ähnlich ausdrücken, obwohl er andererseits die göttliche Initiative zu unserer Versöhnung betonte und sich daher der Auffassung des Todes Jesu als eines im Auftrag des Vaters stellvertretend für uns übernommenen Strafleidens näherte[25]. Die altprotestantische Dogmatik hat die auf Anselm zurückgehende Grundstruktur des Satisfaktionsgedankens wieder stärker akzentuiert, je mehr sie den Vater als Empfänger der Satisfaktionsleistung Christi in den Mittelpunkt ihrer Betrachtung rückte. Dazu hat nicht zuletzt die sozinianische Kritik an der traditionellen Vorstellung von der Notwendigkeit einer Satisfaktion für die Sünde Adams und seiner Nachkommen, sowie an der Annahme einer Zurechnung des Verdienstes Christi zugunsten anderer beigetragen[26].

Erst nach der Auflösung der Satisfaktionslehre durch die rationale Kritik der Sozinianer und nach deren Rezeption durch die protestantische Theologie der Aufklärung[27] hat die Differenz des neutestamentlichen, paulinischen Versöhnungsgedankens vom späteren theologischen Sprachgebrauch allgemeinere Beachtung gefunden: Nicht Gott muß versöhnt werden, sondern die Welt ist durch Gott in Christus versöhnt worden (2.Kor 5,19). Es ist als

---

[23] Zu Luthers Deutung des Todes Christi als Strafleiden siehe O. Tiililä: Das Strafleiden Christi, 1941; in knapper Form auch meine Grundzüge der Christologie, 1964, 286 ff. Luther hat jedoch den Gedanken des Strafleidens der Vorstellung einer durch Christi Tod geleisteten Satisfaktion nicht entgegengesetzt, sondern den Satisfaktionsgedanken mit dem des Strafleidens verbunden. Vgl. P. Althaus: Die Theologie Martin Luthers, 1962, 178 ff.

[24] Ph. Melanchthon: Loci praecipui theologici (1559) CR 21, 871 f. Als Sühneopfer wird dort bezeichnet ein *opus reconcilians Deum et placans iram Dei pro aliis et satisfactorium pro culpa et poena aeterna* (871). Vgl. CA 3: Christus starb *ut reconciliaret nobis patrem et hostia esset ... pro omnibus ... peccatis.*

[25] J. Calvin: Inst. chr. rel. (1559) II,16,6: *Christum patri fuisse in morte pro victima satisfactoria immolatum, ut peracta per eius sacrificium litatione, iram Dei iam horrere desinamus* (CR 30, 373). Zu der auf unsere Versöhnung (*reconciliationem*) zielenden Liebe des Vaters vgl. bes. II,16,3 (370). Von daher gesehen ändert sich der Akzent des Satisfaktionsgedankens im Sinne eines von Christus an unserer Stelle erduldeten Strafleidens (so schon II,16,2): *hic Christum deprecatorem intercessisse, poenam in se recepisse ...*, (a.a.O. 369).

[26] G. Wenz: Geschichte der Versöhnungslehre in der evangelischen Theologie der Neuzeit 1, 1984, 75 f., 79 f. Zur sozinianischen Kritik an der Vorstellung von einer stellvertretenden Satisfaktion für die Sünde vgl. dort 119–127, zur Erneuerung der Strafleidenslehre durch H. Grotius 128–136.

[27] Vgl. G. Wenz a.a.O. 170–216, bes. die Ausführungen zu J.G.Töllner 179 ff. M. Kähler hat das Ergebnis dieser Entwicklung mit Recht durch den Satz charakterisiert: „So ist die sozinianische Lehre nach dem vergeblichen Kampfe von Jo. Gerhard bis Grotius zur öffentlichen Meinung der lutherischen Theologen geworden" (Das Wort „Versöhnung" im Sprachgebrauch der kirchlichen Lehre, in ders.: Zur Lehre von der Versöhnung, 1898, 2. Aufl. 1937, 1–38, 24).

ein Verdienst der neueren protestantischen Theologie zu würdigen, daß sie nach der kritischen Zerstörung der Satisfaktionslehre der Richtung der paulinischen Versöhnungsaussagen auf die Welt, auf die zu versöhnenden Menschen hin wieder Geltung verschafft hat. Die Versöhnung der Welt durch Christus wurde nun als Auswirkung der sich gegen alle Widerstände der Gottesfeindschaft der Menschen durchsetzenden Liebe Gottes gedacht, die durch Jesus Christus wirksam ist. Dabei wurde jedoch der grundlegenden Bedeutung des Todes Christi für den paulinischen Gedanken der Versöhnung der Welt durch Gott (Röm 5,10; 2. Kor 5,21; vgl. 5,14) nicht ausreichend Rechnung getragen.

Johann Conrad Dippel hatte schon 1729 darauf aufmerksam gemacht, daß nach dem Neuen Testament nicht Gott mit der Welt, sondern die Welt durch Christus mit Gott versöhnt wurde[28], aber diese Einsicht paßte nicht zu der geläufigen Verbindung von Versöhnung und Sühnopfer Christi, so daß sie wieder in Vergessenheit geriet, bis sie um die Wende zum 19. Jahrhundert von Johann Christoph Döderlein und von Gottfried Menken erneuert wurde[29]. In der Dogmatik haben unabhängig davon der Heidelberger Supranaturalist Friedrich Heinrich Schwarz[30] und vor allem Schleiermacher den Versuch gemacht, den überlieferten dogmatischen Begriff der Versöhnung von der Satisfaktionslehre zu lösen und ihn in einer neuen systematischen Perspektive zu entwickeln.

Schleiermacher hat in seiner Glaubenslehre den Begriff der Versöhnung parallel zu dem der Erlösung konzipiert. Erlösung und Versöhnung zusammen machen nach Schleiermacher das „Geschäft Christi" aus[31]. Die Folge ist, daß es sich bei der Versöhnung nicht mehr um eine Einwirkung Christi auf Gott zur Besänftigung seines Zornes handelt, sondern wie bei der Erlösung um die vom Gottesbewußtsein Christi ausgehenden Wirkungen auf die Menschen. Diese Wirkungen werden aber nicht nur beim Empfänger, sondern als Tätigkeiten des Erlösers selbst thematisiert. Dabei hat die erlösende Tätigkeit in Schleiermachers Darstellung die Führung. Sie besteht darin, daß der Erlöser die Menschen in die „Kräftigkeit" seines Gottesbewußtseins aufnimmt. Die „versöhnende Thätigkeit" ist keine davon ganz verschiedene Aktivität des Erlösers, sondern nur ein besonderes „Moment" oder Element an seiner erlösenden „Gesamttthätigkeit" (§ 101,2), näm-

---

[28] J.C. Dippel: Vera Demonstratio Evangelica II, 1729, 676, zit. bei G. Wenz a.a.O. 1, 165.

[29] G. Menken: Versuch einer Anleitung zu eignem Unterricht in den Wahrheiten der heiligen Schrift, 1805, zit. nach M. Kähler a.a.O. 25. Menken war nach Kähler der erste, der den Gegensatz des kirchlichen Sprachgebrauchs zur paulinischen Verwendung des Versöhnungsbegriffs herausgearbeitet habe. Von. J.C. Döderlein vgl. Institutio Theologi Christiani II, 2. Aufl. 1783, 331 f. (§ 262).

[30] Den „Grundriß der Kirchlichen protestantischen Dogmatik" von F.H.C. Schwarz 1816 nennt M. Kähler a.a.O. 25 als ersten dogmatischen Versuch einer Neubestimmung des Versöhnungsbegriffs im Sinne der paulinischen Aussagen über die Versöhnung der Welt durch Gott in Christo, der aber ohne ausdrückliche Kritik an der traditionellen Versöhnungslehre unternommen worden sei.

[31] F. Schleiermacher: Der christliche Glaube (1821) 2. Ausg. 1830, §§ 100 f. Die folgenden Zitate im Text beziehen sich auf dieses Werk. Zu den Einzelthemen der Lehre Schleiermachers vom „Geschäft Christi" vgl. G. Wenz a.a.O. 1, 366–382.

lich Wirkung des die Aufnahme in die Lebensgemeinschaft mit Christus begleitenden „Verschwinden(s) des alten Menschen", mit dem ein Verschwinden auch „des Bewußtseins der Strafwürdigkeit" einhergeht. Die versöhnende Tätigkeit Christi bewirke also ein Bewußtsein der Sündenvergebung.

Schleiermacher hat damit eine Deutung der durch Christus vollbrachten Versöhnung gegeben, die zwar mit der als „magisch" bezeichneten Satisfaktionstheorie, sowie auch mit dem Gedanken eines von Christus erduldeten Strafleidens, dessen Verdienst uns von Gott zugerechnet würde, gebrochen hat (§ 101,3), dafür aber dem paulinischen Gedanken eines von Gott ausgehenden und durch Vermittlung Christi auf die Welt zielenden Versöhnungsgeschehens nähersteht. Darin ist Schleiermachers Auffassung des Versöhnungsgedankens derjenigen verwandt, die im 12. Jahrhundert von Petrus Abaelard im Gegensatz zu Anselm von Canterbury entwickelt worden war[32]. Doch wie Abaelards Gegner Bernhard von Clairvaux in Abaelards Auffassung eine Würdigung der spezifischen Sühnefunktion des Todes Christi vermißte[33], so fehlt auch der Darstellung der versöhnenden Tätigkeit Christi bei Schleiermacher die Beziehung auf die konstitutive Bedeutsamkeit des Todes Christi, durch den wir nach Paulus (Röm 5,10) mit Gott versöhnt sind. Schleiermacher selbst hat sich bemüht, dem Einwand zuvorzukommen, daß in seiner Deutung der „versöhnenden Thätigkeit" Christi „das Leiden Christi gar nicht zur Sprache kommt" (§ 101,4). Sein Begriff der Versöhnung enthält sehr wohl eine Interpretation des Leidens Christi, nämlich im Hinblick auf den Widerstand der Sünde, dem das Wirken des Erlösers begegnet, und insbesondere im Hinblick darauf, daß die auf das Reich Gottes unter den Menschen gerichtete Tätigkeit Christi „keinem Widerstande wich, auch dem nicht, welcher den Untergang der Person herbeizuführen vermochte" (ebd.). Damit ist zwar die Verbindung der Versöhnung mit dem „Gehorsam" des Sohnes bei Paulus (Röm 5,19) berücksichtigt im Sinne der Treue Christi zu seiner „Berufspflicht" als Erlöser

---

[32] Abaelard hatte in seinem Kommentar zum Römerbrief die Worte *per fidem* in Röm 3,25 so gedeutet, daß Jesus nur für die schon Glaubenden zum *reconciliator* eingesetzt ist (*eos solos haec reconciliatio contingit qui eam crediderunt et expectaverunt*, Opera Omnia ed. E. M. Buytaert, vol. I, 1969, 112, 91 f.). Daß Gott zum Beweis seiner Gerechtigkeit (*ad ostensionem iustitiae suae*) seinen Sohn zum Versöhner durch sein Blut bestimmt habe, deutete Abaelard auf die uns rechtfertigende Liebe Gottes (a.a.O. 112, 92 f.). Von daher wies er nicht nur die These einer Lösegeldzahlung an den Teufel durch den Tod Christi zurück, sondern vermied auch überhaupt die Aussage der Erlösung vom Zorn Gottes durch den Tod Christi. So schrieb er zu Röm 5,10: *Et si tantum mors eius potuit, ut nos scilicet iustificaret vel reconciliaret, multo magis vita ipsius nos poterit et salvare ab ira sua* (a.a.O. 156, 99 ff.). Gemeint war dabei das Leben des Auferstandenen (ib. 156, 102 f.). Zu Abaelard vgl. J. Turmel: Histoire des Dogmes I, 1931, 427–433.

[33] In seinem Brief an Papst Innozenz, in welchem sich Bernhard über Abaelards Trinitätslehre beschwerte, kam er auch auf dessen Ablehnung des Gedankens des Todes Christi als Lösegeld für unsere Sünden zu sprechen (ep. 190, 11 ff., S. Bernardi Opera VIII ed. J. Leclercq und H. Rochais, 1977, 26 ff.). Er verstand die Polemik Abaelards gegen diese Auffassung als Ablehnung der Erlösung durch Christus überhaupt (vgl. ep. 190, 21 f.; VIII, 35 ff.). Bernhards eigene Auffassung kommt in seinen Predigten über das Hohelied zum Ausdruck. Dort heißt es von Christus: *in mortis susceptione satisfecit Patri* (20,3; Opera I, 1957, 116,1). Weiter heißt es: *ut Patri nos reconciliet, mortem fortiter subit et subigit, fundens pretium nostrae redemptionis sanguinem suum* (116, 10 f.). So hat Christus durch seine Geduld im Leiden den Vater besänftigt (*placaret offensum Deum Patrem*, 116, 13 f.).

(§ 104,4), aber nicht die paulinische Aussage, daß wir „durch den Tod seines Sohnes mit Gott versöhnt sind" (Röm 5,10). Schleiermacher hat selbst eingeräumt, daß das Leiden Christi kein „primitives Element" seiner Auffassung von der Versöhnung sei (§ 101,4). Nur in abgeleiteter Weise ist die versöhnende Wirkung der Tätigkeit des Erlösers in seiner Darstellung mit dessen Leiden und Tod verbunden.

Unter den Schleiermacher nahestehenden Theologen hat schon Carl Immanuel Nitzsch es für nötig gehalten, Schleiermachers Versöhnungsbegriff durch den Gedanken einer im Tode Christi vollzogenen Sühne zu ergänzen, um dem Zeugnis der Schrift gerecht zu werden. Doch wurde dabei kein über den Gedanken des Berufsleidens Christi hinausgehender sachlicher Zusammenhang zwischen Sühne und Versöhnung erkennbar[34]. Auch Johann Christian Konrad v. Hofmann ist diesem Grundgedanken Schleiermachers trotz des trinitätstheologischen Ausgangspunktes seiner eigenen Versöhnungslehre erstaunlich nahe geblieben: Jesus Christus war seinem göttlichen Berufe „gegen alle Widerstände treu bis zur Konsequenz seines Todes"[35]. Und auch Hofmann meinte damit den Sühnecharakter des Todes Jesu verbinden zu können, allerdings nicht im Sinne stellvertretender Sühne[36].

Während Hofmann trotz des ihm von seinen Gegnern zum Vorwurf gemachten Subjektivismus doch den objektiven Charakter der Versöhnung im Sinne einer versöhnenden Tätigkeit Christi festhielt, hat Albrecht Ritschl den Gedanken der Versöhnung ganz ins Subjektive gewendet, indem er die Versöhnung mit Gott als eine Wirkung des Rechtfertigungsbewußtseins im Glaubenden auffaßte bzw. mit diesem geradezu gleichsetzte[37]. Allerdings meinte er, der Begriff der Versöhnung habe größeren Umfang, insofern er „die in der Rechtfertigung oder Verzeihung jedesmal beabsichtigte Wirkung als wirklichen Erfolg" ausdrücke, „nämlich daß derjenige, welchem verziehen wird, auf das herzustellende Verhältniß eingeht"[38]. Die Versöhnung mit Gott haftet also nach Ritschl nicht an dem Ereignis des Todes Jesu als die diesem Ereignis eigene Bedeutung oder als von ihm ausgehende Wirkung, sie ist auch nicht mehr als „versöhnende Tätigkeit" des Erlösers im Sinne Schleiermachers gedacht, sondern vollzieht sich ausschließlich im Bewußtsein des Glaubenden bzw. der glaubenden Gemeinde. Ritschl sah sich zu dieser gegenüber der theologischen Tradition radikalen Änderung legitimiert

---

[34] C.I.Nitzsch: System der christlichen Lehre (1829), 3.Aufl. 1837, 238–246 (§§ 133–135), bes 133f. und 245.

[35] J.C.K.v.Hofmann: Der Schriftbeweis I (1852) 2.Aufl. 1857, 46, vgl. II, 193ff. Zu Hofmann vgl. G.Wenz a.a.O. 2, 1986, 32–46.

[36] Das hat G.Thomasius in seiner Würdigung der Versöhnungslehre Hofmanns betont. Siehe dazu G.Wenz a.a.O. 2, 55.

[37] A.Ritschl: Die christliche Lehre von der Rechtfertigung und Versöhnung III 2.Aufl. 1883, § 15 (68–76). Ritschls Berufung auf Melanchthon für diese Gleichsetzung (68f.) ist von M. Kähler mit Recht kritisiert worden (vgl. den oben Anm.27 zit. Artikel Kählers in seinem Band „Zur Lehre von der Versöhnung", 13). Zu Ritschls Versöhnungslehre vgl. G.Wenz a.a.O. 2, 63–131.

[38] A.Ritschl a.a.O. 74. Am Schluß des § 16 heißt es: „Sofern die Rechtfertigung als erfolgreich vorgestellt wird, muß sie als Versöhnung gedacht werden, in der Art, daß ... an die Stelle des Mißtrauens gegen Gott die positive Zustimmung des Willens zu Gott und seinem Heilszwecke eintritt" (a.a.O. 81).

durch seine Paulusexegese: Weil 2.Kor 5,19 die Versöhnungsaussage mit der Nichtanrechnung der Übertretungen durch Gott verbunden ist, schloß Ritschl, daß „die Versöhnung nicht unmittelbar, sondern durch die bei Paulus bevorzugte Opferwirkung, die Sündenvergebung, an den Opferwerth des Todes Christi angeknüpft" worden sei[39]. Der Opferwert des Todes Christi aber gründet nach Ritschl in Jesu „Einwilligung in dieses Verhängniß der Gegner als in eine Fügung Gottes und höchste Probe der Berufstreue"[40]. Also auch bei Ritschl galt die „Berufstreue" Jesu in seinem Dienst für das Reich Gottes unter den Menschen als entscheidend für das Verständnis des Todes Jesu. In der Tat handelt es sich um einen bedeutenden Gedanken, weil er den Zusammenhang zwischen der irdischen Sendung Jesu und seinem Tode in den Blick bringt. Aber Ritschl hat dabei ebensowenig wie Schleiermacher oder Hofmann die Zweideutigkeit thematisiert, in die Jesu Person durch seine Sendung geriet. Daher konnte er auch nichts anfangen mit dem in 2.Kor 5,21 enthaltenen Stellvertretungsgedanken und seiner Beziehung zu der Versöhnungsaussage zwei Verse zuvor[41]. Der Gedanke der im Tode Jesu zum Ausdruck kommenden „Berufstreue" erklärt noch nicht, wieso – mit Martin Kählers Worten – durch den Kreuzestod Jesu eine „neue Sachlage" im Verhältnis zwischen Gott und den Menschen geschaffen worden ist. Das aber ist impliziert, wenn es bei Paulus heißt, daß wir „als Gottes Feinde, die wir waren, durch den Tod seines Sohnes mit Gott versöhnt worden sind" (Röm 5,10).

Martin Kähler stimmte mit Ritschl darin überein, daß „Versöhnung" bei Paulus immer die Herstellung der Gemeinschaft der Menschen mit Gott umfaßt, aber er bestand darauf, daß dieses Geschehen nach Paulus in einem „Vorgang der Vergangenheit" gründet[42], nämlich im Tode Christi. Diese „geschichtliche Thatsache" muß mit Paulus als „eine Handlung Gottes" verstanden werden, so daß das ganze Versöhnungsgeschehen sich „vermittelt ... in einer geschichtlichen That Gottes"[43]. Mit Recht hat Kähler es (vor allem gegenüber Ritschl) als die „eigentliche Frage" bezeichnet, ob „Christus bloß irrige Ansichten über eine unwandelbare Sachlage berichtigt" hat (nämlich über die Liebe Gottes, an die der Sünder nach Ritschls Ansicht nicht mehr zu glauben wagt wegen seines Schuldgefühls), oder ob Christus „der Begründer einer veränderten Sachlage" ist[44]. Wenn aber letzteres der

---

[39] A. Ritschl: Die christliche Lehre von der Rechtfertigung und Versöhnung II, 1882, 230, vgl. 233.
[40] A. Ritschl a.a.O. III, 442.
[41] Ritschls Ausführungen zu 2.Kor 5,21 a.a.O. II, 173f. finden in diesem Text nur den Gedanken, „daß Jesus in seinem gewaltsamen Tode als Sünder erschienen sei, damit wir die Gottesgerechtigkeit gewännen" (174). Jesus soll also im Faktum des Todes als solchen, „welcher sonst immer Folge eigener Sünde ist" (ebd.), den Schein der Sünde auf sich genommen haben (Ritschl verwahrte sich damit gegen die Verbindung der Stelle mit Gal 3,13).
[42] M. Kähler: Zur Lehre von der Versöhnung (1898) 2.Aufl. 1937, 267ff., Zitat 268.
[43] M. Kähler: Die Wissenschaft der christlichen Lehre von dem evangelischen Grundartikel aus im Abrisse dargestellt (1883), 2.Aufl. 1893, 305 (§ 353) und 311 (§ 360), der Sache nach ähnlich den Aussagen über Paulus an der in der vorigen Anm. zit. Stelle.
[44] M. Kähler: Zur Lehre von der Versöhnung, 2.Aufl. 1937, 337.

Fall ist, dann muß der Tod Jesu Christi als reale Überwindung des Elends der Menschheit zu verstehen sein, die in ihrer Verfallenheit an Sünde und Tod, sowie in der damit verbundenen Entfremdung von Gott besteht: Nur so kann der Tod Jesu Christi als geschichtliches Ereignis die Versöhnung der Welt mit Gott bedeuten.

Darum handelt es sich, wenn vom Tode Jesu Christi als „Sühne" für die Sünden der Menschheit gesprochen wird[45]. Sühne hebt das Vergehen mit seiner Schuldverhaftung und deren Folgen auf. In diesem Sinne hat Paulus den Tod Christi als Sühne charakterisiert (Röm 3,25)[46].

Der Gedanke der Sühne hängt wie der alte Begriff der Strafe mit der Vorstellung von einem gleichsam naturgesetzlichen Zusammenhang zwischen Taten und Tatfolgen zusammen[47]. Während bei der Strafe die Folgen der Tat auf den Täter zurückgewendet werden, so daß sie keine schädlichen Wirkungen für den ganzen Sozialverband haben, dem der Täter angehört, wird bei der Sühne der Täter selbst von den verderblichen Folgen seiner Tat befreit. Das geschieht beim alttestamentlichen Sühnopfer (vgl. Lev 4-5) durch Übertragung der Schuldhaftung auf ein Opfertier, mit dessen Darbringung die Schuld beseitigt wird[48]. Der Vorgang wird besonders anschaulich am Ritual des großen Versöhnungstages Lev 16,21f. Die unheilvollen Folgen der Missetat werden also durch Sühne ebenso wie durch Strafe oder Bußleistung aus der Welt geschafft[49]. Eine Sühnemöglich-

---

[45] So auch M. Kähler: Die Wissenschaft der christlichen Lehre etc., 2. Aufl. 1893, 341 (§ 411), 351ff. (§§ 428-431), 357f. (§ 436).

[46] Genauer heißt es, Gott habe Jesus Christus öffentlich eingesetzt als „Sühneort" (*hilasterion*) in seinem Blut. Paulus setzte hinzu: „durch Glauben", weil nur durch Glauben Anteil an der Sühnewirkung dieses Geschehens erlangt wird. Vgl. U. Wilckens: Der Brief an die Römer I, 1978, 190ff. Nach Wilckens bezeichnet *hilasterion* die Kapporät auf der Bundeslade (Ex 25,17-22) als „Stätte der Sühne gewährenden Gegenwart Gottes" (192). Der Übersetzung von *hilasterion* als „Sühneort" stimmt u.a. auch C. Breytenbach: Versöhnung. Eine Studie zur paulinischen Soteriologie, 1989, 167 zu, obwohl er damit i.U. zu Wilckens (a.a.O. 196) nicht die Auffassung des Sühnetodes Jesu als *kultische* Sühne, also als Sündopfer verbinden will (Breytenbach 160ff.), weil der Sühnetod Christi vielmehr als Alternative zum Tempelkult und als dessen Ablösung verstanden sei (168, vgl. 170).

[47] Die Bedeutung der Vorstellung von einer „schicksalwirkenden Tatsphäre" im Blick auf den Zusammenhang zwischen Tun und Ergehen für das alttestamentliche Denken wurde in grundlegender Weise von K. Koch beschrieben: Gibt es ein Vergeltungsdogma im Alten Testament?, ZThK 52, 1955, 1-42. Vgl. zum Thema Sünde und Sühne auch G. v. Rad: Theologie des Alten Testaments I, 1957, 261-271, zu Folgehaftung und Strafe bes. 264ff.

[48] Siehe dazu R. Rendtorff: Studien zur Geschichte des Opfers im Alten Israel, 1967, 199-234. H. Gese hat mit seiner These, daß sich in der kultischen Sühne eine „Existenzstellvertretung" vollziehe, einen Gegensatz zwischen personaler und sachlicher Abgeltung einer Schuld unterstellt, von dem fraglich bleibt, ob er den alttestamentlichen Sühnevorstellungen entspricht (Die Sühne, in ders.: Zur biblischen Theologie, 1977, 85-106).

[49] Zur Unterscheidung zwischen Strafe und Sühne vgl. C. H. Ratschow: Vom Sinn der Strafe, in H. Dombois (Hg): Die weltliche Strafe in der evangelischen Theologie, 1959, 98-116, bes. 108ff. Wegen der gemeinsamen Vorstellungsgrundlage kann jedoch schon in jüdischer Tradition auch die Strafe als Sühne des Vergehens bezeichnet und vom Täter angenommen werden, angesichts der eschatologischen Zukunft des göttlichen Gerichts. Vgl. die Hinweise bei

keit besteht jedoch nur in bestimmten Fällen und setzt eine besondere göttliche Erlaubnis voraus, die die gnädige Verschonung des Täters zum Zweck hat. Bei der Anwendung des Sühnegedankens auf den Tod Christi liegt die Annahme eines inneren Zusammenhangs zwischen Sünde und Tod zugrunde (vgl. Röm 6,23 und 6,7). Die Auffassung des Todes Christi als Sühne für die Sünden der Menschheit setzt voraus, daß ähnlich der Einrichtung des Sündopfers als einer durch Gottes Anordnung gewährten Möglichkeit, die Sünden mit ihrer Unheilsfolge auf ein Opfertier zu übertragen, Gott selbst im Kreuzestod Jesu Christi die Sünden der Menschheit auf ihn übertragen hat. Dennoch braucht damit keine Deutung des Todes Jesu als Sühn*opfer* verbunden zu sein. Der Tod Jesu kann auch (vgl. nochmals Anm. 46) als von Gott selbst in seinem Handeln an Jesus und durch Jesus beschaffte Sühne (oder Sühnemöglichkeit) in *Konkurrenz* zum kultischen Opferwesen und als dessen Abrogation verstanden sein.

Gott ist das handelnde Subjekt in diesem Sühnegeschehen; denn sühnende Kraft hat der Kreuzestod Jesu, wie im nächsten Abschnitt dieses Kapitels genauer zu begründen sein wird, nur im Lichte der Auferweckung Jesu durch Gott. Dadurch erweist sich Gott als Sieger[50] über Sünde und Tod zur Versöhnung der Welt. Voraussetzung solchen Redens von Versöhnung als Tat Gottes ist die Beziehung auf das geschichtlich einmalige Ereignis des Todes Jesu Christi; denn dadurch ist das Ereignis der Versöhnung als Tat Gottes unterschieden von einem nur in der Subjektivität des Glaubenden stattfindenden Vorgangs seiner Aussöhnung mit Gott. Der Tod Christi konnte in der Theologiegeschichte zwar lange genug auch anders, nämlich als eine Sühneleistung des Menschen Jesus zur Besänftigung des göttlichen Zorns über die Sünde aufgefaßt werden. Daß es vielmehr um eine Tat Gottes zur Versöhnung der Welt geht, kehrt demgegenüber die Richtung des Versöhnungsgeschehens um. Doch handelt es sich dabei im-

---

J. Gnilka: Wie urteilte Jesus über seinen Tod?, in: K. Kertelge (Hg): Der Tod Jesu. Deutungen im Neuen Testament, 1976, 13-50, 41 f. Im modernen Rechtsdenken kann die Strafe die Funktion der Sühne haben, wenn sie vom Täter angenommen und bejaht wird, als Versöhnung mit der Gesellschaft und ohne Beziehung auf ein Gericht nach dem Tode (vgl. Nachweise bei H. Hübner: Sühne und Versöhnung. Anmerkung zu einem umstrittenen Kapitel Biblischer Theologie, KuD 29, 1983, 284-305, bes. 286 f.).

[50] Man wird es auch als Beitrag zu der Auseinandersetzung zwischen Albrecht Ritschl und Martin Kähler über den Versöhnungsbegriff verstehen müssen, daß Gustaf Aulén in seinem Werk über den Versöhnungsgedanken (schwedisch 1930, englisch 1931 unter dem Titel *Christus Victor*) die Vorstellung des göttlichen Sieges über Sünde, Tod und Teufel als dritten und nach Aulén für die griechische Patristik charakteristischen „Typus" der Versöhnungslehre herausgestellt hat, neben der anselmschen Satisfaktionstheorie einerseits und der „subjektiven" Versöhnungslehre Abaelards und seiner modernen Nachfolger andererseits. Diese Intention der These Auléns bleibt unbeschadet der Korrektur seiner Lutherdarstellung durch O. Tiililä (Das Strafleiden Christi, 1941) bestehen. Denn auch für Luthers Strafleidenslehre ist Gott der im Tode Christi zur Versöhnung der Welt Handelnde. Vgl. von Aulén auch: Die drei Haupttypen des christlichen Versöhnungsgedankens, Zeitschrift für syst. Theologie 8, 1930, 501-538. An Aulén schloß sich weitgehend an K. Heim: Die Haupttypen der Versöhnungslehre, ZThK 19, 1938, 304-319.

mer noch um die Bedeutsamkeit des *Todes* Jesu. Als Tat Gottes zur Versöhnung der Welt ist dieses Geschehen allerdings darauf angelegt, daß die Menschen auf die von Gott eröffnete Versöhnung eingehen. Darum bittet der Apostel anstelle Christi selbst: „Lasset euch versöhnen mit Gott" (2.Kor 5,20). Er bittet anstelle Christi, weil seine Bitte der Realisierung der dem Kreuzestod Christi eigentümlichen Bedeutsamkeit gilt, der Realisierung seines inneren Telos zur Versöhnung der Welt. Nur in der Form der Antizipation kann gesagt werden, daß im Kreuze Jesu die Versöhnung der Welt bereits geschehen ist. In der Geschichte der Verkündigung des Kreuzesgeschehens geht es um die Bewährung dieser Antizipation. Insofern wirkt der apostolische Dienst der Versöhnung selber Versöhnung, und doch ist es die ein für allemal im Kreuze Jesu geschehene Versöhnung der Welt, die durch den Dienst des Apostels und die Verkündigung der Kirche wirksam wird. Durch den Dienst des Apostels nimmt also das Versöhnungsgeschehen seinen Fortgang, das seinen Ursprung und sein Zentrum im Tode Jesu Christi hat. Darum kann Paulus sagen, daß die (zeitweilige) Verwerfung des jüdischen Gottesvolkes nach dem Ratschluß Gottes das Mittel zur Versöhnung des *Kosmos* geworden sei (Röm 11,15). Denn als Folge davon hat sich die apostolische Missionsverkündigung den Heiden zugewandt. Das Versöhnungsgeschehen umfaßt also den ganzen vom Kreuze Christi ausgehenden und durch den Dienst der Apostel vermittelten Prozeß der Erneuerung der durch die Sünde zerbrochenen Gemeinschaft der Menschen mit Gott[51].

Kein neuerer Theologe hat energischer betont als Karl Barth, daß Versöhnung einzig und allein Gottes eigene Tat und als solche im Kreuzestod Jesu Christi Ereignis geworden ist[52]. Aber dieses Ereignis ist nach Barth ein „in sich abgeschlossenes Geschehen", kein „zu irgend einem fernen Ziel hin in Gang zu erhaltender Prozeß" (KD IV/1,81). Daher ist nach Barth der apostolische Dienst der Versöhnung, von dem Paulus 2.Kor 5,18ff. spricht, scharf unterschieden von der „Versöhnung selbst". Der apostolische Dienst der Versöhnung nämlich ist „nicht abgeschlossen, sondern hebt mit jenem in sich abgeschlossenen und vollendeten Geschehen erst an". Aber er ist nach Barth keine „Prolongatur der Versöhnung", die vielmehr „gerade als einmalige Geschichte – weil Gott in Christus ihr Subjekt war – in ihrer ganzen Fülle zu jeder Zeit auch Gegenwart, aber auch zu jeder Zeit je nächste und schließlich alle Zeit abschließende Zukunft" ist (ebd.). Barth sprach,

---

[51] Nur die Vollendungsphase dieses Prozesses geht über den Gedanken der Versöhnung hinaus: Wie wir durch den Tod Christi versöhnt sind, so werden wir durch sein Leben das Heil empfangen (Röm 5,10). Das eschatologische Heil ist mehr als Versöhnung. Es wird Teilhabe am ewigen Leben Gottes selbst sein, das an Jesus Christus durch seine Auferweckung von den Toten schon erschienen ist. Eine ähnliche Gegenüberstellung bietet Röm 11,15: Wenn die zeitweise Verwerfung Israels die Versöhnung der Welt gebracht hat, dann wird seine Wiederannahme durch Gott noch weit mehr sein, nämlich Leben aus dem Tode.

[52] K.Barth: Kirchliche Dogmatik IV/1, 1953, 79 u.ö. Die Versöhnung ist „göttlicher Souveränitätsakt" (85).

jedenfalls in diesem Zusammenhang, nicht wie Paulus (s. o.) von einer über die Versöhnung hinausgehenden eschatologischen Vollendung[53]. Er erwähnte zwar beiläufig (a. a. O. 79) Röm 11,15, ging aber nicht darauf ein, daß es sich an dieser Stelle bei dem Versöhnungshandeln Gottes zumindest nicht unmittelbar um das Ereignis der Kreuzigung Jesu Christi handelt. Barths Beschränkung der Versöhnung auf dieses Ereignis steht im Widerspruch auch zu den Ausführungen seines exegetischen Gewährsmanns Friedrich Büchsel[54]. Dieser schrieb nämlich zu 2. Kor 5,19f., weil der apostolische Dienst der Versöhnung noch nicht abgeschlossen ist, „muß die Versöhnung auch als noch nicht abgeschlossen gedacht sein". Für die Glaubenden zwar sei die Versöhnung abgeschlossen (nach Röm 5,9ff.), nicht aber für die Welt. Hier sei die Versöhnung nach Röm 11,15 „sowenig etwas Abgeschlossenes wie die ἀποβολή der Juden; beides hat im Kreuz Christi begonnen und dauert noch an"[55].

Anders als Barth hat Martin Kähler versucht, die Einmaligkeit der Versöhnungstat Gottes im Tode Christi[56] mit dem Prozeß der „Zueignung" der Versöhnung[57] im Gange der durch die Königsherrschaft des erhöhten Christus gelenkten Geschichte zu verbinden. Ist die Versöhnung einerseits eine Tat Gottes in Gestalt einer geschichtlichen Tatsache, so fordert diese andererseits doch „die geschichtliche Fort- und Durchführung in einer Zueignung an die Menschheit in ihren einzelnen Gliedern und durch dieselben"[58]. So konnte Kähler die in Christus gestiftete Versöhnung als „die Mitte der Wege Gottes mit der Menschheit" (§ 393) betrachten. Im Unterschied zu Karl Barth dachte er die Versöhnungstat Gottes im Tode Christi nicht als unvermittelt gegenwärtig und gleichzeitig zu aller vorhergehenden und folgenden Zeit, da quer zu Zeit und Geschichte stehend, sondern als in ihrer Wirkung vermittelt durch den Gang der Geschichte. Kähler wurde damit nicht nur den paulinischen Versöhnungsaussagen besser gerecht, sondern auch der Differenz von Versöhnung und Vollendung. Außerdem entspricht seine Darstellung anders als die Barths der menschlichen Geschichtlichkeit des Todes Christi, zu der es unabtrennbar hinzugehört, daß das einzelne Ereignis bezogen ist auf den Prozeß der Geschichte, der ihm vorhergeht und folgt. Theologisch grundlegend für die Verknüpfung der Versöhnungstat Gottes im Tode

---

[53] Vgl. die Bemerkungen von U. Wilckens: Der Brief an die Römer II, 1980, 245 zu Röm 11,15.
[54] K. Barth weist a. a. O. 78 ausdrücklich auf F. Büchsels Artikel in ThWBNT I, 254f. hin.
[55] F. Büchsel a. a. O. 257. Eher im Sinne Barths hat O. Hofius (Erwägungen zur Gestalt und Herkunft des paulinischen Versöhnungsgedankens, ZThK 77, 1989, 186-199) zwischen Versöhnungstat Gottes und Versöhnungswort des Apostels unterschieden. Die Einheit des auf den zu versöhnenden Menschen gerichteten Versöhnungsgeschehens kommt jedoch nur dann angemessen zum Ausdruck, wenn die Versöhnungstat Gottes im Tode Christi selber als offen auf das Versöhnungswort und auf seine Annahme im Glauben gedacht wird. Zu Röm 11,15 vgl. noch C. Breytenbach: Versöhnung. Eine Studie zur paulinischen Soteriologie, 1989, 176f. Breytenbach nennt den Tod des Sohnes den „Ermöglichungsgrund" der neuen Relation zu Gott, die durch den Begriff der Versöhnung bezeichnet wird (159, vgl. 181f.).
[56] M. Kähler: Die Wissenschaft der christlichen Lehre etc., 2. Aufl. 1893, § 353 und § 360.
[57] M. Kähler a. a. O. § 432, vgl. § 441. Die folgenden Verweise im Text beziehen sich auf dieses Werk.
[58] M. Kähler a. a. O. § 360, vgl. § 439f.

Christi mit dem geschichtlichen Prozeß ihrer „Zueignung"[59] an die menschlichen Empfänger ihrer Wirkung ist bei Kähler die Interpretation der stellvertretenden Bedeutung des Sühnetodes Christi. Kähler deutete nämlich das stellvertretende Strafleiden Christ (§ 425) als „bürgende Vertretung", die auf eine künftige Rezeption angelegt ist und bei den Vertretenen also nicht etwa die Hingabe des eigenen Willens an den Gehorsam gegen Gott überflüssig, sondern im Gegenteil allererst möglich macht (§ 428). Das besagt: „sie umspannt das Verhältnis der Menschheit zu Gott für alle Dauer" (§ 429). Diese Bürgschaft für die übrige Menschheit wird durch die Königsherrschaft des erhöhten Christus eingelöst (§ 439), und „die Vollendung der in Christo begründeten Versöhnung" durch das Wirken des Geistes in den Glaubenden erreicht (§ 442). So stellt sich das göttliche Handeln zur Versöhnung der Menschheit bei Kähler als ein heilsgeschichtlich-trinitarischer Geschehenszusammenhang dar.

Je entschiedener das Geschehen der Versöhnung der Welt als ein Handeln Gottes selbst gedacht wird, desto dringender erhebt sich nun aber die Frage, welche Rolle dem Empfänger dieses Versöhnungshandelns, dem Menschen, im Begriff solcher Versöhnung zugedacht ist. Die Versöhnung kann ja nicht zustande kommen, ohne daß der Mensch auf sie eingeht. Müßte dann nicht neben der Versöhnungstat Gottes auch deren Annahme durch die Menschen als konstitutiv für das Geschehen der Versöhnung gedacht werden? Nicht nur Martin Kähler, auch Karl Barth hat sich dieser Frage gestellt, und Barth hat wie Kähler die Lösung im Begriff der Stellvertretung gesucht: Die Menschen als Empfänger der Versöhnungstat Gottes sind an ihr beteiligt, indem sie vertreten werden[60]. Sie werden aber vertreten durch den Sohn Gottes, der selber Mensch geworden ist. Doch können die Menschen als Empfänger der Versöhnungstat Gottes – und also als Sünder und Feinde Gottes – durch den Sohn Gottes vertreten werden, so daß dieser

---

[59] Der Ausdruck „Zueignung" erscheint insofern als nicht recht passend, als durch den so bezeichneten Vorgang die Versöhnung auf seiten der menschlichen Empfänger allererst angenommen und damit für sie realisiert wird. Kähler sprach denn auch an anderen Stellen von der Versöhnung selbst als Angebot (§ 440a) oder Anbietung (§ 432), was wiederum ein zu schwacher Ausdruck sein dürfte, wenn doch Gott im Tode Christi die Versöhnung „gestiftet" (§ 393) hat.

[60] K. Barth KD IV/1, 79f. Gott vollzieht die „gänzliche Umkehrung der Welt zu ihm hin" (79) in der „Form eines *Tausches*, eines Platzwechsels, den Gott, in der Person Christi gegenwärtig und handelnd, zwischen sich selbst und der Welt vorgenommen hat" (80). Barth fand den Gedanken des Tausches schon im Grundsinn des Wortes *katallassein* ausgedrückt (ebd.). Das bedeutet, daß der Gedanke der Stellvertretung schon im Wortsinn des Versöhnungsbegriffs enthalten wäre: Jesus Christus ist „an unsere, der *Sünder* Stelle getreten" (ebd. 259). Das heißt nach Barth „er steht unter Gottes Zorn und Gericht, er scheitert und zerbricht an Gott" (191). Es ist aber nach Barth immer schon der Sohn Gottes, der „selbst als Mensch *an unsere Stelle* trat und an unserer Stelle *das Gericht*, dem wir verfallen waren, *über sich selbst* ergehen ließ" (244). G. Wenz hat mit Recht hervorgehoben, Barth sage „nirgends, daß Jesu Christi Gottheit und Sündlosigkeit durch seine im Leidensgehorsam manifeste Selbsthingabe allererst vermittelt wird" (a.a.O. 2, 245).

an ihrer Stelle auf das Angebot der Versöhnung einginge? Diese Frage hat weder in Barths, noch auch in Kählers Versöhnungslehre eine angemessene Antwort gefunden[61], eine Antwort also, die der Situation des Empfängers als eines Menschen und als zu versöhnenden Sünders Rechnung trüge. Damit hängt die weitere Frage zusammen, ob der Gedanke der Stellvertretung überhaupt Raum läßt für die menschliche, kreatürliche Eigenständigkeit der Vertretenen, so daß sie ihrerseits Gott und seinen Anspruch auf ihr Leben nicht mehr als feindlich betrachten müssen, sondern sich mit diesem Anspruch auch von ihrer Seite her aussöhnen können. Wenn es so steht, daß nicht Gott mit den Menschen, sondern die Menschen mit Gott versöhnt werden müssen, dann muß ja wohl auf seiten der Menschen der Grund ihrer Feindschaft gegen Gott entfallen, wenn es zur Versöhnung mit ihm kommen soll. Kann der Gedanke der Stellvertretung das leisten? Um diese Frage beantworten zu können, bedarf es einer genaueren Klärung des Begriffs, seiner unterschiedlichen Varianten und ihrer Implikationen für das Selbstverständnis des Menschen im Verhältnis zu Gott.

3. Stellvertretung als Form des Heilsgeschehens

a) Die urchristlichen Deutungen des Todes Jesu und das Faktum der Stellvertretung

Der Tod Jesu ist nicht in allen Schichten der urchristlichen Überlieferung als Heilsereignis verstanden worden. Die Botschaft von der Auferweckung des Gekreuzigten konnte anscheinend verkündigt werden, ohne daß damit zugleich auch eine theologische Deutung seines Todes verbunden wurde[62]. Die Spruchquelle scheint Jesu Tod als Prophetenschicksal aufgefaßt zu haben, wie es schon vom Alten Testament her bekannt war (Lk 13,34 par; vgl. 11,49ff.)[63]. Die frühe Überlieferung der Passionsgeschichte scheint lediglich die göttliche Notwendigkeit des unschuldigen Leidens und Sterbens Jesu

---

[61] Die eingehende Darstellung von G. Wenz kommt zu dem Ergebnis, daß nicht nur bei Barth (Wenz 2, 214–278, bes. 242ff.), sondern auch schon in Kählers Deutung des Kreuzestodes Jesu (132–166, bes. 154ff.) eine „einseitige Dominanz der Gottheit Christi" (155) festzustellen sei.

[62] Siehe die Ausführungen von G. Friedrich: Die Verkündigung des Todes Jesu im Neuen Testament, 1982, 14–21.

[63] Zu dieser Tradition vgl. O. H. Steck: Israel und das gewaltsame Geschick der Propheten. Untersuchungen zur Überlieferung des deuteronomistischen Geschichtsbildes im Alten Testament, Spätjudentum und Urchristentum, 1967; zu Lk 13,34f. dort 53–58 und 222–239. Die Aufnahme dieses vielleicht ursprünglich jüdischen Logions in Q dürfte christologisch motiviert sein. Siehe dazu G. Friedrich a.a.O. 14f.

zur Erfüllung der prophetischen Zeugnisse der Schrift gekannt zu haben[64]. Dieselbe Sicht kommt noch Lk 24,25f. und Mk 8,31 parr zum Ausdruck. Unter den vielfältigen theologischen Deutungen des Todes Jesu aber, die das Urchristentum entwickelt hat[65], kommt der Auffassung des Todes Jesu als Sühnetod, wobei nicht primär an ein Sühn*opfer* zu denken ist, zweifellos besonderes Gewicht zu[66].

Allerdings läßt sich diese Deutung wohl nicht auf Jesus selbst zurückführen. Jesus dürfte zwar mit der Möglichkeit seines bevorstehenden, gewaltsamen Todes gerechnet haben[67]. Doch wird kaum schon er selbst diesen seinen Tod als Lösegeld für die Vielen (Mk 10,45)[68] oder als Sühnetod angekündigt haben. Die in den Evangelien als Worte Jesu überlieferten Aussagen, die eine Sühnefunktion seines Todes behaupten, sind hinsichtlich ihrer Authentizität umstritten. Zwar darf man nicht prinzipiell ausschließen, daß schon Jesus selbst sein Sterben so verstanden haben könnte. Die Annahme jedoch, daß er es faktisch getan und auch ausgesprochen hätte, stößt im Hinblick auf das Lösegeldwort Mk 10,45, aber auch bei den Einsetzungsworten des Abendmahls (s.u.) auf große Schwierigkeiten. Hätte Jesus selbst sich so geäußert, so wäre zu erwarten, daß die Frage nach der Bedeutung seines Todes damit für das Urchristentum von vornherein autoritativ und eindeutig entschieden gewesen wäre. Es wäre dann z.B. unverständlich, wieso die Jünger nach Lukas erst aus dem prophetischen Zeugnis der Schrift Aufschluß darüber erhielten, warum „der Messias das alles erleiden" mußte (Lk 24,2b). Die Dogmatik wird also sicherer gehen, wenn sie die Frage nach der Bedeutung des Todes Jesu und nach den Gründen für die urchristlichen Aussagen über dessen Sühnefunktion erörtert, ohne vorauszusetzen, Jesus selbst habe seinen Tod bereits in diesem Sinne gedeutet. Auch dann, wenn

---

[64] Vgl. H. Kessler: Die theologische Bedeutung des Todes Jesu. Eine traditionsgeschichtliche Untersuchung, 1970, 241–252, bes. 243f.

[65] Diese Vielfalt bei den Deutungen des Todes Jesu wurde vom Vf. schon in Grundzüge der Christologie, 1964, 252–257 betont i.U. zum vergleichsweise einheitlicheren Befund bei der Auferstehungsbotschaft. Vgl. auch K. Lehmann: „Er wurde für uns gekreuzigt". Eine Skizze zur Neubesinnung in der Soteriologie, ThQ 162, 1982, 298–317, bes. 300ff. Einen vorzüglichen Überblick über die unterschiedlichen Deutungen gibt G. Friedrich in seinem Anm. 62 zit. Buch.

[66] Siehe dazu H. Kessler a.a.O. 265–296. Die beherrschende Bedeutung des Sühnegedankens ist auch von G. Friedrich nicht bestritten worden, obwohl er sich kritisch zu der Annahme äußerte, der Tod Jesu sei als Sünd*opfer* verstanden worden (a.a.O. 68–71). Vgl. bes. Friedrichs Ausführungen zu Röm 3,23–26 (57–67). Den Ausgangspunkt für das urchristliche Verständnis des Todes Jesu als Sühne sah Friedrich mit vielen andern Exegeten in der Abendmahlsüberlieferung (a.a.O. 35).

[67] G. Friedrich a.a.O. 25f., auch H. Kessler a.a.O. 232ff. Kessler fügt mit Recht hinzu, das bedeute „noch nicht, daß er diesen gewaltsamen Tod direkt gewollt und provoziert hat" (233).

[68] Dazu G. Friedrich a.a.O. 11f. mit einer Zusammenstellung der für und der gegen die Authentizität dieses Wortes votierenden Exegeten. Zu den Problemen für die Annahme seiner Authentizität vgl. auch J. Gnilka: Wie urteilte Jesus über seinen Tod?, in: K. Kertelge (Hg): Der Tod Jesu. Deutungen im Neuen Testament (QD 74) 1976, 13–50, bes. 41ff.

das nicht der Fall ist, können die in der urchristlichen Überlieferung in großer Breite begegnenden Aussagen über die Sühnekraft des Todes Jesu sich als sachgemäße Auslegung der diesem Geschehen eigenen Bedeutung erweisen.

Man wird allerdings nicht alle Aussagen, die davon sprechen, daß Jesus Christus „für uns" gestorben ist[69], ohne weiteres als Ausdruck des Gedankens einer Sühnefunktion seines Todes betrachten dürfen. Im Bericht des Markusevangeliums über die Einsetzung des Abendmahls ist das „für viele" beim Kelchwort gerade nicht mit der Vorstellung des Sühnopfers, sondern mit der des Bundesopfers verknüpft[70]. Auch wenn mit dem Bundesopfer eine Sühnefunktion verbunden gewesen sein mag, liegt darauf jedenfalls nicht der Hauptakzent. Man wird also vorsichtig sein müssen gegenüber der Neigung, das „für uns" des Todes Christi auch dort, wo es ohne nähere Erläuterung auftritt, allzu selbstverständlich im Sinne des Sühnegedankens zu nehmen. Die Wendung „für uns" bedeutet zunächst ganz allgemein „zu unseren Gunsten", um unseretwillen[71]. So besagt auch das Brotwort in seiner bei Paulus begegnenden Fassung (1.Kor 11,24) zunächst nur, daß Jesus selbst darin „für" die Empfänger da und bei ihnen gegenwärtig ist. Daß der Ursprung der Vorstellung einer Sühnebedeutung des Todes Jesu in der Abendmahlstradition und Abendmahlsfeier zu suchen sei, wie vielfach angenommen wird[72], ist daher zweifelhaft[73].

Das Sühnemotiv konnte sich allerdings sehr leicht mit dem „für uns" des Todes Christi und darum auch früh mit den Deuteworten beim Abendmahl

---

[69] Siehe dazu G. Friedrich a.a.O. 72-76, sowie den Artikel von H. Riesenfeld in ThWBNT VIII, 1969, 510-518.

[70] Zu Mk 14,24 vgl. F. Hahn: Zum Stand der Erforschung des urchristlichen Herrenmahls, Ev. Theol. 35, 1975, 553-563, 559f., sowie ausführlicher im gleichen Jahrgang F. Lang: Abendmahl und Bundesgedanke im Neuen Testament (524-538, 532ff.). F. Lang urteilt, daß der Bundesgedanke bereits früh Bestandteil der Abendmahlsüberlieferung war (528), aber auch von Anfang an mit dem „Motiv der Sündentilgung" verbunden gewesen sei (535), während Hahn stärker die ursprüngliche Verschiedenheit von Bundesgedanken und Sühnemotiv betont, für Mk 14,24 aber auch schon mit einer Verbindung beider Motive rechnet (560), weil dort i.U. zu 1.Kor 11,25 das „vergossen für viele" hinzugefügt ist.

[71] Daß dies die Grundbedeutung der Wendung ist, wird allgemein angenommen (vgl. z.B. H. Riesenfeld a.a.O. 511ff., auch K. Kertelge: Das Verständnis des Todes Jesu bei Paulus, in ders. (Hg): Der Tod Jesu. Deutungen im Neuen Testament, 1976, 114-136, bes. 116ff.). Daß damit immer schon der Gedanke der Sühne verbunden wäre, läßt sich auch für Paulus kaum behaupten (siehe G. Friedrich a.a.O. 73). Dann aber läßt sich ein solcher Sinn bei den einfachen Aussagen über Jesu Tod „für uns" und auch bei 1.Kor 11,24 nicht ohne weitere Begründung unterstellen (anders G. Bornkamm: Herrenmahl und Kirche bei Paulus, in ders.: Studien zu Antike und Urchristentum, 1959, 138-176, 162).

[72] So auch bei H. Riesenfeld a.a.O. 513. Vgl. J. Gnilka a.a.O. 31ff. 50.

[73] Jedenfalls gehört der Sühnegedanke wohl nicht zu den auf Jesus selbst zurückgehenden Bestandteilen der Abendmahlstradition. Vgl. F. Hahn a.a.O. 558ff., sowie ders.: Das Verständnis des Opfers im Neuen Testament, in K. Lehmann/E. Schlink (Hgg): Das Opfer Jesu Christi und seine Gegenwart in der Kirche (Dialog der Kirchen 3), 1983, 51-91, 68f.

verbinden, sofern das Brechen des Brotes und der Kelch als Zeichen des vergossenen Blutes Christi auf seinen Tod bezogen wurden. Deutlich tritt das Sühnemotiv hervor, wo das Sterben Jesu „für uns" verbunden wird mit „unseren Sünden": Wenn Christus „für unsere Sünden gestorben" ist, wie es in der von Paulus als überlieferte Formel weitergegebenen Wendung 1.Kor 15,3 heißt, dann heißt das zweifellos ‚zur Sühne für unsere Sünden'. Dasselbe besagt die ebenfalls schon geprägte Formulierung von Röm 4,25, und so hat auch der erste Petrusbrief (2,24) die Aussage, daß Christus „für euch gelitten" hat (2,21), interpretiert. Dieselbe Vorstellung kommt in anderer Form zum Ausdruck in den Wendungen, die von dem „Hingeben" des Sohnes in den Tod sprechen (Röm 8,32; vgl. 4,25) oder von seiner Selbsthingabe (Gal 2,20) zu unseren Gunsten, obwohl hier der Bezug auf „unsere Sünden" nicht ausdrücklich als Bestandteil der Formulierung erscheint, sondern nur aus dem Kontext hervorgeht (vgl. auch Eph 5,25). Damit konnte auch das sachlich verwandte Bild des Lösegeldes verbunden werden (1.Tim 2,6; Tit 2,14), das Jesus Christus durch seinen Tod für uns gezahlt hat (vgl. Mk 10,45 parr).

Bei Paulus wird darüber hinaus an einigen Stellen gesagt, daß Christus in seinem Sterben unsere, der Sünder Stelle einnahm: Gott hat „den, der keine Sünde kannte, für uns zur Sünde gemacht" (2.Kor 5,21). Hier ist ausdrücklich der Gedanke eines Platzwechsels des Sohnes ausgesprochen: Er ist an unsere, der Sünder Stelle getreten. Das besagt noch mehr als die Aussage, daß Jesus sein Leben für uns gegeben hat (Röm 5,6f. u.ö.). Daß Christus sein Leben für uns gegeben hat, muß noch nicht den Gedanken enthalten, daß er am Platze des Sünders den von diesem verschuldeten Tod erlitten hat. Allerdings kann der Sinn von „für uns, zu unseren Gunsten" sehr leicht übergehen in den Sinn von „an unserer Stelle", insbesondere im Zusammenhang mit der Sühnevorstellung, wenn nämlich die Sühne, die jemand zu leisten schuldig ist, „für ihn" durch einen andern erbracht wird. Trotzdem muß darin noch nicht der Gedanke liegen, daß jemand, der stellvertretend für einen andern eine Leistung erbringt, dabei und zu diesem Zweck auch in die *Existenzbedingungen* dessen eintritt, für den die Leistung erbracht wird. Gerade das aber wollte Paulus 2.Kor 5,21 sagen. Im Römerbrief hat er den Gedanken einer Stellvertretung in diesem Sinne sogar zum Zweck der Sendung des Sohnes überhaupt erklärt: Gott sandte seinen Sohn „in Gleichgestalt des Sündenfleisches und verdammte (zur Sühne für die Sünde) die Sünde in (seinem) Fleisch" (Röm 8,3)[74]. Diese Aussage steht in nächster Nähe zu Gal 3,13, wo es heißt, daß der Gekreuzigte „für uns" den Fluch des Gesetzes getragen und dadurch uns von diesem Fluch und vom Gesetz

---

[74] Siehe dazu U.Wilckens: Der Brief an die Römer 2, 1980, 124 ff., zu *peri hamartias* 126 f., ferner G.Friedrich a.a.O. 68 ff., der jedoch einer kulttechnischen Deutung der Wendung skeptisch gegenübersteht.

überhaupt losgekauft habe[75]. Die Verurteilung der Sünde im Fleische Christi nach Röm 8,3 ist die Verurteilung, die den Gekreuzigten getroffen hat, und dabei handelt es sich um das Todesurteil, das der Sünde gebührt (vgl. auch 2. Kor 5,21).

Es ist offensichtlich mit verschiedenen Stufen des Stellvertretungsgedankens zu rechnen. Wenn jemand für einen andern eine Leistung erbringt, die dieser schuldet, so tut er etwas anstelle des Begünstigten – und in diesem Sinne „für" ihn, – was dieser sonst selbst erbringen müßte. Dazu braucht der Wohltäter aber nicht selber in die Lebensbedingungen des Begünstigten einzutreten. Im Gegenteil: In der Regel kann er nur darum Wohltäter sein, weil er nicht den Schranken unterliegt, die den Bedürftigen in eine Lage versetzen, in der er sich nicht mehr selber helfen kann.

Hier handelt es sich um mitmenschliche Solidarität, in der einer für den andern einsteht, und Stellvertretung in diesem weiteren Sinne des Wortes gibt es in jedem gesellschaftlichen Verband, in welchem die einzelnen Glieder besondere Funktionen erfüllen, die sowohl ihre Besonderheit als auch ihren Beitrag für das Ganze der Gemeinschaft und für die übrigen Glieder darstellen (vgl. 1. Kor 12,12 ff.). In einer arbeitsteiligen Gesellschaft erfüllt jedes Glied eine besondere Aufgabe für die andern mit, so daß alle Glieder wechselseitig aufeinander angewiesen sind. Darum stehen sie auch wechselseitig füreinander ein oder sollten sich doch in solchem Sinne solidarisch verhalten. Denn: „Wo ein Glied leidet, da leiden alle andern mit" (1. Kor 12,26). Darum wirken sich sowohl der Segen, der aus dem Handeln eines einzelnen erwächst, als auch das Unheil, das von den Verfehlungen einzelner Glieder ausgeht, auf die ganze Gemeinschaft aus[76].

Einen Sonderfall bildet der Einsatz des Lebens eines einzelnen zugunsten der Rettung anderer oder der Gemeinschaft. Hier handelt es sich nicht mehr um einen stellvertretend erbrachten Dienst unter Voraussetzung unterschiedlicher sozialer Positionen. Wer sein Leben opfert, gibt damit seine ganze Existenz hin, ebenso wie ohne dieses Opfer der andere sie verlieren würde. Damit ist aber nicht notwendigerweise eine Sühnefunktion verbunden. Das Opfer des eigenen Lebens für andere dient vielmehr in der Regel der Rettung ihres Lebens. Trifft dies auf das Sterben Jesu „für uns" bzw.

---

[75] Zu Gal 3,13 vgl. die Ausführungen von K. Kertelge a.a.O. 128 ff., sowie H.-W. Kuhn: Jesus als Gekreuzigter in der frühchristlichen Verkündigung bis zur Mitte des 2. Jahrhunderts, ZThK 72, 1975, 1–46, bes. 35.

[76] Vgl. dazu G. Friedrich a.a.O. 41 f., sowie die Ausführungen des Vf. in Grundzüge der Christologie, 1964, 271–277 (Der allgemeine Horizont des Stellvertretungsbegriffs). Dort wird ebenso wie bei W. Kasper: Jesus der Christus, 1974, 263 ff. betont, daß „Solidarität in Heil und Unheil", die fundamental zum Menschen als sozialem Wesen gehört, erst der Neuzeit mit ihrer zunehmenden Vereinzelung der Individuen vergleichsweise fremd wurde, so daß der Gedanke der Stellvertretung seit der Kritik der Sozinianer an der kirchlichen Erlösungslehre auch dem neuzeitlichen Protestantismus fremd werden konnte.

„für unsere Sünden" zu? Doch wohl nicht; denn diejenigen, für die Jesus gestorben ist, müssen doch auch selber sterben. Die Rede vom Sterben Jesu „für uns" ist also komplexer, als es auf den ersten Blick scheinen mag. Die Deutung des Todes Jesu als Sühnetod „für unsere Sünden" scheint den Ausweg aus dieser Schwierigkeit zu eröffnen. Zwar bewahrt der Sühnetod Christi nicht das irdische Leben derer, denen er zugute kommt, vor dem eigenen Sterben, aber er bewahrt sie doch im Gericht Gottes zum ewigen Leben. Das bedeutet wiederum nicht, daß infolge des Todes Christi das Sterben der anderen Menschen aufhört, Gerichtsfolge der Sünde zu sein. Nach Paulus sind auch die Glaubenden nur darum und insofern befreit von der Sünde, als ihr eigener künftiger Tod durch die Taufe schon vorweggenommen und dem Tode Jesu verbunden ist (Röm 7,1-4; vgl. 6,3f.). An diesem Punkt geht der exklusive Sinn des Sterbens *anstelle* eines andern über in den Gedanken einer Inklusion: Durch die Taufe wird der (künftige) Tod des Täuflings mit dem Sterben Jesu verbunden, und nur so empfängt der Christ die Hoffnung auf Teilhabe auch an dem Leben, das an Jesus in seiner Auferstehung schon in Erscheinung getreten ist (Röm 6,5).

Diesen eigenartig komplexen, inklusiven Sinn des Sterbens Jesu „für uns" hat Paulus im zweiten Brief an die Korinther auch so ausdrücken können: „Einer ist für alle gestorben, - also sind alle gestorben" (2.Kor 5,14). Die Struktur dieser Formulierung erinnert an die Aussagen von Röm 5,17ff. über Jesus Christus als den neuen Adam, der durch seinen Gehorsam „die vielen" repräsentiert und nicht nur repräsentiert, sondern sie durch „die übergreifende Wirkung der Gnade" (5,17) seiner Gerechtigkeit teilhaftig macht. Die durch Taufe und Glaube vermittelte Teilhabe an Christi Leidensgehorsam und Tod ist denn auch im zweiten Korintherbrief (2.Kor 5,17) das Medium der „Versöhnung" der Glaubenden durch Christus mit Gott (5,18). Von daher wird auch die diesen Gedankengang abschließende Aussage verständlich, Gott habe „den, der keine Sünde kannte, für uns zur Sünde gemacht, damit wir durch ihn Gottes Gerechtigkeit würden" (5,21). Für sich genommen muß dieser Satz die Vorstellung eines einfachen Platztausches erwecken. Im Zusammenhang der vorangegangenen Argumentation jedoch ist diese Vorstellung integriert in den Gedanken der inklusiven Bedeutung und Auswirkung des Todes Jesu Christi.

Wieder eine andere Schattierung hat der Stellvertretungsgedanke in Röm 8,3: Während nach 2.Kor 5,21 Gott den sündlosen Christus auf den Platz des Sünders stellte, so daß er an dessen Stelle das Gericht über die Sünde ertragen mußte (vgl. Gal 3,13), sagt Röm 8,3 vom präexistenten *Gottessohn*, daß er in die Daseinsform der Sünde gesandt wurde, damit an der Gestalt dieses seines irdischen Daseins das Gericht über die Sünde vollzogen werde. Nicht nur wird hier der stellvertretende Sühnetod Jesu Christi zum Zweck seiner ganzen Sendung von Gott her erklärt, sondern zumindest implizit gewinnt hier nun auch schon der Eintritt des Präexistenten in die von der

Sünde bestimmten irdischen Daseinsbedingungen menschlichen Lebens den Sinn, daß er damit an die Stelle der Sünder tritt, um ihr Geschick zu erdulden. So wird schon die Inkarnation zum Akt der Stellvertretung. Gott läßt hier nicht nur in seinem Ratschluß den unschuldigen Jesus anstelle der Sünder den Tod erleiden, also das Gericht über die Sünde, sondern von Gott selber heißt es nun, daß er (in seinem Sohne) an die Stelle der Sünder tritt und das Gericht über die Sünde auf sich nimmt.

b) Sühne als stellvertretendes Strafleiden

Die Vielzahl unterschiedlicher Deutungen des Todes Jesu im Urchristentum kann den Eindruck erwecken, daß ihre Vielgestaltigkeit mehr mit den verschiedenartigen Verstehensvoraussetzungen der Menschen zu tun hat als mit der Besonderheit des Geschehens selbst. Man kann daran die Überlegung anschließen, daß die Verstehensvoraussetzungen der Menschen sich auf dem Wege durch zwei Jahrtausende tiefgreifend geändert haben und daß kultische Vorstellungen von Opfer, Sühne und Stellvertretung nicht mehr zu den Denkvoraussetzungen der heutigen Menschheit gehören. Dann scheint sich zu ergeben, daß heute ganz anders von der Bedeutung des Todes Jesu geredet werden müßte[77]. Von den neutestamentlichen Deutungen des Todes Jesu mag dann allenfalls noch die Vorstellung von Jesus Christus als dem Anfänger oder „Anführer" des Heils (Hebr 2,10) bzw. „Fürst" des Lebens (Apg 3,15) für den heutigen Menschen zugänglich sein[78].

Solche Betrachtungsweise unterstellt jedoch, daß die Wahl einer bestimmten Deutung des Todes Jesu verhältnismäßig beliebig ist. Gibt es dafür denn keine Anhaltspunkte und Kriterien aus der Eigenart des zu deutenden Geschehens selber[79]? Wenn die Wahl geeigneter Deutungsformen von der Besonderheit des zu deutenden Geschehens her begrenzt und ihr Inhalt von ihm her neu geprägt wurde, dann sind die Ergebnisse eines solchen Interpretationsprozesses nicht mehr beliebig durch andere Deutungen ersetzbar.

---

[77] Das ist der Grundgedanke des Anm. 62 zit. Buches von G. Friedrich. Vgl. dort 143 ff., bes. 145 f.

[78] So G. Friedrich a.a.O. 156 ff., 176.

[79] Auch G. Friedrich hat das nicht gänzlich in Abrede gestellt. Er meinte nur, alle die verschiedenen Deutungen „erweisen sich als unzureichend, um die durch Christus geschaffene Wirklichkeit zu erfassen" (a.a.O. 144). Er wies mit Recht auf die Grenzen des Bildes vom Lösegeld hin und auf die Einmaligkeit des Sterbens Jesu i.U. zu den Vorstellungen der Mysterienreligionen. Die aus der Umwelt aufgenommenen Vorstellungen müssen daher umgestaltet werden (144 f.). Friedrich erwog jedoch nicht, ob nicht vielleicht bestimmte Deutungsformen – zumindest nach vollzogener Adaptation – erhellender sind für die Eigenart des Geschehens als andere. Die dominierende Rolle der Vorstellungen von Sühne und Stellvertretung in den urchristlichen Aussagen über den Tod Jesu könnte doch schon das Ergebnis davon sein, daß die Eigenart des Kreuzesgeschehens sich in der Geschichte seiner Deutungen als selektives Prinzip zur Geltung brachte.

Sie wären nur insoweit ersetzbar, als die in der traditionellen Sprache bereits explizierten Bedeutungsmomente des Geschehens auch in einem neuen Interpretationsmodell aufgenommen wären, zusammen mit bisher nicht berücksichtigten Aspekten dieses Geschehens. Im Hinblick auf die mit den Vorstellungen von Sühne und Stellvertretung hervorgetretenen Bedeutungsmomente des Todes Jesu ist es kaum wahrscheinlich, daß sie durch andere, heutigem Verständnis vermeintlich zugänglichere Deutungen voll aufgenommen und jene Vorstellungen damit entbehrlich würden. Steht es aber so, dann können neue Interpretamente bestenfalls eine ergänzende Funktion haben. Das gilt auch schon für das biblische Bild von Jesus Christus als Anfänger oder Anführer des (neuen) Lebens und des ewigen Heils. Daß die traditionellen Vorstellungen späterem Verstehen nicht unmittelbar zugänglich sind, ist noch kein hinreichender Grund dafür, sie durch andere zu ersetzen, sondern begründet nur das Bedürfnis und die Notwendigkeit, die traditionelle Sprache durch Interpretation dem Verständnis der Nachgeborenen zu erschließen, um so ihren Sinn lebendig zu erhalten. Die Schwierigkeiten, die Menschen unserer säkularisierten Gegenwart mit Vorstellungen wie Sühne oder Stellvertretung haben, beruhen weniger auf der unzureichenden Aussagekraft der traditionellen Sprache als darauf, daß ihr Inhalt von den für ihre Interpretation Zuständigen nicht mehr hinreichend intensiv und verständlich erläutert wird.

Daß der Gedanke der Stellvertretung den Erfahrungen auch der heutigen sozialen Lebenswelt nicht so fremd ist, wie man behauptet hat[80], ist bereits erwähnt worden (oben bei Anm. 76). Daß Entsprechendes auch für das Thema stellvertretender Sühne gilt, zeigen die Arbeiten von René Girard über die Bedeutung des Sündenbockmotivs in der Kulturgeschichte der Menschheit[81]. In der Sicht von Girard kommt der Passion Jesu die Bedeutung einer kulturgeschichtlichen Wende zu, weil Jesus die gegen andere gerichtete und auf Sündenböcke konzentrierte Gewalt überwunden hat, indem er sie selber stellvertretend erduldete. Dabei wird allerdings die Passion Christi vorwiegend ethizistisch gedeutet[82]. Doch unbeschadet der hier nötigen Kritik belegen das Werk von Girard, sowie das dadurch erregte Aufsehen, die fortdauernde Aktualität des Themas stellvertretender Sühne.

Die obigen Bemerkungen beinhalten bereits, daß auch bei der Interpretation des Todes Jesu der Rekurs auf die Eigenart dieses Geschehens maßgebend für Beurteilung, Auswahl und Gebrauch der dafür angebotenen Interpretamente sein muß. Bereits im Prozeß der Traditionsbildung selbst dürfte das der Fall gewesen sein. Die Verschiedenartigkeit der neutestamentlichen

---

[80] G. Friedrich a.a.O. 150f.
[81] Siehe bes. R. Girard: La Violence et le Sacré, 1972, sowie ders.: Generative Scapegoating, in R. G. Hamerton-Kelly: Violent Origins. Ritual Killing and Cultural Formation, 1987, 43-145.
[82] Zur Kritik an Girards Thesen vgl. ausführlich den 1991 in Kerygma und Dogma erscheinenden Artikel von M. Herzog: Religionstheorie und Theologie René Girards. Von Girard siehe noch: Des choses cachées depuis la fondation du monde, 1978, 165ff.

Deutungen des Todes Jesu ist ein Indiz für die besonderen Schwierigkeiten des Verständnisses, die bei diesem Thema von Anfang an gegeben waren. Doch auch in diesem Fall muß die Aussagekraft der verschiedenen Deutungen durch Rekurs auf das gedeutete Geschehen selbst und an diesem gemessen werden. Nur so ist es möglich, ein begründetes Urteil über das unterschiedliche sachliche Recht der verschiedenen Deutungen zu gewinnen. Deren Wahrheit ist ja nicht schon durch die Tatsache ihres Auftretens im Urchristentum verbürgt und ist auch nicht einfach eine Funktion ihres Alters. Die älteste Deutung (vielleicht die des Todes Jesu als Prophetenschicksal) muß nicht die profundeste und sachgemäßeste sein. Auch der alttestamentliche Ursprung bestimmter Vorstellungen vermag noch nicht im Sinne von 1.Kor 15,3 die Legitimität ihrer Anwendung auf den Tod Jesu Christi zu begründen. Eine alttestamentliche Vorstellung oder Aussage muß vielmehr auf dieses Geschehen „passen", um im Sinne des urchristlichen Schriftbeweises als Hinweis auf seinen göttlichen Sinn aufgenommen zu werden. Wie weitgehend auch immer der Einfluß von Jes 53,4f. auf die urchristlichen Anschauungen von der stellvertretend sühnenden Bedeutung des Todes Jesu „für viele" gewesen sein mag: Der Sachgrund für solche Deutung muß in jedem Fall in der eigentümlichen Konstellation dieses Geschehens selber gesucht werden. Allerdings kann auch der Aufweis einer derartigen sachlichen Entsprechung noch nicht für sich allein die Frage beantworten, ob die Behauptungen über eine sühnende und stellvertretende Bedeutung des Todes Jesu wahr sind. Insbesondere die Behauptung einer universalen Sühnebedeutung des Todes Jesu für die ganze Menschheit kann nur unter Einbeziehung der anthropologischen Grundsituation des Menschen im Verhältnis zu Sünde und Tod erörtert und geprüft werden.

Die urchristlichen Aussagen über die Sühnefunktion des Todes Christi setzen als erstes voraus, daß Jesu Kreuzestod nicht als die ihn wegen eigener Vergehen treffende Strafe verstanden werden kann. Diese Voraussetzung ist erst im Lichte der Auferweckung Jesu erfüllt (s.o. 385ff., 406ff.). Indem er ihn auferweckte, hat Gott selbst Jesus gerechtfertigt gegenüber den Anklagen, die zu seiner Hinrichtung geführt haben: Jesus war weder ein politischer Aufrührer, noch hat er sich selbst als Mensch göttliche Autorität angemaßt. Er ist also nicht um seiner eigenen Sünde willen gestorben. Durch das Ostergeschehen – aber eben erst in dessen Licht – ist er als „sündlos" erwiesen[83]. Warum aber hat dann Gott seinen Tod zugelassen? Warum lag geradezu – im Lichte prophetischer Andeutungen, die die frühe Christenheit den alttestamentlichen Schriften entnahm – ein göttliches „Muß" über seinem Weg in den Tod? Wenn nicht für seine eigenen Sünden, dann konnte Jesus

---

[83] Zum Thema der Sündlosigkeit Jesu vgl. vom Vf.: Grundzüge der Christologie, 1964, 368–378. Siehe auch die Bemerkung dazu bei M.Hengel: The Atonement. The Origins of the Doctrine in the New Testament, 1981, 65f.

nur für andere gestorben sein. Das ist vielleicht zunächst nur als die einzig noch offene Alternative auf die Frage nach dem Tod eines Menschen zu verstehen, dessen Schicksal im Lichte der göttlichen Bestätigung seiner Sendung durch seine Auferweckung von den Toten nicht einfach als zufällig, sondern nur als von Gott so geordnet aufgefaßt werden konnte. Der Gedanke des Sühnetodes mußte dann allerdings von jüdischen Voraussetzungen her verhältnismäßig nahe liegen[84]. Die Annahme einer Sühnefunktion des Todes steht darüber hinaus als Ausdruck des Erbarmens und der rettenden Liebe Gottes in einem Verhältnis der Entsprechung zur Botschaft Jesu von der in seinem eigenen Auftreten bekundeten Liebe Gottes (s. o. 371 f.). Diese Entsprechung berechtigt nicht dazu, das Sterben Jesu „für uns" einfach als einen Spezialfall der schon für das irdische Auftreten Jesu kennzeichnenden Solidarität mit den übrigen Menschen aufzufassen[85]. Das würde auf eine Einebnung der spezifischen Bedeutsamkeit seines Todes „für uns" hinauslaufen. Erst in der Perspektive dieser Deutung seines Todes konnte der ganze Weg Jesu als ein Weg auf diesen Tod hin erscheinen (Phil 2,6-8; vgl. 2. Kor 8,9). Das Verhalten Jesu in seinem vorösterlichen Wirken wird unvollständig und sogar irreführend dargestellt, wenn es zusammenfassend dadurch charakterisiert wird, daß er der „Mensch für die andern" und damit „Mitmensch schlechthin" gewesen sei[86]. Jesus ist in seinem ganzen Auftreten zuallererst der Mensch für Gott gewesen und nur insofern auch der Mensch für andere, als er zum Zeugnis für Gottes kommende Herrschaft zu den Menschen gesandt war und ihnen mit dem Anbruch der Gottesherrschaft in seinem Wirken auch die Liebe Gottes zu seinen Geschöpfen und zu jedem einzelnen, das verloren ging, bewies. Da sein Gehorsam gegen seine göttliche Sendung bis zum Tode am Kreuz zugleich auch die Hingabe seines Lebens für die Welt bedeutete, konnte nachträglich das Ganze seines irdischen Weges in diesem Sinne aufgefaßt werden. Das wurde aber erst möglich durch die Deutung seines Todes als Sühne für die Sünden der Welt.

Daß die Sühnefunktion, die dem Tode Jesu mangels eigenen Verschuldens zugeschrieben wurde, sich auf die ganze Menschheit erstreckt, versteht sich nicht von selber. Von den jüdischen Anschauungen über die sühnende Kraft des Leidens und Sterbens der Gerechten und besonders der Märtyrer

---

[84] E. Lohse: Märtyrer und Gottesknecht. Untersuchungen zur urchristlichen Verkündigung vom Sühnetod Jesu Christi (1955) 2. Aufl. 1963, bes. 29 ff., 66 f., 78 ff.

[85] So W. Kasper: Jesus der Christus (1974) 2. Aufl. 1975, 254 ff. (Jesus Christus der Mensch für die andern und die Solidarität im Heil), bes. 257 f. Vgl. die kritischen Bemerkungen von K. Lehmann a. a. O. (Theol. Quartalschrift 162, 1982) 306 ff.

[86] W. Kasper a. a. O. 256 mit Berufung auf D. Bonhoeffer: Widerstand und Ergebung, 1951, 259 f. Das Irreführende solcher Wendungen liegt in ihrer Verwechselbarkeit mit einem säkularen Humanismus, mit dem das Wirken Jesu von seiner ganzen Motivation her und in seiner Struktur wenig gemein hat.

des Glaubens liegt es näher, an eine sühnende Wirkung des Leidens und Sterbens Jesu für das jüdische Volk zu denken[87]. Die Spur einer solchen Auffassung hat sich tatsächlich im Johannesevangelium erhalten (Joh 11,50f.). Im Gesamtbild der urchristlichen Überlieferung tritt dieser Gedanke allerdings zurück hinter der universalen Deutung der Wendung „für viele", wie sie vor allem in der Abendmahlstradition gebraucht wurde (Mk 14,24 parr; vgl. auch Mk 10,45). Die Wendung hat auf jeden Fall inklusiven Sinn, ist dann aber immer noch ambivalent, weil sie – ähnlich wie Jes 53,12 – entweder die Gesamtheit des jüdischen Volkes oder darüber hinaus die Menschheit insgesamt als durch die Sühnewirkung begünstigt im Blick haben kann. Letzteres ist zweifellos der Fall bei Paulus (2.Kor 5,14f.; vgl. Röm 5,14). Die universale Ausdehnung der Sühnewirkung des Todes Jesu aber wird man sicherlich als Ausweitung einer primären Beziehung auf das jüdische Volk zu denken haben, nicht umgekehrt.

Auch der Gedanke einer Sühnewirkung des Todes Jesu für das jüdische Volk läßt sich nicht ohne weiteres in Parallele zu den jüdischen Anschauungen über die Sühnefunktion des Leidens der Gerechten und der makkabäischen Märtyrer verstehen. Denn Jesus starb als von seinem Volke Ausgestoßener. Sein Sterben dennoch als Sühne für dieses sein Volk zu verstehen, ließ sich in jüdischer Überlieferung nur auf Jes 53,3ff. stützen[88]. Die Umstände des Sterbens Jesu boten insofern Anlaß dafür, auf dieses Prophetenwort zurückzugreifen, als Jesus in der Tat von seinem Volk verachtet und verlassen (Jes 53,3), dennoch aber von Gott durch seine Auferweckung gerechtfertigt worden war. Hatte die jüdische Behörde Jesus wegen angemaßter Gottgleichheit unter einem Vorwand den Römern zur Hinrichtung übergeben, so zeigte sich im Lichte seiner Auferweckung, daß seine irdischen Richter sich mit seiner Verurteilung und Hinrichtung an dem Gesandten Gottes und damit an Gott selbst vergriffen hatten. Ihnen drohte daher das nahe Gericht des Menschensohnes, das Jesus selbst gegen sie angerufen hatte (Lk 22,69 parr). Sie selber hatten sich zu Unrecht göttliche Autorität angemaßt gegen Gott in der Person seines Gesandten. Daher gebührte in Wahrheit ihnen das Todesurteil, das sie über Jesus verhängt hatten. Die durch das Ostergeschehen begründete Sinnumkehrung der Ereignisse, die zu Jesu Kreuzigung geführt hatten, zeigt, daß Jesus buchstäblich anstelle derer starb, die ihn verurteilt hatten[89]. Wurde nun sein Tod als Sühne verstanden, so konnte sich diese Deutung mit der faktischen Stellvertretung verbinden, die darin lag, daß Jesus den Tod anstelle seiner Richter und des ganzen von ihnen repräsentierten Volkes starb. Dieser Sachverhalt

---

[87] Siehe dazu die Ausführungen zur stellvertretenden Sühne bei E. Lohse a.a.O. 94ff., bes. 101.
[88] Vgl. E. Lohse a.a.O. 114 zu 1.Kor 15,3.
[89] Vgl. oben 417, sowie auch vom Vf.: Grundzüge der Christologie, 1964, 265ff.

muß als Hintergrund der paulinischen Aussagen Gal 3,13, 2. Kor 5,21 und Röm 8,3 vermutet werden. Denn ohne Beziehung auf die Situation der Verurteilung und Hinrichtung Jesu, in der dieser zum Sünder gemacht worden war und faktisch unter dem Fluch des Gesetzes stand, sind diese Aussagen nicht zu verstehen. Nach Paulus hat allerdings nicht nur Gott selbst – durch das Handeln seiner menschlichen Richter hindurch – Jesus „zur Sünde gemacht", sondern er hat ihn damit auch an „unserer" Stelle (nicht nur anstelle seiner jüdischen Richter oder des jüdischen Volkes) die Strafe tragen lassen, die der Sünde schlechthin zukommt, weil sie aus ihrem inneren Wesen folgt, die Strafe des Todes als Konsequenz der Trennung von Gott.

Es entspricht der eschatologischen Verkündigung Jesu und nicht zuletzt seinem Hinweis auf das kommende Gericht des Menschensohnes Lk 22,69 parr, daß die dem Tode Jesu zugeschriebene Sühnewirkung ebenfalls auf das kommende Gericht Gottes bzw. des Menschensohnes bezogen wurde. Nach jüdischem Glauben konnte der Sühnetod des Gerechten dem künftigen Leben des Volkes und dem Fortbestand des Bundes Gottes mit ihm zugute kommen, im Einzelfall allerdings auch der Teilhabe einzelner am künftigen Leben der Auferstehung[90]. Die Tatsache des Todes Jesu hingegen hing so eng mit seiner eschatologischen Botschaft und dem Streit um sie zusammen, daß auch die im Lichte des Ostergeschehens seinem Tode zugeschriebene sündentilgende Kraft[91] sich nur auf das eschatologische Gericht Gottes über Lebende und Tote beziehen kann. Aus demselben Grunde wird man die Sühnewirkung seines Todes als gebunden an die wenigstens nachträgliche Bekehrung des Volkes zu dem Gott seiner eschatologischen Botschaft, damit auch an das Bekenntnis zu ihm selbst im Sinne von Lk 12,8 parr verstehen müssen. Die Sühne für das Gottesvolk im Tode Jesu bedeutet also, daß ihm trotz der Mitwirkung an der Kreuzigung Jesu und ungeachtet aller übrigen Sünden der Zugang zum eschatologischen Heil offen bleibt unter der Bedingung der Annahme der eschatologischen Botschaft Jesu und des Bekenntnisses zu ihm.

Vielleicht hat die Beteiligung der Römer an den zur Hinrichtung Jesu führenden Ereignissen Anlaß geboten zur Ausweitung der Deutung des Todes Jesu als Sühne auch auf die durch Rom repräsentierte Völkerwelt[92]. Der als Gotteslästerer dem Tode überlieferte und als Aufrührer Hingerichtete hat dann den Tod erlitten anstelle und zugunsten aller Menschen, die als Sünder in angemaßter Gottgleichheit, also in faktischer Empörung gegen Gott leben und sich damit den Tod zuziehen[93]. Indem die Verurteilung als

---

[90] E. Lohse a.a.O. 102f., 107, vgl. 89f.

[91] Wie E. Lohse a.a.O. 115 hervorgehoben hat, hängt auch nach 1. Kor 15,17 die sündentilgende Kraft des Todes Jesu an der Tatsache seiner Auferstehung.

[92] Grundzüge der Christologie, 1964, 267f.

[93] K. Lehmann a.a.O. 313f. hat mit Recht darauf hingewiesen, daß das moderne Unver-

Sünder stellvertretend vom Sohne Gottes an seinem Fleisch erlitten wurde (Röm 8,3), hat er sie für alle getragen (2. Kor 5,14) und für alle überwunden. Denn Gott hat in Jesu Verurteilung und Hinrichtung „den, der von keiner Sünde wußte, für uns zur Sünde gemacht, damit wir durch ihn Gerechtigkeit Gottes würden" (2. Kor 5,21). In der Situation der Verurteilung und Hinrichtung Jesu, in der der später durch seine Auferweckung von Gott als schuldlos Erwiesene den Tod als Folge unserer Sünde getragen hat, vollzog sich Stellvertretung im konkreten Sinne des Platztausches zwischen dem Schuldlosen und den Schuldigen. Der Unschuldige erlitt die Strafe des Todes, der als Unheilsfolge der Sünde das Schicksal derer ist, an deren Stelle er starb. Dieses stellvertretende Strafleiden, das mit Recht als stellvertretendes Erleiden des Zornes Gottes über die Sünde beschrieben worden ist, begründet von Jesus Christus her die Gemeinschaft mit allen Menschen als Sündern und mit ihrem Schicksal, – eine Verbindung, die die Grundlage dafür bildet, daß der Tod Jesu ihnen als Sühne zugute kommen kann[94]. Stellvertretung und Sühne haben dabei nicht die Wirkung, daß den Vertretenen das eigene Sterben überhaupt erspart bliebe. Sie bedeuten vielmehr, daß den durch Jesus Christus Vertretenen die Chance eröffnet wird, in ihrem eigenen Sterben durch dessen Verbindung mit dem Sterben Jesu die Hoffnung auf Teilhabe an dem neuen Leben der Totenauferweckung zu gewinnen, das an Jesus schon erschienen ist (Röm 6,5). Es handelt sich also um Stellvertretung und Sühne vor dem eschatologischen Gericht Gottes. Den Empfängern der Sühnewirkung des Todes Christi wird die Zuversicht zuteil, daß ihr eigener Tod nicht mehr den definitiven Ausschluß von Gott und seinem Leben bedeutet, und diese Zuversicht äußert sich schon in diesem Leben in Werken der Gerechtigkeit (Röm 6,13). Mit der Hoffnung auf das neue Leben der Totenauferstehung kommt bei den Sündern die Bundesgerechtigkeit des Gottes zur Wirkung (2. Kor 5,21), der das Leben seiner Geschöpfe will. Insofern findet tatsächlich ein Platztausch statt zwischen dem unschuldigen, aber als Sünder hingerichteten Jesus und der Manifestation der Gerechtigkeit Gottes bei den von ihm vor Gott vertretenen Sündern. Zu diesem Platztausch kommt es allerdings nur, wenn die Sünder, für die Jesus gestorben ist, auch von ihrer Seite her ihr todverfallenes Leben mit dem Tode Jesu verbin-

---

ständnis für den Gedanken der Sühne bedingt ist durch das schwindende Verständnis für deren Voraussetzung im „Verwirken des eigenen Lebens durch Schuld" (313). Zu diesem Thema vgl. oben 303–314 die Ausführungen über den Zusammenhang von Sünde und Tod.

[94] Es ist daher unverständlich, daß K. Lehmann zwar am Sühnecharakter des Todes Jesu festhalten möchte (a.a.O. 311ff.) und die Unerläßlichkeit von „Platz- und Schicksalstausch" für die Erlösung betont (314), aber die Deutung des Todes Jesu als stellvertretendes Strafleiden nur beiläufig erwähnt und als Verengung des komplexen Schriftbefundes beurteilt (299): Ohne stellvertretendes Strafleiden bleibt auch die Sühnefunktion des Todes Jesu unverständlich, es sei denn, man wollte den Tod Jesu als Gott dargebotene Ersatzleistung im Sinne der Satisfaktionslehre Anselms verstehen, wofür es dann aber in der Tat keine Basis in der Schrift gibt.

den lassen (Phil 3,10f.), wie es in der Taufe geschieht (Röm 6,3f., Kol 2,12). Erst damit tritt die durch den Tod Jesu Christi ermöglichte Sühne für den einzelnen tatsächlich in Kraft. Das hat Paulus Röm 3,25 durch den Begriff *hilasterion* prägnant zum Ausdruck gebracht, wenn anders dieses Wort den Tod Christi als den von Gott bereiteten *Ort* des Sühnevollzugs bezeichnet: Wirkungskräftig für den einzelnen Sünder wird die Sühnewirkung des Sterbens Jesu, indem er auch von seiner Seite aus auf die Verbindung des eigenen Todes mit dem Tode Christi eingeht, der zum Übergang in das neue Leben aus der Auferstehung der Toten wurde.

Damit stellt sich noch einmal die Frage nach dem Verhältnis von stellvertretender Sühne und Versöhnung. Man hat mit Recht auf die Verschiedenheit dieser beiden Vorstellungen hingewiesen. Schon die sprachlichen Hintergründe und Implikationen sind im Falle der Versöhnung ganz andere als bei der Sühne: Die Vorstellung der Versöhnung hat keinerlei kultischen Bezug, sondern ist mit den diplomatischen Vorgängen des Friedensschlusses zwischen Gegnern verknüpft[95]. So erscheint auch Paulus 2.Kor 5,20 in der Rolle des von Gott mit der Friedensstiftung beauftragten Gesandten. Damit die Versöhnung zustande kommt, muß aber auch die andere Seite darauf eingehen. Hier zeigt sich nun eine bemerkenswerte Entsprechung zu der soeben erörterten, spezifischen Problematik der Sühnewirkung des Todes Jesu.

Die Versöhnungsbotschaft des Apostels hat im Sühnetod Christi ihren Ausgangspunkt[96]. Das Gericht über die Sünde im Tode des Sohnes bildet den „Ermöglichungsgrund" der Versöhnung[97]. Da sich nun ergeben hat, daß die Sühnewirkung des Todes Christi dennoch nicht einfach ein in seiner Objektivität abgeschlossenes Geschehen ist, sondern für den einzelnen erst fruchtbar wird, indem sein eigener Tod mit dem Tode Christi verbunden wird, so wird die Entsprechung zu dem Moment der Gegenseitigkeit im Versöhnungsgeschehen deutlich. Daher läßt sich nun behaupten: Der Versöhnungsgedanke expliziert und verdeutlicht die Notwendigkeit der Zueignung und Aneignung der im Tode Jesu begründeten Sühne. Wie auf das Versöhnungsangebot der einen Seite die andere eingehen muß, damit Versöhnung zustande kommt, so bedarf auch die im stellvertretenden Tode Christi begründete Sühne der individuellen Aneignung durch Bekenntnis, Taufe und Glaube jedes einzelnen. Andererseits kann nicht nur die stellvertretende Sühne, sondern auch die Versöhnung als ein im Tode Christi abgeschlossenes Ereignis dargestellt werden (Röm 5,10). Beides muß als inklusive Aussage gedeutet werden. Der inklusive Sinn der Stellvertretung aber

---

[95] Vgl. die Nachweise bei C.Breytenbach a.a.O. 45–83.

[96] Siehe dazu C.Breytenbach a.a.O. 154ff.

[97] C.Breytenbach a.a.O. 165, 215, vgl. 220ff. Breytenbach betont, daß man damit nicht die Vorstellung des Sühnopfers verbinden dürfe (vgl. auch 204ff.).

hat antizipatorische Funktion. Er muß eingeholt werden im Prozeß der Ausbreitung des Evangeliums durch die apostolische Verkündigung und ihrer Annahme durch Glaube, Bekenntnis und Taufe.

c) Stellvertretung und Befreiung

Wenn jemand eine von einem andern geschuldete Leistung an dessen Stelle erbringt oder auch an seiner statt erleidet, was sonst der andere leiden müßte, so liegt Stellvertretung in einem exklusiven Sinne vor, d.h. die betreffende Leistung wird ausschließlich von dem Vertreter abgegolten und braucht von dem Vertretenen nicht mehr erbracht zu werden. Dieser Gedanke ist von Anselm von Canterbury auf die Deutung des Versöhnungstodes Christi angewendet worden: Die Satisfaktion für die Sünde, die der Mensch Gott schuldet, aber nicht leisten kann, weil er ohnehin schon alles, was in seinem Vermögen steht, Gott schuldet, wird an seiner Stelle durch den freiwilligen Tod des Gottmenschen Gott dargebracht[98]. Gegen diese Satisfaktionstheorie richtete sich die sozinianische Kritik, indem sie die Unvertretbarkeit der Person jedes einzelnen als sittliches Subjekt geltend machte: „eine Geldschuld wird als abgetragen angesehen, mag sie der Schuldner selbst, oder ein Anderer für ihn bezahlt haben; eine sittliche Schuld aber, wenn nicht der für sie büßt, der sie sich zugezogen, so ist sie gar nicht gebüßt"[99].

Eine derartige Vorstellung exklusiver Stellvertretung entspricht dem Zeugnis des Neuen Testaments nicht. Der Versöhnungstod Christi ist kein stellvertretend für die übrigen Menschen an Gott gezahltes Bußgeld, noch nimmt er den übrigen Menschen das eigene Sterben ab. Vielmehr repräsentiert er vor Gott den Tod aller: „Einer ist für alle gestorben – also sind alle gestorben" (2.Kor 5,14). Philipp Konrad Marheineke hat diesen Gedanken zur Grundlage seiner Neufassung des Begriffs der Stellvertretung genommen. Bei ihm heißt es von Christus: „Stellvertreter der Menschheit ist er nicht, sofern er außer ihr, sondern sofern er sie selbst ist und das in allen Individuen Gleiche in sich vereinigt darstellt"[100]. Der hier vorliegende Ge-

---

[98] Anselm von Canterbury: Cur Deus Homo II,6; vgl. I,24f.
[99] So gibt D.F.Strauß: Die christliche Glaubenslehre in ihrer geschichtlichen Entwicklung und im Kampfe mit der modernen Wissenschaft II, 1841, 294 das zentrale Argument Fausto Sozzinis wieder.
[100] Ph.Marheineke: Die Grundlehren der christlichen Dogmatik als Wissenschaft, 1827, § 398; vgl. G.Wenz: Geschichte der Versöhnungslehre in der evangelischen Theologie der Neuzeit 1, 1984, 317f. Der Grundgedanke der inklusiven Stellvertretung findet sich schon bei Hegel: „nicht ein fremdes Opfer ist gebracht, ein Anderer gestraft, damit Strafe gewesen sei, Leben negiert, Anderssein aufgehoben. Ohnehin stirbt jeder für sich selbst, und jeder muß für sich selbst aus seiner eigenen Subjektivität und Schuld das sein, leisten, was er sein soll. Er ergreift das Verdienst Christi; das heißt, wenn er dies in sich vollbringt, diese Umkehrung und

danke einer inklusiven Stellvertretung faßt Jesus als den Repräsentanten der Menschheit insgesamt auf. Das entspricht der paulinischen Beschreibung Christi als des zweiten Adam: Durch ihn geschieht *paradigmatisch*, was sich in allen Gliedern der durch ihn repräsentierten Menschheit wiederholen soll. Allerdings schließt das Sterben Christi nach Paulus das unsere so in sich ein, daß dadurch zugleich der Charakter des letzteren verändert wird. Durch die Verbindung unseres Todes mit dem Tode Christi im Akt der Taufe gewinnt unser Sterben eine neue Bedeutung, die ihm von sich aus nicht zukommt: Es wird zu einem Sterben in Hoffnung. An Jesus wird nicht nur dargestellt, was ohnehin von allen zu sagen ist. Daher gilt auch umgekehrt nicht automatisch für alle andern, was sich im Tode Jesu vollzogen hat, sondern es bedarf dazu einer ausdrücklichen Herstellung der Gemeinschaft mit ihm. Insofern behält der Tod Jesu, auf den diese Veränderung der Bedeutung unseres Sterbens zurückgeht, auch ein exklusiv nur ihm zukommendes Moment: Der Tod dessen, den Gott auferweckt und gerechtfertigt hat, wird zur Versöhnung der Welt.

Im Unterschied zur exklusiven Stellvertretung der *satisfactio vicaria* ist der Gedanke einer inklusiven Stellvertretung nicht auf eine Interpretation des *Todes* Jesu beschränkt. Sein Anwendungsbereich erstreckt sich auf den ganzen Lebensweg Jesu Christi, wie die paulinische Auffassung Christi als des neuen Adam, dessen „Bild" wir alle tragen werden. Auch als Ebenbild Gottes und als Sohn Gottes, durch den wir nach Paulus die Sohnschaft empfangen sollen (Gal 4,5; Röm 8,15; vgl. Eph 1,5), ist Jesus Christus das Paradigma des Menschen schlechthin in seinem Verhältnis zu Gott[101], doch ebenso wie beim neuen Adam nicht als Repräsentant des Menschen, wie er immer schon ist, sondern wie er noch werden soll. Im Unterschied dazu bezieht sich die Inkarnation des Sohnes in Jesus Christus auf die Daseinsbedingungen des Menschen, wie er von Adam her ist (Röm 8,3). Sie zielt auf die Überwindung der Sünde im Fleisch des Menschen, der das Gericht über die Sünde an unserer Stelle trug: Auch diese Aussage hat inklusiven Sinn,

---

Aufgeben des natürlichen Willens, Interesses, und in der unendlichen Liebe ist, so ist dies die Sache an und für sich" (G.W.F.Hegel: Vorlesungen über die Philosophie der Religion hg. G. Lasson, PhB 63, 160). Der Gedanke läßt sich noch weiter zurückverfolgen bis zu G.F.Seiler (Über den Versöhnungstod Jesu Christi, 2 Bde 1778/79), der auch den Ausdruck „Stellvertretung" eingeführt zu haben scheint (siehe dazu K.-H.Menke: Stellvertretung. Schlüsselbegriff christlichen Lebens und theologische Grundkategorie, masch. Habilitationsschrift Freiburg 1990, 88 ff.). Die ausdrückliche Bezeichnung der Stellvertretung als „inclusiv" im Gegensatz zur exklusiven Fassung des Gedankens in der Satisfaktionstheorie ist wohl erst durch A.Ritschl (Die christliche Lehre von der Rechtfertigung und Versöhnung III, 3.Aufl. 1888, 515) aufgekommen (Menke 154f.).

[101] Auch dabei ist natürlich zu beachten, daß in Jesus Christus der präexistente Gottessohn Fleisch geworden ist, während die Glaubenden nur durch ihn die Adoption in das Verhältnis der Sohnschaft zum Vater empfangen.

wenn sie im Lichte von 2.Kor 5,14 gelesen wird, obwohl auch sie wieder ein exklusives Moment enthält: Im Tode Christi stirbt der alte Adam, um durch den Tod hindurch in den neuen Adam verwandelt zu werden (1.Kor 15,49, vgl. v.42ff.).

Dieser Gedanke einer inklusiven Stellvertretung, die mit der Inkarnation des Sohnes in Jesus Christus verbunden ist, hat die ganze Geschichte der christlichen Soteriologie bestimmt. Er hat seine klassische Durchführung in der altkirchlichen Deutung Christi als des neuen Menschen vom Himmel her gefunden (s.o. 349ff.), und er liegt auch der Satisfaktionslehre Anselms als Voraussetzung zugrunde; denn erst durch die Inkarnation des Sohnes wird seine Zusammengehörigkeit mit der Menschheit gestiftet, die die Voraussetzung der Übertragung seines Verdienstes auf die übrigen Menschen bildet (vgl. Cur Deus Homo II,19). Doch bei Anselm spielte dieser Gesichtspunkt nur eine untergeordnete Rolle, weil er den Grund der Erlösung in einer Leistung des Gottmenschen an den Vater suchte, während nach Paulus Christus gerade durch das stellvertretende Erleiden des Todes als Strafe der Sünde mit den übrigen Menschen zusammengeschlossen war.

Auch der Gedanke einer inklusiven Stellvertretung kann nun aber dazu führen, daß die Selbständigkeit der vertretenen Menschen als Personen verletzt wird. Geschah das in der exklusiven Stellvertretungstheorie der Satisfaktionslehre durch die Unterstellung der Ersetzbarkeit des Menschen als sittlicher Person, so kann der Gedanke der inklusiven Stellvertretung zu der Vorstellung führen, daß Jesus Christus allein der Mensch vor Gott ist, der so an unsere Stelle getreten ist und zu unsern Gunsten gelitten und gehandelt hat, daß wir anderen dem gar nichts mehr hinzuzufügen haben. Das bedeutet dann, daß die anderen, an deren Stelle der Gottessohn getreten ist, dadurch ersetzt und verdrängt werden.

Die Problematik eines solchen Gefälles im Gedanken inklusiver Stellvertretung scheint Karl Barth nicht beunruhigt zu haben. Wie hätte er sonst schreiben können, Gott habe in Jesus Christus nicht nur die Sünde, sondern „ihre Wurzel, den übertretenden Menschen nämlich, beseitigt" (KD IV/1,82)? Darf christliche Theologie sagen, Jesus Christus habe im Ereignis seines Todes „mit *uns als Sündern* und damit [!] mit der *Sünde selbst* in seiner Person *Schluß gemacht*" (a.a.O. 279)? Sicherlich stirbt nach Paulus die Sünde erst mit dem Tode des Sünders, und dieser gilt den Glaubenden wegen der Verbindung ihres Sterbens mit dem Geschick Christi als schon eingetreten (Röm 7,4). Doch indem Barth das, was Paulus hier als Wirkung der Taufe beschrieb, schon dem Ereignis des Todes Christi als solchem zuschrieb, hat er Anlaß gegeben zu der Frage, ob damit „nicht am Ende das selbständige Menschsein des Menschen überhaupt zum Verschwinden gebracht wird"[102]. Hier wirkt sich Barths Konzentration des Begriffs der Versöh-

---

[102] G.Wenz: Geschichte der Versöhnungslehre in der evangelischen Theologie der Neuzeit 2, 1986, 247. Der Kern dieser Kritik an Barths Versöhnungslehre wurde zuerst 1965 von D. Sölle formuliert (Stellvertretung. Ein Kapitel Theologie nach dem „Tode Gottes", 1965,

nung auf den Tod Jesu Christ als ein in der Vergangenheit abgeschlossenes Geschehen (s. o. bei Anm. 52) verhängnisvoll aus. Weil das Ereignis der Versöhnung nicht als offen auf einen Prozeß seiner Rezeption hin gedacht ist, ergibt sich die fatale Konsequenz, daß das Gericht über die Sünde im Tode Christi nur dann als umfassend und definitiv gedacht werden kann, wenn Gott in diesem Ereignis „uns als Sünder und damit die Sünde der Vernichtung überliefert, aufgehoben, negiert, durchgestrichen" hat (Barth a.a.O. 279).

Gegen die „totalitäre" Deutung der Stellvertretung als Ersetzung des Vertretenen ist geltend gemacht worden, der echte Stellvertreter trete nur vorübergehend an die Stelle des andern, halte ihm also seinen nur vertretungsweise wahrgenommenen Platz offen[103]. Aus dem Stellvertreter wird ein Ersatzmann, wenn er permanent an die Stelle des andern tritt[104]. Diese Argumentation bewegt sich jedoch auf der Ebene der Vorstellung exklusiver Stellvertretung. Auch so wird der konkrete Inhalt des urchristlichen Stellvertretungsgedankens, die Sühnefunktion des Todes Jesu für uns, kaum erreicht. Die Vorstellung einer vorübergehenden Vertretung nämlich setzt die kontinuierliche Fortdauer des Daseins dessen voraus, der vertreten wird. Nach der paulinischen Deutung der Sühnekraft des Todes Jesu hingegen kann der Vertretene an seiner Sühnewirkung nur durch den eigenen Tod hindurch teilhaben. Vor allem aber bedarf es dazu der Verbindung des eigenen Sterbens mit dem Tode Jesu durch Bekenntnis und Taufe[105]. Insofern im Heilsereignis des Todes Jesu diese Rezeption bereits intentional antizipiert ist, eignet ihm auch der Charakter inklusiver Stellvertretung. Aber damit ist die Ebene der Vorstellung von einer bloß vorübergehenden Stellvertretung überschritten.

---

116 ff.). Dabei hat Dorothee Sölle der als „objektivistisch" bezeichneten Auffassung Barths von der Endgültigkeit Jesu Christi vorgeworfen, daß sie „notwendig totalitär" sei (145), wie die Geschichte des christlichen Antijudaismus zeige. In ähnlichem Sinne hat F. Wagner 1975 Barths Christologie als „theologische Gleichschaltung" charakterisiert (Theologische Gleichschaltung. Zur Christologie bei Karl Barth, in: T. Rendtorff (Hg): Die Realisierung der Freiheit. Beiträge zur Kritik der Theologie Karl Barths, 1975, 10-43).

[103] D. Sölle: Stellvertretung, 1965, 59 ff. Exemplarisch für diesen Begriff von Stellvertretung ist die pädagogische Beziehung zwischen Lehrer und Schüler: „Der Lehrer ist verantwortlich für die, die jetzt unmündig oder unfähig sind, er steht ein für die Chancen und Interessen der Vertretenen" (155), wird aber mit dem Heranreifen der Schüler zur Mündigkeit überflüssig werden.

[104] D. Sölle a.a.O. 60 f. Daß Christus bei Barth zum Ersatzmann wird, der den vertretenen Menschen kein Eigendasein läßt (118), zeigt sich nach D. Sölles Urteil besonders daran, daß nach Barth die Stellvertretung des Menschen durch Christus „unabhängig vom Mit- und Nachvollzug der Vertretenen" ist (117). Damit hat Dorothee Sölle in der Tat den heikelsten Punkt in Barths Versöhnungsbegriff getroffen.

[105] Das ist der Mit- und Nachvollzug von seiten der Vertretenen, den D. Sölle bei Barth mit Recht vermißte.

Die Schranke der Vorstellung vorübergehender Stellvertretung zeigt sich bei Dorothee Sölle besonders an ihrer Anwendung auf die Gottesbeziehung Jesu. Nach ihrer Auffassung nämlich ist Jesus nicht nur in seinem Leiden bzw. schon mit seiner Inkarnation an die Stelle des *Menschen* getreten, sondern ist mit seiner Botschaft und in seinem Wirken auch der Vertreter des abwesenden *Gottes* uns Menschen gegenüber[106]. Nach dem Zeugnis der Evangelien hingegen ist Jesus *nicht* als *Vertreter* des abwesenden Gottes aufgetreten, sondern in seiner Botschaft und in seinem Wirken wurde das kommende Reich des Vaters schon Gegenwart, gegenwartsbestimmende Macht. Jesus ist nicht der Vertreter des Vaters, sondern Mittler seiner Gegenwart, und entscheidend dafür ist seine Selbstunterscheidung vom Vater, durch die er sich als „der Sohn" erwies - auch auf seinem Weg in den Tod.

Als der Sohn des himmlischen Vaters ist Jesus zugleich das Urbild der Sohnschaft, die alle andern durch ihn empfangen sollen, so daß ihnen Gott als Vater ebenso unmittelbar zugänglich ist (Röm 8,15) wie ihm. So ist Jesus gerade als der Sohn auch der neue Adam, in welchem die Bestimmung des Menschen zur Gottebenbildlichkeit realisiert ist. Als der neue Adam aber, durch dessen Sohnesgehorsam Gott als Vater offenbar ist, vertritt Jesus die übrigen Menschen nicht nur vorläufig, sondern dem Anspruch der christlichen Botschaft zufolge ist er als Inkarnation des Sohnes die endgültige Verwirklichung der Bestimmung des Menschen. Dennoch läßt die Endgültigkeit Jesu Raum für die Besonderheit der anderen Individuen. Sie werden nicht verdrängt oder gleichgeschaltet. Das liegt daran, daß der Anspruch auf Endgültigkeit nicht unmittelbar mit der Individualität Jesu verbunden wurde. Das wäre der Fall gewesen, wenn er sich selber göttliche Würde und Autorität angemaßt hätte. Es wurde oben (374 ff.) gezeigt, daß dies das große Mißverständnis seines Auftretens und seiner Person durch seine Gegner gewesen ist, der Grund, weshalb sie ihn als Gotteslästerer und Volksverführer ablehnten. In Jesu irdischem Auftreten blieb die Behauptung des Anbruchs der Gottesherrschaft durch sein eigenes Wirken trotz seiner Selbstunterscheidung vom Vater belastet durch den Anschein, als mache er sich selber Gott gleich. Die Folge dieser Zweideutigkeit war die Ablehnung, Verurteilung und Hinrichtung Jesu. Dadurch wurde ihm seine Endlichkeit vor Augen geführt und aufgezwungen, der er sich nach Meinung seiner Gegner entwinden wollte. Der Tod ist das Siegel der Endlichkeit. Indem Jesus aber seinen Tod als bittere Konsequenz seiner Sendung auf sich nahm, wurde sein Tod zum Siegel seiner Selbstunterscheidung von Gott und darum auch zur Bewährung seiner Einheit mit Gott als Sohn des himmlischen Vaters.

Nur im Durchgang durch den Tod seines individuellen Daseins als

---

[106] D. Sölle a.a.O. 177. Diese Wendung des Gedankens erst macht den Untertitel des Buches mit der Bezugnahme auf eine „Theologie nach dem ‚Tode Gottes'" verständlich, wobei der als Tod Gottes bezeichnete Sachverhalt des modernen Säkularismus allerdings von D. Sölle entsprechend ihrem Stellvertretungsbegriff als bloß vorläufig aufgefaßt wurde, ähnlich wie das in den USA bei Thomas Altizer der Fall war.

Mensch ist Jesus der Sohn. Endgültigkeit kommt seinem individuellen Menschenleben nicht im Bestand seiner Besonderheit zu, sondern nur in der Hingabe seiner Besonderheit um Gottes willen und im Dienst am Kommen seines Reiches. Darum konnte Paulus den Korinthern schreiben, er kenne und beurteile niemanden mehr, auch Jesus nicht, nach „dem Fleisch", d.h. danach, was er für sich selbst war oder ist (2.Kor 5,16). Indem Jesus den Tod seines besonderen Daseins auf sich nahm, gewährte er den andern Menschen Raum für das ihre. Zugleich aber ist an seinem Verhalten offenbar, daß auch die individuelle Besonderheit jedes anderen Menschen nur durch den Tod Jesu hindurch – und durch Annahme des eigenen Todes um Gottes und seines Reiches willen – am Gottesverhältnis der Sohnschaft und damit am Erbe des Gottesreiches teilhaben kann.

So wird vielleicht verständlich, warum wir Menschen gerade durch den Tod des Sohnes mit Gott versöhnt werden, nämlich durch den Tod des Menschen, der sich in seinem Leidensgehorsam endgültig als Gottes Sohn erwiesen hat: Die Feindschaft der Menschen gegen Gott, die dadurch überwunden wird (vgl. Röm 5,10), erwächst daraus, daß sie als Sünder – also als solche, die selber wie Gott sein wollen – keinen Raum neben Gott finden, sondern dem Tode verfallen sind. Doch durch den Tod des Sohnes gewährt Gott ihnen Raum neben sich, sogar über ihren Tod hinaus. Weil der Sohn in der Besonderheit seines menschlichen Daseins stirbt, werden die übrigen Menschen in ihrer Andersheit nicht durch ihn verdrängt, so als ob seine menschliche Besonderheit das Maß aller Dinge wäre und alles andere von sich ausschlösse. So haben es Jesu Gegner verstanden, indem sie ihn der Anmaßung beschuldigten, er mache sich selbst zu Gott. Kein Mensch kann das bei einem andern ertragen, und zwar gerade deshalb nicht, weil jeder selbst wie Gott sein will. Darum wird die Anmaßung, wie Gott sein zu wollen, am andern geahndet, und so verurteilen die Menschen einander und fügen sich in der Konsequenz davon von Fall zu Fall auch gegenseitig den Tod zu, dem jeder als Folge der eignen Sünde verfallen ist. Indem Jesus aber seinen Tod – den ihm von andern zugefügten Tod – als Konsequenz seiner Sendung zum Zeugnis für die Herrschaft Gottes auf sich nahm und dadurch seine Selbstunterscheidung von dem Gott, den er verkündete, besiegelte, gab er nicht nur Gott, sondern auch den andern Menschen Raum neben sich. So starb Jesus seinen Tod nicht um eigener Sünde willen, sondern als Sühne für die Sünden der andern: als Sühne, die dadurch wirksam ist, daß die Trennung von Gott und seinem Leben überwunden ist, sobald die andern Menschen ihren eigenen Tod mit dem Tode Jesu verbunden sein lassen und dadurch die Zuversicht der Teilhabe am Leben Gottes über den eigenen Tod hinaus gewinnen. Der Tod Jesu bewirkt also, daß die übrigen Menschen sich nicht mehr als ausgeschlossen von der Gemeinschaft mit Gott und somit als Feinde Gottes verstehen müssen. Er eröffnet den Zugang dazu, in der Annahme der eigenen Endlichkeit wie Jesus und in Gemeinschaft mit ihm des Lebens aus Gott teilhaftig zu werden und schon dieses irdische Leben aus der Zuversicht der die Todesschranke überwindenden Gemeinschaft mit dem ewigen Gott leben zu können.

Auch die spekulative Versöhnungslehre Hegels hat das „Aufheben der natürlichen Endlichkeit, des unmittelbaren Daseins" als den Kern des Versöhnungsgeschehens aufgefaßt[107]. Durch das Aufgeben der eigenen Endlichkeit wird der Gegensatz zum Absoluten überwunden (s. o. Anm. 100). Aber andererseits ist der Tod Christi nach Hegel auch der Tod Gottes selbst (PhB 63,157f.). „Die Vorstellung vom Opfertod soll also im Sinne wechselseitiger Hingabe von Gott und Mensch, Allgemeinem und Besonderem verstanden werden. Erst so wird im Tode Christi das Versöhnende, die absolute Liebe angeschaut"[108]. Doch dieser Gedanke eines Todes Gottes selbst im Tode Christi ist dem Neuen Testament fremd, obwohl Paulus wiederholt vom Tod des *Sohnes* Gottes gesprochen hat (Röm 5,10; vgl. 8,32). Die kirchliche Lehre hat solche Worte mit Recht auf die menschliche Natur Christi bezogen. Nach seiner menschlichen Natur ist der Gottessohn am Kreuz gestorben[109]. Es ist der Tod Jesu, der im Lichte seiner Auferweckung durch Gott der ewige Sohn des Vaters ist. Hegel hat die sorgfältigen Unterscheidungen der orthodoxen Christologie zwischen göttlicher und menschlicher Natur in der Einheit der Person Christi vernachlässigt, indem er ohne solche Differenzierung vom Tode Christi als dem Tode Gottes selbst sprach. Andererseits war für ihn dieses selbe Geschehen als Aufhebung der Selbstentäußerung der Gottheit in der Inkarnation die Rückkehr der göttlichen Idee zu sich, „Versöhnung des Geistes mit sich"[110]. Hegel hat den Tod Christi ausdrücklich nicht als stellvertretendes Strafleiden des Unschuldigen anstelle der Sünder verstanden wissen wollen[111]. Er hat damit ein aus der Perspektive des Inkarnationsgedankens begründetes, inklusives Verständnis des Versöhnungsgeschehens einseitig gegen das im Gedanken stellvertretender Sühne enthaltene exklusive Moment geltend gemacht. Darum

---

[107] G. W. F. Hegel: Vorlesungen über die Philosophie der Religion hg. G. Lasson Bd. II/2 (PhB 63) 158 f. Vgl. zum systematischen Kontext der Deutung des Todes Christi bei Hegel G. Wenz: Geschichte der Versöhnungslehre in der evangelischen Theologie der Neuzeit 1, 1984, 310-316.

[108] G. Wenz a. a. O. 1, 315.

[109] Das gilt auch noch für die lutherischen Kirchen: Die Konkordienformel 1580 betonte, es habe „der Sohn Gottes selbst wahrhaftig, doch nach der angenommenen menschlichen Natur, gelitten und ist ... wahrhaftig gestorben, wiewohl die göttliche Natur weder leiden noch sterben kann" (SD VIII, 20, BSELK 1023, 38-44, vgl. ebd. 40 ff. BSELK 1029 f.).

[110] G. W. F. Hegel a. a. O. 159; vgl. ders.: Sämtliche Werke hg. v. H. Glockner 16, 304, sowie Encyclopädie der philosophischen Wissenschaften im Grundrisse hg. J. Hoffmeister (PhB 33) § 566. Die Möglichkeit solcher Versöhnung aber ist nach Hegel begründet auf „die *an sich seyende Einheit der göttlichen und menschlichen Natur*", die im Gedanken der Versöhnung zum Bewußtsein gelange (G. W. F. Hegel: Religionsphilosophie Bd. I (Die Vorlesung von 1821) hg. K.-H. Ilting, 1978, 598 ff. Das Zitat auf S. 598 stammt aus der Druckausgabe von 1840). Siehe auch Hegels Vorlesungen über die Philosophie der Weltgeschichte, hg. G. Lasson, PhB 171, 733 f.

[111] G. W. F. Hegel: Vorlesungen über die Philosophie der Religion hg. G. Lasson, PhB 63, 160 (zit. o. Anm. 100). Nach Hegel ist der Tod Christi „genugtuend für uns, indem er die absolute Geschichte der göttlichen Idee darstellt, das, was an sich geschehen ist und ewig geschieht" (159).

sind weder die geschichtliche Besonderheit des Todes Jesu, noch auch die befreiende Wirkung seines Todes für die übrigen Menschen *als Individuen* in dieser Deutung zu ihrem vollen Recht gekommen[112].

Im Sühnecharakter des Todes Jesu kommt das exklusive Moment seines stellvertretenden Sterbens zum Ausdruck, des Todes eines Unschuldigen anstelle der Sünder. Der Gehorsam gegen Gott hingegen, um dessentwillen Jesus diesen Tod auf sich nahm, ist paradigmatisch für alle Menschen: Darin ist Jesus der Sohn, der neue Adam, nach dessen Bild die übrigen Menschen erneuert werden sollen. Dazu gehört auch die Annahme der eigenen Endlichkeit vor Gott, die in der Taufe durch die Verbindung des eigenen, künftigen Sterbens mit dem Tode Jesu vollzogen wird. Doch dieses inklusive Moment der Stellvertretung der Menschheit im Sohnesgehorsam Jesu, der ihn ans Kreuz führte, bedeutet nicht, daß die Besonderheit des individuellen Daseins der andern Menschen neben Jesus als dem einen maßgeblichen Menschen belanglos und durch ihn verdrängt wird. Denn Jesus ist nur durch den Tod seiner Besonderheit hindurch der Sohn. Darum wird die selbständige Bedeutung anderen individuellen Lebens neben dem seinigen nicht beseitigt dadurch, daß Jesus an die Stelle aller andern getreten ist. Vielmehr wird gerade durch den exklusiven Sinn des stellvertretenden Sterbens Jesu solche Selbständigkeit der andern neben ihm ermöglicht, weil nun, mit dem Tode Jesu verbunden, jeder Mensch sein eigenes Leben leben und seiner besonderen Berufung folgen kann aus der Gewißheit der Teilhabe an dem Leben, das in der Auferstehung Jesu den Tod überwunden hat.

Die Selbständigkeit, die das stellvertretende Sterben Jesu denen gewährt, die ihm verbunden sind, ist durch die christliche Freiheit von der Herrschaft der Sünde und des Todes über das Leben der Menschen gekennzeichnet: Die Glaubenden sind frei von der Herrschaft des Todes und der Todesangst in der Hoffnung auf das neue Leben aus Gott, das in der Auferstehung Jesu erschienen ist, und sie sind frei von der Herrschaft der Sünde und des die Sünde im Zaum haltenden Gesetzes, weil die Sünde mit dem Tode an ihr Ende kommen wird und für den Getauften, dessen künftiger Tod mit dem Tode Christi verbunden ist, schon proleptisch ihr Ende erreicht hat[113].

---

[112] Zwar spricht Hegel in seinen Vorlesungen über die Philosophie der Weltgeschichte von der „Befreiung des Individuums" als Folge der Einheit Gottes mit den Menschen in einem Individuum (a.a.O. 738). Aber dabei handelt es sich nur um das Individuum als allgemeine Form, die „an allen" realisiert ist (ebd.), nicht um die unterscheidende Besonderheit eines jeden von den andern.

[113] In dieser Weise ist der christliche Gedanke der Versöhnung und Erlösung eng mit dem Thema der Befreiung verbunden. Dabei geht es nicht in erster Linie um Befreiung im politischen Sinne, sondern sehr viel radikaler um die Befreiung aus der Knechtschaft der Sünde und des Todes, in der alle Menschen leben. Solche Befreiung ist jedoch keineswegs eine nur private Angelegenheit der Individuen, sondern die Folgen reichen bis in die Grundlagen der politischen Herrschaftsordnung (vgl. die folgende Anm.). Zur Sache siehe H.Kessler: Erlösung als

Aus der Gemeinschaft mit Gott und seinem ewigen Leben gewinnt der einzelne in allen Abhängigkeitsverhältnissen, in denen er als endliches Wesen lebt, eine letzte Unabhängigkeit gegenüber der Welt und ihren Mächten[114], aber auch die Distanz zu sich selber, die ihn dazu befähigt, seiner besonderen Berufung im Dienst an Gott und an der Welt, der die Liebe Gottes zugewandt ist, zu leben. Es ist die Freiheit einer neuen Unmittelbarkeit zu Gott, die die Glaubenden als Kinder Gottes haben (Gal 4,4-6). Sie ist vermittelt durch die Sendung des Sohnes und durch seinen stellvertretenden Tod. Aber realisiert ist sie durch den Geist der Sohnschaft in den Glaubenden selbst. Darum findet die Sendung des Sohnes ihre Vollendung durch den Geist. So heißt es auch bei Johannes einerseits, wahre Freiheit gebe es nur durch den Sohn (Joh 8,36), aber andererseits sagt der johanneische Christus den Seinen, es sei gut für sie, daß er von ihnen gehe, damit der Geist zu ihnen kommen kann (Joh 16,7f.). Denn der Geist wird sie in die Wahrheit führen (16,13), die nach Joh 8,32 frei macht. Darin stimmt Johannes mit Paulus überein: Wo der Geist des Herrn ist, da ist Freiheit (2.Kor 3,17). Wo aber solche Freiheit des Geistes ist, da ist die Versöhnung der Menschen mit Gott zu ihrem Ziel gekommen.

4. Der dreieinige Gott als Versöhner der Welt

Der erste Abschnitt dieses Kapitels suchte die systematische Funktion des paulinischen Begriffs der Versöhnung zu klären. Es ergab sich, daß es dabei um den Weg zum Heil der Welt durch Überwindung des Gegensatzes zu Gott geht, in den die Menschen durch Sünde und Tod geraten sind. Der zweite Abschnitt des Kapitels zeigte sodann, daß nicht Gott mit der Welt, sondern die Welt mit Gott versöhnt werden muß und daß das Handeln Gottes zur Versöhnung der Welt sich zwar einerseits in der Passion Christi schon vollzogen hat, andererseits aber der Begriff der Versöhnung über die Vergangenheit der Geschichte Jesu hinaus deren weiterwirkende Gegenwart im apostolischen „Dienst der Versöhnung" umfaßt. Dem entspricht als Ergebnis des dritten Abschnitts, daß auch die Bedeutsamkeit des Todes Christi als stellvertretende Sühne nicht einfach einen mit dem Kreuzestod Jesu als

---

Befreiung, 1972, sowie die Ausführungen von Th. Pröpper: Erlösungsglaube und Freiheitsgeschichte. Eine Skizze zur Soteriologie, 2. Aufl. 1988, 38ff., auch M. Seckler: Theosoterik und Autosoterik (Theol. Quartalschrift 162, 1982, 289-298).

[114] Vgl. die Bemerkung in Hegels Vorlesungen über die Philosophie der Weltgeschichte (a.a.O. 742) über die „unendliche innere Freiheit", mit der die Kirche der Märtyrer dem römischen Staat begegnete. Das entspricht den Ausführungen über die politisch revolutionäre Relevanz des Kreuzes Christi in den Vorlesungen über die Religionsphilosophie (Lasson PhB 63, 161ff.).

vergangenem Ereignis abgeschlossenen Sachverhalt bezeichnet, sondern eine Dimension impliziter Stellvertretung hat, die erst durch die tatsächliche Einbeziehung der Menschen, „für die" Jesus Christus gestorben ist, realisiert wird. Da es sich dabei um Vorgänge der Interpretation und Rezeption der Bedeutung des Todes Jesu auf seiten der Menschen handelt, die als Empfänger der Versöhnung mit Gott in dieses Geschehen einbezogen werden, erhebt sich die Frage, wie sich diese Rezeptionsgeschichte zu dem versöhnenden Handeln Gottes selbst im Tode Christi verhält. Ist das Handeln Gottes im Tode Christi dabei nur Gegenstand menschlicher Interpretation und Rezeption? Oder ist in der Verkündigung des Todes Christi als Tat Gottes zur Versöhnung der Welt Gott selber als der darin Handelnde am Werke? Bleibt dann aber noch Raum für das freie Eingehen der zu versöhnenden Menschen auf die Versöhnung mit Gott?

Die trinitätstheologische Beschreibung des göttlichen Handelns im Geschehen der Versöhnung könnte die Antwort auf diese Frage sein. Zwar legt 2. Kor 5,18 zunächst nahe, speziell an ein Handeln des Vaters im Tode Christi zu denken. Aber es wird sich zeigen, daß Sohn und Geist dabei mitbeteiligt sind. Kann eine solche Beschreibung des Versöhnungsgeschehens dazu beitragen, die Beteiligung auch der menschlichen Seite am Vollzug der Versöhnung verständlicher zu machen und damit auch das Verhältnis von exklusiver und inklusiver Stellvertretung im Versöhnungstod Christi noch weiter zu klären?

a) Das Handeln des Vaters und des Sohnes im Versöhnungsgeschehen

Sowohl 2. Kor 5,18f. als auch die passivische Formulierung Röm 5,10 sind dahin zu verstehen, daß im Tode Jesu Gott der Vater zur Versöhnung der Welt gehandelt hat. Bei der Kreuzigung Jesu lag das Gesetz des Handelns letztlich nicht bei seinen Henkern, sondern durch alle Niedertracht, Feigheit und Brutalität der beteiligten Menschen hindurch hat Gott der Vater in diesem Geschehen gehandelt entsprechend seiner den Lauf der Geschichte lenkenden Vorsehung: Er hat seinen Sohn „dahingegeben" (Röm 8,32; vgl. Röm 4,25)[115]. Sachlich entspricht das der noch weiter gefaßten Aussage von Röm 8,3, daß Gott den Sohn in unser von der Sünde bestimmtes Dasein[116] sandte, um in seinem Fleisch die Sünde zu verurteilen. Hiernach war der ganze irdische Weg des Sohnes nach der Vorsehung Gottes von vornherein angelegt auf den Kreuzestod Jesu. Das klingt wohl auch Joh

---

[115] Siehe dazu den Abschnitt über „Die Dahingabe des Sohnes" bei W. Kramer: Christos, Kyrios, Gottessohn. Untersuchungen zu Gebrauch und Bedeutung der christologischen Bezeichnungen bei Paulus und den vorpaulinischen Gemeinden, 1963, 112ff.

[116] Übersetzung von *sarx hamartias* mit U. Wilckens (Das Neue Testament übersetzt und kommentiert, 1970, 525).

3,16 an, wenngleich es dort nur heißt, Gott habe seinen einzigen Sohn „gegeben" aus Liebe zur Welt, damit die an ihn Glaubenden durch ihn das ewige Leben haben[117].

Die ganze Sendung Jesu durch den Vater also zielt auf den stellvertretenden Sühnetod am Kreuz. Auf der Basis moderner historisch-exegetischer Untersuchung der Jesusüberlieferung läßt sich diese Aussage insofern nachvollziehen, als der Tod Jesu in einem Folgezusammenhang mit seiner Verkündigung der Nähe der Gottesherrschaft und ihres Anbrechens in seinem eigenen Wirken steht. Größere Schwierigkeiten bereitet indessen, daß anstelle des Vaters auch der Sohn selbst als Subjekt liebender Hingabe in den Tod genannt werden kann (Gal 2,20). Im Epheserbrief ist diese Aussage erweitert durch den Gedanken des Selbstopfers: Christus hat „uns geliebt und sich selbst für uns dahingegeben als das Opfer, das er Gott dargebracht hat, ihm zum Wohlgeruch" (Eph 5,2, vgl. 5,25). Diese Aussagen entsprechen zwar der stilisierenden Darstellung der Leidensgeschichte in den Evangelien als von Jesus in seinen Leidensweissagungen (Mk 8,31; 9,31; 10,33 parr) vorausgewußt, um nicht zu sagen vorausgeplant, stehen aber in Spannung zu der aus der historischen Untersuchung der Jesusüberlieferung sich ergebenden Annahme, daß Jesus zwar mit der Möglichkeit eines gewaltsamen Todes gerechnet haben wird und ihn zuletzt als unausweichlich vor Augen gehabt haben mag, ihn aber kaum als Zweck seiner Botschaft und seines Wirkens angestrebt haben dürfte (s.o. 462). Außerdem aber stellt sich die Frage: Wie verhalten sich die Aussagen über die Selbsthingabe des Sohnes in den Tod zu denen über seine Dahingabe durch den Vater? Wer ist das Subjekt der Dahingabe? Wenn man keinen Widerspruch zwischen den beiden Aussagetypen annehmen will, ist zu vermuten, daß sie denselben Sachverhalt auf unterschiedliche Weise ausdrücken. Das aber ist nur dann möglich, wenn das Handeln des Vaters in der Dahingabe des Sohnes diesen nicht zum bloßen Objekt macht, sondern sein aktives Mitwirken impliziert, und umgekehrt das Handeln des Sohnes nicht ausschließt, daß die Initiative des Geschehens beim Vater liegt. Solches Zusammenwirken des Sohnes mit dem Vater auf dem Wege zum Kreuz ist schon von Paulus ausdrücklich behauptet worden, indem er das Verhalten Jesu Christi in seiner Beziehung zum Vater durch den Begriff des Gehorsams beschrieb (Röm 5,19). Der Gehorsam des Sohnes entspricht der Dahingabe durch den Vater[118]. Wäh-

---

[117] Daß an dieser Stelle in *edoken* die „Hingabe in den Tod" mitschwingt, hat R. Bultmann: Das Evangelium des Johannes, 12. Aufl. 1952, 110 Anm. 5 hervorgehoben. Im übrigen ist die Aussage sicherlich weiter gefaßt und bezieht sich ganz allgemein auf die Sendung des Sohnes in den Kosmos (vgl. W. Kramer a.a.O. 27 und 112f.), wie 1.Joh 4,9, vgl. Gal 4,4, allerdings mit der besonderen Pointe, daß Gott seinen Sohn der Welt „schenkte".
[118] Der Gehorsam des Sohnes ist Röm 5,19 ähnlich wie Phil 2,8 und Hebr 5,8f. auf den Kreuzestod zu beziehen. Vgl. U. Wilckens: Der Brief an die Römer I, 1978, 326f. Dennoch kennzeichnet er den Weg des zweiten Adam und ist daher nicht im Sinne der theologischen

rend jedoch nach Hebr 5,8 der Sohn „in der Schule des Leidens zu gehorchen gelernt" hat, ähnlich wie es die Evangelien von Jesu Gebet bei Gethsemane berichten (Mk 14,32 ff.), betonte Paulus die von vornherein bestehende Willenseinheit des Sohnes mit dem Vater auf seinem Weg ans Kreuz[119]. Um so dringender wird die Frage, wie sich diese Auffassung zur menschlichen Geschichtlichkeit der Person Jesu verhält.

Auch wenn man annimmt, daß Jesus zunehmend mit einem gewaltsamen Tode gerechnet haben wird und daß wohl auch sein letztes Mahl im Kreise seiner Jünger im Zeichen dieser Erwartung gestanden haben dürfte, bleibt doch ein Sprung zu der Vorstellung einer von langer Hand vorbereiteten, planmäßigen Selbstaufopferung des Sohnes. Um die dahingehenden Aussagen des Neuen Testaments zu verstehen, wird man gut tun, sich zu erinnern, wie es überhaupt dazu kam, daß der Titel „Gottessohn" mit der Person Jesu verbunden worden ist: Das geschah erst im Zusammenhang mit der Verkündigung seiner Auferweckung von den Toten, die als Einsetzung in die Gottessohnschaft aufgefaßt wurde (Röm 1,3 f.)[120]. Von daher erschien die vorösterliche Geschichte Jesu nun in einem neuen Licht. Für den, der von der Auferweckung Jesu her auf seine irdische Verkündigung und Wirksamkeit zurückblickte, mußte sich diese ganze Geschichte als der irdische Weg dessen darstellen, der in verborgener Weise schon der ewige Gottessohn war. Die Evangelientradition zeigt, wie man in der Geschichte Jesu durch sein menschliches Auftreten, Reden und Handeln hindurch immer wieder die Spuren und Züge seiner Gottheit wahrnahm. Die Ereignisse dieser Geschichte erschienen nun in der Perspektive der Sendung des Präexistenten in die Welt, und in dieser Perspektive konnte die *göttliche Notwendigkeit* seines Weges ans Kreuz, derer sich die Urchristenheit aus den prophetischen Andeutungen der alttestamentlichen Schriften vergewisserte, auch als ein Handeln des präexistenten Gottessohnes selbst erscheinen, der doch von solcher Notwendigkeit wissen und sie selbst bejahend vollziehen mußte. Indem also Jesus seinen bevorstehenden Tod als das nicht nur von seinen Feinden, sondern von Gott selbst über ihn verhängte Geschick auf sich nahm, handelte darin in einem tieferen Sinne der verborgen in ihm gegenwärtige Gottessohn, der im Gehorsam gegen den Vater sich selber für die Rettung der Welt zum Opfer brachte (Eph 5,2).

Tradition bloß als *oboedientia passiva* im Gegensatz zur tätigen Erfüllung des Gotteswillens (*oboedientia activa*) zu verstehen.

[119] Im Unterschied zur hymnischen Tradition, die durch Phil 2,8 und Hebr 5,8 f. repräsentiert ist, „denkt Paulus durchweg das Kreuz als Handeln Gottes in Christus (2. Kor 5,19 vgl. Röm 3,25), so daß Christus und Gott im Kreuz eines sind: Es handelt Gottes Liebe (5,8) und zugleich auch Christi Liebe (Gal 2,20; 2. Kor 5,14). Gott gibt ihn preis (4,25; 8,32) und darin gibt Christus sich zugleich selbst preis (Gal 2,20 vgl. 1,4) ... Durchweg ist dasselbe Geschehen gemeint, in dem Gott und Christus so völlig zusammenwirken, daß die Wirkung sowohl als die Gottes wie ebenso auch als die Christi ausgesagt werden kann" (U. Wilckens a.a.O. 326 f.).

[120] S.o. 406 ff.

Halten wir uns noch einmal vor Augen, daß diese Weise, die Geschichte Jesu zu betrachten, auf dem Wissen von seiner Auferweckung und Erhöhung beruht. Der zum Gottessohn Erhöhte wurde als das wahre Subjekt der Geschichte, die ihn ans Kreuz führte, in den Gang der Ereignisse hineingelesen. Als der Erhöhte ist Jesus nun aber auch das Subjekt der Verkündigungsgeschichte, in der sein Tod als die Versöhnung der Welt ausgelegt und verkündigt wird. Paulus rühmt sich der Gemeinschaft mit Gott „durch unsern Herrn Jesus Christus, durch den wir jetzt die Versöhnung empfangen haben" (Röm 5,11). Dieses „jetzt" ist das Jetzt der apostolischen Verkündigung im Sinne von 2.Kor 5,20 und ihrer Aufnahme im Glauben. Jesus Christus selbst, der erhöhte Kyrios ist es, der uns „jetzt" – nämlich durch den Dienst des Apostels bzw. durch die Predigt der Kirche – die Versöhnung schenkt, nämlich die ein für allemal (als Prolepse) in seinem Tode vollbrachte Versöhnung. Darum sagt der Apostel 2.Kor 5,20: „Wir bitten an Christi statt: Lasset euch versöhnen mit Gott". Der Apostel bittet stellvertretend für Christus, aber nicht so, daß er den abwesenden Christus vertritt, sondern so, daß der Erhöhte selber durch ihn „jetzt" die Versöhnung der Glaubenden wirkt (vgl. 1.Kor 1,10; 2.Kor 10,1).

So ist im Wirken des erhöhten Christus durch die apostolische Verkündigung die vergangene Geschichte Jesu zugleich gegenwärtiges Geschehen. Es sind also in diesem Geschehen drei Ebenen zusammengeschaut. Diese Ebenen zu unterscheiden und sich die Gründe und die Struktur ihrer Zusammenschau klarzumachen, ist insbesondere für das Verständnis der Evangelienüberlieferung als Interpretation der Geschichte Jesu wichtig: Da ist einmal die menschlich-historische Ebene des Wirkens und Geschickes Jesu, sodann diese selbe Geschichte als Medium des in ihr handelnden ewigen Gottessohnes, der in der Person Jesu Mensch wurde und schließlich noch einmal diese selbe Geschichte als Medium der tätigen Gegenwart des Erhöhten durch die apostolische Verkündigung, die die alle Menschen angehende Heilsbedeutung dieser Geschichte expliziert. Das Ineinander dieser drei Ebenen ist grundlegend für eine sachgemäße Auffassung und Beurteilung der kirchlichen Lehre vom Versöhnungsamt Christi. Sie betrachtet die Geschichte des irdischen Jesus auf dem Goldgrund der in ihm gegenwärtigen Wirklichkeit des ewigen Gottessohnes und stellt sie zugleich als Medium der aktuell gegenwärtigen Wirksamkeit des Erhöhten zur Versöhnung der Welt dar.

b) Das Versöhnungsamt Christi

Die Frage nach dem göttlichen Subjekt des Geschehens der Versöhnung im Kreuzestod Jesu Christi führt noch einmal auf den Zusammenhang von Christologie und Soteriologie zurück (s.o. 441 ff.). Es zeigte sich, daß nicht nur der Vater der in der Dahingabe Jesu an den Tod Handelnde, Jesus selbst nicht nur der sein Dahingegebenwerden Erleidende ist, daß vielmehr auch der Sohn in diesem Geschehen handelndes Subjekt ist. Als solcher ist er der Erretter der Welt (1.Joh 4,14).

Bei Paulus erscheint die Bezeichnung Christi als *soter* nur Phil 3,20, und zwar als Ausdruck der Erwartung der Wiederkunft Christi zur Verwandlung dieses unseres sterblichen Leibes in das neue Leben, das an ihm schon Wirklichkeit geworden ist. Das entspricht dem futurischen Gebrauch von *soteria* bei Paulus (s.o. 444ff.). Der Zukunftsbezug ist auch in der Vorstellung von der Erhöhung des Gekreuzigten zum (künftigen) *soter* (Apg 5,31) des Gottesvolkes (vgl. Lk 2,11) noch erkennbar. Die künftige Errettung steht bei Paulus allerdings in einer Beziehung zu der schon gegenwärtig erfahrenen Versöhnung und ist auf sie – und also auf den Tod Jesu Christi – begründet (Röm 5,10). Entsprechend der Tendenz der späteren urchristlichen Schriften, schon die gegenwärtige Situation der Christen als Heilsteilhabe zu verstehen, heißt Christus dann im Epheserbrief der „Erlöser seines Leibes", weil er sein Leben für die Kirche dahingegeben hat (5,23f.). Auf den Sühnetod Christi ist der Titel *soter* auch von Ignatios bezogen worden (Ign Smyrn 7,1). Der erste Johannesbrief spricht ebenfalls in diesem Sinne von Jesus als *soter* (zu 1.Joh 4,14 vgl. Joh 3,16f.). In den johanneischen Aussagen ist das Rettungshandeln des Sohnes nun aber über das Gottesvolk hinaus auf den Kosmos bezogen (vgl. Joh 4,42) und zum Zweck der Sendung des Sohnes in die Welt erklärt worden.

Die Aussagen über das Handeln des Sohnes in der Geschichte Jesu und insbesondere in seinem Tode zum Heil der Welt überschreiten den unmittelbar zu erhebenden, menschlichen Sinnhorizont des Auftretens, Wirkens und Geschickes Jesu. Aber das ist im Prinzip doch auch schon bei den christologischen Würdetiteln der Fall, die dem Gekreuzigten im Lichte seiner Auferweckung durch Gott zugesprochen wurden. Schon im Messiastitel ist eine soteriologische Funktion enthalten, die wegen der Verbindung dieses Titels mit der Kreuzigung Jesu speziell durch die Deutung seines Todes als Sühnetod expliziert worden ist. Was durch die Aussagen über die Selbsthingabe des Sohnes in diesem Geschehen neu hinzukommt, ist nur, daß „Christos" und „Gottessohn" eben nicht nur als Würdetitel fungieren, sondern daß der präexistente und in die Welt gesandte Gottessohn als das handelnde Subjekt der Geschichte Jesu benannt wird, ein Subjekt, das nicht einfach identisch ist mit der menschlichen Wirklichkeit Jesu, wie sie der historischen Untersuchung der Jesustradition in den Blick kommt, und das doch als das eigentliche Handlungssubjekt in seiner menschlichen Geschichte behauptet wird.

Die Christologie darf derartige Behauptungen nicht einfach als einer Begründung unzugängliche Glaubensaussagen einführen, sondern hat zu fragen, ob und inwiefern sie sich als Ausdruck der geschichtlichen Eigenart Jesu im Zusammenhang seines Wirkens und Geschickes verstehen und rechtfertigen lassen. Wenn aber die Aussage der Gottessohnschaft als sachgemäße Beschreibung des Verhältnisses Jesu zum Vater zu beurteilen ist, so wie es sich im Lichte seiner Auferweckung von den Toten darstellt, und wenn folglich das irdische Dasein Jesu als das Dasein des in die Welt gesandten ewigen Gottessohnes zu verstehen ist, dann muß auch mit Recht vom Handeln des Gottessohnes in seinem geschichtlichen Dasein gesprochen werden können. Unter diesem Gesichtspunkt lassen sich dann auch solche Aspekte der Geschichte Jesu als ein *Handeln* des Gottessohnes auffassen, die unter dem Gesichtspunkt der menschlichen Wirklichkeit Jesu nicht als von ihm handelnd hervorgebracht, sondern als von ihm erlittenes Widerfahrnis zu beschreiben sind. Dem ewigen Gottessohn widerfährt nichts Unvorhergesehenes und Unbeabsichtigtes. Nur auf der Seite seiner menschlichen Natur ist zwischen tätigem Auftreten und Wirken einerseits, dem als Widerfahrnis zu erleidendem Geschick andererseits zu unterscheiden. Und während die Erlösung der Welt nicht als ein Ziel identifiziert werden kann, das Jesus in der historischen Menschlichkeit seines Wirkens sich gesetzt hätte, kann die Sühnefunktion seines Sterbens und ihre Abzweckung auf das Heil der Welt sehr wohl dem in der Geschichte Jesu handelnden Gottessohn als Gegenstand und Zweck seines Handelns zugeschrieben werden.

Solche Aussagen haben proleptische Struktur. Die in ihnen der besonderen Person und Geschichte Jesu zugeschriebene Relevanz für die ganze Menschheit antizipiert den Ausgang der Menschheitsgeschichte. Anders gesagt: die Wahrheit des Gehalts solcher Aussagen hängt ab vom Wirken des Geistes, der Jesus in den Herzen der Menschen als den Sohn Gottes verherrlichen wird. So sind ja auch die christologischen Aussagen selbst entstanden, als Ausdruck eines anfänglichen Wirkens des Geistes in der Glaubensgemeinschaft des Urchristentums. Das gilt schon für die christologischen Titel Messias, Kyrios, Gottessohn. Jeder dieser Titel bezieht die besondere Gestalt Jesu auf die ganze Menschheit und vor allem auf ihre Zukunft. Jeder dieser Titel ist implizit soteriologisch. Das entspricht dem für das historische Wirken Jesu charakteristischen Anspruch, daß die endgültige Zukunft Gottes durch ihn zum Heil der Menschen schon gegenwärtig anbreche. Entsprechendes gilt für das urchristliche Kerygma von der Auferweckung Jesu. Es besagt, daß die endgültige Heilszukunft des neuen Lebens aus Gott in ihm schon angebrochen ist. Die Aussagen über das Handeln des ewigen Gottessohnes in der Geschichte Jesu stehen also in dieser Hinsicht nicht isoliert da. In ihnen wird aber die soteriologische Relevanz der Person und Geschichte Jesu in ganz spezifischer Weise explizit thematisiert.

Die Aussagen über Jesus als Versöhner und Heilbringer der Menschheit wären nicht wahr ohne ihr Korrelat, die geheilte und versöhnte Menschheit. Nur in Beziehung zu ihr ist Jesus tatsächlich der universale Versöhner und

Erlöser. Aber ist die Menschheit denn tatsächlich mit Gott versöhnt und von Sünde und Tod erlöst? Der Augenschein und der Anschauungsunterricht der Weltgeschichte sprechen bis heute nicht dafür. Sind dadurch die in den christologischen Titeln implizierten und in den Aussagen über die Heilsbedeutung des Todes und der Auferstehung Jesu explizit formulierten Behauptungen widerlegt? Ihre Wahrheit ist jedenfalls noch nicht definitiv erwiesen. In ihnen ist antizipiert, was im Prozeß der Geschichte noch strittig ist. Die von Jesus Christus ausgehende Versöhnung der Welt hat sich zwar dem Glauben der Gemeinde bewährt, ist aber noch nicht als abgeschlossenes Resultat der Weltgeschichte feststellbar.

Zwischen den antizipierenden soteriologischen Titeln der Christologie (wie Sohn, zweiter Adam, Ebenbild Gottes) und dem tatsächlichen, aber noch unabgeschlossenen Prozeß der Versöhnung der Menschheit haben die Aussagen über das Heilswerk Christi, das die Versöhnung der Welt zum Inhalt hat, ihren Ort. Es handelt sich dabei besonders um die Heilsbedeutung des Todes Jesu, nun aber nicht nur in dem Sinne, daß *Gott* im Tode Christi zur Versöhnung der Welt gehandelt hat (2.Kor 5,18), sondern im Sinne der Selbsthingabe des *Sohnes* in diesem Geschehen (Gal 2,20). Um ein Heilswerk Christi handelt es sich dabei insofern, als – mit den Worten des Hebräerbriefs – Christus „sich selbst zum Sühnopfer darbrachte" als unser Hohepriester, der die Sünden des Volkes sühnt (Hebr 7,27; vgl. 9,26ff.). Daß solche Aussagen den Prozeß der tatsächlichen Beseitigung der Sünden der Menschheit vorwegnehmen, gibt der Hebräerbrief deutlich zu verstehen: „Christus ist einmal geopfert worden, um die Sünden der vielen zu tragen; zum zweiten Mal aber wird er, wenn die Sünde beseitigt ist[121], denen erscheinen, die ihn zum Heil erwarten" (Hebr 9,28). Gerade der Hebräerbrief hat neben der entschieden betonten Einmaligkeit und Abgeschlossenheit des Opfertodes Jesu (9,26) das fortgesetzte Eintreten des Erhöhten vor Gott hervorgehoben (9,24) und damit Anlaß gegeben zur Ausbildung einer über das einmalige Geschehen des Kreuzestodes Jesu hinausgehenden Auffassung seines Erlösungswerkes bzw. Versöhnungsamtes. In derselben Richtung wirkten sich die schon erwähnten Sendungsaussagen aus, die wie Joh 3,16f. die ganze Geschichte Jesu von der Inkarnation des Gottessohnes her auf den Zweck der Rettung der Welt bezogen.

Erst die Theologie des lateinischen Mittelalters hat von der Lehre über die Person Christi ein besonderes Lehrstück über sein Heilswerk als Mittler unterschieden[122]. Die Absonderung dieses Lehrstücks, das in der reformato-

---

[121] Übersetzung von *choris hamartias* nach U. Wilckens (Das Neue Testament übersetzt und kommentiert 1970, 795). Der Sinn kann nicht sein, daß Jesus selbst ohne Sünde sein wird, sondern nur, daß er i. U. zu seinem ersten Erscheinen nicht mehr mit der Sünde zu tun haben wird.

[122] Das geschah im Anschluß an die diesem Thema gewidmetem Kapitel bei Petrus Lombar-

rischen Theologie die Form einer Lehre vom Mittleramt[123] Christi erhielt, von der Lehre über die gottmenschliche Person Christi ist in der neueren Theologie heftig kritisiert worden, weil die Person des Erlösers und seine Wirksamkeit unauflöslich zusammengehören[124]. Diese Kritik ist insoweit berechtigt, als zwischen Person und Werk des Erlösers in der Tat nicht getrennt werden darf. Das hat sich auch hier im Hinblick auf die soteriologischen Implikationen schon der Titel Christos, Kyrios, Gottessohn bestätigt, ganz zu schweigen von der Deutung Jesu Christi als des neuen Adam, der die Bestimmung des Menschen zur Gottebenbildlichkeit definitiv realisiert habe. Dennoch gibt es zwischen den Aussagen über die Person Christi und denen über das durch ihn vollbrachte Erlösungswerk oder sein Versöhnungsamt bedeutsame Unterschiede, nicht zuletzt im Verhältnis zu der historischen Gestalt Jesu und seiner Geschichte: Während die christologischen Aussagen über die Person Jesu Christi sich als Auslegung seiner historischen Gestalt im Lichte ihrer Geschichte, insbesondere im Lichte seiner Kreuzigung und Auferweckung von den Toten, rekonstruieren lassen, ergibt sich bei den Aussagen über das Heilswerk oder Versöhnungsamt des inkarnierten Gottessohnes das zusätzliche Problem, daß im Hintergrund der menschlichen Geschichte Jesu eine andere Geschichte erscheint, in welcher das, was in der einen als Widerfahrnis eintritt, sich als ein Handeln des Gottessohnes darstellt, das nun auch nicht mehr wie die irdische Sendung Jesu auf das Gottesvolk das alten Bundes, sondern auf die Erlösung der Menschheit gerichtet ist und eine Fortsetzung findet im Handeln des Erhöhten.

Wenn man die Aussagen der theologischen Tradition über das Heilswerk oder Mittleramt des inkarnierten Gottessohnes unmittelbar am Maßstab der Geschichte Jesu mißt, dann wird man zu einem überwiegend negativen Ergebnis kommen: Der irdische Jesus hat aller Wahrscheinlichkeit nach den Kreuzestod als schicksalhaftes Widerfahrnis erlitten und nicht von sich aus

---

dus III. Sent. d. 19 c.6f. (s.o. Anm.17ff.). Vgl. schon die Deutung der Einigung der beiden Naturen in der Einheit der Person Christi bei Leo I. (DS 293).

[123] Für die systematische Behandlung des Themas in der reformatorischen Theologie ist die Darstellung des *officium mediatoris* bei Calvin maßgeblich geworden (Inst. chr. rel. 1559, II,12ff.). Calvin ging dabei ebenso wie Augustin und die lateinische Scholastik vom Gebrauch des Mittlerbegriffs in 1.Tim 2,5 aus (s.o. bei Anm. 15ff.), betonte aber, daß die gottmenschliche Person Träger des Mittleramtes sei (s.o. Anm.22). Der Begriff des Mittleramtes (*officium*) setzte sich in der altprotestantischen Theologie allgemein durch. Neben *officium* wurde allerdings auch *munus* gebraucht. Dieser Ausdruck findet sich für Königtum und Priestertum Christi gelegentlich schon in der Patristik, so bei Augustin, der die beiden Ämter des Priesters und des Königs, weil zu beiden eine Salbung erforderlich war, auf Christus bezog: *In duabus personis praefigurabatur futurus unus rex et sacerdos, utroque munere unus Christus, et ideo Christus a chrismate* (Enn. in Ps 26,II,2).

[124] F.Schleiermacher: Der christliche Glaube, 2.Ausg. 1830, § 92,2. Die These der Einheit von Person und Werk Christi hat in der Folgezeit durchweg Zustimmung gefunden. Vgl. dazu vom Vf.: Grundzüge der Christologie, 1964, 214f.

als einen Akt der Selbstaufopferung herbeigeführt. Er war nicht Priester und in seinem irdischen Dasein auch nicht König. Die Beschreibung seiner Person als Prophet wird seinem irdischen Wirken noch am ehesten gerecht, ebnet aber gerade das Spezifische des Auftretens und der Botschaft Jesu ein, so sehr er sich in prophetischer Tradition wußte: Bei Jesus ging es nicht um die Ankündigung so oder so gearteter Ereignisse der geschichtlichen Zukunft, sondern allein um Gott und seine Zukunft, und zwar mit dem Anspruch der Unüberholbarkeit. Darum hat Jesus sich nicht in die Reihe der Propheten gestellt (vgl. Lk 16,16 par). Der historische Jesus war also weder Priester, noch König, noch auch im eigentlichen Sinne Prophet.

Angesichts dieses Sachverhalts habe ich 1964 einschneidende Kritik an der reformatorischen Lehre vom dreifachen Amt Christi als Priester, König und Prophet geübt[125]. Die Kritik richtete sich nicht nur gegen die seit Andreas Osiander 1530 und besonders durch den Einfluß Johannes Calvins aufgekommene Zusammenstellung dieser drei Funktionen, die durch das Erfordernis der Salbung unter sich und mit dem Christustitel verbunden schienen, sondern gegen die in ihnen ausgedrückte Auffassung von der gottmenschlichen Person Christi als Handlungssubjekt der Geschichte Jesu[126]. Der traditionelle Begriff des Amtes Christi wurde daher reduziert auf die vom historischen Jesus in seiner Botschaft und öffentlichen Wirksamkeit i.U. zu dem ihm widerfahrenen *Geschick* ausgeübte *Sendung*[127], wobei das Verhältnis dieses analog prophetischer Sendung gedachten Begriffs zu den neutestamentlichen Aussagen über die Sendung des präexistenten Sohnes in die Welt offen blieb. Schon Albrecht Ritschl hatte die traditionelle Lehre vom Amt Christi enger mit der geschichtlichen Wirklichkeit Jesu verbinden wollen und plädierte in diesem Zusammenhang für die Ersetzung des Begriffs „Amt" mit seinen rechtlich-institutionellen Konnotationen durch den des „Berufs" Jesu zur Begründung der sittlichen Gemeinschaft des Gottesreiches unter den Menschen[128]. Allerdings hatte Ritschl noch ähnlich wie Schleiermacher den Begriff des Amtes oder Berufs Christi unter dem Gesichtspunkt erörtert, daß er „im Verhältnis zu der existierenden Gemeinde der Gläubigen, welche er durch sein Reden, Handeln und Dulden zu gründen beabsichtigt hat, der fortwirkende Grund ihrer Existenz in ihrer Art ist"[129]. In meinen Ausführungen von 1964 wurde hingegen der mit dem Widerfahrnis der Kreuzigung und der Auferweckung Jesu eingetretene „Bruch" im Verhältnis zu Jesu vorösterlicher Wirksamkeit betont[130] und der Be-

---

[125] Grundzüge der Christologie, 1964, 218–232.

[126] A.a.O. 230. Immerhin werden unter dem Gesichtspunkt des Königtums des Erhöhten auch die von dem irdischen Auftreten Jesu ausgegangenen Wirkungen Jesus als Subjekt zugeschrieben (216, vgl. 386ff.).

[127] A.a.O. 227, vgl. 225 u.ö. Der Begriff des Amtes Jesu wurde beschränkt auf den „Auftrag, unter dem der historische Jesus sich wußte" (217).

[128] A. Ritschl: Die christliche Lehre von der Rechtfertigung und Versöhnung III, 3. Aufl. 1895, 409f. Diese Bemerkungen stehen am Ende von Ritschls ausführlicher Erörterung der inneren Schwierigkeiten der Lehre vom dreifachen Amt Christi.

[129] A. Ritschl a.a.O. 407.

[130] Grundzüge der Christologie, 1964, 230, vgl. schon 216.

griff der Sendung daher auf die letztere eingeschränkt, obwohl natürlich ihre bleibende Bedeutung gerade wegen der Auferweckung des Gekreuzigten sich darüber hinaus erstreckt auf die ganze Schöpfung. Die oben vorgetragenen Erwägungen darüber, daß der vom Ostergeschehen her rückwirkend begründete Gedanke seiner ewigen Gottessohnschaft nicht nur den Inkarnationsgedanken, sondern auch den Gedanken eines Handelns des Sohnes in der Geschichte Jesu zur Folge hat, zwingen mich zu einer Korrektur der 1964 eingenommenen Position. Bestehen bleibt nur, daß zwischen dem menschlichen Handeln Jesu im Zusammenhang seiner irdischen Geschichte und dem Handeln des Gottessohnes in dieser Geschichte deutlich unterschieden und die Beziehung zwischen beiden geklärt werden muß. Natürlich handelt der in Jesus inkarnierte Gottessohn auch durch seine menschliche Tätigkeit hindurch, doch da sein Handeln die Differenz zwischen menschlicher Tätigkeit und Geschick Jesu übergreift, erscheinen auch die irdischen Aktivitäten Jesu in andern Zusammenhängen, als das für die rein historische Betrachtung der Fall ist.

Auch wenn von einem Handeln des inkarnierten Gottessohnes in der Geschichte Jesu und besonders in seinem Sühnetod „für uns" gesprochen werden muß, ist damit noch nicht die Vorstellung von einem dreifachen Amt als König, Priester und Prophet gerechtfertigt. Diese Vorstellung hat primär typologische Bedeutung, indem sie die Erfüllung und Vollendung des alten Bundes in der Geschichte Jesu durch die Vereinigung der drei wichtigsten Ämter des Gottesvolkes in seiner Person zum Ausdruck bringt. Die Vorstellung hat jedoch mehr poetischen als dogmatischen Wert, weil sie kaum als notwendiger Ausdruck des Bedeutungsgehaltes der Geschichte Jesu ausgewiesen werden kann. Ihre Begründung durch die hinsichtlich des prophetischen Amtes historisch fragwürdige[131] Annahme einer für jedes dieser Ämter erforderlichen Salbung, die im Titel des Christos zusammengefaßt sei[132], kann dafür keinen Ersatz bieten.

Die lange Geschichte kritischer Erörterung der Lehre vom dreifachen Amt Christi in der neueren Theologie ist ein deutliches Indiz für die hier vorliegenden Schwierigkeiten. Schon Johann August Ernesti hat 1773 dafür plädiert, den Begriff des Mittleramtes Christi auf seinen stellvertretenden Opfertod zu konzentrieren[133]. Das könnte der Sache nach eine Rückkehr zum mittelalterlichen Typus der Lehre vom Heilswerk Christi bedeuten, abgesehen davon, daß an die Stelle der Bezeichnung „Werk" die des „Amtes" getreten ist. Aber auch wenn man in

---

[131] Vgl. dazu – und besonders zu Calvins Berufung auf Jes 61,1 – die Ausführungen des Vf. in: Grundzüge der Christologie 1964, 219f. Von einer Salbung des Propheten ist nur bildlich, nämlich als Bezeichnung der Geistmitteilung die Rede.

[132] So hinsichtlich des königlichen und priesterlichen Amtes schon Augustin (s.o. Anm.123).

[133] J.A.Ernesti: De officio Christi triplici, in ders.: Opuscula theologica 1773, 1792, 413–438. A.Ritschl: Die christliche Lehre von der Rechtfertigung und Versöhnung I, 2.Aufl. 1882, 522ff. hat gegen Schleiermacher den nicht unbegründeten Vorwurf erhoben, bei seiner Erneuerung des Lehrstücks (Der christliche Glaube, 2.Ausg. 1830, § 102ff.) der exegetisch begründeten Kritik Ernestis nicht gerecht geworden zu sein.

der Einbeziehung anderer Funktionen in das Verständnis des Mittleramtes Christi einen Gewinn sieht[134], bleibt das Schema einer Personalunion dreier Ämter mißlich. Die eindringlichste Kritik daran ist von Franz Hermann Reinhold v. Frank formuliert worden: Sachlich grundlegend sei für das Mittleramt Christi „der Vollzug der heilbringenden Sühnung", auf die sich „die königliche Stellung und Machtübung" Jesu gründe, welche wiederum „sehr wesentlich durch das Wort Christi sich vollzieht"[135]. Die „Nebeneinanderstellung der drei Aemter" jedoch erwecke den falschen Schein „als seien sie drei gleichwertige Stücke eines in sich befassenden Ganzen, eben des officium Christi"[136].

Die reformatorische Lehre vom Mittleramt Christi zur Versöhnung der Welt ist der mittelalterlichen Darstellungsform der Lehre vom Heilswerk des Mittlers insofern überlegen als der Begriff des Amtes den Gedanken der Sendung des Sohnes durch den Vater aufnimmt: Der Sohn tut in Ausübung seiner Sendung zur Versöhnung und Erlösung der Welt nur, wozu er vom Vater gesandt ist. Das bringt der Begriff des Amtes treffender zum Ausdruck als der Gedanke einer satisfaktorischen Einwirkung des Mittlers auf Gott in Vertretung der Menschen. Träger des Versöhnungswerkes ist der Gottessohn, der allerdings in der menschlichen Wirklichkeit Jesu, durch seinen Tod am Kreuz, die Versöhnung wirkt[137]. Ein zweiter Vorzug der Lehre vom dreifachen Amt Christi liegt in dem Gedanken, daß sich im Wirken des Versöhners die Erfüllung des alten Bundes ereignet. Ein dritter Vorzug schließlich besteht darin, daß die versöhnende Tätigkeit des Erlösers nicht eingeengt wird auf seinen Opfertod, sondern sowohl den irdischen Weg seines Zeugnisses für Nähe und Gegenwart der Gottesherrschaft als auch das

---

[134] Das ist das wichtigste Motiv der Theologen gewesen, die am Schema des dreifachen Amtes festgehalten haben wie Schleiermacher (vgl. seine Bemerkung a.a.O. § 102,3) oder I.A. Dorner (System der christlichen Glaubenslehre II/2, 2.Aufl. 1887, 489f. § 109,4). Aber A.Ritschl hat über „die lineare Aufzählung der drei Geschäfte Christi" mit Recht bemerkt, sie habe nur „den Werth, sich des Stoffes vollständig zu versichern, welcher in die Bedeutung Christi als des *mediator salutis* einzuschließen ist" (Die christliche Lehre von der Rechtfertigung und Versöhnung III, 3.Aufl. 1888, 404).

[135] F.H.R.v.Frank: System der christlichen Wahrheit II, 1880, 196 (§ 35). Diese Charakteristik des Sachverhalts verdient den Vorzug gegenüber der Tendenz A.Ritschls, die königliche Tätigkeit Christi im Sinne der „Gründung und Erhaltung der Religionsgemeinde Christi" in den Vordergrund zu rücken (a.a.O. 405), weil einerseits dabei vernachlässigt wird, daß die Verbindung des Messiastitels mit der Person Jesu zwar durch seine Anklage bei den Römern veranlaßt, aber doch erst durch seine Erhöhung begründet ist, und weil andererseits die Ausbildung der Lehre vom Mittleramt sich theologiegeschichtlich nicht zufällig in Verbindung mit der Deutung des Sühnetodes Jesu vollzogen hat: Gerade hier sprechen auch die neutestamentlichen Zeugnisse am deutlichsten von einem Handeln des Gottessohnes in der Geschichte Jesu.

[136] F.H.R.v.Frank a.a.O. 194. Das Schema des dreifachen Amtes nannte Frank „eine jener logisch spaltenden, in Wahrheit unlogischen, Nebeneinanderstellungen ineinanderliegender und organisch verbundener Momente", die „ein Hauptgebrechen" der „älteren Dogmatik" gewesen sei (197).

[137] Das ist das Wahrheitsmoment in den Auffassungen, denen zufolge die Tätigkeit des Mittlers durch seine menschliche Natur vollzogen wird.

Wirken des Erhöhten mit umfaßt, insbesondere das Eintreten des Erhöhten für die Glaubenden mit seinem Opfertod am Kreuz (Hebr 7,25). Allerdings konnte die Tätigkeit des Erhöhten als Priester, König und Prophet nicht als koinzident mit dem Gehalt der irdischen Geschichte Jesu, wie sie sich im Zeugnis des Geistes darstellt, gesehen werden, sondern wurde lediglich unter dem Gesichtspunkt einer objektiv auf jene irdische Geschichte folgenden Phase des Mittleramtes Christi beschrieben, weil überhaupt die Wechselbeziehung zwischen dem Wirken des Erhöhten und dem des Geistes in der altprotestantischen Lehre nicht bedacht worden ist. Dadurch ist der einseitig christologisch orientierte Objektivismus der altprotestantischen Lehre vom Versöhnungsamt Christi bedingt, der sie hinderte, dem früher hervorgehobenen Ineinander von drei zu unterscheidenden Sinnebenen in den urchristlichen Aussagen über das Heilshandeln Christi gerecht zu werden (s.o. 546).

Ist die menschlich-historische Ebene der Geschichte Jesu transparent für die in ihr verborgene Gegenwart des inkarnierten Gottessohnes, wie sie im Lichte der Erhöhung des Gekreuzigten erkennbar wird, dann wird nicht nur die zum königlichen Amt zu rechnende messianische Würde Jesu Christi als schon in seinem irdischen Auftreten verborgen gegenwärtig wahrnehmbar, sondern dann stellt sich auch das Jesus widerfahrene Geschick seiner Hinrichtung als Tat der Selbstaufopferung des in dieser Geschichte handelnden inkarnierten Gottessohnes zur Versöhnung der Welt dar. Eben das aber ist der Inhalt der Tätigkeit des Erhöhten, der durch das Wort des Evangeliums und in der Kraft des Geistes seine Herrschaft über die Welt ausübt, indem er dem Evangelium Glauben verschafft, allen Widerstand dagegen zuschanden werden läßt, die Glaubenden sammelt und so dem Reich des Vaters in der Welt den Weg bahnt, wie er bereits in seinem irdischen Wirken die kommende Gottesherrschaft bei den Glaubenden schon Gegenwart werden ließ. Man mag die Antizipation der Zukunft Gottes im Wirken des irdischen wie auch des erhöhten Christus[138] als die Prophetie Jesu Chri-

---

[138] Martin Kähler hat den hier als Antizipation der Zukunft Gottes bezeichneten Sachverhalt durch den Gedanken einer *Bürgschaft* des Erhöhten als des neuen Adam für die „allseitige Erneuerung" des Lebens der Menschheit ausgedrückt (Die Wissenschaft der christlichen Lehre von dem evangelischen Grundartikel aus im Abrisse dargestellt (1883) 2.Aufl. 1893, 360 § 439). Vgl. schon o. 459f. Kähler nahm hier einen von Daniel Schenkel in Auseinandersetzung mit dem hegelianischen Begriff der *Aufhebung* eingeführten Terminus auf (D.Schenkel: Die christliche Dogmatik vom Standpunkte des Gewissens aus dargestellt, II/2 1859, 857; vgl. davon K.-H.Menke a.a.O. 148f.). Schenkel hatte dabei schon ausdrücklich das antizipatorische Moment im Versöhnungstod Christi betont (a.a.O. 861f., zit. bei Menke 149). Bei Kähler hingegen wird das Gewicht allzu einseitig auf die Person Christi im Unterschied zum Geist konzentriert: „Die bürgende Vertretung der Menschheit durch den sie zusammenfassenden andern Adam macht dieselbe für die Einwohnung Gottes im Geiste fähig, und der zu gottheitlicher Geistigkeit vollendete Gottmensch wirkt in das persönliche Leben der Menschheit hinein durch Gott den Geist" (363 § 443). Die hier vorgetragene, sonst in vieler Hinsicht Kähler nahestehende Interpretation des Begriffs der Versöhnung weicht an dieser Stelle besonders signifikant von

sti bezeichnen[139], vorausgesetzt, daß dabei die Besonderheit der eschatologischen Verkündigung Jesu im Unterschied zu aller vorausgegangenen Prophetie berücksichtigt wird: Inhalt dieser Prophetie ist allein die Nähe Gottes. Darum wird ihre Erfüllung schon Gegenwart bei dem, der ihrer Ankündigung Glauben schenkt. In diesem Sinne ist auch in der Verkündigung des Evangeliums von Jesus Christus er selber gegenwärtig wirksam als der, in welchem Gott gegenwärtig ist. So verstanden läßt sich die Verkündigung der Kirche als ein Handeln des erhöhten Christus selber, das Wort ihrer Verkündigung als sein eigenes oder vielmehr Gottes Wort auffassen (vgl. 1.Thess 2,13)[140]. Kriterium dafür bleibt freilich die Geschichte Jesu, in der und durch die solche Gegenwart Gottes und seiner Herrschaft bei den Menschen stattfindet. Wo aber solches geschieht, da geschieht es nicht wegen der Autorität der Kirche und ihrer Verkündigung, sondern aus der Kraft des Geistes, der in den Herzen der Menschen die Wahrheit Gottes in seinem Evangelium und damit auch die Herrlichkeit und Herrschaft des erhöhten Christus bezeugt.

c) Die Vollendung der Versöhnung im Geist

In der Geschichte der Versöhnung der Welt mit Gott geht es um die Verwirklichung der durch die Sünde zerbrochenen Gemeinschaft der Menschen mit ihrem Schöpfer, der Quelle ihres Lebens. Dabei soll die geschöpfliche Selbständigkeit der Menschen nicht beseitigt, sondern im Gegenteil erneuert werden: Beseitigt wird sie durch die Knechtschaft der Sünde und durch den Tod, so sehr auch die Sünde den Menschen darüber täuschen mag durch Vorspiegelung einer durch sie zu erlangenden Autonomie in vermeintlichem Vollbesitz des Lebens. Wenn nun aber die Versöhnung des Menschen mit Gott ihn in der Selbständigkeit seines Daseins erneuern, zu wahrer Selbständigkeit allererst befreien soll, dann kann sie nicht nur vom Vater ausgehen und durch die Sendung des Sohnes in die Welt vollbracht werden. Sie muß vielmehr auch auf seiten des Menschen zustande kommen.

Das ist exemplarisch in dem Menschen Jesus von Nazareth geschehen.

Kähler ab. Indem der Sachverhalt durch den Begriff der Antizipation beschrieben wird, bleibt Raum für die Angewiesenheit des Sohnes auf das eigenständige Wirken des Geistes.

[139] Vgl. die Ausführungen zu diesem Thema bei K.Barth KD IV/3, 52ff. Auch M.Kähler sprach schon von einer „Prophetie des Versöhnungswerkes" Christi (a.a.O. 360 § 440, vgl. 357 § 435).

[140] An dieser Stelle ist meine Darstellung in Grundzüge der Christologie, 1964, 225 korrekturbedürftig: Die Verkündigung des Evangeliums durch die Kirche sollte sicherlich nicht in der Weise „als Teil des prophetischen Amtes" Christi behandelt werden, daß die Predigt der Kirche mit dem prophetischen Amt Christi „unterschiedslos vereinerleit" wird. Aber sie dient doch der Herrschaft des erhöhten Christus, der, soweit die Verkündigung dem Evangelium entspricht, selber in ihr und durch sie wirksam ist.

Indem er gerade durch seine Selbstunterscheidung vom Vater mit ihm vereint ist als der Sohn, versöhnt er in seiner Person stellvertretend die Selbständigkeit der Menschen und aller Kreatur mit Gott. So ist er der Mittler zwischen Gott und den Menschen (1.Tim. 2,5), und er ist es durch seinen Tod, da einerseits die Annahme des Todes die äußerste Konsequenz der Selbstunterscheidung des Sohnes vom Vater war, andererseits aber dadurch nicht nur der Ehre Gottes, sondern auch dem Dasein der andern Menschen neben Jesus Raum gegeben wurde.

Doch wie können die übrigen Menschen der durch die Inkarnation des Sohnes in Jesus Christus und durch seinen Tod exemplarisch vollbrachten Versöhnung teilhaftig werden? Das ist nur so möglich, daß sie Aufnahme finden in die Gemeinschaft des in Jesus Christus Mensch gewordenen Sohnes mit dem Vater (vgl. Gal 3,26f.; 4,5; Röm 8,14f.), aber nicht nur im Sinne eines ihnen von außen widerfahrenden Geschehens, sondern als Befreiung zu ihrer eigentlichen Identität, obwohl nicht aus eigener Kraft. Das geschieht durch den Geist. Denn durch den Geist widerfährt die Versöhnung mit Gott den Menschen nicht mehr nur von außen, sondern sie gehen selber auf sie ein.

Wie die Selbsthingabe des Sohnes zur Versöhnung der Welt und sein Dahingegebenwerden durch den Vater ein und dasselbe Geschehen und einen einzigen Handlungsablauf bilden, so sind auch das Wirken des erhöhten Christus und das des Geistes in den Menschen als unterschiedene Momente des einen Gotteshandelns zur Versöhnung der Welt zu begreifen.

Das läßt sich zunächst biblisch-exegetisch daran zeigen, daß das Wirken des Geistes und das des erhöhten Kyrios bei Paulus – aber auch in der Darstellung des Johannesevangeliums – als weitgehend parallel und hinsichtlich ihrer Inhalte austauschbar erscheinen[141]. So konnte Paulus dazu aufrufen, im Geiste zu wandeln – oder dazu, den Herren Christus anzuziehen: Der Sache nach handelt es sich beidemal um dasselbe. Daß der Geist Gottes in den Glaubenden wohnt (Röm 8,9), wird im nächsten Satz als ein Haben des Geistes Christi ausgedrückt, und unmittelbar anschließend heißt es: „Wenn aber Christus in euch ist ..." (Röm 8,10). Die hier vorausgesetzte Identität von Christus und Geist wird 2.Kor 3,17 ausdrücklich ausgesprochen: „Der Herr ist der Geist", und dieser Satz steht am Ende des Abschnitts, der den Dienst der apostolischen Verkündigung als Dienst des Geistes (3,8) dem alttestamentlichen Dienst des Buchstabens gegenüberstellt. Paulus konnte also seine ganze Verkündigung als vom Wirken des Geistes erfüllt verstehen, und das besagt wieder nichts anderes, als daß Christus selbst durch den Apo-

---

[141] Siehe dazu I.Hermann: Kyrios und Pneuma, 1961, sowie den Artikel von E.Schweizer in ThWBNT VI, 1959, 394-449. Dort heißt es 441 vom Johannesevangelium: „Wie von Jesus (14,20), so wird auch von ihm (d.h. vom Geist) gesagt, daß er in den Jüngern ist (14,17). Diese, aber nicht der κόσμος, erkennen ihn (14,17) wie Jesus (16,3). Beide sind vom Vater gesandt (14,24.26) und gehen von ihm aus (16,27; 15,26), lehren (7,14; 14,26), bezeugen (8,14; 15,26), überführen den Kosmos der Sünde (3,18-20; 16,8-11), reden dabei aber nicht von sich aus (14,10; 16,13)."

stel spricht (2. Kor 5,20, vgl. 2. Kor 2,17 und 12,19; 13,3). Der Geist wirkt die Gerechtigkeit in uns, indem er den Glauben an die Botschaft von Christus wirkt. 1. Kor 6,11 erscheint beides nebeneinander: Wir sind gerecht geworden „durch den Namen unseres Herrn Jesus Christus und den Geist unseres Gottes". Auf den Geist wird die Gerechtigkeit des Glaubens also ebenso zurückgeführt wie an anderer Stelle auf das Blut Christi (Röm 5,9). Das ist nicht erstaunlich, wenn durch den Geist Christus selbst uns gegenwärtig ist, und zwar mit dem Erhöhten auch sein irdisches Geschick. Paulus kann daher den Abendmahlskelch auch als Trank des Geistes bezeichnen (1. Kor 12,13: alle sind getränkt mit *einem* Geist). Durch den Geist wird die im Kreuzestod Jesu Christi von Gott her geschehene Versöhnung bei ihren Empfängern, den zu versöhnenden Menschen realisiert. Daher konnte Paulus schreiben, daß wir durch unsern Herrn Jesus Christus „jetzt" die Versöhnung empfangen haben (Röm 5,11), die Gott im Tode seines Sohnes vollbracht hat. Dabei handelt es sich nicht etwa nur um die nachträgliche Aneignung der *Frucht* des einmaligen Versöhnungsgeschehens im Tode Jesu. Vielmehr werden die Glaubenden durch die Taufe in den Tod Christi selbst hineinversetzt (Röm 6,3)[142]. Das aber geschieht durch den Geist; denn: „Durch ein und denselben Geist sind wir alle zu einem Leibe getauft" (1. Kor 12,13), und unmittelbar darauf heißt es: „Wie sind alle mit ein und demselben Geist getränkt worden". Durch die Kraft des Geistes also werden die Christen in den Leib Christi eingegliedert (vgl. 1. Kor 6,17), der selber durch seine Auferweckung pneumatische Realität ist (1. Kor 15,45), und so werden sie in ihm Empfänger der in seinem Tode gewirkten Versöhnung.

Der Geist hebt die Menschen über ihre eigene Endlichkeit hinaus, so daß sie im Glauben an dem teilhaben, was außer ihnen ist, nämlich an Jesus Christus und an dem in seinem Tode von Gott vollbrachten Geschehen der Versöhnung. Der Glaubende ist ekstatisch außer sich, indem er bei Christus ist (Röm 6,6 und 11). Dadurch – und nur so – ist umgekehrt auch Christus in ihm (Röm 8,10)[143]. An solcher Ekstase ist nichts Unnatürliches, da vielmehr das geistige Leben des Menschen seiner Grundverfassung nach ekstatisch ist und darin in seiner besonderen Weise die Eigenart des Lebendigen überhaupt realisiert (s.o. 225ff.). Das menschliche Bewußtsein ist im Vollzug seiner Fähigkeit, beim andern seiner selbst zu sein, durch und durch ekstatisch strukturiert, und gerade so ist es vom Geist belebt. Als Selbstbewußtsein weiß es sein Sein beim andern und ist darum seinem Wesen nach in seinem andern bei sich selbst, weil eben das Sein beim andern sein Wesen bestimmt. Nicht alles Außersichsein freilich läßt den Menschen, indem es ihn über seine Besonderheit erhebt, zugleich in höherem Sinne zu sich selbst

---

[142] Darum gehören für Paulus Versöhnung und Rechtfertigung auf das engste zusammen. Vgl. zu Röm 5,9f. oben 444f., sowie die dort Anm. 5 zit. Arbeit von C. Breytenbach, aber auch schon die Ausführungen von W. G. Kümmel: Die Theologie des Neuen Testaments nach seinen Hauptzeugen, 1969, 181 ff.

[143] Diese Struktur des Glaubens und ihre Bedeutung für die Rechtfertigungslehre wird im dritten Band (Kapitel 13) noch genauer beschrieben werden.

kommen. Die Menschen können dadurch auch von sich selbst entfremdet werden, nicht nur in extremen Rauschzuständen der Selbstvergessenheit oder wo jemand durch Wut und Raserei außer sich gerät, sondern auch in den Phänomenen der Hörigkeit oder Verfallenheit, die sich strukturell auf die von Augustin beschriebene Grundform der Konkupiszenz zurückführen lassen. Andererseits kann Selbstvergessenheit auch höchste Selbsterfüllung bedeuten, wenn nämlich der seiner selbst Vergessende darin ganz dem hingegeben ist, was Inhalt seiner Bestimmung als Mensch und Person ist. So verhält es sich im Falle des Glaubens an Jesus Christus. Im ekstatischen Sein bei Jesus Christus ist der Glaubende nicht einem andern hörig, weil Jesus als Sohn des Vaters seinerseits der ganz Gott und darum auch den andern Menschen hingegebene Mensch ist. Indem der Glaubende durch den Geist bei Jesus ist, nimmt er an der Sohnesbeziehung Jesu zum Vater und an der von der Schöpfergüte des Vaters ausgehenden Bejahung der Welt, an seiner Liebe zur Welt teil. Darum ist der an Jesus Glaubende nicht sich selbst entfremdet; denn er oder sie ist mit Jesus bei dem Gott, der der Ursprung des eigenen endlichen Daseins jeder Kreatur und ihrer besonderen Bestimmung ist. Deshalb bedeutet das Außersichsein durch den Geist im Glauben an Jesus Christus Befreiung nicht nur im Sinne der Erhebung über die eigene Endlichkeit, sondern so, daß durch solche Erhebung über die eigene Endlichkeit das eigene geschöpfliche Dasein neu gewonnen wird als von seinem Schöpfer bejaht und mit ihm versöhnt, befreit aus der Knechtschaft der Welt, der Sünde und des Todes zu einem Leben in der Welt aus der Kraft des Geistes.

Werden die Glaubenden also durch den Geist ekstatisch über sich hinausgehoben, um durch den Glauben „in Christus" zu sein, so bedeutet das doch nicht, daß sie im Sinne einer Einigungsmystik mit Christus oder gar durch ihn mit Gott so verschmelzen, daß sie gar nicht mehr ihrer Unterschiedenheit von Christus und von Gott gewahr wären. Vielmehr weiß der Glaubende sehr wohl sein eigenes Dasein von Jesus Christus, an den er glaubt, verschieden, obwohl er durch den Glauben mit ihm vereint ist. Gerade zur Einheit mit Christus im Glauben gehört das Wissen um die Unterschiedenheit des eigenen Daseins von ihm, dem „Haupt", unabdingbar hinzu, ebenso wie der Glaubende, der „in Christus" an Jesu Sohnesverhältnis zum Vater teilnimmt, sich darin mit Jesus von Gott unterscheidet. Solche Selbstunterscheidung von Gott ist, wie im 10. Kapitel gezeigt wurde[144], Bedingung der Gemeinschaft Jesu selbst mit dem Vater und Grund seiner eigenen Gottessohnschaft. Darin besteht der Gegensatz Jesu zum ersten Adam, der sein wollte wie Gott und darüber sowohl den über alle seine Geschöpfe unendlich erhabenen Gott als auch sein eigenes geschöpfliches Leben verlor. Der Glaubende nimmt an der Sohnesbeziehung Jesu zum Vater und darum auch

---

[144] S.o. 415ff.

an seiner Selbstunterscheidung von dessen Gottheit teil, die definitiv in der Menschwerdung des Sohnes verwirklicht ist. Zu solcher Teilnahme an der Sohnschaft Jesu gehört auch, daß sich die Glaubenden unterschieden wissen von Jesus nicht nur als einem andern Menschen, sondern als demjenigen, der allein in Person der Sohn des Vaters ist. Gerade im Wissen um solche Unterschiedenheit und also durch Annahme der eigenen Kreatürlichkeit nehmen die Glaubenden „in Christus" an seiner Sohnschaft im Verhältnis zum Vater teil. Anders gesagt: Die Teilnahme an der Sohnesbeziehung Jesu zum Vater befreit die Glaubenden zur Unmittelbarkeit im Verhältnis zu Gott als ihrem Vater, und diese Unmittelbarkeit zu Gott will in der Besonderheit des je eigenen menschlichen Lebensvollzugs gelebt sein.

Zu solcher Selbstunterscheidung von Jesus, der in Person der ewige Sohn des Vaters ist, werden die Glaubenden wiederum fähig durch den Geist; denn der Geist selbst unterscheidet sich vom Sohne, indem er nicht sich selbst, sondern Jesus als den Sohn des Vaters und den Vater als in seinem Sohne offenbar verherrlicht[145]. Der Geist, der selber Gott ist, bringt mit sich die Gemeinschaft mit Gott, aber doch nur so, daß er sich seinerseits – und damit alle diejenigen, deren Herzen er erfüllt und zu Gott erhebt – vom Vater und vom Sohne unterscheidet. Auch das ekstatische Wirken des Geistes führt nicht darüber hinaus, daß die Selbstunterscheidung von Gott Bedingung jeder Gemeinschaft mit ihm ist. Sie befähigt dazu, sich solcher Unterschiedenheit im Frieden mit Gott zu erfreuen.

> Unterscheidung und Selbstunterscheidung des Geistes vom Sohne sind in aller Deutlichkeit erst im Johannesevangelium ausgesprochen worden, obwohl auch bei Paulus Christus und der Geist nicht schlechthin identisch[146] sind. Im Johannesevangelium kündigt Jesus das Kommen des Geistes als des παράκλητος an (14,26). Er wird erst kommen, wenn Jesus von den Seinen geschieden ist (7,39; 16,4). Aber während Jesus nur kurze Zeit bei ihnen weilte und erst mit der Endvollendung wiederkehren wird (13,33; 14,3; 16,4; 17,24), soll der Geist immer bei ihnen bleiben (14,16). Vor allem aber ist der Geist dadurch von Jesus unterschieden, daß erst er den Jüngern die wahre Bedeutung Jesu enthüllt (14,26; 16,13), indem er sie an alles erinnert, was Jesus gesagt hat (14,26) und ihn „verherrlicht" (16,14)[147].

Obwohl Jesus selbst vom Geiste Gottes erfüllt war, sollten seine Jünger erst nach Jesu Fortgang den Geist als bleibende Gabe empfangen. Durch seine Abwesenheit werden sie in die Lage versetzt, *selbständig* in der Demut

---

[145] Siehe dazu Bd. 1, 341f.

[146] E. Schweizer betont, es handle sich sogar in 2. Kor 3,17 nicht um „die Identität zweier personaler Größen" (a.a.O. 416), sondern vielmehr um „die Art und Weise, in der der κύριος seiner Gemeinde gegenwärtig wird" (432), sowie andererseits um dessen eigne „Existenzweise" (416).

[147] Vgl. W.G. Kümmel: Die Theologie des Neuen Testaments nach seinen Hauptzeugen, 1969, 278ff.

und Niedrigkeit Jesu seine Herrlichkeit zu erkennen und dadurch selber in ihrem eigenen Leben mit Gott versöhnt zu werden, indem sie den Weg Jesu als paradigmatisch für ihren eigenen annehmen. Darum sagt der johanneische Christus, es sei für die Seinen gut, daß er von ihnen gehe (Joh 16,7); denn dadurch gelangen sie zur Selbständigkeit eines eigenen Verhältnisses zum Vater, indem sie die Herrlichkeit des Sohnes im Leiden und Sterben Christi wahrnehmen. Dann kann kein Schmerz der Endlichkeit sie mehr trennen von dem Gott, der seinen eigenen Sohn am Kreuze sterben ließ zur Sühne für die Sünde der Welt, der aber auch im Tode seines Sohnes sich zu ihm bekannte. So wird durch den Geist die Versöhnung der Menschen mit Gott vollendet, indem er sie durch den Glauben an Jesus Christus dazu befähigt, ihr eigenes endliches Dasein vor Gott anzunehmen.

5. Das Evangelium

Nicht in sich selber, sondern im andern seiner selbst ist der Geist bei sich selbst[148]: Das Bewußtsein, mit Gott versöhnt zu sein, findet der Christ nicht aus sich selber, sondern durch den Glauben an Jesus Christus. Er gewinnt es, indem der Geist ihn lehrt, in Jesus den Sohn des himmlischen Vaters zu erkennen. An dessen Sohnschaft teilzunehmen, ist die Bestimmung auch des Glaubenden und die Quelle seiner Freiheit. Solche Erkenntnis ist keine deutende Zutat, die die Subjektivität des Glaubenden an die geschichtliche Wirklichkeit Jesu äußerlich heranträgt. Sie entfaltet nur die Bedeutsamkeit, die der Geschichte Jesu von ihr selber her eignet: Die Versöhnung der Welt ist schon geschehen im Tode Christi (2.Kor 5,19), obwohl sie doch erst durch den Geist in den Glaubenden vollendet wird. Sie ist antizipiert in der Bedeutsamkeit der Geschichte Jesu, insofern diese die ganze Menschheit angeht. Doch diese Bedeutsamkeit bedarf der Entfaltung und muß allen Menschen tatsächlich nahegebracht werden. Das geschieht durch die Missionsbotschaft der Apostel und der Kirche. Dabei verkündigt der Apostel nicht nur die im Tode Christi schon geschehene Versöhnung, sondern diese Verkündigung gehört selber mit zum Vollzug der Versöhnung; denn „an Christi statt" bittet der Apostel: „Lasset euch versöhnen mit Gott" (2.Kor 5,20).

Der apostolische „Dienst der Versöhnung" (2.Kor 5,18) besteht in der Verkündigung des Evangeliums. Denn das Evangelium ist die Botschaft von Christus, in der Jesus Christus selbst zur Sprache kommt (2.Kor 2,12; 9,13; 10,14). Und weil in Christus Gott gehandelt hat, konnte Paulus auch vom „Evangelium Gottes" sprechen, das er verkünde (1.Thess 2,2 u. 8; 2.Kor

---

[148] Diese an Hegel anklingende und sicher nicht ohne ihn denkbare Formulierung hat doch einen andern Sinn als bei Hegel. Denn bei ihm hat der Geist kein anderes. Vgl. vom Vf.: Der Geist und sein Anderes, in D.Henrich und R.-P.Horstmann (Hgg): Hegels Logik der Philosophie. Religion und Philosophie in der Theorie des absoluten Geistes, 1984, 151-159.

11,7; Röm 1,1 u.ö.). Inhalt dieser frohen Botschaft ist das „Wort der Versöhnung" (2.Kor 5,19)[149]. Wenn in der programmatischen Aussage von Röm 1,15-17 das Evangelium als „Gottes Kraft" zur Rettung der ihm Glaubenden beschrieben wird, in der Gottes Bundesgerechtigkeit offenbar wird, so entspricht dem die Aussage von 2.Kor 5,20f., derzufolge Gottes Gerechtigkeit dadurch erfüllt wird, daß wir uns mit ihm durch den stellvertretenden Sühnetod Jesu Christi versöhnen lassen.

Bezeichnet so bei Paulus das Wort „Evangelium" die apostolische Missionsbotschaft von Jesus Christus, dem Gekreuzigten und Auferstandenen, in dessen Tod Gott die Welt mit sich versöhnt hat, so findet sich im Neuen Testament daneben noch ein auf den ersten Blick ganz anderer Gebrauch des Begriffs. Als „Evangelium Gottes" wird nämlich bei Markus die Botschaft Jesu selbst bezeichnet (Mk 1,14), und darauf dürfte auch der Name „Evangelium" für die zusammenfassenden Darstellungen der Jesusüberlieferung zurückgehen[150].

Man hat früher vermutet, daß der Ausdruck „Evangelium" im Urchristentum von Paulus ausging und vom paulinischen Sprachgebrauch auf die Botschaft Jesu, sowie auf seine Geschichte (so Mk 14,9) übertragen worden sei[151]. Der Ursprung dieses Begriffs dürfte jedoch in der alttestamentlichen Prophetie liegen, nämlich in der Gestalt des eschatologischen Freudenboten: „Siehe auf den Bergen die Füße des Freudenboten, der Heil verkündet" (Nah 2,1). „Wie lieblich sind auf den Bergen die Füße des Freudenboten, der Frieden verkündet, gute Botschaft bringt, der Heil verkündet und zu Zion spricht: Dein Gott ward König" (Jes 52,7)[152]. Bei Deuterojesaja besteht der zentrale Inhalt der Freudenbotschaft in der Kunde vom Anbruch der Königsherrschaft Gottes, und zwar in dem Sinne, daß Gott seine Herrschaft

---

[149] Zwar verbindet Paulus nirgends ausdrücklich das Evangelium mit der Versöhnung zu einem formelhaften Ausdruck wie in der Wendung vom Evangelium Christi. Aber das „Wort der Versöhnung" von 2.Kor 5,19 ist doch unzweifelhaft identisch mit dem Evangelium, mit dessen Verkündigung der Apostel nach Röm 1,1 betraut worden ist, ebenso wie mit dem „Wort vom Kreuz" (1.Kor 1,18). Die Sätze über den apostolischen Dienst der Versöhnung 2.Kor 5,18-21 bilden nämlich den Höhepunkt der in 2,14 beginnenden Ausführungen über den apostolischen Verkündigungsdienst (die *diakonia tou pneumatos*, 3,8), die von dem 2,12 gefallenen Stichwort *euaggelion tou Christou* ausgehen.

[150] Das Markusevangelium beginnt mit dem Satz: „(Dies ist der) Anfang des Evangeliums Jesu Christi" (Mk 1,1). Man kann auch übersetzen: „Anfang des Evangeliums *von* Jesus Christus", und so verstanden ist Mk 1,1 zum Ausgangspunkt der Bezeichnung einer literarischen Gattung, nämlich der Evangelienliteratur, geworden. Man wird den Genitivausdruck aber auch so verstehen müssen, daß es sich um das von Jesus selbst verkündete Evangelium handelt (s. z.B. J. Schniewind: Das Evangelium nach Markus (1933) 6.Aufl. 1952, 43). Das ergibt sich schon aus 1,14. Dann besagt Mk 1,1, daß die Verkündigung Jesu ihren Ausgang nahm vom Wirken des Täufers, von dem gleich anschließend die Rede ist (1,4ff.).

[151] So E.Lohmeyer: Das Evangelium des Markus, 11.Aufl. 1951, 29 Anm.4. Anders schon Th.Zahn: Einleitung in das Neue Testament II (1900), 3.Aufl. 1924, 169f.

[152] Siehe dazu P.Stuhlmacher: Das paulinische Evangelium I. Vorgeschichte, 1968, 116ff.

schon angetreten hat. Die Nähe zum zentralen Thema der Botschaft Jesu, das Mk 1,15 als Inhalt des von Jesus verkündeten Evangeliums genannt wird, ist frappierend, obwohl bei Jesus die Gottesherrschaft aus ihrer Zukunft heraus noch im Anbrechen ist. Daß der Anbruch der Gottesherrschaft Heil bedeutet, kommt auch Jes 61,1f. zum Ausdruck, in dem Wort also, das nach Lk 4,18f. die Grundlage der Predigt Jesu in Nazareth zu Beginn seiner öffentlichen Verkündigung bildet: „Der Geist des Herrn ist auf mir, weil er mich gesalbt hat, um den Armen frohe Botschaft zu bringen. Er hat mich gesandt, Gefangenen ihre Freilassung zu verkündigen, und Blinden, daß sie sehen können, Mißhandelte in Freiheit zu entlassen und ein Gnadenjahr des Herrn auszurufen" (vgl. auch Mt 11,5). Da die Gestalt des eschatologischen Freudenboten auch sonst im jüdischen Leben der Zeit Jesu eine Rolle gespielt hat[153], ist nicht auszuschließen, daß Jesus seine eigene Botschaft in Entsprechung zu der des deuterojesajanischen Freudenboten verstanden hat[154]: Wenn er auch das Reich Gottes als nahe Zukunft ankündigte, so doch als in seinem eigenen Wirken und mit der Aufnahme seiner Botschaft bei den Menschen schon anbrechend, begleitet von den Heilswirkungen, von denen Jes 61,1f. gesprochen hatte.

Der paulinische Begriff des Evangeliums ist dann als das Resultat einer von Jesus selbst und dem unmittelbar daran anschließenden urchristlichen Sprachgebrauch ausgehenden Bedeutungsentwicklung zu verstehen: Für die nachösterliche Gemeinde wurde Jesus zum Inhalt des Evangeliums, weil in ihm die Gottesherrschaft schon Gegenwart und ihr Heil durch ihn zugänglich ist. Das Evangelium Jesu wurde so zum Evangelium von Jesus Christus. Aber noch Paulus konnte wie vielleicht schon Jesus selbst vom „Evangelium Gottes" sprechen. Jedenfalls ist der Anbruch der Gottesherrschaft der ursprüngliche Inhalt des Evangeliums, Anlaß zur Freude, um deretwillen diese Botschaft die „gute Botschaft" heißt. Jesus selbst, der Gekreuzigte und Auferstandene, wurde ihr Inhalt, weil in ihm das Heil des Gottesreiches schon da ist.

Daß diese Botschaft göttliche Kraft zum Heil für die Glaubenden ist, hat Paulus Röm 1,16 damit begründet, daß durch sie die „Gerechtigkeit" Gottes offenbar wird. Diese Gottesgerechtigkeit ist als die Bundesgerechtigkeit des Schöpfers schon der „Anbruch von Gottes neuer Schöpfung", wenngleich die „eschatologische Epiphanie Gottes vor aller Welt" für Paulus noch aus-

---

[153] P. Stuhlmacher a.a.O. 142ff. hat das bes. für die Qumrangemeinde nachgewiesen (Anwendung von Jes 61,1 auf den Lehrer der Gerechtigkeit in 1 QH 18,14).

[154] P. Stuhlmacher selbst hat zurückhaltend geurteilt, es sei „historisch nicht mehr sicher nachzuweisen", ob Jesus sich selbst „einer entsprechenden Ausdrucksweise bedient hat" (a.a.O. 243). U. Wilckens meint hingegen, es müsse jedenfalls damit gerechnet werden, daß „Jesus sich selbst als den deuterojesajanischen Freudenboten verstanden" hat (Exkurs zum Begriff „Evangelium" in: Der Brief an die Römer I, 1978, 75).

steht¹⁵⁵. Insofern steht das Reden des Apostels von der Gerechtigkeit Gottes und ihrem Offenbarwerden durch das Evangelium dem Reden Jesu vom Anbrechen der Gottesherrschaft und ihres Heils sachlich nahe. Die Gerechtigkeit Gottes wird aber nach 2.Kor 5,21 an „uns", den Glaubenden, offenbar, weil wir durch den Versöhnungstod Jesu Christi, den das Evangelium verkündigt, mit Gott versöhnt werden. Durch das Geschehen der Versöhnung also wird an den Glaubenden, die die Versöhnung erlangen, die Bundesgerechtigkeit Gottes offenbar, die Vatergüte des Schöpfers, der seine Geschöpfe nicht dem Verderben überläßt. In diesem Sinne läßt sich der paulinische Begriff des Evangeliums, die Heilsbotschaft von der Versöhnung Gottes mit der Welt durch den Tod Jesu Christi, als sachgemäße Interpretation des ursprünglichen Sinnes dieses Begriffs, der Heilsgegenwart der eschatologischen Gottesherrschaft, in seinem Zusammenhang mit Person und Geschichte Jesu verstehen.

In der dogmatischen Arbeit der Gegenwart hat vor allem Gerhard Ebeling den Zusammenhang des Begriffs Evangelium mit dem Freudenboten Deuterojesajas (bes. Jes 52,7) beachtet und die Entsprechung dazu in der Botschaft Jesu von der kommenden Gottesherrschaft und von ihrem Anbruch schon in seinem eigenen Wirken hervorgehoben¹⁵⁶, nachdem bereits Karl Barth auf die Bezugnahme der Antrittspredigt Jesu in Nazareth (Lk 4,17f.) auf Jes 61,1f. hingewiesen hatte (KD IV/2, 218f.), allerdings nur im Sinne der Erfüllung des dort angekündigten Heils in der Person Jesu¹⁵⁷. Ebeling hat mit Recht betont, daß der Zusammenhang der apostolischen Christusbotschaft mit der Botschaft Jesu selbst gerade im Begriff des Evangeliums zum Ausdruck kommt. Allerdings sieht Ebeling dabei von der unterschiedlichen Bestimmung des Inhalts der frohen Botschaft bei Jesus einerseits und bei Paulus andererseits ab, um lediglich den Charakter als Frohbotschaft in Verbindung mit der Person Jesu als das „sich Durchhaltende" zu bezeichnen¹⁵⁸. Daß das Evangelium „um der Beziehung zu Jesus willen" Frohbotschaft ist, kann aber für die Verkündigung Jesu selbst keinesfalls in gleichem Sinne behauptet werden wie für Paulus. Denn bei Jesus war die Heilsgegenwart der Gottesherr-

---

¹⁵⁵ P.Stuhlmacher: Gerechtigkeit Gottes bei Paulus, 1965, 74ff., bes. 75 und 81.
¹⁵⁶ G.Ebeling: Dogmatik des christlichen Glaubens II, 1979, 93f. Daß allerdings im Vergleich zu Deuterojesaja „das eschatologische Ereignis seinen Schwerpunkt vom Futur in das Perfekt verlegt" habe (95), leuchtet erst für den paulinischen Sprachgebrauch ein, nicht für die Botschaft Jesu selbst, in der vielmehr die Zukunft der Gottesherrschaft den Ausgangspunkt bildete. Von einem perfektischen Akzent ist hier weniger zu reden als bei Jes 52,7.
¹⁵⁷ Daß die Botschaft Jesu der des Freudenboten bei Deuterojesaja gerade darin entspricht, daß sie den Anbruch der Königsherrschaft Gottes im Unterschied zur Person des Boten selbst zum Inhalt hat, war für Barth nicht wichtig (Jes 52,7 wird nicht zitiert). Barth erklärt sogar ausdrücklich, zwischen der Gottesherrschaft und der Person Jesu bestehe kein Unterschied (KD IV/2, 219), was zwar christologisch in bestimmtem Sinne berechtigt sein mag (nämlich im Hinblick auf das Verhältnis des ewigen Sohnes zum Vater), aber für die Verkündigung Jesu nicht zutrifft: Barth übergeht die Selbstunterscheidung Jesu vom Vater, die die unerläßliche Bedingung seiner Gottheit und seiner Identität mit dem Reich des Vaters bildet.
¹⁵⁸ G.Ebeling a.a.O. 93, vgl. auch III, 1979, 290.

schaft in seinem Wirken vermittelt durch die Konzentration auf die Zukunft Gottes, zu der er aufrief, während die Heilsbedeutung der Christusbotschaft des Evangeliums bei Paulus auf der im Tode Jesu vollbrachten Versöhnung der Welt mit Gott beruht. Sieht man von diesen inhaltlichen Differenzen ab, dann bleibt nur noch die abstrakte Vorstellung von einem „Wortgeschehen, das durch Jesus inauguriert und auf ihn bezogen wurde". Dennoch hat Ebeling den Geschehenscharakter des Evangeliums mit Recht betont. Ähnlich hat Edmund Schlink im Anschluß an Paulus hervorgehoben, daß mit dem Zuspruch des Evangeliums Gottes „lebensspendendes Wirken" verbunden ist[159]. In der Tat hat Paulus vom Evangelium als „Kraft Gottes zum Heil für jeden, der ihm glaubt" gesprochen (Röm 1,16), und schon in seinem ersten Brief schrieb er an die Thessalonicher, das Evangelium sei zu ihnen gekommen „nicht allein im Wort, sondern auch in Kraft und im Heiligen Geist und großer Zuversicht" (1.Thess 1,5). So urteilte Schlink mit Recht, das Evangelium sei nicht nur Bekanntmachung der ein für allemal vollbrachten Heilstat in Jesus Christus, sondern der Akt ihrer Verkündigung sei selbst ein Heilshandeln Gottes. Er wies darum die Reduktion des Begriffs auf ein im Ereignis der Verkündigung erfolgendes Heilshandeln ebenso zurück wie die umgekehrte Tendenz zur „Verschiebung von einem effektiven zu einem noetischen Verständnis des Evangeliums", die er beim späten Barth wahrzunehmen glaubte[160]. Es fragt sich aber, worauf die Zusammengehörigkeit des noetischen mit dem effektiven Moment im Begriff des Evangeliums eigentlich beruht. Sie kann nur vom Inhalt des Evangeliums her begründet werden, bei Paulus aus der Eigenart des Versöhnungsgeschehens, das zwar einerseits im Tode Christi schon Ereignis geworden ist, dennoch aber durch den apostolischen Dienst der Versöhnung bei deren Empfängern noch zum Ziele kommen soll.

Die für das Wort des Evangeliums spezifische, in seinem Inhalt begründete Dynamik kennzeichnet bereits Jesu Botschaft von der kommenden Gottesherrschaft, weil durch das Wort ihrer Verkündigung die Gottesherrschaft selbst schon Gegenwart wird für den, der sich auf sie einläßt. Davon unterscheidet sich das apostolische Evangelium insofern, als es von einem schon eingetretenen Ereignis redet: Nicht wie bei Jesus die Zukunft der Gottesherrschaft, sondern das vergangene Geschehen der Geschichte Jesu, besonders das Ereignis seines Todes wird gegenwartswirksam durch das apostolische Evangelium. Das ist allerdings nur darum möglich, weil dieses vergangene Geschehen den Anbruch der eschatologischen Zukunft Gottes in sich enthält. Darum ist die Botschaft von der Auferstehung des Gekreuzigten selber erfüllt von der Geistwirklichkeit des Auferstandenen. Darum ist auch im Falle des paulinischen Evangeliums die seine Verkündigung beseelende und von ihr ausgehende Kraft letztlich darin begründet, daß die eschatologische Zukunft Gottes durch Vermittlung des Inhalts der Botschaft die Hörer ergreift. In der Geschichte Jesu, des Gekreuzigten und Auferstandenen, und durch ihre Verkündigung ist die Heilszukunft wirk-

---

[159] E.Schlink: Ökumenische Dogmatik. Grundzüge, 1983, 421 ff., bes. 424 f. Zitat 425.
[160] E. Schlink a.a.O. 426 f.

sam gegenwärtig auch über den Tod Jesu hinaus durch die Kraft des Geistes, der den Gekreuzigten auferweckt hat und ihn nun durch die Botschaft des Evangeliums verherrlicht (vgl. 2.Kor 3,7ff., 4,4-6). In diesem Sinne spricht und handelt durch das Wort des Evangeliums Jesus Christus selbst, der erhöhte Kyrios[161].

Wenn also die das Evangelium erfüllende Kraft mit der Gegenwart der Zukunft Gottes im Auftreten Jesu und mit der Mitteilung dieser eschatologischen Heilsgegenwart durch den Geist zusammenhängt, der durch das Evangelium zur Erkenntnis des Sohnes in der menschlichen Geschichte Jesu führt, dann darf man sie nicht auf einen allgemeinen Begriff des Wortes Gottes zurückführen, der am alttestamentlichen Verständnis des Gotteswortes orientiert ist[162]. Paulus hat 2.Kor 3,6ff. das Evangelium gerade hinsichtlich der Geisteskraft, die es als eschatologische Botschaft von der in Jesus Christus angebrochenen Heilszukunft Gottes erfüllt und die nach 2.Kor 4,4 von ihrem Inhalt ausstrahlt, abgehoben vom alttestamentlichen Dienst des Gesetzes. Dabei ist das Evangelium auch nicht Korrelat zum Begriff des Gesetzes, so daß es nur „in seiner Relation zum Gesetz zur Sprache kommen will"[163]. Die Gegenüberstellung des Evangeliums zum Gesetzeswort, wie Paulus sie im Galaterbrief vollzogen hat, ist historisch bedingt, insofern mit dem Auftreten der eschatologischen Heilsbotschaft die Zeit des Gesetzes beendet ist (Gal 3,23-25; vgl. Röm 10,4)[164]. Das Evangelium könnte nicht eine neue Epoche der Heilsgeschichte, die Epoche ihrer eschatologischen Vollendung begründen, wenn es nicht seinem Inhalt nach unabhängig wäre von der Geltung des Gesetzes. Das schließt nicht aus, daß der im Gesetz bezeugte Gotteswille seine Verbindlichkeit behält und daß daher das Gesetz des alten Bundes auch in der Epoche des Evangeliums eine Funk-

---

[161] Vgl. dazu U.Wilckens: Der Brief an die Römer 2, 1980, 229 zu Röm 10,17. „Das Evangelium ist das Wort des erhöhten Christus, der vom Himmel her zu allen Völkern spricht. Seine menschlichen Boten vollziehen sozusagen seine eschatologische Wirklichkeit nur nach" (230).

[162] So G.Ebeling: Dogmatik des christlichen Glaubens III, 1979, 251-295, bes. 254f. Das Wort des Gesetzes, das Ebeling eingehend erörtert, um es auf das Wort des Evangeliums zu beziehen, ist auch innerhalb des alttestamentlichen Vorstellungskreises bereits strukturell verschieden von der Vorstellung des machtvoll wirkenden Gotteswortes (Ps 33,9; vgl. Jes 55,11; Jer 23,29), dem das prophetische Wortverständnis nahesteht. Zu den unterschiedlichen biblischen Auffassungen vom göttlichen Wort vgl. Bd. I, 264 und 274ff.

[163] G.Ebeling a.a.O. 290.

[164] So auch G.Ebeling a.a.O. 291f. Aber Ebeling behauptet dennoch eine bleibende Bezogenheit des Evangeliums auf das Gesetz, weil das Gesetz „den Menschen erst in qualifiziertem Sinne zum Sünder macht, ihn also seiner Unwürdigkeit und seines Angewiesenseins auf Gnade bewußt macht" (292). Paulus hat zwar die heilsgeschichtliche Funktion des Gesetzes ähnlich beschreiben können, aber er hat gerade nicht dem Gesetz eine bleibende, auch in der Epoche der Heilsbotschaft noch gültige Funktion der Vorbereitung auf das Evangelium zugeschrieben. Daß Ebeling den Sachverhalt so beschreibt, entspricht zwar den späteren reformatorischen Auffassungen vom Verhältnis von Gesetz und Evangelium, aber nicht dem historischen Sinn der paulinischen Aussagen.

tion, allerdings eine erheblich veränderte Funktion zu erfüllen hat[165]. Für den Begriff des Evangeliums jedoch als Botschaft vom Anbruch der Gottesherrschaft, aber auch im paulinischen Sinne als Inbegriff der apostolischen Missionsbotschaft von Jesus Christus ist die Beziehung zum Gesetz nicht konstitutiv. Wenn das verkannt wird, gerät nicht nur die Eigenständigkeit des neutestamentlichen Evangeliums als Botschaft von der Heilsgegenwart der Gottesherrschaft aus dem Blick, sondern es ergibt sich dann auch leicht eine Einengung seines Bedeutungsgehaltes, sei es im Sinne der Parallele zum Gesetz (als *nova lex*) oder als Korrelat zur anklagenden und tötenden Funktion des Gesetzes: Dann wird der Begriff des Evangeliums eingeengt auf den Zuspruch der Sündenvergebung.

An dieser Stelle ist die kritische Revision eines reformatorischen Schlüsselbegriffs erforderlich, und das ist eine Aufgabe, der sich evangelische Theologie – die doch angeblich alle Traditionsbildung der Schriftautorität unterordnet – nur widerwillig annimmt, wenn sie ihr nicht sogar ganz ausweicht.

In Luthers Vorlesung über den Galaterbrief 1516/17 heißt es zu Gal 1,11, das Evangelium predige die Vergebung der Sünde und die schon vollbrachte, nämlich durch Christus vollbrachte Erfüllung des Gesetzes. „Daher sagt das Gesetz: Bezahle, was du schuldig bist. Das Evangelium aber verkündet: Deine Sünden sind dir vergeben"[166]. Für diese Bestimmung des Inhalts des Evangeliums hat Luther sich ein Jahr zuvor, in seiner Vorlesung über den Römerbrief, auf das von Paulus Röm 10,15 zitierte Wort Deuterojesajas vom Freudenboten (Jes 52,7) berufen: Daß die Heilsbotschaft *amabilis et desiderabilis* sei, das sei eben darin begründet, daß sie den vom Gesetz Geängsteten Vergebung der Sünde zuspreche[167]. Davon ist nun allerdings weder bei Paulus, noch Jes 52,7 die Rede. Paulus ging es Röm 10,14f. um die Notwendigkeit der Sendung zur Verkündigung der Heilsbotschaft als Ermöglichung des Glaubens an den Herrn, der Inhalt dieser Botschaft ist. Der Grund, weshalb diese Botschaft Heilsbotschaft ist, wird dabei nicht unmittelbar genannt, ist aber vorausgesetzt: Wer den Namen dieses Herrn anruft, wird gerettet werden (Röm 10,13). Mit diesem Gedanken ist die ganze komplexe Fülle der paulinischen Vorstellung von der eschatologischen *soteria* verbunden. Bei Deuterojesaja aber besteht der Grund zur Freude im Anbruch der Königsherrschaft Gottes. Es ist zumindest eine sehr spiritualisierende Auslegung, wenn der Inhalt dieser Botschaft zusammengezogen wird auf den Zuspruch der Sündenvergebung. Dabei wurde der Sinn des Evangeliums am Zuspruch der Absolution in der Beichte orientiert, wie diese in der mittelalterlichen Kirche des Westens praktiziert wurde. Darüber geriet in Vergessenheit, daß es sich beim Evangelium um den Anbruch der Königsherrschaft Gottes handelt, die das Heil mit sich bringt. Die Sündenvergebung hebt die Trennung des Menschen von Gott auf. Doch grundle-

---

[165] Dieses Thema wird in Band III, Kap. 12 noch eingehend erörtert werden.
[166] M. Luther WA 57,60: *Ideo vox legis est haec: redde quod debes; evangelii autem heac: remittuntur tibi peccata tua.*
[167] M. Luther WA 56,424,8 ff.

gend dafür ist das Gegenwärtigwerden der Gottesherrschaft im Wirken Jesu. Wo das Heil der Gottesherrschaft ist, da ist alle Trennung von Gott überwunden. Darum folgt aus der Teilhabe an der Gottesherrschaft für den Glaubenden die Vergebung der Sünde ebenso wie das neue Gebot der Liebe. Aber das Heil des Gottesreiches, wie es in den Mahlfeiern Jesu seine Darstellung fand, auf die Sündenvergebung einzuschränken, ist der Botschaft Jesu nicht angemessen und nur aus der Perspektive mittelalterlicher Bußfrömmigkeit verständlich. Auch das Geschehen der Versöhnung, das bei Paulus den Inhalt des Evangeliums bildet, besteht nicht nur im Zuspruch der Sündenvergebung, sondern ist eine Sache von Leben und Tod.

Karl Barth hat sich in seiner Auseinandersetzung mit lutherischen Kritikern, die seine Lehre vom Gesetz als Form des Evangeliums beanstandet hatten, mit Recht gegen die Einengung der Auffassung des Evangeliums auf die „Proklamation der Vergebung der Sünden" gewendet (KD IV/3,427). Allerdings ging es Barth hauptsächlich darum, daß zum Evangelium auch der Anspruch Gottes auf den Menschen und also das „Gesetz des Glaubens" (Röm 3,27) gehöre (vgl. KD IV/1,433-439). Barths Auffassung bewegt sich also ebenso wie die seiner lutherischen Gegner im Rahmen der Frage nach dem Verhältnis von Evangelium und Gesetz, nur daß er dabei das Evangelium als Ursprung auch des Gesetzes deutete. Dabei hat Barth die heilsgeschichtliche Differenz vernachlässigt, die darin besteht, daß das Gesetz zum alten Bund gehört, das Evangelium aber den neuen Bund begründet, und zwar so, daß das Gesetz an sein Ende gekommen ist, wo die eschatologische Heilsbotschaft verkündet wird. Wird das beachtet, dann kann man das Gesetz nicht als „Gestalt" des Evangeliums (KD II/2,564 § 36) bezeichnen (vgl. 567). Dennoch hat Barth richtig gesehen, daß die lutherische Einengung der Auffassung des Evangeliums auf den Zuspruch der Sündenvergebung der Weite seines neutestamentlichen Begriffs nicht entspricht. Richtig ist auch, daß das paulinische Evangelium als Botschaft von der Versöhnung die Inanspruchnahme des Menschen durch die neue Wirklichkeit des Geistes mit einschließt. Nur kann diese nicht mehr im eigentlichen Sinne des Wortes Gesetz heißen. Das „Gesetz des Geistes" Röm 8,2 ist eine andere Größe als die Mosethora, deren Geltung nach Paulus durch das Evangelium heilsgeschichtlich abgelöst worden ist. Barth hat hier gerade dasjenige Moment vernachlässigt, das die lutherische Reformation dazu veranlaßte, den Begriff des Evangeliums im Gegensatz zu seiner traditionellen Deutung als *nova lex* auf den Vergebungszuspruch zu beschränken. Der Gegensatz zum Gesetz, wie Paulus ihn herausgestellt hatte, ist dabei durchaus zutreffend gesehen worden. Nur muß das Evangelium in seiner Differenz vom Gesetz viel umfassender gedacht werden, nämlich vom Thema der Königsherrschaft Gottes her, als Botschaft vom Anbruch ihrer Heilsgegenwart im Auftreten Jesu und von daher dann auch als apostolische Missionsbotschaft von der Auferweckung des Gekreuzigten, deren Inhalt ja ebenfalls die Gegenwart des eschatologischen Heils in ihm und durch ihn ist. Die Sündenvergebung ist darin ein wesentliches Moment, aber doch nur ein Moment. Sie ist begründet und umgriffen duch die Heilsgegenwart Gottes in Jesus Christus. Erst daraufhin gilt mit Luthers Kleinem Katechismus auch umgekehrt: „wo Vergebung der Sünde ist, da ist auch Leben und Seligkeit" (BSELK 520, 29f.).

Zum apostolischen Evangelium als Botschaft von der im Tode Jesu, den Gott auferweckt hat, vollbrachten Versöhnung der Welt mit Gott gehört die Missionstätigkeit, die auf die Begründung von Gemeinden, auf das Entstehen von Kirche zielt. Paulus konnte seine Gemeinde daran erinnern, daß sie aus seiner Verkündigung des Evangeliums bei ihnen hervorgegangen waren (1. Kor 4,15; vgl. 1. Thess 2,2 ff.) und in ihm „festen Stand gewonnen" haben (1. Kor 15,1). Der innere Zusammenhang von Evangelium und Gemeindegründung wird bei einer Reduktion des Evangeliums auf den Zuspruch von Sündenvergebung an den einzelnen verdunkelt[168]. Er erschließt sich aber zwanglos, wenn man davon ausgeht, daß die Gottesherrschaft und ihr Anbrechen in Jesus Christus den Inhalt des Evangeliums bildet. So wird ja auch die Bestimmung des Evangeliums als Botschaft von der Versöhnung der Welt im Tode Christi zu verstehen sein, daß durch den Tod Christi die Welt mit Gott und seiner Herrschaft ausgesöhnt wird, weil die Herrschaft Gottes sich durch den Tod Christi als rettende Liebe für die Menschen erweist. Der Universalität des einen Gottes und seiner Herrschaft als Schöpfer der Welt entspricht es, daß das Evangelium, das bei Deuterojesaja „Zion" und also das alttestamentliche Bundesvolk zum Adressaten hatte (Jes 52,7), nun zur Missionsbotschaft an die „Welt" wird, die durch den Tod Christi mit Gott versöhnt ist und dieser Versöhnung jetzt auch teilhaftig werden soll (2. Kor 5,18 ff.). Es geht dabei um das Reich Gottes unter den Menschen. Weil aber das Reich Gottes seine konkrete Gestalt in der Gemeinschaft der Menschen mit Gott und untereinander findet, darum muß das Evangelium als Botschaft der Versöhnung mit Gott an jedem Ort zur Gründung von Gemeinden führen, die untereinander eine Gemeinschaft bilden, in der die weltumfassende Gemeinschaft des Gottesreiches, auf die das Versöhnungsgeschehen zielt, in vorläufiger und darum zeichenhafter Form zur Darstellung kommt. Die Gemeinschaft der Kirche, die durch das Evangelium begründet wird, ist also Zeichen und vorläufige Darstellungsform der im Reiche Gottes versöhnten Menschheit, auf die das Versöhnungsgeschehen im stellvertretenden Sühnetod Jesu Christi zielt.

Dabei ist das Evangelium der Kirche vorgeordnet und repräsentiert ihr gegenüber die Autorität Jesu Christi, des Hauptes und Herrn der Kirche.

---

[168] Es ist ein Verdienst Martin Kählers gewesen, daß er die Funktion des Evangeliums für die Begründung der Kirche (a.a.O. 373 § 457) als Ausdruck und Verwirklichung der Bedeutsamkeit des Versöhnungsgeschehens in Jesus Christus für die ganze Menschheit (vgl. 363 § 443) herausgearbeitet hat (365f. § 445), obwohl er die enge Begriffsbestimmung von Evangelium im Kern festhielt (367 § 448), wenn auch erweitert durch Einbeziehung der Auferstehungsbotschaft und des „durch die ganze geschichtliche Offenbarung" gegebenen Kontextes. Das entspricht insofern lutherischer Tradition, als das Evangelium nach CA 7 Kriterium für die Grenzen der wahren Kirche und daher auch Bedingung der Einheit der Kirche ist. Doch weder die lutherische Tradition, noch Kähler konnten von der engen Bestimmung des Evangeliumsbegriffs als Zuspruch der Sündenvergebung aus den Zusammenhang von Evangelium und Kirche verständlich machen.

Obwohl das Evangelium in der Kirche und durch ihre Amtsträger verkündigt wird, ist es doch nicht ein Produkt der Kirche, sondern die Quelle ihres Daseins. Das ergibt sich nicht nur daraus, daß die Kirche auf das apostolische Evangelium von Kreuz und Auferstehung Jesu Christi begründet ist, sondern noch eindeutiger daraus, daß das apostolische Evangelium seinen Ursprung in der frohen Botschaft Jesu selbst von der Nähe und dem Anbruch des Heils der Gottesherrschaft hat. Darum ist die Verkündigung des Evangeliums nicht etwas, was im Leben der Kirche nur unter anderem geschieht, sondern das Evangelium ist der Grund, aus dem die Kirche lebt. Die Kirche ist *creatura verbi*.

Darauf beruht auch die Autorität der Bibel in der Kirche und im Gegenüber zur Kirche. Die Schrift repräsentiert der Kirche gegenüber ihren Ursprung im Evangelium und damit in Jesus Christus selbst. Die Autorität der Schrift gründet daher in der des Evangeliums und auf der den Inhalt des Evangeliums ausmachenden Heilsgegenwart Gottes in Person und Geschichte Jesu Christi. Nur insofern, als sie diesen Inhalt bezeugen, haben die Worte und Sätze der Schrift in der Kirche Autorität. Darum ist die Frage nach dem Umfang des biblischen Kanons eine untergeordnete Frage; denn die Kanonentscheidungen der Kirche bringen nur zum Ausdruck, in welchen Schriften die Kirche das ursprüngliche apostolische Zeugnis des Evangeliums faktisch erkannt hat. Die Autorität der Schriften ist daran gebunden, daß und wie sie sich als Zeugnisse für diesen Inhalt erweisen. Die Schriften des Alten Testamentes haben an dieser Autorität teil, insofern sie als Vorbereitung und Weissagung auf die Offenbarung des Gottes Israels in Jesus Christus hin zu lesen sind, die des Neuen Testaments aber, insofern sie das Geschehen dieser Offenbarung und seinen Bedeutungsgehalt bezeugen. Inwieweit das der Fall ist, bleibt nicht nur im Hinblick auf die einzelnen Schriften, sondern auch für jede ihrer Einzelaussagen zu prüfen. Die Autorität der Bibel im Verhältnis zur Kirche enthält also keine Wahrheitsgarantie für die Einzelaussagen der biblischen Schriften. Sie eignet der Bibel nur um des Evangeliums willen, und sie eignet dem Evangelium um der Versöhnung der Welt durch Gott im Tode Jesu Christi willen, den Gott durch seine Auferweckung von den Toten zum Herrn und Messias einer erneuerten Menschheit eingesetzt hat.

Im Hinblick auf die Funktion des Evangeliums im Versöhnungshandeln Gottes an der Welt und im Hinblick auf die Funktion der neutestamentlichen Schriften als Niederschlag und Dokument der apostolischen Verkündigung des Evangeliums, also der „kirchengründenden apostolischen Predigt"[169], läßt sich von der Schrift ebenso wie von der apostolischen Verkündigung sagen, sie sei vom Geiste Gottes inspiriert. Auch diese Aussage über die Inspiration der Schrift ist jedoch keine Wahrheitsgarantie für die Einzel-

---

[169] M. Kähler a.a.O. 369 § 452.

behauptungen der biblischen Texte. Im Gegenteil, die Behauptung der Inspiration der Schrift setzt die Überzeugung von der Wahrheit der Offenbarung Gottes in Person und Geschichte Jesu, von der Gottheit Jesu und dem Handeln des dreieinigen Gottes im Versöhnungsgeschehen des Todes Jesu Christi, in seiner Auferweckung von den Toten und im apostolischen Dienst der Versöhnung bereits als anderweitig begründet voraus[170]. Darum gehört die Aussage über die göttliche Inspiration der Heiligen Schrift und über ihre Autorität in der Kirche an das Ende der Versöhnungslehre und nicht in die Prolegomena zur Dogmatik[171], aber auch nicht erst in die Lehre von der Kirche[172].

Das beschriebene Verhältnis des Evangeliums und damit auch der Heiligen Schrift zur Kirche ist bedeutsam für den Vollzug der Versöhnung, die im Sühnetod des von den Toten auferweckten Messias gründet und der die Verkündigung des Evangeliums dient. Der Vorrang des Evangeliums und der Schrift vor der Kirche dient nämlich der Freiheit des Glaubens und seiner Unmittelbarkeit zu Gott gegenüber aller menschlichen Autorität, auch gegenüber der Kirche und ihren Amtsträgern. So wichtig die Vermittlung des Evangeliums durch den Dienst der Kirche und ihrer Einrichtungen ist, so wenig beruht seine Wahrheit und Autorität auf der Autorität der Kirche. Diese verdankt sich vielmehr ihrerseits der Autorität des Evangeliums. Das Evangelium aber ist unmittelbar mit der Tradition und Geschichte Jesu Christi verbunden. An diesem seinem Inhalt muß die Form seiner Verkündigung immer wieder gemessen werden. An ihm *kann* sie auch gemessen werden, wiewohl der Zugang zu jenem Inhalt erst durch die Verkündigung des Evangeliums und durch den schriftlichen Niederschlag seiner apostolischen Grundform ermöglicht wird. Das gilt auch für das Zeugnis der Schrift. Auch die Schriftaussagen sind an dem durch sie bezeugten Inhalt des Evangeliums zu messen, der durch sie zugänglich, aber dadurch auch von ihnen unterscheidbar wird. Darum schränken die Aussagen über die Autorität der Schrift im Verhältnis zur Kirche keineswegs die Freiheit des eigenen Urteils über den Inhalt des Schriftzeugnisses und über dessen Wahrheit ein, sondern halten im Gegenteil den Raum dafür offen. Denn nur in der freien Erkenntnis und Anerkenntnis der Wahrheit Gottes in der Geschichte Jesu kann die darin begründete Versöhnung Gottes mit der Welt zum Ziele kommen.

---

[170] In Abwandlung eines Satzes von F. Schleiermacher: „Das Ansehen der Heiligen Schrift kann nicht den Glauben an Christum begründen, vielmehr muß dieser schon vorausgesetzt werden, um der heiligen Schrift ein besonderes Ansehen einzuräumen" (Der christliche Glaube, 2. Ausg. 1830, § 128 Leitsatz).
[171] Siehe dazu Bd. I, 38–46, bes. 41 ff.
[172] So hat F. Schleiermacher die Lehre von der heiligen Schrift an den Anfang seiner Darstellung der „wesentlichen und unveränderlichen Grundzüge der Kirche" gestellt (Der christliche Glaube, 2. Ausg. 1830, § 128 ff.).

Register der Bibelstellen

Kursivdruck verweist auf Seiten, wo Bibelstellen bzw. Personen nur in Anmerkungen zitiert sind.

1. Altes Testament

Gen	
1	31, *141*
1,1	42, 53, *140,* 174
1,2	29, 47, 97, 98, 105
1,2f.	132
1,4	*189*
1,6	140
1,6f.	140
1,9	140
1,9f.	140
1,10	140, *189*
1,11f.	140, 141, 142
1,12	154, *189*
1,14	130, *143*
1,14–19	*141*
1,14ff.	140
1,16	*143*
1,18	*189*
1,21	156, *189,* 236
1,22	*142,* 154, *156*
1,24	142, *155,* 236
1,24f.	*141, 142, 156*
1,25	*189*
1,26	156, 235, 238, *240,* 245, 246, 252
1,26f.	208, 217, 233, 234, *236,* 237, 239, 240, 242, 243, 246, 247, 248, *252, 253, 338*
1,27	235, *236,* 247
1,27b	*235*
1,28	*142,* 156, 163, 234
1,29	*141,* 156
1,30	154, 159, 218
1,31	*189*
2,1	56, 129
2,1f.	166
2,2	*189*
2,4 (Vulg)	166
2,4b–3,24	244
2,7	47, 96, 211, 213, 214, 216, 217, 218, 220, 244, 338
2,7c	218
2,9	244, *253*
2,15	139, 235
2,17	*244, 304,* 310, 335
2,19	218, 219
3	302, 419
3,3f.	*304*
3,4ff.	304
3,5	199, 245, 264, 335, 419
3,5f.	245
3,14–19	309
3,15ff.	*118*
3,16–19	244
3,19	*306,* 310
3,22	244, *253*
4,7	314
4,7ff.	302
4,15	273
5,1	246, 248
5,1–3	260
5,1ff.	246
5,3	246, *247*
6,1–4	*127*
6,3	214
6,5	275
6,12	190

6,13–8,22	145
6,17	*190*, 214, 218
6,19f.	157
7,11	140
7,22	218
8,17	*155*
8,21	275
8,22	*87, 143*
9,3	157
9,6	*204*, 228, *235*, 246, 248
9,8–17	50
9,8ff.	252
9,11	*143*
12,7	*395*
14,19	24
17,1	*395*
17,7	251
18,1	*395*
18,2ff.	126
21,17ff.	126
25,8	308
26,24	*395*
31,11ff.	126
35,29	308
46,30	308
50,20	352

Ex

3	*24, 25*
3,2	*395*
3,2ff.	126
3,6	24
4,22	357
6,3	*24, 25*
20,3	25, 369, *370*
20,5	*370*
20,11	190
22,28	*381*
24,10 LXX	106
25,9	*169*
25,17–22	*456*
31,3	97
31,15–17	169
33,21	106
34,10	22
34,14	*370*
35,31	*97*

Lev

4–5	456
16,21f.	456
18,5	303
19,18	373

Num

16,30	57
24,2	*97*

Dtn

4,37–40	363
6,4f.	370, 371, 373
6,14f.	25, *370*
7,11	363
8,21f.	377
11,12–15	50
13,5f.	*381*, 382
14,1	357
17,12	*378, 382*
32,47	303
34,9	216
35,5	357
35,19f.	357

Jos

7,16ff.	*300*
24,31	22

Richter (Ri)

2,7	22
2,10	22
13,21f.	126

1.Sam

10,10	*97*
11,6	*97*
15,22	374
16,14	*215*
19,2	*97*
19,20	*97*

2.Sam

7,13	357
7,14	407

1. Kön

22,20ff.	215

2. Kön

11,18	233

2. Chr

15,1	*97*
24,20	*97*

Neh

9,6	129

Hiob (Hi)

1,6	31, 131
1,13	194
3,13	388
9,12	190
12,10	96
14,12	388
32,8	216, 219
33,4	96, *97*, 214, 219
33,14	*42*
34,14f.	96, 214
38,39–39,30	154
40,10–41,25	154

Ps

2,7	357, 362, 407
4,7	*251*
6,6	305
8,1	*73*
8,6	248
8,6f.	233
8,7ff.	218
13,4	388
19	189
19,2	*73*
29	*27*
29,3	*27*
29,3ff.	*26, 27*
29,10	*27*
33,6	*98*, 129
33,9	*506*
42,2f.	214
47,5	438
47,6ff.	438
51,7	*267*
51,12	275
73,26	252
74,12ff.	26
74,16f.	50
77,12	22
77,12ff.	26
78,11	22
85	*443*
88,6	305
89,6ff.	26
89,27f.	357
90,1	106
92,5f.	22
93	*27*
93,1f.	*27*
93,2	438
96	*366, 438*
96,10	50
96,10ff.	366
97,1ff.	366
97,6	*438*
98	*438*
104	*27*, 96, 154
104,4	125
104,5ff.	26
104,11ff.	154
104,13ff.	50
104,14–30	31
104,21	159
104,27	50
104,29	96
104,29f.	47
104,30	57, 96, 105
106,2	22
107,9	214
111,6	22
115,17	305
136,8f.	50
139,5ff.	106
139,13	31
145,15f.	50
147,8f.	31

Prov

2,6	219

8,22	40	48,12	165
8,22f.	411	52,7	366, 367, *438*, 502, *504*, 507, 509
8,22–31	39		
8,22ff.	239	53	355
16,4	73, *74*	53,3	471
25,25	214	53,3ff.	471
27,7	214	53,4f.	469
		53,12	419, 471
Koh		54,4–6	*26*
7,30	245	55,8f.	130
10,15	*290*	55,11	*506*
12,7	214	61,1	*493*, *503*
		61,1f.	503, 504
Jes		65,17f.	57
1,2	274		
2,2–4	362		
2,3f.	363	Jer	
5,19	21, 22	2,29	274
7,14 (LXX)	359	3,19	357
11,2ff.	362	5,24	50
19,14	215	7,11–14	379
26,19	389	7,11ff.	354
28,21	22	18,6	190
38,18	305	23,29	*506*
40,12–17	*26*	26,6	379
40,21–24	*26*	28,9	377
40,27–31	*26*	31,9	357
41,20	57	31,20	357
42,1f.	363	31,29	389
42,6	363	32,39	275
43,1	57	33,22	129
43,5	*24*	43,6	357
43,10	*24*	45,4f.	31
43,12	57	45,11	357
43,15	57	51,39	388
43,19	26, 57		
44,6	165		
44,24ff.	*26*	Ez	
45,7	26, 31	11,19	275
45,7f.	57	18,2ff.	389
45,9	190	18,20	389
45,12	129	18,23	436
45,18	50	36,26	275
45,22	*24*	37,1–14	389
46,9	*24*	37,5	98
48,6f.	57	37,5ff.	97
48,7	26	37,9f.	98

Dan

2,36–45	168
2,44f.	366
9,24–27	*170, 171*
12,2	*388, 389*

Hos

6,2	403
6,6	374
8,1	274
11,1	357

Am

3,6	31

4,4	274
5,26	233

Mi

4,2f.	363

Nah

2,1	502

Sach

9,9	353
9,9f.	362, *438*
14,9	370

2. Spätisraelitisches Schrifttum

Sap Sal

1,13	244, 252, 313
1,15	252, 253
2,23	236, 244, 252
2,24	244, 252, *304*
7,26	248
8,13	236, 252
8,17	236
9,2	236, 239, *252*
9,2b	*252*
9,9	236, 239
10,1	*247*
11,17	28
15,11	217

Sir

17,3f.	233, *235*
18,1	166
24,3	*216*
24,3ff.	411
24,8	*87*
24,11	*87*
25,24	*304*

IV. Esra

3,7	*304*
6,54	*247*
7,11ff.	*304*
7,31	170
7,32ff.	*390*
7,62–72	304
7,118ff.	*304*

Syr Bar

11,4	388
21,4	*27*
21,24	388
23,4	*304*
30,1	388
48,8	28
50f.	*390*
54,15	*304*
56,6	*304*

äth. Hen (Hen)

46,6	*390*
49,3	388
51,1	*390*
69,11	244
71,15	171
91,10	388
91,11–17	170
92,3	388, *390*
93,1–10	170
100,5	388

2. Makk

7,14	390
7,28	28

Ass. Mosis

10,1 ff.	366

3. Qumran

I QH Frg 3,14 *216*   I QH 18,14 *503*

4. Neues Testament

Mt

3,2	*366*		11,25	416
4,16	312		11,27 (par)	407, 410, 435
5,3 par	442		13	*373*
5,3 ff.	*193*		13,39 f.	116
5,20	368		13,44–46	369, *373*
5,22	374		15,24	351
5,28	374		16,28	286
5,32	374		16,33	369
5,34	374		18,22–35	373
5,39	374		18,23 ff.	373
5,44	374		19,14	442
5,44 ff.	170		22,37 f.	*370*
5,45	371, 416		24,3	116
6,10	368		25,10	442
6,14	373		25,34	169, 368
6,25 f.	50		26,64	354
6,25–27	286		26,65	406
6,26–30	154		26,67 f.	406
6,26 ff.	70		27,25	383
6,27 ff.	50		27,28	384
6,33	286, *352*, 370		27,40–43 (parr)	417
6,45 f.	373		28,8	386, *395*
7,21	368		28,13	*386, 395*
8,11	368		28,13–15	400
8,11 f.	371		28,15	*399*
8,22	*305*		28,18	435
10,6	351		28,19	327
10,23	409		28,20	116
10,29 f.	70			
11,5	503		Mk	
11,5 f.	378		1,1	*502*
11,6	376, 378		1,4 (parr)	351
11,12 f.	368		1,4 ff.	*502*
11,19	372		1,10 f. (parr)	358

1,11 (parr)	408	13,2 (parr)	354, 379, *380*
1,14	*366*, 502	13,30	409
1,15	*352*, 503	13,32 (par)	*432*
1,43f.	376	14	380
2,5	*372*	14,9	502
2,5ff.	372, 376	14,24 (parr)	*463*, 471
2,7	376, 378	14,25	368
2,15 (parr)	372	14,32ff.	486
2,16	376	14,55	381
2,19 (parr)	368, 371	14,55–60	*354*
3,11f.	376	14,55–61	382
3,41	388	14,55–65	380
5,43	376	14,58	379, 382
6,14	*400*	14,61	406
6,16	*400*	14,61f.	353, *354*, 380
7,36	376	14,62 (parr)	354, *377*, 382, 406
8,12 (parr)	*378*	14,63f.	*378*
8,27ff.	*375*, 376	14,64	381, 416
8,29–31	353	15,1	380, 381
8,31 (parr)	403, 462, 485	15,2	353
8,35 (parr)	418, 443	15,26 (parr)	352
9,11	409	15,28	382
9,31	403, 485	16,1	*398*
9,33 (parr)	368	16,1–8	398, 399, *400*
9,47	442	16,2	403
10,14f.	442	16,6	385
10,15	164	16,7	*398*
10,18 (parr)	415	16,8b	*398*
10,23f.	368		
10,23ff.	442	Lk	
10,33 (parr)	485	1,26–38	*409*
10,34 (parr)	403	1,32	358, 409
10,45 (parr)	462, 464, 471	1,35	342, 359, 409
11,1–11	353	1,35b	*409*
11,15–17	353	1,35f.	358
11,15–18 (parr)	*380*	1,79	312
12,1–9	*412*	2,11	488
12,4–6	*412*	3,16f.	*375*
12,6 (parr)	*412*, 416	4,17f.	504
12,18–27	390	4,18f.	503
12,26f.	390	5,35f.	373
12,27	442	6,20	442
12,29f.	*370*	6,22	407
12,31 (parr)	373	6,35	416
12,32ff.	373	7,22 (par)	368
12,33	374	7,23	376
12,34	374	7,47	372

7,48	*372*	22,70	*381*, 416
8,54	388	22,70f.	*406*
9,60	*305*	22,71	*381*
9,62	369	23,56	*398*
10,22	329, 416	24,2b	462
10,23f.	368	24,25f.	462
10,26	*370*	24,27	403
10,30–37	*373*	24,34	*395*
11,2	368	24,39	*386*
11,4	373	24,39ff.	396
11,5ff.	*373*	24,40	391
11,20	369, 378		
11,20 (par)	368	Joh	
11,49ff.	461	1,1	*42*, 174
12,6f.	50	1,1ff.	39
12,8 (parr)	375, 442, 472	1,1b	*43*
12,8f. (parr)	*377*	1,2	*40*
12,22–26	286	1,3	36, 331
12,24–28	154	1,4	388
12,24ff.	50	1,4b	331
12,31	286, 369	1,9	220, 331
13,1–5	*193*	1,10b	39
13,29f.	368	1,11	39, 331, 334, 429
13,34 (par)	461	1,13	334, *341*
13,34f.	383, *412, 461*	1,14	341
14,14	392	2,13–22	*380*
14,15–24	*373*	2,19	379, *388*
14,28f.	*373*	3,3	442
14,31f.	*373*	3,5f.	334
15,1–3	372	3,6	*426*
15,7	371, *372*	3,14	408
15,8f.	371	3,15	388
15,10	*372*	3,16	170, 341, 485
15,11–32	371	3,16f.	488
16,1–13	*373*	3,17	361, 441, 446
16,16 (par)	492	3,18	412
16,19–31	211	3,18–20	*497*
17,18	73	3,36	388
17,20	368, 369	4,14	388
18,1ff.	*373*	4,22	446
18,4–7	371	4,42	488
19,41–44	383	5,17	51, 56
22,37	390	5,17f.	376
22,64	406	5,18	415
22,66	*381*	5,19	415
22,67ff.	354	5,19ff.	435
22,69 (parr)	377, 381, 382, 471, 472	5,22	435

5,26	388	16,7	501
5,29	391	16,7f.	483
5,32	377	16,8–11	*497*
6,38f.	361	16,11	131
6,53f.	388	16,13	439, 483, *497*, 500
6,63	439	16,13f.	327
7,12	377, *381*, 382	16,14	439, 500
7,14	*497*	16,15	439
7,16	377	16,27	*497*
7,18	377	17,1	439
7,39	500	17,2	439
8,13	377	17,4	74, 435, 439
8,14	*497*	17,5	439
8,16ff.	377	17,24	500
8,28	408	18,3	380
8,32	483	18,12	380
8,34ff.	383	18,24	*381*
8,36	483	18,19–24	*381*
8,37	383	18,28	*381*
8,40	383	19,7	378
8,50	377	20,2	400
8,52f.	377	20,12ff.	400
8,53	377	20,13f.	395
9,1ff.	193	20,13ff.	*386*
10,3	378	20,17	390
10,17f.	*388*	20,20	391
10,33	354	20,25ff.	391
11,4	73		
11,11	388	Apg	
11,50	380	2,23f.	385
11,50f.	471	2,36	385, 397
12,31	131	3,15	467
12,32f.	408	3,20f.	*391*
13,33	500	4,10	385
14,3	500	5,30f.	397
14,6	388	5,31	488
14,10	*497*	9	397
14,14	392	9,3	396
14,16	500	17,32	394
14,17	*497*	23,8f.	126
14,20	*497*	24,15	391
14,24	377, *497*		
14,26	439, *497*, 500	Röm	
14,30	131	1,1	502
15,26	439, *497*	1,3f.	353, *407*, *408*, 425, 486
16,3	*497*	1,4	97, 321, 356, 358, 385, 386,
16,4	500		407, 408, 425, 439

1,15–17	502	5,18	301, 444
1,16	503, 505	5,18f.	338, 345
1,18	189	5,19	335, 356, 418, 419, 448, 453, 485
1,18–32	301		
1,20	189, 219, 225	5,21	388
1,21	73, 74, 189, 226	6,3	498
1,21ff.	261	6,3f.	466, 474
1,23	239, 247	6,4	389
1,24	436	6,5	391, 466, 473
1,26	436	6,5ff.	309
1,28	436	6,6	498
2,7	388	6,7	457
3,23	*243*, 247	6,11	498
3,23–26	462	6,13	473
3,25	*453*, 456, 474, *486*	6,22f.	388
3,27	508	6,23	244, 304, 308, 457
4,17	28, 57	7	277
4,25	386, 436, 464, 484, *486*	7,1–4	466
4,26	383	7,1–6	308
5	335, 338	7,2f.	*275*
5,1	*447*	7,4	*477*
5,6	345	7,6	309
5,6f.	464	7,7	275, 276
5,6ff.	335	7,7–11	275
5,8	*486*	7,7ff.	268, 281, 301
5,8–10	335	7,8	275
5,9	444, 498	7,11	301, 303, 304
5,9f.	444, *498*	7,14ff.	268
5,9ff.	459	7,15	290
5,10	*271*, 356, 388, 444, 446, 447, *448*, 452, 453, 454, 455, *458*, 474, 480, 481, 484, 488	7,15ff.	301
		7,17	*275*, 294
		7,20	*275*
		7,22	304
5,11	487, 497	7,23	219
5,12 (Vulg)	290	7,24	206
5,12	244, *267*, 268, 281, *291*, 301, 305, 306, 308, 344	8,2	439, 508
		8,3	315, 341, 357, 361, 412, *413*, 419, 464, 465, 466, 472, 473, 476, 484
5,12–19	334		
5,12–21	*304, 334*, 448		
5,12ff.	*335, 336*, 338, 343, 356, 362, 419	8,3f.	444
		8,9	497
5,13	*271*	8,10	*338*, 497, 498
5,14	471	8,11	97, 439
5,15	334, 356	8,14	357, 358
5,16	345	8,14f.	497
5,17	335, 356	8,15	164, 358, 476, 479
5,17ff.	466	8,16	358

8,16f.	216	8,6	412, *413*
8,19	*118*, 162, 164	10,4	412, *413*
8,19ff.	72, 93, 163, 266	11,7	239, 246, 247
8,20	118, 119, 131	11,7b	247
8,20–22	313	11,8	247
8,21	*118*, 162, *193*	11,24	463
8,21f.	162, 164	11,25	*463*
8,22	131, *193*	12,12ff.	465
8,23	120	12,13	498
8,24	444	12,26	465
8,26	162	15	*304*, 334
8,29	238, *257*, 344, 390	15,1	509
8,30	446	15,2	445
8,32	356, 436, 464, 481, 484, *486*	15,3	464, 469
8,38	127	15,3–7	395
8,38f.	127	15,3ff.	359, *401*
9,20	190	15,4	401, 403
10,4	384, 506	15,5ff.	*395*
10,13	507	15,8	395
10,14f.	507	15,13	393, 405
10,15	507	15,17	385, *472*
10,17	*506*	15,20	*390*
11,1	383	15,22	338, 356
11,11	352, 383	15,24	127
11,15	458, 459	15,26	312
11,17	*60*	15,35–38	306, 394
11,24	*60*	15,42ff.	390, 477
11,25	352	15,44	389, *396*
11,25ff.	130	15,44f.	97
11,32	302	15,44–49	309
11,33	130	15,45	216, 218, 498
11,36	*73*	15,45f.	239, 164
12,2	219	15,45–49	*334, 335*, 338
13,11	409	15,45ff.	120, 190, 239, 247, 334, 338, 343, 356
14,8	308	15,46	338
1.Kor		15,46f.	190
1,10	487	15,47	244, 336
1,13	385	15,49	238, 253, 338, 344, 477
1,18	*502*	15,49ff.	*338*
1,27	136	15,51	409
2,10	*439*	15,51ff.	*257*
2,10f.	216	15,52ff.	245, 310
2,11	216	15,53	338
4,15	509	15,53f.	253
6,11	498		
6,17	498		

2. Kor

1,22	120
2,12	501, 502
2,14	*502*
2,17	498
3	337
3,6ff.	506
3,7ff.	506
3,8	497, *502*
3,17	45, 483, 497, *500*
3,18	238, 239, 247, 344
4,4	*204*, 238, 247, 248, 252, 506
4,4–6	506
4,6	*396*
4,10	388
5,4	388
5,5	120
5,12	501
5,14	452, 466, 473, 475, 477, *486*
5,14f.	471
5,16	480
5,17	345, 347, 466
5,18	466, 484, 490, 501
5,18f.	484
5,18–21	*502*
5,18ff.	458, 509
5,19	445, 447, 448, 450, 451, 455, *486*, 501, 502
5,19f.	459
5,20	458, 474, 487, 498, 501
5,20f.	502
5,21	*447*, 452, 455, 464, 465, 466, 472, 473, 504
6,2	445
8,9	470
9,13	501
10,1	487
10,14	501
11,7	502
12,19	498
13,3	498

Gal

1,1	397
1,4	*486*
1,11	507
1,12	397
1,16	327, 396
1,16b	396
2,9	397
2,20	345, 464, 485, *486*, 490
3,2	440
3,13	384, *455*, 464, *465*, 466, 472
3,20	*450*
3,23–25	506
3,26f.	497
3,27	253
3,28	*247*
4,4	315, 341, 412, 420, 427, *485*
4,4f.	357, 361
4,4–6	483
4,5	476, 497
4,5f.	358, 164
4,6	358
4,19	360
5,5	444
6,8	388

Eph

1,4	169
1,5	476
1,10	39, 47, 76, 81, 93
1,13f.	120
1,21	127
2,2	131
2,5	445
2,8	445
2,9ff.	21
2,12	207
2,14	352
4	253
4,18	207
4,22	303
4,24	242, *243*, 245, *247*, 253
5,2	485, 486
5,9	242
5,23f.	488
5,25	464, 485
5,31f.	260

Phil

1,21	308
2,5–11	*419*

2,6	264, 335	4,14f.	391
2,6–8	470	4,15–17	409
2,6–11	335, 348, 418, 419	5,9f.	444
2,6ff.	412	5,23	215, 238
2,7	419, *420*		
2,7b	*419*	**2. Thess**	
2,7c–8c	*419*	2,10	*303*
2,7f.	360, 420		
2,8	335, 416, 419, *485, 486*	**1. Tim**	
2,8f.	407	1,16	*134*
2,9	397, 420	2,5	449, *491*, 497
2,9–11	321	2,6	464
2,11	420	3,16	386, 406, 425, 439
3,10f.	474	5,6	*305*
3,20	488		
3,20f.	446	**Tit**	
3,21	*257*	2,14	464
		3,4f.	445
Kol		3,4ff.	446
1,15	238		
1,15–17	413	**1. Petr**	
1,15–20	39	1,12	439
1,16	39, 126, *129*	1,20	169
1,17	50	2,21	464
1,18	390	2,24	464
1,20	39, 93	3,18	425, 439
1,21	207	3,19	*127*
1,21f.	448	3,22	127
2,12	474		
3	253	**1. Joh**	
3,9f.	*239*	3,14	*305*
3,9ff.	253	4,2	341
3,10	242, *247*, 253	4,9	341, *485*
3,12	253	4,10	413
		4,14	488
1. Thess			
1,5	440, 505	**Hebr**	
1,9f.	316	1,2	36, 39, 413
1,10	444	1,2f.	39
2,2	501	1,3	75, 238
2,2ff.	509	1,7	125
2,8	501	1,13c	50
2,13	496	1,14	126
3,14	*390*	2,3	446
3,17	*390*	2,10	428, 446, 467
4,13ff.	*390*	3,13	*303*
4,14	388	4,3–10	171

4,15	346	1,5	390
5,8	418, 419, 486	1,8	165
5,8f.	356, *485*, *486*	1,12ff.	125
5,9	428	2,11	305
7,25	495	4,5	125
7,27	490	4,10f.	*73*
9,24	490	5,13	*73*
9,26	490	7,1	125
9,26ff.	490	10,6f.	117
9,28	490	19,1ff.	*73*
11,3	28	20,2f.	*170*
12,9	126	20,7	*170*
		20,14	305
Jak		21,1ff.	*170*
3,9	239	21,6	165
		21,8	305
Apk		22,13	165
1,4	125, 126		

5. Apokryphen

Protev. Jak 359

6. Christliche Literatur

Barn		24,5	50
		25,1ff.	394
5, 5	*240*	59,3	126
5,6	393		
6,12	*240*		
		2. Klem	
1. Klem			
		9,4	206
24,1	393	9,5	426
24,3	394	11,1	206
24,4f.	394	27,5	394

Namenregister

Kursiv gedruckte Seitenzahlen verweisen auf Fundorte nur im Anmerkungsteil.

Abaelard, P. 453, *457*
Aiken, H.D. *192*
Al-Gazali *174*
Aland, K. *380, 425*
Albertus Magnus *134*, 135, 220
Alexander v. Hales 251
Alsup, J.E. *396*
Alszeghy, Z. *145*
Althaus, P. 88, *90*, 128, 257, 262, 276, 288, 307f., *319f., 327, 400, 451*
Altizer, Th.J.J. *333, 479*
Altner, G. 89, *113, 119, 121, 130,* 144, *157, 163, 234*
Amandus Polanus 17
Ambrosius 16, 19, 166, *173f., 236, 242*
Amery, C. *157*
Anaximenes 98, 101
Andersen, C. *443*
Anselm v. Canterbury *178*, 291, 292, 449, *450*, 451, 453, *457, 473,* 475, 477
Anselm v. Laon 251
Antweiler, A. *178*
Apollinaris v. Laodicaea 339, 429, *430*
Aristides *107*
Aristoteles 88, 102, 114, 173, 175f., 179, 220
Asimov, I. *139*
Athanasius *15, 107,* 229, 245, *296, 305,* 331, 339, 344f., 347, 414
Athenagoras 28, 211, 394
Augustin 16-19, *37,* 44f., 54f., *56,* 64f., 69-71, 72, 77, *88,* 108, 112, *113,* 116, *119,* 166f., 169, 174, 194ff., *197,* 206, *210,* 212, *213,* 217, 220, *230,* 236f., 240, 242f., 247, 249, 254, 276-284, 287, 290-293, *296,* 302f., 305f., 448ff., *491, 493,* 499
Aulén, G. *457*

Austin, W.H. *77, 111*
Averroes *174*
Axt-Piscalar, Chr. *361*

Bacht, H. *425*
Baier, J.W. 17
Balz, H. *388*
Bannach, K. *40f., 55, 61, 167f.*
Barbour, I.G. *31, 77, 85, 91, 121,* 144, *146, 150*
Bardenhewer *134*
Barnard, L.W. *394*
Barrow, J.D. *91, 94,* 186
Barth, K. 29, 35, *37,* 44f., 54f., *56,* 64f., 69-71, 72, 77, 88, 125ff., *129,* 169f., *190,* 191, *192,* 196, 198, *219,* 222, 231, 235f., *246, 257f.,* 260, *288f.,* 292, 296, 307, 310, *319, 335,* 378, 387, 411, 414, 421f., 437, *458,* 459-461, 477f., *496,* 504f., 508
Bartsch, H.W. *387*
Basilius von Caesarea *16,* 53, 166, *174,* 276
Baumann, P. *221*
Baumgarten, S.J. 63, *237, 317*
Baur, F.C. 257
Baur, J. *450*
Beck, J.T. 256, *309*
Becker, J. *366, 375*
Behler, E. *173, 175f.*
Beierwaltes, W. *32, 114, 116, 134,* 173
Bell, J.S. *150*
Benrath, G.A. *86, 316*
Benz, E. 144
Berger, G.J. *245*
Berger, J.G.I. *268*
Berger, K. *390, 400*
Bergson, H. 48, *136,* 148, *210*

Berkson, W. *100ff.*
Bernhard v. Clairvaux 453
Bertalanffy, L.v. *96*
Beth, K. 144
Betz, O. 353, *354*
Bieder, W. *216f.*
Bieri, P. *115, 119*
Bird, Ph.A. *235f.*
Bizer, E. *64, 73, 92*
Blank, J. *412*
Blinzler, J. *381f.*
Bloch, E. *120*
Blumenberg, H. 34, *61,* 67, 178, 195
Blumenthal, O. *111*
Böcher, O. *125f., 127f.*
Böckle, F. *300*
Böhme, W. *193*
Boethius 115, 229
Bohr, N. *188*
Bolzano, B. 179
Bonaventura 255, 450
Bonhoeffer, D. 235, *470*
Bornkamm, G. *303, 396, 448, 463*
Bosshard, S.N. *147, 153*
Bowker, J. *382*
Braaten, C.E. 31, *78*
Brandenburger, E. *304, 334ff., 338, 345*
Braun, O. *62*
Brecht, M. *243*
Bretschneider, K.G. *65, 70,* 242, *244f.,* 255, 256, 268, 306, *308,* 317, 319, *324*
Breuer, R. *93*
Breytenbach, C. *444, 447, 459, 474, 498*
Broer, J. 401
Bron, B. *60*
Brown, R.E. *358f., 380, 395, 398, 403, 409, 446*
Brox, N. *443*
Brunner, E. *88,* 257, 307, *308*
Bruno, G. 177f.
Buckley, N.J. *178*
Buddeus, J.F. *56, 61,* 66, *92, 100, 237,* 317, *346*
Büchsel, F. 459
Bultmann, R. *50, 216, 305, 309, 321, 323, 332, 341, 351,* 368, *372, 387, 398, 446, 485*

Burger, Chr. *407*
Burhenn, H. *405*
Buytaert, E.M. *453, 456*

Calov, A. *17,* 18, 22, 52, *63, 69, 73, 242f., 245, 247, 255*
Calvin, J. *233, 237, 242,* 288, *346,* 431, *450,* 451, *491,* 492, *493*
Campanella, Th. 106
Campenhausen, H.v. *398, 400*
Camus, A. *191*
Cantor, G. *179*
Carter, B. 94
Caspari, W. *443*
Cassirer, E. *249*
Catchpole, D.R. *354, 381*
Chadwick, H. *28*
Chemnitz, M. *432*
Childs, B.S. *97f.*
Christ, K. *43*
Chrysipp 32, *194*
Cicero *134,* 204f., *230*
Clarke, S. 61, 106f., 109
Cobb, J. *30,* 333
Collins *94*
Condrau, G. *300*
Conzelmann, H. *380*
Courth, F. *16*
Coyng, Rev. G.V. *181*
Craig, W.L. *396, 400f., 403*
Cremer, H. 323
Crescas, H. *107*
Cross, F.M. *24f.*
Cullmann, O. *375, 378, 407, 419f.*
Cyprian 448

Daecke, S.M. *144f., 162f., 326*
Dalferth, I.U. *315,* 332
Darwin, Ch. 143, *144,* 153
Davies, G.H. *443*
Davies, P. *79, 118*
De Wette 269
Deason, G.B. *66*
Delling, G. *403*
Demokrit 147f.
Descartes, R. 41, 55f., 65, 67f., 69, 99,

106, 110, *111*, 116, *177*, 178f., 184, *210*
Dettloff, W. *82*
Dibelius, M. *358*
Dicke, R.H. *94*
Didymus der Blinde *16, 276*
Diekamp, F. *278*
Dietzfelbinger, H. *102, 151*
Digges, Th. *177*
Dihle, A. *29*
Dilthey, W. *343*
Dinkler, E. *375*
Dippel, J.C. *452*
Dobchansky, Th. *147*
Döderlein, J.C. *63, 452*
Döring, W. *83*
Dombois, H. *456*
Dorner, I.A. *63, 256, 262, 298, 309, 360f., 421, 494*
Dostojewski, F.M. *191*
Drewermann, E. *288*
Dürr, H.-P. *89, 111,* 120, 122f.
Dummet, M. *399*
Dunfee, S.N. *279*
Dunkel, A. *405*
Dunn, J.D.G. *412, 415, 419f.*
Duns Scotus, J. *40, 82, 85,* 175, *176, 229*
Durham, J.I. *443*

Ebeling, G. *78, 81,* 128, *213, 218, 243, 246, 276, 288f., 443,* 504f., *506*
Ebeling, H. *48, 67*
Eccles, J.C. *159, 223*
Eckhart, Meister *42*
Eichhorn, J.G. *246*
Eichinger, W. *293*
Eigen, M. *146, 152*
Einstein, A. *67,* 101f., *103,* 108, *111, 114,* 134, *188*
Ellis, B. *184*
Elze, M. *40,* 211, 245
Empedokles *98*
Eneström, G. *179*
Engels, E.-M. *97*
Erikson, E.H. *270, 286*
Ernesti, J.A. 493
Evans, C.F. *388, 395ff., 403*

Evdokimov, P. *16*
Everett, H. *122, 188*
Ewald, G. *60*
Ey, H. *210*

Faraday, M. 100, *101–103*
Fauconnet, P. *300*
Faustus Sozinus *233, 267*
Feiner, J. *425*
Fichte, I.H. *221*
Fichte, J.G. *116, 221, 224, 255, 256*
Fiedler, P. *372*
Fiorenza, F.P. *212f., 254*
Flacius Illyricus, M. 243
Foerster, W. *446*
Ford, L.S. *30*
Frank, F.H.R.v. *317,* 494
Freud, S. *267,* 270
Freund, G. *271*
Frey, Chr. *232*
Friedmann, A. *181*
Friedrich, G. *461–465, 467f.*
Fries, H. *60,* 62
Fritzsche, H.-G. 128
Frohschammer, J. *175*
Fuhrmann, M. *229*
Fuller, D.P. *403*
Fynman, R. *122*

Gabler, J.Ph. 246
Gabriel, L. *43*
Gadamer, H.-G. *173, 237, 265*
Gaertner, H.J. *227*
Galen 28
Galilei 65
Gandillac, M.de *220*
Ganoczy, A. *16,* 146
Garijo-Guembe *109*
Garin, E. *249*
Gassendi, P. *106*
Gatzemeier, M. *152*
Geach, P. *201*
Gehlen, A. *232*
Gerhard, Joh. *17,* 73, *242f., 247, 451*
Gerhardt, G.J. *61,* 106
Gerhardt, Paul 71
Gese, H. *456*

Gestrich, Chr. 272, 282f., 286f., 289, 293, 299f.
Geyer, B. 220
Ghiselin, M. 155
Gilkey, L. 30, 34
Gilson, E. 41, 166
Girard, R. 468
Gnilka, J. 412, 457, 462f.
Görgemanns, H. 40
Gogarten, F. 78, 234
Goldstein, V.S. 279
Goodspeed, E.J. 426
Gore, Ch. 145
Gosztonyi, A. 145
Goulder, N. 324, 332
Graß, H. 109, 398, 409
Grawe, Ch. 258
Gregor d.Gr. 204
Gregor von Nazianz 16, 276
Gregor von Nyssa 16, 194, 196, 204, 217, 218, 236, 254, 305
Greiner, F. 333
Greive, W. 319, 323
Greshake, G. 293, 390, 401
Griffin, D.R. 30, 91, 114, 118, 159, 333
Grillmeier, A. 316, 320f., 337, 339, 424f., 429
Grözinger, K.E. 125, 127
Groß, J. 276, 278, 290f.
Grotius, H. 451
Grünbaum, A. 114
Günther, A. 74, 175
Günther, E. 318f.
Gunkel, H. 141, 237

Haag, H. 302
Habermann, J. 412
Hadot, P. 236
Haeckel, E. 144
Häring, H. 277, 290, 302
Haering, Th. 262, 323
Hahn, F. 350, 353, 368, 390, 407, 412, 463
Hallberg, F.W. 95
Hammerton-Kelly, R.G. 414, 468
Hannas 381
Harnack, A.v. 426, 448

Hartmann, M. 96
Hartung, F. 205
Haubst, R. 250
Hauschild, W.-D. 216f.
Hawking, St. 94, 122, 150, 181f., 185
Hayward, A. 143, 145
Heckmann, R. 101
Hefner, Ph. 31, 78
Hegel, G.W.Fr. 33, 42f., 45f., 176, 177, 207f., 224, 283f., 289, 318, 432, 433, 475f., 481, 482f., 495, 501
Hegermann, H. 39
Heidegger, M. 116, 312
Heim, K. 105, 109ff., 457
Heimann, H. 227
Heinrich von Gent 40
Heintel, E. 220
Heisenberg, W. 111
Helmholtz, H.V. 134
Hendel, Ch.W. 405
Hengel, M. 353, 358, 469
Henrich, D. 48, 68, 115, 161, 228, 501
Henrix, H. 384
Heppe, H. 64, 73, 92
Heraklit 331
Herder, J.G. 232, 237, 250, 256, 262
Hermann, I. 197
Hermas, Hirt des 107, 425
Hermes, G. 74
Herrmann, W. 231, 319, 322, 346
Hertz, H. 100
Herzog, M. 468
Hesse, M.B. 100, 188
Hick, J. 192f., 195ff., 198, 200, 322, 324, 332
Hieronymus 45
Hilbert, D. 181
Hinshaw, V.G. 103
Hippolyt 424
Hirsch, E. 113, 269, 285, 289
Hodgson, L. 193
Hoering, W. 85
Hoffmann, P. 390
Hoffmeister, J. 283f., 481
Hofius, O. 419, 459
Hofmann, J.C.K.v. 454f.

Hollaz, D. 17, 19, *41*, *51*, 56, *63*, *69*, *73*, *237*, *240*, *242f.*, *245*, *247*, *255*, *305*, 317
Holte, R. *280*
Holtzhey, H. 152
Horstmann, R.-P. *501*
Hubble, E. 180
Hübner, H. *456*
Hübner, J. *144*
Hume, D. *61*, *192*, *405*
Hutter, L. *92*
Huygens *108*

Ignatios v. Antiochien *101*, 337, 425, 427, 488
Ilting, H. *481*
Innozenz II. *453*
Irenäus von Lyon 29, *107*, 132, *195*, 211f., 238–243, *245*, 249, 254, *296*, *335*, 337ff., 344ff., *424*, 426, 448
Isham, C.I. *182*

Jacobsen, Th. *161*
Jaki, S.L. *182*
James, W. *210*, *220*, *223*, *297*
Jammer, M. *99f.*, 101 *106–110*, *120*, *134*
Janowski, H.N. *326*
Jepsen, A. *443*
Jeremias, Joachim *367f.*, *372f.*, *375*, *386*, 408
Jeremias, Jörg *26f.*, 336, 438
Jerusalem, J.F.W. *268*
Jervell, J. *236*, *247*, *252*
Johannes d. Täufer 366ff., *375*
Johannes Damaszenus 51, 242, 276, *431*
Johannes Paul II *181*
Johannes Paul XXII. *42*
Jülicher, A. *373*
Jüngel, E. *119*, *237*, *265*, *307*, *308f.*, *313*, *372*, *418*, *432f.*, *437*, *444*
Jung, C.G. *288*
Justin 28, 212, *240*, *245*, 254, *316*, 337, *339*, *383*, *424*
Justinian 46

Kähler, M. 262, *289*, *309*, 322, *451f.*, *454*, 455, *456f.*, 459ff., *495f.*, *509f.*
Käsemann, E. *323*, 368

Kaftan, J. *318*
Kaiphas 353
Kallikles *286*
Kanitscheider, B. *180ff.*, 184, *188*
Kant, I. 41, *42*, *100*, *106*, 110, *111*, 115f., 152, 176ff., *179*, 181, 183f., 205, 224, 227, *255*, *256*, 257, 268, 282f., 294f., 347
Karpp, H. *40*, *212*, *217*, *305*
Kasper, W. *315*, *324ff.*, 326, *333*, *388*, *391*, *394f.*, *400*, *404*, *426*, *429*, *433*, *465*, *470*
Kelber, W.H. *380*
Kelly, J.N.D. 425ff.
Kelsos 29
Kepler *177*
Kern, W. *57*, *74*
Kerr, F. 399
Kerschensteiner, J. *98*
Kertelge, K. *456*, *462*, *465*
Kessler, H. *448f.*, *462*, *482*
Kierkegaard, S. *112f.*, 269, 279, 284ff., *289*, 297
Klappert, B. *60*, *378*
Klemens von Alex. *40*, *50f.*, *52f.*, 76, 171, *173*, 192, *195*, 212, 217, *230*, 236, 238, *239*, *242*, 254, 302, 305, 394
Knierim, R.P. *23*
Knudsen, Chr. *40*
Koch, G. *340*
Koch, H. *50*
Koch, J. *43*
Koch, K. *86*, *97*, *162*, *170*, *309*, *486*
Köhler, J. *237*, *274*, *302*
Köster, H.M. *266*, *280*, *292*
Köstlin, J. *64*
Kopernikus 93
Koyré, A. 66, 99, 177ff.
Krabbe, O. *309*
Krämer, H.J. 40
Kramer, W. *342*, *355*, *412*, *484f.*
Kremer, J. *390*, 401
Kremer, K. 32
Kretschmar, G. *394*
Krings, H. *101*
Krötke, W. *296*
Kübel, P. 46, *212*

Kümmel, W.G. *444, 498, 500*
Kuhn, H. *153*
Kuhn, H.-W. *369f., 381, 465*
Kunz, H. *221*
Kuschel, K.-J. *410f., 413*
Kyrill v. Alexandr. 339f., 347

Laktanz 212, *237*
Lammatzsch, E. *305*
Landgraf, A.M. *449f.*
Lang, F. *463*
Lapide, P. *380f.*
Lasson, G. *33, 176, 476, 481, 483*
Lauret, B. *267, 270*
Lauth, R. *221*
Leclercq, J. *453*
Lehmann, K. *276, 403, 462f., 470, 472f.*
Leibniz 41, 61, 100, 102, 106ff., 191, *193*, 197ff.
Leo I. *491*
Leontios v. Byzanz *229, 433*
Leroy, H. *366, 372*
Levinas, E. *228*
Lewis, C.S. *193, 201*
Lietzmann, H. 380, *381*
Lindberg, D.C. *66*
Lindenmeyer, I. *256*
Lips, H.v. *412*
Löbsack, Th. *60*
Löfgren, D. *54*
Löhrer, M. *425*
Löwith, K. *86*
Lohmeyer, E. *373, 502*
Lohse, E. 171, 470ff.
Loofs, F. *316, 421, 425f.*
Lorenz, R. *220*
Lüscher, E. *135*
Lütgert, W. *71*
Luther, M. *54*, 77, *108*, 213, 218, 242, 243, 276, 285, *288f.*, 359, 421, 431, 432, *433*, 451, 507

Mach, E. 67, 100
Mackie, J.L. *194*
Maier, A. *177*
Maimonides, M. *174f.*
Malevez, L. *345*

Manzke, K.H. *112, 115*
Marheineke, Ph.K. 475
Markion 28
Marquard, O. *229*
Martensen, H.L. 59, *60*, 262, *361*
Martin, R.P. *419*
Marx, K. 207f., 347
Mascall, E.L. *193*
Maximus Confessor 40, *82*
May, G. *28*
Mayr, E. *143, 254*
McMullin, E. 66, *79, 94f.*, 99
McTaggart, J.E. *114*
Meier, J. *216*
Meinhardt, H. *40*
Melanchthon, Ph. *242, 276, 306, 317,* 432, *450,* 451, *454*
Melito v. Sardes 337, 426
Menke, K.-H. *476, 495*
Menken, G. 452
Merklein, H. *366f., 369ff., 375*
Merleau-Ponty, M. *210*
Meschkowski *179*
Methodios *276,* 344
Metz, J.B. *212f.*
Meyendorff, J. *33*
Meyer, R.W. *101*
Michaelis, J.D. *268*
Mitchell, B. *194, 324*
Mitterer, A. *167*
Mohaupt, L. *102, 151*
Mohler, A. *135, 146*
Mohlmann, Th. *431f.*
Moiso, F. *101*
Moltmann, J. 29, 35, *109f.*, 113, 131, 218, 231, *235, 315, 322, 324, 326, 332f., 343,* 353f., *358ff., 378, 389, 391, 393, 397, 400, 403f.*
Monden, L. *62*
Monod, J. *96,* 147, *147*
More, H. 106, 178f.
Morgan, C.L. *146*
Morris, H.M. 145
Morris, L. *341*
Moser, T. *270*
Moule, C.F.O. *324*
Mühlen, H. *229*

Mühlenberg, E. *339*
Müller, A.M.K. *83f., 114f., 119,* 121
Müller, Jul. *33, 56,* 58, *243, 246,* 269, *280,* 293, 296f., *309*
Musäus, Johann 17f.
Mussner, F. *398*

Nagel, Th. *223*
Nagel-Docekal, H. *220*
Nemesius v. Emesa *276*
Nemo, Ph. *228*
Nestorios 340
Neville, R.C. *30*
Newton, I. 61, 66ff., 99ff., 102, 106, 108, 178
Nicolin, F. *176*
Niebuhr, R. *308*
Nielsen, J.T. *337*
Nietzsche, F. 267, 270f., *307*
Nikolaus von Kues *43, 177,* 220, *250*
Nitzsch, C.I. 256, *257,* 261, *262f.,* 317, 319, 454
Nitzsch, F.A.B. *56, 319*
Norris, R.A. *339f.*
Numbers, R.L. *66, 145*

Ockham, W. 41, *168,* 175
Ohlig, K.-H. *442*
Origenes 15, 40, 45f., 50, *100,* 101, 118, 173, 194, 212, 217, 238, *240, 242, 254,* 305, *339, 346,* 414, 427
Osiander, A. *237,* 492
Otto, St. *229*
Overman, R.H. *145*

Paley, W. 144
Patrizzi, F. 106
Paul I. *103*
Paul v. Samosata 340
Pauli, W. *91*
Peacocke, A.R. *67, 77, 79, 83, 88, 94, 136f., 143, 145, 147, 153, 157, 162*
Pedersen, J. *443*
Pelagius 293
Penrose, R. *185*
Perrin, N. *366f., 371, 373*
Pesch, O.H. *209, 288, 382*

Pesch, R. *239, 381, 388, 398,* 399f.
Peters, A. *246*
Petrus Lombardus *16, 42, 251, 280,* 450, *490f.*
Pfaff, Chr. M. 306
Philo von Alex. *28,* 40, 53, *87,* 101, *173, 216,* 217, 236, 248, *338*
Philoponos, J. 173
Picht, G. 111, *113ff., 118f.,* 121
Pico della Mirandola 249
Pilatus 353, 380, 382
Pius XII. 181
Plantinga *194, 198*
Plato 29, 39, 45, 80, 116, 173, *210, 217,* 220, *230, 286,* 305
Plessner, H. *263*
Plöger, O. *73, 390*
Plotin 32, 45, 113, 114ff., *124, 133,* 173, *210,* 211f.
Pöggeler, O. *176*
Pöppel, E. *112*
Pohl, K. *118*
Pohlenz, M. *32, 101,* 222
Polanus, A. *73*
Pollard, W.G. *146*
Popper, K.R. *223*
Preisl, A. *135, 146*
Prenter, R. 172
Prigogine, I. *89, 114, 119, 121, 136, 143, 151*
Priscillian 215
Pritchard, J.B. *24, 27, 161*
Pröpper, Th. *297, 483*
Proklos 32f., 173
Ps.-Dionysios Areopagita 126f., *429*
Pucetti, R. *95*
Pufendorf, S. 205

Quell, G. *274*
Quenstedt, J.A. 17, 19, 56, *63ff., 73,* 76, 92, 292

Rad, Gerh. v. *23,* 25, *86f., 97, 140f., 156,* 218, *244,* 246, *274, 370, 443*
Räisänen, H. *359*
Rahner, K. *37, 146, 213, 263,* 295, 312, 326, *327, 332f., 429*

Ratschow, C.H. *17, 56, 65, 71, 456*
Ratzinger, J. 146, *171, 254*
Raven, Ch. 145
Redmann, H.-G. *42*
Rehm, W. *191*
Reichenbach, H. *114*
Reinhard, F.V. *70,* 245, 268, 317, 319
Reischle, M. 322f.
Rendtorff, R. *26, 154, 274, 384, 456, 478*
Richard von St.Victor 16, *229*
Richards, H. 399
Ricoeur, P. 275
Riemann, B. 108, *110*
Riesenfeld, H. *463*
Ringleben, J. *72, 283f., 289*
Ritschl, A. *241ff.,* 269, 294f., 306ff., *309,* 317, 318f., 322f., 349ff., 379, 454f., *476,* 492, *493f.*
Robert v.Melun *450*
Robinson, J.A.T. *396*
Robinson, J.M. *321*
Rochais, H. *453*
Rohls, J. *109, 161, 228*
Roldanus, J. *240, 339, 345, 347*
Rost, L. *443*
Rothe, R. *54, 56,* 58, *59,* 269, *280*
Rousseau, J.-J. 347
Rüsch, Th. *101*
Russell, B. *180*
Russell, R.J. *31, 67, 84f.188f., 119–122, 150, 178, 181, 186, 188*
Rust, E.C. *146*
Ryle, G. *210*

Sanders, E.P. *352ff., 369, 378, 383*
Sartre, J.-P. *258*
Sauter, G. *326f.*
Scheeben, M.J. *74*
Scheel, O. *448f.*
Scheffczyk, L. *27, 42, 51,* 146, *167, 276, 278, 324, 333*
Scheler, M. *210*
Schelkle, H. *388,* 397
Schelling, F.W.J. *100f.,* 224, 318
Schenke, L. *399*
Schenkel, D. *495*
Schick, E. *388*

Schillebeeckx, E. *382,* 397ff.
Schimanowski, G. *412*
Schlegel, F. *175*
Schleiermacher, Fr. 57f., 62, 64, *70, 78, 195, 221f.,* 243, *245,* 269, 294, 303, 306f., 318f., *333, 346,* 347–351, 356, *379,* 429, 452–455, *491,* 492, *493f., 511*
Schlier, H. *396*
Schlink, E. *77, 140,* 142, 262, *463,* 505
Schmaus, M. *74*
Schmid, H.H. *23, 49, 87, 332*
Schmidt, W.H. *24–27, 140ff., 189f.,* 233, *234, 235f., 246, 370*
Schmitt, F.S. *292*
Schnackenburg, R. *341, 412, 425, 427, 446*
Schneider, G. *412*
Schneider-Flume, G. *270f., 286*
Schnelle, H. *139*
Schniewind, J. *502*
Schoonenberg, P. 295
Schottlaender, R. *194*
Schrödinger, E. *84*
Schubert, J.E. 306
Schütz, J.J. *59*
Schulz, H.J. *145*
Schwanz, P. *239, 241, 247*
Schwarte, K.-H. *171*
Schwarz, F.H.C. 452
Schwarz, G. *111, 114*
Schwarz, R. *243, 431f.*
Schweizer, E. *216, 497, 500*
Sciama, D.W. *181*
Scropp, R. *338*
Seckler, M. *483*
Seeberg, R. 257
Seifert, J. *210*
Seiler, G.F. *476*
Semler, J.S. *63, 237,* 317
Seters, J.van *24*
Shannon, C.E. *134*
Shilpp, P.A. *102*
Sievernich, M. *293*
Simpson, G.G. *157*
Sjöberg, E. *215*
Skinner, B.F. *210*
Slenczka, R. *321,* 324

Smart, N. *194*
Smend, R. *205*
Sölle, D. *477f.*, 479
Sokrates *286*
Spalding, J. *255*
Sparn, W. *243*
Spinoza, B. 33, 61, 67ff., 103, *106*, 110, 178
Staats, R. *393*
Staudenmaier, F.A. *257*
Steck, O.H. *27, 97f., 142, 155-157, 169, 189, 233-236, 244, 461*
Stegmüller, W. *95, 137, 149f., 153, 180f.*
Steiner, H.G. *180*
Stemberger, G. *390, 401*
Stephan, H. *56, 319*
Stierle, K. *229*
Stirnimann, H. *359*
Stock, K. *310*
Stolpe, H. *250, 256*
Stolz, Fr. *24*
Strauß, D.F. *128, 332, 475*
Strauß, L. *61*
Strobel, A. *378, 381f.*
Struker, A. *240, 245*
Stuhlmacher, P. *502ff.*
Süßmann, G. *102, 151, 193*
Suphan, B. *237, 250*

Tatian 28, *40,* 211, *245, 254*
Teilhard de Chardin 35, *95, 144,* 145, 163
Telesia, B. 106
Temple, W. *30,* 145, *162*
Tertullian *16,* 211f., 217, 230, *240, 254, 291,* 305, 346, *424, 426,* 448
Theodor v. Mopsuestia 340
Theophilus v. Antiochien 28, 50, *101, 107, 204, 240, 337*
Thielicke, H. *234, 260, 394*
Thomas von Aquin 16, 22, 40f., *42,* 51, 52, 55, 60, *63,* 65, *69f.,* 72f., 100, 125, *126f., 133ff., 175ff., 195, 197, 204, 210,* 213f., 218, 220, *237, 240, 249,* 251, *263, 277f., 280, 431,* 450
Thomasius, G., *454*
Thüsing, W. *326*

Thunberg, L. *40, 82*
Tiililä, O. *451, 457*
Tillich, P. *48,* 128, 207, *308*
Tipler, F.J. *91, 94f., 130, 182,* 186, 188
Töllner, J.G. *268, 451*
Torrance, T.F. *88, 102, 105, 107,* 108, *182*
Trefil, J.S. *181*
Trible, Ph. *235*
Trillhaas, W. *191,* 202
Trinkaus, J. *249*
Troeltsch, E. *403*
Turmel, J. *453*

Valentin 46
Verghese, P. *163*
Vögtle, A. *239, 388, 391, 395, 399ff.*
Vogel, H. *310*
Vogler, P. *237, 265*
Volk, H. 146

Wagner, F. *478*
Watson, J.B. *210*
Weber, H. *371*
Weder, H. *373*
Weinberg, St. *136, 150, 181f.,* 184
Weiß, J. 350, 368, *369*
Weiß, K. *42*
Weizsäcker, C.Fr.v. *48, 80, 84, 89, 99, 115, 118f.,* 134, *136, 180, 185*
Weizsäcker, E.v. *113, 119, 130, 134, 179*
Welker, M. *129,* 148
Welte, B. *443*
Welzer, H. *205*
Wendeburg, D. *15,* 18
Wenz, G. *109, 161, 228, 269, 276, 296, 379, 451f., 454, 460f., 475, 477, 481*
Werbick, J. *267*
Werth, H. *119, 130, 135*
Westermann, C. *97f., 141, 154f., 233, 302*
Wheeler, J.A. *188*
White, L. *157,* 234
Whitehead, A.N. 29ff., *91,* 149, *180,* 333
Whitrow, G.J. *184*
Wicken, J.S. 123, 130, *134ff., 143, 151ff.,* 152, *153, 155, 159*

535

Wiehl, R. *148*
Wieland, W. *173*
Wilckens, U. *28, 118, 162, 171, 239, 244, 247, 271, 275, 303, 341, 386, 389f., 392, 395, 408, 425, 456, 459, 464, 484–486, 490, 503, 506*
Wiles, M. *332*
Wilhelm von Ockham 51, 55, 60
Wilken, R.L. *339f., 344, 347*
Winter, P. 380
Wise, J. *205*
Witcomb, J.C. 145

Withrow, G.J. *114*
Wölfel, E. 29
Wolf, E. *322*
Wolff, H.W. *214f., 218f., 233*
Wrede, W. 376

Xenophon *28*

Zahn, Th. *502*
Zizioulas, J. *228*
Zwingli, H. *109*

Sachregister

abendländisch 86, 157, 228, 237, 305
Abendmahl 432, 462f.
 -sfeier 463
 -slehre 109
 -stradition 463, 471
 -süberlieferung 462f.
Abhängigkeitsgefühl 77
Abrahambund 251
absolut 10, 46, 66, 199, 333
Absolute, das 33, 43, 179f., 283f., 499, 481
Absolutheit 114, 178, 205
Absolution 507
Abstraktheit, abstrakt 81, 83, 88, 110, 198, 229
Abwendung von Gott 298, 304f., 312
Achtung 266
actio 16f.
actiones personales 18
 - essentiales internae 22
 - externae 22
actus primus 63
actus secundus 63
Adam 82, 164, 216, 232, 239ff., 248, 252, 260, 267f., 271, 275, 282, 290ff., 297, 301f., 305ff., 314, 334ff., 344f.
 -, neuer 218, 319, 339, 344f., 355, 466, 476ff., 482, 495
 -, zweiter 334, 338, 344, 347, 419, 441, 448, 476, 485, 490
Adamchristologie 344f.
Adam-Christus-Typologie 340ff.
adoptianisch 420
Äon 116, 171, 193, 366, 368, 400
aër 98
Äther 102
Affekt 34, 275
Aggression, Aggressivität 274, 287, 289
Agnostiker 329
Akkommodation 65

alexandrinisch 236, 242, 339, 347f., 428
Allgemeine, das 64, 83, 283f., 481
Allgemeinheit, die 82, 269, 273, 282, 291ff., 308
Alte Kirche, altkirchlich 316, 320, 341, 358, 421, 443ff.
alteritas 43
Altes Testament, alttestamentlich 72, 86f., 93, 97ff., 146, 215, 232, 238, 274f., 299, 302, 305ff., 337, 350, 389, 395, 400, 424, 456, 461, 469, 486, 497, 502, 506, 509
altlutherisch 65, 109, 348, 431
Altprotestantismus, altprotestantisch 41, 51, 56, 73, 76, 242f., 247, 292, 305, 343, 348, 421, 451, 491, 495
amor sui 74, 280f., 287
andere, das 38ff., 47, 80, 106, 137, 159, 201, 208, 222ff., 498, 501
Andersheit, die 42f., 80, 104, 159, 164, 224ff., 331, 361, 420, 422, 429, 480
Anderssein, das 33, 36, 43, 46, 104
Anfechtung 191
Angleichung an Gott 239, 249f.
Angst 286ff., 299, 314
anima intellectiva 213
animal rationale 229
Anlage 256f., 261f.
Anschauung 110, 224
 -sform 110
 -sraum 110
anthropisches Prinzip 94, 138, 151, 158, 186f.
Anthropologie, anthropologisch 161, 208ff., 217, 219, 228ff., 238ff., 249, 261, 275, 281f., 289, 310, 313, 315, 329, 332f., 339, 394, 469
anthropomorph 33, 42, 169, 187, 303
anthropozentrisch 115, 319
antignostische Väter 297, 338

Antijudaismus 478
Antike, antik 71, 125, 147, 207, 213, 230, 286, 288, 340, 343
Antinomien 176, 181, 184
Antinomienlehre 178
Antiochener, antiochenisch 340, 343, 428, 431
Antitrinitarier 316
Antizipation, antizipativ, antizipieren 68, 113, 117, 122, 266, 311, 343, 410, 458, 475, 478, 489f., 496, 501
s. Prolepse
Apokalypse 126
Apokalyptik, apokalytisch 127, 169f., 172, 184, 244, 304, 366, 388, 391
Apologeten, apologetisch 28, 90, 211, 316, 339
Apologetik 103
Apostel, apostolisch 316, 321ff., 349, 385, 394ff., 401, 406, 413, 415, 425, 444f., 458f., 474, 487, 497f., 501ff.
- apostolische Verkündigung 326, 413, 441f., 475, 487
- apostolischer Dienst der Versöhnung 458f., 483, 497, 501f., 505, 510
Appropriation, appropriiert 19f., 45
apriorisch 220, 332
aptitudo naturalis 251
arabisch 108, 174
archaisch 96
arche 101
Archetypen 128
Aristotelismus, aristotelisch 61, 64, 72, 88, 102, 107, 114, 134, 173ff., 213f., 220, 240, 343
Arminianer 306
Astrologie 125
Atheismus, atheistisch 66, 267, 272, 329f.
Atom 82, 136, 147ff., 159f.
-theorie 147f.
atomistisch 56
attentio 112
Attraktion 100
Attribut, das 108
Auferstehung 170, 186, 191, 252, 271, 305f., 308f., 320, 322ff., 338ff., 348ff., 359, 385ff., 397ff., 403, 405, 410, 423, 482, 505, 510
s. Antizipation, Faktum, historisch, Historizität, Ostern, Prolepse, Tatsache, Tatsächlichkeit, Totenauferstehung
Auferstehungsbotschaft 400, 462
Auferstehungsglaube 400ff.
Auferstehungshoffnung 211
Auferweckung 57, 117, 120, 259, 316, 321f., 352ff., 378, 383ff., 399ff., 412ff., 423, 427, 430, 435f., 439ff., 457f., 466, 469ff., 481, 486ff., 493, 510
Aufhebung 177
Aufklärung 282, 451
augustinisch 51, 119, 178, 184, 195, 276ff., 282, 284, 287, 291ff.
Augustinismus 237
Ausbeutung 157, 235
Außersichsein des Lebens 48, 498f.
Autokatalysator 221
Autokatalyse 152
Autonomie, autonom 200, 219f., 244, 249f., 258, 434, 496
Autorität 140, 171, 190, 274, 374f., 377, 395, 408, 417, 496, 509ff.
-sprinzip 325
Averroismus 33

Baal 25, 27
Babylon, babylonisch 125, 140f.
bara 57, 156
basic actions 21
basileia 368ff., 373, 435
Bedeutung 321, 324
Befehlswort, göttliches 27ff.
Begierde 213f., 275ff., 284, 287ff., 299, 303f., 314
Begriff 224
-sgeschichte 102
Begründungszusammenhang 122, 325ff., 414
Beharrung 68f., 148
Behaviorismus 209
Beichte 507

Bekehrung 396 f., 472
- serfahrung 397
- sgeschichte 325
- svision 397
Bekenntnis 9, 316 ff., 325 ff., 336, 348, 351 ff., 406, 412, 414, 424 f., 472, 474 f., 478
- aussage 321, 325, 327 f., 345, 423
Berufung 59, 233, 300, 330, 482 f.
Bestimmung
- des Geschöpfs 21, 44, 73, 83, 164, 229, 361
- der Glaubenden 501
- der Erwählten 344
- des Menschen 74, 138 f., 156, 161, 164, 203 ff., 219, 227, 229, 232 ff., 236, 243, 247 ff., 253 ff., 264, 266, 285, 299 f., 315, 329, 334 ff., 357, 365, 479, 491, 499
- der Schöpfung 93, 96, 157, 161, 163
- der Welt 46
Besondere, das 64, 81, 481
Besonderheit, die 79 ff., 132 ff., 218, 224 ff., 265, 284, 315, 331 ff., 345 ff., 360, 366
Besonderung, die 133, 331
Bewegung 83, 96, 99, 102, 108, 114, 127, 148, 173 ff., 180
Bewußtsein 9, 13, 115 f., 203, 210, 221 ff., 230, 263 f., 267, 271 f., 283, 297, 300, 307, 318, 330 f., 423, 453, 455, 481, 498, 501
- sfeld 223
- sform 165
- sfunktion 221
- sgeschichte 164 f.
- sinnenwelt 223 f.
- swelt 223
Bibel, biblisch 10, 12, 22, 25, 56, 72 f., 77, 89, 96, 104, 108, 125 ff., 140 ff., 154 ff., 166, 172 ff., 184 ff., 203, 205, 208, 213, 218 ff., 226 ff., 234 f., 243, 246, 259, 288, 308, 317, 324, 327, 336, 343, 388, 396, 405, 409, 429, 468, 506, 520
Bibelautorität 145
Bifurkation 137
- stheorie 119

Big Bang 130, 131
Big Crash 130
Bild 208, 238 f., 242 ff., 249
- Christi 247, 249, 265, 314
- funktion 233
- gedanke 237 ff., 249
- Gottes 233 ff., 245 ff., 259
- theologie 238
s. Ebenbild, Gottebenbildlichkeit, imago, similitudo
Bildungsprozeß 430
Biologie, biologisch 94, 153, 157 f.
Böse, das 29, 31, 52, 76, 119, 189 ff., 269, 272, 275, 283, 294, 296, 297, 300 f., 313, 338
-, radikale 282 f.
s. Hang, Nichtige, Nichtigkeit, Sünde
boethianisch 115
Bosheit 273, 275, 288 f., 296, 314
Bote Gottes 126
Bund 37, 45, 169 f., 252, 260, 351, 472
- esgedanke 463
- esgerechtigkeit Gottes 473, 502 ff.
- esgeschichte 87, 170, 337, 350
- esgott 23
- eslade 456
- esopfer 463
- esvolk 351, 357, 367, 509
-, alter 355, 491, 493, 506, 508
-, neuer 163, 169, 508
Bußfrömmigkeit 271, 508
Bußleistung 456
Bußruf 367

Calvinisten 69
cartesianisch 210
causa sui 437
Chaos 29, 92
- -Drachenkampf 25 ff.
- macht 27
- wasser 26, 98
Charisma 215 f.
Christ, Christen, christlich 9 ff., 46, 87, 92, 95, 102, 106 f., 116, 128, 134, 137, 143 f., 156, 158, 161, 163, 171 ff., 181, 184, 186, 190 ff., 204 ff., 213 ff., 220, 229, 270, 277, 281, 283, 297, 302 f.,

308f., 314, 315f., 325ff., 351ff., 358ff., 378, 384ff., 393, 403f., 409, 415, 416, 447, 466, 482, 488, 501
Christenheit 305, 354, 383, 392, 469
Christentum 9, 11, 162, 234, 241, 267, 269, 307, 325, 349, 393
Christologie, christologisch 35, 39, 81, 109, 161, 174, 208f., 239f., 253, 310, 315ff., 326, 332f., 423ff., 441, 449, 461f., 481, 487ff., 495, 504
 – von oben/von unten 316ff.
 s. Deszendenz-, Einigungs-, Trennungschristologie
Christos 424, 488, 491, 493
Christozentrik 271
Christus
 -bekenntnis 323ff., 423
 -bild 323
 -botschaft 232, 252, 321, 349, 441, 505
 -geschehen 326
 -glaube 289, 325, 385
 -kerygma 322
 -offenbarung 13, 289, 329
 -titel 317, 355f., 424
 -verkündigung 323
 -zeugnis 316
 s. Jesus Christus
communicatio idiomatum 433
concupiscentia 275ff.
concursus 63, 100
concursus divinus 52, 64
concursus praevius 64
conformitas gratiae 251
conservatio 63
creatio continua 50, 55, 58, 67, 146, 168
creatio continuata 31, 55, 58
creatio ex nihilo 28ff., 92, 146
creatio immediata 92
creatio mediata 92
Creationists 145
cupiditas 275

Dämonen, dämonisch 125ff., 156, 313
Darwinismus, darwinistisch 143
Dauer 34, 91, 112, 117, 124, 133, 143, 148
deistisch 145

Dekret, göttliches 17, 35
Demiurg 29f., 217
d'mut 233
Destrukturierung 135f.
Deszendenzchristologie 327
Determination 127f.
Determinismus, deterministisch 35, 64, 84, 91, 167, 303
diakosmesis 32
Dichte 181, 185
Diener Gottes 131
dignitas 204
distentio animi 112
DNA 152
Dogma 317, 321, 323, 327
Doketismus 77
Du 228
Dualismus, dualistisch 28ff., 128, 134, 210f., 336, 340
Dynamik, dynamisch, dynamistisch 48, 66, 78, 81, 96, 99, 104, 107, 109, 111, 119ff., 126, 131ff., 144ff., 151, 313, 426

Ebenbild 49, 204, 208, 217, 476, 490
effektiv 505
Eigenschaften, göttliche 173, 178, 348, 421, 430ff.
 s. Gott
Eine, das 32, 34, 45, 225
Einheit
 – des Lebens 124
 – des Raumes 109
 – der Zeit 114f.
Einigungschristologie 429
Einigungsmystik 499
Einsetzung der Sakramente 163
Ekklesiologie 209, 344f.
Ekstase, ekstatisch 48, 225, 227, 498ff.
El 25, 27
Elektrodynamik 131
Elektron 136, 150
Elementarladung 93
Elementarteilchen 149
Elemente 125, 147
Elend 206ff., 456

Emanation 32
-ssystem 32
-svorstellung 35
Emanzipation, emanzipatorisch 77, 86, 157, 229, 234f., 264, 267, 296
emergent evolution 147
Empirie, empirisch 103, 143, 158, 175, 177, 181, 183
endlich 203, 418, 434ff.
Endliche, das 33, 38, 43, 68, 79f., 105, 107, 115ff., 137, 149, 159, 164, 177, 183, 221ff., 283, 330f., 337
Endlichkeit 35, 38, 43, 47ff., 79, 138, 161, 176, 183f., 187, 193, 197ff., 226, 263ff., 284f., 299, 306ff., 330, 479ff., 498
Endzeit 398
energeia 15, 18, 134
Energie (phys.) 99, 134, 145, 151, 183f.
Energiegefälle 101, 136, 150, 153, 199
Engel 125ff., 174, 193, 232, 280, 359
  -fall 127
  -lehre 125, 128
  -philosophie 125
  -vorstellung 126, 129
  -welt 127
Enhypostasie 433
ens 134
Entdeckungzusammenhang 325
Entelechiebegriff 214
Entfremdung, sich entfremden 39, 207ff., 229, 299, 301, 334, 383, 456, 499
  -sbegriff 207
  -sgedanke 207
Entität 211
Entropie 118f., 134ff., 199
  -prinzip 119
  -satz 119
  -vermehrung 118, 131
  -wachstum 123
  -zunahme 136f.
Entscheidung 269, 297, 299
  -sfreiheit 193, 290f., 304
Entwicklung 85, 93, 137, 142, 147
epikureisch 114
Epiphanie 503

epitymia 275
Erbgut 155
Erbsünde 266f., 269, 276, 278, 280, 290f., 293ff., 448
  -nlehre 212, 268f., 273, 280, 282f., 291ff.
  s. Böse, Hang, Sünde
Erbübel 268
Erfahrung 10f., 25, 110, 128, 154, 165, 181, 188, 199, 208, 223f., 227f., 262f., 271, 303, 306, 326, 333, 343, 438
  -swissen 11f.
Erfüllung 168, 403, 424, 494
Erhalter 15, 91, 170
Erhaltung 47ff., 58, 63, 146, 156, 165, 167, 435
  -sordnung 209
Erhebung 212, 284, 299, 499
Erhöhter, erhöht 109, 127, 318, 322, 350, 396f., 408, 410f., 413, 420, 424, 430ff., 487, 490ff., 506
Erhöhung 170, 187, 248, 318, 345f., 391f., 408, 412, 420, 427, 430, 487f., 494ff.
  -saussage 391, 412
  -sgedanke 391
  -svorstellung 413
Erinnerung 112f., 116, 230
Erkenntnis 19, 61f., 65, 73, 109, 130, 188, 194, 219, 225, 244f., 260, 266, 318, 331, 383, 417, 434, 439f.
  -akt 220
  -grund 36
  -lehre 220
Erleben 81, 88, 209f., 221, 224, 227
Erleuchtung 212, 220
Erlöser 318, 346ff., 410, 452ff., 490, 494
Erlöste 208, 346f.
Erlösung, erlösen 10, 21, 75, 95, 157, 191, 193f., 196, 201, 208, 239, 241, 303, 314, 318f., 336, 347, 349, 361, 365, 367, 410, 443, 452, 477, 482, 489, 491, 494
  -sbewußtsein 318
  -sgewißheit 266
  -sglaube 266
  -shandeln 209

-slehre 95, 465
-sordnung 240
-swerk 490f.
s. Heil, Soteriologie, Versöhnung
Erneuerung 242f., 245, 248, 253, 310f.
Erscheinung 39, 81, 385f., 390ff.
-sberichte 396f.
-stradition 395
Erwählte 344, 421, 438
Erwählung 352, 383f., 411, 413, 421, 438
-sgeschichte 87, 136
-slehre 25, 35, 37, 39, 421
-sratschluß 169, 422
Erwartung 112f., 230
Erweckungsfrömmigkeit 266f.
Erzengel 125
Eschatologie, eschatologisch 10, 13, 20, 35, 57, 72, 74, 76, 82, 95, 116f., 120, 122, 161ff., 186ff., 196, 201, 209, 216, 236ff., 243, 245, 253, 255ff., 300, 311, 350ff., 366ff., 383, 389ff., 402ff., 423, 438, 441ff., 456ff., 472f., 502ff.
s. Theodizee, Vollendung, Ziel
Eschaton 162, 188
ethisch, ethizistisch 238, 253, 256, 262, 294, 300, 307, 322, 347ff., 351, 468
Eucharistie 163
euklidisch 177
Evangelien 306, 354, 372, 377, 380, 391, 396ff., 403, 406, 416, 441, 462, 485f.
-literatur 398, 502
-tradition 486
-überlieferung 487
Evangelisten 354, 376f., 380, 406
Evangelium 318, 326, 355, 445f., 475, 495f., 501ff.
Evolution 48, 93, 123, 132, 136, 142ff., 153ff., 166, 186, 203, 310, 313
-slehre 143, 145, 156, 158
-stheologie 145f.
-stheorie 94f., 143ff., 153ff.
Ewigkeit, ewig 17f., 21, 23, 36, 39ff., 52ff., 72ff., 81, 104, 107, 113ff., 124, 161ff., 173ff., 184, 201ff., 226, 229, 305, 327, 357ff., 410ff., 416, 427ff., 481f., 487ff.
Exegese, exegetisch 169, 233ff., 242, 248, 271, 302, 318, 350, 353, 377, 379, 419, 446, 459, 485, 493, 497
Exil 25
Exilszeit 26
Existenzialismus 258
Exodustradition 357
Expansion des Universums 79, 130, 150ff., 160, 180, 183, 185
exzentrisch 215, 263, 298f.

Faktizität 12, 323, 359, 388, 385, 404
Faktum 305, 325, 386, 401
Fall der Engel 193
– des Menschen 194, 237, 240ff., 253f., 260, 275, 290ff., 300ff., 314
– der Weltseele 32f., 45, 116
Fatum 61
Feinde Gottes 460, 480
Feindesliebe 373
Feindschaft gegen Gott 461, 480
Feld (phys.) 99ff., 122f., 125, 127, 133, 149f., 188
-begriff 101ff., 121, 123, 128, 133, 188
-charakter 104
-kräfte 127
-struktur 123, 188
-theorie 67, 100ff., 123, 132
-wirkungen 104, 132, 135
Föderaltheologie 346
Form 134f., 143, 277, 292
Formalismus 64
formatio 134
Fortpflanzung 155
Franziskanerschule 175
Frau 230, 235f., 246f., 260, 262, 279, 398, 400, 402
Freiheit, frei 5, 64f., 167, 193f., 205, 208, 220f., 228, 262, 268, 278, 296f., 383
Fremderhaltung 67f.
Freudenbote 502ff.
Friede 171, 367, 443f., 447, 500
Frömmigkeit 266, 269, 307
Fruchtbarkeit 155f.
Frühscholastik 450
für uns gestorben 462ff., 470, 493
fundamentalistisch 145

Gabe 113, 156, 219, 358, 440, 500
Galaxie 93f., 141, 150
Ganze, das 58, 70, 80, 110, 115, 124, 149, 151, 153, 158, 171, 174, 179, 186, 203, 213, 222, 226
Ganzheit 91, 113, 133, 149, 151, 153, 223, 227f., 230, 311f., 443
Gattung 143, 166, 204, 309
Gebot 25, 45
Geburtsgeschichte 275, 281, 288, 303, 335, 352, 358, 369, 373, 442, 482
Gedächtnis 112, 221
Gefühl 221ff., 231
-sbegriff 221f.
Gegenstand 107, 117, 163, 194ff., 221ff., 263, 297, 298f., 301, 351
-sbewußtsein 222ff., 283
Gegenwart, zeitüberbrückende 112ff., 124, 311
Geheimnis, göttliches 297f.
Geist 40, 45ff., 78, 96ff., 109ff., 119f., 123ff., 131ff., 137, 139, 159f., 163, 188, 212ff., 219f., 225ff., 230, 238f., 247, 253, 264f., 314, 326f., 342, 350, 356ff., 365, 386, 388, 400, 408ff., 424ff., 433ff., 442, 446, 460, 481, 483f., 489, 495ff., 508
-begriff 216
-christologie 426
-gabe 219
-geburt 358
-mitteilung 216, 493
-wesen 128
-wind 98, 214
-wirklichkeit 505
-wirkung 98, 105, 122, 133, 215
 - Christi 13, 139, 497
 - Gottes 13, 96ff., 104, 120, 126, 131f., 162, 164, 214ff., 226, 334, 357, 430, 497, 510
 s. Gott, Leben, parakletos, Pneuma, Schöpfer, Trinität
Geister 126f.
Geistesgeschichte 102
Geistigkeit 213, 217, 237, 257
Gemeinde 318, 321f., 324, 349ff., 359, 376, 438, 454, 490, 509

Gemeinschaft
 - der Erlösten 347
 - des Gottesvolkes 361
 - der Kirche 346
 - der Menschen 93, 104, 169, 227, 344ff., 441f., 465
 - des Sohnes mit dem Vater 47, 104, 164, 194, 497
 - der Toten 104
 - mit dem Auferstandenen 390, 440
 - mit Jesus Christus 138, 358, 418, 436, 476, 480
 - mit dem Gekreuzigten 442, 440
 - mit Gott 21, 44, 47, 76, 79, 83, 92, 138, 161, 163, 194, 203ff., 219, 229, 232, 237, 251ff., 257ff., 300, 310f., 321, 337f., 357, 361, 373, 392, 410f., 413, 418, 442, 455, 458, 480ff., 500, 509
 - mit dem ewigen Leben Gottes 266
 - mit dem Schöpfer 93, 496
 - von Vater Sohn und Geist 21
Gen, genetisch 152f.
Generation 310
-enfolge 293
-szusammenhang 291f.
Genetik 153
genus apotelesmaticum 431
genus idiomaticum 431
genus majetaticum 431
Geometrie, geometrisch 101f., 106ff., 177f.
Gerechtigkeit 252f., 258, 267, 277, 286
 - ursprüngliche 243, 245, 292
 s. Urstand
Gericht 306ff.
Gesamtleben, neues 57
Geschichte 25, 58, 81, 86ff., 96, 104, 125, 127, 132, 138f., 146, 161, 168f., 181, 185, 189f., 287, 302, 310, 313
-shandeln Gottes 25, 28, 87, 147, 168
-lichkeit 90, 113, 145, 209, 325, 333
-splan 116, 302, 352
-sverständnis 86
Geschöpf 20ff., 35ff., 55, 70ff., 83, 124, 131ff., 142, 158, 161, 164, 174, 189,

193, 197ff., 302f., 309, 313, 330, 361, 365, 417f., 425, 429, 432ff., 470, 473
  s. Endliche, Mensch, Selbständigkeit
Gesellschaft, gesellschaftlich 204, 209, 234, 272, 293f., 300, 314, 347, 458, 465
Gesetz (phys.) 59, 81, 84ff., 102f., 135, 137, 159, 187
  -esaussage 85, 89f.
  -esbegriff 60f., 81
  -esformel 61, 84f., 88ff., 132
  -eshypothesen 83ff.
  -lichkeit 88f., 147
  -mäßigkeit 62, 84ff.
  -esordnung 89
Gesetz (moral.) 275, 282
Gesetz (theol.) 190, 281, 300f., 304, 361, 374, 384, 464, 482, 506ff.
  -eskritik Jesu 354
  -esoffenbarung 281, 288
  -estradition 384
Gerechte, der 351, 389ff., 470ff.
Gerechtigkeit des Glaubens 498
Gericht 190, 206, 305, 345, 366f., 371, 375, 377f., 381ff., 392, 406, 435f.
  – End- 305, 366, 394
  – Welt- 366, 444ff., 456f., 460, 466f., 471ff.
  -sbotschaft 366
  -sdrohung 383
  -sfolge 466
  -sgedanke 168
  -stod 307
  s. Eschatologie, Sünde
Gestirne 140f., 143, 150, 152, 159f., 174
Gewissen 269, 300
Gewißheit, gewiß 78, 322, 367, 409, 482
Glaube 11ff., 33, 62, 71, 77, 90, 128, 145f., 158, 162, 175, 184, 186, 190f., 200, 228, 234, 253, 260, 267, 270, 276, 285f., 288, 303, 316, 318ff., 326, 344, 351, 358f., 379, 385f., 392, 397, 399, 404, 409f., 416, 418, 423, 436, 444ff., 466, 474f., 487, 490, 495ff., 507f., 511
  -nsartikel 77
  -nsaussage 488
  -nsbekenntnis 328, 384
  -nsbewußtsein 12, 307, 319, 351
  -nserkenntnis 271
  -nsgedanke 322
  -nsgemeinschaft 489
  -nsgrund 322f.
  -nssache 175
  -nswahrheit 46
  s. Gabe, Geist, Gnade
Glaubende 71, 120, 126, 239, 242, 307, 341, 344, 347f., 352, 358, 361, 371, 377f., 390, 409ff., 417, 439f., 442ff., 457ff., 466, 476f., 482ff., 495, 497ff., 508
Gleichnis 233, 338, 371f., 416
Gleichzeitigkeit 11ff., 124, 166f.
gloria Dei 73
Glück 71, 282, 286
Glückseligkeit 255, 286
Gnade 162, 209, 244, 251, 260, 275, 302, 341, 466, 506
  -nbund 312
  -ngabe 253, 339, 345
  -nlehre 220
Gnosis, gnostisch 116, 211, 217, 297, 336ff., 394
Gnostiker 45, 217
Götter 161
Götze 216
Gott
  –, Abwesenheit 435f.
  –, Alleinwirksamkeit 65
  –, Allgegenwart 109f., 113, 178, 421, 431
  –, Allmacht 31f., 198, 303, 394, 421, 431f.
  –, Allwissenheit 302, 421, 431f.
  –, Atem 97f., 132, 214
  –, Barmherzigkeit 71
  –, Ehre 36, 73, 137f., 161, 189, 406, 434, 497
  –, Eiferheiligkeit 25, 370
  –, der eine, einzige 9, 24, 36, 44ff., 77, 125, 315, 355, 359, 365, 406, 415f., 421f., 432, 438
  –, Einfachheit 23
  –, Einheit 336, 487
  –, Einzigkeit 28, 370f.

–, Ewigkeit 34, 47
–, Freiheit 19, 21, 23, 28, 32 ff., 55, 58 ff., 198, 411, 414, 433
–, Fürsorge 36, 50, 70 f., 154
–, Geduld 30, 194, 313
–, Gegenwart 47, 63, 107, 110 f., 320, 323, 375, 385, 456, 496
–, als Geist 104 f.
–, Geistigkeit 104
–, Gerechtigkeit 71, 191 f., 201, 389, 453, 455, 473, 502 ff.
–, Gottheit 12, 36, 39, 44, 60, 73 f., 77, 137, 161, 189, 192, 200 f., 329, 410, 421, 433 f., 437, 499
–, Güte 30, 35, 45, 70, 371, 392
–, Handeln 15 ff., 49 ff., 72 ff., 86, 145, 147, 165 ff., 191, 262, 315 f., 328, 336, 384, 414, 437 f., 483 ff.
–, Herrlichkeit 73, 201
–, Herrschaft 71 f., 127, 157, 160, 233, 266, 303, 350, 366, 374, 416, 422, 433 f., 438 f., 496, 502 f.
–, Identität 69, 411, 414
–, immensitas Dei 106, 109 f.
–, Innerlichkeit 98
–, Intellekt 16, 33, 37, 39, 41
–, Königsherrschaft 72, 366 f., 406 ff., 431 ff., 502, 504, 507 f.
–, Königtum 233, 350, 353, 434 f., 438
–, Kommen 171, 366
–, Kraft 215
–, Leben (trinitarisches) 19, 23, 35, 43 f., 46, 55, 75, 437, 480
–, Leidensbereitschaft 30
–, Liebe 30, 34 ff., 45, 71, 74, 107, 170, 228 f., 324, 371 ff., 422, 445, 447, 452 f., 455, 470, 483, 486, 509
–, Macht 31 f., 105, 135, 189, 198, 225, 435
–, Natur 32 f.
–, Plan 338
–, Rechte Gottes 109, 431
–, Ruhe 51 f., 169, 171
–, Sein 365
–, Sprechen 98 f., 132 f.
–, Selbigkeit 197
–, Selbstbeschränkung 65
–, Selbstbestimmung 23
–, Selbstdifferenzierung 75
–, Selbstentäußerung 43
–, Selbstidentität 23, 75, 360
–, Selbstrealisierung 34
–, Selbstverwirklichung 433 ff.
–, Subjekt 19, 41, 43
–, Ratschluß 414, 458, 467
–, Rechte Gottes 323
–, Tat 15 ff.
–, Teilnahme am Leben der Geschöpfe 75 f.
–, Treue 56, 60, 69, 91, 131, 341, 352
–, Uhrmacher 61
–, Unermeßlichkeit 107, 109 f., 178
–, Unveränderlichkeit 55, 61, 66, 69, 108, 173, 175, 432
–, Veränderung in Gott 54
–, Verborgenheit 200, 435
–, Verstand 198
–, Vollkommenheit 61, 178, 197
–, Vorausbestimmen 169
–, Vorauswissen 166 ff.
–, Weisheit 41, 80, 192, 198
–, Wesen 19, 23, 34 ff., 40 ff., 53, 58, 105 f., 135, 198, 360, 414, 433
–, Wille 16, 18, 29, 33, 35, 40 f., 60 f., 64 f., 75, 129, 170, 175 f., 196, 198, 245, 275, 304, 356, 374, 506
–, Wirklichkeit 10 f, 186, 226, 297, 320, 333
–, Wissen 18, 40, 113, 166 f., 196
–, Zorn 307, 309, 448 ff., 460
–, Zukunft 13, 72, 74, 131, 171 f., 188, 350, 366 ff., 408, 410, 417, 435 f., 442 ff., 447, 489, 492, 495, 505 f.
–, letzter Zweck 70, 72, 74
s. Absolute, Ewigkeit, Grund, Offenbarung, Schöpfer, Trinität, Unendliche, Ursprung, Vater
Gottähnlichkeit 243, 265
Gottebenbildlichkeit 156, 188, 204, 208, 218 f., 228, 234 ff., 246, 254, 260, 263, 265, 329, 337 ff., 419, 479, 491
s. Bild, imago, similitudo
Gottesbegriff 173, 283
Gottesbeweis 144, 151, 181 f., 187

545

Gottesbewußtsein 294, 318, 347 ff.
Gotteserkenntnis 204, 207, 216, 245, 271, 416
Gottesfeindschaft 452
Gottesferne 207, 418
Gottesfrage 282
Gottesfurcht 277
Gottesgedanke 12, 43, 169, 173, 176, 186, 328, 330, 333
Gottesgesetz 87
Gottesglaube 10, 191
Gottgleichheit 199, 264, 376, 419
Gotteshaß 279 f.
Gottesherrschaft 13, 36, 71 f., 127, 171, 321, 349 ff., 406, 408 ff., 415 ff., 428, 431, 437, 441 ff., 470, 479, 485, 494 f., 504 ff.
  s. Gott
Gotteskindschaft 357 f.
Gottesknecht 355, 375
Gotteslästerer, -ung 354, 376, 378, 416 f., 472, 479
Gotteslehre 11, 77, 104, 259, 328, 373
Gottesleugnung 66
Gottesliebe 204, 280, 373
Gotteslob 138, 189, 201
Gottesmord 384
Gottesoffenbarung 9, 161, 381
Gottoffenheit 264
Gottesrecht 168, 350 f., 373 f.
Gottesreich 184, 209, 322, 349 f., 368, 492, 508
  s. Reich Gottes
Gottessohn 93, 232, 234, 315 ff., 332, 339, 341 ff., 355, 358, 360, 388, 408, 411, 413, 419, 427, 431 f., 466, 476 f., 481, 486 ff.
  -titel 424
  -, Handeln 489, 494
  -, Selbstaufopferung 495
  s. Jesus Christus, Logos, Sohn
Gottessohnschaft 93, 259, 315 f., 342 f., 376, 406 ff., 415 ff., 423 ff., 432
Gottesverhältnis 200, 203, 207, 242, 258, 277, 307, 309, 320
Gottverlassenheit 418, 436
Gottvertrauen 373

Gottesvolk 39, 57, 274, 361, 458, 472, 488, 491, 493
Gottesvorstellung 144, 169, 187, 328 f.
Gottmensch 250, 475, 477
Gottvertrauen 277
Grab, leeres 325, 386, 395 ff., 403
  -esgeschichte 398 f.
  -estradition 399 f., 402
Gravitation 108, 150, 178, 185
  -sfeld 67, 123, 127
  -skonstante 94
griechisch 98, 219, 226, 305, 331 f., 401
Grund 68, 115, 135, 151, 198 f., 221, 224 ff., 322, 325, 327, 361, 369, 420, 423, 428 f.
Grundgesetz 205
Güte der Schöpfung 189 f., 196, 198, 302
Güter 206 f., 282, 286, 308
Gut, höchstes 279, 281, 286
Gute, das/der 76, 117, 119, 194, 197 f., 206, 297, 338
Gutes 272 f., 278, 286, 296, 313 f.

Handeln 125, 231, 264, 273, 284 f., 296, 437
Handlung 56, 296 f., 299 f.
  -sbegriff 232
  -sfreiheit 193
  -sstruktur 72
  -subjekt 65, 75, 231, 431, 437, 492
  -szweck 75
Hang 246, 269, 294 f.
Haupt 509
Hegemonikon 217, 230
Heiden 207, 458
  -mission 316, 394, 396
Heil 13, 26, 328, 338, 352, 356, 367, 371 ff., 393, 409 f., 422, 435 f., 441 ff., 467, 472, 483, 486, 489 f., 502 ff.
  -sbedeutung 487, 490, 505
  -sbegründung 410
  -sbotschaft 367, 443, 504, 507
  -sbringer 172, 376, 489
  -serwartung 441 ff.
  -sgegenwart 372, 377, 445, 504, 507, 510
  -sgemeinde 372

-sgemeinschaft 368
-sgeschehen 113, 171, 423, 444, 461
-sgeschichte 23, 50, 87, 126f., 136, 144, 195, 251, 300, 337f., 443, 506
-sglaube 23
-shandeln 168, 337, 495, 505
-shoffnung 356, 393, 441f.
-sinteresse 441
-smysterium 302
-sökonomie 34, 49, 167, 259, 414, 437f.
-splan 22, 337
-sratschluß 22, 163
-ssetzungen 366f.
-stat 307, 505
-steilhabe 367, 372, 446f., 488
-svermittlung 442
-svollendung 171
-swerk 490ff.
-swille 169, 338
-swirkungen 503
-szukunft 442, 446, 489, 505f.
-szuversicht 447
-szweck 23, 454
s. Gemeinschaft, Teilhabe
Heiland 352, 424
Heimarmene 32
Hellenismus, hellenistisch 213, 366, 398, 412, 424
Hermeneutik 11, 343f.
Herrschaft 92, 156ff., 163, 186ff., 193, 203, 218, 231, 233ff., 251ff., 266, 298, 337
Herz 217, 219, 275, 294, 300
hilasterion 456, 474
Himmel, himmlisch 36, 57, 98, 105, 126ff., 169, 336ff., 346, 375, 378, 382, 396f., 417, 433
Himmelfahrt 109, 340, 366, 397
Himmelreich 127
Himmelsglocke 140
historisch 246, 320ff., 353, 359, 380f., 387, 396, 399, 403ff., 416
Historizität 323, 354, 395, 399, 402ff.
Hochmut 278ff., 290
Hochscholastik, hochscholastisch 220, 277, 431

Hoffnung 161f., 171, 184, 201, 258, 311, 351, 355f., 366f., 376, 389ff., 403f., 436, 438ff., 444f., 466, 473, 476
Hohepriester 377f., 381, 490
holistisch 121, 137, 149, 153
Homoiosis 238f., 241
Humanismus 349, 470
Humanität 250, 256, 260
Hyperzyklentheorie 152
Hypostase, hypostatisch 19, 40
hypothetisch 143

Ich 116, 128, 164, 221ff., 231, 279, 281, 284, 286f., 290, 298
-befangenheit 288
-bewußtsein 284
-fixierung 288, 299, 314
-relativität 223
-zentriertheit 193
s. Identität, Individuum, Selbst, Subjekt
Ideal 347
Idee 347, 481
Ideen 39ff., 87, 198
-kosmos 43
-lehre 39, 80
Identität 56, 68f., 80, 115, 117, 134, 188, 198, 207ff., 230f., 263, 285ff., 311, 342f., 360f., 416, 428, 430ff., 437, 497
-sbildungsprozeß 285f.
-sfindung 286
-spsychologie 285
-sthematik 288
Idiomenkommunikation 421, 430f.
s. genus
imago 240, 242f., 251
s. Bild, similitudo
Immanenz 43, 53, 80, 82, 162
Implikation, implizit, implizieren 12, 100, 225, 321, 325, 327, 330, 334, 378f., 386, 391, 406, 423
Indeterminismus, indeterministisch 103f., 137
Individualität 82, 223, 229
Individuum 125, 127, 155f., 166, 204, 209, 214, 225, 227, 229, 269, 282f., 291, 294f., 309, 390, 465, 479, 482

Industriegesellschaft 9, 234
Infinitisten 177
informatio 134
Information (phys.) 133f., 151ff.
    -sbegriff 134f.
    -sgehalt 135
    -stheorie 134
initial aim 30
Inkarnation 22, 36, 39, 49, 54, 57, 59, 82, 87, 92, 95, 104, 132, 137f., 161, 170, 203f., 219, 239, 242, 253, 259, 265, 310, 315, 317, 327ff., 338f., 341ff., 357ff., 410f., 421f., 428, 441, 467, 476ff., 490, 497
    -saussage 341f., 403, 428
    -schristologie 327
    -sgedanke 105, 327, 332f., 360, 421, 428, 481, 493
    -sgeschehen 342
    -sglaube 93
    -slehre 93, 95, 322, 341
    s. Menschwerdung
Inspiration 510f.
Instinkt 250
Intellekt 214
Intelligenz 186f.
intelligibel (Kosmos) 42
Interpretation 10f., 315ff., 468, 487
    -smodell 468
    -sprozeß
Intersubjektivität 223, 263
Inthronisationsformel 357
Intravenienz 82
Intuition 109ff., 116, 123
intuitionistisch 180
Inversion, temporale 131, 153
irenäisch 195, 338
Irreversibilität der Zeit 118, 130
Isotropie 94

Jesus Christus 9f., 21, 43, 77, 81, 109, 120, 131, 138, 145, 161ff., 184, 187, 190ff., 204, 232, 238ff., 245, 253f., 275ff., 271, 286, 302, 308, 310, 326, 337f., 351
-, Amt 317, 491ff.
-, dreifaches Amt 349, 492ff.
-, Anspruch 326
-, Beruf 351, 454, 492
-, Berufsleiden 454
-, Berufspflicht 453
-, Berufstreue 379, 455
-, Bild Gottes 241f., 248
-, Botschaft 36, 72, 130, 154, 170f., 193, 208, 229, 321, 323, 326, 345, 350ff., 367, 370ff., 386ff., 407, 410, 415f., 438, 442ff., 470, 472, 479, 485, 492, 502
-, Einheit mit dem Vater 378, 406
-, Entäußerung 361
-, Erniedrigung 348f., 361
-, Gebet Jesu 486
-, Geburt 332, 340ff., 357ff., 408ff., 427f., 430f.
-, (All) Gegenwart 106, 326, 400, 432
-, Gehorsam 21, 39, 335f., 344f., 356f., 388, 419, 427, 444, 470, 482, 485
-, Gehorsamstat 335, 338, 420
-, Gottesbewußtsein 333, 452
-, Gottesbeziehung 479
-, Gottheit 37, 158, 259, 315ff., 325, 327, 330, 333, 336, 340, 346, 348, 351, 365ff., 411, 414, 417, 421, 431f., 494, 460f., 486, 504
-, Gottmensch, gottmenschlich 429, 491, 495
-, Gottmenschheit 449
-, Handeln des Erhöhten 496
-, Heiligkeit 246
-, Königsherrschaft 407, 459f.
-, Königtum 491ff.
-, Leben Jesu 322f.
-, Leiden 352, 356, 379, 419, 428, 432, 435, 453f.
-, Leidensgehorsam 340, 345, 348, 419f., 432, 445, 460, 466, 480
-, Leidensweg 349, 379, 384, 427f.
-, der Mensch schlechthin 476
-, Naturen 36, 317, 340, 346, 365, 423ff., 449f., 481, 489, 491, 494
-, Priestertum 491ff.
-, Prophet 491ff.
-, Selbstaufopferung 492

-, Selbstbekundung 397
-, Selbstbewußtsein 433
-, Selbsthingabe 460, 470, 485
-, Selbstopfer 485
-, Selbstunterscheidung vom Vater 34ff., 44, 415ff., 431f., 445, 479f., 499f.
-, Stände 348f.
-, Sterben 340, 344, 411f.
-, Sündlosigkeit, sündlos 460, 469
-, Tod
-, Todesgehorsam 335
-, Verdienst 451, 475, 477
-, Verhältnis zum Vater 365, 427f., 489, 499f.
-, Verkündigung 171, 318, 321ff., 349ff., 361, 366ff., 375, 377, 384, 408, 417, 425, 485, 496
-, Vollmacht 375, 378, 391, 410, 412, 435
-, Vollmachtsanspruch 324f., 354, 374f., 378f.
-, Vollmachtsbewußtsein 367, 370f., 375
-, Willenseinheit mit dem Vater 486
-, Zweideutigkeit seines Auftretens 376, 379, 384f., 387, 417f., 436, 445, 455, 479
s. Auferstehung, Auferweckung, Erhöhung, Gottessohn, Inkarnation, Kreuz, Kyrios, Logos, Menschensohn, Menschwerdung, Messias, Mittler, Offenbarung, Passion, Parusie, Praexistenz, Sendung, Sohn, Wiederkunft
Jesustradition 120, 412, 488
Jesusüberlieferung 485, 502
Johannesapokalypse 125, 171, 305
jüdisch 87, 97, 106, 109, 120, 125ff., 158, 170, 174, 215, 239, 247f., 252, 275, 325, 336, 340, 351ff., 366, 368, 373f., 376ff., 386ff., 397, 400ff., 412, 424, 441, 444, 456, 461, 470ff., 503
Jünger 325, 350f., 355f., 385f., 390f., 397, 400, 439
Juden 316, 351f., 374, 383, 399, 406
Judentum 216, 351, 358, 384, 391, 424

Jungfrauengeburt 358
Jungfräulichkeit Marias 359

Kairos 21
Kanon 510
kappadokisch 15
katholisch 74, 266, 295, 324, 358, 433
Kausalität 84
Kenosis 421f.
 -lehre 318, 360
Kinder Gottes 483
Kirche 12, 72, 182, 209, 254, 260, 276, 315, 319, 323, 326, 328, 336, 344, 347ff., 358, 406, 423f., 458, 488, 496, 501, 508ff.
Knecht Gottes 424
Königsherrschaft s. Gott
Körper (phys.) 67, 99ff., 109, 111, 118, 123, 148, 180
Kohärenz 103, 405
Konkordienformel 431f.
Konkupiszenz 276, 283, 499
Konkurslehre 65
Kontingenz, kontingent 23, 34, 36, 41f., 55ff., 62, 67ff., 84ff., 119, 122, 124, 129, 133, ·135, 167, 175, 188, 198, 333
Kontraktion 183, 185
kopernikanisch 94, 177
Kosmogonie 28, 32, 79
Kosmos, kosmisch 32, 42, 66f., 78f., 89, 93, 95, 99, 101, 116ff., 125ff., 137, 151f., 180f., 187f., 279, 282, 336, 458, 485, 488, 497
 s. Gesetz (phys.), Ordnung, Natur, Universum, Welt
Kosmologie, kosmologisch 25, 79, 89, 93, 95, 125, 130, 132, 140, 149f., 158, 177ff., 187f., 282
 - physikalische 79, 95, 130, 132, 150, 158, 177, 182f.
 - relativistische 79
 s. Evolution, Kosmos, Omega, Physik, Relativitätstheorie, Universum
Kraft (phys.) 63ff., 93, 96ff., 123, 125, 129ff., 159, 178
 -begriff 67, 100f.

549

-feld 100f., 122f., 128, 131, 133
-linien 101
Kreatianismus 212, 291
Kreuz 197, 324, 340, 343, 345, 348, 352f., 356, 379, 384f., 387, 418f., 427, 432, 436, 438, 485, 501, 510
-esgeschehen 467
-esinschrift 352
-estheologie 379, 432
-estod 193, 196, 310, 384ff., 403, 408, 418, 430, 436, 445, 447, 451, 457, 483ff., 491
s. Lösegeld, Opfer, Stellvertretung, Versöhnung
Kreuzigung 348, 350, 355, 378f., 384, 387, 402, 423, 471f., 484, 488, 491f.
Kult, kultisch 25, 369, 438, 456f., 464, 467, 474
-legende 399
-stätte 169
Kultur 9f., 25, 209f., 228, 234, 405, 435
-geschichte 468
Kunst 208
Kyrios 420, 424, 487, 489, 491, 497, 506
– name 420
– titel 424f.
– würde 321

Läuterung 59
Laterankonzil 175, 254
Legalität 247
Leben 10, 46ff., 59, 75, 82, 91, 93f., 96ff., 105, 113, 120, 123f., 136f., 144, 151ff., 185f., 193, 203ff., 214ff., 221, 223, 227ff., 254, 258, 261, 271, 286, 288, 297, 301, 304, 307ff., 338, 417f., 436, 438f., 441ff., 465ff., 481f., 507
-satem 214f.
-sbaum 244, 253
-serfüllung 304
-sfreude 314
-sgefühl 200, 223ff., 230
-sgeist 159, 208, 215, 218
-sgeschichte 230, 301
-sgier 304
-skraft 97, 155
-sodem 154, 214, 216ff.

-sprinzip 226
-sthematik 286
-, eschatologisches 338, 403
-, ewiges 211
-, neues 97, 120, 345, 385, 387ff., 402ff., 410, 418, 439f., 442, 446, 468, 473f., 482, 488f.
-, unvergängliches 356, 389 385, 385, 389, 391f., 418, 434, 440, 458, 466, 485
s. Eschatologie, Geist
Legende, legendär 359, 396, 398, 409
Legendenbildung 396
Lehrverurteilung 276
Leib 209ff., 223, 226, 230f., 305, 306, 426
Leib Christi 498
Leiblichkeit 394, 401f.
Leid 31, 71, 189ff., 314, 435
Leidensweissagung 485
Lichterscheinung 396
Lichtgeschwindigkeit 93, 112, 114, 182
Liebe 253, 267, 287, 373f.
Liebesgebot 170, 373
Literatur 208
Lob Gottes 266, 330
Lobpreis, lobpreisen 73f., 154
Lösegeld 448, 462, 464, 467
Logoi 40, 80, 135
Logos 32, 36ff., 44, 46, 53, 79ff., 87, 92, 96, 132ff., 174, 218f., 236, 239f., 245, 248, 250, 305, 310, 319, 331ff., 345f., 420ff., 449
-begriff 39, 333, 426
-christologie 316, 318, 333, 339
-haftigkeit 138, 331
-lehre 219, 316, 339
-philosophie 331
-teilhabe 219, 331, 334, 339
-theologie 135
-, asarkos 31, 239
-, ensarkos 81
-, konkrete 81f.
-, generative Prinzip der Besonderung/Vielheit 42, 47, 331
-, schöpferisches Prinzip der Welt 82
-, Seinsgrund der Geschöpfe 38f., 44
-, Selbstentäußerung 37

-, universale 81f.
s. Christus, Jesus Christus, Gottessohn, Schöpfungsmittler, Trinität
Lust 276f., 286
Lutheraner, lutherisch 64, 70, 92, 109, 237, 243, 277, 314, 347, 360f., 421, 508f.

Macht 300ff.
Mächte 125ff., 194, 204, 313
Märtyrer 389f., 470ff., 483
magisch 28, 453
Mahl, letztes 371, 486
-feier 368, 508
-gemeinschaft 372
Mangel an Sein 197, 199
Manichäer, manichäistisch 174, 195
Mann 230, 235f., 246f., 260
Mariendogma 358
Masse (phys.) 100f., 134, 180
Materiale 277
Materialismus, materialistisch 33, 61
Materie 28ff., 66, 92, 100, 107f., 130ff., 148f., 162, 180, 185, 243
Mathematik 180
Mechanismus, mechanisch 61, 66, 99, 144, 148, 153, 178, 184
mechanistisch 64, 66, 91, 102, 129, 145, 151
Membrane 152
Mengenlehre 179
Mensch 9ff., 36ff., 81f., 88f., 136ff., 144, 151ff., 158, 162ff., 186f., 203ff., 228f., 232f., 238, 244f., 248, 268, 290, 301, 317, 327ff., 331f., 337, 339, 346ff., 361, 420, 432ff., 308, 332f., 361, 429f., 476ff.
-, neue 82, 145, 187, 190, 242, 336ff., 344ff., 352, 356f., 418f., 477
s. Adam, Anthropologie, Freiheit, Geschöpf, Gottebenbildlichkeit, Ich, Individuum, Jesus Christus, Leben, Natur, Person, Religion, Selbst, Sünde
Menschenbild 157, 21
Menschenrechte 204f.

Menschensohn 354, 368, 375ff., 381f., 392, 406, 411, 424
Menschenwürde 204f.
Menschheit 10, 12, 50, 82, 96, 129, 158, 161, 185, 195, 209, 258, 260, 272, 281, 292, 302, 309f., 313, 325, 330, 335f., 338f., 344ff., 393, 441f., 447ff., 456f., 469ff., 482, 489f., 495, 501, 509f.
-, neue 39
Menschsein 11, 204, 213, 333
Menschwerdung 37, 317, 327f., 331f., 339, 346, 360f., 420, 432ff.
mesopotamisch 161
Messianität 317, 349, 353f., 408
Messias, messianisch 170, 315, 317, 342, 346, 349ff., 361, 376f., 382, 385, 391f., 406ff., 424, 439, 441f., 462, 489, 494, 510f.
-erwartung 355, 375, 441
-frage 354
-gedanke 355
-geheimnis 376
-gestalt 355
-hoffnung 355, 441
-könig 353
-prätendent 352ff., 407
-titel 315, 351ff., 406f., 488, 494
-vorstellung 445
-würde 380
-, leidende 353
Metapher, metaphorisch 97, 332, 387f.
Metaphysik, metaphysisch 88, 100ff., 111, 123, 175, 197f.
Mikrokosmos 152
Mission
-sbotschaft 385, 501f., 507ff.
-sgeschichte 393
-stätigkeit 509
-sverkündigung 488
-Welt 9
Mitmenschlichkeit 260
Mittel 138, 160, 163
Mittelalter, mittelalterlich 51, 72, 76, 88, 102, 108, 167, 195, 207, 254, 280, 291, 405, 490ff., 507f.
Mittler 138, 172, 217, 374f., 377, 448ff., 479, 490, 494, 497

-amt 449, 491 ff.
-begriff 450
-gedanke 449
-tum 449
Moderne, modern 9, 61, 67, 86, 93 ff., 108, 114, 128 ff., 136, 140 ff., 153 ff., 166, 177, 181, 183, 204 f., 210 f., 221, 230, 232, 272 f., 280, 282, 289, 290, 292, 293, 305, 312, 324 f., 340, 346, 358, 353, 357, 372, 379, 485
Mögliche, das 61, 85, 123, 198
Möglichkeit 122, 131, 137, 177, 197 ff., 296 ff., 333, 361
  -sfeld 122, 131, 149
  -sgrund 45, 360
Monade 100
Monarchie s. Vater
Monismus 32 f., 46
Monophysitismus 433
Monotheismus 35
Moral 270
  -gesetz 283
  -isierung 300
  -ismus 270, 273
  -ität, moralisch 197, 199, 253, 255, 257 f., 268, 270 f., 282 f., 304, 307, 347
  -kritik 267
Mosegesetz, -thora 374, 508
Multivolipräsenz 432
munus 491
Mysterienkult 393
Mysterienreligion 467
mysterion 352
Mystik 29, 207
Mythos, mythisch, mythologisch 26 f., 49, 116, 155, 165, 172, 246, 281, 288, 323, 332, 393 f.
Mythosbegriff 332

näphäsch 213 f., 218
Naherwartung 409
Nathanverheißung 357
Natur 77, 87, 91 ff., 102, 125, 130, 133, 143 f., 149, 151, 157 ff., 176 f., 189, 197, 283, 297, 305, 338
  -anschauung 128

-auffassung 139, 143
-begriff 60, 426
-beschreibung 102
-betrachtung 91, 144 f.
-erkenntnis 120, 139, 142, 189
-erscheinungen 92, 100
-geschehen 57, 60, 84 ff., 96, 100 ff., 118 ff., 131, 145, 147, 151, 200
-gesetze, -gesetzlich 61 f., 81 ff., 90 ff., 119, 122, 133, 143, 181, 456
-konstanten 85, 94
-kräfte 125, 129, 131
-mächte 129
-ordnung 60 f., 87, 145
-philosophie, -philosophisch 64, 119 ff., 133 f., 148
-prozess 91 f., 114, 118 f., 123, 136, 199
-rechtlich 205, 383
-verehrung 163
-verständnis 163
-wissenschaft, -wissenschaftlich 60 f., 67, 77 ff., 88 ff., 103, 105, 115, 121, 124, 128 ff., 140 f., 147 ff., 154, 172, 177, 184
-zweck 163
-welt 88, 125, 163, 184, 188, 203 f., 234 f.
– des Menschen 57, 204, 208 f., 212, 218, 243, 249, 261, 265, 279, 291, 305, 315, 331 ff., 338, 429 f.
s. Kosmos, Ordnung, Welt
Negativität 177
Neues Testament, neutestamentlich 10, 120, 126 f., 131, 139, 193, 207, 218, 231 f., 238 f., 243, 245, 253, 274, 303, 308, 316, 319 ff., 325, 327, 342, 345, 350 f., 353, 395, 397, 399, 409, 411 f., 425, 427 f., 442, 446 f., 452, 467 f., 475, 481, 486, 492, 494, 502, 507 f., 510
Neuplatonismus, neuplatonisch 32, 45, 134, 173 ff., 196 f., 199
neuprotestantisch 307
neurotisch 270, 288, 307
Neutron 136
Neuzeit, neuzeitlich 33, 67, 77, 86, 91, 99, 130, 157, 177, 184, 234 f., 405, 465
Nichtige, das 29, 128, 196

Nichtigkeit 303, 312
Nichts, das 29, 51, 197
Noahbund 50, 251f.
noetisch 505
nominalistisch 199
Norm 258, 270, 274f., 296, 299ff., 307
-bewußtsein 270
notitia Dei insita 264
nova lex 507f.
Nus 32ff., 40, 45, 104, 217, 236, 239

Objektivierung 81
objektivistisch 122, 478
oboedientia activa/passiva 486
Odem 96, 105, 214f.
odium dei 280
Offenbarung, offenbaren, offenbar sein /werden 9f., 13, 21, 36, 73, 87, 93, 130, 163f., 172, 177, 260, 271, 289, 323, 328, 330, 341, 365, 374, 387, 396, 410f., 417, 421, 437, 504
-sgedanke 259
-sgeschehen 11
-sverständnis 271
s. Gott, Jesus Christus
offenbar 93, 130, 336, 357, 373, 410, 420, 422, 427, 435f., 439, 445, 479, 500ff.
Offenbarer 120, 341
Offenbarungsgestalt 297
Offenbarungswahrheit 183
officium Christi 494
officium mediatoris 491
ökologische Krise 234f.
Ökonomie, ökonomisch 19, 138, 328, 437
ökumenisch 163, 358
oikeiosis 222
oikonomia 337
Omega 136, 186ff.
Omega-Point-Theory 95, 187
Ontologie, ontologisch 48, 63f., 85, 91, 122, 134, 149, 196f., 422, 429
Ontologisierung 122
opera
 -ad extra 41
 -ad intra 3
 - externa 3

operatio 4
Opfer 274, 447, 450f., 465, 467, 475, 485f.
-tod 481, 493ff.
-wesen 374
s. Jesus Christus, Kreuz, Stellvertretung
Ordnung 25f., 41f., 46f., 50f., 61f., 70, 78, 80ff., 91, 96, 102, 119, 122, 124, 130ff., 151, 157, 168, 187, 190, 192, 196, 209, 266, 279, 281, 294, 304, 314
Organismus 152f., 200
Orient, orientalisch 87, 139, 332
origenistisch 46
orphisch 211
Ostern 253, 410, 427
 - botschaft 252, 321, 325f., 387, 390, 393f., 400, 402, 405
 - erscheinungen 325, 391f., 396, 398
 - geschehen 322ff., 342, 355, 360, 378, 386f., 402, 406, 408ff., 415ff., 427, 436, 439, 469ff., 493
 - glaube 308, 321, 325, 385, 398, 402
 - überlieferung 386, 391, 395
 - verkündigung 399f.
s. Auferstehung, Auferweckung
ousia 426

Pantheismus 110
Paradies 235
 -esbaum 268, 448
 -esgeschichte 244ff., 253, 273, 299ff., 310, 336, 420
 -esschlange 335
Paradoxie 437f.
parakletos 500
Parameter 62
Parusie 392
 -verzögerung 409
s. Wiederkunft
Passion 342f., 379, 468, 483
-sgeschichte 398, 461
Patristik, patristisch 40, 57, 80, 102, 107, 125, 173f., 207f., 211, 213, 218f., 230, 236f., 240, 245, 253, 278, 290f., 296, 305, 336, 344, 348, 457, 491
Pauliprinzip 91

Pelagianismus, pelagianisch 262, 290ff.
Pentateuch 87
Perichorese 107, 431f.
Person 104, 107, 204f., 214, 227ff., 267, 269, 272
Persönlichkeit 262f., 273
persona 229
Personalität 227ff., 232, 257f., 332, 430, 433
Personbegriff 229
-sein 230, 257, 430
-würde 204
Personen, trinitarische s. Trinität
Pfadintegralmethode 122
Pflanzen 48, 96, 154, 157
Phantasie 220ff.
Philosophie, philosophisch 11, 32f., 67f., 89, 101, 103, 108, 115, 120f., 124, 173f., 179, 181, 211ff., 226, 230, 268, 281, 283, 347, 437
Photodissoziation 150
Photosynthese 150
Photonen 93, 136
-kollision 136
Physik, physikalisch 64ff., 79, 89f., 94f., 99ff., 113ff., 123, 132, 138, 144, 148, 150, 158, 177f., 178, 180ff.
s. Evolution, Gesetz, Kosmologie, Kraft, Natur, Materie, Quantenphysik, Raum, Relativitätstheorie, Universum, Zeit
Platonismus, platonisch 28ff., 80, 107, 173, 211ff., 241, 253f., 279
plotinisch 115
Pluralismus 9, 205
Pneuma, pneumatisch 32, 101f., 126, 215ff., 334, 440
s. Geist
Pneumalehre 102
pneumata 126
Pneumatologie, pneumatologisch 324, 326, 359
politheistisch 316
politisch 347, 353ff., 375, 379, 382, 384, 438, 482f.
Prädestination 39
-slehre 317, 411

Präexistenz, präexistent 39, 42, 45, 212, 216ff., 236, 239, 248f., 291, 315ff., 327, 335, 341, 349, 357, 411ff., 419ff., 424, 466, 476, 486, 488, 492
- aussage 412, 414f., 424f.
- gedanke 411f., 414, 419, 424, 428
- vorstellung 212, 316f., 411, 414
praesentia voluntaria 432
Predigt 322, 487, 496, 510
Priesterschrift, priesterschriftlich 25, 27, 87, 98, 141, 143, 155ff., 189, 233ff., 242, 246, 251
processio 16, 22
Projektion 319, 396, 442
Prolegomena 511
Prolepse, proleptisch 253, 259, 393, 410, 446, 482, 487, 489
s. Antizipation
Prophet, prophetisch 27, 168, 273, 350, 353f., 367, 374, 378f., 382, 390f., 398, 412, 416, 424, 462, 469, 486, 492ff.
Prophetenschicksal 461, 469
-rede 377
-wort 471
Prophetie 168, 172, 495f., 502
Proteine 153
Protestantismus 267, 465
Proton 94, 136
Providenz 51, 70
Prozeßphilosophie 29, 91, 333
-theologen 31
Psalmen 201, 388, 438
Psychologie, psychologisch 210, 217, 228, 281, 286ff., 300, 307f.

Quaddischgebet 366
Quantenfeldtheorie 120, 135
Quantenphysik, quantenphysikalisch 85, 90, 94, 102f., 121f., 148, 188
Quantentheorie 120, 135
Quarks 148
Qumrangemeinde 367, 369

Rationalismus, rational 173, 175
Raum (phys.) 79f., 95, 99, 101, 105ff., 133, 148, 150, 152, 170, 177ff., 225, 402

-, absoluter 66, 106ff., 178
-anschauung 110f.
-auffassung 177
-begriff, 106, 108, 111, 180
-form 101
-krümmung 185
-punkt 101, 108
-zeit 101, 109, 111, 114, 149, 182ff.
s.receptaculum rerum, Relativitätstheorie
Realismus 198
receptabulum rerum 107ff.
Recht 205, 314
-sordnung 347
Rechtfertigung 60, 190, 287, 345, 385, 391, 406ff., 423, 425, 439, 442, 444ff., 454
-sbewußtsein 454
-sgedanke 447
-slehre 444
Rechtfertigung Gottes 190, 192, 195
Reflexion 10, 67, 89, 111, 121, 124, 224, 283
-swissen 11f.
Reformation, reformatorisch 78, 237, 237, 241f., 246, 253, 260, 262, 266, 276f., 288f., 450, 490ff., 506ff.
Reformationszeit 316, 431
Reformierte, (alt-)reformiert 35, 62, 70, 73, 92, 346, 431f.
Regel, goldene 205
Regierung der Welt 49ff., 165
Regiment, weltliches 314
Reich Gottes 43, 69, 72, 75f., 82, 117, 120, 125, 132, 164, 172, 191, 231, 280, 286, 294, 307, 318, 346ff., 368f., 371, 435
Reich des Bösen 294
Reich der Sünde 294
Rekapitulationstheorie 448
Relation 108ff., s.Trinität.
Relativitätstheorie 101, 108f., 112, 114, 134, 180ff.
Religion, religiös 9ff., 38, 62, 159, 163, 203, 205, 225f., 234, 250, 256ff., 264, 283, 297, 299, 307, 320, 322, 330f., 347, 349ff., 372, 384

-sbegriff 349
-skritik 261
-sphilosophie 11, 194, 347
religionsgeschichtlich 411
religionswissenschaftlich 332
Religionen 9f.
Renaissance 249
-philosophie 106f., 110
Replikation 153
Repulsion 100
Rettung 59, 345, 361, 372
Revolution, revolutionär 148, 177, 483
Rezeption 220, 460, 478, 484
-sgeschichte 484
Rezeptivität 221
Rhetorik 134
RNA 152f.
ruah 97f., 214f.

Sabbat 51, 169
-gebot 169f., 190
-ruhe 171
Säkularismus, säkular, säkularistisch 9f., 163, 234, 261, 272, 383, 405, 435, 468, 470, 479
sacramental universe 163
Sakrament, sakramental 162f., 240
-sbegriff 163
Sakramentalität 163
Salbung 493
Sarx 341
Satan 31
Satisfaktion 451, 475
-sgedanke 451
-slehre 379, 451f., 477
-sleistung 451
-stheorie 449, 451, 453, 457, 475
s.Jesus Christus, für uns gestorben, Kreuz, Opfer, Stellvertretung, Strafleiden, Sühne, Versöhnung
Schicksalsglaube 69
-slehre 35
Schönheit 153, 160, 314
Schöpfer 9, 12, 19, 23, 32, 34, 38, 44, 62, 82f., 88, 90ff., 131, 154, 157, 160f., 170, 189ff., 196, 200, 203, 211, 230, 234, 265, 281, 289, 302f., 311, 329f.,

333, 337, 371, 373, 429, 434f., 441, 496, 499, 503f., 509
-geist 216, 225
-gott 10
-güte 36, 154, 314, 371, 499
-kraft 138, 155
-liebe 170, 195
-macht 31, 177
-tätigkeit 32
-wille 41, 118, 131, 139, 143, 156ff., 163, 201, 212, 235
-, Ohnmacht 436
Schöpfung 12f., 87, 90, 92, 96, 102ff., 110, 126, 130, 132ff., 146, 149, 154, 157ff., 162ff., 184, 188ff., 201, 203, 212, 233ff., 243, 247, 253, 259, 302, 308, 312, 328, 337, 330f., 336, 347, 356, 410, 414, 433ff.
-sabsicht 189, 194, 334
-sakt 1ff., 34, 52, 133, 152, 160, 162, 165ff., 434
-sbericht 26ff., 32, 49, 52f., 56, 92ff., 105, 133, 139ff., 154, 158, 166ff., 189f., 196, 233, 235, 238, 242
-sepos 140, 161
-sgedanke 23ff., 110, 116, 170
-sgeschehen 135, 144
-sgeschichte 173, 213
-sglaube 25f., 32ff., 78, 90, 154f., 158, 163, 175, 181, 189f., 194, 201, 289, 297, 429
-shandeln 26ff., 30f., 35, 57, 65, 69, 138, 142, 160, 170, 177, 190, 192, 201, 246, 303
-slehre 12, 122, 140, 143, 167, 175, 188, 208, 246, 315, 331
-slehre, trinitarische 15ff., 29, 49, 79
-mittler, -mittlerschaft 36, 39, 41ff., 87, 104, 132f., 158, 331, 412
-soptimismus 192
-sordnung 209
-stag 51f., 139ff., 166, 169ff.
-stat, -stätigkeit 142f., 146, 155, 160, 337
-stheologie 26, 190
-swerk 22, 97f., 104f., 138, 140ff., 156, 189

-swille 35, 189, 196
-swort 40, 137
-, am Anfang 53ff., 142, 146, 168f.
-, ewig 53ff.
-, freie Tat, nicht notwendig 15ff., 23, 28, 32ff., 43ff., 57, 69, 167
-, neue 171, 344, 347, 403, 503
-, aus nichts 28f.
-, aus der Urmaterie 28f.
-, kein Willkürakt 34, 166
-, durch das Wort 27, 31, 40
-, in, mit der Zeit 53ff., 75, 165f.
s. Trinität, Eschatologie
Scholastik, scholastisch 33, 40, 51, 63, 72, 74, 76, 134, 174ff., 204, 218, 237, 242, 277, 449, 491
Schrift, heilige 56, 454, 462, 511
-auslegung 233, 316, 343
-autorität 507
-beweis 469
-gelehrter 373f.
-prinzip 316
-zeugnis 328
Schuld 71, 190ff., 267f., 271ff., 290f., 294, 296, 299f., 456, 473, 475
-bewußtsein 269f., 299f., 307
-charakter 278
-fähigkeit 296
-gefühl 267ff., 274, 307, 455
-haftung 292
-prinzip 300
-zustand 278
Schutzengel 125
schwarze Löcher 182, 185
Schwerkraft 130, 185
Sechstagewerk 52, 166f.
Seele 32f., 45f., 96, 114, 118, 127, 192, 209ff., 223, 226f., 230, 236f., 245, 250ff., 263, 272, 291, 305, 401, 426
-nwanderung 212
Sein 43, 63, 134
-sgrund 37
-sstufen 33
-sweisen 427
Segen 155f., 465
Selbst, das 68, 208, 210, 221f., 279, 285, 295, 300, 437

-abschließung 270f.
-affektion 115
-affirmation 299, 312
-behauptung 70, 199, 231, 265, 312
-beherrschung 231
-bejahung 279, 312
-beschränkung 421
-beschuldigung 273
-bestimmung 205, 257f., 264
-bewegung 102
-bewußtsein 43, 48, 68ff., 116, 210, 221f., 227, 283f., 294, 298, 330, 498
-beziehung 222, 279
-bezug 221, 225
-disziplin 231
-entfaltung 272, 304
-entfremdung 207f.
-erfahrung 266
-erhaltung 63, 67, 222, 280
-erkenntnis 257
-erweiterung 70
-gefühl 222
-gesetzgebung 205
-gestaltung 30, 150
-identität 208
-liebe 280, 282, 287f.
-organisation 136, 150ff., 222
-realisierung 285
-rechtfertigung 287
-sein 230f., 285, 287, 295, 298
-sucht 74, 284, 290
-tätigkeit 256, 262
-transzendenz 48, 265
-überschätzung 281
-unterscheidung (der Geschöpfe) 49, 137, 161, 265, 299, 310
-verfehlung 283
-verhältnis 48, 68, 159, 200, 207
-verständnis 329, 461
-vertrautheit 68, 222
-verwirklichung 270, 433ff., 444
-vollzug 227, 295
-zweck 153
s. Bewußtsein, Ich, Geschöpf, Individuum, Mensch
Selbständigkeit, selbständig 34, 36, 45, 47, 52, 58, 64f., 75f., 91, 117f., 126, 131f., 138, 152, 156ff., 164, 189, 193, 199f., 210, 215, 228, 264, 298, 303, 311, 331, 358, 365, 388, 407f., 415ff., 428, 434f., 439f., 442, 445, 479f., 483, 500f.
Selektion 144, 153f.
 -sprinzip 153
 -stheorie 144
Seligkeit, selig 21, 254f., 376
Seligpreisung 378
Sendung
 – Jesu 350ff., 371, 375, 378f., 383ff., 407, 410, 412, 455, 485, 492f.
 – des Präexistenten 486
 – des Sohnes 21, 37, 45, 170, 315f., 341, 345, 347, 361, 412, 441, 416ff., 435ff., 441, 464, 466, 470, 479f., 483, 485, 488, 494, 496
Sendungsaussage 412, 490
Sendungsformel 341
sensorium Dei 107
Sexualität 155
Shalom 443
similitudo 240, 242f., 253
Sinai 25
Sinn 86, 172, 188, 203, 263, 268, 272
 –, innerer 115
Sinnhorizont 488
Sinnkonstitution 343
Sinnlichkeit, sinnlich 268f., 282, 294
Sintflut 140, 157, 302
 -erzählung 143, 190
sittlich 241, 257f., 267, 294, 300, 344, 347, 349, 351, 477, 492
Skepsis 394
Sklave 161
Sohn 23, 36ff., 43ff., 50, 54, 74ff., 78, 80f., 83, 88, 92, 96, 104, 107, 132f., 138, 161ff., 193f., 196f., 203f., 226, 229ff., 263, 265, 303, 314, 327, 345, 356ff., 365, 406ff., 414ff., 426, 428ff.
-esbegriff 316, 409
-esbewußtsein 415
-estitel 441, 407, 425
-esverhältnis 39, 138, 229, 357, 408, 411, 415ff., 427ff., 440, 442
-eswürde 407, 415f.

–, Gehorsam 38, 231, 335, 343, 359f., 418ff., 428, 437f., 447f., 450, 453, 479, 466, 482, 485f., 560
–, generatives Prinzip der Andersheit/Besonderung 79f., 133, 331, 429
– Gottes 316, 321f., 349, 356ff., 381, 406f., 410, 417ff., 424f., 428f., 431, 441, 460, 476, 481, 489
–, Gottheit 361
–, Handeln 488, 493
–, Möglichkeitsgrund geschöpfl. Daseins 45f., 360f., 420, 422
–, Seinsgrund der Geschöpfe 36, 46
–, Selbstaufopferung 486
–, Selbstentäußerung 360f., 418ff., 481
–, Selbsterniedrigung 360, 410ff.
–, Selbsthingabe 464, 485, 488, 490, 497
–, Selbstopfer 485
–, Selbstunterscheidung vom Vater 45f., 75, 80, 83, 88, 104, 107, 133, 161, 164, 226, 331, 360f., 365, 406, 415ff., 429ff., 497
s. Jesus Christus, Gottessohn
Sohnschaft 38, 164, 203, 331, 358, 365, 407f., 415ff., 428, 439f., 442, 445, 479f., 483, 501
Solidarität, solidarisch 339, 465, 470
soma pneumatikon 396
Sorge 268f., 299
soter 424, 488
soteria 442ff., 488, 507
Soteriologie, soteriologisch 239, 344, 441, 477, 487ff.
s. Erlösung
sozial 293, 295, 300, 465, 468
Sozinianer, sozinianisch 233, 306, 316, 343, 451, 465, 475
Spätantike 211, 215, 229, 393
spekulativ 94, 318
spiritualistisch 402
Sprachanalyse, sprachanalytisch 77, 209
Spruchquelle 376, 412, 415f., 461
Staat 347, 483
  -sverfassung 205
Statthalter Gottes 139, 160

Stellvertretung, stellvertreten 266, 310, 356, 418, 451, 454, 460ff., 473ff., 483ff., 502, 509
–, inklusive/exklusive 466, 471ff.
-sbegriff 479
-sgedanke 449, 455, 465f., 478
-stheorie 449
s. Jesus Christus, für uns gestorben, Kreuz, Opfer, Tod Jesu, Satisfaktion, Strafleiden
Sterblichkeit 305, 310f.
Stoa, stoisch 32, 68f., 98, 101f., 107, 114, 194, 211, 222, 280, 331
Strafe 269, 275, 306f., 309, 457, 472
Strafleiden 451, 453, 460, 467, 469, 472f., 481
-slehre 457
strings (phys.) 148
Subjekt 4, 6, 45f., 98, 101, 115, 128, 257, 263, 437f., 447, 457f., 475, 485ff.
Subjekt-Objekt-Differenz 221, 223, 225
Subjektivismus 454
Subjektivität 45, 77, 81, 104, 111, 115f., 221, 263, 282ff., 301, 438, 457, 475, 501
Subjektivitätstheorie, subjektivitätstheoretisch 283ff.
Substanz 108, 115, 134, 210f., 215, 243, 426
-begriff 426
Sühne 454ff., 462ff., 473ff.
  -bedeutung 463, 469
  -charakter 454, 482
  -funktion 453, 462ff., 469ff., 478, 489
  -gedanke 457, 462f.
  -geschehen 457
  -kraft 463
  -leistung 457
  -möglichkeit 457
  -motiv 463f.
  -opfer 448ff., 456, 462f., 474, 490
  -tod 456, 460, 462, 466, 470, 472, 474, 485, 488, 493f., 502, 509f.
  -vollzug 474
  -vorstellung 456, 464
  -wirkung 456, 471ff.
Sünde 52, 58, 64f., 74, 119, 131, 192ff.,

206ff., 226, 232, 241ff., 248ff., 261, 272ff., 283, 286, 290ff., 297ff., 305, 310ff., 322f., 333f., 337ff., 345ff., 356, 361, 365, 418, 444, 446ff., 458, 464ff., 473, 476, 480, 497, 507
-losigkeit Jesu 301, 345ff.
-nbegriff 283
-nbewußtsein 270
-nbockmotiv 468
-nerkenntnis 289
-nfall 195, 208, 419
-nfolge 193, 207
-nlehre 207, 283, 290
-nstrafe 307, 309
-nvergebung 349, 372f., 376, 453, 455, 507ff.
-opfer 456f.
– Tatsünde 269f., 273, 292
Ursünde 294
s. Böse, Schuld, Selbst, Verselbständigung
Sünder 194, 243f., 246, 307, 376, 417, 430, 434f., 448, 451, 455, 460ff., 472ff., 506
Sündenfall 82
superbia 279ff., 288
Supranaturalist 452
symbiotisch 221
Synedrion 380f., 384
synoptisch 353, 372, 380, 396, 406, 415
System 80, 91f., 96, 107, 127, 129, 137, 152, 199
–, autokatalysatorisch 152
–, geschlossenes 131
–, offenes 130, 135
-begriff 153

Täufer 351f., 366ff., 375, 502
Täufling 466
Tat 15, 294, 297, 300ff., 309, 312
Tatsache 34, 175, 190ff., 320, 325, 393, 400ff.
-nbehauptung 395, 401, 404f.
Tatsächlichkeit 323, 359, 387, 403
Taufe 276, 278, 342, 344f., 445f., 466, 474ff., 482, 498
– Jesu 350, 358, 408f., 414f.

-gnade 276
Technik 226, 232, 234
Teil 70, 107, 115, 149, 151, 153, 174, 179f., 183
-räume 107ff.
Teilhabe, Teilnahme 21, 47f., 74
– an der Auferstehung 390
– am Bild des eschatol. Menschen 344
– an Christi Tod 466, 478, 498
– an der Ebenbildlichkeit Jesu 238f., 246ff.
– an der Ewigkeit 117, 124, 411
– am Gehorsam des Sohnes 344
– am Geist 47, 227f.
– an der Gemeinschaft des Sohnes mit dem Vater 47, 92, 161, 163
– an Gott 48
– an Gottes Herrlichkeit 252
– an der Gottesherrschaft 371, 411, 507
– am (eschatol.) Heil 367f., 371f., 445
– an der Heilsgemeinschaft 308
– an der Kraft Gottes 156
– am (ewigen) Leben 47, 212, 253ff., 264, 311, 434, 440, 442
– am neuen Leben 446, 458, 466, 472f., 482
– am Leben Gottes 480, 422
– am Logos 245, 305, 331, 339
– am Reich Gottes 352, 480
– an der Selbstunterscheidung des Sohnes 164
– an der Sohnesbeziehung Jesu zum Vater 76, 83, 229, 499f.
– an der Sohnschaft 240, 358, 501
– an der Sünde Adams 291
– an der Totenauferstehung 338
– an der Versöhnung 509
– an der Vollendung 120
– an der Weisheit und Gerechtigkeit Gottes 252
– an der Wirklichkeit Gottes 186
s. Gemeinschaft, Heil
Teleologie, teleologisch 88, 144, 147, 187, 214, 307

telos 358
Tempel 353f., 379f., 382f.
 -kult 456
 -reinigung 353
Teufel 195, 302, 448, 453, 457
theistisch 30, 144f.
Theodizee 74, 188, 190f., 195, 201, 389
 s. Eschatologie, Rechtfertigung Gottes, Vollendung, Ziel
theologia crucis 379
Theologie 9, 13, 67, 77, 80, 87ff., 97, 101ff., 116, 120, 135, 140ff., 158, 167, 173ff., 184, 187, 192, 195f., 204, 207f., 211, 217ff., 236ff., 246f., 253, 256f., 266f., 270, 277, 281, 283, 289f., 295, 300ff., 305, 324f., 345ff., 360, 394, 405, 414, 431, 437, 445, 447, 450ff., 490ff.
Theologiegeschichte, theologiegeschichtlich 175, 261, 268, 324, 457, 494
Theologiegeschichtsschreibung 319
Theotokos 340, 358, 360
Thermodynamik, thermodynamisch 85, 90f., 118f., 122, 130, 132, 135ff., 150, 184
thomistisch 69
Tiamat 29
Tier 48, 96, 154, 157, 160, 218
Tod 71, 131, 206, 210, 214, 232, 244, 252, 268, 271, 273, 281, 301ff., 305, 311ff., 323, 334f., 337, 339, 344f., 361, 388, 394, 317ff., 433ff., 442, 444, 466, 469, 472ff., 490, 507
Tod Gottes 479, 481, 432f.
Tod Jesu 12, 197, 335, 340f., 361, 378f., 382ff., 402, 410, 417, 432, 438f., 444ff., 464ff., 490
Todesfurcht 312
Todesgeschick 291, 305, 308, 434
Todesmacht 312
Todverfallenheit 206
Toleranz 11
totalitär 478
Totenauferstehung 97, 162, 305, 338, 389ff., 405
 s. Auferstehung, Auferweckung

Tradition 9, 11, 165, 196f., 204, 208, 230, 262, 271, 320f., 325, 351, 354f., 374f., 400
Traditionsgeschichte, traditionsgeschichtlich 326, 327f., 423
Traduzianismus 213, 291
Trägheit (phys.) 67f., 99, 101
 -sdefinition 108
 -sprinzip 66f., 69
transfinit 179
transzendendal 134, 333
Transzendendalphilosophie 224
Transzendenz, transzendent 47, 80, 96, 105, 214f., 234f., 252, 330f., 402, 422
Trennungschristologie 343, 429
Triebfeder 282, 294
Triebleben 48
Trinität, trinitarisch 13, 34, 38, 42, 45, 75ff., 92, 104, 107, 165, 231, 263, 240, 251, 319, 323, 328, 330, 333, 360, 422, 433f., 437f., 460
 -, immanente und ökonomische 432
 -, Personen 15ff., 19, 41, 43, 104, 107, 165, 438
 -, Relationen 229, 438
 Wirken nach außen 15ff.
 s. Geist, Gott, Sohn, Vater
Trinitätsanalogien, psychologische 16
Trinitätsdogma 41
Trinitätslehre 11, 33, 42, 49, 81, 240, 328, 331, 333
Trinitätspsychologie 16, 72
Trinitätstheologie, trinitätstheologisch 34ff., 81, 229, 316, 454, 484
Tugend 255
 -gesetz 294
Tun-Ergehen 456
Typentheorie 180
Typologie, typologisch 51, 172, 241, 344, 359

Ubiquität 109, 432
Übel 31, 76, 119, 190ff., 272, 306ff.
 -, metaphysisches 197ff.
 -, moralisches 197ff.
 -, physisches 197ff.

Überlieferung 172, 184, 352, 359, 366, 375ff., 391, 397, 401f., 405f., 413
übernatürlich 220, 255, 265
Übertretung 245
Umkehr 351
Umwelt 91, 153, 159
unbegrenzt 108, 110, 177, 180, 183
Unendliche, unendlich 38, 62, 105ff., 149, 175ff., 198, 201, 221, 263f., 284f., 299, 331, 418, 476
-, wahrhaft 283f.
Unendlichkeit 106, 177ff., 401
Ungehorsam 302, 448
Unglaube 191, 264, 271, 288f.
Unheil 443, 465
Universalienfrage 64
Universalität, universal 168, 366, 393, 438, 471, 489, 509
Universum 62, 70, 79, 83ff., 88, 93ff., 100, 119, 138ff., 146, 150ff., 160, 162, 171, 177ff., 195f., 198, 203, 282
-, flaches 185
-, geschlossenes 182
s. Kosmos, Kosmologie, Physik, Welt
Unmittelbarkeit 92f., 500, 511
Unsterblichkeit, unsterblich 95, 211, 220, 240, 244f., 250ff., 305, 339, 401, 418
Unteilbarkeit, unteilbar 107, 109
Unterdrückung 71, 231, 439
Unumkehrbarkeit der Zeit 85ff., 118, 183
Unvergänglichkeit, unvergänglich 173, 201, 252, 254
Urbild 39ff., 87, 170, 172, 238f., 248, 252, 285, 301, 337f., 344, 348
Urbildlichkeit Christi 256
Urchristenheit 392, 409, 486
Urchristentum, urchristlich 126, 172, 190, 315f., 321f1385, 390ff., 402, 412f., 418, 423ff., 461, 462, 467, 469, 471, 478, 488f., 495, 502f.
Urflut 29
Urgeschichte 168, 172, 281, 302
Urheber der Welt, intelligenter 151, 178, 187
Urknall 79, 150, 180
Urmaterie 28

Ursache, erste 102, 175
Ursprung 12, 25, 32ff., 45ff., 53, 75, 77, 80, 114ff., 124, 118, 120, 131f., 149, 153, 158, 165, 169, 173ff., 186, 188, 192f., 198, 200, 217, 227f., 297, 302, 334, 385, 388, 422, 430, 435, 438, 499
Urstand 241ff., 250ff., 300, 309
-sgerechtigkeit 242
-sgnade 242
-slehre 195
Urteilskraft 151
Urzeit 49, 172
utilitaristisch 62

Vätergottheit 25
Vätertradition 25
Vater 23, 35ff., 43ff., 74ff., 80, 83, 88, 92f., 104, 107, 133, 138, 161, 163, 194, 226, 231, 265, 303, 305, 310, 316, 330, 341, 345, 356f., 360f., 377f., 385, 388, 406ff., 414ff., 422, 425, 428ff., 433ff., 445, 448ff., 476ff., 484, 488ff., 494ff.
-, Gottheit 36, 436
-, Herrschaft 231, 420, 436
-, Königtum 434f.
-, Mitleiden 435
-, Monarchie 231
-, Majestät, die 420
-, Reich, das 415, 479, 495, 504
-güte 373, 504
Vaterunser 368, 357
Verabsolutierung 234
Verantwortlichkeit, verantwortlich 257, 267, 272, 277f., 290ff., 300
Verantwortung 156f., 192ff., 234, 269, 296, 299f., 302, 314
Verderbensmacht 131
Vereinzelung 465
Vererbung 144, 268, 277, 281, 291
-stheorie 282
-svorstellung 282, 292
Verfehlung 212, 289, 465
Vergänglichkeit 93, 118, 131, 160, 162, 199, 201, 206, 244, 266, 313, 361
Verheißung 168, 260, 404, 418, 436
Verherrlichung, verherrlichen 39, 74f.,

561

83, 226, 261, 311, 376, 422, 435 ff., 500, 489, 506
Verinnerlichung 48, 138, 227, 159
Verkehrung 156, 227, 279 ff., 283, 291, 294, 299
Verkündigung 13, 172, 259, 316, 361, 393 f., 402, 406, 413, 418, 458, 475, 484, 486 f., 496, 505, 509 ff.
Vernunft 144 f., 177, 189, 192, 204 f., 217 ff., 226, 236, 240, 250, 262, 268, 289, 304, 314
-erkenntnis 220
-grund 192
-natur 222
-tätigkeit 220
-wesen 204 f.
Verselbständigung 64, 67, 83, 104, 124, 135, 199 f., 207, 361, 434, 436
Versöhner 19, 489
Versöhnung, versöhnen 10, 13, 20, 22, 57, 59, 77, 92, 157, 192, 194, 196, 201, 266, 315, 328, 355 f., 361, 410, 434 f., 440 ff., 474, 476, 482 f., 487 ff., 494, 498
-samt 487, 490 f., 494
-sbotschaft 454
-sgedanke 474
-sgeschehen 447 ff., 457 ff., 474, 481, 484, 498, 505, 509 f.
-shandeln 510
-slehre 447, 452, 457, 411
-stag 456
-stod 450, 484, 504
-, Begriff 447 ff., 459 f., 477 f., 483
-, Subjekt 447 ff., 487 ff.
-, Zueignung und Aneignung 459 f., 474, 209
s. Jesus Christus
Verstand 148, 177, 220 f.
-esbegriff 177
Versuchung Jesu 335, 375
Vertrauen 71, 288 f.
Verwandlung 76, 238, 247, 249, 338, 344, 402, 488
Verwerfung 458
Verzweiflung 285, 287, 298
Viele, das 42

Vielheit 42, 79 f., 179, 197
vis impressa 99
vis insita 66, 99
Vitalismus, vitalistisch 97, 153
Volk Gottes 347
Vollender 19, 23
Vollendung 13, 20 ff., 35, 72 ff., 93, 117 ff., 124, 132, 134, 138, 145, 162 ff., 170 f., 189 ff., 196, 201, 203, 209, 219, 241 f., 250, 261, 266, 303, 365, 436, 459 f.
– der Geschöpfe 22, 30, 39, 59
– der Heilsteilhabe 446 f.
– der Königsherrschaft Gottes 72
– der Welt 34, 49, 57, 327, 331, 337 ff., 392 f., 404, 427
s. Eschatologie, Theodizee, Ziel
Vollkommenheit 190, 195, 199, 238 ff., 337, 338
Voluntarismus 176, 198 f.
Vorgriff 196, 201, 230
Vorsehung 32, 51 f., 62, 75, 171, 194 f., 232, 250, 262, 314, 484
-sglaube 71
-slehre 70, 72, 194 f.
vorsokratisch 101
Vorverständnis 328
Vorwegereignung 393
Vorwegnahme 371, 392
Vulgata 73

Wahl 269, 296 ff.
-freiheit 302
Wärmetod 185
Wahrheit 77, 172, 220, 224, 226 f., 230, 270, 305, 342, 373, 399, 423, 439, 469, 483, 490, 510 f.
-sanspruch 9 ff., 77, 259, 403
-sbedingung 392
-sbewußtsein 11, 78
-sgarantie 510
-smoment 193
– der Christusoffenbarung
– des Glaubens 77
– Gottes 13, 90, 439, 496
– der christlichen Lehre 326
– des Redens von Gott 11

- Strittigkeit 9
Wahrnehmung 227, 297
Wahrscheinlichkeit 121, 137
-sbegriff 135
Weisheit, göttliche 39f., 47, 87, 216f., 236, 239, 244, 252f., 304
Weisheitsliteratur 87, 219, 248, 252
Weisheitsspekulation 411
Weissagung 380, 383, 510
Welt 9ff., 19, 34f., 60, 77ff., 87ff., 108, 139, 157ff., 163ff., 181, 190ff., 221ff., 229, 270, 279, 282, 295, 299, 314f., 328ff., 337, 341, 361, 366, 373, 391, 403, 410ff., 433ff., 483, 486ff., 494ff.
-, zeitlicher Anfang 181ff.
-, die beste mögliche 198
-all 75
-begriff 12
-beschreibung 89
-bewußtsein 221
-bezug 227
-bild 67, 77, 88, 94, 114, 129, 144, 146, 177
-drama 87
-ende 182, 184f.
-entstehung 25, 46
-erfahrung 263
-erkenntnis 139f.
-erklärung 184
-gericht 444
-geschehen 100, 131, 171
-geschichte 170, 490
-handeln Gottes 87
-interpretation 11, 189
-kräfte 59
-offenheit 263
-plan 41
-prozeß 80, 86, 132, 165f., 169, 186f.
-regierung 51f., 58, 69ff., 194, 313f., 352
-reich 168, 366
-schöpfung 424
-seele 32, 45, 116
-verhältnis 221
-verständnis 12f., 78
-verwandlung 82
-vollendung 82, 170f.

-wissen 140
s. Kosmos, Natur, Universum
Wesen
-sform 210, 213
-skonstitution 343
- des Endlichen 177, 183
- der Engel 126
- des Menschen 262, 271, 330
- der Welt 45
- der Zeit 113ff.
Wesenheit 240, 426, 429
Wiedergeburt, Wiedergeborene 308, 389
Wiederherstellung 240ff.
Wiederkunft Christi 170, 184, 392f., 398, 400, 488
s. Parusie
Wiederverkörperung 212
Wille, menschlicher 197, 262, 268, 275, 278f., 283ff., 290ff., 297
Willensfreiheit 302, 314
Willkür 34, 205, 235
willkürlich 313
Wissenschaft, wissenschaftlich 77, 90, 120, 129, 154, 182, 210, 232
Wohl 71
-ergehen 70
Wort Gottes 47, 49, 54, 132, 506
Wort
-geschehen 505
-verständnis 506
Würde 70, 153, 203ff.
Wunder 60ff., 90, 154
-begriff 62

Zeichen 162f., 509
-haftigkeit 13, 163
-handlung 353, 378ff.
Zeit 20, 52ff., 61, 75, 79, 81ff., 105ff., 112ff., 130ff., 141, 148, 165ff., 170ff., 182ff., 303, 311f., 403, 458f.
-ablauf 183
-begriff 174, 188
-bewußtsein 112ff., 119
-dauer 182
-erfahrung 115
-erleben 113
-folge 21, 117

-lehre 115
-losigkeit 21, 53, 55, 81, 173f.
-maß 174, 182
-messung 114
-modi 113ff.
-momente 114, 116, 124, 183, 188
-richtung 131
-spanne 112, 184
-theorie 114
-, absolute 178, 182
-, leere 183f.
-, Ursprung 32f., 53ff.
zelem 233
Zelle 96, 153
Zentriertheit 298
Ziel 132, 194f.
- des Handelns Gottes 75, 160
- des menschlichen Lebens 232, 256, 261ff., 274
- der Schöpfung 69ff., 92f., 157, 250, 434

Zion 502, 509

Zufall 55, 137, 158

Zukunft 21, 48, 72, 80, 82, 84f., 113ff., 120ff., 130ff., 159, 162, 164f., 171, 185ff., 250, 257, 288, 311, 350, 393, 401, 410, 438, 440ff., 458, 489, 503
-shoffnung 310f., 394

Zulassung des Bösen 76, 194ff.

Zurechnung des Verdienstes Christi 267ff., 276, 451

Zweck 6f., 70ff., 194

Zwei-Naturenlehre 426ff., 433, 450

Zwei-Reiche-Lehre 347

Zweitursachen 102

Albrecht Peters

Kommentar zu Luthers Katechismen

Herausgegeben von Gottfried Seebaß

Der Katechismus enthält nach Luthers Überzeugung den zentralen Inhalt der Heiligen Schrift als Wort Gottes. Er ist von daher für jeden Christen Erinnerung an die wesentlichen Inhalte des christlichen Glaubens. Noch heute ist er Grundlage für den Unterricht der Kirche.

Der historisch-systematische Kommentar von Albrecht Peters, in vieljähriger intensiver Arbeit gewachsen, will zum theologischen Verständnis und damit zu rechter Lehre und Meditation des Katechismus anleiten. Indem er den Katechismus von Schrift und kirchlicher Tradition her versteht und prüft, vollzieht er gleichzeitig eine bleibende reformatorische und ökumenische Aufgabe. Daß damit zugleich eine Art Kompendium der Theologie Luthers in seelsorgerlicher Absicht vorgelegt wird, macht das Werk nicht nur für den Theologen, sondern für jeden interessierten Leser wertvoll.

Band 1: Die Zehn Gebote. Luthers Vorreden. 1990. 325 Seiten, kartoniert
Im ersten Band legt der Autor Luthers Vorreden und die Zehn Gebote aus.

Band 2: Der Glaube. 1991. 266 Seiten, kartoniert
Der Verfasser kommentiert die Auslegung Luthers im großen und kleinen Katechismus zum „Glauben", d. h. zum apostolischen Glaubensbekenntnis. Es ist die Grundlage für die Taufe und verbindet die Kirche weltweit und von Anfang an.

Band 3: Das Vaterunser. In Vorbereitung.

Band 4: Taufe. Abendmahl. In Vorbereitung.

Band 5: Beichte. Haustafel. Traubüchlein. Taufbüchlein. In Vorbereitung.

Bei Subskription der Reihe 10 % Ermäßigung.

Vandenhoeck & Ruprecht · Göttingen und Zürich

Vernunft des Glaubens

Wissenschaftliche Theologie und kirchliche Lehre.
Festschrift zum 60. Geburtstag von Wolfhart Pannenberg.
Mit einem bibliographischen Anhang.
Hrsg. von Jan Rohls und Gunther Wenz. 1988. 734 Seiten,
1 Frontispiz, Leinen

Inhalt: I. Philosophie und Fundamentaltheologie: L. B. PUNTEL, Das Verhältnis von Philosophie und Theologie. / D. HENRICH, Ding an sich. Ein Prolegomenon zur Metaphysik des Endlichen / H. FRIES, Fides quaerens intellectum / F. WAGNER, Zur vernünftigen Begründung und Mitteilbarkeit des Glaubens / H. KÜNG, Die Funktion der Religion zur Bewältigung der geistigen Situation / M. SECKLER, Was heißt Offenbarungsreligion? / T. KOCH, Die Angst und das Selbst- und Gottesverhältnis. Überlegungen im Anschluß an Kierkegaard / D. RÖSSLER, Vom Sinn der Krankheit / T. RENDTORFF, Theologiestudium – Ausbildung durch Wissenschaft? – **II. Historische Theologie:** O. H. STECK, Der Kanon des hebräischen Alten Testaments. Histor. Materialien für eine ökumen. Perspektive / K. KOCH, Qädäm. Heilsgeschichte als mythische Urzeit im Alten (und Neuen) Testament / G. KRETSCHMAR, Die Wahrheit der Kirche im Streit der Theologen. Überlegungen zum Verlauf des Arianischen Streites / B. LOHSE, Zur theologischen Methode Anselms von Canterbury in seiner Schrift ‚Cur Deus homo' / H. BERKHOF, Die Welterfahrung des Glaubens nach Artikel 2 der Confessio Belgica / H. TIMM, Joh. Gottfr. Herder als Vordenker der Lebensweltheologie in Deutschland / F. W. GRAF, Die ‚antihistorische Revolution' in der protestantischen Theologie der zwanziger Jahre / J. ROHLS, Credo ut intelligam. Karl Barths theologisches Programm und sein Kontext / E. MÜHLENBERG, Dogmatik und Kirchengeschichte. – **III. Systematische Theologie:** J. RINGLEBEN, Gottes Sein, Handeln und Werden. Ein Beitrag zum Gespräch mit Wolfhart Pannenberg / E. JÜNGEL, Verweigertes Geheimnis? Bemerkungen zu einer unevangelischen Sonderlehre / D. WENDEBOURG, Zur Trinitätslehre in der neueren orthodoxen Theologie / R. LEUZE, ‚Homo factus est' – zur wiedererwachten Aktualität des Mythosbegriffs und ihrer Bedeutung für die Christologie / G. WENZ, Erwägungen zum reformatorischen Schriftprinzip / F. MERKEL, Buße und Herrenmahl / J. MOLTMANN, Der ‚eschatologische Augenblick'. Gedanken zu Zeit und Ewigkeit in eschatologischer Hinsicht. – **IV. Ökumenische Theologie:** W. KASPER, Kirche und neuzeitliche Freiheitsprozesse / H. DÖRING, Müssen Spaltungen wirklich sein? / H. LÖWE, Die Kirchen vor der Aufgabe der Rezeption von Ergebnissen ökumenischer Gespräche und Verhandlungen / U. KÜHN, Evangelische Rezeption altkirchlicher Bekenntnisse / P. NEUNER, Dialog als Methode der Ökumene. – **V. Bibliographie.**

Vandenhoeck & Ruprecht · Göttingen und Zürich